D0783813

# Dictionnaire des écrivains québécois contemporains 1970–1982

UNION DES
ÉCRIVAINS QUÉBÉCOIS

# DICTIONNAIRE DES ÉCRIVAINS QUÉBÉCOIS CONTEMPORAINS

Recherche et rédaction
Yves Légaré

QUÉBEC/AMÉRIQUE

450 est, rue Sherbrooke, Suite 801,
Montréal, Québec, H2L 1J8
Tél.: (514) 288-2371

Diffusion :
HACHETTE CANADA INC.
4435, boul. des Grandes Prairies
Montréal QC H1R 3N4
Tél. (514) 327-6900


DÉPÔT LÉGAL :
BIBLIOTHÈQUE NATIONALE DU QUÉBEC
1er TRIMESTRE 1983
ISBN 2-89037-158-1

# AVANT-PROPOS

Les écrivains québécois contemporains : qui sont-ils, qu'ont-ils écrit ? Mettre à la disposition des lecteurs un ouvrage de référence pratique et de consultation facile, tel est l'objectif que poursuivait l'Union des écrivains en constituant ce dictionnaire.

En 1979, l'Union avait fait paraître le *Petit Dictionnaire des écrivains* ; cet ouvrage ne réunissait que ses membres (180 à l'époque) et pourtant il répondait déjà, en partie du moins, au besoin des lecteurs de se familiariser avec les artisans de notre littérature. Nous avons voulu poursuivre cette démarche en ouvrant les pages du *Dictionnaire* au plus grand nombre possible d'auteurs.

Ni critique, ni analytique, le *Dictionnaire des écrivains québécois contemporains* n'a nullement la prétention de rivaliser avec des publications de l'envergure du *Dictionnaire des œuvres littéraires du Québec*. Notre travail s'inscrit dans l'actualité. Nous risquons, dès lors, de commettre des erreurs. Mais ce risque nous n'hésitons pas à l'assumer parce que nous voulons contribuer, dans la mesure de nos moyens, à la promotion des écrivains et des livres québécois.

### Critères d'admissibilité

La production littéraire québécoise depuis 1970 est abondante et diversifiée. Elle regroupe une multitude d'auteurs qui témoignent de différents courants, de diverses tendances. Nous avons cherché, en établissant nos critères d'admissibilité, à refléter le plus fidèlement possible la vie littéraire québécoise.

Ce dictionnaire regroupe

- les membres de l'Union des écrivains québécois,

- les écrivains qui ont publié au moins deux œuvres en littérature (roman, essai, poésie, théâtre, littérature de jeunesse) depuis 1970 ; ceux-ci doivent
  — être nés au Québec
  — ou y vivre ou y avoir vécu suffisamment longtemps pour y être identifiés.

Ce dernier critère n'est ni linguistique ni culturel, il est essentiellement territorial. Il englobe donc non seulement les auteurs francophones, mais également ceux de toutes origines et langues. En ce sens, ce dictionnaire n'est pas celui de la littérature québécoise mais celui des écrivains du Québec.

En sont cependant exclus

- les écrivains acadiens, de par leur appartenance à la littérature acadienne,
- les écrivains anglophones nés au Québec mais habitant depuis longtemps au Canada anglais, de par leur identification à la littérature canadienne-anglaise.

**Inventaire des œuvres, des écrivains**

Nous avons dépouillé les cahiers de la *Bibliographie du Québec* afin d'établir l'inventaire des publications littéraires depuis 1970. Cependant, nous ne pouvions ignorer que le dépôt légal n'est pas toujours fait de façon systématique ; en outre, les ouvrages parus à l'extérieur du Québec ne sont qu'exceptionnellement répertoriés par la Bibliothèque nationale. Nous avons cherché à combler ces lacunes en nous appuyant sur les renseignements obtenus auprès des écrivains, dans les quelques autres ouvrages de référence bibliographiques qui existent ainsi qu'auprès d'organismes culturels.

Un questionnaire a été envoyé aux auteurs dont nous avions les coordonnées. Les réponses ont servi à rédiger la plupart des notices bio-bibliographiques de ce dictionnaire. Nous avons dû, par ailleurs, consulter la documentation du Secrétariat des relations publiques de Radio-Canada, le *Dictionnaire pratique des auteurs québécois*, le *Dictionnaire des auteurs des Cantons de l'Est*, celui des *Écrivains de la Mauricie*, ainsi que bon nombre de périodiques littéraires.

Nous avons également pu compter sur la collaboration du Centre d'essai des auteurs dramatiques, de la Writers' Union of Canada, de la League of Canadian Poets et de plusieurs éditeurs.

Certains écrivains sont demeurés introuvables, quelques-uns ont choisi de ne pas collaborer, quelques autres ont été inscrits en fin de course à la parution de leur deuxième ouvrage ; dans ces cas, nous ne pouvons publier qu'un minimum de renseignements, parfois la seule bibliographie.

## Notices biographiques

En rédigeant les notices biographiques, nous avons cherché à donner un aperçu des étapes importantes de la vie d'un auteur : lieu et date de naissance, pseudonyme, études, emplois, activités littéraires, participation à des associations, collaboration aux revues, journaux, prix littéraires, etc.

La longueur des notices tient compte du nombre de titres qu'un auteur a publiés, de l'importance de sa contribution à la littérature et des informations dont nous disposions.

Le texte des notices donne la forme féminine des mots qui se rapportent à la profession d'écrivain (écrivaine, auteure, etc.).

## Bibliographie

La bibliographie comprend l'ensemble des œuvres d'un écrivain, ses œuvres traduites, ses traductions ainsi que les études portant sur son œuvre, telles qu'elles sont répertoriées dans la *Bibliographie du Québec*.

Elle exclut

- les rééditions sauf si elles ont été augmentées ou remaniées de façon notable,
- les articles de revues, exception faite des numéros spéciaux consacrés à un auteur,
- les anthologies qui n'ont été inscrites qu'au nom du compilateur à moins qu'un auteur y ait occupé une place prépondérante,
- les œuvres dont le dépôt légal n'a pas été fait au Québec (à moins que les sources d'information secondaires n'aient pu fournir les renseignements nécessaires).

La bibliographie était à jour au 1er mai 1982. L'entrée des données bibliographiques englobe généralement les renseignements suivants : titre, genre, lieu, maison d'édition, date de publication, nombre de pages, collection, description iconographique et numéro d'ISBN.

## Remerciements

Ce dictionnaire fut entrepris en mars 1980. Depuis ce jour jusqu'à sa publication, nous avons pu compter sur la collaboration de nombreuses personnes, de nombreux organismes. Nous tenons à remercier les écrivains, les éditeurs et, pour les auteurs décédés, les héritiers qui ont bien voulu répondre à nos questions. De même le Service des relations publiques de Radio-Canada, la Bibliothèque nationale, la League of Canadian Poets et la Writers' Union of Canada nous ont-ils été d'un grand secours. L'aide du ministère des Affaires culturelles du Québec et du Conseil des arts du Canada nous a été aussi des plus précieuse.

Enfin, un tel ouvrage n'aurait pu paraître sans le concours de Dany Noël, Jean Yves Collette, Michel Gay, Ginette Major, Louis Gauthier et Louise Anaouïl qui y ont tous contribué soit en révisant les textes ou en rédigeant certaines notices, soit en contribuant aux recherches ou à la mise en forme du manuscrit.

**Yves LÉGARÉ**

# PRÉFACE

## UNE LITTÉRATURE VIVANTE

### Rétrospective

Peuple sans histoire et sans littérature, pour reprendre le mot tristement célèbre de Lord Durham venu enquêter à la suite de la rébellion avortée de 1837-38, peuple vivant dans les villages, replié sur lui-même à l'ombre des clochers, deux fois vaincu mais qu'une « revanche des berceaux » doublée d'une invasion, littéralement, des villes allait rendre à lui-même bien que ses premiers pas fussent encore incertains, peuple voué par l'abandon des pratiques coloniales françaises en terre d'Amérique à la lente assimilation, qui eût pu imaginer il y a un siècle et demi qu'il en sortirait une telle quantité d'écrivains, chacun et chacune explorant à sa façon la réalité ou ce qui en tient lieu ?

Ce bouillonnement, cette effervescence constitue d'ailleurs un phénomène relativement neuf. Les conséquences de notre repli historique, suite à la défaite des Plaines d'Abraham, d'abord, et du Traité de Paris qui devait s'ensuivre par où se voyaient cédées à l'Angleterre les terres françaises d'outre-Atlantique, les élites intellectuelles rentrant alors pour la plupart dans la Mère Patrie, auront été néfastes sur le plan strictement littéraire. Il faudra attendre les années 1830, années qui coïncident avec une tentative d'affirmation populaire de l'existence même d'une entité organique différente de celle du néo-colonisateur, pour que paraissent notre premier recueil de poèmes, *Épîtres, Satires, Chansons, Épigrammes et Autres Pièces de vers*, de Michel Bibaud, et notre premier roman, *le Chercheur de trésors ou l'Influence d'un livre*, de Philippe Aubert de Gaspé fils. Ces œuvres n'ont plus de nos jours qu'un intérêt strictement documentaire. Vaincus une deuxième fois, les Canadiens, qui allaient devenir avec la Confédération de 1867 des Canadiens français puis, avec la nouvelle vague du nationalisme amorcée il y a un quart de siècle, des Québécois, produiraient cent ans durant une littérature essentiellement édifiante et conservatrice. Le roman oscillerait entre le pôle historique et ce fameux terroir promis à nos ancêtres à défaut d'un pays. La poésie, à quelques rares exceptions près, exaltait la patrie, la terre, tout en se perdant en bondieuseries de toutes sortes. La France apparaissait comme une sorte d'idéal, d'irréparable perte. Quant au théâtre, hormis quelques tentatives plus ou moins calquées sur les modèles européens, à toutes fins utiles il n'existait pas.

Cette période a d'ailleurs coïncidé avec l'apogée du pouvoir du clergé. On imagine mal de nos jours, surtout chez les moins de quarante ans, par quelles ramifications le peuple était condamné au silence. Mais tel était pourtant bien le cas : un écrivain qui ne se conformait pas se voyait condamné à vivoter ou à quitter le Québec. Une dénonciation du haut de la chaire pesait lourd au début du siècle. Des ouvrages qui nous semblent bien innocents, tels que *la Scouine* ou *Marie Calumet*, ont pourtant été victimes de ces oukases. Dans le premier cas, Albert Laberge s'est tu, ne publiant qu'à quelques dizaines d'exemplaires et à ses frais les ouvrages qu'il distribuait gratuitement à ses amis ; Rodolphe Girard, pour sa part, a dû faire carrière dans la capitale fédérale.

Les romans du terroir participaient de la volonté politique d'occuper la terre. À défaut de pays, il fallait se rabattre sur la patrie. Presque toujours la terre était idéalisée. Les descriptions étaient idylliques. On se serait presque cru au paradis. On verra même dans *Maria Chapdelaine*, roman par excellence de l'absurde et de la résignation, l'incarnation du courage et de la fidélité. À côté de ce chef-d'œuvre, quelques romans surnagent encore : *la Terre paternelle*, de Patrice Lacombe, et *Charles Guérin*, de P.-J.-O. Chauveau, bien qu'édifiants à leur façon, lointains ancêtres d'un genre qui allait dégénérer, peuvent encore être lus avec quelque profit, davantage comme documents que comme romans.

En poésie, une lecture de la monumentale anthologie *la Poésie québécoise*, de Pierre Nepveu et Laurent Mailhot, permet de constater que de nombreux écrivains avaient attaqué par toutes sortes de biais le conformisme de rigueur avant que ne se fasse entendre Saint-Denys Garneau, dont les *Regards et Jeux dans l'espace* datent de 1937. Ces œuvres sont pour la plupart inaccessibles, le Québec rééditant peu ses poètes. De tous ces poètes, Émile Nelligan est bien entendu le plus célèbre puisqu'il a, lui seul, été élevé à la dimension d'un mythe. Mais il ne faudrait pas oublier Eudore Évanturel qui, par le ton de quelques-uns de ses poèmes, annonce Apollinaire, ou Jean-Aubert Loranger, que ses textes plaçaient à l'avant-garde des années 20. À l'instar d'un Paul Morin, leurs œuvres sont toujours disponibles. Ce qui n'est pas le cas de plusieurs de ceux et de celles que l'on a qualifiés d'exotiques, sans doute pour signaler qu'ils œuvraient hors des sentiers battus. C'est à Simone Routhier que revient le mérite d'avoir fait paraître le premier recueil de poèmes en vers libres produit par un écrivain du Québec, quelques années avant Garneau. Mais c'est à celui-ci que l'on doit sans doute la transformation la plus profonde de toutes, bien que son œuvre ait dû sauter une génération avant de commencer à être reconnue à sa juste mesure.

La Deuxième Guerre mondiale a eu pour effet de faire éclater les horizons. Avant même la fin du conflit, Alain Grandbois faisait paraître *les Îles de la nuit*, bientôt suivi en 1948 de *Rivages de l'homme* puis, en 1957, de *l'Étoile pourpre*. Réunis en un volume, ces trois recueils de poèmes devaient inaugurer la collection « Rétrospectives » des Éditions de l'Hexagone, collection qui allait rassembler par la suite les œuvres des poètes qui ne faisaient que commencer à produire lorsque les ouvrages de Grandbois paraissaient. La génération dite de l'Hexagone lui doit d'ailleurs beaucoup plus qu'à Garneau, mais plusieurs de ses représentants les plus autorisés se sont aussi nourris à d'autres sources. Gilles Hénault est sans doute le plus méconnu de ces poètes. Son *Théâtre en plein air* paraît en 1946; *Totems*, en 1953; *Sémaphore* suivi de *Voyage au pays de mémoire*, en 1962; *Signaux pour les voyants*, qui reprend ces recueils, en 1972. Sa poésie tranche nettement, à ses débuts, sur les préoccupations de l'époque. Dans un lyrisme farouche, il intègre à son œuvre des éléments anthropologiques et sera le premier à aborder tant les questions amérindiennes que prolétariennes dans une forme résolument moderne. Anne Hébert, pour sa part, après avoir fait paraître *les Songes en équilibre* en 1942, poèmes qui ne seront pas repris par la suite, donnera *le Tombeau des rois* en 1953 et *Mystère de la parole* en 1960 dans ses *Poèmes* qui reprennent aussi son titre précédent. La poésie d'Anne Hébert procède par images fulgurantes qui agissent en contrepoint. Si *le Tombeau des rois* se veut un cérémonial de la mort, avec ses figures volontiers hiératiques, *Mystère de la parole* célèbre la vie. Dans le premier cas, son vers bref témoigne d'une recherche formelle qui ne doit plus grand-chose à son cousin Saint-Denys Garneau, à qui *les Songes en équilibre* l'apparentaient nettement, tandis que *Mystère de la parole* se déroule en amples versets. En 1946, par ailleurs, paraissent les *Ballades de la petite extrace*, d'Alphonse Piché qui, ayant fait la preuve de ses dons pour cette forme traditionnelle, élaborera par la suite une œuvre de plus en plus libre dont le *Dernier Profil* vient tout juste de paraître.

Roland Giguère, pour sa part, nourri de surréalisme, vient à la poésie par le biais de la typographie. Son premier titre, *Faire naître*, paraît en 1949, tandis que paraissait un an plus tôt le premier titre de Paul-Marie Lapointe, *le Vierge incendié*. Ses recueils des années 50 ayant fait l'objet de tirages plutôt confidentiels, ce n'est qu'au milieu des années 60, avec la parution de *l'Âge de la parole* puis de *la Main au feu*, tous deux dans la collection « Rétrospectives », que l'œuvre de Giguère atteindra un plus large public. Sa richesse fait qu'elle a donné lieu à de nombreuses interprétations contradictoires, mais malgré le plaisir très évident que Giguère prend à travailler avec les mots, ses poèmes ont acquis au cours des ans une netteté et une simplicité peu communes. L'itinéraire de Paul-Marie Lapointe, récipiendaire en 1976 de l'International Forum Poetry Award, s'articule pour le moins très différemment. Qu'il s'agisse des improvisations du *Vierge*, de la somptueuse litanie de son célèbre poème *Arbres*, de la précision des poèmes de *Pour les âmes*, qui oscillent sans cesse entre leurs nombreux pôles en laissant ses lecteurs en déséquilibre, ou encore de ses récentes *Écritures*, ouvrage monumental qui se veut pure invention verbale, sans oublier les mythographies des *Tableaux de l'amoureuse*, nous sommes confrontés à l'une des hautes œuvres, selon certains, de ce siècle, tant par la densité de ce qui y est dit que par la capacité d'invention de son auteur.

Rina Lasnier, par ailleurs, après avoir fait paraître quelques recueils honnêtes au cours des années 40, donne en 1950 *Escales*, qui amorce une succession de titres importants. Son œuvre, d'une sensualité qui éclate dans presque chaque ligne, nourrie aux sources bibliques, est d'une facture classique. Par ses préoccupations, elle appartient d'ailleurs davantage à la génération des grands ancêtres aux côtés de Garneau, Grandbois et Anne Hébert qui ont tous indiqué de nouvelles voies.

Deux romans parus au cours des années 40 valent surtout d'être signalés: *Bonheur d'occasion*, de Gabrielle Roy, qui vaudra à son auteur le Prix Fémina, et *les Plouffe*, de Roger Lemelin, qui allait connaître un destin plutôt extraordinaire grâce à la télévision d'abord puis au cinéma. Si, en effet, plusieurs signes avant-coureurs permettent en rétrospective de comprendre que la poésie allait nécessairement se transformer en une entreprise multiple, ces deux romans coupaient presque d'un seul coup tout lien avec le passé par leurs préoccupations sociales. Gabrielle Roy allait récidiver bientôt avec *Rue Deschambault*, puis entreprendre une œuvre faite surtout de réminiscences qu'elle poursuit à ce jour, tandis que Lemelin allait être de plus en plus accaparé par la télévision et des préoccupations extra-littéraires. Ces deux romans tranchaient avec la production de leur époque en ce qu'ils étaient réalistes dans un monde d'illusionnistes. Jean-Jules Richard faisait paraître pour sa part *Neuf Jours de haine*, roman de la guerre d'une puissance peu commune et récidivait presque aussitôt avec *Ville rouge*, un recueil de nouvelles malheureusement méconnu. Germaine Guèvremont, avec *le Survenant*, allait créer l'un des personnages les plus attachants de la mythologie québécoise. Autre personnage attachant, qui lui est d'ailleurs antérieur, *Menaud maître-draveur* de Félix-Antoine Savard paraît en 1937.

Côté théâtre, les années 40 appartiennent aux Compagnons de Saint-Laurent, fondés par le père Émile Legault, troupe dont certains jeunes comédiens d'alors fonderont par la suite le Théâtre du Nouveau Monde, de même qu'à Gratien Gélinas, dont *Tit-Coq* connaîtra une carrière exceptionnelle. Gélinas récidivera au cours de la décennie suivante avec *Bousille et les*

*Justes*, mais les années 50, de même qu'une bonne partie des années 60 appartiennent davantage à Marcel Dubé qui sera à toutes fins utiles le seul dramaturge québécois durant une bonne quinzaine d'années. Il faut tout de même signaler les pièces de Jacques Languirand qui doivent beaucoup au théâtre de l'absurde ; celles, ultra-nationalistes, de Françoise Loranger ; celles, enfin, étranges et touche-à-tout, de Robert Gurik. La création des *Belles-Sœurs*, de Michel Tremblay, en 1968, allait cependant modifier considérablement les règles du jeu, à tel point que cette date peut être perçue comme une charnière.

De la même façon, l'on peut dire que la fondation des Éditions de l'Hexagone, animées par Gaston Miron, a fait date dans l'histoire récente de la poésie québécoise, d'abord à cause des poètes qui y ont fait paraître leurs œuvres, mais aussi parce qu'elles se voulaient, du moins à leurs débuts, lieu de réflexion sur la poésie tout en étant ouvertes à plusieurs tendances. C'est là que se cristallise le fameux thème du pays, bien qu'il ne s'agisse que de l'une des multiples voies explorées par les Fernand Ouellette, Jean-Guy Pilon, Olivier Marchand, sans oublier Gaston Miron lui-même. Presque tous les poètes nés dans les années 20 et qui ont quelque importance viendront au cours des années grossir les rangs ; la liste des titres publiés par cette maison permet de constater qu'il est impossible de parler de poésie québécoise en omettant de mentionner le travail de Gaston Miron. Ses poèmes paraissent d'ailleurs dans la première plaquette, qu'il partage avec Olivier Marchand, *Deux sangs*, dès 1953, mais il faudra attendre 16 ans avant qu'un autre éditeur réunisse enfin en volume les pièces qu'il avait disséminées dans un certain nombre de périodiques dont, au premier chef, la revue *Liberté*, fondée par l'Hexagone en 1959, mais bientôt autonome. Les poèmes de Miron, bien qu'écrits pour la plupart vers la fin des années 50, trouveront leur première véritable résonnance quelques années plus tard lors de la montée de la nouvelle vague de nationalisme québécois qui a coïncidé avec la Révolution tranquille. Ce n'est pourtant qu'à la fin de cette décennie qu'ils devaient être accessibles à tous. Leur richesse fait que différentes générations les lisent tout à fait différemment. De nos jours, si l'on en croit les thèses qui sont consacrées à cette œuvre, on y perçoit surtout une poésie du regard et du mouvement. Son influence tant comme animateur que comme poète a été extraordinairement féconde.

L'œuvre de Fernand Ouellette, par contre, nourrie aux sources du romantisme allemand, volontiers difficile, s'apparente surtout dans ses premiers recueils à celle d'un Pierre Jean Jouve par ses préoccupations tant formelles qu'éthiques. Elle est d'une facture telle qu'elle échappe en partie aux classifications temporelles, tandis que les préoccupations contemporaines de Ouellette ressortent davantage de ses essais.

Au noyau des poètes dits de l'Hexagone, auquel viendront éventuellement se greffer des poètes de la même génération qui avaient trouvé ailleurs

leurs lieux de pratique, il faut ajouter les noms de Claude Gauvreau, dont l'entreprise pousse jusqu'aux conséquences les plus extrêmes la déstructuration du langage, inventant pour l'occasion un langage « exploréen » susceptible d'être immédiatement perçu sans passer par le canal de la rationalisation.

Il est évidemment pour le moins périlleux de greffer ces poètes aux années 50 qui n'ont de fait vu que leurs premières manifestations. Les décennies suivantes les trouveront pour la plupart tout aussi actifs qu'à leurs débuts et l'on peut constater de nos jours que plusieurs générations de poètes coexistent et que les « anciens » ne sont pas nécessairement les moins audacieux.

Deux romanciers domineront pour leur part cette époque-là ; André Langevin, dont les trois premiers livres, *Évadé d'une nuit, Poussière sur la ville* et *le Temps des hommes*, témoignent de ses préoccupations existentielles pour ne pas dire existentialistes, et Yves Thériault, dont les premiers textes paraissent durant la guerre, mais qui ne fera sa véritable apparition qu'au cours de cette décennie, et dont l'œuvre abondante explore de nombreuses facettes de notre réalité, qu'il s'agisse de personnages appartenant aux minorités urbaines, comme c'est le cas d'*Aaron*, de hâbleurs nomades de nos villages, comme c'est le cas de son *Dompteur d'ours*, ou encore de nos lointains et méconnus voisins Inuit, comme c'est le cas d'*Agaguk*. Au cours de la même décennie, Anne Hébert amorce avec *les Chambres de bois* son œuvre de romancière. Les années 50 prendront fin avec la publication de deux livres retentissants : *la Belle Bête*, de Marie-Claire Blais, et *le Libraire*, de Gérard Bessette.

Une telle progression pouvait laisser présager des années 60 fécondes. Elles ont donné lieu à la querelle du joual qui, dix ans durant, allait permettre aux tenants des diverses tendances de s'affronter sur la place publique. Si l'on n'entendait par joual que le langage parlé, l'on pourrait en faire remonter les sources fort loin dans l'histoire littéraire québécoise. Mais les premiers théoriciens (et praticiens) de ce langage en font une arme contre-culturelle avant la lettre. Il s'agit davantage pour eux de rejeter l'esthétique des classes dominantes que de mal écrire ; davantage de faire véritablement œuvre réaliste que de prendre leurs distances par une écriture bien léchée. Ces écrivains, réunis autour de la revue *Parti pris*, d'inspiration marxiste et révolutionnaire, bien que non dogmatique, allaient connaître une notoriété soudaine : Jacques Renaud, avec *le Cassé*, et André Major, avec *la Chair de poule* et *le Cabochon* seraient pour ainsi dire célèbres du jour au lendemain et contribueraient à faire éclater les cadres où s'enfermaient encore trop de romanciers. La parution de leurs ouvrages coïncide d'ailleurs avec une période d'intense activité contestataire étudiante et il est certain que leurs textes ont bénéficié de cette époque de profonde remise en question de la société québécoise, ce qui n'enlève rien à leur valeur intrinsèque.

C'est aussi au cours de cette décennie qu'ont paru les premiers ouvrages d'Hubert Aquin et de Réjean Ducharme. Du premier, Jean Éthier-Blais a dit : « Enfin, nous le tenons notre premier véritable écrivain. » Il ne croyait sans doute pas si bien dire, mais les Français devaient penser différemment, puisque l'année même de la parution en France de *Prochain Épisode*, ils couronnaient *Une saison dans la vie d'Emmanuel*, de Marie-Claire Blais, en décernant à son auteur le Prix Médicis.

D'un bout à l'autre de son œuvre, et jusque dans son roman le plus récent, Marie-Claire Blais s'attache au monde, fascinant, il faut le dire, des déclassés de la société, des non-conformistes. Son œuvre, dont on a dit qu'elle avait connu une certaine baisse de qualité après l'attribution du Médicis, a retrouvé un regain de vigueur au cours des dernières années. Pourtant, les *Apparences, le Loup et David Sterne* demeurent parmi ses meilleurs romans. On y trouve des enfants torturés par un univers d'adultes qui sont parfois le contrepoint des enfants presque irréels des romans de Réjean Ducharme dont la première œuvre, *l'Avalée des avalées*, avait causé une commotion qui n'avait rien à voir avec ses qualités intrinsèques lors de sa parution en 1967. D'une virtuosité verbale peu commune, elle allait avoir plusieurs imitateurs au cours des années suivantes mais aucune des œuvres produites dans sa foulée n'approchera l'original. *L'Avalée des avalées* sera suivi du *Nez qui voque* et de *l'Océantume*. Au cours de la décennie suivante, Ducharme abordera également le théâtre et fera paraître quelques autres romans dont *l'Hiver de force* écrit cette fois d'une façon dépouillée de tout ce qui pouvait encore sembler artifice, et démontrera une maîtrise telle que d'aucuns voient dans ce livre son chef-d'œuvre, avis qui ne fait pas l'unanimité, puisque chacun des romans de Ducharme trouve ses thuriféraires et ses détracteurs passionnés.

Au cours de la même décennie, quelques romanciers commencent à travailler dans la foulée du nouveau roman, mais leur entreprise diffère considérablement de celle de leurs confrères européens. Ils attaqueront la structure traditionnelle du roman en y conservant le personnage subjectif : *l'Incubation*, de Gérard Bessette, et *le Couteau sur la table*, de Jacques Godbout, indiquent chacun à sa façon de nouvelles voies. Ce travail de déstructuration-restructuration sera beaucoup plus pousssé au cours des années 70.

Les années 60 voient l'émergence de poètes tels que Paul Chamberland, qui donne un classique avec *Terre Québec* en 1963, avant de participer à l'aventure de Parti pris qui nous vaut *L'afficheur hurle* et *l'Inavouable* ; Jacques Brault fait paraître *Mémoire* ; Gilbert Langevin publie à ses Éditions Atys *À la gueule du jour* et *Symptômes*. Si *Terre Québec* a l'ampleur des grandes élégies, les deux recueils suivants de Chamberland sont pour leur part marqués par les mêmes options éthiques que les romans de ses confrères Major et Renaud. Son séjour à Paris, au cours des événements de mai 1968, aura sur lui une influence déterminante et son œuvre voisine alors avec la contre-culture avant de s'appliquer à l'exploration d'une utopie sociétale axée sur l'apprentissage d'une liberté authentique. Brault demeure un marginal en ce sens que son œuvre s'inscrit en quelque sorte hors du temps, bien que *Mémoire* contienne des pages politiques dont la résonnance s'est fait sentir lors de sa parution. Par la suite, il développe une œuvre de plus en plus personnelle, voire individuelle et, finalement, universelle qui ne doit plus rien ni aux idées qui ont cours ni aux principaux courants de la poésie québécoise. Autre marginal malgré quelques incursions ponctuelles, Langevin élabore depuis vingt ans une œuvre faite essentiellement de courts poèmes souvent laconiques.

Gatien Lapointe, pour sa part, avait déjà fait paraître quelques recueils de poèmes au cours des années 50 lorsque paraît son *Ode au Saint-Laurent*, long poème élégiaque et émerveillé qui agit en contrepoint de la poésie revendicatrice de l'époque.

Mais au milieu des années 60 commence à se dessiner l'une des tendances qui devaient dominer la poésie des années 70 et qu'on a qualifiée, à tort, de formaliste. C'est autour de la revue *la Barre du jour* que cette tendance trouve son lieu, après 1967, dans le sillage de lectures exploratoires de l'avant-garde française, regroupée autour des revues comme *Tel quel*. On considéra par la suite Nicole Brossard comme l'initiatrice de cette tendance, elle qui fit paraître son premier recueil de poèmes en 1965. Raôul Duguay, qui devait être profondément influencé par le phénomène contre-culturel de la fin des années 60, fait pour sa part paraître son premier recueil de poèmes en 1966, tandis que Denis Vanier fait paraître *Je* dès 1965 alors qu'il n'est âgé que de 15 ans. Si, pour Duguay, la quête de l'humain doit se résoudre dans l'harmonie universelle, pour Vanier les obstacles à la véritable liberté doivent d'abord sauter. La poésie de Vanier est d'ailleurs faite d'images d'une violence somptueuse qui visent à la liberté des déclassés de la société, tandis que celle de Duguay, qui opte dès lors pour la chanson, vise avant tout à transmettre une philosophie de la vie à un auditoire réceptif.

Au théâtre, la création des *Belles-Sœurs*, au mois d'août 1968, rend Michel Tremblay célèbre presque immédiatement. La querelle du joual qui s'ensuivra provoquera de nombreuses animosités, d'interminables discussions, mais au bout du compte le théâtre québécois y a trouvé un langage qui ne l'amoindrit en rien. *Les Belles-Sœurs* connaîtront un tel succès qu'elles seront reprises plusieurs fois par la suite.

L'année suivante voit la formation de deux troupes appelées à jouer un rôle déterminant. Les Enfants de Chénier, sous la direction de Jean-Claude Germain, entreprennent une exploration de la mythologie québécoise à partir des improvisations des comédiens dont on conservera pour les besoins de la représentation les passages les plus significatifs, tandis que le Grand Cirque Ordinaire met au point des techniques d'improvisation à partir d'un canevas, ce qui aura pour effet de recréer leurs spectacles lors de chacune des représentations. Cette éclosion d'un théâtre en langage parlé permettra par la suite à tout le jeune théâtre d'acquérir un dynamisme qui, malgré quelques moments creux, dominés par l'idéologie, ne s'est jamais démenti.

**Les années 1970**

S'il est vrai que c'est habituellement par la poésie qu'un peuple se fait d'abord entendre, que c'est habituellement dans la poésie qu'un peuple d'abord se reconnaît, qu'en est-il des années 70 ? Il est loin le temps où un Saint-Denys Garneau, une Gabrielle Roy ou un Gratien Gélinas faisaient figure d'exceptions. De nos jours, la littérature québécoise présente, à qui s'y intéresse, de si nombreuses facettes, des aventures si diversifiées, que l'on chercherait en vain quelque forme d'unanimité. Si l'on en juge par l'étendue de la production dans les trois domaines de la poésie, du roman et du théâtre, si l'on en juge par l'accueil fait à l'étranger aux œuvres produites par des Québécois, l'on est forcé de laisser de côté la notion selon laquelle l'un de ces genres serait supérieur à l'autre.

Il est cependant possible de soutenir que le Québec tend de plus en plus à s'affirmer par et à travers ses écrivains. Malgré les contraintes historiques, les Québécois ont réussi à se nommer en tant que peuple. Séparée de la Mère Patrie qui hantait encore nos parents, inscrite d'emblée dans l'aventure nord-américaine à laquelle elle ne peut évidemment pas échapper, c'est une communauté distincte et originale qui vit dans ce coin-ci des Amériques.

Par contre, et paradoxalement pourrait-on dire, les conditions économiques, en favorisant l'éclatement des familles par la possibilité qui s'offrait à chacun et à chacune d'acquérir son indépendance, ont fait de nous une nation d'individualistes. Il n'est guère surprenant de constater que les œuvres des années 70 sont de plus en plus personnelles, écrites à la première personne, et que les œuvres souvent ne témoignent plus que d'elles-mêmes, en faisant la part belle aux éléments autobiographiques, même lorsqu'elles en sont apparemment détachées. De collectives qu'elles étaient souvent au cours des décennies précédentes, même sous le couvert du « je », les œuvres parlent de plus en plus à l'autre en tant qu'autre, même sous le couvert de la collectivité.

Pourtant, si les œuvres qui appartiennent aux genres littéraires au sens propre continuent à se développer à un rythme fou, c'est à l'essai, particulièrement à l'ethnographie et aux monographies de toutes sortes qui nous rendent en images notre passé, que revient la palme de l'efficacité immédiate. On imagine difficilement de nos jours qu'il y a vingt ans à peine les Québécois donnaient toutes les apparences de vouloir faire à tout prix table rase du passé. Les ouvrages traitant par exemple de notre patrimoine étaient à toutes fins utiles inexistants. Les meubles eux-mêmes se voyaient remplacés par le formica et le chrome, tandis qu'ils prenaient la route des « États ». Ceci, surtout pour dire qu'une littérature n'échappe pas à son contexte historique ou sociologique. N'importe quel libraire pouvait par ailleurs dire, au cours des années 70, que l'essai se vendait beaucoup plus que le roman et la poésie, ce qui signifie entre autres choses que les gens étaient avides de retrouver leurs racines. On ne peut expliquer autrement la vogue sans précédent qu'ont connue les violoneux au milieu de cette décennie. Ni les prix pharamineux que demandent de nos jours les antiquaires pour le moindre morceau de pacotille.

Voyons donc ce qu'ont apporté les années 70. Il va de soi qu'il est impossible de nommer tout le monde et d'indiquer pour chacun et chacune la nature des voies explorées. Un tel survol ne peut que paraître injuste et il y a fort à parier que le temps rectifiera avec le sens de l'humour qu'on lui connaît, rejetant les uns, récupérant les autres.

## Nouveaux éditeurs, nouveaux périodiques culturels

Il eut été difficile d'imaginer, au début des années 70, que les Éditions du Jour allaient disparaître de la carte à peine quelques années plus tard. À l'époque, il s'agissait là de la maison la plus dynamique et certes de celles où la plupart des nouveaux romanciers rêvaient de voir paraître leurs travaux. Jacques Hébert en assumait la direction générale et Victor-Lévy Beaulieu, la direction littéraire. Les romans de Marie-Claire Blais, d'Hélène Ouvrard, de Claire de Lamirande, de Jean-Marie Poupart, de Jacques Benoit, de Jacques Ferron, de Pierre Turgeon et de tant et tant d'autres y paraissaient à un rythme effréné, de même que de nombreux recueils de poèmes, sans compter des ouvrages plus largement populaires qui faisaient vivre la maison. Pourtant, un an à peine après le départ de Jacques Hébert, plusieurs écrivains quittaient cette maison et fondaient les Quinze, une coopérative d'édition qui devait être finalement rachetée par le groupe Sogides.

Vivtor-Lévy Beaulieu, pour sa part, avait déjà quitté les Éditions du Jour avant Jacques Hébert et fondé les Éditions de l'Aurore, maison dont les activités n'ont duré que quelques années mais qui faisait paraître des ouvrages difficiles dans une présentation graphique des plus soignée. Par la suite, Beaulieu fondait VLB éditeur avec le même souci graphique mais en élargissant considérablement ses collections, consacrées tant au théâtre qu'à l'essai, au roman et à la poésie. Par la qualité des textes et des livres qu'il offre au public, Victor-Lévy Beaulieu est certainement l'un des éditeurs actuels les plus intéressants du Québec.

Les Éditions Québec-Amérique, où préside le même souci qualitatif et graphique, ont effectué une véritable percée dans le domaine du roman, récupérant des auteurs du Jour comme Gilbert La Rocque, qui en est le directeur littéraire, de même que des transfuges des Quinze, la maison qu'ils avaient contribué à fonder, tels que Gérard Bessette, Hélène Ouvrard, André Major ou Claire de Lamirande.

D'autres maisons, qui existaient avant le début des années 70 comme les Éditions Leméac, après avoir concentré leurs efforts sur les livres historiques puis sur le théâtre, publient maintenant aussi les ouvrages de romanciers tels que Jean-Marie Poupart ou Suzanne Paradis.

Les Éditions Stanké, de même que les Éditions Libre Expression publient à l'occasion des romans, mais le gros de leurs activités consiste surtout à faire paraître des essais de toutes sortes ainsi que des guides pratiques. Les ouvrages de Marie-Claire Blais et de Roch Carrier y paraissent.

En poésie, les Éditions de l'Hexagone ont célébré leur vingt-cinquième anniversaire vers la fin des années 70, décennie qui les a vus concentrer leurs efforts à diversifier leur production surtout du côté de l'essai politique. Par contre, deux nouvelles maisons d'édition spécialisées en poésie voyaient le jour en 1971. Les Éditions du Noroît, dirigées conjointement par René Bonenfant et Célyne Fortin, consacrent à chacun de leurs titres une présentation graphique spéciale et ne craignent pas d'innover dans le domaine. Des poètes tels qu'Alexis Lefrançois, Jean Charlebois, Marie Uguay, Denise Desautels ou Jacques Brault y ont fait paraître leurs ouvrages. Au même moment, à Trois-Rivières, Gatien Lapointe fondait les Écrits des Forges qui permettraient de faire connaître de nombreux jeunes poètes de la Mauricie.

Le deuxième tiers de cette décennie a vu naître et mourir des périodiques à la fois littéraires et politiques dont la direction était en partie ou en totalité formée d'écrivains d'inspiration marxiste : *Chroniques* a ainsi paru 32 fois, *Stratégie*, 17 fois, et *Champs d'application*, 8 fois.

Sur le plan proprement littéraire, la revue *les Herbes rouges*, fondée en 1968 par les frères François et Marcel Hébert, a connu son véritable essor à compter de 1972 alors que sa périodicité se stabilisait et qu'elle consacrait désormais chacune de ses livraisons à un seul auteur. On lui doit d'avoir lancé plusieurs poètes de la génération qui a en ce moment 30 à 40 ans comme François Charron, Roger Des Roches, André Roy et France Théoret.

*La Barre du jour*, pour sa part, faisait peau neuve à l'automne 1976 et, sous l'impulsion de Jean Yves Collette et de Michel Gay, devenait mensuelle en ouvrant ses pages aux tendances progressistes de la poésie québécoise, tandis qu'à Québec Claude Fleury, Jean-Pierre Guay, Pierre Morency et Jean Royer fondaient la revue *Estuaire*.

André Beaudet, de son côté, lançait une revue de théorie littéraire qui devait paraître une demi-douzaine de fois, *Brèches*.

À la fin des années 70, la revue *Possibles* faisait son apparition sous la gouverne d'une équipe comprenant des écrivains tels que Gaston Miron et Roland Giguère.

Signe des temps : alors que tout le monde trouvait impensable l'idée même de lancer une revue consacrée exclusivement aux arts de la scène, une équipe formée entre autres de Gilbert David et de Yolande Villemaire lançait la revue *Jeu* qui paraît toujours régulièrement quatre fois par année.

Les deux plus anciens périodiques culturels du Québec qui existent encore, les *Écrits du Canada français* et *Liberté*, ont pour leur part allègrement franchi la décennie, le premier avec quelque irrégularité, le second avec énormément de ponctualité.

Il ne faut enfin pas oublier dans cette nomenclature quelques aventures qui, pour marginales qu'elles puissent paraître puisqu'elles se situent en dehors des institutions, celles-ci les ignorant d'ailleurs presque totalement, n'en sont pas moins intéressantes. Deux petites maisons d'édition ont fait paraître chacune au moins trente titres qu'on ne voyait que rarement dans les librairies : les Éditions Cul-Q, de Jean Leduc et de Claude Beausoleil, qui ont fait entre autres paraître des ouvrages de Denis Vanier, de Josée Yvon, de Lucien Francœur, de Jean-Paul Daoust et de Jean-Marc Desgent, et les Éditions de l'Œuf, animées par Yrénée Bélanger et Guy Presseault, qui ont lancé de nombreux livres-objets.

Par ailleurs, dans la foulée des Écrits des Forges, une nouvelle revue a vu le jour en Mauricie sous l'égide de l'Atelier de production littéraire de la Mauricie. Cette revue fait paraître soit des numéros consacrés à plusieurs auteurs, et l'on voit alors apparaître aux côtés d'auteurs de la région des auteurs montréalais avec qui la direction se sent des affinités, soit des numéros entièrement consacrés à un seul auteur.

La revue *Moebius* a aussi vu le jour vers la fin de la décennie. On y trouve des noms presque inconnus par ailleurs, mais l'un de ses fondateurs, Pierre Des Ruisseaux, a donné aux Éditions de l'Hexagone un recueil de poèmes, *Lettres*, qui sans faire l'unanimité n'en a pas moins reçu plusieurs critiques élogieuses.

La région de Hull, pour sa part, a vu naître une maison d'édition, les Éditions Asticou, qui a pour but avoué de publier les œuvres d'auteurs de la région, ce qui nous a déjà valu quelques belles réussites dont les trois premiers recueils de poèmes de Serge Dion. Son quatrième titre vient de paraître chez VLB éditeur.

### Les essais

Il n'a guère été question jusqu'ici de l'essai qui, la plupart du temps, répond au Québec à un certain sentiment d'urgence. Tel était le cas de *Refus global*, par exemple, manifeste d'une violence considérable paru en 1948 sous la gouverne de Paul-Émile Borduas, dont l'influence profonde se perpétuera jusqu'à nos jours. Ce manifeste exprimait une nette volonté de libération à une époque où le Québec étouffait sous le conformisme de ses classes dirigeantes. Tel de même était le cas des *Insolences du frère Untel*, de Jean-Paul Desbiens qui dénonçait, à l'aube de la Révolution tranquille, notre appauvrissement linguistique et dont plus de cent mille exemplaires allaient être vendus. La querelle du joual allait faire naître d'autres essais ; *le Joual de*

*Troie*, de Jean Marcel, *Place à l'homme*, de Henri Bélanger, et *Une façon de parler*, de Jean Simard.

La question nationale a occupé sa large place, et les thèses de l'historien Marcel Séguin ont joué un rôle important dans l'éveil de notre conscience nationale, de même que les livres de Michel Brunet ou de Guy Frégault, sans oublier ceux de Marcel Trudel. Les thèses messianiques du Chanoine Groulx s'y voyaient pour le moins remises en question. L'avènement de la revue *Parti pris*, en 1964, allait permettre d'amorcer une critique marxiste de la société québécoise en reprenant un débat amorcé par la revue *Cité libre* dans les années 50, revue qui avait pour principale raison d'être de combattre le duplessisme mais qui, après la mort du Premier ministre abhorré, ne retrouverait jamais son souffle. Pierre Vallières, qui avait tenté de redonner vie à cette revue, passait pour sa part à l'action directe au milieu des années 60 et donnait par la suite un texte retentissant, *Nègres blancs d'Amérique*.

Les tenants de toutes les idéologies, qu'ils soient fédéralistes comme Roger Lemelin ou indépendantistes comme Denis Monière, Pierre Vadeboncœur ou Marcel Rioux, ont fait paraître d'importants essais sur la question.

Les travaux de Robert-Lionel Séguin sur les coutumes et les artefacts de nos ancêtres ont permis aux Québécois de renouer avec leurs racines, tandis que Victor-Lévy Beaulieu assurait aux Éditions du Jour d'abord, puis aux Éditions de l'Aurore, la réédition des *Relations des Jésuites* et des ouvrages de Maxime Globensky et de Gérard Filteau sur la Rébellion de 1837-38.

Au cours des années 70, les Éditions Hurtubise HMH ont lancé une importante collection de travaux ethnologiques ; les Éditions Nouvelle Optique, beaucoup plus récentes, lançaient tout d'abord de nombreux ouvrages traitant de questions politiques avant de tenter quelques incursions du côté de la littérature. Le référendum de 1980 a, quant à lui, donné lieu à une abondante production.

**Le théâtre**

Bien que ses premières pièces aient été présentées à la fin des années 60, Michel Tremblay a complètement dominé la dramaturgie québécoise tout en lui donnant une impulsion telle que les auteurs québécois, jusqu'alors relégués au second plan, allaient voir leurs pièces jouées comme jamais auparavant.

Il est difficile d'imaginer de nos jours la controverse qui a fait rage lors de la création de ses premières pièces. Les attaques s'en prenaient d'ailleurs au langage lui-même, le fameux joual, vertement dénoncé. Pourtant Tremblay ne faisait que révéler un état de fait : c'était bien comme cela qu'on parlait chez les prolétaires du centre-sud de Montréal. Par contre, Tremblay n'a jamais tenté de présenter le joual comme une langue nationale, au contraire. Mais ce débat ne suffirait en aucun cas à expliquer la célébrité soudaine de l'auteur des *Belles-Sœurs* et d'*À toi pour toujours ta Marie-Lou*. Il n'y avait là aucune complaisance, mais un miroir où les gens se reconnaissaient, des structures dramatiques d'une redoutable efficacité.

Paradoxalement, c'est au moment même où la célébrité de Tremblay atteignait son apogée que le jeune théâtre se rebellait contre la notion d'auteur comme initiateur privilégié du texte dramatique. Cette contestation, dans la foulée des expériences extrêmement efficaces des Enfants de Chénier et du Grand Cirque Ordinaire, débouchait alors sur la création collective.

Jean Barbeau, issu de la Troupe des Treize de l'université Laval, amorçait sa carrière par la création collective, avant de donner dès la fin des années 60 de nombreuses courtes pièces la plupart du temps jouées dans des cafés de la Vieille Capitale. C'est ainsi qu'ont été créées des pièces telles que *Goglu, Joualez-moi d'amour, Solange* ou *Manon Latscall* défendues par un seul ou deux personnages. Plus tard, joué sur les grandes scènes, Barbeau devait écrire de nombreuses pièces dont *Une brosse*, sans doute son chef-d'œuvre. Les structures du théâtre de Barbeau sont moins complexes que celles de Tremblay, mais tout aussi efficaces, faites d'un savant dosage de données tirées du quotidien mêlées à un humour des plus noir.

Aucun autre auteur dramatique n'a encore donné une œuvre aussi étendue que celles de ces deux auteurs, mais il faut tout de même signaler les pièces de François Beaulieu, de Dominique de Pasquale, qui s'est tu depuis 1972, de Claude Roussin, de Réjean Ducharme, d'Élizabeth Bourget et de Louis Saia, sans oublier Denise Boucher qui a donné *Les fées ont soif* au TNM en 1978.

Puisqu'il n'est question ici que du théâtre publié, ajoutons simplement qu'en dehors des compagnies les plus voyantes, de nombreuses troupes explorent toutes sortes de voies, certaines à partir de la création collective, d'autres en revenant à une certaine notion d'auteur. Chaque année, le Festival du jeune théâtre, de même que le Festival du théâtre pour enfants témoignent de la vivacité de ces entreprises. Une revue comme *Jeu* consacre la majeure partie de ses livraisons à ces pratiques qui rejoignent un public de plus en plus large.

**Le roman**

Les années 70 ont vu l'éclatement du roman. Celui-ci s'orientera désormais dans toutes les directions, depuis les mémoires de Claude Jasmin aux structures éclatées d'André Beaudet. Au cours de cette décennie, on ne se demande plus si la litérature québécoise existe mais on écrit, ce qui en est bien la démonstration la plus éclatante. Les écrivains qui avaient donné leurs premières œuvres au cours de la décennie précédente poursuivent leur aventure de façon de plus en plus personnelle et, comme c'est aussi le cas de la poésie, on ne peut plus, on ne pourra sans doute jamais plus parler d'unanimité. L'éclatement du monolithisme, d'ailleurs plus apparent que réel, de la société québécoise trouve ses répercussions dans tous les modes d'expression.

Une figure cependant domine cette décennie par l'ampleur de son entreprise. Victor-Lévy Beaulieu, dont le premier roman, *Mémoires d'outre-tonneau*, avait paru à la fin de 1968, publiera presque chaque année un nouveau roman, chacun participant d'un cycle romanesque de dimensions épiques. De *Race de monde*, transformé par la suite en téléroman, à *Una*, en passant par *la Nuitte de Malcomm Hudd, Jos Connaissant, les Grands-Pères, Don Quichotte de la démanche* et *Blanche forcée*, Beaulieu a entrepris la quête sans fin de l'âme québécoise. Si ses qualités de polémiste le rendent impopulaire auprès de l'intelligentsia, sa capacité de travail en stupéfie plusieurs. Il ne s'agit pourtant que d'un très réel sens de la discipline, comme il l'affirmera lui-même à de nombreuses reprises.

Autre grande figure du tout début de la décennie : celle de Jacques Ferron, qui pratique l'ironie avec une acuité peu commune. Des romans tels que *le Ciel de Québec* méritent de figurer parmi nos classiques. Sa production abondante s'est trouvée ralentie vers le milieu de la décennie.

Les femmes, qui ont toujours occupé une place importante dans la littérature québécoise au moins depuis le début des années 40, prennent la parole comme jamais auparavant au cours des années 70. Nicole Brossard fait paraître des proses résolument « modernes », qui attaquent la structure même du récit, tandis que de plus en plus les ouvrages de nombreuses auteures dévoilent le moi intime dans une perspective féministe parfois radicale. C'est le cas des ouvrages de Jovette Marchessault. Madeleine Gagnon, pour sa part, nous livre une entreprise anthropologique avec son roman *Lueur*, tandis que Claudette Charbonneau-Tissot explore les méandres de la folie.

Parmi les romanciers qui ont amorcé leurs œuvres au début des années 60 et qui ont opéré un retournement important, soulignons les ouvrages de Jacques Renaud qui, après avoir été le grand héraut du joual avec son roman *le Cassé*, bifurquera vers l'hindouisme et les traditions anciennes et conférera à son grand roman, *Clandestine(s)*, une allure presque mystique dans une atmosphère révolutionnaire, de même que ceux d'André Major qui, dans la trilogie formée de *l'Épouvantail, l'Épidémie* et *les Rescapés* explore la réalité par le biais du roman policier.

Louis Caron entreprend par ailleurs une série de romans cocasses un peu dans la lignée des premiers romans de Roch Carrier avant de s'attaquer, au début des années 80, au renouvellement du roman historique tombé depuis un demi-siècle en désuétude ; Carrier lui-même, après un roman pseudo-réaliste, *La guerre yes sir !*, fait paraître de nombreux romans où prédominent la fantaisie et la tendresse.

Moins classiques par leurs formes, Geneviève Amyot entreprend une suite de romans-monologues, dont *l'Absent aigu* et *Journal de l'année passée*, tandis que Yolande Villemaire oscille entre le quotidien et le voyage dans le temps et l'imaginaire dans une prose aussi vigoureuse que passionnante.

Hubert Aquin meurt tragiquement en mars 1977, laissant derrière lui quelques romans parmi les plus violents et les mieux maîtrisés de notre littérature. Amorcée dans les années 60 par *Prochain Épisode*, son aventure prend fin avec *Neige noire*, roman organisé tel un découpage cinématographique.

**La poésie**

En poésie, plusieurs nouvelles voix se sont fait entendre, certaines ayant d'ailleurs fait paraître leurs premiers textes au cours des années 60 et, comme c'est le cas du roman, représentent toutes sortes de tendances, depuis les longs psaumes presque prosaïques de Sylvie Sicotte, dans *Femmes de la forêt*, jusqu'aux textes les plus éclatés d'André Gervais.

De nombreux poètes ont œuvré seuls, sans souci des courants ou de se réunir en un lieu, et fait paraître des recueils importants : Alexis Lefrançois, avec *Calcaires*, premier titre des Éditions du Noroît, entreprend en 1971 une œuvre qui oscillera entre le ton grave de ce livre et de *Rémanences* et le ton ironique, presque badin, mais qui n'en recouvre pas moins des préoccupations existentielles, de *36 petites choses pour la 51* ou de *la Belle été* ; Pierre Nepveu, après avoir fait paraître *Voies rapides* en 1971, donnera *Épisodes* en 1977 et *Couleur chair* en 1980 ; Pierre Laberge fait paraître plusieurs titres au cours de la décennie, de *la Fête*, en 1972, à *Vue du corps*, en 1979, et ses poèmes incisifs ne sont pas sans rappeler ceux de Gilbert Langevin même s'il ne fait pas usage du calembour ; Jean Charlebois amorce avec *Tête de bouc* une suite de livres qui associent l'écriture et les audaces graphiques ; Denise Desautels lance *la Promeneuse et l'Oiseau* à la toute fin de la décennie, ouvrage d'une écriture heurtée, haletante ; Marie Uguay, qui devait décéder prématurément en 1981, donne avec *l'Outre-vie* un recueil de poèmes où le lyrisme serré témoigne d'une expérience fulgurante de la vie de même que d'une exceptionnelle lucidité face à son propre destin ; Michel Gay entreprend avec des tirages presque clandestins une œuvre poursuivie dans les années 80 et où il explore les méandres du fonctionnement cervical ; Jean Yves Collette nous livre des textes presque burlesques, chargés d'érotisme et rivés au quotidien qu'ils transcendent dans *l'État de débauche* et *Une certaine volonté de patience* ; Renaud Longchamps disloque la syntaxe en une suite d'images fulgurantes ; Pierre Morency poursuit dans *Lieu de naissance* et *Torrentiel* sa quête de fraternité entreprise au cours de la décennie précédente ; et Marcel Bélanger, dont les premiers recueils ont paru eux aussi durant les années 60, donne ses œuvres les plus fortes avec *Migrations* et *Fragments paniques*.

Plusieurs poètes des générations antérieures poursuivent d'ailleurs tout au long de la décennie leur entreprise : ainsi paraissent de nombreux ouvrages de Rina Lasnier, de Paul-Marie Lapointe, de Fernand Ouellette ou de Roland Giguère, tandis que Suzanne Paradis poursuit sa quête de la juste métaphore.

À l'opposé de ces œuvres individuelles, plusieurs nouveaux poètes font paraître leurs travaux à la revue *les Herbes rouges* ou aux Éditions de l'Aurore, bien qu'ils ne forment pas un groupe aussi organique qu'il pourrait paraître à première vue. Des poètes tels qu'André Roy, François Charron, Roger des Roches ou France Théoret ont fait paraître la quasi-totalité de leurs ouvrages à ces deux enseignes, tandis que Madeleine Gagnon ou Philippe Haeck passaient bientôt chez VLB éditeur.

Ces poètes ont tous et à divers degrés cherché à explorer de nouvelles formes, une nouvelle perception du réel, tantôt par une tentative de description du quotidien, tantôt par le désir de rendre le poème collectif, tantôt en désarticulant la syntaxe ou en la truffant de citations. Mais toutes ces œuvres ont bifurqué vers une perception plus personnelle de la réalité, ce qui nous a valu récemment des livres chaleureux de Gagnon ou Haeck, une perception presque mystique chez Charron, un lyrisme heurté, axé sur le quotidien, voire sur le vécu, chez Roy, et, éventuellement, un superbe récit autobiographique de France Théoret qui a su capter l'atmosphère étouffante de la fin des années cinquante comme seule une adolescente de cette époque pouvait le faire avec vingt ans de recul.

Par contre, des poètes qui n'ont été associés que d'une façon éphémère aux Herbes rouges, comme Lucien Francœur et Claude Beausoleil, ont tous deux évolué vers le lyrisme personnel à travers les années qui les ont vus, dans le premier cas, trouver ses racines dans le rock, dans le second, dans une déstructuration syntaxique doublée d'un humour particulièrement fécond. Nicole Brossard qui, pour sa part, fait figure d'initiatrice de la modernité, a donné avec *Amantes* l'un de ses livres les plus empreints de sensualité.

**Enfin la fin...**

Il va de soi qu'une telle nomenclature ne saurait être complète ni satisfaire tout le monde. Les oublis y sont sans doute aussi nombreux qu'il y a dans les pages qui précèdent d'écrivains nommés. Chacun, chacune pourra rectifier à sa guise en accordant une place à ceux et à celles qui ont été omis soit par pure inadvertance soit par ignorance. Il reste qu'une littérature est formée de tous les éléments qui la constituent, de tous les livres, mais qu'il est impossible au début des années 80 d'en avoir une connaissance exhaustive. Ce *Dictionnaire des écrivains québécois contemporains* devrait du moins permettre de constater que cette littérature existe *bel et bien*.

Michel BEAULIEU

# A

**Donald**
**ALARIE**

(Montréal, 4 juillet 1945–     ). Licencié ès lettres de l'université de Montréal en 1971, Donald Alarie enseigne depuis lors au cégep de Joliette. Collaborateur épisodique aux revues *Liberté, Livres et Auteurs québécois* et à *l'Atelier de production littéraire de la Mauricie*, il a remporté le Prix littéraire Gibson (1978) pour son premier roman *la Rétrospection* et son recueil de nouvelles, *Jérôme et les Mots*, lui a valu le Prix Jean-Béraud-Molson (1980).

## ŒUVRES

**La Rétrospection** ou **Vingt-quatre Heures dans la vie d'un passant**, roman. Montréal, Cercle du livre de France, 1977. 169 p. ISBN 0-1753-0104-3.

**Du silence**, anthologie. En collaboration. Trois-Rivières, Atelier de production littéraire de la Mauricie, 1979. 90 p.: ill.

**La Visiteuse/le Dragon blessé,** nouvelles. En collaboration avec Claude R. Blouin. Trois-Rivières, Atelier de production littéraire de la Mauricie, 1979. 122 p.

**Jérôme et les Mots**, nouvelles. Montréal, Cercle du livre de France, 1980. 145 p. ISBN 2-89051-041-7.

**Graphignes.** En collaboration. Trois-Rivières, Atelier de production littéraire de la Mauricie, 1980. 92 p.

**Denys Onil**
**ALLAIRE**

(Victoriaville, 8 mars 1956–     ). Après avoir complété ses études secondaires à Victoriaville, il est tour à tour boucher, imprimeur et, depuis 1981, directeur et représentant des éditions MFR. Outre la poésie, il s'intéresse à la photographie et aux sciences occultes.

## ŒUVRE

**Sous une pluie de mots**, poésie. Dessins de Léo Lemire; photos de Benoit Brûlé. Montréal, Éditions MFR, 1981. 55 p. ISBN 2-920220-04-7.

**Lionel**
**ALLARD (1911–     )**

## ŒUVRES

**Au fin bout de l'espoir**, roman. Montréal, Beauchemin, 1972. 127 p.

**Mademoiselle Hortense** ou **l'École du septième rang,** roman. Montréal, Leméac, 1981. 245 p. Coll. « Roman québécois », 49. ISBN 2-7609-3055-6.

**Robert**
**ALLEN**

(Bristol, Angleterre, 1946–      ). Robert Allen a complété ses études aux universités de Toronto et Cornell. Éditeur et cofondateur de la *Moosehead Review*, il est également éditeur de *Matrix*. Après avoir habité l'Ontario et les États-Unis, enseigné à l'université Cornell et au Kenyon College, il habite désormais Ayer's Cliff et enseigne au collège Champlain de Lennoxville. Il a remporté à deux reprises, le Prix Norma Epstein (1967, 1969) et, en 1969, le Woodrow Wilson Fellowship.

**ŒUVRES**

**Valhalla at the OK,** poésie. Ithaca, N.Y. Ithaca House, 1971.
**Blues & Ballads,** poésie. Ithaca, N.Y., Ithaca House, 1974.
**The Assumption of Private Lives,** poésie. Montréal, New Delta, 1977.
**Mole,** poésie. En collaboration avec Michel Bertrand. Paris, Éditions Générations, 1979.
**The Hawryliw Process,** roman. Porcupine's Quill, 1979-1980. 2 vol.

**Anne-Marie**
**ALONZO**

Lise Lanctôt

(Alexandrie, Égypte, 13 décembre 1951–      ). Détentrice d'un baccalauréat (1976) et d'une maîtrise (1978) en études françaises de l'université de Montréal, Anne-Marie Alonzo y poursuit des études de doctorat. Collaboratrice à *la Nouvelle Barre du jour*, à *Possibles*, à *Des femmes en mouvements* et à *Spirale*, elle a été tour à tour publicitaire pour le spectacle « Célébrations », chargée du cours de création littéraire à l'université de Montréal et critique littéraire pour *la Gazette des femmes*. En 1980, elle a travaillé à l'adaptation d'un film d'animation pour Radio-Canada.

**ŒUVRE**

**Geste,** fiction. Paris, Éditions des Femmes, 1979. 147 p. ISBN 2-7210-0166-3.

**Geneviève**
**AMYOT**

(Saint-Augustin, comté Portneuf, 10 janvier 1945–      ). Poète et romancière, Geneviève Amyot obtient une licence ès lettres de l'université Laval en 1969. Elle enseigne ensuite la littérature jusqu'en 1972, d'abord à l'école normale Notre-Dame de Québec puis au cégep Lévis-Lauzon. Certains de ses textes sont parus dans les revues *Dérives, Estuaire, Intervention, la Nouvelle Barre du jour, Québec français* et *Room of One's Own.*

**ŒUVRES**

**La mort était extravagante,** poésie. Illustrations de Madeleine Morin. Saint-Lambert, Éditions du Noroît, 1975. 91 p.: ill. ISBN 0-88524-012-X.
**L'Absent aigu,** roman. Montréal, Quinze, 1976. 127 p. ISBN 0-88565-087-5.
**Journal de l'année passée,** roman. Montréal-Nord, VLB, 1978. 167 p.
**Dans la pitié des chairs,** poésie. Avec un dessin de Madeleine Morin. Saint-Lambert, Éditions du Noroît, 1982. 117 p.: 1 ill. ISBN 2-89018-061-1.

**Luc**
**AMYOT**

(Montréal, 7 janvier 1948–      ). Coauteur, avec Henriette Ouellet, de contes pour enfants, Luc Amyot est également artiste peintre. Détenteur d'un brevet d'enseignement en enfance inadaptée de l'école normale Ville-Marie (1969), il travaille d'abord comme éducateur à l'hôpital de Rivière-des-Prairies avant de devenir professeur suppléant (1970–1973). Recherchiste et cinéaste pour la ville de Saint-Eustache de 1974 à 1975 et éducateur au Clair Foyer d'Amos jusqu'en 1977, il se consacre depuis à la peinture.

## ŒUVRES

**Le Coq merveilleux,** conte pour enfants. En collaboration avec Henriette Ouellet ; illustrations de Monique Lauzon. Montréal, Éditions Paulines, 1977. 14 p. : ill. Coll. « Contes de ma maison », 7. ISBN 0-88840-607-X et 0-88840-608-8.

**Émeraude, la petite feuille d'érable,** conte pour enfants. En collaboration avec Henriette Ouellet ; illustrations de Monique Lauzon. Montréal, Éditions Paulines, 1977. 14 p. : ill. Coll. « Contes de ma maison », 8. ISBN 0-88840-605-3 et 0-88840-606-1.

## Louise ANAOUÏL

Gérald McKenzie

Pseud. : Louise Aylwin.

(Nédelec, 8 juillet 1953– ). Conteuse, poète et illustratrice, Louise Anaouïl a été critique littéraire pour *Livre d'ici* (1978) et coéditrice, avec Michel Beaulieu, des Éditions Minimales. Elle publie en 1975 *Raminagradu*, un livre de contes qui lui mérite le Prix Marie-Claire-Daveluy et le Prix de littérature de jeunesse du Conseil des arts du Canada. Elle complète en 1976 un baccalauréat en communications à l'université du Québec à Montréal et participe en 1980 à l'exposition de livres d'artistes-femmes organisée par la galerie Power House et le Conseil des arts. Louise Anaouïl a également collaboré à *la Barre du jour* et à *la Nouvelle Barre du jour* et travaille actuellement à la rédaction de scénarios tout en touchant à la traduction littéraire.

## ŒUVRES

**Raminagradu,** contes. Montréal, Éditions du Jour, 1975. 96 p. : ill. Coll. « Tout âge ».

**Laura,** poème. Montréal, Éditions Minimales, 1979. N.p.

**L'Opale juillet,** poésie. Illustrations de Jehane d'Arc Brochu. Montréal, Estérel, 1980. N.p. : ill. ISBN 2-920044-11-7.

## Karim C. ANAWATI

Photo Cristal

(Alexandrie, Égypte, 6 août 1946– ). Médecin exerçant à Montréal, Karim C. Anawati est diplômé de la faculté de médecine de l'université d'Alexandrie (1971). Il a immigré au Canada en 1972. Passionné de lecture, de philatélie, de numismatique et d'antiquités, il publiait, en 1981, son premier recueil de poésie.

## ŒUVRE

**Réflexions et Expressions : un livre de poèmes bilingues/Reflections and Expressions : a Bilingual Book of Poems.** Illustrations de Karim C. Anawati. Montréal, chez l'auteur, 1981. 48 p. ISBN 2-980067-0-X et 0-9690879-0-X.

## Mircea ANDRIESANU

(Patrauti, Roumanie, 11 mai 1928– ). Après des études de biologie et d'histoire à l'université de Bucarest, il complète en 1981 des études de gérontologie à l'université de Montréal. Tour à tour journaliste, correspondant de presse, professeur, documentaliste, technicien en génie civil, il est Commandeur de l'Ordre du Saint-Esprit et membre de diverses associations dont le Cercle international de la pensée et des arts français. *Instants d'éternité* lui a valu le premier prix d'Art et Poésie de Touraine et celui du Concours international des troubadours du Cannet (1981).

## ŒUVRES

**Inspiratie si meditatie,** poésie. Radauti, Roumanie, Biruinta, 1947. 64 p.

**Instants d'éternité/Clipe de eternitate,** poésie. Illustrations de Aurelia Avramescu. Montréal, Éditions Albert-le-Grand, 1980. 205 p. ISBN 2-920141-00-7.

### Ginette ANFOUSSE

Jean-Claude Dufresne

(Montréal, 27 mai 1944– ). Après l'école des Beaux-Arts (1964), Ginette Anfousse travaille comme conceptrice visuelle à Radio-Canada (1965–1969), à Radio-Québec (1970–1975) et à Via le monde Canada (1975-1976) avant de fonder en 1978 sa propre compagnie de design, les Ateliers Pigi. Auteure et illustratrice de nombreux livres pour enfants, créatrice de modèles de vêtements et de jouets, elle est présidente des Créateurs associés de Val-David et membre de Communication-Jeunesse. Elle publie dans les revues *Perspectives, Lurelu* et *Livre d'ici.* Ginette Anfousse a reçu en 1979 le Prix de littérature de jeunesse du Conseil des arts pour *la Chicane* et *la Varicelle* et le Prix de l'International Board of Books for Young People de Prague pour *la Chicane* (1980).

## ŒUVRES

**La Cachette**, conte pour enfants. Montréal, Le Tamanoir, 1976. N.p.: en maj. part. ill. en coul. Coll. « L'Étoile filante ». ISBN 0-88570-004-X.

**Mon ami Pichou,** conte pour enfants. Montréal, Le Tamanoir, 1976. N.p.: en maj. part. ill. en coul. Coll. « L'Étoile filante ». ISBN 0-88570-005-8.

**La Montée des marguerites,** nouvelles. En collaboration avec Pierre Sarrazin. Val-David, Éditions Pigi, 1977. 91 p.

**La Chicane,** conte pour enfants. Montréal, La Courte Échelle, 1978. N.p.: en maj. part. ill. en coul. ISBN 0-88570-014-7.

**La Varicelle,** conte pour enfants. Montréal, La Courte Échelle, 1978. N.p.: en maj. part. ill. en coul. ISBN 0-88570-014-7.

**L'Hiver**, ou **le Bonhomme Sept Heures,** conte pour enfants. Montréal, La Courte Échelle, 1980. N.p.: en maj. part. ill. en coul. ISBN 2-89021-024-3.

**Le Savon,** conte pour enfants. Montréal, La Courte Échelle, 1980. N.p.: en maj. part. ill. en coul. ISBN 2-89021-023-5.

## ŒUVRES TRADUITES

**Hide and Seek,** conte. Traduction anglaise de Mayer Romaner; titre original: **La Cachette.** Montréal, NC Press, 1978, N.p.: ill.

**My Friend Pichou,** conte. Traduction anglaise de Mayer Romaner; titre original: **Mon ami Pichou.** Montréal, NC Press, 1978. N.p.: ill. ISBN 0-919601-08-1.

**The Chicken Pox,** conte. Traduction anglaise de Mayer Romaner; titre original: **La Varicelle.** Montréal, NC Press, 1978. N.p.: ill. ISBN 0-919601-30-8.

**The Fight,** conte. Traduction anglaise de Mayer Romaner; titre original: **La Chicane.** Montréal, NC Press, 1978. N.p.: ill. ISBN 0-919601-28-6.

### Marc ANGENOT

(Bruxelles, Belgique, 21 décembre 1941– ). Après des études en philologie romane et un doctorat en philosophie et lettres de l'université de Bruxelles (1967), Marc Angenot devient professeur à l'université McGill où il enseigne la typologie des genres littéraires, la sémiotique textuelle et la sémiologie générale. Il est l'auteur d'ouvrages et de nombreux articles en sémiologie, critique littéraire, sociologie et histoire de la culture populaire. Membre de nombreuses sociétés savantes et associations universitaires, il a été, de 1974 à 1980, directeur de la collection « Genres et Discours » aux Presses de l'université du Québec et est, depuis 1978, éditeur de la revue *Science-Fiction Studies*.

## ŒUVRES

**Glossaire de la critique littéraire contemporaine,** essai. Montréal, Hurtubise HMH, 1972. 118 p.

**Le Roman populaire : recherches en paralittérature,** critique. Montréal, Presses de l'université du Québec, 1975. X-145 p. Coll. « Genres et Discours », 1. ISBN 0-7770-0119-5.

**Les Champions des femmes,** essai. Montréal, Presses de l'université du Québec, 1977. 193 p. ISBN 0-7770-0212-4.

**Glossaire pratique de la critique contemporaine,** essai. Montréal, Hurtubise HMH, 1979. 223 p. ISBN 2-89045-204-2.

## † Hubert AQUIN

(Montréal, 1929–1977). Après des études classiques, Hubert Aquin termine une licence en philosophie à l'université de Montréal avant de s'inscrire à l'Institut d'études politiques de Paris. D'abord animateur à Radio-Canada, il entre ensuite à l'Office national du film où il devient scénariste et réalisateur pour enfin s'orienter vers l'enseignement. Ses premiers textes paraissent dans diverses revues dès 1959 et il collabore entre autres à *Parti pris*, au *Maclean*, à *Voix et Images du pays* et à *Liberté* dont il devient le directeur en 1961. Son premier roman, *Prochain Épisode*, est publié en 1965. En 1969, il refuse le Prix du Gouverneur général mais accepte en 1970 le Prix du Québec que lui vaut son troisième roman, *l'Antiphonaire*. Il reçoit également le Prix David pour l'ensemble de son œuvre dès 1973. En 1977, Hubert Aquin mettait fin à ses jours. Parmi les textes posthumes parus, mentionnons *Blocs erratiques* en 1977 et *Obrombre* dans la revue *Liberté* de mai 1981.

## ŒUVRES

**Prochain Épisode,** roman. Montréal, Cercle du livre de France, 1965. 174 p.

**Trou de mémoire,** roman. Montréal, Cercle du livre de France, 1968. 204 p.

**L'Antiphonaire,** roman. Montréal, Cercle du livre de France, 1969. 250 p.

**Point de fuite,** autobiographie. Montréal, Cercle du livre de France, 1971. 159 p.

**Neige noire,** roman. Montréal, La Presse, 1974. 254 p. Coll. « Écrivains des deux mondes ». ISBN 0-7777-0102-2.

**Blocs erratiques,** textes 1948–1977. Rassemblés et présentés par René Lapierre. Montréal, Quinze, 1977. 284 p. Coll. « Prose entière ». ISBN 0-88565-111-1.

## ŒUVRES TRADUITES

**Prochain Épisode,** roman. Traduction anglaise de Penny Williams. Toronto, McClelland & Stewart, 1967. 125 p.

**The Antiphonary,** roman. Traduction anglaise de Alan Brown; titre original : **L'Antiphonaire.** Toronto, Anansi, 1973. 196 p.

**Blackout,** roman. Traduction anglaise de Alan Brown; titre original : **Trou de mémoire.** Toronto, Anansi, 1974. 168 p. ISBN 0-88784-332-8 et 0-88784-434-0.

## ÉTUDES

Smart, Patricia, **Hubert Aquin, agent double; la dialectique de l'art et du pays dans Prochain Épisode et Trou de mémoire.** Montréal, Presses de l'université de Montréal, 1973. 138 p. : ill. Coll. « Lignes québécoises, textuelles ». ISBN 0-8405-0226-5.

Lafontaine, Gilles de, **Hubert Aquin et le Québec.** Montréal, Parti pris, 1977. 156 p. : ill. Coll. « Frères chasseurs ». ISBN 0-88512-125-2.

Iqbal. Françoise Maccabée, **Hubert Aquin, romancier.** Québec, Presses de l'université Laval, 1978. 288 p. Coll. « Vie des lettres québécoises », 16. ISBN 0-7746-6836-9.

Lapierre, René, **Les Masques du récit : lecture du « Prochain Épisode » de Hubert Aquin.** LaSalle, Hurtubise HMH, 1980. 139 p. Coll. « Cahiers du Québec », 56. ISBN 2-89045-446-0.

Lapierre, René, **Hubert Aquin, l'imaginaire captif.** Montréal, Quinze Éditeur, 1981. 183 p. Coll. « Prose exacte ». ISBN 2-89026-263-4.

**Hubert Aquin : dossier de presse 1965–1980.** Sherbrooke, Bibliothèque du séminaire, 1981. N.p. : ill., portr.

## Gilles ARCHAMBAULT

Kèro

(Montréal, 19 septembre 1933– ). Réalisateur depuis 1963 à la radio de la Société Radio-Canada, Gilles Archambault anime une émission sur le jazz. Chroniqueur de musique de jazz au journal *le Devoir*, il a également été chroniqueur humoristique au magazine *l'Actualité*. En 1970 il entreprend la scénarisation de *l'Exil* de Thomas Vamos pour le compte de l'Office national du film. Par ailleurs, un de ses romans, *la Fleur aux dents*, est porté à l'écran, également par l'Office national du film, et il écrit *la Vie devant...* qui sera l'objet de quatre dramatiques de la série « Scénario » diffusée à la télévision de Radio-Canada. En 1978, il fonde une maison d'édition avec François Ricard et Jacques Brault, les Éditions du Sentier. En 1981, il reçoit le Prix Athanase-David pour l'ensemble de son œuvre.

### ŒUVRES

**Une suprême discrétion,** roman. Montréal, Cercle du livre de France, 1963. 158 p. Coll. « Nouvelle-France ».

**La Vie à trois,** roman. Montréal, Cercle du livre de France, 1965. 178 p.

**Le Tendre Matin,** roman. Montréal, Cercle du livre de France, 1969. 146 p.

**Parlons de moi : récit complaisant, itératif, contradictoire et pathétique d'une autodestruction,** roman. Montréal, Cercle du livre de France, 1970. 204 p.

**La Fleur aux dents,** roman. Montréal, Cercle du livre de France, 1971. 238 p. ISBN 0-7753-0012-8.

**Enfances lointaines,** nouvelles. Montréal, Cercle du livre de France, 1972. 120 p. ISBN 0-7753-0016-0.

**Une discothèque de base : classique, jazz, pop-rock,** discographie commentée. Montréal, Leméac, 1973. 242 p.

**La Fuite immobile,** roman. Montréal, L'Actuelle, 1974. 170 p. ISBN 0-7752-0047-6.

**Le Tricycle : Bud Cole Blues,** théâtre. Montréal, Leméac, 1974. 79 p. Coll. « Répertoire québécois » 41.

**Les Pins parasols,** roman. Montréal, Quinze Éditeur, 1976. 158 p. ISBN 0-88565-008-5.

**Stupeurs,** proses. Avec 8 monotypes de Jacques Brault. Montréal, Éditions du Sentier, 1979. 77 p. : ill.

**Les Plaisirs de la mélancolie,** petites proses presque noires. Montréal, Quinze Éditeur, 1980. 133 p. Coll. « Prose entière ». ISBN 2-89026-207-3.

**Le Voyageur distrait,** roman. Montréal, Éditions Stanké, 1981. 120 p.

**Fuites et Poursuites,** nouvelles. En collaboration. Montréal, Quinze Éditeur, 1982. 199 p. ISBN 2-89026-307-X.

### ŒUVRE TRADUITE

**The Umbrella Pines,** roman. Traduction anglaise de David Cobdell ; titre original : **Les Pins parasols.** Ottawa, Oberon Press, 1980.

## Claude ASSELIN

(Robertsonville, 22 septembre 1950– ). Claude Asselin est diplômé en histoire du cégep Limoilou (1970) et licencié en histoire de l'art de l'université Laval (1973). Initié à la pratique des arts visuels, il entre au service du ministère des Communications en 1974. Il occupe ses temps libres à la création de contes et de dessins pour les enfants.

### ŒUVRES

**Un petit nuage,** littérature pour enfants. Saint-Lambert, Éditions Héritage, 1977. N.p. : en maj. part. ill. en coul. Coll. « Albums Héritage ». ISBN 0-7773-2513-6.

**Rose,** littérature pour enfants. Saint-Lambert, Éditions Héritage, 1979. N.p. : en maj. part. ill. en coul. Coll. « Albums Héritage ». ISBN 0-7773-2517-9.

**Un beau soleil,** littérature pour enfants. Saint-Lambert, Éditions Héritage, 1980. N.p. : ill. en coul. Coll. « Albums Héritage ». ISBN 0-7773-2537-3.

**Bernard ASSINIWI**

(Montréal, 31 juillet 1935– ). Bernard Assiniwi détient un baccalauréat en agriculture (spécialisé en génétique animale) de l'université de Guelph (1957) et étudie l'administration publique à l'université du Québec à Hull. Recherchiste, rédacteur et publicitaire, il a été, entre autres, directeur du Théâtre de la Place (Place Ville-Marie, à Montréal), au milieu des années soixante, directeur fondateur de la section culturelle du ministère des Affaires indiennes et du Nord de 1965 à 1968, directeur des relations publiques pour une maison d'édition avant de travailler à la Société d'aménagement de l'Outaouais et, plus tard, à la Société Radio-Canada où il se trouve toujours à titre de reporter et d'animateur. Critique à *la Presse* et au *Toronto Globe and Mail*, collaborateur à *Sentier* et à *Québec Chasse et Pêche*, il a été directeur de la collection « Nit'Chawan, mon ami, mon frère » aux Éditions Leméac (1972–1976) et éditorialiste à la revue *Québec Nature* (1976–1978).

## ŒUVRES

**Anish-Nah-Bé,** contes adultes du pays algonquin. En collaboration avec Isabelle Myre. Montréal, Leméac, 1971. 105 p. : ill.

**À l'indienne,** textes radiophoniques. Montréal, Leméac, Éditions Ici Radio-Canada, 1972. 206 p. : musique, portr.

**Recettes indiennes** et **Survie en forêt.** Montréal, Leméac, 1972. 328 p. : ill.

**Recettes typiques des Indiens.** Montréal, Leméac, 1972. IX-167 p. : ill.

**Sagana,** contes fantastiques du pays algonquin. En collaboration avec Isabelle Myre. Montréal, Leméac, 1972. 115 p. : ill.

**Survie en forêt.** Montréal, Leméac, 1972. 170 p. : ill.

**Chasseurs de bisons,** livre pour enfants. En collaboration avec John Fadden. Montréal, Leméac, 1973. 47 p. : ill. part. en coul.

**Les Iroquois,** livre pour enfants. En collaboration avec John Fadden. Montréal, Leméac, 1973. 47 p. : ill. part. en coul.

**Lexique des noms indiens en Amérique.** Montréal, Leméac, 1973. 2 vol. : 143 p., 166 p.

**Makwa, le petit Algonquin,** livre pour enfants. En collaboration avec John Fadden, Montréal, Leméac, 1973. 47 p. : ill. part. en coul. Coll. « Chicouté ».

**Sculpteurs de totems,** livre pour enfants. En collaboration avec John Fadden. Montréal, Leméac, 1973. 47 p. : ill. part. en coul. Coll. « Chicouté ».

**Histoire des Indiens du Haut et du Bas-Canada.** Montréal, Leméac, 1973-1974. 3 vol. : 151 p., 166 p., 189 p. : ill.

**Le Bras coupé,** roman. Montréal, Leméac, 1976. 209 p. Coll. « Roman québécois », 18. ISBN 0-7761-3019-6.

## ŒUVRES TRADUITES

**Indian Recipes.** Traduction anglaise de l'auteur ; titre original : **Recettes typiques des Indiens.** Toronto, Copp Clark Pub. Co., 1972. 161 p. : ill.

**Survival in the Bush.** Traduction anglaise de l'auteur ; titre original **Survie en forêt.** Toronto, Copp Clark Pub. Co., 1972. 158 p.

**Denis AUBIN**

Robert Gaboury

(Montréal, 27 avril 1952– ). Après l'obtention d'un baccalauréat (1977) et d'une maîtrise (1980) en études littéraires à l'université du Québec à Montréal, Denis Aubin a entrepris un doctorat en sémiologie à cette même institution où il donne également des ateliers de création. Il avait auparavant travaillé comme pigiste ainsi que comme responsable de l'information dans un cégep. Denis Aubin a créé sa propre maison d'édition, les Éditions de la Folie furieuse, en 1980.

## ŒUVRE

**Éros brun : pour en finir avec la merde,** roman éclaté. Illustrations de Robert Gaboury et al. Saint-Luc, Éditions de la Folie furieuse, 1980. N.p. : ill. ISBN 2-920213-00-8.

## Claude AUBRY

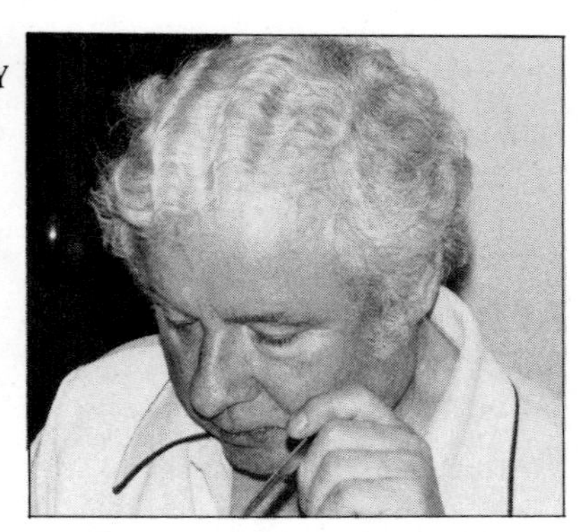

(Morin Heights, 23 octobre 1914– ). Auteur de livres pour enfants, Claude Aubry a fait ses études classiques au collège Sainte-Marie avant de travailler pour une compagnie de fiducie montréalaise. En 1944, il s'inscrit en bibliothéconomie à l'université McGill et devient par la suite chef du personnel à la Bibliothèque municipale de Montréal (1945). Conservateur adjoint à la Bibliothèque publique d'Ottawa en 1949, il est promu directeur dès 1953 et le restera jusqu'à sa retraite en 1979. Claude Aubry a été président de l'Association des bibliothécaires d'Ottawa et actif au sein de divers autres groupements du même ordre ; il est membre de l'Association France-Canada et de l'Ordre du Canada. Son premier livre lui a valu le Prix de la province de Québec en 1943 et, en 1959, le Prix de littérature de jeunesse de l'A.C.E.L.F. lui était décerné pour *les Îles du roi Maha II.*

## ŒUVRES

**La Vengeance des hommes de bonne volonté,** conte pour enfants. Montréal, Fides, 1944.

**Miroirs déformants,** nouvelles pour adolescents et adultes. Montréal, Fides, 1945.

**Les Îles du roi Maha II,** conte pour enfants. Québec, Éditions du Pélican, 1960.

**Le Violon magique,** recueil de légendes. Ottawa, Éditions des Deux Rives, 1968. 100 p. : ill. en coul.

**Agouhanna, le petit Indien qui était peureux,** conte. Illustrations de Robert Hénen. Montréal, McGraw-Hill, 1974. 95 p. : ill.

## ŒUVRES TRADUITES

**The King of the Thousand Islands.** Traduit du français ; titre original : **Les Îles du roi Maha II.** Toronto, McClelland & Stewart, 1963.

**The Christmas Wolf,** conte pour enfants. Traduit du français ; titre original : **La Vengeance des hommes de bonne volonté,** réédité sous le titre **Loup de Noël.** Toronto, McClelland & Stewart, 1965.

**The Magic Fiddler,** légendes. Traduit du français ; titre original : **Le Violon magique.** Toronto, Peter Martin and Associates, 1968.

**Agouhanna,** conte. Traduction anglaise de Harvey Sivados ; illustrations de Julie Brinckloe. Toronto, Doubleday, 1972. 89 p. : ill. ISBN 0-385-04786-X et 0-385-04338-4.

## Jacqueline AUBRY-MORIN

(Montréal, 7 novembre 1948– ). Se qualifiant d'autodidacte, Jacqueline Aubry-Morin a étudié le théâtre et la parapsychologie. Elle a fait du ballet classique et de la pantomime. Elle se déclare « mère à temps plein et maquilleuse à temps partiel ». Auteure de 2 romans et d'autres ouvrages inédits, elle a écrit pour la revue *Salut chérie* et la *Revue de Tae Kwon-Do.*

## ŒUVRES

**Molliger : le triomphe du temps sur la mort,** roman. Montréal, Beauchemin, 1979. 174 p. ISBN 2-7616-0018-5.

**La Filière du temps : l'histoire de Doucy Riverside,** roman. Longueuil, Inédi, 1980. 176 p. ISBN 2-89066-011-7.

## Hugues AUBURN

Pseud. de Gaston Blackburn.

(Kénogami, 4 mars 1927– ). Après des études théologiques au Grand Séminaire de Chicoutimi, Hugues Auburn obtient des brevets en pédagogie et en théologie et une licence ès lettres de l'université Laval. Avec son diplôme d'École normale supérieure, il entre ensuite à l'université de Montréal où il complète un baccalauréat en bibliothéconomie et en bibliographie. Professeur de littérature et bibliothécaire au cégep de Chicoutimi jusqu'en 1979, il fait depuis de la pastorale en milieu hospitalier à

Jean le Photographe

Alma. Auteur d'essais de toponymie et de recueils de poèmes, il a collaboré à la revue *Témoignages* de 1962 à 1965 et est membre de la Société des écrivains canadiens.

### ŒUVRES

**Sous la tente,** mélanges littéraires. Illustrations de Camil Tremblay. Chicoutimi-Nord, Éditions de la Boutique-aux-lettres, 1970. 228 p.: ill. Coll. « Sous la tente », 1. ISBN 2-920257-00-8.

**Essai de toponymie saguenéenne.** Chicoutimi-Nord, Éditions de la Boutique-aux-lettres, 1970. N.p. Coll. « Sous la tente », 2. ISBN 2-920257-01-8.

**Petits Poèmes des Rocheuses,** poésie. Illustrations d'André Michel. Sept-Îles, Éditions de la Boutique-aux-lettres, 1974. 51 p.: ill. Coll. « Sous la tente », 3. ISBN 2-920257-02-8.

**Promenades septiliennes,** mélanges littéraires. Illustrations d'André Michel. Sept-Îles, Éditions de la Boutique-aux-lettres, 1979. 117 p.: ill. Coll. « Sous la tente », 4. ISBN 2-920257-03-8.

**Rocaille,** poésie. Illustrations de Suzanne Maltais. Alma, Éditions de la Boutique-aux-lettres, 1981. 76 p.: ill. Coll. « Sous la tente », 5. ISBN 2-920257-04-8.

## AUDE

Voir Claudette Charbonneau-Tissot.

## Noël AUDET

Kèro

(Maria, 23 décembre 1938– ). Noël Audet quitte la Gaspésie en 1952 pour entreprendre des études classiques au collège Bourget de Rigaud. Il s'inscrit ensuite à l'université Laval (licence ès lettres 1962) puis à l'université de Paris où il obtient un doctorat dans la même discipline (1965). Professeur au collège Sainte-Marie de 1965 à 1969, il enseigne depuis à l'université du Québec à Montréal bien qu'il ait effectué de courts séjours comme professeur aux universités de Californie (1971-1972) et de Caen (1976–1978). Membre du comité de rédaction de la revue *Voix et Images* de 1976 à 1980, il collabore au cahier « Culture et Société » du *Devoir* depuis avril 1980. Il utilise la psychanalyse et la linguistique en tant qu'outil pour comprendre le monde littéraire.

### ŒUVRES

**Figures parallèles,** poésie. Québec, Éditions de l'Arc, 1963. 103 p. Coll. « L'Escarfel ».

**La Tête barbare,** poésie. Montréal, Éditions du Jour, 1968. 77 p. Coll. « Les Poètes du Jour ».

**Quand la voile faseille,** récit. LaSalle, Hurtubise HMH, 1980. 312 p. Coll. « L'Arbre » ISBN 2-89045-331-6.

**Ah, l'amour l'amour,** roman. Montréal, Quinze, 1982. 192 p. ISBN 2-89026-292-8.

## Roger-Paul AUGER

(Saint-Boniface, Man., 15 juin 1949– ). Après ses études au collège Saint-Boniface (1970), Roger-Paul Auger séjourne au Québec et complète un baccalauréat en philosophie à l'université Laval (1972). Journaliste à la radio de Saint-Boniface (CKSB) en 1972, directeur adjoint du centre culturel de cette même ville de 1972 à 1973, il occupe le poste d'administrateur du Cercle Molière de 1974 à 1975. Trois de ses pièces de théâtre furent créées à Saint-Boniface :

*Je m'en vais à Régina* (1975), *John's lunch* (1976) et *V'là Vermette* (1978). Roger-Paul Auger habite désormais Québec où il travaille comme libraire.

ŒUVRES

**Je m'en vais à Régina,** théâtre. Montréal, Leméac, 1976. XXX-83 p. Coll. « Théâtre Leméac », 53. ISBN 0-7761-0052-1.
**Les Éléphants de tante Louise,** théâtre. Saint-Boniface, Éditions du Blé, 1979. XII-49 p.

**Carmen**
**AVRIL**

Voir Gilbert Langevin.

**Louise**
**AYLWIN**

Voir Louise Anaouïl.

# B

**Denis**
**BACHAND**

(Granby, 4 mars 1948–      ). Professeur depuis 1975 dans diverses universités dont celle de Sherbrooke, Denis Bachand a fait une thèse de maîtrise sur le *Procès-verbal* de Le Clézio (1973) et une thèse de doctorat intitulée *l'Image du réel, psycho-sociologie de la représentation* (1980), toutes deux à l'université de Sherbrooke. Profondément marqué par la rencontre d'artistes et d'intellectuels français lors de deux séjours en Europe, il accorde dans sa réflexion beaucoup d'importance à la lecture de *la Méthode* d'Edgard Morin. Auteur de deux recueils de poésie parus en 1972 et 1973, il s'intéresse depuis aux expériences de vie communautaire dans le cadre d'une recherche psycho-écologique.

### ŒUVRES

**Où vers,** poésie. Montréal, Éditions Cosmos, 1972. 101 p. Coll. « Amorces », 11.

**Roséline la cristalline,** poésie/ballet. En collaboration avec Jacques Couture ; illustrations de Dan May et Jacques Paré. Sherbrooke, Éditions Cosmos, 1973. 63 p. : ill.

**Robert**
**BAILLIE**

(Montréal, 17 juillet 1947–      ). Romancier, Robert Baillie a collaboré aux revues *Liberté, Estuaire* et *Hobo-Québec.* Détenteur d'une maîtrise ès lettres de l'université de Montréal (1980), il enseigne au cégep de Rosemont depuis 1971. Ses intérêts vont vers la musique, la poésie et la peinture et les rapports de ces arts entre eux. Depuis quelques années, il prépare, dans le cadre de son enseignement, un précis d'analyse textuelle.

### ŒUVRE

**La Couvade,** roman. Montréal, Quinze Éditeur, 1980. 259 p. Coll. « Prose entière ». ISBN 2-89026-245-6.

**Jean**
**BARBEAU**

Charles Tapp

(Saint-Romuald, 10 février 1945–      ). Dramaturge, Jean Barbeau a fait ses études classiques au collège de Lévis et a fréquenté l'université Laval pendant quelque temps. Ses premières pièces, *Caïn et Babel* et *la Geôle*, furent montées au collège de Lévis en 1966-1967. En 1968, il se joint à la troupe des Treize de l'université Laval qui joue deux autres de ses pièces : *Et caetera* et *le Frame all-dress*. Avec les comédiens Marc Legault, Dorothée Berryman, Claude Septembre et le peintre Claude Fleury, il fonde le Théâtre Quotidien de Québec (1969) sur la scène duquel quelques-unes de ses pièces furent jouées. Plusieurs autres compagnies telles le Théâtre Populaire du Québec, le Théâtre du Nouveau Monde et la Nouvelle Compagnie théâtrale ont créé de ses œuvres ; soulignons que *0–71* a servi de spectacle d'ouverture au Théâtre du Trident en 1971. Engagé politiquement, il a aussi assumé les fonctions de président de comté pour le Parti québécois en Abitibi. Outre ses nombreuses pièces dont *Solange, Goglu* et *Ben-Ur* qui ont été traduites en anglais, il a écrit de courts textes pour la Société Radio-Canada.

## ŒUVRES

**Le Chemin de Lacroix,** suivi de **Goglu,** théâtre. Présentation de Jean Royer. Montréal, Leméac, 1971. 74 p. Coll. « Répertoire québécois », 7.

**Ben-Ur,** théâtre. Présentation d'Albert Millaire. Montréal, Leméac, 1971. 108 p. : ill. Coll. « Répertoire québécois », 11-12.

**Manon Lastcall,** suivi de **Joualez-moi d'amour,** théâtre. Introduction de Jacques Garneau. Montréal, Leméac, 1972. 98 p. Coll. « Théâtre canadien », 25.

**Le Chant du sink,** théâtre. Préface de Jean-Guy Sabourin. Montréal, Leméac, 1973. 82 p. : ill. Coll. « Répertoire québécois », 28.

**La Coupe Stainless** suivi de **Solange,** théâtre. Montréal, Leméac, 1974. 115 p. Coll. « Répertoire québécois », 47-48.

**Citrouille,** théâtre. Montréal, Leméac, 1975. 105 p. Coll. « Répertoire québécois », 53-54. ISBN 0-7761-2048-4.

**Une brosse,** théâtre. Montréal, Leméac, 1975. 117 p. Coll. « Théâtre Leméac », 42. ISBN 0-7761-0041-6.

**Dites-le avec des fleurs,** théâtre. Montréal, Leméac, 1976. 130 p. Coll. « Théâtre Leméac », 55. ISBN 0-7761-0054-8.

**Le Théâtre de la maintenance,** théâtre. Montréal, Leméac, 1979. 107 p. Coll. « Théâtre Leméac », 79. ISBN 2-7609-0077-0.

**Le Jardin de la maison blanche,** théâtre. Montréal, Leméac, 1979. 133 p. Coll. « Théâtre Leméac », 80. ISBN 2-7609-0078-9.

**Une marquise de Sade et un lézard nommé King-Kong,** théâtre. Montréal, Leméac, 1979. 98 p. Coll. « Théâtre Leméac », 81. ISBN 2-7609-0079-7.

**Émile et une nuit,** théâtre. Montréal, Leméac, 1979. 99 p. Coll. « Théâtre Leméac », 82. ISBN 2-7609-0080-0.

## ŒUVRE TRADUITE

**The Way of Lacross,** théâtre. Traduction anglaise de Lawrence R. Bérard et Philip W. London ; titre original : **Le Chemin de Lacroix.** S.l., s.é., s.d. 28 p.

## ÉTUDE

**Dramaturges québécois : dossier de presse Jean Barbeau 1970–1980, Jean-Claude Germain 1969–1981.** Sherbrooke, Bibliothèque du séminaire, 1981. 140 p. : ill., portr.

# Victor BARBEAU

(Montréal, 1896– ). Fondateur de l'Académie canadienne-française (1944) et cofondateur de la Société des écrivains canadiens (1937), Victor Barbeau a été journaliste au sein de journaux tels *le Devoir, la Presse, le Canada* et de nombreuses revues. Il avait auparavant étudié au collège Sainte-Marie, à l'université Laval ainsi qu'à l'université de Paris. Également professeur, Victor Barbeau a enseigné aux Hautes Études commerciales et aux universités Laval et McGill. Auteur de nombreux essais, d'études, de récits et de légendes, il a également à son actif une publication mensuelle, *les Cahiers du Turc* (1921-1922 ; 1926-1927). Il recevait en 1959 le Prix Duvernay de la Société Saint-Jean-Baptiste.

## ŒUVRES

**Mesure de notre taille,** essai. Montréal, Le Devoir, 1936, 243 p.

**Pour nous grandir. Essai d'explication des misères de notre temps.** Montréal, Le Devoir, 1937. 242 p.

**Le Ramage de mon pays. Le français tel qu'on le parle au Canada,** essai. Montréal, B. Valiquette, 1939. 222 p.

**L'Avenir de notre bourgeoisie,** conférence. En collaboration avec Esdras Minville et Lionel Groulx. Montréal, Éditions de la Jeunesse indépendante catholique, 1939. 138 p.

**Vocabulaires normalisés,** étude. Montréal, Office de linguistique de la Société des écrivains canadiens, 1941. 45 p.

**Ville, ô ma ville,** essai. Montréal, Éditions de la Société des écrivains canadiens, 1942. 405 p.

**Fidélité à Ville-Marie,** récits et légendes. Montréal, Éditions de la Société des écrivains canadiens, 1942. 162 p.

**Initiation à l'humain,** monographie. Montréal, Éditions de la Familiale, 1944. 179 p.

**La Société des écrivains canadiens, ses règlements, son action, bio-bibliographie de ses membres.** Montréal, Société des écrivains canadiens, 1944. 47 p.

**Géraldine Barbeau, peintre-céramiste-critique d'art (1906–1953),** biographie. En collaboration avec Louise Gadbois. Montréal, s.é., 1954. 156 p.

**L'Académie canadienne-française. Bio-bibliographie de ses membres.** Montréal, Pierre DesMarais, 1955. 58 p.

**Libre Examen de la démocratie,** essai. Montréal, Beauchemin, 1960. 146 p.

**Le Français du Canada,** étude. Montréal, PACF, 1963. 252 p.

**L'Œuvre du chanoine Groulx. Témoignages. Bio-bibliographie.** Montréal, Académie canadienne-française, 1964. 197 p.

**La Face et l'Envers. Essais critiques.** Montréal, Académie canadienne-française, 1966. 158 p.

**Dictionnaire bibliographique du Canada français.** En collaboration avec André Fortier. Montréal, Académie canadienne-française, 1974. 246 p.

**La Tentation du passé: ressouvenirs.** Montréal, La Presse, 1977. 179 p. ISBN 0-7777-0195-2.

**Le Choix de Victor Barbeau dans l'œuvre de Victor Barbeau.** Notre-Dame-des-Laurentides, Presses laurentiennes, 1981. 78 p. Coll. « Le Choix de... ». ISBN 2-89015-022-4.

## ÉTUDE

En collaboration, **Présence de Victor Barbeau.** Montréal, s.é., 1963. 4 cahiers.

## François BARCELO

(Montréal, 4 décembre 1941– ). Romancier, lointaines origines espagnoles, des études au collège Jean-de-Brébeuf (1960), une maîtrise en littérature française à l'université de Montréal (1963), un peu d'enseignement (1963-1964) et, depuis plus de 15 ans, la rédaction publicitaire. Passionné de course à pied et de racquetball, François Barcelo est membre du Bureau de l'Union des écrivains québécois.

## ŒUVRES

**Agénor, Agénor, Agénor et Agénor,** roman. Montréal, Quinze Éditeur, 1981. 318 p. Coll. « Prose entière ». ISBN 2-89026-251-0.

**La Tribu,** roman. Montréal, Libre Expression, 1981. 304 p.

**Courir à Montréal et en banlieue,** Illustrations de Benoit Michaud. Montréal, Libre Expression, 1982. 150 p.

**Ville Dieu,** roman. Montréal, Libre Expression, 1982. 269 p.

## Jacqueline BARRETTE

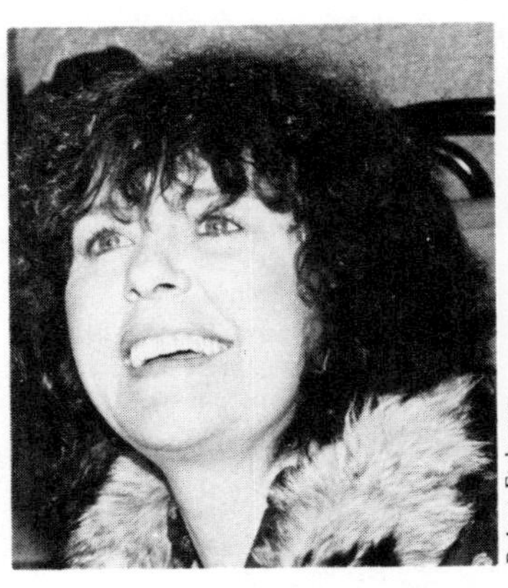

Robert Etchevery

(Montréal, 1er juillet 1947– ). Auteure de plusieurs pièces de théâtre dont certaines inédites, c'est à la suite du succès remporté au festival de l'Association canadienne du théâtre d'amateurs par sa revue théâtrale *Ça dit qu'essa à dire* que Jacqueline Barrette quitte l'enseignement pour se consacrer entièrement à l'écriture (1971). Jusqu'alors, elle avait enseigné au Pavillon Soleil de Hudson (1969–1971) après avoir obtenu un brevet d'enseignement de l'école normale Notre-Dame (1966) et un brevet d'enseignement spécialisé à l'université du Québec à Montréal (1969). Outre ses textes pour le théâtre, Jacqueline Barrette a écrit pour la radio, pour la télévision (séries pour enfants : *Minute Moumoute, la Fricassée,* etc.), pour des spectacles de variétés (spectacles de Jean-Guy Moreau et de Dominique Michel), tout en faisant de nombreuses apparitions à la télévision lors d'émissions de variétés.

## ŒUVRES

**Ça dit qu'essa à dire**, théâtre. Montréal, Grandes Éditions du Québec, 1972. 95 p. : ill.

**Flatte ta bédaine Éphrème,** théâtre. Montréal, Grandes Éditions du Québec, 1973. 79 p. : ill., musique.

**Bonne Fête papa,** théâtre. Montréal, Grandes Éditions du Québec, 1973. 94 p. : ill.

**Dis-moi qu'y fait beau Méo,** théâtre. Montréal, Grandes Éditions du Québec, 1975. 162 p. : ill.

**Oh ! Gerry Oh !**, théâtre. Montréal, Leméac, 1982. 139 p. Coll. « Théâtre Leméac ».

### Jean
### BASILE

Pseud. de Jean-Basile Bezroudnoff.

(Paris, France, 1932– ). Romancier, dramaturge et éditeur, Jean Basile a été tour à tour journaliste, critique, directeur des pages littéraires du *Devoir* et cofondateur de la revue *Mainmise.*

## ŒUVRES

**Lorenzo,** récit. Montréal, Éditions du Jour, 1963. 120 p.

**La Jument des Mongols,** roman. Montréal, Éditions du Jour, 1964. 179 p.

**Journal poétique (1964-1965).** Illustrations de Yves Douris. Montréal, Éditions du Jour, 1965. 95 p.

**Joli Tambour,** théâtre. Montréal, Éditions du Jour, 1966. 167 p.

**Le Grand Khan,** roman. Montréal, Estérel, 1967. 283 p.

**Les Voyages d'Irkousz, roman.** Montréal, HMH, 1970. 169 p.

**L'Écriture radio-télé,** suivi de **Suggestions de Robert Choquette.** Montréal, Société Radio-Canada, 1976. 94 p.

### Gabriel
### BASTIEN (1923– )

## ŒUVRES

**Au soleil.** Montréal, Héritage, 1974. N.p. : en maj. part. ill. en coul. Coll. « Monsieur Petitpois ». ISBN 0-7773-2031-2.

**Dialoguer.** Montréal, Héritage, 1975. N.p. : en maj. part. ill. en coul. Coll. « Monsieur Petitpois ». ISBN 0-7773-2032-0.

**Ombre et Lumière.** Montréal, Héritage, 1975. N.p. : en maj. part. ill. en coul. Coll. « Monsieur Petitpois ». ISBN 0-7773-2033-9.

### Charles
### BAY

Voir Charles Bordeleau.

### Sylvia
### BAYER

Voir John Glassco.

### Germain
### BEAUCHAMP

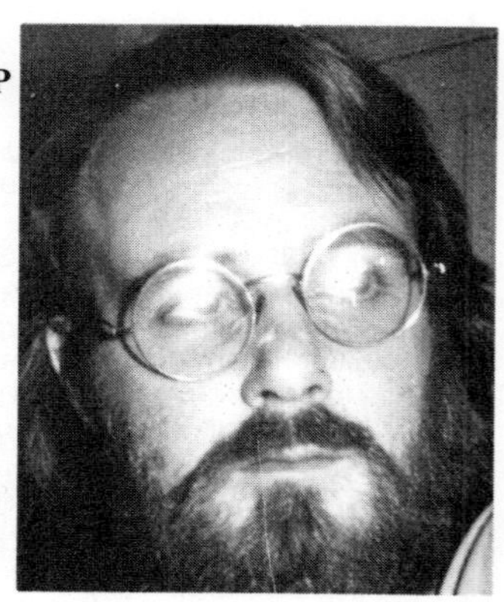

(Montréal, 30 juillet 1946– ). Germain Beauchamp complète des études en philosophie à l'université de Montréal (1977) avant de s'intéresser à l'alchimie. Comédien, metteur en scène, improvisateur et animateur, il a travaillé avec l'Organisation Ô, la troupe Olfac, a été assistant-metteur en scène pour la Nouvelle Compagnie théâtrale, a signé entre autres la mise en scène de *Prenez-vous et Aimez-vous* d'après *Inès Pérée et Inat Tendu* de Réjean Ducharme et a collaboré à *Jeu*, à *la Nouvelle Barre du jour*, à *Mainmise* et au *Devoir*. Membre de la C.-G.-Jung Foundation for Analytical Psychology de New York, il est animateur et membre du Cercle de psychologie analytique de Montréal.

## ŒUVRES

**La Messe ovale,** poésie. Montréal, Éditions du Jour, 1969. 96 p. Coll. « Les Poètes du Jour ».

**Le Livre du vent quoi,** poésie. Montréal, Éditions du Jour, 1973. 119 p. Coll. « Les Poètes du Jour ».

**Transformation, introduction à la pensée de Jung.** En collaboration. Montréal, L'Aurore, 1978. 166 p.

† **Pierre BEAUCHAMP**

(Montréal, 29 mars 1950–1980). Reçu docteur en médecine à l'université de Montréal en 1977, Pierre Beauchamp a exercé sa profession en cabinet et en milieu hospitalier. Subventionné à deux reprises pour poursuivre des recherches, il a aussi publié des articles dans des revues telles l'*Union médicale du Canada* et la *Revue de chirurgie orthopédique* (Paris). Il a été membre de plusieurs associations professionnelles dont la Société de gérontologie du Québec et l'Association des médecins omnipraticiens en institut psychiatrique. Pierre Beauchamp a fait paraître deux recueils de poésie aux Éditions Émile-Nelligan et un autre, *la Voie lactée*, sera édité à titre posthume.

## ŒUVRES

**Sur les chemins d'espoir,** poésie. Montréal, Éditions Émile-Nelligan, 1978. 90 p. ISBN 2-920917-03-8.

**L'Eschare,** poésie. Montréal, Éditions Émile-Nelligan, 1980. 50 p. ISBN 2-920217-04-6.

**Yves BEAUCHEMIN**

(Noranda, 26 juin 1941– ). Études classiques au collège de Joliette (1962) et licence ès lettres à l'université de Montréal (1965). Professeur de 1966 à 1967, il est ensuite chargé de la collection théâtre et des livres d'histoire aux Éditions HRW avant de devenir recherchiste à Radio-Québec en 1969, poste qu'il occupe toujours. Collaborateur au *Devoir*, à *l'Actualité*, à *Liberté* et à *Sept Jours*, il publie son premier roman, *l'Enfirouapé*, en 1974, pour lequel il obtiendra le Prix France-Québec l'année suivante. Outre ses publications, Yves Beauchemin a également signé des textes pour la radio.

Kèro

Membre de l'Association des écrivains de langue française, il fait aussi partie du Regroupement pour les droits politiques du Québec. Son dernier roman, *le Matou*, remportait à la fois le Prix des jeunes auteurs du *Journal de Montréal*, le Grand Prix littéraire de la Communauté urbaine de Montréal et le Prix du roman de l'été (Cannes 1982).

## ŒUVRES

**L'Enfirouapé,** roman. Montréal, Éditions La Presse, 1974. 257 p. Coll. « Écrivains des deux mondes ». ISBN 0-7777-0085-9.

**Le Matou,** roman. Montréal, Québec-Amérique, 1981. 583 p. Coll. « Littérature d'Amérique ». ISBN 2-89037-057-7.

**Fuites et Poursuites,** nouvelles. En collaboration. Montréal, Quinze Éditeur, 1982. 199 p. ISBN 2-89026-307-X.

**Hélène BEAUCHESNE**

(Sherbrooke, 8 mai 1958– ). Bachelière en droit de l'université de Sherbrooke (1980), Hélène Beauchesne se destine au notariat. Fascinée par la race féline qui a inspiré ses tout premiers contes, elle se dit aussi passionnée de cinéma et de peinture, plus particulièrement de peinture québécoise. Certains de ses textes ont servi à l'enseignement du français de base.

## ŒUVRES

**Le Petit Chien malheureux,** conte pour enfants. Illustrations de Claire Duguay. Sherbrooke, Éditions Paulines, 1972. 14 p. : ill. part. en coul. Coll. « Mes Amis », 2. ISBN 0-88840-310-0.

**Une famille de chats,** conte pour enfants. Illustrations de Claire Duguay. Sherbrooke, Éditions Paulines, 1972. 14 p. : ill. part. en coul. Coll. « Mes Amis », 5. ISBN 0-88840-313-5.

**Le Chaton modèle,** conte pour enfants. Illustrations de Claire Duguay. Sherbrooke, Éditions Paulines, 1972. 14 p. : ill. part. en coul. Coll. « Mes Amis », 6. ISBN 0-88840-314-3.

**Le Voyage de Friponne,** conte pour enfants. Illustrations de Gabriel de Beney. Sherbrooke, Éditions Paulines, 1975. 15 p. : ill. part. en coul. Coll. « Les Rêves d'or », 9. ISBN 0-88840-449-2.

## André BEAUDET

(Montréal, 1951– ). Poète, romancier, critique et essayiste, André Beaudet complète une maîtrise en littérature comparée à l'université de Montréal, un D.E.A. au département de science des textes et documents de l'université de Paris VII avant d'entreprendre une thèse de doctorat intitulée *Bas Matérialisme et Littérature*. Depuis 1978, il a été tour à tour professeur aux départements de philosophie et d'études françaises de l'université de Montréal et au département d'études littéraires de l'UQAM, tout en travaillant périodiquement pour la radio MF de Radio-Canada. Fondateur et animateur de la revue *Brèches* (1973), il a également été l'initiateur de plusieurs numéros spéciaux de revues : « L'Étrangeté du texte » dans la revue *Brèches*, « Souverain Québec » et « Set international » dans la revue *Change* et « Lieux d'anatomie » dans *la Nouvelle Barre du jour.* André Beaudet prépare une édition critique des *Lettres à un fantôme* de Claude Gauvreau.

## ŒUVRES

**Kebekosmik (blues again) ; poèmes, juin 70–mai 71.** Montréal, Éditions Spinifex, 1971. 40 p.

**Nocturnales d'octobre : poèmes et textes (octobre 1970–février 1972).** Montréal, Éditions Spinifex, 1973. 69 p. Coll. « Brèches ».

**Fréquences : en l'inscription du roman,** roman. Montréal, L'Aurore, 1975. 151 p. Coll. « Écrire », 7. ISBN 0-88532-049-2.

**Vers les îles de lumière,** présentation et édition annotée des écrits du peintre Fernand Leduc. Montréal, Hurtubise HMH, 1981. Coll. « Textes et Documents littéraires ».

**La Désespérante Expérience Borduas,** essai. Montréal, Les Herbes rouges, n$^{os}$ 92-93, mai-juin 1981. 76 p. : portr. ISSN 0441-6627.

**Dans l'expectative de la nuit des temps,** tessiture. Montréal, Les Herbes rouges, n$^{os}$ 97-98, novembre-décembre 1981. 57 p. : ill. ISSN 0441-6627.

**Felix culpa !**, confessions. Montréal, Les Herbes rouges, n$^{os}$ 107–109, 1983. 64 p. ISSN 0441-6627.

## Aline BEAUDIN BEAUPRÉ

(Sept-Îles, 21 mars 1948– ). L'enfance d'Aline Beaudin Beaupré a été marquée par la mort de son père : « Je suis alors une petite fille gaie qui chante pour le plaisir de tous mais la souffrance doucement monte et monte juste ». De Sept-Îles à Sainte-Anne-des-Monts à Rimouski, elle traverse sa jeunesse pour entrer, à dix-neuf ans, chez les Oblates qu'elle quittera peu de temps après. Puis ce sera le collège de Matane : « Depuis, l'Amour est heureux et l'enfant se porte bien ».

## ŒUVRES

**Pluie dans le cercle,** roman. Montréal, Éditions Quinze, 1976. 69 p. ISBN 0-88565-014-X.

**L'Aventure de Blanche Morti,** roman. Montréal, Quinze Éditeur, 1981. 149 p. Coll. « Prose entière ». ISBN 2-89026-269-3.

## Dorothée BEAUDOIN

(Notre-Dame-de-la-Guadeloupe, comté de Frontenac, 1er juillet 1941– ). Enseignante à la commission scolaire Chomedey de Laval et animatrice pour couples en difficultés jusqu'en 1980, Dorothée Beaudoin est diplômée en psycho-pédagogie de l'école normale de Thetford-Mines (1959). Elle a été monitrice de danse sociale à la Fédération des loisirs du Québec, membre de l'Institut de culture personnelle du Québec et a collaboré au Bulletin de liaison de la Magnétothèque. Hormis la poésie, elle s'intéresse à l'ésotérisme, la parapsychologie, la musique et le théâtre.

## ŒUVRES

**Éclatement : réflexions sur la vie,** poésie. Illustrations de Jacques Ménard. Laval, Éditions M.D.B., 1980. 59 p. : ill.

**À l'aube d'une vie nouvelle,** poésie. Laval, Éditions M.D.B., 1982. 78 p.

### Pierrette BEAUDOIN (1935– )

## ŒUVRES

**Bottine, Grelot et Mercure.** Illustrations de Paul Couture. Montréal, Éditions de l'Iris, 1973. N.p. : ill. en coul. ISBN 0-88522-007-2.

**Les Chiboukis dans la pomme.** Illustrations de Paul Couture. Montréal, Éditions de l'Iris, 1973. 16 p. : ill. en coul.

### Marguerite BEAUDRY

Kèro

(Québec, 5 avril 1926– ). Rédactrice et correctrice de *la Semaine à Radio-Canada* de 1960 à 1967, Marguerite Beaudry est depuis lors rédactrice en chef d'*Ici Radio-Canada* (télévision). Bien qu'éloignée des lettres comme telles, elle se déclare au service de la langue « qu'elle aime peut-être encore plus que la musique ». En 1976, la mort de sa sœur la décide à écrire son premier roman, *Tout un été l'hiver*, qui sera suivi d'un deuxième dès 1977. En 1980, elle bénéficiait d'une bourse d'aide à la création afin de travailler à une œuvre plus élaborée « tissée à même la réflexion et l'expérience de vie d'une femme qui considère la vie comme un atout et non comme une entrave à la vie de l'esprit ».

## ŒUVRES

**Tout un été l'hiver,** roman. Montréal, Éditions Quinze, 1976. 179 p. ISBN 0-88565-085-9.

**Debout dans le soleil,** roman. Montréal, Éditions Quinze, 1977. 156 p. ISBN 0-88565-114-9.

**Le Rendez-vous de Samarcande,** roman. Montréal, Libre Expression, 1981. ISBN 2-89111-090-0.

### Benoit BEAULIEU

(Québec, 14 juillet 1928– ). Benoit Beaulieu obtient un doctorat en littérature française de l'université de Lyon en 1969. Professeur au département des littératures de l'université Laval depuis 1970, il en devenait le directeur en 1980. Essayiste, il a publié jusqu'à aujourd'hui deux ouvrages sur Érasme ainsi que nombre d'articles et comptes rendus notamment dans *Livres et Auteurs québécois* et dans le *Dictionnaire des œuvres littéraires du Québec.*

## ŒUVRES

**Visage littéraire d'Érasme,** essai. Québec, Presses de l'université Laval, 1973. 229 p. ISBN 0-7746-6649-8.

**La Correspondance d'Érasme,** essai. Bruxelles, University Press, 1980, 671 p.

### Danielle BEAULIEU

(Magog, 1er février 1947– ). Diplômée en assistance sociale du cégep de Sherbrooke en 1969, c'est au Centre des services sociaux de l'Estrie que Danielle Beaulieu exerce son métier. Romancière et essayiste, elle recevait le Prix Alfred-Desrochers de l'Association des auteurs des Cantons de l'Est pour son premier roman *Il neige sur les frangipaniers* (1978). Outre des séjours d'un an en Belgique et de deux ans et demi en Afrique centrale, Danielle Beaulieu a effectué de nombreux voyages un peu partout en Europe et en Afrique.

Studio André Baldini

## ŒUVRES

**Il neige sur les frangipaniers,** roman. Sherbrooke, Éditions Naaman, 1978. 163 p. : ill., carte. Coll. « Création », 35.

**Les Coquelicots,** récit-essai. Sherbrooke, Éditions Naaman, 1980. 57 p. Coll. « Création », 74. ISBN 2-89040-156-1.

**Germaine BEAULIEU**

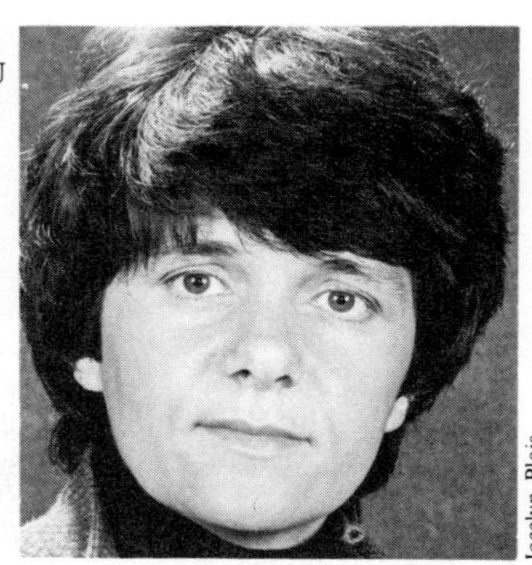
Jocelyn Blais

(Laval, 27 mars 1949-　　). Poète et romancière, Germaine Beaulieu s'intéresse à la psychologie, à la psychanalyse et fait des recherches sur le féminisme. Conseillère pédagogique au cégep Bois-de-Boulogne depuis 1980 après y avoir enseigné trois ans, elle possède des baccalauréats en pédagogie (1971) et en psychologie (1977) de l'université de Montréal ainsi qu'une maîtrise en psychologie décernée par la même institution (1979). À ses deux publications s'ajoutent des textes qu'elle a fait paraître dans *la Nouvelle Barre du jour* et dans *le Devoir*.

## ŒUVRES

**Envoie ta foudre jusqu'à la mort, abracadabra,** poésie. Illustrations de Mireille Lanctôt. Montréal, Éditions de la Pleine Lune, 1977. 91 p. : ill.

**Sortie d'elle(s) mutante,** roman. Montréal, Quinze Éditeur, 1980. 109 p. Coll. « Réelles ». ISBN 2-89026-209-X.

**Michel BEAULIEU**

Kèro

(Montréal, 31 octobre 1941-　　). « Eh bien voilà : je suis né à Montréal peu après minuit le 31 octobre 1941, jour des sorciers que l'on passe au bûcher, à l'hôpital Sainte-Jeanne-d'Arc. De mes études classiques au collège Jean-de-Brébeuf, je retiens surtout que je puis encore lire le latin dans le texte. Mon père étant ingénieur et grand amateur d'art, deux de ses frères — Paul V. et Louis Jaque — étant eux-mêmes des peintres, il allait de soi que je me mette à écrire dès mes 12 ans et que je sois toujours incapable de dessiner. Je n'ai connu l'existence de la poésie qu'à 15 ans et mes premiers auteurs ont été québécois : Garneau, Giguère, Grandbois, les premières plaquettes de l'Hexagone, celles d'Erta et celles d'Orphée. Je suis certainement l'un des lecteurs de poésie les plus assidus du Québec. Malgré des activités apparemment dispersées — il faut bien vivre — celle-ci a toujours été au cœur de mes préoccupations et il ne se passe guère de journée sans que j'en lise durant au moins une heure. C'est pourquoi, n'ayant à peu près jamais quitté mon pays sinon pour deux séjours en Louisiane, quelques semaines en Europe, plusieurs pointes du côté des États-Unis ou du Canada, je puis affirmer que j'ai beaucoup voyagé tant à travers le temps qu'à travers l'espace. Pour le reste ? Eh bien, je ne crois pas que ça doive être livré à qui que ce soit bien que certaines dates soient, comme on dit, du domaine public. » Michel Beaulieu a collaboré à de nombreuses revues : *la Barre du jour, Études françaises, Liberté, Estuaire, Hobo-Québec*, etc. et est cofondateur des Éditions Estérel et des Éditions Minimales. *Visages* lui a valu le Prix du Gouverneur général en 1982.

## ŒUVRES

**Pour chanter dans les chaînes,** poésie. Montréal, Éditions la Québécoise, 1964. 80 p.

**Le Pain quotidien,** poésie. Avec sept dessins à l'encre de Jean McEwen. Montréal, Éditions Estérel, 1965. 96 p.

**Ballades et Satires,** poésie. In **Trois.** En collaboration avec Nicole Brossard et Micheline de Jordy. Montréal, Presses de l'AGEUM, 1965. pp. 9–35.

**Apatride,** poésie. Eaux-fortes de Roland Pichet. Montréal, Éditions Estérel, 1966. 46 f. : 10 planches en coul.

**Mère,** poésie. 9 bois gravés de Roland Pichet. Montréal, Éditions Estérel, 1966. 22 f.

**Érosions,** poésie. Montréal, Éditions Estérel, 1967. 57 p.

**X,** récit. Montréal, L'Obscène Nyctalope, 1968. 64 p.

**0 : 00,** poésie. Montréal, Éditions Estérel, 1969. 80 p.

**Je tourne en rond mais c'est autour de toi,** roman. Montréal, Éditions du Jour, 1969. 179 p. Coll. « Les Romanciers du Jour ».

**Charmes de la fureur,** poésie. Montréal, Éditions du Jour, 1970. 75 p. Coll. « Les Poètes du Jour ».

**Sous-jacences,** poésie. Sérigraphies de Roland Pichet. Montréal, chez l'artiste, 1970. 16 f. (dans une chemise) : 10 planches en coul.

**Paysage,** précédé de **Adn,** poésie. Montréal, Éditions du Jour, 1971. 100 p. Coll. « Les Poètes du Jour ».

**La Représentation,** roman. Montréal, Éditions du Jour, 1972. 198 p. Coll. « Les Romanciers du Jour ».

**Pulsions,** poésie. Montréal, L'Hexagone, 1973. 58 p.

**Variables,** poésie. Montréal, Presses de l'université de Montréal, 1973. 110 p. Coll. « Prix de la revue Études françaises », 1973. ISBN 0-8405-0233-8.

**Sylvie Stone,** roman. Montréal, Éditions du Jour, 1974. 177 p. ISBN 0-7760-0599-5.

**FM : lettres des saisons III,** poésie. Saint-Lambert, Éditions du Noroît, 1975. N.p. ISBN 0-88524-011-1.

**Le Flying Dutchman,** poésie. Préface de Claude Beausoleil. Montréal, Éditions Cul-Q, 1976. N.p. Coll. « Mium/Mium », 9.

**Anecdotes,** poésie. Encres de Louise Thibault. Saint-Lambert, Éditions du Noroît, 1977. 63 p. : ill. ISBN 0-88524-019-7.

**L'Octobre,** suivi de **Dérives,** poésie. Montréal, L'Hexagone, 1977. 78 p.

**Indicatif présent,** poésie. Encres de Carol Dunlop. Montréal, Éditions Estérel, 1977. 45 p. : ill.

**Le Cercle de justice,** poésie. Montréal, L'Hexagone, 1977. 95 p.

**Comment ça va ?,** poésie. Montréal, Éditions Cul-Q, 1978. 27 p. Coll. « Mium/Mium », 22.

**Familles,** poésie. Montréal, Éditions Estérel, 1978. 60 p.

**Oratorio pour un prophète,** poésie. Montréal, Éditions Estérel, 1978. N.p. ISBN 2-920044-07-9.

**Amorces,** poésie. Montréal, Éditions Estérel, 1979. N.p. ISBN 2-920044-09-5.

**Oracle des ombres,** poésie. Illustrations de Sylvie Melançon. Saint-Lambert, Éditions du Noroît, 1979. N.p. : ill. ISBN 2-89018-031-X.

**Fléchettes,** poésie. Montréal, Éditions Minimales, 1979. N.p.

**Civilités,** poésie. Montréal, Éditions Estérel, 1979. N.p. ISBN 2-920044-12-5.

**Zoo d'espèces,** poésie. Montréal, Éditions du Mouton noir, 1979. N.p.

**Rémission du corps énamouré,** poésie. Montréal, Éditions du Mouton noir, 1979. N.p.

**Desseins,** poèmes. Montréal, L'Hexagone, 1980. 246 p. Coll. « Rétrospectives », 15. ISBN 2-89006-166-3.

**Sept fois tournée la langue effleure,** poésie. Montréal, Éditions Minimales, 1980. N.p.

**Visages,** poésie. Saint-Lambert, Éditions du Noroît, 1981. ISBN 2-89018-047-6.

**P.V. Beaulieu,** monographie. Laprairie, Éditions Marcel Broquet, 1981.

## TRADUCTION

**Montréal perdu,** iconographie. Traduction de **Lost Montreal** de Luc d'Iberville-Moreau. Montréal, Quinze, 1977. 184 p.

## Victor-Lévy BEAULIEU

Denis Plain

(Saint-Paul-de-la-Croix, 2 septembre 1945– ). Après des études primaires à Saint-Jean-de-Dieu et à Trois-Pistoles et des études secondaires à Montréal-Nord, Victor-Lévy Beaulieu travaille un an comme commis de banque (1965-1966). Journaliste-chroniqueur à *Perspectives* (1966–1976) et au *Devoir* (1968–

1977), il fait également de la pige pour divers journaux. Directeur du magazine *Digest-Éclair* de 1968 à 1969, il publie *Mémoires d'outre-tonneau*, son premier roman, dès 1968. Publicitaire pour la Compagnie Jean Duceppe durant quatre étés (1969–1973), il occupe à la même époque le poste de directeur littéraire des Éditions du Jour où il crée et dirige la collection « Bibliothèque québécoise » qui est consacrée à la réédition de textes anciens. Il quitte les Éditions du Jour en 1973 pour fonder avec Léandre Bergeron les Éditions de l'Aurore. Il y travaillera trois ans avant de fonder les Éditions VLB en 1976. Professeur de littérature à l'École nationale de théâtre de 1972 à 1978, auteur de nombreux romans, de pièces de théâtre et d'essais, Victor-Lévy Beaulieu a également écrit des textes pour la radio et la télévision ainsi que deux téléromans : *les As* (1977-1978) et *Race de monde* (1978–1981), diffusés par Radio-Canada. Récipiendaire du Grand Prix littéraire de la ville de Montréal pour son roman *les Grands-Pères* en 1972, Victor-Lévy Beaulieu a également remporté le Prix du Gouverneur général pour *Don Quichotte de la démanche* en 1975, le Prix France-Canada pour *Monsieur Melville* en 1979, ainsi que les Prix Belgique-Canada et Duvernay pour l'ensemble de son œuvre.

## ŒUVRES

**Mémoires d'outre-tonneau,** roman. Montréal, Éditions Estérel, 1968. 190 p.

**Race de monde,** roman. Montréal, Éditions du Jour, 1969. 186 p. Coll. « Les Romanciers du Jour ».

**La Nuitte de Malcolm Hudd,** roman. Montréal, Éditions du Jour, 1969. 229 p. Coll. « Les Romanciers du Jour ».

**Jos Connaissant,** roman. Montréal, Éditions du Jour, 1970. 250 p. Coll. « Les Romanciers du Jour ».

**Quand les écrivains québécois jouent le jeu,** 43 réponses au questionnaire Marcel Proust présentées par V.-L. Beaulieu. Montréal, Éditions du Jour, 1970. 268 p. : portr.

**Pour saluer Victor Hugo,** essai. Montréal, Éditions du Jour, 1971. 391 p. : ill. portr. Coll. « Littérature du Jour ».

**Les Grands-Pères,** récit. Montréal, Éditions du Jour, 1971. 156 p. Coll. « Les Romanciers du Jour ».

**Un Rêve québécois,** roman. Montréal, Éditions du Jour, 1972. 172 p. Coll. « Les Romanciers du Jour ».

**Jack Kérouac,** essai-poulet. Montréal, Éditions du Jour, 1972. 235 p. : ill. Coll. « Littérature du Jour ».

**Oh Miami, Miami, Miami,** roman. Montréal, Éditions du Jour, 1973. 320 p. Coll. « Les Romanciers du Jour ».

**Don Quichotte de la Démanche,** roman. Montréal, L'Aurore, 1974. 277 p. Coll. « L'Amélanchier », 2. ISBN 0-88532-001-8.

**Le Manuel de la petite littérature du Québec,** anthologie. Montréal, L'Aurore, 1974. 268 p.

**En attendant Trudot,** théâtre. Préface de Jean-Claude Germain. Montréal, L'Aurore, 1974. 73 p. : ill. Coll. « Entre le parvis et le boxon », 1.

**Blanche forcée,** récit. Montréal-Nord, VLB, 1976. 210 p. : ill.

**Ma Corriveau,** suivi de **la Sorcellerie en finale sexuée,** théâtre. Montréal, VLB, 1976. 117 p.

**N'évoque plus que le désenchantement de ta ténèbre, mon si pauvre Abel,** lamentation. Montréal, VLB, 1976. 193 p. : ill.

**Sagamo Job J.,** cantique. Montréal-Nord, VLB, 1977. 205 p. : ill.

**Monsieur Zéro,** théâtre. Montréal-Nord, VLB, 1977. 132 p. : ill.

**Cérémonial pour l'assassinat d'un ministre,** oratorio. Montréal-Nord, VLB, 1978. 103 p. : ill. en coul.

**Monsieur Melville,** roman. Montréal-Nord, 1978. 3 t. ill., fac-sim., portr. T. 1 : **Dans les aveilles de Moby Dick,** 223 p. T. 2 : **Lorsque souffle Moby Dick,** 297 p. T. 3 : **L'Après Moby Dick** ou, **la Souveraine Poésie**, 237 p.

**La Tête de monsieur Ferron ou les Chians,** épopée drôlatique. Montréal-Nord, VLB, 1979. 113 p. : ill.

**Una,** romaman. Montréal-Nord, VLB, 1980. 234 p. : ill.

**Satan Belhumeur,** roman. Illustrations de Tibo. Montréal-Nord, VLB, 1982. 225 p.

**Moi Pierre Leroy, prophète, martyr et un peu fêlé du chaudron**, plagiaire. Montréal-Nord, VLB, 1982, 310 p.

## ŒUVRES TRADUITES

**The Grandfathers,** récit. Traduction anglaise de Marc Plourde ; titre original : **Les Grands-Pères.** Montréal, Harvest House, 1975. 158 p. Coll. « French Writers of Canada Series ». ISBN 0-88772-160-5.

**Jack Kerouac : a chicken-essay.** Traduction anglaise de Sheila Fischman ; titre original : **Jack Kérouac : essai-poulet.** Toronto, Coach House Québec Translations, 1975. 170 p. : photos.

## ÉTUDE

**Victor-Lévy Beaulieu : dossier de presse 1968–1980.** Sherbrooke, Bibliothèque du séminaire, 1981. N.p. : ill., portr.

**Denise**
**BEAULNE**

Voir Dany-El Emmanuel.

**Paul**
**BEAUPRÉ**

(Berthier, 17 avril 1923-     ). Spécialiste en arts plastiques, Paul Beaupré a complété un certificat en philosophie à l'université d'Ottawa (1952), obtenu un diplôme de l'école des Beaux-Arts de Montréal (1953) et, à l'université de Montréal en 1955, a terminé un certificat en littérature française. Directeur de la revue *Vision* (1969 à 1973), il dirige aussi depuis 1971 la maison d'édition Pleins Bords. Outre les nombreux ouvrages qu'il a publiés sur l'enseignement des arts plastiques, étant lui-même peintre et céramiste, il a écrit quelques recueils de poésie. Membre de la communauté des Clercs de Saint-Viateur et professeur depuis 1941, Paul Beaupré a successivement enseigné aux niveaux primaire, secondaire et universitaire et fut de 1968 à 1977 conseiller pédagogique à la CECM. Il a été président de l'Association des professeurs d'arts plastiques du Québec et est membre de l'Association des éducateurs spécialisés en arts plastiques.

ŒUVRES

**Acceptation globale,** essai. Montréal, Éditions Pleins Bords, 1971. 202 p.
**Pour une pédagogie écologique,** essai. Montréal, Éditions Chantiers pédagogiques, 1971. 154 p.
**Les Activités plastiques à l'élémentaire,** essai. En collaboration. Montréal, Éditions Chantiers pédagogiques, 1972. 208 p.
**Le verbe se fait sang,** poésie. Montréal, Éditions Pleins Bords, 1973. 259 p. : ill.
**Triple Conquête,** essai. Montréal, Éditions Pleins Bords, 1973. 362 p. : ill.
**Les Faisceaux convergents de notre involution,** essai. Montréal, Éditions Pleins Bords, 1974. 306 p. : ill.
**Les arts plastiques et visuels sont aussi didactiques,** essai. Joliette, Éditions Pleins Bords, 1978. 241 p.
**Chemin de la croix,** poésie. Joliette, Éditions Pleins Bords, 1978. 77 p. ISBN 2-89197-012-8.
**Provende,** aphorismes. Joliette, Éditions Pleins Bords, 1978. 200 p. : ill. ISBN 2-89197-013-6.
**Didactique des arts plastiques,** essai. Joliette, Éditions Pleins Bords, 1979. 265 p. ISBN 2-89197-014-4.
**Émilien,** essai. Joliette, Éditions Pleins Bords, 1980. 235 p. ISBN 2-89197-017-9.
**Poèmes enchaînés.** Joliette, Éditions Pleins Bords, 1981. 147 p. : ill. ISBN 2-89197-020-9.

**Viateur**
**BEAUPRÉ**

(Saint-Valérien, comté Rimouski, 12 mars 1923-     ). Ayant écrit des contes et des essais autant sur l'école et sur l'enseignement des arts plastiques que sur le Québec et les Québécois, Viateur Beaupré enseigne depuis 1951. Il a obtenu une licence en théologie à l'université de Montréal (1951), fait des études de chant grégorien à l'abbaye Saint-Benoît-du-lac (1953), complété un certificat en études littéraires à la Sorbonne (1955) et est maître ès arts de l'Institut catholique de Paris en français, en latin, en grec et en esthétique (1956). Tout en exerçant son sacerdoce dans plusieurs villes du Québec, il a été provincial des Clercs de Saint-Viateur de Rimouski de 1970 à 1971 et directeur des études à Sainte-Luce-sur-mer et à Matane de 1956 à 1971. Il a collaboré aux journaux *le Soleil, le Devoir* et *l'Action nationale* ainsi qu'à *Prospectives* et à *Québec français*. Il est membre de la Fédération des enseignants du Québec et de l'Association québécoise des professeurs de français.

ŒUVRES

**Virgile,** essai. Montréal, Centre de psychologie et de pédagogie, 1968. 285 p. : ill.
**Les Arts plastiques,** didactique. Montréal, Centre éducatif et culturel, 1968. 280 p. : ill.
**La Colombe et le Corbeau,** conte. Illustrations de Jean-Eudes Fallu. Montréal, Cercle du livre de France, 1971. 180 p. : ill.
**Wawatapi et Hourlo,** conte. Rimouski, chez l'auteur, 1971. 128 p. : ill.
**L'Homme ou la Loi,** polémique. Sept-Îles, chez l'auteur, 1972. 48 p.
**Guide touristique du Québec,** humour. Montréal, Éditions Québécoises, 1973. 138 p.

**L'École noire sur blanc,** essai. Sept-Îles, chez l'auteur, 1976. 60 p.

**Le Français par cœur et par raison,** essai. Sept-Îles, chez l'auteur, 1978. 34 p.

**Québécois ou Francofuns?,** essai. Sept-Îles, chez l'auteur, 1978. 250 p.

**Pierres vives,** étude poétique. Rivière-du-Loup, Entreprises Castelriand, 1979. 78 p. : ill.

**André BEAUREGARD**

(Montréal, 6 juin 1950– ). Poète, André Beauregard abandonne ses études secondaires en 1967 et séjourne à New York et Toronto avant de se rendre en Californie (1968). En juin 1972 il part pour l'Europe, découvre Amsterdam, Paris et Londres et « fait un pèlerinage à Charleville, la ville natale de Rimbaud ». Depuis 1972, année de la publication de son premier recueil de poèmes, il est manutentionnaire à l'emploi de diverses maisons d'édition.

## ŒUVRES

**Miroirs électriques, 1967–1970,** poésie. Montréal, Parti pris, 1972. 142 p. Coll. « Paroles », 23. ISBN 0-88512-050-7.

**Changer la vie: août 1971, février 1972,** prose. Montréal, Parti pris, 1974. 48 p. Coll. « Paroles », 30. ISBN 0-88512-068-X.

**Voyage au fond de moi-même,** prose. Illustrations et calligraphie de Richard Doutre; photographie de Serge Clément. Montréal, Parti pris, 1976. 97 p. : ill., photo. Coll. « Paroles », 44. ISBN 0-88512-087-6.

**Claude BEAUSOLEIL**

Michel Lemieux

(Montréal, 16 novembre 1948– ). Membre du comité de rédaction des revues *Cul-Q* et *Lèvres urbaines*, critique littéraire à *Mainmise* (1975–1977), à *Hobo-Québec* (1973–1979), au magazine *Spirale* et au journal *le Devoir*, Claude Beausoleil est professeur au département de français du cégep Édouard-Montpetit. Nombre de ses textes furent publiés dans diverses revues dont *les Herbes rouges, Cul-Q, Dérives, la Nouvelle Barre du jour, Jeu, Livres et Auteurs québécois, Ellipse, Jungle* (France) et *Actuel* (France). Détenteur d'un baccalauréat spécialisé (1970) et d'une maîtrise en études littéraires (1973) de l'université du Québec à Montréal, il a également suivi les cours du Centre international de linguistique et de sémiotique d'Urbino (été 1978) et obtenu un certificat en histoire de l'art à l'UQAM. À cela s'ajoutent sa participation à de nombreux colloques dont celui de Cerisy-la-Salle (été 1980) et sa présence à des lectures publiques de poésie notamment à Place aux poètes, au Studio Z et à Véhicule-Art. En 1980, Claude Beausoleil fut récipiendaire du Prix Émile-Nelligan pour *Au milieu du corps l'attraction s'insinue*.

## ŒUVRES

**Intrusion ralentie,** poésie. Montréal, Éditions du Jour, 1972. 132 p. Coll. « Les Poètes du Jour ».

**Les Bracelets d'ombre,** poésie. Montréal, Éditions du Jour, 1973. 62 p. Coll. « Les Poètes du Jour ».

**Avatars du trait,** poésie. Illustrations de Jean Lussier. Montréal, L'Aurore, 1974. 68 p. : ill. Coll. « Lecture en vélocipède », 4.

**Dead Line,** récits. Montréal, Éditions Danielle Laliberté, 1974. 163 p. : photo.

**Journal mobile,** poésie. Préface de Denis Vanier; illustrations de l'auteur. Montréal, Éditions du Jour, 1974. 87 p. : collages. Coll. « Les Poètes du Jour ». ISBN 0-7760-0618-5.

**Motilité,** poésie. Montréal, L'Aurore, 1975. 83 p. Coll. « Lecture en vélocipède », 12. ISBN 0-88532-037-9.
**Ahuntsic Dream,** poésie. Montréal, Les Herbes rouges, n° 27, 1975. 31 p.
**Promenade modern-style,** récit. Montréal, Éditions Cul-Q, 1975. N.p. : portefeuille, portr.
**Le Sang froid du reptile,** poésie. Illustrations de François Renaud. Montréal, Les Herbes rouges, n° 32, 1975. N.p. : photo.
**Sens interdit : l'offset story, le langage : aucune obligation fragmentée les lames de fond,** poésie. Montréal, Éditions Cul-Q, 1976. N.p. Coll. « Mium/Mium », 6.
**Le Temps maya,** poésie. Illustrations de E. Canul. Montréal, Éditions Cul-Q, 1977. N.p. : gravures. Coll. « Mium/Mium », 14.
**Les Marges du désir,** poésie. Montréal, Éditions du Coin, 1977. 51 p. Coll. « Poésie ».
**L'Éventail jaune,** poésie. En collaboration avec Jean-Paul Daoust ; photographies de Madeleine Monette. Montréal, s.é., 1978. 25 p. : photo. Hors commerce.
**La Surface du paysage,** poèmes et textes. Montréal-Nord, VLB, 1979. 149 p.
**Au milieu du corps l'attraction s'insinue,** poésie. Préfaces de Paul Chamberland et Lucien Francœur ; photographies de Daniel Dion. Saint-Lambert, Noroît, 1980. 234 p. : photo. ISBN 2-89018-0481.
**Soudain la ville,** poésie. Montréal, s.é., 1981.
**Dans la matière rêvant comme d'une émeute,** poésie. Trois-Rivières, Écrits des Forges, 1982. 97 p. ISBN 2-89046-045-2.

**Luc-A. BÉGIN**

Kèro

(Montréal, 7 octobre 1943– ). Maître ès arts (français) de l'université McGill, Luc A. Bégin poursuit en 1970 sa scolarité de doctorat aux universités de Montpellier (France) et McGill. Enseignant, journaliste et éditeur, il a publié jusqu'à présent six ouvrages de création.

**ŒUVRES**

**L'Abitibien-outan,** suivi de **l'Ariane,** parodies. Montréal, Éditions Miniatures, 1966. 87 p.
**Le Firmament trop cru,** poésie. Montréal, Éditions Aquila, 1971. 53 p. ISBN 0-88510-002-6.
**Vertiges,** poésie. Montréal, Éditions Aquila, 1972. 70 p. Coll. « Aquila poésie ». ISBN 0-88510-008-5.
**Depuis silence,** poésie. Montréal, Hurtubise HMH, 1977. 67 p. Coll. « Sur parole ». ISBN 0-7758-0070-8.
**Le Scandale des pissenlits one way,** poésie. Montréal, Éditions Cul-Q, 1979. N.p.
**Entrer en libertés,** poésie. Montréal, chez l'auteur, 1981. 19 p. : ill.

**Louis-Paul BÉGUIN**

Chroniqueur de langue pour divers journaux et revues depuis 1970 et pour *le Devoir* depuis 1975, Louis-Paul Béguin a signé plus de 1 500 chroniques. Originaire de Picardie, il est bachelier ès lettres de l'université d'Amiens (1950), licencié de philosophie-histoire de la Sorbonne (1953), diplômé en administration des assurances (1964) et a un diplôme en terminologie agréé par la Société des traducteurs du Québec (1978). Rédacteur-traducteur puis directeur du service français d'une compagnie d'assurances, il a vécu plusieurs années aux États-Unis et à Toronto avant de se fixer définitivement au Québec. Conseiller linguistique auprès de la direction de l'Office de la langue française, il est également l'auteur de poèmes et de pièces de théâtre. Directeur des Éditions Janus et membre du comité de rédaction de *Virus Montréal*, Louis-Paul Béguin a remporté le Prix Montcalm (1974) pour *l'Impromptu de Québec*.

**ŒUVRES**

**Dire et Traduire,** recueil de bulletins. Montréal, Éditions Prudentielle, 1966-1967. 180 p. : ill.

**Le Miroir de Janus,** poésie. Montréal, Éditions Sans le Sou, 1966. 91 p.

**Le Mot du jour,** linguistique. Québec, ministère des Communications, 1974. 168 p. Coll. « Cahiers de l'O.L.F. ».

**Délima,** chronique illustrée. Illustrations de Raoul Hunter. Québec, Éditeur officiel du Québec, 1974. 40 p. : ill.

**L'Impromptu de Québec,** théâtre. Illustrations de Raoul Hunter. Québec, Bélisle Éditeur, 1974. 23 p.

**Un homme et son langage,** linguistique. Illustration de Jean-Guy Lessard. Montréal, Éditions de l'Aurore, 1977. 287 p. Coll. « Connaissance du pays québécois ». ISBN 0-88532-125-1.

**Problèmes de langage au Québec et ailleurs**, linguistique. Montréal, Éditions de l'Aurore, 1978. 259 p. Coll. « Connaissance du pays québécois ». ISBN 0-88532-138-3.

**Vocabulaire technique des assurances,** 2 tomes. Montréal, Éditeur officiel, 1979. t. 1 : 280 p. ; t. 2 : 335 p. Coll. « Cahiers de l'O.L.F. ».

**Vocabulaire correctif des assurances.** Montréal, Éditeur officiel, 1979. 126 p. Coll. « Cahiers de l'O.L.F. ».

**Yourcenar,** ou **le Triomphe des femmes,** pastiche-théâtre. Montréal, Éditions Janus, 1980. 27 p. ISBN 2-920165-00-3.

**Idoles et Paraboles,** chroniques montréalaises. Montréal, Éditions Janus, 1982.

## Henry BEISSEL

(Cologne, Allemagne, 12 avril 1929- ). Après ses études de philosophie à l'université de Cologne, Henry Beissel émigre au Canada. Il poursuit d'abord ses études à l'université de Toronto, puis enseigne au sein de diverses institutions jusqu'en 1966 alors qu'il devient professeur d'anglais à Sir George Williams puis Concordia. Directeur de la revue *Edge*, il a collaboré à de nombreuses revues et ses écrits ont paru dans plusieurs anthologies.

### ŒUVRES

**Witness the Heart,** poésie. Toronto, Green Willow Press, 1963.

**New Wings for Icarus,** poésie. Toronto, Coach House Press, 1966.

**The World is a Rainbow,** poésie. Toronto, Canadian Music Centre, 1969.

**Face on the Dark,** poésie. Toronto, New Press, 1970.

**A Trumpet for Nap,** théâtre. Adaptation d'une pièce de Tancred Dorst. Toronto, Playwrights Co-op, 1973.

**Quays of Sadness,** poésie. Montréal, Delta Press, 1973.

**The Salt I Taste,** poésie. Montréal, D.C. Books, 1975.

**A Different Sun,** poésie. Sous la direction de Henry Beissel. Ottawa, Oberon Press, 1976.

**Cantos North □ I □ 1 □ — □ 11 □ 2 □,** poésie. Avec des lithographies de Friedhelm Lach. Westmount, s.é., 1980. N.p.

### TRADUCTION

**Waiting for Gaudreault,** théâtre. Traduction de **En attendant Gaudreault** d'André Simard ; en collaboration avec Arlette Francière. Toronto, Simon & Pierre, 1978. 16 p. : ill. Coll. « A Collection of Canadian Plays », 5. ISBN 0-88924-026-4.

## Michel BÉLAIR

(Montréal, 1944- ). Essayiste, Michel Bélair est diplômé du collège Sainte-Croix, licencié ès lettres de l'université de Montréal et maître ès arts de l'université d'Aix-Marseille. Il a été journaliste au *Devoir* avant de se lancer dans l'aventure de *Mainmise* pour ensuite se consacrer à l'écriture.

### ŒUVRES

**Avant la violence** ou **la Révolution de mai comme préliminaire,** essai. En collaboration avec Gilbert David et André Desjardins. Montréal, Leméac, 1968. 62 p.

**Michel Tremblay,** essai. Montréal, Presses de l'université de Montréal, 1972. 95 p. : ill. Coll. « Studio ». ISBN 0-770-0047-4.

**Le Nouveau Théâtre québécois,** essai. Montréal, Leméac, 1973. 205 p. Coll. « Dossiers ».

**Franchir les miroirs,** récit. Montréal, Parti pris, 1977. 220 p. ISBN 0-88512-110-4.

## Marcel BÉLANGER

(Berthierville, 5 juin 1943- ). Licencié ès lettres de l'université Laval (1968) et détenteur d'une maîtrise et d'un doctorat de l'université d'Aix-en-Provence, Marcel Bélanger enseigne à l'université Laval depuis 1972. Directeur de la revue *Livres et Auteurs québécois* de 1975 à 1977 et de la revue *Estuaire* depuis 1980, il a fondé et dirigé les Éditions Parallèles de 1976 à 1980 et est recherchiste-animateur à Radio-Canada depuis 1978. Il a participé à plusieurs rencontres d'écrivains et à quelques récitals de poésie ainsi qu'à nombre d'émissions de radio tant au

Kèro

Québec qu'à l'étranger. Certains de ses poèmes ont été traduits en anglais, en espagnol et en hongrois et son recueil *Migrations* lui a valu d'être finaliste au Prix du Gouverneur général de 1980. Marcel Bélanger a également écrit pour les revues *Liberté*, le *Magazine littéraire, Incidences, Études littéraires, Prism Review*, etc. et les journaux *le Soleil* et *le Droit*.

### ŒUVRES

**Pierre de cécité,** poésie. Montréal, Atys, 1962. N.p.
**Prélude à la parole,** poésie. Montréal, Déom, 1967. 73 p. Coll. « Poésie canadienne ».
**Plein-Vent,** poésie. Montréal, Déom, 1970. 73 p. Coll. « Poésie canadienne », 24.
**Saisons sauvages,** poésie. Dessins de Roland Bourneuf. Sainte-Foy, Éditions Parallèles, 1976. 32 p. : ill.
**Fragments paniques,** proses. Sainte-Foy, Éditions Parallèles, 1978. 89 p.
**Infranoir,** poésie. Sainte-Foy, Éditions Parallèles, Montréal, L'Hexagone, 1978. 65 p.
**Migrations,** poèmes 1969-1975. Montréal, L'Hexagone, 1980. 148 p. ISBN 2-89006-153-1.

## Yrénée BÉLANGER

(Montréal, 14 décembre 1948- ). Directeur fondateur des Éditions de l'Œuf qui se spécialisent dans la réalisation de livres-objets, Yrénée Bélanger affirme que pour lui, « la littérature n'est qu'un prétexte pour créer des objets ». Dans cette optique, il s'emploie à utiliser les matériaux les plus divers lors de la production de ses livres et il envisage la mise sur pied d'un laboratoire expérimental du livre. Professeur de français (1974-1975), puis animateur culturel (1975-1977), il est désormais rédacteur publicitaire. Depuis 1971, il a publié régulièrement de la poésie et, de 1969 à 1972, il a collaboré à la revue *Livres et Auteurs québécois*. Il détient une maîtrise en lettres de l'université d'Ottawa (1971) et y prépare une thèse de doctorat sur l'œuvre de Gaston Miron.

### ŒUVRES

**Dans les plaies,** poésie. Montréal, Éditions de l'Œuf, 1971. N.p.
**Là, derrière le corps,** poésie. Montréal, Éditions de l'Œuf, 1972. N.p.
**Soubremots,** poésie. En collaboration avec Guy M. Pressault. Montréal, Éditions de l'Œuf, 1973. N.p.
**•,** poésie. En collaboration avec Guy M. Pressault, Montréal, Éditions de l'Œuf, 1973. N.p.
**La Fin du repas,** poésie. Montréal, Éditions de l'Œuf, 1973. N.p.
**Des mêmes auteurs,** poésie. En collaboration avec Guy M. Pressault. Montréal, Éditions de l'Œuf, 1974. N.p.
**Écrire partout défense d'écrire,** poésie. En collaboration avec Guy M. Pressault. Montréal, Éditions de l'Œuf, 1974. N.p.
**De la,** poésie. En collaboration avec Guy M. Pressault. Montréal, Éditions de l'Œuf, 1974. N.p.
**Texte intégral,** poésie. Montréal, Éditions de l'Œuf, 1974. N.p.
**Ne pas plier,** poésie. En collaboration avec Guy M. Pressault. Montréal, Éditions de l'Œuf, 1974. N.p.
**Reject,** poésie. Montréal, Éditions de l'Œuf, 1974. N.p.
**Correction d'épreuves,** poésie. En collaboration avec Guy M. Pressault. Montréal, Éditions de l'Œuf, 1974. N.p.
**C'est assez,** poésie. En collaboration avec Claude Péloquin et Guy M. Pressault. Montréal, Éditions de l'Œuf, 1974. N.p.
**À jeter après usage,** poésie. En collaboration avec Guy M. Pressault et André Lannay. Montréal, Éditions de l'Œuf, 1976. N.p.
**Plein comme un œuf,** poésie. En collaboration avec Laurier Beauchamp. Montréal, Éditions de l'Œuf, 1980. N.p.
**No-Wave,** poésie. En collaboration avec Robert Dionne et Guy M. Pressault. Montréal, Éditions de l'Œuf, 1980. N.p.
**Mots de passe,** poésie. En collaboration avec Guy M. Pressault. Montréal, Éditions de l'Œuf, 1980. N.p.

## Michel BÉLIL

(Magog, 27 mai 1951- ). Après des études en histoire à l'université Laval, Michel Bélil travaille de 1974 à 1978 comme professeur de français langue seconde pour le gouvernement fédéral. Ce travail l'amènera à séjourner un an à Gander, un an à Halifax et deux ans à Ottawa. Il est depuis 1979 agent d'information pour le ministère québécois des Transports. Collabora-

Kèro

teur aux revues de science-fiction et de fantastique *Requiem, Solaris* et *Imagine*, il est un fervent philatéliste et grand amateur de contes et légendes du Québec et cherche, de plus et désespérément, des « ancêtres » au fantastique québécois.

## ŒUVRES

**Le Mangeur de livres,** conte. Montréal, Cercle du livre de France, 1978. 213 p. ISBN 0-7753-0099-3.

**Déménagement,** 24 contes fantastiques. Illustrations de Pierre Djada Lacroix. Québec, Éditions Chasse-Galerie, 1981. 76 p. : ill. ISBN 2-9800032-0-4.

**Greenwich,** roman. Outremont, Leméac, 1981. 230 p. Coll. « Roman québécois », 51. ISBN 2-7609-3056-4.

### Romain BELLEAU

La Presse

(Ancienne-Lorette, 7 août 1946– ). Romain Belleau est licencié ès lettres de l'université Laval (1970). Il a fait de l'enseignement au Lac Saint-Jean et a été employé de bureau. Il vit actuellement à Saint-Dizier, en France.

## ŒUVRE

**Les Rebelles,** roman. Montréal, Éditions du Jour, 1975. 206 p. Coll. « Les Romanciers du Jour ». ISBN 0-7760-0626-6.

### Jacques BENOIT

Kèro

(Saint-Jean, 28 novembre 1941– ). Jacques Benoit a étudié au collège de Saint-Jean (1960) et à la faculté des lettres de l'université de Montréal. Ses études terminées, un long voyage le mènera aux quatre coins de l'Amérique du Sud. D'abord professeur, il se tourne peu après vers le journalisme (1964). Il publie en 1967 son premier roman, *Jos Carbone*, qui lui vaudra le Prix littéraire du Québec (1968). D'autres romans suivront : *les Voleurs, Patience et Firlipon* et *les Princes*. Jacques Benoit a aussi écrit pour le cinéma et est l'auteur des scénarios de *la Maudite Galette, Réjeanne Padovani* et *l'Affaire Coffin*. Journaliste au *Petit-Journal*, à *la Patrie* et pour les émissions *Présent* et *Format 30* à Radio-Canada, il œuvre à *la Presse* depuis 1973 et y a signé plusieurs grands reportages dont un sur *l'Extrême Gauche* au Québec. Certains de ses articles lui ont d'ailleurs mérité des prix : le Prix Judith-Jasmin en 1976 et le Prix Héritage-Canada en 1977.

## ŒUVRES

**Jos Carbone,** roman. Montréal, Éditions du Jour, 1967. 120 p. Coll. « Les Romanciers du Jour ».

**Les Voleurs,** roman. Montréal, Éditions du Jour, 1969. 240 p. Coll. « Les Romanciers du Jour ».

**Patience et Firlipon,** roman. Montréal, Éditions du Jour, 1970. 182 p. Coll. « Les Romanciers du Jour ».

**Les Princes,** récit. Montréal, Éditions du Jour, 1973. 172 p. Coll. « Les Romanciers du Jour ».

**Réjeanne Padovani,** scénario. En collaboration avec Denys Arcand ; photos Attila Dory. Montréal, L'Aurore, 1975. 111 p. : photos. ISBN 0-88532-107-3.

**L'Extrême Gauche,** reportage. Montréal, Éditions La Presse, 1977. 139 p. : ill., photos.

**La Maudite Galette,** scénario. Montréal, Éditions le Cinématographe et VLB Éditeur, 1979. 105 p. : photos.

**Gisèle et le Serpent,** roman. Montréal, Libre Expression, 1982. 181 p. ISBN 2-89111-082-X.

### ŒUVRES TRADUITES

**Jos Carbone,** roman. Traduction anglaise de Sheila Fischman ; titre original : **Jos Carbone.** Montréal, Harvest House, 1974. 136 p. Coll. « French Writers of Canada Series ». ISBN 0-88772-157-5.

**The Princes,** roman. Traduction anglaise de David Lobdell ; titre original : **Les Princes.** Ottawa, Oberon Press, 1977. 123 p. ISBN 0-88750-243-1.

## † Jean BENOIT

(Longueuil, 13 novembre 1924–1er avril 1976). Après des études au collège de Longueuil, Jean Benoit travaille comme représentant des ventes pour diverses compagnies. À l'emploi du Club de baseball de Montréal de 1969 à 1972, il se passionne pour la jeunesse et les sports qu'elle pratique et décide d'écrire pour elle. Il écrira ainsi deux romans pour adolescents qui ne seront publiés qu'à titre posthume.

### ŒUVRES

**Une... deux... trois prises t'es mort,** roman. Illustrations de Gabriel de Beney. Montréal, Éditions Paulines, 1976. 149 p. : ill. Coll. « Jeunesse-pop », 25. ISBN 0-88840-580-4 et 0-88840-575-8.

**Le Tournoi,** roman. Illustrations de Gabriel de Beney. Montréal, Éditions Paulines, 1976. 157 p. : ill. Coll. « Jeunesse-pop », 26. ISBN 0-88840-581-2 et 0-88840-576-6.

## † Réal BENOÎT

(Sainte-Thérèse de Blainville, 1916–1972). Récipiendaire du Grand Prix littéraire de la ville de Montréal pour son roman, *Quelqu'un pour m'écouter*, Réal Benoît, cofondateur de la revue *Regards*, entre à Radio-Canada en 1960 après avoir été critique de cinéma et producteur de films. Auteur de romans, de pièces de théâtre, de contes et de nouvelles, il a également publié un ouvrage biographique sur la Bolduc.

### ŒUVRES

**Nézon,** contes. Illustrations de Jacques de Tonnancour. Montréal, Éditions Parizeau, 1945. 131 p.

**La Bolduc,** biographie. Préface de Doris Lussier. Montréal, Éditions de l'Homme, 1959. 123 p.

**Quelqu'un pour m'écouter,** roman. Montréal, Cercle du livre de France, 1964, 126 p.

**Le Marin d'Athènes,** théâtre. Montréal, Cercle du livre de France, 1966, 68 p.

**La Saison des artichauts,** suivi de **Mes voisins,** nouvelles. Montréal, Cercle du livre de France, 1968. 89 p.

**Œuvres dramatiques.** Montréal, Cercle du livre de France, 1973, 207 p. ISBN 0-7753-8502-6.

**Rhum soda,** nouvelle. Édition revue et augmentée ; préface de Marcel Dubé. Montréal, Leméac, 1973. 127 p. Coll. « Francophonie vivante ».

## André BER

(Bordeaux, France, 23 septembre 1920– ). Technicien à la Centrale nucléaire de Gentilly de 1970 à 1975, puis à la direction génie du service thermique et nucléaire d'Hydro-Québec, André Ber avait obtenu un brevet d'enseignement industriel du collège national technique Durzy (1938) et reçu son brevet d'officier de l'École nationale de navigation maritime en 1939. Au Québec depuis 1950, il est, en 1967, finaliste au concours du Centenaire grâce à son roman *Canadia.* Outre les lettres et, bien sûr, les développements techniques de l'énergie nucléaire, il s'intéresse à la myrmécologie.

### ŒUVRES

**Le Mystère des trois roches,** roman. Montréal, Fides, 1953. 176 p.

**Le Repaire des loups gris,** roman. Montréal, Fides, 1963. 168 p.

**Segoldiah !,** roman. Montréal, Déom, 1964. 245 p.

**Canadia,** roman-thèse. Montréal, édition privée, 1967. 392 p.

**Les Fourmis en société,** essai. Montréal, Fides, 1974. 44 p. Coll. « Satellite 2000 ». ISBN 0-7755-0514-5.

**La Cage aux fauves,** récit. Montréal, Déom, 1981. 341 p. ISBN 2-89020-055-8.

## Fernand BERGERON

(Montréal, 1942– ). Élève de Dumouchel, Fernand Bergeron a fréquenté l'école des Beaux-Arts de Montréal de 1964 à 1968. Il a travaillé à l'Atelier Graff et, avec ce groupe, a exposé à Lausanne, Paris, Vancouver et Montréal (1968–1970). Il a de plus participé à plusieurs expositions collectives à Sherbrooke,

Toronto, Winnipeg et Bâle (1969–1973) et a exposé seul à la Galerie du Vieux Trois-Rivières (1970), à Chicoutimi (1971) et aux Ateliers du Vieux Longueuil en 1973. Lithographe, il a publié 4 livres qu'il a lui-même illustrés.

## ŒUVRES

**Tour-l'Oignon.** Illustrations de l'auteur. Montréal, s.é., 1969. N.p. : 10 feuilles de planches, 1 portefeuille.

**Pour les nuits blanches de Nini de Saint-H la Petite.** Illustrations de l'auteur. Baie-Comeau, s.é., 1972. N.p. : 9 feuilles de planches, 1 portefeuille.

**Dans Cracais,** conte. Illustrations de l'auteur. Châteauguay, Éditions M. Nantel, 1973. N.p. : 1 feuille de planches, 1 portefeuille.

**Hôtel motel Bonséjour : bar, salon, piscine à l'eau salée, M. Bouchard, prop.** Illustrations de l'auteur. Lacolle, Éditions M. Nantel, 1976. N.p. : 10 feuilles de planches, 1 portefeuille.

## Gérard BERGERON

Kèro

Pseud. : Isocrate.

(Charny, 31 janvier 1922–     ). « Sociologue politique », étiquette qu'il préfère à celle de politicologue, Gérard Bergeron a enseigné pendant de nombreuses années à l'université Laval, d'abord au département de sociologie puis à celui de science politique (1954–1980). Il est actuellement professeur à l'École nationale d'administration publique. Détenteur d'un doctorat en science politique de la faculté de droit de Paris (1964), il fonde et dirige *la Revue canadienne de science politique* (1967 à 1968), collabore régulièrement au *Magazine Maclean* (1969–1972) ainsi qu'à diverses revues spécialisées. Prix du Québec en 1966 (*Fonctionnement de l'État*) et Prix Montcalm en 1968 (*le Canada français après deux siècles de patience)*, Gérard Bergeron écrit régulièrement des articles pour *le Devoir* et ce depuis 1956 alors qu'il signait du nom d'Isocrate. Son œuvre s'est élaborée à un triple niveau de communication : élaborations théoriques, essais historiques et études de conjoncture afin, affirme-t-il, de pouvoir répondre à la sollicitation de problèmes apparaissant à des moments précis et qu'il fallait au moins poser avant d'aller plus loin. Gérard Bergeron est membre d'honneur de l'Union des écrivains québécois.

## ŒUVRES

**Problèmes politiques du Québec : répertoire bibliographique des commissions royales d'enquête présentant un intérêt spécial pour la politique de la province de Québec, 1940–1957.** En collaboration. Montréal et Québec, Institut de recherches politiques de la Fédération libérale provinciale, 1957. XIII-218 p.

**Esquisse d'une théorie fonctionnelle de l'État moderne,** thèse. Paris, s.é., 1964. 823 p.

**Fonctionnement de l'État,** essai. Préface de Raymond Aron. Québec et Paris, Presses de l'université Laval, Armand Colin, 1965. VII-660 p. : ill.

**Du duplessisme au johnsonisme, 1956–1966,** suivi de **À l'écoute du diapason populaire,** essai. Montréal, Parti pris, 1967. 470 p. Coll. « Aspects ».

**Le Canada français après deux siècles de patience,** essai. Paris, Éditions du Seuil, 1967. 281 p. Coll. « L'Histoire immédiate ».

**Ne bougez plus ! Portraits de 40 politiciens de Québec et d'Ottawa,** essai. Montréal, Éditions du Jour, 224 p.

**Du duplessisme à Trudeau et Bourassa,** essai. Nouvelle édition revue et augmentée. Montréal, Parti pris, 1971. 631 p. Coll. « Aspects ».

**La Guerre froide inachevée,** essai. Préface de John W. Holmes. Montréal, Presses de l'université de Montréal, 1971. 315 p.

**La Gouverne politique,** essai. Paris et La Haye, Mouton, 1977. 264 p.

**L'Indépendance : oui, mais...,** essai. Montréal, Quinze, 1977. 198 p.

**Ce jour-là... le Référendum,** essai. Montréal, Quinze, 1978. 256 p.

**Incertitudes d'un certain pays,** essai. Québec, Presses de l'université Laval, 1979. 271 p.

**L'État du Québec en devenir,** essais. En collaboration. Montréal, Boréal-Express, 1980.

**Syndrome québécois et Mal canadien,** essai. Québec, Presses de l'université Laval, 1981. 297 p. ISBN 2-7637-6940-3.

**Mécanismes pour une nouvelle Constitution,** essais. En collaboration. Ottawa, Éditions de l'université d'Ottawa, 1981. 146 p. ISBN 2-7603-2023-5.

**De l'autre côté de l'action,** entretiens avec Jean Blouin. Montréal, Éditions Nouvelle Optique, 1982. 231 p. ISBN 2-89017-138-1.

## ÉTUDES

Chevrette, François, **Essai d'examen critique de deux théories du système politique: David Easlon et Gérard Bergeron,** thèse de D.E.S. Paris, faculté de Droit de Paris, 1966. 146 p.

Bellerive, Gilles, **La Continuité dans l'œuvre de Gérard Bergeron; trois dominantes: totalité, dynamisme, idéalisme,** thèse de maîtrise en science politique. Ottawa, université d'Ottawa, 1970. 110 p.

Bernadin, Renaud, **Fonctionnement de l'État en Haïti,** thèse de doctorat en science politique. Ste-Foy, université Laval, 1980. 460 p.

## † Marthe BERGERON-HOGUE

(Chambord, 27 juillet 1902–Québec, 7 mars 1980). Marthe Bergeron-Hogue a étudié au collège Jésus-Marie de Sillery et à l'université Laval. Membre de la Société des écrivains canadiens, de l'Association des écrivains de langue française et de bien d'autres sociétés, elle a œuvré au sein de nombreux organismes humanitaires. Cofondatrice et un temps directrice de l'école Cardinal-Villeneuve pour enfants infirmes, elle a dirigé l'Institut national canadien pour les aveugles et agi comme responsable du Mouvement des femmes chrétiennes. Elle a participé à plusieurs émissions radiophoniques et publié dans des journaux tels *l'Action catholique, le Soleil, la Patrie.* Elle a reçu pour son roman, *le Défi des dieux*, un prix dans le cadre d'un concours organisé à Haïti et proposé à la francophonie américaine.

## ŒUVRES

**Un trésor dans la montagne (la Petite-Rivière-Saint-François),** monographie. Préface de Pierre Deffontaines. Québec, Éditions Caritas, 1954. 279 p.: portr.

**Le Défi des dieux,** roman d'anticipation. Port-au-Prince, Éditions de l'an 2000, s.d. N.p.

**Destination? Québec,** roman. Sherbrooke, Cosmos, 1974. N.p. ISBN 0-7765-0035-X.

**Maintenant qu'ils ont le temps. Propos sur le troisième âge.** Sherbrooke, Naaman, 1977. 100 p.: ill. Coll. « Pour tous ».

**C'était dimanche,** roman. Sherbrooke, Naaman, 1979. 108 p. Coll. « Création », 55. ISBN 2-89040-015-8.

## Jean BÉRIAULT

(Montréal, 10 août 1950– ). Journaliste à Radio-Canada International depuis 1977, Jean Bériault complétait un baccalauréat ès arts au collège Jean-de-Brébeuf en 1970 et un baccalauréat spécialisé en science politique à l'université du Québec à Montréal en 1972. Sa thèse sur *les Objectifs de la politique chinoise à l'égard de la Birmanie* lui a permis d'obtenir un doctorat en relations internationales de la Sorbonne (1976). Jean Bériault est également un des collaborateurs du magazine humoristique *Croc.*

## ŒUVRE

**Anti-Québec, Les Réactions du Canada anglais face au French Power,** essai. Montréal, Quinze, 1977. 175 p.: photos. Coll. « Les Grands Dossiers de l'actualité ». ISBN 0-88565-101-4.

## BÉRITH

Pseud. de Nicole de la Chevrotière.

(Rivière-du-Loup, 15 février 1927– ). Romancière et nouvelliste, Bérith a également été critique pour les journaux régionaux *la Frontière, le Québécois, le Phare* (Rouyn) et *le Concorde* (Deux-Montagnes). Diplômée en nursing de l'université Laval en 1949 et, depuis lors, infirmière au sein de diverses institutions, elle s'est intéressée à des activités sociales, littéraires et artistiques et s'est engagée aux côtés des mineurs de Cadillac lors du blocus de la route Val d'Or-Rouyn en 1971. Céramiste depuis 1977, elle a ouvert son propre atelier à Lotbinière.

## ŒUVRES

**Wild & Free,** roman. New York, Carlton Press, 1967. 160 p.

**Rocabérant** ou **les Tribulations d'une jeune infirmière chez les pionniers de l'Abitibi,** récit. Montréal, Éditions Sondec, 1974. 208 p.

**Cadillac 71,** récit. Rouyn, collège de Rouyn, 1976. 63 p. Coll. « Les Cahiers du département d'histoire et de géographie ».

**Avant de partir,** nouvelle. Sherbrooke, Naaman, 1976. 21 p. Coll. « Amorces ».

**Mousse et Paille en touffe,** nouvelles. Sherbrooke, Naaman, 1977. 126 p. Coll. « Création », 27.

## Marie BERNARD

Voir Olivette Genest.

**André BERNIER**

Jules Jeanson

(Sherbrooke, 27 juillet 1949–    ). Journaliste depuis 1964 pour divers quotidiens ou hebdomadaires de Montréal et de l'Estrie, André Bernier a publié deux pièces de théâtre. Il a étudié le français à l'université de Sherbrooke où il a complété un baccalauréat (1974) et une maîtrise (1978). Membre de l'Association des auteurs des Cantons de l'Est, il en fut le président en 1978-1979. Outre ses pièces de théâtre, il a écrit des romans et des nouvelles encore inédits.

## ŒUVRES

**Les Iconoclastes,** théâtre. Sherbrooke, Éditions Cosmos, 1977. 83 p. Coll. « Amorces », 22.

**Les Jambes,** théâtre. Sherbrooke, Éditions Naaman, 1980. 82 p. Coll. « Création », 81. ISBN 2-89040-166-9.

**† Jacques BERNIER**

(Saint-Hyacinthe, 14 octobre 1943–23 juillet 1978). Poète, Jacques Bernier a fait des études classiques au séminaire de Saint-Hyacinthe (1962) et suivi des cours de philosophie à l'université de Montréal (1963-1964). Passionné de cinéma, il s'inscrit en 1966 à l'Institut cinématographique des arts de Paris mais, souffrant de diabète, il doit rentrer au Québec six mois plus tard. Jacques Bernier décédait en 1978 à la suite d'une longue maladie. Il avait auparavant publié trois recueils de poésie aux Éditions du Jour. La maison Arte Kébec a fait paraître certains de ses textes à titre posthume dans *23 Soleils d'ici* et, le 2 juin 1979, en collaboration avec la ville de Saint-Hyacinthe, a érigé une sculpture en son honneur dans le parc Dessaulles.

## ŒUVRES

**Luminescences,** poésie. Illustrations de Jacques Bouchard. Montréal, Éditions du Jour, 1971. 72 p. : ill. Coll. « Les Poètes du Jour ».

**Vaines-Veinules,** poésie. Illustrations de Gilles Langlois. Montréal, Éditions du Jour, 1971. 91 p. : ill. Coll. « Les Poètes du Jour ».

**Réminiscences,** poésie. Illustrations de Pierre Roy. Montréal, Éditions du Jour, 1973. 121 p. : ill. Coll. « Les Poètes du Jour ».

**23 Soleils d'ici,** poésie. En collaboration ; illustrations de Paul Laberge, Fabienne Théberge, Mario Robert, Jean Rodrigue et Claude Genest. Saint-Hyacinthe, Arte Kébec, 1979. 88 p. Coll. « Mask'Art ».

**Louky BERSIANIK**

Kèro

Pseud. de Lucile Durand.

(Montréal, 15 novembre 1930–    ). Études classiques et universitaires en lettres à Montréal et à la Sorbonne, ainsi qu'en radio et télévision au C.E.R.T. d'Issy-les-Moulineaux. Séjour de cinq ans à Paris entre 1953 et 1960 et d'un an en Grèce entre 1977 et 1979. Stages dans les studios de cinéma d'animation tchèques, italiens et français. Louky Bersianik a d'abord écrit beaucoup de poésie (restée inédite), puis des textes pour la radio, la télévision, le cinéma, et publié des contes pour enfants. Depuis 1972, elle travaille à un cycle de poèmes et de romans dont *l'Euguélionne, Pique-nique sur l'Acropole* et *Maternative*. Elle collabore à diverses revues : *la Nouvelle Barre du Jour, Vie des Arts, les Cahiers de la femme, Sorcières, Études littéraires*, etc., a contribué au dossier *Te prends-tu pour une folle madame Chose* et participé à de nombreux colloques et tables rondes.

## ŒUVRES

**Koumic, le petit Esquimau,** conte pour enfants. Chansons et illustrations de Jean Letarte.

Montréal, Centre de psychologie et de pédagogie, 1964. 48 p. : ill. en coul. Coll. « Le Canoë d'argent ».

**Le Cordonnier Mille-Pattes,** conte pour enfants. Chansons et illustrations de Jean Letarte. Montréal, Centre de psychologie et de pédagogie, 1964. 62 p. : ill. en coul. Coll. « Le Canoë d'argent ».

**La Montagne et l'Escargot,** conte pour enfants. Chansons et illustrations de Jean Letarte. Montréal, Centre de psychologie et de pédagogie, 1965. 59 p. : ill. en coul. Coll. « Le Canoë d'argent ».

**Togo, apprenti-remorqueur,** conte pour enfants. Chansons et illustrations de Jean Letarte. Montréal, Centre de psychologie et de pédagogie, 1965. 79 p. : ill. en coul. Coll. « Le Canoë d'argent ».

**L'Euguélionne,** roman triptyque. Montréal, La Presse, 1976. 399 p. ISBN 0-7777-0126-X.

**La Page de garde,** poème. Illustré d'un embossage de Lucie Laporte ; emboîtage de Pierre Ouvrard. Saint-Jacques-le-Mineur, Éditions de la Maison, 1978. N.p. : ill.

**Le Pique-nique sur l'Acropole,** roman. Eaux-fortes et tailles douces de Jean Letarte. Montréal-Nord, VLB, 1979. 238 p. : ill.

**Maternative : les Pré-Ancyl,** textes poétiques et dramatiques. Encres de Jean Letarte. Montréal-Nord, VLB, 1980. 168 p.

**Les Agénésies du vieux monde,** essai. Outremont, L'Intégrale, 1982. 24 p.

## ŒUVRE TRADUITE

**The Euguélionne,** roman. Traduction anglaise de Gerry Denis, Alison Hewitt, Donna Murray et Martha O'Brien ; titre original : **L'Euguélionne.** Victoria et Toronto, Porcepic Press, 1982. 347 p.

## André BERTHIAUME

Kèro

(Montréal, 15 mai 1938– ). André Berthiaume est maître ès arts de l'université de Montréal (1961) et docteur ès lettres de l'université d'Orléans-Tours (1969). Professeur de littérature française et québécoise au département des littératures de l'université Laval, il est coanimateur des Éditions Parallèles (Sainte-Foy) depuis l'automne 1977. Directeur de la revue *Livres et Auteurs québécois* de 1978 à 1980, il a également collaboré à *la Nouvelle Barre du jour*, à *Renaissance et Réforme*, à *Liberté* et à *Études littéraires*. Le Prix du Cercle du livre de France lui a été décerné, en 1966, pour son roman *la Fugue*.

## ŒUVRES

**La Fugue,** récit. Montréal, Cercle du livre de France, 1966. 133 p.

**Contretemps,** nouvelles. Montréal, Cercle du livre de France, 1971. 130 p. ISBN 0-7753-000-4.

**La Découverte ambiguë,** essai. Montréal, Cercle du livre de France, 1976. 207 p. ISBN 0-7753-0084-5.

**Le Mot pour vivre,** nouvelles. Sainte-Foy et Montréal, Éditions Parallèles, Parti pris, 1978. 204 p.

## Pierre BERTRAND

(Montréal, 24 mai 1944– ). Pierre Bertrand quitte la ville pour Châteauguay à 4 ans et n'y revient que 8 ans plus tard « à reculons ». Tour à tour pressier (1962–1966), professeur (1966–1968), auteur pour Radio-Canada (Québec), poète en récital (1970–1972), puis manœuvre, il participe également à la vie littéraire de Montréal des années 60 en fondant avec Juan Garcia la revue *Passe-partout* et en collaborant à des revues telles *la Barre du jour, Liberté, Lettres et Écritures* et *Culture vivante*. En 1970, il fonde les Éditions Passe-partout et, en 1976, il s'installe à Cap-au-Renard en Gaspésie. Depuis 1979, il a repris ses spectacles de poésie qu'il donne désormais dans l'Est du Québec. Pierre Bertrand est membre du Regroupement des auteurs de l'Est du Québec, du Conseil de la culture de cette même région ainsi que vice-président à la promotion de l'Association touristique de la Gaspésie.

## ŒUVRES

**Un point tôt surgi du sac de la mémoire bâille,** poésie. Montréal, s.é., 1967. 49 p.
**Poèmes I.** En collaboration avec Pierre Morency. Saint-Constant, Éditions Passe-partout, 1970. 15 p.
**Poèmes 2.** Saint-Constant, Éditions Passe-partout, 1970. 15 p.
**Sermon sur l'Amérique,** poésie. Saint-Constant, Éditions Passe-partout, 1970. N.p.
**Poèmes 6.** Saint-Constant, Éditions Passe-partout, 1971. 15 p.
**Poèmes 9.** Saint-Constant, Éditions Passe-partout, 1971. 15 p.
**L'Homme incendié,** poésie. Québec, Éditions Passe-partout, 1972. 78 p.
**Homme,** poésie. Illustrations de Roger Pellerin. Rimouski, s.é., 1980. N.p. : ill.

## Albert BÉRUBÉ

Omni Photo

(Saint-Hyacinthe, 9 juin 1935– ). Auteur de récits et poèmes qu'il publie à compte d'auteur, Albert Bérubé a complété un baccalauréat en théologie au Grand Séminaire de Sherbrooke (1960), enseigné quelque 5 ans, été vicaire dans la paroisse du Sacré-Cœur de McMasterville (1965-1966) et complété un certificat supérieur en pédagogie religieuse à l'université de Strasbourg (1967). Aumônier d'école (1967–1970), puis professeur depuis lors, il a fait de nombreux séjours à l'étranger dont deux ans à Niamey (Niger) et deux ans à Pondichéry (Inde).

## ŒUVRES

**Arrêts,** poésie. Illustrations de Ray Meeker. Pondichéry, chez l'auteur, 1981. 66 p. : ill.
**Thor et Ringo,** récit. Illustrations de Ray Meeker. Pondichéry, chez l'auteur, 1981. 185 p. : ill.
**Stop-Overs,** poésie. Traduction de l'auteur ; titre original : **Arrêts.** Pondichéry, chez l'auteur, 1981. 66 p. : ill.

## Gérard BESSETTE

Kèro

(Sabrevois, 25 février 1920– ). Après une licence et une maîtrise en lettres (1946), Gérard Bessette obtient un doctorat ès lettres de l'université de Montréal en 1950. Il poursuit depuis 1947 une carrière de professeur de français au sein de diverses institutions universitaires ou collégiales : l'université de la Saskatchewan (1947–1951), l'université Duquesne de Pittsburgh (1953–1958), le collège militaire royal de Kingston (1958–1960), l'université Queen's de Kingston (depuis 1960) et l'université Laval (1966-1967). Son œuvre littéraire où se côtoient la poésie, l'essai et le roman, a été ponctuée de nombreuses distinctions parmi lesquelles il faut mentionner les Concours littéraires du Québec de 1947 (poésie) et de 1965 (roman), les Prix du Gouverneur général de 1966 et 1971 qui lui furent attribués respectivement pour *l'Incubation* et pour *le Cycle*, et enfin le Prix David 1980 pour l'ensemble de son œuvre. Certains de ses romans ont fait l'objet de traductions en langue anglaise et en tchèque. Gérard Bessette a été élu à la Société royale du Canada en 1966.

## ŒUVRES

**Poèmes temporels.** Monte Carlo et Montréal, Éditions Regain, Éditions du Jour, 1954. 59 p.
**La Bagarre,** roman. Montréal, Cercle du livre de France, 1958. 231 p.

**Le Libraire,** roman. Paris et Montréal, Julliard, Cercle du livre de France, 1960. 173 p.

**Les Images en poésie canadienne-française,** essai. Montréal, Beauchemin, 1960. 282 p. : tabl.

**Les Pédagogues,** roman. Montréal, Cercle du livre de France, 1961, 309 p.

**Anthologie d'Albert Laberge.** Montréal, Cercle du livre de France, 1963. XXXV-310 p.

**L'Incubation,** roman. Montréal, Déom, 1965. 178 p.

**De Québec à Saint-Boniface; récits et nouvelles du Canada français,** textes choisis et annotés. Toronto, MacMillan of Canada, 1968. X-286 p.

**Une littérature en ébullition,** essai. Montréal, Éditions du Jour, 1968. 315 p.

**Histoire de la littérature canadienne-française par les textes; des origines à nos jours,** anthologie historique. En collaboration avec Lucien Geslin et Charles Parent. Montréal, Centre éducatif et culturel, 1968. 704 p. : ill., portr.

**Le Cycle,** roman. Montréal, Éditions du Jour, 1971. 212 p. Coll. « Les Romanciers du Jour ».

**Trois romanciers québécois,** essai. Montréal, Éditions du Jour, 1973. 240 p. ISBN 0-7760-0566-9.

**La Commensale,** roman. Montréal, Éditions Internationales A. Stanké, Quinze, 1975. 155 p. ISBN 0-88565-000-X.

**Les Anthropoïdes,** roman. Montréal, La Presse, 1977. 296 p. ISBN 0-7777-0191.

**Le Semestre,** roman. Montréal, Québec-Amérique, 1979. 278 p. Coll. « Littérature d'Amérique ». ISBN 2-89037-0089.

**Mes romans et moi.** Préface de Jacques Allard. Montréal, Hurtubise HMH, 1979. 128 p. : ill., portr. Coll. « Cahiers du Québec », 43.

**Le Garden-Party de Christophine,** nouvelles. Montréal, Québec-Amérique, 1980. 121 p. Coll. « Littérature d'Amérique ». ISBN 2-89037-0216.

## ŒUVRES TRADUITES

**Not for Every Eye,** roman. Traduction anglaise de Glen Shortliffe; titre original : **Le Libraire.** Toronto, MacMillan of Canada, 1963. 98 p.

**Incubation,** roman. Traduction anglaise de Glen Shortliffe; titre original : **L'Incubation.** Toronto, MacMillan of Canada, 1967. 143 p.

**Skandal v Knihkupectvi,** roman. Traduction tchèque d'Eva Janovkova; titre original : **Le Libraire.** Prague, Odeon, 1974. 118 p.

**The Brawl,** roman. Traduction anglaise de Marc Lebel et Ronald Sutherland; titre original : **La Bagarre,** Montréal, Harvest House, 1976. 230 p. Coll. « French Writers of Canada Series ». ISBN 0-88772-169-9 et 0-88772-227-X.

**Inkubace,** roman. Traduction tchèque d'Eva Pilarova; titre original : **L'Incubation.** Dans **Pet kanadshy,** un volume comprenant quatre autres romans québécois, Prague, Odeon, 1978. pp. 155–261.

## ÉTUDES

Collectif, **Le Québec littéraire,** n° 1, 1974. 166 p. Numéro spécial sur Gérard Bessette.

**Romanciers québécois : dossier de presse.** T. I : **Gérard Bessette, 1958–1980; Roch Carrier, 1964–1980.** Sherbrooke, Bibliothèque du séminaire, 1981. 118 p. : ill., portr.

# Bernard BEUGNOT

(Paris, France, 3 juillet 1932– ). Auteur d'éditions et d'études critiques sur Anouilh, Balzac et Boileau, Bernard Beugnot est professeur au département d'études françaises de l'université de Montréal depuis 1962. Licencié, (1954), agrégé (1958) et docteur en lettres classiques de la Sorbonne (1959), il a collaboré à plusieurs revues dont *Arts et Lettres, Dix-septième siècle, Erasmus, French Studies, Études françaises, la Revue d'histoire littéraire de la France* et *Œuvres et Critiques*. Bernard Beugnot a écrit plusieurs textes pour des émissions de Radio-Canada. Il est membre de nombreuses sociétés littéraires dont l'International Society for the History of Rhetoric et la Société d'histoire littéraire de la France. Il a remporté, en 1974, le Prix Halphen de l'Académie française pour son édition critique des entretiens de J.L. Guez de Balzac.

## ŒUVRES

**J.L. Guez de Balzac. Bibliographie générale.** Montréal, Presses de l'université de Montréal, 1967. 173 p.

**J.L. Guez de Balzac. Bibliographie générale. Supplément I.** Montréal, Presses de l'université de Montréal, 1969. 94 p.

**L'Entretien au XVIIe siècle,** étude critique. Montréal, Presses de l'université de Montréal, 1971. 56 p. ISBN 0-8405-0176-5.

**J.L. Guez de Balzac, les Entretiens (1657),** édition critique. Paris, Marcel Didier, 1972. 659 p. Coll. « Société des textes français modernes ».

**Boileau. Visages anciens, Visages nouveaux,** étude critique. En collaboration avec Roger Zuber. Montréal, Presses de l'université de Montréal, 1973. 175 p. ISBN 0-8495-0216-8.

**Jean Anouilh,** anthologie critique. Paris, Publications de l'université, 1979. 94 p.

## Jean-Basile BEZROUDNOFF

Voir Jean Basile.

## Paul-André BIBEAU

(Sorel, 24 décembre 1944– ). Paul-André Bibeau a fait ses études classiques à l'externat classique de Sorel et au séminaire de Saint-Hyacinthe (1958–1966) avant d'obtenir une licence en lettres de l'université de Montréal en 1970. Auteur de récits qu'il a fait paraître aux éditions l'Actuelle et de la Lune occidentale, il a également écrit des nouvelles pour les revues *Mille Plumes* et *Moebius*. Intéressé par tout ce qui a trait à l'occultisme, la métaphysique, la psychanalyse et la littérature fantastique, il est également un lecteur avide de Kafka, Tournier, Sade, Artaud, Lautréamont, Giguère, Aquin et Ducharme.

### ŒUVRES

**D'un mur à l'autre,** récit. Montréal, L'Actuelle, 1970. 139 p.

**Porte silence,** récit. Montréal, L'Actuelle, 1972. 124 p. ISBN 0-7752-0022-0.

**Fréquences interdites,** récit. Montréal, L'Actuelle, 1974. 160 p. ISBN 0-7752-0049-2.

**Le Fou de bassan,** récit. Illustrations de Michel Casavant. Montréal, Éditions de la Lune occidentale, 1980. 65 p. ISBN 2-920041-002.

## Julien BIGRAS

(Laval, 18 février 1932– ). Après un doctorat en médecine de l'université de Montréal et un certificat en psychiatrie, Julien Bigras poursuit sa formation psychanalytique à Paris de 1960 à 1963. De retour au Québec, il est chargé de recherches au département de psychiatrie de l'hôpital Sainte-Justine jusqu'en

François Leclaire

1967, puis devient directeur de l'enseignement et de la recherche au département de l'enfance de l'Institut Albert-Prévost (1967–1971). Membre de plusieurs sociétés psychanalytiques dont celle de Paris, il est aussi correspondant de la revue *Études freudiennes* et fait partie de l'Association des écrivains de langue française. Chaque année il fait quelques voyages à Paris où il donne une ou deux conférences et travaille avec des psychanalystes et des auteurs français qui sont devenus des amis: Serge Leclaire, Conrad Stein, Henry Bauchau, Jeanne Cordelier, Luce Irigaray. Rédacteur en chef de la revue *Interprétation* jusqu'à son interruption en 1972, il en devient le directeur lors de sa reprise en 1978. Il dirige également la collection « Lectures » aux Presses de l'université de Montréal depuis 1977. Ses recherches et son enseignement ont principalement porté sur l'inceste, le suicide et les rapports précoces à la mère.

### ŒUVRES

**Les Images de la mère,** essai. Paris, Hachette, 1971. 192 p. Coll. « Interprétation ».

**L'Enfant dans le grenier,** récit. Montréal, Parti pris, 1976. 110 p. Coll. « Paroles », 45. ISBN 0-88512-090-6.

**L'Enfant dans le grenier,** récit. Nouvelle édition revue et augmentée. Paris, Hachette, 1977. 216 p.

**Le Psychanalyste nu,** essai. Paris, Laffont, 1979. 186 p. Coll. « Réponses ». ISBN 2-221-00339-X.

**Kati of course,** récit. Paris, Mazarine, 1980. 200 p. ISBN 2-86374-038-5.

**Le Choc des œuvres d'art,** essai. Montréal, Hurtubise HMH, 1980. 127 p. : ill. Coll. « Brèches ». ISBN 2-89045-456-8.

**Premier Bal,** roman. En collaboration avec Jeanne Cordelier. LaSalle, Hurtubise HMH, 1981. 113 p. ISBN 2-89045-494-0.

### ŒUVRE TRADUITE

**Gute Mutter-Böse Mutter,** essai. Traduction allemande de **Les Images de la mère.** Munich, Kindler Verlag, 1975. Coll. « Psyche des Kinde ».

Pierre
BILLON

John Harrison

(Genève, Suisse, 1937– ). Pierre Billon est arrivé au Québec au début des années 60. Il a enseigné à l'université de Montréal, travaillé aux Éditions Fides puis au ministère de l'Éducation. Il s'est ensuite dirigé du côté des communications avant d'accepter un poste de professeur à l'université d'Ottawa.

ŒUVRES

**L'Ogre de barbarie,** roman. Montréal, Paris, Éditions du Jour, Éditions Robert Laffont, 1972. 222 p. Coll. « Les Romanciers du Jour ».
**La Chausse-trappe,** roman. Montréal, J. Frenette Éditeur, 1981. 139 p. ISBN 2-89190-006-5.
**L'Enfant du cinquième nord,** roman. Montréal, Paris, Québec-Amérique, Seuil, 1982. 323 p. ISBN 2-89037-089-5.

Camille
BILODEAU

Voir Wilfrid Lemoine.

Gaston
BLACKBURN

Voir Hugues Auburn.

Jacques
BLAIS

(Québec, 22 avril 1937– ). Jacques Blais est présentement codirecteur, avec Joseph Bonenfant, de la collection « Vie des lettres québécoises » aux Presses de l'université Laval. Docteur ès lettres de l'université Laval, Jacques Blais a fait partie des comités de rédaction des revues *Études littéraires* et *Livres et Auteurs québécois.* Il a été responsable de la section « poésie » du premier tome du *Dictionnaire des*

Kèro

*œuvres littéraires du Québec* publié sous la direction de Maurice Lemire.

ŒUVRES

**Textes pour la recherche et l'explication,** essai. En collaboration avec P. Langlois et A. Mareuil. Montréal, HMH, 1967. 352 p.
**Saint-Denys Garneau,** essai. Montréal, Fides, 1971. 65 p. : ill. Coll. « Dossiers de documentation sur la littérature canadienne-française », 7.
**Vivre au Québec,** essai. En collaboration avec Jacques Cotnam et Robert Dickson. Toronto, McClelland and Stewart, 1972. 2 vol. : ill.
**Saint-Denys Garneau et le Mythe d'Icare,** essai. Préface de Marc Eigeldinger. Sherbrooke, Éditions Cosmos, 1973. 140 p. : ill. Coll. « Profils », 8.
**Présence d'Alain Grandbois avec quatorze poèmes parus de 1956 à 1969,** essai. Québec, Presses de l'université Laval, 1974. VIII-260 p. : 19 f. de planches, ill., portr. Coll. « Vie des lettres québécoises », 11. ISBN 0-7746-6480-0.
**De l'ordre et de l'aventure : la poésie au Québec de 1934 à 1944,** essai. Québec, Presses de l'université Laval, 1975. X-410 p. Coll. « Vie des lettres québécoises », 14. ISBN 0-7746-6722-2.
**Dictionnaire des œuvres littéraires du Québec.** Tome I : **Des origines à 1900.** En collaboration avec Maurice Lemire, Nive Voisine et Jean Du Berger. Montréal, Fides, 1978. 918 p. : ill., fac-sim., portr.

Marie-Claire
BLAIS

(Québec, 5 octobre 1939– ). Issue d'une famille de milieu modeste, Marie-Claire Blais fait ses études à Québec et y écrit, à 17 ans, son premier roman qui sera publié en 1959, *la Belle Bête.* Ce roman est devenu un classique dans les maisons d'enseignement du Québec et d'ailleurs et a été traduit en anglais, en italien et en espagnol. Un ballet fut créé d'après ce livre par le Ballet national du Canada, à Toronto en 1976. Depuis ce premier roman, elle a publié

Kèro

une vingtaine d'ouvrages. Toutes ses œuvres sont traduites en anglais, quelques-unes en d'autres langues. Marie-Claire Blais a remporté plusieurs prix nationaux et internationaux dont le Prix France-Québec et le Prix Médicis en 1966 pour *Une saison dans la vie d'Emmanuel* et le Prix du Gouverneur général en 1967 et en 1979, respectivement pour les *Manuscrits de Pauline Archange* et *le Sourd dans la ville.* Elle fut membre de jurys littéraires tant au Canada qu'en France et aux États-Unis. Après de longs séjours à l'étranger — sept ans à Cape Cod, quatre ans en France — Marie-Claire Blais réside maintenant au Québec. En novembre 1982, Marie-Claire Blais recevait le Prix David pour l'ensemble de son œuvre.

## ŒUVRES

**La Belle Bête,** roman. Québec, Institut littéraire du Québec, 1959. 214 p.
**Tête blanche,** roman. Québec, Institut littéraire du Québec, 1960. 205 p.
**Le jour est noir,** roman. Montréal, Éditions du Jour, 1962. 121 p.
**Pays voilés,** poésie. Préface de C. Moeller. Québec, Garneau, 1963. 44 p.
**Existences,** poésie. Québec, Garneau, 1964. 51 p.
**Une saison dans la vie d'Emmanuel,** roman. Montréal, Éditions du Jour, 1965. 128 p.
**L'Insoumise,** roman. Montréal, Éditions du Jour, 1966. 120 p.
**David Sterne,** roman. Montréal, Éditions du Jour, 1967. 127 p.
**L'Exécution,** pièce en deux actes. Montréal, Éditions du Jour, 1968. 118 p.
**Manuscrits de Pauline Archange,** roman. Montréal, Éditions du Jour, 1968. 127 p.
**Les Voyageurs sacrés,** récit. Montréal, HMH, 1969. 111 p.
**Vivre ! Vivre !,** roman. Tome II des **Manuscrits de Pauline Archange.** Montréal, Éditions du Jour, 1969. 170 p. Coll. « Les Romanciers du Jour ».
**Les Apparences,** roman. Tome III des **Manuscrits de Pauline Archange.** Montréal, Éditions du Jour. 1970. 202 p.
**Le Loup,** roman. Montréal, Éditions du Jour, 1972. 243 p. Coll. « Les Romanciers du Jour ».
**Un joualonais, sa joualonie,** roman. Montréal, Éditions du Jour, 1973. 300 p. Coll. « Les Romanciers du Jour ». Paru chez Laffont sous le titre **À cœur joual.**
**Fièvre et autres textes dramatiques.** Montréal, Éditions du Jour, 1974. 228 p. Coll. « Théâtre radiophonique ». ISBN 0-7760-0600-2.
**Une liaison parisienne,** roman. Montréal, Éditions Internationales A. Stanké, Quinze, 1975. 175 p. ISBN 0-88565-004-2.
**La Nef des sorcières,** théâtre. En collaboration. Montréal, Quinze, 1976. 80 p.
**L'Océan,** suivi de **Murmures,** théâtre. Montréal, Quinze, 1977. 166 p.: ill. ISBN 0-88565-095-6.
**Les Nuits de l'Underground**, roman. Montréal, Éditions Internationales A. Stanké, 1978. 267 p. ISBN 0-88566-097-8.
**Le Sourd dans la ville,** roman. Montréal, Éditions Internationales A. Stanké, 1979. 214 p. ISBN 2-7604-0055-7.
**Visions d'Anna,** roman. Montréal, Éditions Internationales A. Stanké, 1982, 174 p. ISBN 2-7604-0170-7.

## ŒUVRES TRADUITES

**Mad Shadows,** roman. Traduction anglaise de Merloyd Lawrence; titre original: **La Belle Bête.** Toronto, McClelland & Stewart, 1960. 125 p.
**La Hermosa Bestia,** roman. Traduction espagnole de Orta Manzano; titre original: **La Belle Bête.** Barcelone, Ediciones Cedro, 1961. 214 p.
**Tête blanche,** roman. Traduction anglaise de Charles Fullman. Toronto, McClelland & Stewart, 1961. 136 p.
**A Season in the Life of Emmanuel,** roman. Traduction anglaise de Derek Coltman; titre original: **Une saison dans la vie d'Emmanuel.** New York, Farrar, Strauss and Giroux, 1965. 145 p.
**Scavarzer Winter,** roman. Traduction allemande de Orka Brigitte Fisher; titre original: **Une saison dans la vie d'Emmanuel.** Cologne, Kiepenheuer & Wilsch, 1966.
**The Day is Dark,** roman. Traduction anglaise de Derek Coltman; titre original: **Le jour est noir** et **les Voyageurs sacrés.** New York, Farrar, Strauss and Giroux, 1967. 183 p.
**Manuscripts of Pauline Archange,** roman. Traduction anglaise de Derek Coltman. New York, Farrar, Strauss and Giroux, 1970. 217 p.
**Manuscripts of Pauline Archange... Part Two,** roman. Traduction anglaise de Derek Coltman. New York, Farrar, Strauss and Giroux, 1970.
**David Sterne,** roman. Traduction anglaise de David Lobdell. Toronto, McClelland & Stewart, 1972. 92 p.

**Rukopisy Pavliny Archandelske,** roman. Traduction tchèque des **Manuscrits de Pauline Archange.** Prague, Odeon, 1973.

**The Wolf,** roman. Traduction anglaise de Sheila Fischman ; titre original : **Le Loup.** Toronto, McClelland & Stewart, 1974. 142 p. ISBN 0-7710-1544-5.

**St-Lawrence Blues,** roman. Traduction anglaise de **Un joualonais, sa joualonie.** New York, Farrar, Strauss and Giroux, 1975.

**The Execution,** théâtre. Traduction anglaise de David Lobdell ; titre original : **L'Exécution.** Vancouver, Talon Books, 1976.

**Durer's Angel,** roman. Traduction anglaise de David Lobdell ; titre original : **Les Apparences.** Vancouver, Talon Books, 1976. 105 p.

**The Fugitive,** roman. Traduction anglaise de David Lobdell ; titre original : **L'Insoumise.** Ottawa, Oberon Press, 1978. 96 p.

**A Literary Affair,** roman. Traduction anglaise de Sheila Fischman ; titre original : **Une liaison parisienne.** Toronto, McClelland & Stewart, 1979.

**Nights of the Underground,** roman. Traduction anglaise de Ray Ellenwood ; titre original : **Les Nuits de l'Underground.** Toronto, General Publishing, 1979. 199 p.

**Deaf to the City,** roman. Traduction anglaise de Carol Dunlop ; titre original : **Le Sourd dans la ville.** Toronto, Lester, Orpen & Dennys, 1981.

## ÉTUDES

Stratford, Philip. **Marie-Claire Blais.** Toronto, Forum House, 1971. 70 p. Coll. « Canadian Writers ».

Fabi, Thérèse. **Le Monde perturbé des jeunes dans l'œuvre de Marie-Claire Blais : sa vie, son œuvre, la critique.** Montréal, Agence d'Arc, 1973. 193 p. : ill., portr.

Nadeau, Vincent. **Marie-Claire Blais : le Noir et le Tendre : étude d'Une saison dans la vie d'Emmanuel, suivie d'une bibliographie critique.** Montréal, Presses de l'université de Montréal, 1974. 109 p. Coll. « Lignes québécoises, textuelles ». ISBN 0-8405-0-245-1.

**Marie-Claire Blais : dossier de presse 1959–1980.** Sherbrooke, Bibliothèque du séminaire, 1981. 186 p. : ill., portr.

## Suzanne BLAIS

Voir Suzie.

## Dominique BLONDEAU

(France, 1942– ). Intéressée par toutes les formes d'art et en particulier par la peinture et la musique, Dominique Blondeau a fait des études de philosophie au collège Marie-Curie de Paris (1960). Elle a été lectrice de manuscrits, pigiste à Radio-Canada international et a assumé une chronique littéraire dans la revue *Nous*. En 1980, elle a fait paraître son cinquième roman, *les Funambules*. Dominique Blondeau est membre de l'Association des écrivains de langue française, mer et outre-mer.

## ŒUVRES

**Les Visages de l'enfance,** roman. Montréal, L'Actuelle, 1970. 191 p.

**Demain, c'est l'Orient...,** roman. Montréal, Leméac, 1972. 202 p. Coll. « Roman québécois », 5.

**Que mon désir soit ta demeure,** roman. Montréal, La Presse, 1975. 262 p. ISBN 0-7777-0165-0.

**L'Agonie d'une salamandre,** roman. Montréal, Libre Expression, 1979. 215 p. ISBN 2-89111-011-0.

**Les Funambules,** roman. Montréal, Libre Expression, 1980. 409 p. ISBN 2-89111-044-7.

## Michèle BLOUIN

(Québec, 6 novembre 1941– ). Michèle Blouin a terminé ses études de droit à l'université de Montréal en 1974 et est membre du Barreau du Québec. Intéressée par l'histoire de l'art, l'histoire des civilisations et l'anthropologie, elle visite, à l'âge de dix-neuf ans, quelque onze pays d'Europe centrale. Son besoin d'élargir ses horizons et de connaître des gens la mène chaque année vers de nouveaux pays : la Grèce, les Indes, le Maroc, le Mexique, etc. Elle a fait l'adaptation de son roman, *le Jardin de Cristina*, pour l'émission *Premières* de Radio-Canada.

Kèro

Elle est membre de l'Association des écrivains de langue française depuis 1979.

## ŒUVRES

**Le Jardin de Cristina,** roman. Verdun, Éditions de l'Odyssée, 1977. 164 p.

**Du Saint-Laurent au Nil.** Longueuil, Le Préambule, 1981. 127 p. ISBN 2-89133-020-X.

### Reina BOILY (1933- )

## ŒUVRES

**Collection Plume-au-vent,** contes. Images de Marcel Bernier et Claude Lafortune. Boucherville, Le Sablier, 1972. 4 vol. : ill. en coul.

**Le Ballon jaune,** conte. Illustrations de Lucie Ledoux. Varennes, Le Sablier, 1979. 15 p. : en maj. part. ill. en coul. Coll. « Tic Tac Toc, série Toc », 1. ISBN 2-89093-003-3.

**Le Rouli-Roulant,** conte. Illustrations de Robert Dolbec. Varennes, Le Sablier, 1979. N.p. : en maj. part. ill. en coul. Coll. « Tic Tac Toc, série Toc », 5. ISBN 2-89093-007-6.

**Une pêche surprise,** conte. Illustrations de Lucie Ledoux. Varennes, Le Sablier, 1979. N.p. : en maj. part. ill. en coul. Coll. « Tic Tac Toc, série Toc », 6. ISBN 2-89093-008-4.

### Charlotte BOISJOLI

(Québec, 12 juin 1923- ). Après ses débuts avec les Compagnons de Saint-Laurent, Charlotte Boisjoli joue tant à la scène qu'à la radio et à la télévision et signe la mise en scène de plusieurs pièces de théâtre ou d'opéras. Cofondatrice et directrice de l'école de théâtre ABC (1963-1972), elle enseigne l'art dramatique au sein de diverses institutions et rédige une thèse de maîtrise en musicologie sur *Die Zauber Flöte* de Mozart. À ses activités musicales et théâtrales s'ajoutent également ses expériences

André Le Coz

d'animatrice auprès de groupes variés, son travail bénévole avec les individus mentalement handicapés et sa participation à certains organismes tels le Comité d'aide aux personnes détenues en vertu de la loi des Mesures de guerre.

## ŒUVRE

**La Chatte blanche,** nouvelle. Illustrations de l'auteure ; page-couverture Marie-Ève Doré. Montréal, Éditions de la Pleine lune, 1981. 106 p. ISBN 2-89024-017-7.

### Claude BOISVERT

(Amos, 13 juin 1945- ). Diplômé de l'Institut des arts appliqués de Montréal (1968) et détenteur d'un brevet d'enseignement de l'école des Beaux-Arts de Québec (1969), Claude Boisvert fut professeur d'arts plastiques pendant 7 ans (1969-1977), traducteur (1977-1979) et ensuite attaché de presse (1980-1981). Il a aussi participé à la rédaction d'un mémoire destiné à la Commission d'enquête sur l'enseignement des arts au Québec (1968) et à celle d'un document audio-visuel sur l'enseignement en France. Auteur d'une pièce de théâtre pour enfants, *l'Éternel féminin* qui fut jouée en Abitibi (1975), il a été critique littéraire pour *le Nordiste* (Senneterre) et *Ici Amos.*

## ŒUVRES

**Parendoxe,** nouvelles. Hull, Éditions Asticou, 1978. 224 p. Coll. « Nouvelles Nouvelles ». ISBN 2-89198-005-0.

**Tranches de néant,** nouvelles. Montréal, Le Biocreux, 1980. 149 p. ISBN 2-89151-010-0.

### Yves BOISVERT

(L'Avenir, 1950- ). Fondateur de la revue de poésie *l'Écritur* (1972) et cofondateur de l'Atelier de production littéraire de la Mauricie (1976), Yves Boisvert a travaillé successivement comme assembleur pour une publication de la CSN (*le Journal*), rédacteur à l'hebdo *le Clairon* (1971), coréalisateur d'émissions culturelles à la télévision communautaire de Drummondville (1972), chargé de cours au cégep de Trois-Rivières (1977), agent de recherche à l'université du Québec de cette même ville et rédacteur au service d'Information-Nature de la Mauricie. En 1979, il obtenait une maîtrise en lettres québécoises de l'université du Québec à Trois-Rivières grâce à son *Essai sur la prose poétique moderne.*

### ŒUVRES

**Pour Miloiseau,** poésie. Trois-Rivières, Écrits des Forges, 1974. 63 p. Coll. « Les Rouges-Gorges », 13.

**Mourir épuisé,** poésie. Trois-Rivières, Écrits des Forges, 72 p. Coll. « Les Rouges-Gorges », 15.

**Des soirs d'ennui et du temps platte,** poésie. En collaboration. Trois-Rivières, Atelier de production littéraire de la Mauricie, 1976.

**Manifeste : jet/usage/résidu,** poésie. En collaboration. Trois-Rivières, Écrits des Forges, 1977.

**Code d'oubli,** poésie. En collaboration. Trois-Rivières, Écrits des Forges, 1978.

**Contes populaires de la Mauricie.** En collaboration. Montréal, Fides, 1978.

**Simulacre dictatoriel,** poésie. Trois-Rivières, Écrits des Forges, 1979. 80 p.

**La Bête à sept têtes et Autres Contes de la Mauricie.** En collaboration. Montréal, Quinze Éditeur, 1980.

**Formules,** poésie. Trois-Rivières, Sextant, 1981.

## Aurélien BOIVIN

(Saint-Edmond, comté Roberval, 18 juillet 1945– ). Codirecteur de la collection « Bibliothèque québécoise » aux Éditions Fides, critique littéraire à *Québec français*, membre du comité de rédaction de *Recherches sociographiques* et directeur littéraire des Éditions du Royaume, Aurélien Boivin a collaboré à l'édition ou à la réédition de nombreuses œuvres et porte un intérêt tout particulier à Louis Hémon. Détenteur d'une maîtrise en lettres québécoises de l'université Laval (1972), il y prépare un doctorat tout en y travaillant comme professionnel de recherche pour le *Dictionnaire des œuvres littéraires du Québec* depuis 1971 et comme chargé de cours en littérature depuis 1974. Outre la publication de textes dans des revues telles : *Voix et Images, Études françaises, Disterweg* (Allemagne), *Standford French Review* (Californie), *Livres et Auteurs québécois*, etc., il a été membre de jurys littéraires, conférencier tant au Québec qu'à l'étranger et, enfin, coordonnateur des expositions *Louis Hémon, l'homme et l'œuvre*, et *Recent Trends in Quebec Literature* présentées à l'étranger.

### ŒUVRES

**Le Conte littéraire québécois au XIX^e^ siècle. Essai de bibliographie critique et analytique.** Montréal, Fides, 1975. XXXVIII-385 p.

**Dictionnaire des œuvres littéraires du Québec.** T. I : **Des origines à 1900.** En collaboration avec Maurice Lemire et autres. Montréal, Fides, 1978. LXVI-918 p. : ill.

**Dictionnaire des œuvres littéraires du Québec.** T. II : **1900–1939.** En collaboration avec Maurice Lemire et autres. Montréal, Fides, 1980. XCVI-1363 p. : ill.

**Littérature du Saguenay-Lac-Saint-Jean. Répertoire des œuvres et des auteurs.** En collaboration avec Jean-Marc Bourgeois. Alma, Éditions du Royaume, 1980. 147 p. : ill.

**Le Saguenay-Lac-Saint-Jean célèbre Louis Hémon. Introduction à l'écrivain et à son œuvre à l'occasion du centenaire de sa naissance.** En collaboration avec Jean-Marc Bourgeois. Alma, Éditions du Royaume, 1980. 53 p.

**Romanciers québécois,** étude. En collaboration. Québec, Éditions Québec français, 1980. 224 p. : ill.

**Culture populaire et Littérature,** étude. En collaboration. Saratoga, Anma Library et cie, 1980. N.p.

**Louis Hémon, l'homme et l'œuvre,** catalogue. En collaboration avec Jean-Marc Bourgeois. Alma, Éditions du Royaume, 1981. 69 p. : ill.

**Dictionnaire des œuvres littéraires du Québec.** T. III : **1940–1959.** En collaboration avec Maurice Lemire et autres. Montréal, Fides, 1982. XCII-1269 p. : ill.

**Louis Hémon. Récits sportifs,** édition préparée et présentée par Aurélien Boivin. En collaboration avec Jean-Marc Bourgeois. Alma, Éditions du Royaume, 1982. 252 p.

**Joseph**
**BONENFANT**

(Saint-Narcisse, comté Champlain, 29 avril 1934– ). Joseph Bonenfant détient une licence ès lettres de l'université de Montréal (1959) et un doctorat en littérature française de l'université de Paris (1966). Il fait partie du comité de rédaction des revues *Ellipse* (depuis 1969), *Voix et Images* (depuis 1972), et *Présence francophone* (depuis 1976) et est codirecteur de la collection « Vie des lettres québécoises » aux Presses de l'université Laval depuis 1975. Il a publié des textes de critique ou de théorie littéraire dans de nombreux journaux ou revues, traduit des poèmes pour la revue *Ellipse*, a tenu la chronique des revues littéraires au *Devoir* de 1978 à 1980. Membre du conseil d'administration de l'Association des auteurs des Cantons de l'Est, il est professeur à l'université de Sherbrooke depuis 1966.

**ŒUVRES**

**L'Imagination du mouvement dans l'œuvre de Péguy,** thèse. Montréal, Centre éducatif et culturel, 1969. 353 p. : 4 f. de planches, fac-sim., portr. Coll. « Reflets », 2.

**Index de Parti pris, 1963–1968.** Sous la direction de Joseph Bonenfant. Sherbrooke, Centre d'étude des littératures d'expression française, 1975. 116 p.

**Repère,** roman. LaSalle, HMH, 1979. 166 p. Coll. « L'Arbre ». ISBN 2-89045-178-X.

**Yvon**
**BONENFANT**

(Saint-Narcisse, comté Champlain, 3 septembre 1947– ). Yvon Bonenfant est professeur de français à la Commission de la fonction publique du Canada depuis 1974. Il avait auparavant obtenu un baccalauréat ès arts de l'université Laval en 1968 et un baccalauréat spécialisé en lettres de l'université du Québec à Trois-Rivières en 1971. Auteur de deux recueils de poésie parus aux Écrits des Forges, il a également collaboré occasionnellement à la revue *le Livre canadien.*

**ŒUVRES**

**L'Œil de sang,** poésie. Trois-Rivières, Écrits des Forges, 1971. 39 p. : fac-sim. Coll. « Les Rouges-Gorges », 2.

**Transes-Mutations,** poésie. Avec quatre dessins de Réjean Bonenfant. Trois-Rivières, Écrits des Forges, 1973. 57 p. : ill. Coll. « Les Rouges-Gorges », 9.

**Michèle**
**BONNEVILLE**

(Montréal, 14 janvier 1954– ). Michèle Bonneville est l'auteure de deux livres pour enfants *Michouette* et *Drôle d'océan* publiés en 1972 et en 1975 aux Éditions Paulines. Après deux années d'études en techniques infirmières au cégep Maisonneuve (1972), elle décide de partir pour l'Espagne où elle travaille comme traductrice et étudie la psychologie.

**ŒUVRES**

**Michouette,** littérature pour enfants. Illustrations de Monique Duguay. Montréal, Éditions Paulines, 1972. 14 p. : ill. partiellement en coul. Coll. « Contes du chalet bleu », 16. ISBN 0-88840-324-3.

**Drôle d'océan,** littérature pour enfants. Illustrations de Gabriel de Beney. Montréal, Éditions Paulines, 1975. 15 p. : ill. partiellement en coul. Coll. « Rêves d'or », 6. ISBN 0-88840-412-5.

**Thérèse**
**BONVOULOIR-BAYOL**

(Sainte-Brigide, 31 octobre 1932– ). Romancière, Thérèse Bonvouloir Bayol termine son brevet d'enseignement à l'école normale Marie-Rivier de Saint-Hyacinthe en 1950 et enseigne ensuite quelques années. Elle quitte alors le Québec et parcourt les États-Unis et le Mexique. Elle acquiert des certificats en philosophie et littérature de l'université de San Francisco (1964–1966) et en grapho-analyse de l'Institut international de Chicago (1979). Habitant aujourd'hui San Francisco, elle est membre de la Société des écrivains canadiens et de la Société internationale de grapho-analyse.

Ted Gurney

## ŒUVRES

**Tout est sous la peau,** roman. Montréal, Société de Belles-Lettres Guy Maheux, 1975. 247 p. Coll. « Le Grand Œuvre ».

**Les Sœurs d'Io,** roman. LaSalle, Hurtubise HMH, 1979. 159 p. Coll. « L'Arbre ». ISBN 2-89045-193-3.

## Charles BORDELEAU

Pseud. : Charles Bay.

(Amos, 4 mai 1923– ). Auteur de romans et de livres pratiques, Charles Bordeleau a étudié l'art dramatique chez Sitta Riddez avant d'exercer divers métiers : chauffeur de camions, agent de voyages, vendeur, etc. Professeur de 1971 à 1973, il a également animé une ligne ouverte sur les ondes d'une radio montréalaise. Charles Bordeleau est depuis 1977 directeur de la collection « les Petits Pratiques » aux Éditions Héritage.

## ŒUVRES

**J'ai osé,** roman. Laval, Éditions Chabor, 1973. 268 p.

**J'veux pas mourir,** roman. Laval, Éditions Chabor, 1973. 140 p.

**Les Crapules** ou **les Manigances du pouvoir,** roman. Montréal, Éditions Héritage, 1976. 223 p. ISBN 0-7773-380-3.

**Tout ce que vous devez savoir sur la radio CB.** Montréal, Éditions Héritage, 1977. 128 p.

**Pierre Elliott Trudeau,** biographie. Montréal, Éditions Héritage, 1978. 160 p.

**Les Alouettes de Sam Berger.** Montréal, Éditions Héritage, 1978. 80 p.

**500 cocktails éclair.** Montréal, Éditions Héritage, 1978. 224 p.

**Chauffage au bois.** Montréal, Éditions Héritage, 1978. 80 p.

**Les Joies de l'hospitalité.** Montréal, Éditions Héritage, 1979. 160 p.

**Plomberie de plastique pour le bricoleur.** Montréal, Éditions Héritage, 1979. 88 p.

## Monique BOSCO

(Vienne, Autriche, 8 juin 1927– ). Originaire d'Autriche, Monique Bosco émigre au Québec en 1948. Elle s'inscrit alors à l'université de Montréal où elle obtient une maîtrise (1951), puis un doctorat en littérature (1953) pour sa thèse sur *l'Isolement dans le roman canadien-français.* D'abord reporter (1949), puis attachée de presse (1952–1959) à Radio-Canada, elle enseigne depuis 1962 à l'université de Montréal. Elle a rédigé la chronique littéraire du magazine *Maclean* (1963–1969) et a publié, depuis 1961, romans, poèmes et de nombreux textes dans les revues *Liberté, la Barre du jour, Room of One's Own*, etc. Elle est également auteure de textes dramatiques et d'émissions culturelles pour Radio-Canada et collaboratrice épisodique à *la Presse* et au *Devoir.* Monique Bosco a remporté le « First Novel Award » de l'Association Phi Beta Gamma (États-Unis) pour *Un amour maladroit* et le Prix du Gouverneur général (1971) pour son roman *la Femme de Loth.*

## ŒUVRES

**Un amour maladroit,** roman. Paris, Gallimard, 1961. 213 p.

**Les Infusoires,** roman. Montréal, HMH, 1965, 174 p.

**La Femme de Loth,** roman. Paris, Montréal, Robert Laffont, HMH, 1970. 282 p.

**Jéricho,** poésie. Montréal, HMH, 1971. 63 p. Coll. « Sur parole ».

**New Medea,** roman. Montréal, L'Actuelle, 1974. 149 p. ISBN 0-7752-0053-0.

**Charles Lévy, m.d.,** roman. Montréal, Quinze Éditeur, 1977. 136 p. Coll. « Roman ». ISBN 0-88565-136-7.
**Schabbat 70–77,** poésie. Montréal, Quinze Éditeur, 1978. 100 p. Coll. « Poésie ». ISBN 0-88565-177-4.
**Portrait de Zeus peint par Minerve.** Montréal, HMH, 1982. 179 p. ISBN 2-89004-519-X.

ŒUVRE TRADUITE

**Loth's Wife,** roman. Traduction anglaise de John Glassco ; titre original : **La Femme de Loth.** Toronto, McClelland & Stewart, 1975. 149 p. ISBN 0-17710-1586-0.

## Francis BOSSUS

(Paris, France, 27 avril 1931– ). Francis Bossus a fait ses études classiques à Caen (1948) et deux années de droit à l'université de cette même ville. À son arrivée au Québec, il travaille tout d'abord comme agent de crédit (1957–1960) avant de devenir officier de liaison au Service des affaires sociales de Montréal, emploi qu'il occupe toujours. Depuis 1962, il a fait paraître plusieurs romans dont *l'Enfant et les Hommes* qui lui a valu le Prix Jean-Béraud-Molson en 1978. Quatre de ses nouvelles ont été diffusées sur les ondes de Radio-Canada MF dans le cadre de l'émission *l'Atelier des inédits*.

ŒUVRES

**La Seconde Mort,** roman. Illustrations de Roger Corbeil. Montréal, Éditions Beauchemin, 1962. 186 p. : ill.
**Beautricourt,** roman. Montréal, Cercle du livre de France, 1968. 130 p.
**La Forteresse,** roman. Montréal, Cercle du livre de France, 1971. 94 p. ISBN 0-7753-0004-7.
**Dieu préfère la mort,** roman. Illustrations de Louisa Nicol. Montréal, Cercle du livre de France, 1974. 81 p. : ill. ISBN 0-7753-0051-9.
**L'Enfant et les Hommes,** roman. Illustrations de Pierre David. Montréal, Cercle du livre de France, 1978. 164 p. : ill. ISBN 0-7753-0123-X.
**Une affaire sociale,** roman. Montréal, Cercle du livre de France, 1980. 185 p.

## Denis BOUCHARD

(Saint-Joseph-de-la-Rive, 10 janvier 1925– ). Denis Bouchard est docteur ès lettres de l'université Laval (1961). Il a écrit de nombreux essais littéraires et artistiques, la plupart inédits : la publication étant pour lui une chose désirable mais pas vraiment essentielle. Il fut boursier Fulbright aux États-Unis où il fit son service militaire. Naturalisé Américain en 1953, il devint, quelques années plus tard, interprète au département d'État. De retour au Canada en 1975, il est professeur de langue et littérature françaises à l'université de Toronto. En 1980, il a dirigé un numéro spécial de *Recherches et Travaux* (université de Grenoble) sur la littérature du Canada français. Il a également été collaborateur d'*Études françaises*, de *Voix et Images*, d'*Art Magazine*, etc.

ŒUVRES

**Vagabond du blizzard,** poésie. Paris, Éditions Saint-Germain-des-Prés, 1968, 48 p.
**Destination : le vent,** poésie. Paris, Éditions Saint-Germain-des-Prés, 1970. 96 p.
**Une lecture d'Anne Hébert : la recherche d'une mythologie,** essai. Montréal, Hurtubise HMH, 1977. 242 p. Cahiers du Québec, 34. Coll. « Littérature ». ISBN 0-7758-0121-6.

## Denis BOUCHER

(Drummondville, 31 août 1940– ). Auteur de romans pour adolescents, tous publiés aux Éditions Paulines, Denis Boucher est diplômé en arts de l'université Laval (1961) et en pédagogie de l'université de Montréal (1963). Depuis, il est professeur à la Commission des écoles catholiques de Montréal.

## ŒUVRES

**L'Odyssée fantastique,** roman pour adolescents. Illustrations de Robert Chavarie. Sherbrooke, Éditions Paulines, 1972. 143 p. : ill. Coll. « Jeunesse-pop », 6. ISBN 0-88840-326-7.

**Justiciers malgré eux,** roman pour adolescents. Illustrations de Robert Chavarie. Sherbrooke, Éditions Paulines, 1972. 103 p. : ill. Coll. « Jeunesse-pop », 7. ISBN 0-88840-330-5.

**Pionniers de la baie James,** roman pour adolescents. Illustrations de Gabriel de Beney. Sherbrooke, Éditions Paulines, 1973. 139 p. : ill. Coll. « Jeunesse-pop », 13. ISBN 0-88840-401-5.

**L'Évasion de Ramok,** roman pour adolescents. Illustrations de Gabriel de Beney. Montréal, Éditions Paulines, 1975. 115 p. : ill. Coll. « Jeunesse-pop », 19. ISBN 0-88840-504-9.

**Ramok trahi,** roman pour adolescents. Illustrations de Gabriel de Beney. Montréal, Éditions Paulines, 1975. 109 p. : ill. Coll. « Jeunesse-pop », 20. ISBN 0-88840-505-7.

## Denise BOUCHER

Jeannot Petit

(Victoriaville, 12 décembre 1935– ). Denise Boucher est à la fois « journaliste, skieuse de fond, conférencière, parolière (de Pauline Julien et de Louise Forestier), auteure dramatique et poète ». Le féminisme a inspiré toute son œuvre et particulièrement *Les fées ont soif,* créée au TNM, à Montréal, en 1978. Elle a été membre du bureau de direction de l'Union des écrivains québécois.

## ŒUVRES

**Retailles,** complaintes politiques. En collaboration avec Madeleine Gagnon. Montréal, L'Ètincelle, 1977. 163 p. ISBN 0-88515-072-4.

**Cyprine,** poésie. Montréal, L'Aurore, 1978. 109 p. : ill., portr. Coll. « Connaissance des pays québécois, l'expérience individuelle ». ISBN 0-88532-154-5.

**Les fées ont soif,** théâtre. Montréal, Éditions Intermède, 1978. 157 p. : ill., fac-sim., portr.

## Jean-Pierre BOUCHER

(Montréal, 13 octobre 1944– ). Essayiste, Jean-Pierre Boucher détient un baccalauréat ès lettres de l'université de Montréal (1965), une maîtrise ès arts de l'université McGill (1967) et un doctorat en littérature française de l'université de Besançon (1970). Critique au journal *le Devoir* de 1975 à 1976, il a également enseigné les littératures québécoise et française au collège Loyola, de 1967 à 1971, à l'université de Sherbrooke, de 1971 à 1972 et, depuis lors, à l'université McGill.

## ŒUVRES

**Jacques Ferron au pays des amélanchiers,** essai. Montréal, Presses de l'université de Montréal, 1973. 112 p. Coll. « Lignes québécoises, textuelles ». ISBN 0-8405-0225-7.

**Les « Contes » de Jacques Ferron,** essai. Montréal, L'Aurore, 1974. 149 p. Coll. « L'Amélanchier ». ISBN 0-88532-014-X.

**Les Diaboliques de Barbey d'Aurevilly. Une esthétique de la dissimulation et de la provocation,** essai. Montréal, Presses de l'université du Québec, 1976. 154 p. ISBN 0-7770-0154-3.

**Instantanés de la condition québécoise,** essai. Montréal, Hurtubise HMH, 1977. 198 p. Cahiers du Québec, 33. Coll. « Littérature ». ISBN 0-7758-0128-3.

**Souvenirs d'un enfant de chœur,** récit. Montréal, Libre Expression, 1981. 154 p. ISBN 2-89111-081-1.

**Thérèse,** roman. Montréal, Libre Expression, 1982. 183 p.

## Yvon BOUCHER

(Montréal, 26 mars 1946– ). Directeur de la revue *le Québec littéraire* depuis 1974 et de la collection « Écritudes » aux Éditions Pierre Tisseyre depuis 1975, Yvon Boucher est d'abord romancier mais aussi critique et essayiste. Critique au journal *le Devoir* de 1976 à 1978, il a collaboré à diverses revues littéraires : *la Barre du jour, Ellipse, Lettres québécoises* et au *Journal of Canadian Fiction.*

## ŒUVRES

**L'Ouroboros** précédé de **Prolégomènes pour une chrestomathie concernant l'esprit de certains**

**éditeurs** ou **Les malheurs de Sophie n'arrivent pas qu'à Sophie.** Montréal, Grandes Éditions du Québec, 1973. 82 p.

**L'Obscenant,** roman. Montréal, Cercle du livre de France, 1975. 83 p. ISBN 0-7753-0050-0.

**De la vacuité de l'expérience littéraire; essai de simulation de nihilisme intégral.** Montréal, Cercle du livre de France. 1975. 174 p. Coll. « Écritudes ». ISBN 0-7753-0063-2.

**Petite Rhétorique de nuit.** Montréal, Pierre Tisseyre. 1978. 108 p. ISBN 0-7753-0129-9.

**L'Oulippopotame,** roman, suivi de **l'Hapax ou la Leçon d'Athléttrisme, premier manifeste de nulle part.** Montréal, Éditions de la Queue, 1981. 156 p. ISBN 2-920332-00-7.

**Morceaux moisis.** Montréal, Guérin, 1982. 205 p. ISBN 2-7601-0341-2.

## Diane BOUDREAU

(Sherbrooke, 22 mars 1957–    ). Diane Boudreau a publié depuis 1976 des textes divers : de la poésie, un roman et même une « esquisse satirico-politique ». Elle a de plus collaboré aux revues *Poésie* et *Grimoire* et aux recueils collectifs : *Canton s'met à faire de la poésie* et *le Livre des Grandes-Fourches*. Également auteure-compositeure-interprète, Diane Boudreau a donné des spectacles avec différents musiciens de sa région tout en continuant à perfectionner sa théorie musicale et vocale par des cours de chant et de piano. Membre de l'Association des auteurs des Cantons de l'Est et de l'Association des musiciens de l'Estrie, elle enseigne au niveau secondaire depuis l'obtention de son baccalauréat ès arts de l'université de Sherbrooke en 1978.

### ŒUVRES

**Divagations,** contes et poèmes. Sherbrooke, Presses coopératives, 1976. N.p.

**Léonure,** poésie. Illustrations de Florence Picard. Sherbrooke, chez l'auteure, 1976. 72 p. : ill.

**Le Livre des Grandes-Fourches,** poésie. En collaboration. Sherbrooke, chez les auteurs, 1976.

**Canton s'met à faire de la poésie.** En collaboration. Sherbrooke, chez les auteurs, 1977. 143 p.

**Monsieur Vauchon,** esquisse. Illustrations de Pierre Houde; introduction de H.G. William Smith. Sherbrooke, chez l'auteure, 1978. 48 p. : ill.

**Me foutre du rire de la mort,** poésie. Sherbrooke, chez l'auteure, 1979. 20 p.

**Flammes,** poésie et chansons. Sherbrooke, chez l'auteure, 1980. 32 p.

**Blanche et François,** roman. Sherbrooke, Éditions Sherbrooke, 1980. 103 p. Coll. « Amplitudes », 2.

**N'importe quoi,** poésie. Sherbrooke, chez l'auteure, 1981. 47 p. : ill., fac-sim.

## Jacques BOULERICE

(Saint-Jean-sur-Richelieu, 21 août 1945–    ). Jacques Boulerice a obtenu sa licence en lettres en 1969, à l'université de Montréal. Professeur au département de français du cégep de Saint-Jean-sur-Richelieu, il fut « joueur de centre et spécialiste de l'épigramme pour le Club de basket-ball du séminaire de Saint-Jean » et, plus officiellement, critique littéraire au journal *le Richelieu* (1959–1966; 1968-1969) ainsi qu'« écrivain résident » pour le parti Rhinocéros du comté de Saint-Jean en octobre 1972.

### ŒUVRES

**Avenues,** poésie. En collaboration avec Denis Boudrias et André Beaudin. Saint-Jean, Éditions du Verveux, 1967.

**Élie, Élie, pourquoi,** poésie. Montréal, Éditions du Jour, 1970. 61 p. Coll. « Les Poètes du Jour ».

**L'Or des fous,** poésie. Montréal, Éditions du Jour, 1972. 74 p.

**Quelques plis sur la différence; gravures-poèmes bien enveloppés.** Avec des gravures de Yvan Lafontaine. Saint-Alexandre, Y. Lafontaine, 1976. 10 f. : 1 portefeuille.

**La Boîte à bois.** Illustrations de Louise Chicoine. Saint-Jean-sur-Richelieu, Éditions Mille Roches, 1978. 141 p. : ill. Coll. « Étoile noire ». ISBN 0-88585-010-6.

## Guy BOULIZON

Mark Friedman Photo Studio

Pseud. : Saint Andoche.

(Nevers, France, 15 mai 1906– ). D'origine française, Guy Boulizon a fait ses études à la Sorbonne, à l'Institut catholique de Paris et à l'École militaire Saint-Cyr. En 1938, il fonde le collège Stanislas de Montréal où il enseignera pendant douze ans les lettres et l'histoire de l'art. En 1950, il fonde la librairie Flammarion et de 1952 à 1964, il occupe le poste de directeur des Éditions Beauchemin. De 1964 à 1980, il enseigne en divers lieux : cégep du Vieux-Montréal, Centre des arts visuels, université de Montréal, etc. Auteur de nombreux livres pour la jeunesse : contes, aventures, poèmes, récits historiques, etc., il a également touché aux arts visuels en publiant un livre sur *les Musées du Québec*. Il a collaboré à de nombreuses publications telles *Critère, le Devoir, Communauté chrétienne, Études françaises, le Point*, etc. Guy Boulizon est juré pour de nombreux prix dont le Prix de la province et le Prix de l'humour.

### ŒUVRES

**Contes du Moyen-Âge,** récit. Illustrations de Janine Charpentier. Montréal, Variétés, 1943. 30 p. : ill.

**La Chanson de Roland,** récit historique. Illustrations de Janine Charpentier. Montréal, Variétés, 1943. 30 p. : ill.

**Du tomahawk à la croix,** hagiographie. Illustrations de Guy Boulizon. Montréal, Variétés, 1943. 30 p. : ill.

**Kateri Tekakwitha,** récit. Montréal, Variétés, 1943. 30 p. : ill.

**La Chèvre d'or,** récit. Illustrations de Guy Boulizon. Montréal, Fides, 1945. 32 p. : ill.

**L'Île de Jacques,** récit. Illustrations de Guy Boulizon. Montréal, Fides, 1945. 32 p. : ill.

**Les Mille et une Nuits,** contes. Illustrations de Janine Charpentier. Montréal, Fides, 1946. 249 p. : ill.

**Nos jeunes liront,** pédagogie. Montréal, École des parents, 1948. 50 p.

**Prisonniers des cavernes,** aventure. Illustrations de J.-P. Faye. Montréal, Fides, 1950. 142 p. : ill.

**Au pays des nains,** contes. Amsterdam, Muddler, 1955. N.p.

**Poèmes choisis pour les jeunes,** poésie. En collaboration avec J. Boulizon; illustrations de Guy Boulizon. Montréal, Beauchemin, 1955. 296 p. : ill.

**Livres roses et Séries noires,** pédagogie. Illustrations de Guy Boulizon. Montréal, Beauchemin, 1957. 188 p. : ill.

**La Croix chez les Indiens,** récit. Illustrations de Guy Boulizon. Montréal, Beauchemin, 1958. 136 p. : ill.

**250 Histoires comiques,** humour. Montréal, Beauchemin, 1958. 106 p.

**Anthologie littéraire.** Montréal, Beauchemin, 1959. 2 vol.

**Les Quatre du Mystrigri**, récit. Illustrations de G. Lansda. Montréal, Beauchemin, 1959. 125 p. : ill.

**Contes du Mont-Tremblant.** Montréal, Beauchemin, 1960. 107 p.

**Contes et Récits canadiens d'autrefois.** Illustrations de G. Lansda. Montréal, Beauchemin, 1961. 187 p. : ill.

**Canada, 20e siècle,** album illustré. En collaboration avec G. Adams. Montréal, Paris, Beauchemin, Éditions de la Pensée moderne, 1964. N.p.

**Création culturelle pour la jeunesse et identité québécoise : textes de la rencontre de 1972. Communication-Jeunesse.** En collaboration avec Paule Daveluy. Montréal, Leméac, 1973. 188 p. Coll. « Dossiers ».

**Les Musées du Québec,** tourisme culturel. Montréal, Fides, 1976.

**Alexandre et les prisonniers des cavernes,** aventure. Illustrations de Jean-Christian Knaff. Montréal, Fides, 1979. 169 p. : ill. Coll. « Goéland ». ISBN 0-7621-0732-6.

## ÉTUDES

Bergeron, Laure, **Bio-Bibliographie de Guy Boulizon.** Montréal, École des bibliothécaires de l'université de Montréal, 1946. Microfilms.

Landry, Moïsette, **Essai de bio-bibliographie.** Montréal, École des bibliothécaires de l'université de Montréal, 1961. Microfilms.

## André BOURASSA

André Pilon

(Montréal, 7 janvier 1936– ). « Toutes études, ou presque faites à Montréal, de la maternelle au doctorat. A enseigné la littérature française, principalement poésie et théâtre, au collège Saint-Ignace, au séminaire de Sainte-Thérèse et à l'université d'Ottawa ». A aidé à la préparation et à l'élaboration des programmes de français des cégeps. Il a participé également à des collectifs sur Nelligan, sur Crémazie et sur le Québécois en littérature et a contribué à des numéros spéciaux de *la Barre du jour* sur les Automatistes et du *Magazine littéraire* sur le Québec. À partir de 1976, il tient une chronique de poésie, puis de théâtre, dans *Lettres québécoises.* André Bourassa est professeur au département de théâtre de l'UQAM depuis 1979.

## ŒUVRES

**Le Livre de Christophe-Colomb, un essai de théâtre total.** Montréal, université de Montréal, 1968. XIII-182 p.

**Surréalisme et Littérature québécoise,** essai. Montréal, L'Étincelle, 1977. XIV-375 p. : ill. partiellement en coul., fac-sim., portr. ISBN 0-88515-073-2.

## Odette BOURDON

Jacques Bourdon

(Montréal, 11 mai 1946– ). Auteure des Escapades de Matinale, série de contes qui font découvrir le Québec aux enfants, Odette Bourdon avait auparavant publié des poèmes dans des anthologies parues de 1964 à 1966. Ancienne étudiante du collège Sainte-Marie et du conservatoire Lasalle, elle entre en 1963 au *Montréal-Matin*, d'abord comme correctrice d'épreuves puis comme journaliste en 1972. Elle y traite alors principalement de tourisme et de questions relatives aux affaires sociales. Après la fermeture de ce quotidien, elle devient agent d'information pour Radio-Québec. Les contes d'Odette Bourdon ont été reconnus d'intérêt scolaire par le ministère de l'Éducation.

## ŒUVRES

**Soleils multiples,** anthologie. En collaboration. Montréal, Éditions Nocturne, 1964. 80 p.

**Phosphorescence,** anthologie. En collaboration. Montréal, Éditions Nocturne, 1965. 80 p.

**Dixième anthologie.** En collaboration. Montréal, Éditions Nocturne, 1966. 72 p.

**Matinale à Percé,** conte. Illustrations de Claire Duguay. Montréal, Éditions Paulines, 1973. 16 p. : ill. Coll. « Les Escapades de Matinale », 1. ISBN 0-88840-355-0.

**Matinale à Val-David,** conte. Illustrations de Claire Duguay. Montréal, Éditions Paulines, 1973. 16 p. : ill. Coll. « Les Escapades de Matinale », 2. ISBN 0-88840-356-9.

**Matinale à Montréal,** conte. Illustrations de Claire Duguay. Montréal, Éditions Paulines, 1973. 16 p. : ill. Coll. « Les Escapades de Matinale », 3. ISBN 0-88840-357-7.

**Matinale à Québec,** conte. Illustrations de Claire Duguay. Montréal, Éditions Paulines, 1973. 16 p. : ill. Coll. « Les Escapades de Matinale », 4. ISBN 0-88840-358-5.

**Matinale à La Malbaie,** conte. Illustrations de Claire Duguay. Montréal, Éditions Paulines, 1973. 16 p. : ill. Coll. « Les Escapades de Matinale », 5. ISBN 0-88840-359-3.

**Matinale à Roberval,** conte. Illustrations de Claire Duguay. Montréal, Éditions Paulines, 1973. 16 p. : ill. Coll. « Les Escapades de Matinale », 6. ISBN 0-88840-360-7.

**Matinale à Oka,** conte. Illustrations de Claire Duguay. Montréal, Éditions Paulines, 1973. 16 p. : ill. Coll. « Les Escapades de Matinale », 7. ISBN 0-88840-361-5.

**Matinale à Sherbrooke,** conte. Illustrations de Claire Duguay. Montréal, Éditions Paulines, 1973. 16 p. : ill. Coll. « Les Escapades de Matinale », 8. ISBN 0-88840-362-3.

**Madame Tout-Temps,** conte. Illustrations de Gabriel de Beney. Montréal, Éditions Paulines, 1975. 15 p. : ill. Coll. « Rêves d'or », 12. ISBN 0-88840-502-2 et 0-88840-541-3.

## Jean-Marc BOURGEOIS

### ŒUVRES

**Littérature du Saguenay-Lac-Saint-Jean. Répertoire des œuvres et des auteurs.** En collaboration avec Aurélien Boivin. Alma, Éditions du Royaume, 1980. 147 p. : ill.

**Le Saguenay-Lac-Saint-Jean célèbre Louis Hémon. Introduction à l'écrivain et à son œuvre à l'occasion du centenaire de sa naissance.** En collaboration avec Aurélien Boivin. Alma, Éditions du Royaume, 1980. 53 p.

**Louis Hémon, l'homme et l'œuvre,** catalogue. En collaboration avec Aurélien Boivin. Alma, Éditions du Royaume, 1981. 69 p. : ill.

## Élizabeth BOURGET

Robert Etchevery

(Montréal, 10 juillet 1953– ). Première finissante du cours d'écriture dramatique de l'École nationale de théâtre du Canada en 1978, Élizabeth Bourget voit sa pièce *Bernadette et Juliette* ou *La vie c'est comme la vaisselle, c'est toujours à recommencer* portée à la scène à l'automne de la même année par Les Pichous, troupe dont elle deviendra alors membre. Dès sa sortie de l'École nationale, elle s'intéresse de près aux activités du Centre d'essai des auteurs dramatiques : elle siège pendant deux ans au conseil d'administration, participe à des comités de lecture et travaille plus spécifiquement sur le dossier du droit d'auteur. Depuis 1980, elle est secrétaire à la création au Théâtre d'Aujourd'hui.

### ŒUVRES

**Bernadette et Juliette** ou **La vie c'est comme la vaisselle, c'est toujours à recommencer,** théâtre. Montréal-Nord, VLB, 1979. 149 p. : ill.

**Bonne fête maman,** théâtre. Montréal, VLB, 1982. 172 p. ISBN 2-89005-044-0.

## Roland BOURNEUF

Kèro

(Riom, France, 28 mai 1934– ). Roland Bourneuf obtient son doctorat ès lettres de l'université Laval en 1966. Depuis, il occupe les fonctions de professeur à cette même université et de secrétaire-administrateur d'une maison d'édition. On lui doit plusieurs essais, articles et comptes rendus. Il a séjourné plusieurs fois en Allemagne, en Angleterre, en Algérie et aux États-Unis. Ce fut d'ailleurs grâce à une bourse de la société philanthropique Rotary International qu'il effectua son premier voyage au Canada, en 1959, pour y revenir et s'y installer définitivement trois ans plus tard. Il a reçu le Prix littéraire du Québec (section essais littéraires) en 1970.

### ŒUVRES

**Saint-Denys Garneau et ses lectures européennes,** essai. Québec, Presses de l'université Laval, 1969. 332 p. Coll. « Vie des lettres canadiennes », 6.

**L'Univers du roman,** essai. En collaboration avec Réal Ouellet. Paris, Presses universitaires de France, 1972. 232 p. Coll. « Littératures modernes », 2.

**L'Univers du roman,** essai. Édition revue et augmentée. Paris, Presses universitaires de France, 1975. 248 p.

**Giono et les Critiques de notre temps,** essai. Paris, Garnier, 1977. 206 p.

**Passage de l'ombre,** proses. Avec cinq dessins de l'auteur. Sainte-Foy, Éditions Parallèles, 1978. 59 p. : ill.

## Mireille BOUTIN

Voir Mireille Maurice.

## Pan BOUYOUCAS

Kèro

(Beyrouth, Liban, 16 août 1946–    ). Pan Bouyoucas émigre au Québec en septembre 1963. En 1972, il termine des études en cinéma à l'université Concordia. Traducteur à la pige pour la FTQ, la CIC et d'autres organismes syndicaux, il est aussi cinéaste (quelques courts métrages) et critique cinématographique pour les revues *Georgian, Athenian* (Grèce) et *Seven* (Allemagne fédérale). À Athènes, Salonique et Chypre en 1978, il donne des conférences sur l'esthétique et l'histoire du cinéma. Quelque temps lecteur et directeur de collection (essais) aux Éditions Quinze, il a écrit de nombreux textes dramatiques et des documents pour Radio-Canada.

### ŒUVRES

**Le Dernier Souffle,** roman. Montréal, Éditions du Jour, 1975. 186 p. Coll. « Les Romanciers du Jour ».

**Une Bataille d'Amérique,** roman. Montréal, Quinze Éditeur, 1976. 213 p. ISBN 0-88565-003-4.

**Fuites et Poursuites,** nouvelles. En collaboration. Montréal, Quinze Éditeur, 1982. 199 p. ISBN 2-89026-307-X.

### TRADUCTION

**La Société de conservation,** essai. Traduction de **The Selective Conserver Society** de Kimon Valaskakis, Peter Sindell, J. Graham Smith et Iris Martin. Montréal, Quinze, 1978. 241 p. : graph. ISBN 0-88565-143-X.

## Jacques BRAULT

Kèro

(Montréal, 29 mars 1933–    ). Jacques Brault a étudié au collège Sainte-Marie, à l'université de Montréal, à Paris puis à Poitiers. Professeur à l'Institut des sciences médiévales ainsi qu'à la faculté des lettres de l'université de Montréal, il a collaboré à plusieurs revues et à de nombreuses émissions radiophoniques. Jacques Brault a fondé, d'autre part, avec quelques amis, la maison d'édition du Sentier. Son recueil *Mémoires* lui valait, en 1969, le Prix France-Canada et la Société Saint-Jean-Baptiste lui décernait, en 1979, le Prix Duvernay pour l'ensemble de son œuvre.

### ŒUVRES

**D'amour et de mort,** poésie. In **Trinôme.** En collaboration avec Richard Pérusse et Claude Mathieu. Montréal, Éditions J. Molinet, 1957. 57 p.

**Alain Grandbois,** textes choisis. Montréal, Fides, 1958. 95 p. : fac-sim., portr.

**Nouvelles,** récits. En collaboration avec André Brochu et André Major. Montréal, Presses de l'AGEUM, 1963. 139 p.
**Mémoire,** poésie. Montréal, Déom, 1965. 79 p.
**Miron le magnifique,** essai. Montréal, université de Montréal, faculté des lettres, 1966. 44 p.
**Alain Grandbois,** choix de textes. Paris, Montréal, Seghers, L'Hexagone, 1968. 190 p. : fac-sim., portr.
**Suite fraternelle,** poésie. Ottawa, Presses de l'université d'Ottawa, 1969. 39 p.
**La Poésie ce matin.** Paris, Montréal, Grasset, Parti pris, 1971. 117 p.
**Hector de Saint-Denys Garneau, Œuvres,** édition critique. Texte établi, annoté et présenté par Jacques Brault et Benoît Lacroix. Montréal, Presses de l'université de Montréal, 1971. XXVII-1320 p. Coll. « Bibliothèque des lettres québécoises ».
**Trois Partitions,** théâtre. Introduction d'Alain Pontaut. Montréal, Leméac, 1972. 193 p. : ill. Coll. « Théâtre canadien », 23.
**Poèmes des quatre côtés.** Avec 5 encres de l'auteur. Saint-Lambert, Éditions du Noroît, 1975. 95 p. : ill. ISBN 0-88524-007-3.
**Chemin faisant,** essais. Montréal, La Presse, 1975. 150 p. Coll. « Échanges ». ISBN 0-7777-0170-7.
**L'En dessous l'admirable,** poésie. Montréal, Presses de l'université de Montréal, 1975. 51 p. Coll. « Lectures ». ISBN 0-8405-0312-1.
**Les Hommes de paille.** Gravures originales de Marie-Anastasie. Montréal, Éditions du Grainier, 1978. N.p. : ill. en coul.
**Vingt-quatre Murmures en novembre.** Avec 24 gravures en eau-forte et taille douce de Janine Leroux-Guillaume. Saint-Lambert, Éditions du Noroît, 1980. N.p. : ill. en coul.
**Trois fois passera,** précédé de **Jour et Nuit,** poésie. Avec 14 collages de Célyne Fortin. Saint-Lambert, Éditions du Noroît, 1981. 87 p. : ill. ISBN 2-89018-052-2.

**Gilbert BRÉVART**

(Cadix, Espagne, 18 août 1918-        ). Romancier et nouvelliste, Gilbert Brévart est d'origine espagnole. Après avoir fait un certificat en littérature à Paris (1939), il devient conseiller juridique (1943–1956). Durant la même période, il travaille comme critique littéraire et artistique au sein de diverses revues (1946–1956) et est membre du comité de lecture des Éditions Kaganski (1945–1950). Fixé au Québec depuis 1956, il enseigne le français dans une école secondaire de Laval. Il a collaboré à de nombreux journaux et revues d'Afrique du Nord et de France et est membre de l'Association des écrivains de langue française depuis 1978.

**ŒUVRES**

**Une mission d'Anthony Doughton,** nouvelles. Casablanca, Kaganski, 1945. 168 p.
**Le Mal de terre,** récit. Montréal, Cercle du livre de France, 1971. 176 p. ISBN 0-7753-0007-1.
**Maldone,** roman. Montréal, Cercle du livre de France, 1977. 151 p. ISBN 0-7753-0105-1.

**Jacques BRILLANT**

Les Professionnels Inc

(Rimouski, 17 septembre 1924-        ). Diplômé en radio de la Northwestern University (1944) et licencié en sciences sociales et politique de l'université de Louvain (1952), Jacques Brillant devient alors directeur de CJBR, poste de radio et télévision de Rimouski, éditeur du *Progrès du Golfe* et président de Québec-Téléphone. Il mène ces trois carrières de front jusqu'en 1970 tout en présidant l'Alliance française du Canada (1966–1969). En 1971, il dirige le Comité international pour l'assistance à la lèpre (Genève), puis est nommé vice-consul au Sénégal. Il réside désormais à Monaco et est membre du Pen Club de cette ville.

## ŒUVRES

**Le Jardin de nuit**, poésie. Illustrations de Dômoto Insho. Kyôto, Éditions Ameuroasie, 1960. 45 p.
**Clair et Pluie,** poésie. S.l., s.é., 1965. N.p.
**Sœur Jeanne à l'abbaye,** conte. Montréal, Éditions du Jour, 1967. 88 p.
**L'Impossible Québec,** essai. Montréal, Éditions du Jour, 1968. 210 p.
**La Mer, écume de la terre,** récit. Monaco, Éditions Grafic, 1977.
**Une Voile en Adriatique,** récit. Monaco, s.é. 1978.
**Le soleil se cherche tout l'été,** roman. Montréal, Leméac, 1979.

## Marcelle BRISSON

Marie-Eve Thibault

(Montréal, 2 juillet 1929– ). Bachelière en philosophie de l'université de Montréal en 1949, Marcelle Brisson entre alors à l'abbaye de Sainte-Marie des Deux-Montagnes où elle demeure jusqu'en 1962. Son adaptation « à la société québécoise de la Révolution tranquille » est facile et c'est comme enseignante qu'elle revient à la vie laïque : d'abord au collège Basile-Moreau (1963–1965), puis à la régionale Deux-Montagnes (1965-1966), à l'Institut de technologie Laval (1966-1967) et enfin au cégep Ahuntsic. Elle entreprend également une maîtrise en philosophie à l'université de Montréal (1964) et obtient un doctorat en esthétique de l'université Paris-Nanterre en 1973. Si son premier livre témoignait de sa vie au cloître, c'est sur l'écriture féministe qu'elle travaille actuellement.

## ŒUVRES

**Par delà la clôture,** récit. Montréal, Parti pris, 1975. 118 p. ISBN 0-88512-084-1.
**Expérience religieuse et expérience esthétique,** essai. Montréal, Presses de l'université de Montréal, 1974. 254 p.
**Maman,** fiction. Montréal, Parti pris, 1977. 106 p. : fac-sim. Coll. « Délire », 1. ISBN 0-88512-111-2.
**Plus jamais l'amour éternel** ou **Héloïse sans Abélard,** essai. Montréal, Nouvelle Optique, 1982. 179 p. ISBN 2-89017-033-0.

## Pierre BRISSON

(Sherbrooke, 29 juin 1955– ). Pierre Brisson a été régisseur du Patriote (1976–1978), pigiste pour *Perspectives, Spirale, Mainmise,* etc., photographe pour le journal communautaire *Bonjour* (1978-1979), assistant de recherche à l'université du Québec à Montréal (1979-1980) avant d'enseigner à l'université de Montréal pour le certificat de toxicomanie. Bachelier en communication de l'université du Québec à Montréal (1979), il a publié poèmes et essais chez différents éditeurs dont Parti pris et l'Hexagone. Il est généralement attentif à « toutes tentatives d'approche transdisciplinaire de la réalité contemporaine » et plus particulièrement aux théories de la communication et à l'impact des mass-médias.

## ŒUVRES

**Il était une fois dans les Cantons de l'Est,** essai. En collaboration avec Jean Simoneau et Francine Quinty ; illustrations de Francine Quinty. Montréal, Éditions Québécoises, 1973. 104 p. : ill., graph., cartes.
**Chair de poule,** poésie. En collaboration avec Jean Simoneau. Sherbrooke, Éditions Tic tac, 1973. 47 p.
**Avant de se retrouver tout nu dans la rue,** essai. En collaboration avec Jean Simoneau. Montréal, Éditions Parti pris, 1977. 444 p. : ill. Coll. « Aspects », 39. ISBN 0-88512-118-X.
**Exergue,** poésie. Montréal, L'Hexagone, 1978. 37 p.

**André**
**BROCHU**

Kèro

(Saint-Eustache, 3 mars 1942– ). En 1961, alors qu'il se prépare à obtenir sa maîtrise ès arts à l'université de Montréal, André Brochu fait la découverte, pour lui capitale, de la littérature québécoise. En 1963, il participe à la fondation de la revue *Parti pris* et commence à enseigner les littératures française et québécoise à l'université de Montréal. Il publiera des articles, des études et des comptes rendus dans *le Quartier latin, la Crue, Parti pris* et *Livres et Auteurs canadiens* (devenu depuis *Livres et Auteurs québécois*). De 1968 à 1970, il séjourne à Paris pour rédiger une thèse sur *les Misérables* et il obtient son doctorat en 1971. Il est, depuis 1975, membre du comité de rédaction de *Voix et Images* et, depuis 1974, membre du comité de direction de la collection « Lectures » aux Presses de l'université de Montréal.

ŒUVRES

**Étranges Domaines,** poésie. En collaboration avec Yves Dubé et J.-André Contant. Montréal, La Cascade, 1957. N.p.

**Privilèges de l'ombre,** poésie. Montréal, L'Hexagone, 1961. 37 p.

**La Littérature par elle-même,** enquête littéraire. Montréal, Cahiers de l'AGEUM, 1962. 62 p.

**Nouvelles,** récits. En collaboration avec Jacques Brault et André Major. Montréal, Cahiers de l'AGEUM, 1963. 139 p.

**Délit contre délit,** poésie. Montréal, Presses de l'AGEUM, 1965. 57 p.

**Adéodat I,** roman. Montréal, Éditions du Jour, 1973. 142 p. Coll. « Les Romanciers du Jour ».

**Hugo : amour, crime, révolution : essai sur les Misérables.** Montréal, Presses de l'université de Montréal, 1974. 256 p. ISBN 0-8405-0247-8.

**L'Instance critique,** essai. Présentation de François Ricard. Montréal, Leméac, 1974. 373 p. Coll. « Indépendances ». ISBN 0-7761-8901-8.

**Le Réel, le Réalisme et la Littérature québécoise,** essai. En collaboration avec Laurent Mailhot et Albert LeGrand. Montréal, Librairie de l'université de Montréal, 1974. 185 p.

**La Littérature et le Reste,** essai. En collaboration avec Gilles Marcotte. Montréal, Quinze, 1980. 185 p. Coll. « Prose exacte ». ISBN 2-89026-232-4.

**Léo-Arthur**
**BRODEUR**

(Saint-Boniface, Man., 15 février 1924– ). Directeur et fondateur des Éditions Cosmos (1968–1975), des Éditions de la Nébuleuse (1974-1975) et des Éditions M. Kolbe (1979), Léo-Arthur Brodeur est également directeur de la collection « Thèses ou Recherches » chez Naaman (1978) et vice-président des Éditions Saint-Raphaël (1980). Il est détenteur d'une maîtrise (1961) et d'un doctorat (1968) en lettres françaises de l'université Laval. D'abord reporter et réalisateur pour la radio et la télévision puis professeur, il enseigne depuis 1963 au département d'études françaises de l'université de Sherbrooke et a été, de 1974 à 1977, directeur du Centre d'étude des littératures d'expression française de cette même université. En littérature française, Léo-Arthur Brodeur porte un intérêt particulier aux auteurs catholiques.

ŒUVRES

**Le Corps-Sphère, clef de la symbolique claudélienne,** thèse. Préface de Michel Plourde. Montréal, Éditions Cosmos, 1970. 365 p. : graph. Coll. « Profils ».

**Guide expérimental F12 — L'Écrivain du coin de l'œil,** manuel. Toronto, ministère de l'Éducation de l'Ontario, 1970. 20 p. : ill.

**Et demain, étudiant ?...,** poésie. Sherbrooke, Éditions Cosmos, 1970. 52 p. Coll. « Brûle-main », 1.

**Répertoire des thèses littéraires canadiennes : janvier 1969–septembre 1971,** bibliographie. En collaboration avec Antoine Naaman. Sherbrooke, CELEF, université de Sherbrooke, 1972. 141 p.

**Répertoire des thèses littéraires canadiennes de 1921 à 1976,** bibliographie. En collaboration avec Antoine Naaman. Sherbrooke, Éditions Naaman, 1978. 453 p. Coll. « Bibliographie ».

**Jacques BROSSARD**

(Montréal, 24 avril 1933- ). Jacques Brossard a étudié le droit à l'université de Montréal et les sciences sociales au Balliol College d'Oxford. Après une carrière diplomatique qui l'a mené en Amérique du Sud (en Colombie et Haïti) et à Ottawa (adjoint du ministre des Affaires extérieures), il est revenu au Québec en 1964. Professeur titulaire au Centre de recherche en droit public de l'université de Montréal, il a été conseiller au ministère québécois des Affaires intergouvernementales, membre des commissions politiques des États généraux du Canada français, du Mouvement Souveraineté-Association et du Parti québécois (1967–1969) et correspondant spécial du *Devoir* à la conférence de Niamey (1968). Auteur de textes politico-juridiques depuis 1964, il situe ses débuts « proprement littéraires » aux alentours de 1970 (« ou de 1944 »). Prix littéraire du Québec (sciences sociales) 1969 ; Prix littéraire Duvernay pour l'ensemble de son œuvre scientifique et littéraire, 1976 ; Médaille d'argent de la ville de Paris, 1977.

## ŒUVRES

**L'Immigration ; les droits et pouvoirs du Canada et du Québec,** essai. Montréal, Presses de l'université de Montréal, 1967. 210 p. Coll. « Centre de recherche en droit public ».

**Les Pouvoirs extérieurs du Québec,** essai. En collaboration avec André Patry et Élizabeth Weiser. Montréal, Presses de l'université de Montréal, 1967. 464 p. Coll. « Centre de recherche en droit public ».

**La Cour suprême et la Constitution ; le forum constitutionnel au Canada,** essai. Montréal, Presses de l'université de Montréal, 1968. 430 p. Coll. « Centre de recherche en droit public ».

**Le Territoire québécois,** essai. En collaboration avec H. Immarijeon, G.V. Laforest et Luce Patenaude. Montréal, Presses de l'université de Montréal, 1970. 412 p. Coll. « Centre de recherche en droit public ». ISBN 0-8405-0136-6.

**Le Métamorfaux,** nouvelles. Montréal, Hurtubise HMH, 1974. 206 p. Coll. « L'Arbre ».

**L'Accession à la souveraineté et le Cas du Québec ; conditions et modalités politico-juridiques,** essai. Montréal, Presses de l'université de Montréal, 1976. 800 p. Coll. « Centre de recherche en droit public ». ISBN 0-8405-0318-0.

**Le Sang du souvenir,** roman. Montréal, La Presse, 1976. 235 p.

**Nicole BROSSARD**

Denyse Coutu

(Montréal, 27 novembre 1943- ). Dès 1965, Nicole Brossard participe à la fondation et à la direction de la revue *la Barre du jour.* Licenciée en lettres de l'université de Montréal (1968) et bachelière en pédagogie de l'université du Québec, elle enseigne durant deux ans puis choisit la carrière littéraire où elle s'implique à fond, à la fois comme créatrice et comme animatrice. Elle a participé au Congrès culturel de la Havane en 1968, a colligé le « dossier Québec » pour la revue *Opus international*, a fait partie du comité organisateur de la Rencontre québécoise internationale des écrivains en 1975 (thème : Femme et Écriture) et assisté au Colloque de Cerisy sur la littérature québécoise (1980). Féministe engagée, elle prépare et tourne un film, *Some American Feminists* (O.N.F.), en collaboration avec Luce Guilbeault (1975-1976), écrit un texte de théâtre, *la Nef des sorcières*, également en collaboration, fonde avec un groupe de femmes le journal *les Têtes de pioche* et dirige, avec Andrée Yanacopoulo, la collection « Délire » aux Éditions Parti pris. En 1975, elle a participé au Festival international de la poésie à Toronto et à la Conférence interaméricaine des femmes écrivains à Ottawa, en 1978. Codirectrice de la collection « Réelles », chez Quinze Éditeur (1979–1981), elle a, depuis plusieurs années, écrit pour un très grand nombre de revues dont *Liberté, Lettres et Écritures, la Nouvelle Barre du jour, Sorcières, Cross Country, Fireweed.* Nicole Brossard a été membre du premier bureau de direction de l'Union des écrivains. Le Prix du Gouverneur général lui était attribué en 1975 pour *Mécanique jongleuse.*

## ŒUVRES

**Aube à la saison,** poésie. In **Trois.** En collaboration avec Michel Beaulieu et Micheline De Jordy. Montréal, Presses de l'AGEUM, 1965. 91 p.

**Mordre en sa chair,** poésie. Montréal, Estérel, 1966. 56 p.

**L'Écho bouge beau,** poésie. Montréal, Estérel, 1968. 50 p.

**Suite logique,** poésie. Montréal, L'Hexagone, 1970. 58 p.

**Le Centre blanc**, poésie. Illustrations de Marcel Saint-Pierre. Montréal, Éditions d'Orphée, 1970. N.p. : ill.

**Un livre,** roman. Montréal, Éditions du Jour, 1970. 99 p. Coll. « Les Romanciers du Jour ».

**Narrateur et Personnage,** radio-théâtre. Montréal, Radio-Canada, 1970. N.p.

**Sold-out, étreinte-illustration,** roman. Montréal, Éditions du Jour, 1973. 114 p. Coll. « Les Romanciers du Jour ».

**French kiss, étreinte-exploration,** roman. Montréal, Éditions du Jour, 1974. 151 p. : ill. Coll. « Nouvelle Culture ». ISBN 0-7760-0619-3.

**Mécanique jongleuse,** poésie. Colombes (France), Génération, 1973. 20 p.

**Mécanique jongleuse,** suivi de **Masculin grammaticale,** poésie. Montréal, L'Hexagone, 1974. 92 p.

**La Partie pour le tout,** poésie. Montréal, L'Aurore, 1975. 76 p. Coll. « Lecture en vélocipède », 16. ISBN 0-88532-083-2.

**La Nef des sorcières**, théâtre. En collaboration avec Marthe Blackburn, Luce Guilbeault, France Théoret, Odette Gagnon, Marie-Claire Blais et Pol Pelletier. Montréal, Éditions Quinze, 1976. 80 p.

**L'Amèr** ou **le Chapitre effrité,** roman. Montréal, Quinze Éditeur, 1977. 99 p. ISBN 0-88565-120-0.

**Le Centre blanc,** poésie. Montréal, L'Hexagone, 1978. 422 p. Coll. « Rétrospective », 13.

**D'arcs de cycle à la dérive,** poème. Gravure de Francine Simonin. Saint-Jacques-le-Mineur, Éditions de la Maison, 1979. N.p. : ill.

**Le Sens apparent**, roman. Paris, Flammarion, 1980. 76 p. Coll. « Textes ». ISBN 2-08-064268-5.

**Amantes,** poésie. Montréal, Quinze, 1980. 109 p. : ill. Coll. « Réelles ». ISBN 2-89026-247-2.

**Picture theory**, roman. Montréal, Nouvelle Optique, 1982. 207 p. ISBN 2-89017-040-3.

## ŒUVRES TRADUITES

**A Book,** roman. Traduction anglaise de Larry Shouldice ; titre original : **Un livre.** Toronto, Coach House Press, 1976. 99 p.

**Turn of a Pang**, roman. Traduction anglaise de Patricia Claxton ; titre original : **Sold-out, étreinte-illustration.** Toronto, Coach House Press, 1976. 111 p.

**Daydream Mechanic,** poésie. Traduction anglaise de Larry Shouldice ; titre original : **Mécanique jongleuse.** Toronto, Coach House Press, 1981.

## Marcel BROUILLARD

(Vaudreuil, 30 octobre 1930– ). Journaliste (1948–1950), président-fondateur du journal *la Presqu'île* (1951–1959), puis directeur des publications Péladeau, Marcel Brouillard a aussi fondé plusieurs magazines et hebdos (1963–1974). Il a ensuite travaillé comme recherchiste à Télé-Métropole (1974–1976), a été directeur du bureau de presse de Terre des hommes (1975-1976) avant de mettre sur pied sa propre maison de production (1977) où il se consacre à l'organisation de tournées de spectacles culturels et à la promotion du livre et du disque au Québec. Collaborateur à *la Presse*, au *Marketing voyages,* à *Ici-Québec*, etc., il a créé les Éditions Populaires où il a publié la plupart de ses livres, des récits de voyages et des romans.

## ŒUVRES

**Journal intime d'un Québécois au Mexique,** récit de voyage. Montréal, Éditions Populaires, 1971. 180 p.

**Journal intime d'un Québécois en Espagne et au Portugal,** récit de voyage. Montréal, Éditions Populaires, 1972. 180 p.

**Journal intime d'un Québécois en France, en Grèce et au Maroc,** récit de voyage. Montréal, Éditions Populaires, 1973. 180 p.

**Mes rencontres avec les grandes vedettes,** entrevues. Montréal, Éditions Populaires, 1973. 180 p.

**Le Maroc sans problème,** guide touristique. En collaboration avec Jean Côté. Montréal, Éditions Intel, 1976. 148 p.

**L'Escapade,** roman. Montréal, Éditions Populaires, 1974. 173 p. : ill.

**Dana l'Aquitaine,** roman. Montréal, Héritage, 1978. 169 p. ISBN 0-7773-3836-X.

**Chrystine**
**BROUILLET**

Robert Etchevery

(Québec, 15 février 1958–     ). Chrystine Brouillet se dit fascinée par le roman policier, le « thriller, donc par tout ce qui est de nature criminelle, psychologie, droit, ésotérisme, fantastique, etc. » Son premier roman a été couronné, en 1982, par le Prix Robert-Cliche.

### ŒUVRES

**Chère Voisine,** roman. Montréal, Quinze Éditeur, 1982. 202 p. Coll. « Prose entière ». ISBN 2-89026-302-9.

**Fuites et Poursuites,** nouvelles. En collaboration. Montréal, Quinze Éditeur, 1982. 199 p. ISBN 2-89026-307-X.

**Gaétan**
**BRULOTTE**

(Lauzon, 8 avril 1945–     ). Après un séjour à Paris où il fait, sous la direction de Roland Barthes, un doctorat en lettres modernes à l'université de Paris VII (1978), Gaétan Brulotte enseigne dans diverses universités du Québec et des États-Unis (universités du Québec, Laval, Californie et Nouveau-Mexique). Essayiste, romancier, dramaturge et poète, il a remporté le Prix Robert-Cliche pour *l'Emprise* et le Prix Adrienne-Choquette pour *le Surveillant*. Plusieurs de ses romans ou nouvelles ont également été adaptés pour le théâtre ou la radio. Auteur de nombreux articles pour des revues telles *Spirale, l'Atelier de production littéraire de la Mauricie* et *Vie des Arts*, il dirige la page littéraire du *Nouvelliste* et y signe une chronique hebdomadaire.

### ŒUVRES

**L'Imaginaire et l'Écriture : Ghelderode,** essai. Trois-Rivières, s.é., 1976. 256 p.

**Le Colloque de Tanger,** essai. En collaboration avec Sollers, Burroughs, Ariel Denis, Lemaire, Françoise Collin, Henri Chopin, Vuarnet JJ Goux. Paris, Christian Bourgeois, 1976. 381 p. : ill. ISBN 2-267-00049-0.

**Aspects du texte érotique,** essai. Université de Paris VII, 1978. 422 p.

**L'Emprise,** roman. Montréal, Éditions de l'Homme, 1978. 207 p. ISBN 2-7619-008-9.

**Écrivains de la Mauricie. Dictionnaire bio-bibliographique, critique et anthologique.** En collaboration. Trois-Rivières, Editions du Bien public, 1981. 278 p. : photos.

**Alice**
**BRUNEL-ROCHE (1908–     )**

### ŒUVRES

**Au creux de la raison,** poésie. Montréal, Déom, 1969. 81 p. : ill. Coll. « Poésie canadienne », 23.

**Arc-boutée à ma terre d'exil,** poésie. Montréal, Déom, 1972. 77 p. Coll. « Poésie canadienne », 29.

**La Haine entre les dents,** roman. Montréal, Leméac, 1978. 202 p. Coll. « Roman québécois ».

**Yves-Gabriel**
**BRUNET**

(Montréal, 29 mars 1938–     ). Poète, Yves-Gabriel Brunet a suivi des cours en études médiévales à l'université de Montréal (1959-1961). Chroniqueur et critique littéraire, rechercheiste et animateur, il a également été professeur dans plusieurs maisons d'enseignement. Y.-G. Brunet fut le principal instigateur des *Sept Paroles du Québec*, spectacle de poésie présenté dans le cadre du festival de La Rochelle à l'été 1980.

ŒUVRES

**Les Hanches mauves,** poésie. Montréal, Éditions Atys, 1961. 78 p.

**Poésies I,** poèmes 1958–1962. Montréal, L'Hexagone, 1973. 157 p. Coll. « Rétrospective ».

## Michel BUJOLD

(Montréal, 4 juillet 1944– ). Critique de cinéma à *Liaison Saint-Louis*, Michel Bujold affirme avoir trouvé dans l'écriture un moyen fantastique de connaissance. En fait, tout ce qui touche à la langue l'intéresse, le passionne : « Il n'y a rien en dehors de l'écriture. Les mots mènent le monde, l'argent suit et les êtres humains en profitent ou en sont les victimes ».

ŒUVRES

**Transitions en rupture,** poésie. Montréal, Parti pris, 1972. 57 p. Coll. « Paroles », 27. ISBN 0-88512-055-8.

**Péozi,** poésie. Illustrations de Danièle Raby. Montréal, Les Investisseurs, 1980. N.p. : ill., portr.

## Gisèle BUJOLD-THIBEAULT

(Matane, 14 décembre 1941– ). Auteure de romans dont *l'Enjeu* et *Entre chien et loup*, sélectionnés pour le Prix France-Québec, Gisèle Bujold-Thibeault est membre de l'Association des écrivains de langue française et du Regroupement des auteurs de l'Est du Québec. Après des études à l'école normale des Sœurs du Bon Pasteur à Matane, elle travaille comme secrétaire pour le Service social du diocèse de Rimouski (1958–1961), puis comme assistante-comptable pour une firme montréalaise (1961–1966). Après avoir habité à Montréal, à Cap-Chat et à Montmagny, elle est de retour dans sa ville natale depuis 1975. Les revues *l'Équipe* et *la Voix gaspésienne* ont accueilli certains de ses textes.

ŒUVRES

**L'Enjeu,** roman. Québec, Éditions Garneau, 1971. 123 p.

**Entre chien et loup,** roman. Montmagny, s.é., 1975. 109 p.

**À chacun son futur,** roman. Québec, Éditions La Liberté, 1979. 155 p. ISBN 2-89084-002-6.

# C

**Marcel**
**CABAY**
Pseud. : Marcel Marin.

(Liège, Belgique, 10 décembre 1921– ). D'abord apprenti-pâtissier, Marcel Cabay entre au conservatoire puis fait un an de service militaire en Allemagne occupée. Comédien et auteur de romans, de contes, de nouvelles, de pièces de théâtre inédits, il émigre au Canada où il joue divers rôles au théâtre et à la télé tout en écrivant des textes pour des émissions telles *les Nouveautés dramatiques*. Depuis quelques années il est surtout connu pour son téléroman diffusé sur les ondes de Télé-Métropole : *les Berger* devenu ultérieurement *le Clan Beaulieu.*

## ŒUVRES

**Grande Ville,** radioroman. Montréal, Éditions CKVL, 1975. 236 p.

**Les Berger,** téléroman. Montréal, Éditions Télé-Métropole, Éditions de l'Homme, 1976. 246 p. : ill. ISBN 0-7759-0494-5.

**Pierre**
**CADIEU**

(Saint-Jérôme, 12 janvier 1947– ). Poète, Pierre Cadieu est bachelier en psycho-pédagogie de l'université du Québec à Montreal (1970). D'abord chroniqueur au *Quartier latin* (1970-1971), il est agent d'information pour la Confédération des syndicats nationaux en 1972, publicitaire pour le Jazz libre du Québec en 1973, recherchiste pour les Jeunesses littéraires en 1974, décorateur de 1975 à 1976, scénariste à l'Institut du cinéma québécois en 1979 et chauffeur de taxi depuis lors. Directeur des Éditions Neigeuses où il a publié deux de ses recueils, Pierre Cadieu a également collaboré aux revues *Moebius* et *l'Esplumoir.*

## ŒUVRES

**Clopec,** poésie. Montréal, Éditions du Cri, 1969. 53 p.

**Manifeste ozer,** poésie. Montréal, J. Roy, 1970. N.p.

**La Campagne du parti poétik,** poésie. Montréal, Éditions Neigeuses, 1970. 61 p. : ill.

**Amour tiède,** poésie. Montréal, Éditions Neigeuses, 1971. N.p.

**Entre voyeur et voyant,** poésie. Illustrations de l'auteur. Montréal, Parti pris, 1979. 62 p. : ill. Coll. « Ouvrir le feu », 1. ISBN 2-7602-004-3.

## TRADUCTION

**La Théorie des couleurs de Goethe,** essai. Traduction anglaise de **The Mystery Wisdom of Colour** de Gladys Mayer. Montréal, Éditions de l'Université libre, 1980. 48 p. : ill.

**Pauline CADIEUX**

(Hautes Laurentides, 20 février 1917– ). Tour à tour éditorialiste, journaliste et traductrice, Pauline Cadieux travaillera au ministère de la Justice avant d'entreprendre, en 1976, une carrière d'écrivain. Elle a été conférencière à plusieurs occasions ainsi que fondatrice de nombreuses associations à caractère social. En 1977, Jean Beaudin, cinéaste à l'Office national du film, s'inspirait de son livre *la Lampe dans la fenêtre* pour réaliser le long métrage *Cordélia.*

**ŒUVRES**

**La Lampe dans la fenêtre,** roman. Montréal, Libre Expression, 1976. 199 p.: ill., portr., fac-sim.

**Bigame,** roman. Montréal, Stanké, 1977. 165 p. ISBN 0-88566-086-2.

**Flora,** récit. Montréal, Stanké, 1978. 156 p. ISBN 0-88566-122-2.

**Violences, un climat social,** récits. Montréal, Desclez, 1982. 168 p. ISBN 2-89142-076-4.

**André CAILLOUX**

(Issoudun, France, 30 mai 1920– ). C'est en 1951, à la demande du père Legault alors directeur des Compagnons de Saint-Laurent, qu'André Cailloux arrive à Montréal. Il avait auparavant fait ses études à l'université de Fribourg (Suisse) et fait partie des Compagnons de la musique. Bien connu pour les rôles qu'il a tenus dans nombre d'émissions pour enfants dont *le Grenier aux images* et *Ulysse et Oscar*, André Cailloux a également joué dans plusieurs pièces de théâtre et téléthéâtres et dirigé pendant cinq ans (1971–1976) la section jeunesse du théâtre du Rideau Vert. Les contes, les comptines et les pièces de théâtre qu'a écrits André Cailloux depuis 1958 s'adressent plus particulièrement aux enfants.

**ŒUVRES**

**Fredons et Couplets,** poésie. Illustrations de Fred Back. Montréal, Beauchemin, 1958. 80 p.

**Textes et Prétextes,** contes. Illustrations de Marcel Bernier et al. Boucherville, Le Sablier, 1972. 4 vol.: ill., en coul. T. I: **Tourbillon, l'écureuil gris**; T. II: **Stella, la petite étoile**; T. III: **Bridou, le petit avion**; T. IV: **Le Bambou qui chante.**

**Frizelis et Gros Guillaume,** théâtre. Photos d'A. Dubois. Montréal, Leméac, 1973. 93 p.: 6 p. de planches, ill. Coll. « Théâtre pour enfants ».

**Frizelis et la Fée Doduche**, théâtre. Photos d'A. Dubois. Montréal, Leméac, 1973. 81 p.: 8 p. de planches, ill. Coll. « Théâtre pour enfants ».

**L'Île au sorcier,** théâtre. Photos d'A. Dubois. Montréal, Leméac, 1974. 81 p.: 8 p. de planches, ill. Coll. « Théâtre pour enfants ».

**Je te laisse une caresse,** comptines. Illustrations de Gilles Tibo. Montréal, Le Tamanoir, 1976. N.p.: ill. Coll. « L'Étoile filante ». ISBN 0-88570-006-6.

**Mon petit lutin s'endort,** comptines. Illustrations de Gilles Tibo. Montréal, Le Tamanoir, 1976. N.p.: ill. Coll. « L'Étoile filante ». ISBN 0-88570-007-4.

**Françoise et l'Oiseau du Brésil,** suivi de **Tombé des étoiles,** théâtre. Photos d'A. Dubois. Montréal, Leméac, 1977. 151 p.: ill. Coll. « Théâtre pour enfants ». ISBN 0-7761-9906-4.

**Lune en or,** comptines. Illustrations de Philippe Béha. Montréal, La Courte Échelle, 1979. N.p.: en maj. part. ill. en coul. ISBN 2-89021-012-X.

**Mon grand-père a un jardin,** comptines. Illustrations de Philippe Béha. Montréal, La Courte Échelle, 1979. N.p.: en maj. part. ill. en coul. ISBN 2-89021-013-8.

**Virginie chante les instruments de musique,** chansons. Illustrations de François Ladouceur. Saint-Lambert, Héritage, 1979. N.p.: ill. notes musicales. Coll. « Virginie chante ». ISBN 0-7773-4320-7.

**Virginie chante l'arc-en-ciel,** chansons. Illustrations de François Ladouceur. Saint-Lambert, Héritage, 1980. N.p.: en maj. part. ill. en coul., notes musicales. Coll. « Virginie chante ». ISBN 0-7773-4321-5.

**Les Aventures de Frizelis,** contes. Illustrations de Francine Nault. Saint-Lambert, Héritage, 1980. 127 p.: ill. Coll. « Pour lire avec toi ». ISBN 0-7773-4418-1.

**La Locomotion,** chansons. Illustrations de François Ladouceur. Saint-Lambert, Héritage,

1981. N.p.: en maj. part. ill. en coul. Coll. « Virginie chante ». ISBN 0-7773-4322-3.

## TRADUCTION

**Fleur et Frimas,** poésie. Traduction de **Sunflakes and Snowshine** de Fran Newman. Saint-Lambert, Héritage, 1979. N.p.: 24 p. de planches. ISBN 0-7773-2519-5.

## Michel CAILLOUX

(Issoudun, France, 1er octobre 1931– ). Auteur des émissions pour enfants *Bobino, Nic et Pic* et *Michel-le-magicien*, Michel Cailloux a obtenu un baccalauréat en lettres de l'université de Poitiers (1948) et enseigné quelques années dans sa ville natale (1950–1955) avant d'émigrer au Québec en 1955. À l'emploi de Radio-Canada depuis 1956, il a écrit nombre de livres en rapport avec les émissions dont il est l'auteur et enregistré une quinzaine de disques dont ceux de la série Bobino pour lesquels il a remporté le Prix du meilleur disque pour enfants à trois occasions. Michel Cailloux est membre de la Société des auteurs, recherchistes, documentalistes et compositeurs et de la Société des auteurs et compositeurs dramatiques (France).

### ŒUVRES

**Michel-le-Magicien,** magie et contes. Illustrations de l'auteur. Montréal, Éditions Ici Radio-Canada, Héritage, 1971. N.p.: ill.

**Un journal fou fou fou,** bandes dessinées. Illustrations de N. Fersen, Montréal, Éditions Ici Radio-Canada, Héritage, 1973. N.p.: ill. Coll. « Bobino et Bobinette ». ISBN 0-7773-2001-0.

**Le Rayon oméga,** bandes dessinées. Illustrations de N. Fersen. Montréal, Éditions Ici Radio-Canada, Héritage, 1974. N.p.: en maj. part. ill. en coul. Coll. « Bobino et Bobinette ». ISBN 0-7773-2002-9.

**Le Dangereux Inventeur,** bandes dessinées. Adaptation et dessins de Claude Poirier et Serge Wilson. Montréal, Éditions Ici Radio-Canada, Héritage, 1974. N.p.: en maj. part. ill. en coul. Coll. « Nic et Pic ». ISBN 0-7773-2012-6.

**La Fée Draglonne,** bandes dessinées. Textes de Michel Cailloux; adaptation et dessins de Claude Poirier et Serge Wilson. Montréal, Éditions Ici Radio-Canada, Héritage, 1975. N.p.: en maj. part. ill. en coul. Coll. « Nic et Pic ». ISBN 0-7773-2010-X.

**Le Génie de l'érablière,** bandes dessinées. Adaptation et dessins de Claude Poirier et Serge Wilson. Montréal, Éditions Ici Radio-Canada, Héritage, 1975. N.p.: en maj. part. ill. en coul. Coll. « Nic et Pic ». ISBN 0-7773-2013-4.

**Complot en Amérique du Sud,** bandes dessinées. Adaptation et dessins de Claude Poirier et Serge Wilson. Montréal, Société Radio-Canada, Héritage, 1977. N.p.: en maj. part. ill. en coul. Coll. « Nic et Pic ». ISBN 0-7773-2015-0.

**Nic et Pic et le Pirate,** bandes dessinées. Adaptation et dessins de Claude Poirier et Serge Wilson. Montréal, Société Radio-Canada, Héritage, 1977. N.p.: en maj. part. ill. en coul. Coll. « Nic et Pic ». ISBN 0-7773-2016-9.

**Nic et Pic et la Vedette,** bandes dessinées. Adaptation et dessins de Claude Poirier et Serge Wilson. Montréal, Société Radio-Canada, Héritage, 1980. N.p.: en maj. part. ill. en coul. Coll. « Nic et Pic ».

## Sylvain CAMPEAU

(Montréal, 25 septembre 1948– ). Poète, Sylvain Campeau a fait paraître des textes dans les revues *Mainmise* et *Moebius*. Depuis quelques années, il a fait nombre de voyages (« de Schefferville à Los Angeles, du Yukon au Yucatan »), participé à plusieurs rencontres d'écrivains et à des lectures de poésie dont la Nuit de la poésie 1980. Membre-fondateur du Regroupement des auteurs et éditeurs artisans, il a représenté l'édition québécoise parallèle lors de la rencontre de Bordeaux en 1980.

### ŒUVRES

**Jade et Cristaux,** poésie. Laval, Éditions la Corriveau, 1972. 99 p.

**Vie X 9,** poésie. Laval, s.é., 1973. 67 p.

**Fleur bleue: contre-prostitution (utopie)** ou **les Dragons de l'astral,** poésie. Illustrations de l'auteur. Montréal, s.é., 1979. 72 p.: ill.

**Les Folles Nuits de Montréal,** poésie. Montréal, R.A.É.A., 1980. 8 p. Coll. « Stradivarius ».

**Œil de guerre,** poésie. Montréal, Éditions du Pacifique Saint-Laurent, 1981. 16 p.

**Mario CAMPO**

(Montréal, 27 mars 1951– ). Mario Campo a collaboré à *Hobo-Québec, la Nouvelle Barre du jour* et à *l'Atelier de production littéraire de la Mauricie.* Étudiant en traduction à l'université de Montréal parce qu'il en avait « marre de travailler dans les usines », il s'intéresse davantage au futur qu'au passé et cherche à « multiplier les moyens d'expression : poésie sonore, vidéo, performances, photo... » Mario Campo « aime Paris, New York, Venise, Munich, les punks, la science-fiction, les TR7, la musique contemporaine, la poésie rock, le soleil, les pyramides, le yoga tantrique, les galaxies inconnues et tant d'autres choses inimaginables ».

### ŒUVRES

**L'Anovulatoire,** prose. Montréal, nbj, 1978. 40 p.
**Coma laudanum,** poésie. Montréal, L'Hexagone, 1979. 66 p. Coll. « H ». ISBN 2-89006-157-4.
**Les Punks stellaires** et **Rebel with a Cause,** poésie et prose. Trois-Rivières, Atelier de production littéraire de la Mauricie, 1980. N.p. : ill., graph.
**Insomnies polaroids,** poésie. Trois-Rivières, Atelier de production littéraire de la Mauricie, 1980. 56 p. : ill. ISBN 2-920228-11-0.

**Aline CARON (1916– )**

### ŒUVRES

**Chevaux de bois,** poésie. LaSalle, chez l'auteure, 1971, 58 p.
**In Time and Season,** poésie. LaSalle, chez l'auteure, 1974. 87 p.
**Au pas du temps,** poésie. LaSalle, chez l'auteure, 1977. 90 p.

**Louis CARON**

(Sorel, 21 juillet 1942– ). Bien que né à Sorel, c'est à Nicolet que Louis Caron a implanté ses racines. Entré dans le journalisme à l'âge de 18 ans, il franchit toutes les étapes de cette carrière avant de l'abandonner en 1976 pour se consacrer entièrement à la littérature. Les prix Hermès et France-Canada (1978) couronnent la parution de son premier roman, *l'Emmitouflé,* publié chez Robert Laffont. En 1979, le récit qu'il fait à la radio de Radio-Canada d'un roman encore inédit, *Tête heureuse*, lui assure une réputation de conteur. C'est avec *les Fils de la liberté*, une mini-série de six épisodes d'une heure coproduite par Interimage Inc. (Montréal), Radio-Québec et Antenne-2 qu'il aborde l'écriture pour la télévision. Président de l'Union des écrivains québécois de 1979 à 1980, Louis Caron a également été membre des conseils d'administration de la Corporation du Salon du livre de Montréal et de la Société de gestion du droit d'auteur. En 1982, il recevait le Prix France-Québec pour *le Canard de bois.*

### ŒUVRES

**L'Illusionniste,** suivi de **le Guetteur,** contes et poèmes. Trois-Rivières, Écrits des Forges, 1973. 72 p. Coll. « Les Rivières », 2.
**L'Emmitouflé,** roman. Paris, Robert Laffont, 1977. 241 p.
**Le Bonhomme Sept-Heures,** roman. Paris, Montréal, Robert Laffont, Leméac, 1978. 251 p. ISBN 0-7761-3030-7.
**Les Fils de la liberté,** roman. Paris, Montréal, Le Seuil, Boréal Express, 1981. T. I : **Le Canard de bois.** 326 p.

### ŒUVRE TRADUITE

**The Draft-Dogger,** roman. Traduction anglaise de David-Toby Homel ; titre original : **L'Emmitouflé.** Toronto, House of Anansi, 1980.

**André**
**CARPENTIER**

Serge Jongué

(Montréal, 29 octobre 1947–    ). Conteur et romancier, André Carpentier a dirigé un collectif sur *la Bande dessinée kébécoise* paru dans *la Barre du jour*, travaillé pour une revue de bandes dessinées, *l'Écran*, en 1974, et est devenu adjoint au directeur du Pavillon international de l'Humour de Terre des hommes, en 1975. Il a également publié des textes dans *la Presse, Moebius* et *le Livre d'ici*. André Carpentier est détenteur d'un baccalauréat (1971) et d'une maîtrise (1973) en études littéraires de l'université du Québec à Montréal.

ŒUVRES

**Axel et Nicholas,** suivi de **Mémoires d'Axel,** roman. Montréal, Éditions du Jour, 1973. 176 p. Coll. « Les Romanciers du Jour ».

**L'aigle volera à travers le soleil,** roman. Montréal, Hurtubise HMH, 1978. 176 p. Coll. « L'Arbre ». ISBN 0-7758-0147-X.

**Rue Saint-Denis,** contes fantastiques. Montréal, Hurtubise HMH, 1978. 144 p. Coll. « L'Arbre ». ISBN 0-7758-0165-8.

**Du pain des oiseaux,** récits. Préface d'André Belleau. Montréal, VLB, 1982. 149 p. ISBN 2-89005-147-1.

**Fuites et Poursuites,** nouvelles. En collaboration. Montréal, Quinze Éditeur, 1982. 199 p. ISBN 2-89026-307-X.

**Lucette**
**CARPENTIER**

(Batiscan, 6 novembre 1886–    ). Après des études chez les Ursulines de Trois-Rivières (1904), « à l'époque où Madeleine Huguenin dirigeait les pages féminines de *la Patrie* et Colette Lesage celles de *la Presse* », Lucette Carpentier décide de « faire un peu de même » et envoie un premier article à *l'Action catholique* qui le publie. Dès lors, elle continue, parallèlement à son travail d'institutrice, à écrire chaque semaine soit une chronique, soit une nouvelle. Cela durera dix ans. Au cours de la dernière décennie, les Éditions Paulines publieront trois de ses contes dont le premier, *Les poussins sont venus*, servira à l'enseignement du français à l'élémentaire.

ŒUVRES

**Les poussins sont venus,** conte. Illustrations de Claire Duguay. Sherbrooke, Éditions Paulines, 1972. 14 p. : Coll. « Mes amis », 4. ISBN 0-88840-312-7.

**Robillon,** conte. Illustrations de Madeleine Pratte. Sherbrooke, Éditions Paulines, 1972. 14 p. : Coll. « Contes du chalet bleu », 9.

**Jean de Gaspé,** conte. Illustrations de Rachel Roy. Sherbrooke, Éditions Paulines, 1972. 14 p. : ill. Coll. « Contes du chalet bleu », 11. ISBN 0-88840-319-4.

**Roch**
**CARRIER**

(Sainte-Justine, comté Dorchester, 13 mai 1937–    ). Poète, conteur, romancier et dramaturge, Roch Carrier a étudié au collège Saint-Louis d'Edmunston, aux universités de Montréal et de Paris et à la Sorbonne où il a obtenu un doctorat en littérature pour une thèse sur Blaise Cendrars (1978). Journaliste au Nouveau-Brunswick de 1958 à 1960, il séjourne ensuite quelques années à Paris avant de devenir professeur de littérature au collège militaire de Saint-Jean en 1965. Bien qu'ayant fait paraître deux recueils de poésie, *les Jeux incompris* en 1956 et *Cherche tes mots, cherche tes pas* en 1958, c'est surtout à la création de contes, de romans et de nouvelles qu'il se consacrera. En 1964 il publie ainsi *Jolis Deuils*, un recueil de contes qui lui vaudra le Prix littéraire de la province de Québec (pour une œuvre d'imagination) en 1965. Vient ensuite, en 1968, *La guerre, yes sir!* qui, publié sous forme de roman, sera adapté pour le théâtre et joué par le Théâtre du Nouveau Monde tant au Québec qu'en Europe. En 1970, il écrit le scénario et les dialogues du film pour enfants, *le Martien de Noël*, dont la réalisation fut confiée à Bernard Gosselin. Aux livres qu'il a publiés tels *le Jardin des délices, Il n'y a pas de pays sans grand-père, la Céleste Bicyclette* s'ajoutent certains contes, nouvelles ou articles dans des revues telles *Châtelaine, les Écrits du Canada français* et *la Barre du jour.* Secrétaire général du Théâtre du Nouveau Monde de 1971 à 1974, Roch Carrier a reçu le Grand Prix littéraire de la ville de Montréal en 1980 pour *les Enfants du bonhomme dans la lune.*

## ŒUVRES

**Les Jeux incompris,** poésie. Montréal, Éditions Nocturne, 1956. 22 p.

**Cherche tes mots, cherche tes pas,** poésie. Montréal, Éditions Nocturne, 1958. 28 p.

**Jolis Deuils,** petites tragédies. Montréal, Éditions du Jour, 1964. 157 p. Coll. « Les Romanciers du Jour ».

**Floralie, où es-tu?,** roman. Montréal, Éditions du Jour, 1969. 170 p. Coll. « Les Romanciers du Jour ».

**La guerre, yes sir!,** roman. Montréal, Éditions du Jour, 1970. 139 p. Également adaptée pour le théâtre en 1970.

**Il est par là, le soleil,** roman. Montréal, Éditions du Jour, 1970. 142 p. Coll. « Les Romanciers du Jour ».

**L'Aube d'acier,** poésie. Sherbrooke, Les Auteurs réunis, 1971.

**Le Deux-millième Étage,** roman. Montréal, Éditions du Jour, 1973. 168 p. Coll. « Les Romanciers du Jour ».

**Floralie,** théâtre. Montréal, Éditions du Jour, 1974. 157 p. Coll. « Théâtre ».

**Le Jardin des délices,** roman. Montréal, La Presse, 1975. 215 p. ISBN 0-7777-0166-9.

**Il n'y a pas de pays sans grand-père,** roman. Montréal, Stanké, 1977. 116 p. ISBN 0-88566-071-4.

**Les Enfants du bonhomme dans la lune,** roman. Montréal, Stanké, 1978. 162 p. ISBN 0-88566-141-9.

**La Céleste Bicyclette,** théâtre. Montréal, Stanké, 1980. 82 p.: ill. ISBN 2-7604-0066-2.

**Les fleurs vivent-elles ailleurs que sur la terre?,** roman. Montréal, Stanké, 1980. 127 p. ISBN 2-7604-0074-3.

**Les Voyageurs de l'arc-en-ciel,** conte. Illustrations de François Olivier. Montréal, Stanké, 1980. N.p.: ill. Coll. « Pour enfants ». ISBN 2-7604-0096-4.

**Le Cirque noir,** théâtre. Montréal, Stanké, 1982. 94 p. ISBN 2-7604-0169-3.

## ŒUVRES TRADUITES

**La guerre, yes sir!,** roman. Traduction anglaise de Sheila Fischman. Toronto, Anansi, 1970. 113 p.

**Floralie, where are you?,** roman. Traduction anglaise de Sheila Fischman; titre original: **Floralie, où es-tu?** Toronto, Anansi, 1971. 108 p. Coll. « Anansi Fiction ». ISBN 0-88784-317-4 et 0-888784-417-0.

**Is it the sun, Philibert?,** roman. Traduction anglaise de Sheila Fischman; titre original: **Il est par là, le soleil.** Toronto, Anansi, 1972. 100 p. Coll. « Anansi Fiction ». ISBN 0-88784-321-2 et 0-88784-420-0.

**They won't demolish me!,** roman. Traduction anglaise de Sheila Fischman; titre original: **Le Deux-millième Étage.** Toronto, Anansi, 1974. 134 p. ISBN 0-88784-328-X et 0-88784-429-4.

**The Garden of Delights,** roman. Traduction anglaise de Sheila Fischman; titre original: **Le Jardin des délices.** Toronto, Anansi, 1978. 173 p. Coll. « Anansi Fiction ». ISBN 0-88784-066-3.

## ÉTUDES

En collaboration; **Roch Carrier.** Nord, n° 6, 1976. 152 p.

**Romanciers québécois: dossier de presse. T. I Gérard Bessette, 1958–1980; Roch Carrier, 1964–1980,** Sherbrooke, Bibliothèque du séminaire, 1981. 118 p.: ill., portr.

## Denys CHABOT

(Val d'Or, 9 février 1945- ). Après avoir complété ses études à Rouyn et à l'université de Montréal, Denys Chabot a été professeur de français, libraire, journaliste et recherchiste avant d'être de nouveau libraire, toujours dans le Nord-Ouest. En 1978, son premier roman, *l'Eldorado dans les glaces*, lui a valu le Prix Gibson et le second, *la Province lunaire*, s'est vu attribuer le Prix du Gouverneur général en 1981. Denys Chabot a aussi publié dans *Liberté, Hobo-Québec* et *Possibles.*

## ŒUVRES

**L'Eldorado dans les glaces,** roman. Montréal, HMH, 1978. 202 p. Coll. « L'Arbre ». ISBN 0-7758-0122-4.

**La Province lunaire,** roman. Montréal, Hurtubise HMH, 1981. 274 p. ISBN 2-89045-509-2.

# Marc CHABOT

Pierre Chartier

(Durham-Sud, 31 décembre 1949–     ). Essayiste, critique à *Québec-Science* et au *Bulletin Pantoute*, membre du comité de rédaction du *Bulletin de la Société de philosophie du Québec* et directeur de la collection « Indiscipline » aux Éditions Pantoute, Marc Chabot a également écrit de nombreux articles pour diverses publications : *le Soleil, le Temps fou, Actualité, la Presse, Dérives,* etc. Professeur au cégep François-Xavier-Garneau, il a complété une maîtrise en philosophie à l'université du Québec à Trois-Rivières (1979).

## ŒUVRES

**La Pensée québécoise (1900–1950),** bibliographie. Montréal, Trois-Rivières, université du Québec à Trois-Rivières, 1975. 65 p. Coll. « Recherches et Théorie ».

**Philosophie au Québec,** essai. En collaboration. Montréal, Paris, Bellarmin, Desclée, 1976. 263 p. Coll. « L'Univers de la philosophie ». ISBN 0-88502-219-X.

**L'Orgasme au masculin,** essai. En collaboration. Montréal, L'Aurore, 1980. 190 p. ISBN 2-89053-017-05.

**La Certitude d'être mâle,** essai. En collaboration. Montréal, Jean Basile Éditeur, 1980. 258 p. Coll. « Réflexions ».

**La Pornographie mise à nu,** essai. En collaboration avec B. Boutot. Montréal, L'Aurore, 1981. 118 p. Coll. « Sexualité ». ISBN 2-89053-030-2.

**Chroniques masculines,** essai. Québec, Éditions Pantoute, 1981. 119 p. Coll. « Indiscipline ». ISBN 2-929252-00-3.

# Jean-Louis CHAMBERLAND

Kéro

(Causapscal, 19 août 1933–     ). Après son cours classique à Rimouski, Jean-Louis Chamberland entreprend des études de philosophie (maîtrise en 1961 et scolarité de doctorat en 1965) et de pédagogie à l'université de Montréal. Professeur depuis 1959, il fonde la Corporation professionnelle des formateurs de maîtres en 1966 et devient directeur général du Pavillon chrétien de Terre des hommes en 1970. Il enseigne au cégep Saint-Laurent depuis 1968 et siège au conseil d'administration et au comité exécutif de cette institution.

## ŒUVRES

**Le Phénomène moral,** philosophie. Montréal, chez l'auteur, 1978. 90 p. Coll. « Phénomène ». ISBN 2-920131-00-1.

**Le Phénomène sexuel : l'antisexe,** philosophie. Montréal, chez l'auteur, 1978. 90 p. Coll. « Phénomène ». ISBN 2-920131-01-X.

**Le Phénomène religion,** philosophie. Montréal, chez l'auteur, 1980. 80 p. Coll. « Phénomène ». ISBN 2-920131-02-8.

# Paul CHAMBERLAND

(Longueuil, 16 mai 1939–     ). Paul Chamberland obtient son baccalauréat ès arts au collège Saint-Laurent en 1961 et sa licence en philosophie à l'université de Montréal en 1964 avant de poursuivre des études en sociologie littéraire à la Sorbonne. Il revient de ce séjour d'études à Paris profondément marqué par les « Événements de mai 68 » qu'il y a vécus. De 1968 à 1972, Paul Chamberland s'implique activement dans la

Kèro

période effervescente de ce que, par convention dit-il, on peut appeler la « nouvelle culture » ; la Nuit de la poésie de 1970, à laquelle il participe, en est un moment majeur. Cette même période est consacrée à ses activités d'écrivain-animateur au sein de l'équipe d'In-Media puis de la Fabrike d'ékriture. De 1973 à 1978, il fait l'expérience intensive de la vie en communauté et du réseau « alternatif ». Il a collaboré aux revues *Mainmise* et *Hobo-Québec*, il a participé au Solstice de la poésie québécoise en 1976 ainsi qu'à la Rencontre internationale des écrivains de la francophonie à Épernay (France) en 1975. En 1978, il séjournait en Hongrie où il était l'invité de l'Institut culturel. Rappelons que Paul Chamberland a remporté en 1964, c'est-à-dire au moment où toute son activité culturelle et politique était concentrée autour de la revue *Parti pris*, le Prix de la province de Québec.

## ŒUVRES

**Genèse,** poésie. Avec une gravure de Marie-Anastasie. Montréal, Presses de l'AGEUM, 1962. 94 p. : ill.

**Marteau parmi les écritures,** poésie. In **Le Pays.** En collaboration. Montréal, Déom, 1963. 71 p.

**Terre Québec,** poésie. Montréal, Déom, 1964. 78 p.

**L'afficheur hurle,** poésie. Illustrations de Pierre Hébert. Montréal, Parti pris, 1965. 96 p. : ill., gravures, Coll. « Paroles ».

**L'Inavouable,** poésie. Montréal, Parti pris, 1968. 118 p. Coll. « Paroles ».

**Éclats de la pierre noire d'où rejaillit ma vie : poèmes suivis d'une révélation.** Montréal, Éditions Danielle Laliberté, 1972. 108 p.

**Demain les dieux naîtront,** poésie. Montréal, L'Hexagone, 1974. 284 p. : ill.

**Le Prince de Sexamour,** poésie. Préface de Denis Vanier et Josée Yvon ; illustrations de Denyse Delcourt. Montréal, L'Hexagone, 1976. 332 p. : ill.

**Extrême Survivance, Extrême Poésie.** Photos de Louis Pépin. Montréal, Parti pris, 1978, 153 p. : ill., fac-sim. Coll. « Paroles », 59. ISBN 0-88512-138-4.

**Terre souveraine,** essai. Montréal, L'Hexagone, 1979. 78 p. Coll. « L'Hexagone essai ». ISBN 2-89006-163-9.

**L'Enfant doré,** poésie. Montréal, L'Hexagone, 1980. 108 p. : ill., fac-sim. ISBN 2-89006-180-9.

**Le Courage de la poésie. Fragments d'art total.** Montréal, Les Herbes rouges, n^os^ 90-91, avril 1981. 63 p. ISSN 0441-6627.

**Émergence de l'adultenfant,** poésies et essais. Montréal, Jean Basile Éditeur, 1981. 264 p.

## Maurice CHAMPAGNE-GILBERT

(Montréal, 7 mai 1936–      ). Maurice Champagne-Gilbert est maître ès arts en philosophie de l'Institut d'études médiévales de Montréal (1956), diplômé d'études supérieures en psychologie et docteur ès lettres de l'université de Nice (1969). Tout en poursuivant ses recherches sur les droits de l'homme, la violence psychosociale, les relations hommes-femmes et la famille, il a occupé divers postes dans l'enseignement. Conférencier, animateur, auteur d'articles de journaux et de textes pour la télévision et la radio, Maurice Champagne-Gilbert a été président puis directeur général de la Ligue des droits de l'homme de 1971 à 1975, et vice-président, de 1975 à 1978, de la première Commission des droits de la personne au Québec. Depuis 1978, il se consacre à l'écriture et à la consultation tout en intensifiant son engagement pour les droits collectifs et politiques du Québec.

## ŒUVRES

**Suite pour amour ; légende poétique en trois épisodes, 1966-1967.** Montréal, Éditions du Jour, 1968. 128 p.

**La Violence au pouvoir ; essai sur la paix.** Montréal, Éditions du Jour, 1971. 255 p.

**Lettres d'amour ; triptyque à trois temps.** Montréal, Éditions du Jour, 1972. 106 p.

**La Société québécoise face à l'avortement,** essai. En collaboration. Montréal, Leméac, 1974.

**L'Inégalité hommes-femmes, la plus grande injustice,** monographie. Montréal, publiée par le programme « Promotion de la femme » du Secrétariat d'État du Canada, 1976. 30 p. : ill.

**La famille et l'homme à délivrer du pouvoir,** essai. Montréal, Leméac, 1980. 415 p.

### Paul CHAPDELAINE

Pseud. : Peuil.
(1940– )

#### ŒUVRES

**Au blond filon,** poésie. Liméray, Éditions Syndicales, 1972. N.p. : ill.

**Kyrièll, abécédordonnie. « A » dêsssS titré.** Montréal, Cul-Q, 1977. N.p. Coll. « Mium/Mium », 16.

### Claudette CHARBONNEAU-TISSOT

Jean-Marie

Pseud. : Aude.
(Montréal, 22 juin 1947– ). Claudette Charbonneau-Tissot obtenait une maîtrise en littérature française à l'université Laval en 1974 et poursuivait par la suite un doctorat. C'est au cours de ses études collégiales, alors qu'elle travaillait dans le département psychiatrique d'un hôpital de Montréal, qu'elle a vécu une expérience marquante, découvrant non pas tant ce que sont les malades mentaux que ce que cache habilement tout être soi-disant sain. L'écriture est pour elle « une façon de dépasser le niveau habituel de conscience dans lequel nous vivons quotidiennement, un moyen d'accéder à l'invisible et à l'informulable en leur donnant, par le texte, une structure visible ». Claudette Charbonneau-Tissot est professeur au cégep François-Xavier-Garneau et prépare un doctorat en création à l'université Laval.

#### ŒUVRES

**Contes pour hydrocéphales adultes.** Montréal, Cercle du livre de France, 1974. 147 p. ISBN 0-7753-0039-X.

**La Contrainte,** nouvelles. Montréal, Cercle du livre de France, 1976. 142 p. ISBN 0-7753-0088-8.

**La Chaise au fond de l'œil,** roman. Montréal, Cercle du livre de France, 1979. 173 p. ISBN 2-89051-011-5.

### Luc CHAREST

(Edmunston, N.B., 11 décembre 1947– ). Ayant une formation collégiale en musique (1970) et universitaire en histoire de l'art (université Laval, 1974) et en enseignement des arts visuels (université de Montréal, 1977), Luc Charest a enseigné les arts plastiques et le français au niveau primaire (1975–1979), exposé ses œuvres plastiques à quelques reprises et été directeur artistique de la troupe d'Astheure (1979-1980). Il est journaliste et critique d'art, de littérature, de théâtre, de danse et de musique pour les revues *Vie des arts, le Berdache* et *Montréal ce mois-ci.* En 1978, il créait sa propre maison d'édition, les Éditions Allégoriques.

#### ŒUVRES

**Autrement...,** roman. Illustrations de Yves-François Landry et Luc Charest. Outremont, Éditions Allégoriques, 1978. 89 p. : ill.

**Le Rouquin,** roman. Outremont, Éditions Allégoriques, 1980. 143 p.

**Veilleuse,** poésie. Outremont, Éditions Allégoriques, 1981. 23 p. ISBN 2-9800046-2-6.

## Jean-Pierre CHARLAND

(Sainte-Cécile-de-Lévrard, 6 mars 1954– ). Auteur de romans de science-fiction pour la jeunesse, Jean-Pierre Charland a fait des études d'histoire à l'université Laval. Il a reçu le Prix Marie-Claire-Daveluy en 1973 pour *le Naufrage*.

### ŒUVRES

**Les Insurgés de Véga 3,** roman. Illustrations de Gabriel de Beney. Sherbrooke, Éditions Paulines, 1973. 108 p. : ill. Coll. « Jeunesse-pop », 11. ISBN 0-88840-385-2.

**L'Héritage de Bhor,** roman. Illustrations de Gabriel de Beney. Montréal, Éditions Paulines, 1974. 111 p. : ill. Coll. « Jeunesse-pop », 17. ISBN 0-88840-438-7.

**Le Naufrage,** roman. Montréal, Éditions du Jour, 1975. 110 p. Coll. « Tout âge ». ISBN 0-7760-0649-5.

**La Belle Rivière,** roman. Montréal, Éditions du Jour, 1976. 142 p. Coll. « Tout âge ». ISBN 0-7760-0700-9.

**Histoire de l'enseignement technique et professionnel.** Québec, Institut québécois de recherche sur la culture, 1982. 450 p.

## Jean CHARLEBOIS

Kèro

(Québec, 19 avril 1945– ). « Né à Québec, un soir de pluie battante, Jean Charlebois (1945–1992, par là) complète des études universitaires en lettres (1971). (Pourquoi à l'université de Montréal ? Parce que c'est l'université de Montréal.) Mais, il ne poursuit pas ses études à l'université de Paris. Donc, il ne séjourne pas en France quelques années. Rédacteur-traducteur à la pièce depuis 1972, il n'enseigne pas dans un cégep, ne lit jamais *le Devoir*, ne collabore à aucune revue ou émission radiophonique et ne s'occupe de rien en particulier. Inutile d'ajouter qu'aucun prix ne couronne son œuvre littéraire. » (J.C.)

### ŒUVRES

**Popèmes absolument circonstances incontrôlables.** Saint-Lambert, Éditions du Noroît, 1972. 108 p.

**Tête de bouc,** poésie. Saint-Lambert, Éditions du Noroît, 1973. N.p.

**Tendresses,** poésie. Saint-Lambert, Éditions du Noroît, 1975. N.p. : ill., portr. ISBN 0-88524-008-1.

**Hanches neige,** poésie. Saint-Lambert, Éditions du Noroît, 1977. N.p. : ill. ISBN 0-88524-017-0.

**Conduite intérieure,** poésie. Saint-Lambert, Éditions du Noroît, 1978. N.p. : ill., portr. ISBN 0-88524-027-0.

**Plaine lune,** suivi de **Corps fou,** poésie. Saint-Lambert, Éditions du Noroît, 1980. N.p. ISBN 2-89018-042-5.

**La Mour** suivi de **l'Amort,** poésie. Dessins de Brigitta L. Saint-Cyr. Saint-Lambert, Éditions du Noroît, 1982. N.p.

## Ann CHARNEY

(Lwow, Pologne, 3 avril 1940– ). Née en Pologne, Ann Charney a cependant passé la plus grande partie de sa vie à Montréal. Elle a poursuivi ses études à l'université McGill ainsi qu'à la Sorbonne. Elle a signé les scénarios de *The Old Man's Fire*, une production de l'Office national du film, et de *Élizabeth* (Rohar Productions). Elle a enfin collaboré à plusieurs journaux et magazines : *Maclean's, The Canadian, Toronto Star, Canadian Forum, Ms. Magazine*, etc.

### ŒUVRE

**Dobryd,** roman. Toronto, New Press, 1975. 170 p.

## ŒUVRE TRADUITE

**Dobryd,** roman. Traduction allemande de Gabrielle C. Pallat. Friboerg, Éditions Herder, 1979.

### François CHARRON

Kèro

(Longueuil, 22 février 1952– ). Peintre et poète, François Charron a publié entre 1972 et 1980 une quinzaine de recueils. Professeur au cégep Montmorency-Laval de 1973 à 1977, il a complété une maîtrise en études littéraires à l'université du Québec à Montréal en 1979. Membre des comités de rédaction des revues *Stratégie* (1971–1974) et *Chroniques* (1976-1977), il a à son actif nombre de publications dans des périodiques tant québécois que français ou belges, notamment au Québec dans *Brèches, Champs d'application, Dérives, Cross Country, Ellipse, Estuaire, Hobo-Québec et Liberté*; en France dans *Change, Cheval d'attaque* et *Actuel*; en Belgique dans *Cistre*. En 1979, il fut le premier récipiendaire du Prix de poésie Émile-Nelligan pour son recueil *Blessures.* François Charron se consacre également à la peinture depuis 1975 et a exposé ses œuvres dans plusieurs galeries de Montréal.

## ŒUVRES

**18 assauts,** poésie. S.l., s.é., 1972. 18 p. Coll. « Génération », 7.

**Au « sujet de la poésie ».** Montréal, L'Hexagone, 1972. 54 p.

**Littérature/Obscénités,** poésie. Montréal, Éditions Danielle Laliberté, 1973. 85 p.

**Projet d'écriture pour l'été 76,** poésie. Montréal, Les Herbes rouges, n° 12, septembre 1973. N.p.

**La Traversée/le Regard,** poésie. Montréal, Les Herbes rouges, n° 13, octobre 1973. N.p.

**Persister et se maintenir dans les vertiges de la terre qui demeurent sans fin,** poésie. Montréal, L'Aurore, 1974. 60 p. Coll. « Lecture en vélocipède », 5.

**Interventions politiques,** poésie. Montréal, L'Aurore, 1974. 65 p. Coll. « Lecture en vélocipède », 10. ISBN 0-88532-021-2.

**Pirouette par hasard,** poésie. Présentation de Gaétan Brulotte. Montréal, L'Aurore, 1975. 128 p. Coll. « Lecture en vélocipède », 18. ISBN 0-88532-091-3.

**Enthousiasme,** poésie. Illustrations de François Charron. Montréal, Les Herbes rouges, nos 42-43, novembre 1976. 52 p. : ill. ISSN 0441-6627.

**Du commencement à la fin,** poésie. Illustrations de Carole Massé. Montréal, Les Herbes rouges, nos 47-48, mars 1977. 60 p. : ill. ISSN 0441-6627.

**Propagande,** poésie. Illustrations de Serge Bruneau. Montréal, Les Herbes rouges, n° 55, septembre 1977. N.p. : ill. ISSN 0441-6627.

**Feu,** poésie. Montréal, Les Herbes rouges, n° 64, juin 1978. 33 p. : ill. ISSN 0441-6627.

**Blessures,** poésie. Illustrations de l'auteur. Montréal, Les Herbes rouges, nos 67-68, septembre-octobre 1978. 67 p. : ill. ISSN 0441-6627.

**Peinture automatiste,** précédé de **Qui parle dans la théorie,** essai lyrique. Illustrations de Jean-Paul Riopelle, Fernand Leduc, Marcel Barbeau, Marcelle Ferron, Paul-Émile Borduas, Jean-Paul Mousseau et Pierre Gauvreau. Montréal, Les Herbes rouges, 1979. 136 p. : ill. Coll. « Lecture en vélocipède ». ISBN 2-920051-03-2.

**Le Temps échappé des yeux,** poésie. Montréal, Les Herbes rouges, nos 75-76, novembre 1979. 60 p. : ill. ISSN 0441-6627.

**1980,** poésie. Montréal, Les Herbes rouges, 1981. 81 p. : ill. Coll. « Lecture en vélocipède », 26. ISBN 2-920051-07-5.

**Mystère,** poésie. Montréal, Les Herbes rouges, n° 95, septembre 1981. 35 p. ISSN 0441-6627.

**La Passion d'autonomie : littérature et nationalisme,** essai. Montréal, Les Herbes rouges, nos 99-100, janvier, 1982. 67 p. ISSN 0441-6627.

**Toute parole m'éblouira,** poésie. Montréal, Les Herbes rouges, nos 104-105, août-septembre 1982. 76 p. ISSN 0441-6627.

### Jean CHATILLON

(Nicolet, 13 septembre 1937– ). Jean Chatillon a fait ses études primaires et classiques à Nicolet de 1943 à 1957. Il étudie ensuite la composition musicale à Montréal jusqu'en 1968 tout en obtenant une licence en pédagogie de l'université de Montréal en 1964. De 1968 à 1974 il fonde et dirige la section de musique de l'université du Québec à Trois-Rivières. Forcé au repos par la maladie, il se met à l'écriture et fonde à l'été 1977 les Éditions de l'Écureuil noir où il publie ses premiers contes pour enfants. Membre du Regroupement des auteurs et éditeurs artisans, il a fait paraître certains de ses contes dans *Perspectives* et *Courrier sud* et quatre de ses textes ont été lus à *l'Atelier des inédits.*

### ŒUVRES

**Sept Contes de Noël.** Illustrations de Yolande Chatillon. Saint-Grégoire, Éditions de l'Écureuil noir, 1977. 63 p.: ill. partiellement en coul.

**L'Histoire d'Érik le petit trille rouge,** conte. Saint-Grégoire, Éditions de l'Écureuil noir, 1978. 94 p.: ill. en coul.

## Pierre CHATILLON

F. Bergeron

Pseud.: Pierre Mercure.

(Nicolet, 6 janvier 1939–     ). Poète et romancier, Pierre Chatillon obtient un baccalauréat ès arts de l'université de Sherbrooke en 1960 et une maîtrise ès lettres de l'université de Montréal en 1961. Il suit alors trois années de cours en Sorbonne et complète sa formation en lettres à l'université d'Ottawa. D'abord professeur dans les collèges militaires de Kingston (1964-1965) et de Saint-Jean (1966-1967), il enseigne à l'université du Québec à Trois-Rivières depuis 1968. Pierre Chatillon écrit pour de nombreuses revues dont *Études françaises, Nord, Liberté, les Écrits du Canada français, Estuaire, Osiris, The Tamarack Review*. Il a été finaliste au Grand Prix de la ville de Montréal à deux occasions (1968 et 1973) et au Prix France-Québec en 1974. Commentant son œuvre, il affirme: « Je ne suis ni un poète urbain ni un poète du terroir, je suis un poète du bord du fleuve. Je suis un fauve qu'on a tenté d'emprisonner dans la cage d'une éducation janséniste. »

### ŒUVRES

**Les Cris,** poésie. Montréal, Éditions de l'Aube, 1957. 62 p.

**Silex 60,** poésie. Montréal, Atys, 1960. 5 p.

**Arpents de neige,** théâtre-poésie. Paris, M.J. et C. de U., 1963. 34 p.

**Soleil de bivouac,** poésie. Montréal, Éditions du Jour, 1969. 85 p. Coll. « Les Poètes du Jour ».

**Le Journal d'automne de Placide Mortel,** récit poétique. Montréal, Éditions du Jour, 1970. 110 p. Coll. « Les Poètes du Jour ».

**Le Mangeur de neige,** poésie. Montréal, Éditions du Jour, 1973. 121 p. Coll. « Les Poètes du Jour ».

**La Mort rousse,** roman. Montréal, Éditions du Jour, 1974. 282 p. Coll. « Les Romanciers du Jour ». ISBN 0-7760-0622-3.

**Le Fou,** roman. Montréal, Éditions du Jour, 1975. 107 p. Coll. « Les Romanciers du Jour ». ISBN 0-7760-0686-X.

**L'Île aux fantômes,** contes précédés de **le Journal d'automne.** Montréal, Éditions du Jour, 1977. 309 p. Coll. « Les Romanciers du Jour ». ISBN 0-7760-0743-2.

**Philédor Beausoleil,** roman. Paris, Montréal, Robert Laffont, Leméac, 1978. 234 p. ISBN 0-7761-3031-5.

## † Gilbert CHÉNIER

(Ottawa, 12 mars 1936–20 septembre 1975). Ayant fait des études classiques au collège des Pères du Saint-Esprit à Limbour, Gilbert Chénier a commencé sa carrière comme annonceur et comédien au poste CKCH de Hull (1957). Connu par les enfants pour les rôles qu'il a tenus dans *la Boîte à surprises* (1960) et *Bidule de Tarmacadam* (1966-1967), il a également écrit les textes pour l'émission *Patof* (1972–1974). De même, il a participé à plusieurs revues en compagnie de Clémence Desrochers et Yvon Deschamps, joué dans diverses pièces de théâtre, téléromans et films dont *la Corde au cou* de Pierre Patry (1964), tiré du roman de Claude Jasmin, et *la Gammick* de Jacques Godbout (1974).

### ŒUVRES

**Patof découvre un ovni,** bandes dessinées. Dessins de Georges Boka. Montréal, Éditions Mirabel, 1973. 47 p.: entièrement ill. en coul.

**Patof en Chine,** bandes dessinées. Dessins de Georges Boka. Montréal, Éditions Télé-Métropole, Éditions Mirabel, 1974. 45 p.: en maj. part. ill. en coul.

† **Claudine**
**CHISLOUP**

(Bretagne, France, –août 1980). Après avoir complété un baccalauréat en lettres à l'université du Québec à Montréal, Claudine Chisloup a poursuivi des études de maîtrise en France sous la direction de Jean-François Lyotard. Auteure de deux livres parus aux Éditions Cul-Q, elle a aussi collaboré à *Hobo-Québec* et a publié quelques textes dans *l'infante rit*, recueil publié sous la direction de Jean Leduc.

**ŒUVRES**

**L'infante rit,** poésie. En collaboration. Montréal, Module d'études littéraires de l'UQAM, 1973. 75 p.
**Travsorsi.** Montréal, Éditions Cul-Q, 1975. N.p.: ill.
**Faune entre les dents.** Montréal, Éditions Cul-Q, 1978. N.p.: Coll. « Mium/Mium », 25.

**Marie**
**CHOLETTE**

(Québec, 2 octobre 1954– ). Marie Cholette obtient en 1977 un baccalauréat spécialisé en littérature française et en linguistique de l'université Laval où elle poursuit une mineure en cinéma tout en y travaillant comme correctrice. Elle a étudié la musique au Conservatoire de Québec et souligne elle-même l'importance de sa formation musicale dans l'élaboration de son œuvre. Saint-Joseph-de-la-Rive, où elle séjourne le plus souvent possible, n'a jamais cessé non plus de l'inspirer.

**ŒUVRES**

**Lis-moi comme tu m'aimes,** poésie. Illustrations de l'auteure. Paris, Éditions Saint-Germain-des-Prés, 1975. 76 p.: ill.
**Les Entourloupettes,** poésie. Illustrations de Solange Tremblay. Montréal, Éditions Échouris, 1978. 81 p.: ill.

**Françoise**
**CHOLETTE-PÉRUSSE**

Kèro

Née à Montréal, Françoise Cholette-Pérusse a poursuivi ses études en philosophie et en psychologie à l'université de Montréal. Après une brève incursion dans le domaine de la fiction (*Chronique d'une enfance*, in *les Écrits du Canada français* 1962), elle collabora longtemps au magazine *Châtelaine*. Depuis le milieu des années soixante, Françoise Cholette-Pérusse travaille activement comme psychothérapeute. Sa profession l'a conduite à tenir des chroniques tant à la radio qu'à la télévision. Son livre, *la Sexualité expliquée aux enfants...*, a été traduit en turc, en espagnol et en portugais.

**ŒUVRES**

**Psychologie de l'enfant**, essai. Montréal, Éditions du Jour, 1963. 181 p.
**Psychologie de l'adolescent (de 10 à 25 ans)**, essai. Montréal, Éditions du Jour, 1966. 203 p.
**La Sexualité expliquée aux enfants; quoi dire... comment le dire...**, essai. Montréal, Éditions du Jour, 1965. 159 p.: ill.
**Sexualité, Fertilité, Planification des naissances,** essais. En collaboration: sous la direction de J.H. Gourgues, G. Leclerc et J. Tremblay. Sherbrooke, Éditions Prince, 1978. 305 p.
**Psychologie de l'enfant de zéro à dix ans**, essai. Nouvelle édition augmentée. Montréal, Éditions de l'Homme, 1981. 177 p. ISBN 2-7619-0182-7.

† **Adrienne**
**CHOQUETTE**

(Shawinigan-les-Chutes, 2 juillet 1915–13 octobre 1973). Romancière, Adrienne Choquette a fait ses études au couvent des Ursulines de Trois-Rivières et, en 1934, a travaillé au journal de cette même ville, *le Bien public*. Puis, elle entre à la station de radio CHLN (1937–1942), occupe diverses fonctions par la suite avant d'assumer en 1948 la direction de la revue *Terre et Foyer*. Outre ses livres, elle a écrit des textes pour la revue *Amérique française*, les *Cahiers de l'Académie canadienne-française, Liaison*, etc. Lauréate du Prix David en 1954, Adrienne Choquette a aussi remporté le Prix du Grand Jury des lettres (1961) et le premier Prix du Salon du livre de Montréal (1962).

### ŒUVRES

**Confidences d'écrivains canadiens-français.** Trois-Rivières, Éditions du Bien public, 1939. 237 p.
**La Coupe vide,** roman. Montréal, Fernand Pilon, 1948. 204 p.
**La nuit ne dort pas,** roman. Québec, Institut littéraire du Québec, 1954. 153 p.
**Laure Clouet,** roman. Québec, Institut littéraire du Québec, 1961. 135 p.
**Je m'appelle Pax.** Préface de Robert Choquette. Notre-Dame-des-Laurentides, Presses laurentiennes, 1974. 55 p.: portr.
**Le Temps des villages,** récit. Préface de Suzanne Paradis. Notre-Dame-des-Laurentides, Presses laurentiennes, 1975. 214 p.

### ÉTUDE

Paradis, Suzanne, **Adrienne Choquette lue par Suzanne Paradis: une analyse de l'œuvre littéraire d'Adrienne Choquette.** Notre-Dame-des-Laurentides, Presses laurentiennes, 1978. 220 p.: ill., fac-sim., portr.

## Robert CHOQUETTE

(Manchester, N.H., États-Unis, 22 avril 1905– ). Poète et romancier, Robert Choquette vient au Québec en 1913 et suit les cours des collèges Notre-Dame de la Côte-des-Neiges, Saint-Laurent et Loyola jusqu'à l'obtention de son baccalauréat ès arts en 1926. Journaliste au *Montréal Gazette* en 1927, il devient rédacteur en chef de la *Revue moderne* de 1928 à 1930, tout en étant secrétaire-bibliothécaire de l'école des Beaux-Arts de Montréal (1928–1931). C'est en 1932 que Robert Choquette décide de faire carrière d'abord à la radio puis à la télévision. Jusqu'en 1961 il sera l'auteur de nombreuses émissions notamment: *les Légendes du Saint-Laurent, le Curé de village, la Pension Velder* et *Métropole*. Commissaire associé de la Commission du centenaire (1963-1964), il se tourne vers la carrière diplomatique et est nommé consul général à Bordeaux (1965 à 1968), puis ambassadeur en Argentine, en Uruguay et au Paraguay (1968–1970). Membre fondateur et président de l'Académie canadienne-française de 1974 à 1980, Robert Choquette a remporté de nombreux prix littéraires dont: le Prix David (section poésie) de 1926, 1932 et 1956, pour *À travers les vents, Metropolitan Museum* et *Suite marine*; le Prix du Gouverneur général, en 1930, pour un essai sur la littérature canadienne-française et enfin, en 1954, le Prix spécial de l'Académie française pour *Suite Marine* et le Prix Duvernay pour l'ensemble de son œuvre.

### ŒUVRES

**À travers les vents,** poésie. Montréal, Éditions Édouard Garand, 1925. 138 p.
**La Pension Leblanc,** roman. Dessins de Jean-Paul Lemieux. Montréal, Éditions du Mercure, 1927. 305 p.
**Metropolitan Museum,** poésie. Illustrations de Edwin H. Holgate. Montréal, Herald Press, 1930. 29 p.
**Poésies nouvelles.** Montréal, Éditions Albert Lévesque, 1933. 140 p.
**Le Fabuliste La Fontaine à Montréal,** pièces radiophoniques. Montréal, Éditions du Zodiaque, 1935. 309 p. Coll. « Du zodiaque », 35.
**Le Curé de village,** théâtre. Montréal, Éditions Granger frères, 1936. 231 p.
**Les Velder,** roman. Préface d'André Maurois. Montréal, Éditions Bernard Valiquette, 1941. 190 p.
**Suite marine,** poésie. Dessins de Lomer Gouin. Montréal, Éditions Péladeau, 1953. 330 p.
**Œuvres poétiques.** Montréal, Fides, 1956. 2 vol.
**Élise Velder,** roman. Montréal, Fides, 1958. 339 p. Coll. « La Gerbe d'or ».
**Metropolitan Museum et autres poèmes.** Préface d'André Maurois. Paris, Grasset, 1963. 70 p.
**Poèmes choisis, précédés d'une chronologie, d'une bibliographie et d'un texte de Jean-Éthier Blais.** Montréal, Fides, 1970. 209 p. Coll. « Bibliothèque canadienne-française ».
**Sous le règne d'Augusta,** comédie. Montréal, Leméac, 1974. 139 p. Coll. « Théâtre canadien », 39.
**Le Sorcier d'Anticosti et Autres Légendes canadiennes.** Illustrations de Michèle Théoret. Montréal, Fides, 1975. 123 p.: ill. en coul. Coll. « Du goéland ». ISBN 0-7755-0560-9.
**Villages et Visages de l'Ontario français.** En collaboration avec René Brodeur et Danièle Caloz. Toronto, Montréal, Office de la télécommunication éducative de l'Ontario, Fides, 1979. 142 p.: ill., carte, fac-sim., graph., portr. ISBN 2-76210-747-4.

**L'Ontario français historique.** Montréal, Éditions Vivantes, 1980. VIII-272 p. : 47 p. de planches, ill. en coul., cartes, portr. Coll. « L'Ontario français ». ISBN 2-7607-00089.

**Moi Pétrouchka : souvenirs d'une chatte de vingt-deux ans.** Montréal, Stanké, 1980. 171 p. : ill. ISBN 2-7604-00999.

**Le Choix de Robert Choquette dans l'œuvre de Robert Choquette.** Notre-Dame-des-Laurentides, Presses laurentiennes, 1981. 79 p. : portr. Coll. « Le Choix de ». ISBN 2-89015-023-2.

## ÉTUDES

Melançon, André, **Robert Choquette,** anthologie. Montréal, Fides, 1959. 96 p. Coll. « Classiques canadiens ».

Legris, Renée, **Robert Choquette.** Montréal, Fides, 1972. 63 p. : ill. Coll. « Dossiers de documentation sur la littérature canadienne-française », 8.

Legris, Renée, **Robert Choquette.** Montréal, Fides, 1977. 287 p. Coll. « Archives québécoises de la radio et de la télévision ».

**Dramaturges — Romanciers québécois : dossier de presse, Robert Choquette 1937–1980, André Laurendeau 1959–1979, Françoise Loranger 1949–1976.** Sherbrooke, Bibliothèque du séminaire, 1981. N.p. : ill., portr.

## TRADUCTION

**Ce monde inédit,** album de photographies. Traduction de **To See Our World** de Margaret Atwood et Henry David Thoreau. Photos de Catherine M. Young. Montréal, Fides, 1979. 127 p. : photos.

## CHRISTIANE

Pseud. de Christiane Laforge.

(Vielsalm, Belgique, 24 mars 1948– ). Journaliste et critique au *Progrès-Dimanche* de 1970 à 1971 et au journal *le Quotidien* depuis 1973, Christiane s'occupe plus particulièrement des dossiers des affaires sociales et de ceux de la condition féminine. Outre ses activités professionnelles, elle dirige les Éditions du Gaymont où elle a publié trois de ses livres. Poète et romancière, elle a reçu le Prix Mgr Victor-Tremblay (1973) pour sa biographie romancée de Jean Laforge et est membre de plusieurs sociétés dont la Société des arts de Chicoutimi.

## ŒUVRES

**Écoute,** poésie. Montréal, Éditions la Frégate, 1968. 47 p.

**Me taire... pour parler,** poésie. Illustrations de Jean Laforge. Chicoutimi, Éditions du Gaymont, 1971. 62 p. : ill.

**Jean Laforge,** biographie. Illustrations de Jean et Jean-Marie Laforge. Chicoutimi, Éditions du Gaymont, 1972. 200 p. : ill.

**Au-delà du paraître,** roman. Illustrations de A. Ellefsen. Chicoutimi, Éditions du Gaymont, 1978. 126 p. : ill.

## Cécile CLOUTIER

Kèro

(Québec, 1930– ). Cécile Cloutier a fait des études de lettres, d'esthétique et de psychothérapie à l'université Laval et à l'université de Paris. Elle détient un doctorat de la Sorbonne et une maîtrise en philosophie de l'université McMaster. D'abord professeur de grec et de latin à Québec, puis d'esthétique et de littératures québécoise et française aux universités d'Ottawa, de Laval et de Toronto où elle est professeur titulaire, elle a publié plus de cent cinquante articles, donné une cinquantaine de conférences et fait de nombreuses lectures de poèmes en Amérique et en France. Elle a vécu cinq ans à Paris et voyagé dans toute l'Europe, reçu plusieurs bourses et plusieurs prix dont la Médaille d'argent de la Société des écrivains français attribuée par Jean Cocteau. Membre de plusieurs sociétés, Cécile Cloutier a vu certains de ses poèmes traduits et publiés en anglais, espagnol, danois, polonais et ukrainien. Elle est également l'auteure d'*Utinam*, pièce de théâtre inédite.

## ŒUVRES

**Mains de sable,** poésie. Québec, Éditions de l'Arc, 1960. 43 p.

**Cuivre et Soie,** suivi de **Mains de sable,** poésie. Montréal, Éditions du Jour, 1964. 75 p.

**Cannelles et Craies,** poésie. Paris, Jean Grassin, 1969, 25 p.

**Paupières,** poésie. Montréal, Déom, 1970. 93 p.
**Câblogrammes,** poésie. Paris, Chambelland, Jean Grassin, 1972. 51 p.
**Chaleuils,** poésie. Montréal, L'Hexagone, 1978. 79 p.

## Guy CLOUTIER

Jean Fiset

(Québec, 11 février 1949– ). Longtemps animateur des « Lundis du Temporel » (une série de spectacles de poésie), Guy Cloutier est également codirecteur des Éditions Estérel, commentateur aux radios de Radio-Canada et de CKRL-MF et collaborateur de *la Nouvelle Barre du jour,* d'*Estuaire* et du *Bulletin de la librairie Pantoute.* Il est licencié ès lettres de l'université Laval (1973) et enseigne au cégep de Lévis-Lauzon depuis 1971. Sa pièce, *la Statue de fer,* a été créée par le TNM, à Montréal, en 1982. Guy Cloutier a été membre du bureau de direction de l'Union des écrivains (1980-1981) et est membre de l'Union des artistes.

### ŒUVRES

**Les Chasseurs d'eaux,** récit. Avec deux encres de Céline Le May. Montréal, Estérel, 1978. 46 p. : ill.
**La main mue,** récit. Montréal, L'Hexagone, 1979. 119 p. ISBN 2-89006-154-X.
**Margelles,** poésie. Illustrations de Céline Le May. Montréal, Estérel, 1980. 41 p. : ill. ISBN 2-920044-14-1.
**Cette profondeur parfois,** poésie. Montréal, L'Hexagone, 1981. 71 p. ISBN 2-89006-186-8.
**La Statue de fer,** théâtre. Montréal, VLB Éditeur, 1982.

## Sylvie CLOUTIER

(Garthby, le 23 février 1957– ). Après des études primaires à Garthby et secondaires à Disraeli puis à Black Lake, Sylvie Cloutier obtient un diplôme en techniques infirmières du collège de Sherbrooke (1977) et travaille au Centre hospitalier de l'université de Sherbrooke. Conteuse et poète, elle est, depuis 1978, directrice de la section littéraire de l'Association des auteurs des Cantons de l'Est et rédactrice de leur bulletin *Grimoire.* « Entre le corps blessé de l'humanité et l'âme inspirée du poète, Sylvie Cloutier a pris le temps de réaliser une autre de ses passions : le théâtre. »

### ŒUVRES

**Sous la chair d'un poème existe un monde,** poésie. Illustrations de Denise Lavoie. Sherbrooke, Éditions Cosmos, 1977. 59 p. : ill. Coll. « Amorces », 21.
**Contes du présent au jeu des féeries.** Illustrations de Denise Lavoie et Pierre Goulet. Sherbrooke, Éditions Cosmos, 1978. 75 p. : ill. Coll. « Relances ».
**L'Au-delà poésie.** Sherbrooke, Naaman, 1981. 64 p. Coll. « Création », 102. ISBN 2-89040-199-5.

## † Emmanuel COCKE

(1945–septembre 1973). Poète, romancier et cinéaste, Emmanuel Cocke est mort noyé à 28 ans, à Pondichéry en Inde. Plusieurs de ses livres sont parus à titre posthume.

### ŒUVRES

**Va voir au ciel si j'y suis,** roman. Montréal, Éditions du Jour, 1971. 206 p. Coll. « Les Romanciers du Jour ».

**L'Emmanuscrit de la mère morte,** roman. Montréal, Éditions du Jour, 1972. 236 p. Coll. « Les Romanciers du Jour ».
**Louve storée : un moi sans toi,** roman. Mémorandum par G. Thomas. Montréal, Éditions Vert Blanc Rouge, Éditions de l'Heure, 1973. 128 p.
**Sexe-Fiction,** nouvelles. Préface de Luis-Manuel Swedenborgès. Montréal, Éditions de l'Heure, 1973. 136 p. : ill.
**Sexe pour sang,** roman. Montréal, Guérin, 1974. 177 p. Coll. « Le Cadavre exquis », 3.

## Leonard COHEN

(Montréal, 21 septembre 1934– ). Romancier et poète, compositeur et chanteur connu internationalement, Leonard Cohen a d'abord étudié à l'université McGill (B.A., 1956) avant d'entreprendre des études de droit à l'université Columbia (New York). Mais l'écriture le passionne davantage que le droit et il s'installe un temps sur une petite île grecque où il entreprend de se consacrer à la littérature. Tout en menant une carrière d'écrivain qui sera couronnée par de nombreux prix : McGill Literary Award (1956), Prix du Conseil des arts (1960), Prix de la province de Québec (1964) et Prix du Gouverneur général pour *Selected Poems* (prix qu'il refusera), Leonard Cohen entreprend une carrière de compositeur et enregistre de nombreuses chansons dont les plus connues : *Suzanne, Sisters of Mercy, So long Marianne*, lui vaudront une reconnaissance internationale.

### ŒUVRES

**Let us Compare Mythologies,** poésie. Montréal, Contact Press, 1956. Coll. « McGill Poetry Series ».
**The Spice-Box of Earth,** poésie. Toronto, McClelland & Stewart, 1961.
**The Favorite Game,** roman. London, Angleterre, M. Secker & Warburg, 1963.
**Flowers for Hitler,** poésie. Toronto, McClelland & Stewart, 1966.
**Parasites of Heaven,** poésie. Toronto, McClelland & Stewart, 1966.
**Selected Poems 1956–1968.** Toronto, McClelland & Stewart, 1968.
**Leonard Cohen's Song Book.** New York, Colier, 1969.
**Five Modern Canadian Poets,** anthologie. Sous la direction d'Eli Mandel. Toronto, Holt, Rinehart, 1970.
**The Energy of Slaves,** poésie. Toronto, McClelland & Stewart, 1972. 127 p. ISBN 0-7710-2204-2.
**D'ailes et d'îles,** poésie. En collaboration avec Claude Haeffely, Michael Lachance et Jacques Renaud ; lithographies de Kittie Bruneau. Montréal, Éditions de la Marotte, 1980. 7 f. : ill. en coul.

### ŒUVRES TRADUITES

**The Favorite Game,** roman. Traduction française de Michel Doury. Paris, Union générale d'éditions, 1973. 314 p. Coll. « 10/18 », 663.
**Poèmes et Chansons.** Traduction française d'Anne Rives ; titre original : **Selected Poems 1956–1968.** Paris, Union générale d'éditions, 1973. 299 p. Coll. « 10/18 », 683.
**Les Perdants magnifiques,** roman. Traduction française de Michel Doury ; titre original : **Beautiful Losers.** Paris, Union générale d'éditions, 1973. 317 p. Coll. « 10/18 », 775.
**L'Énergie des esclaves,** poésie. Traduction française de Dashiell Hedayat ; titre original : **The Energy of Slaves.** Paris, Union générale d'éditions, 1974. 255 p. Coll. « 10/18 », 835.

### ÉTUDES

Geddes, Gary, **Leonard Cohen.** Toronto, Copp Clark Publishers, s.d.
Ondaatje, Michael, **Leonard Cohen.** Toronto, McClelland & Stewart, 1970. Coll. « Canadian Writers Series », 5.
Vassal, Jacques et Jean-Dominique Brierre, **Leonard Cohen.** Paris, A. Michel, 1974. 189 p. : ill., fac-sim. Coll. « Rock & Folk ».

## Marcel COLIN

(Genève, Suisse, 16 octobre 1913– ). Marcel Colin a étudié la philosophie, les lettres et le droit à l'université de Lyon (1939). Arrivé au Québec en 1968, il enseigne la philosophie au cégep de Saint-Jean-sur-Richelieu jusqu'à sa retraite en 1979. Poète et essayiste, il a publié, en collaboration avec Jean-Yves Théberge, trois livres pour l'enseignement de la poésie et a écrit des articles pour *le Canada français*. Depuis 1976, il est secrétaire des Éditions Mille Roches.

### ŒUVRES

**Une approche de la poésie québécoise de notre temps,** essai. Saint-Jean, Éditions du Richelieu, 1971. 79 p.
**Terre de Québec,** pédagogie. En collaboration avec Jean-Yves Théberge. Montréal, Renouveau pédagogique, 1972. 69 p. : ill. Coll. « Poésie québécoise », 1.

**Tout au long du fleuve,** pédagogie. En collaboration avec Jean-Yves Théberge; photos de René Derome. Montréal, Renouveau pédagogique, 1973. 67 p.: photos. Coll. « Poésie québécoise », 2.

**Marche à l'amour,** pédagogie. En collaboration avec Jean-Yves Théberge; photos de Jean-Paul Coulombe. Montréal, Renouveau pédagogique. 1976. 83 p.: photos. Coll. « Poésie québécoise », 3.

**En écoutant la sève,** poésie. Illustrations de France Aymond. Saint-Jean, Éditions Mille Roches, 1979. 104 p. Coll. « Étoile noire », 4. ISBN 2-89087-000-6.

**Saint-Edmond la généreuse,** histoire. Illustrations de Roch Tanguay. Saint-Jean, Fabrique de Saint-Edmond, 1980. 208 p.: ill.

## Ivan COLLERETTE

(Montréal, 19 août 1935– ). Après un cours classique au collège Sainte-Marie de Montréal (1953) et des études en lettres, en sciences et en philosophie chez les Jésuites, Ivan Collerette obtient un baccalauréat ès arts de l'université de Montréal (1959) et une licence en lettres classiques de l'université Laval (1962). Il enseigne ensuite successivement aux collèges Jean-de-Brébeuf et Sainte-Marie, à l'externat classique d'Alma et depuis 1966 au petit séminaire, puis au cégep de Chicoutimi. Il a publié deux plaquettes de poésie à compte d'auteur en 1976 et 1977.

### ŒUVRES

**Cosmos: poème en sept mouvements.** Chicoutimi, chez l'auteur, 1976. 54 p.: ill.

**Le Chant de l'époux,** poésie. Chicoutimi, chez l'auteur, 1977. 41 f.

## Jean Yves COLLETTE

(Sainte-Agathe-des-Monts, 9 octobre 1946– ). Membre du comité de rédaction de *la Barre du jour* (1967–1977), cofondateur et codirecteur de *la Nouvelle Barre du jour* et des Éditions Estérel (1977), directeur de la collection « Empreintes » aux Éditions le Biocreux (1980), Jean Yves Collette est secrétaire général de l'Union des écrivains québécois depuis sa fondation en 1977. Ancien libraire, ancien photographe à la pige, il a publié au cours des dix dernières années plusieurs recueils de poésie et nombre de textes dans diverses revues dont *Estuaire, les*

Kèro

*Herbes rouges, Hobo-Québec, Odradek* (Belgique) et bien sûr, *la Barre du jour* et *la Nouvelle Barre du jour*. Intéressé aux arts graphiques, émerveillé par les avions et grand amateur des « deux Marguerite (Duras et Yourcenar) », Jean Yves Collette se dit tiraillé par ses trop nombreuses activités. « Je rencontre trop de gens; je n'ai pas assez de temps; je ne voyage pas assez; je n'aime pas *trop* lire; je pense qu'on publie trop de mots (maux); je suis un sauvage dénaturé. »

### ŒUVRES

**La Vie passionnée,** récit. Photos de Hubert Gariépy. Montréal, La Barre du jour, 1970. 51 p.: photos.

**Deux,** proses. Illustrations d'Odette Brosseau. Montréal, Éditions d'Orphée, 1971. N.p.: ill.

**L'image parle,** essai. En collaboration. Montréal, La Barre du jour, 1972. 200 p.: ill., photos.

**L'État de débauche,** proses. Montréal, L'Hexagone, 1974. 106 p.

**Une certaine volonté de patience,** proses. Montréal, L'Hexagone, 1977. 76 p.

**Dire quelque chose clairement,** proses. Accompagné d'une encre de Michèle Devlin. Montréal, Éditions Estérel, 1977. 29 p.: ill. ISBN 2-920044-00-1.

**Une vie prématurée,** poésie. Liège, Odradek, 1978. N.p.

**Le Carnet de Liliana,** proses. Illustrations de Louise Anaouïl. Montréal, Éditions Estérel, 1980. N.p.: ill. ISBN 2-920044-13-3.

**Et hop!,** prose. En collaboration avec Louise Anaouïl. Montréal, Éditions Estérel, 1980. 4 feuillets sous enveloppe: ill. ISBN 2-920044-15-X.

**La Mort d'André Breton,** récit. Montréal, Le Biocreux, 1980. 108 p.: ill. Coll. « Empreintes », 1. ISBN 2-89151-012-7.

**La Volvo rose,** proses. Saint-Lambert, Éditions du Noroît, 1983.

**George**
**COLMAN**

Voir John Glassco.

**Michel**
**CONTE**

(France, 17 juillet 1932– ). Écrivain, Michel Conte est surtout connu comme chorégraphe, auteur-compositeur et interprète. Arrivé au Canada en 1955 alors qu'il était premier danseur des Ballets de Paris, il devient chorégraphe à Radio-Canada en 1958. Il a mis en scène plusieurs opéras et fait des chorégraphies pour les Grands Ballets canadiens et le Royal Winnipeg Ballet (1958–1965). À partir de 1967, il se tourne vers la chanson. Il écrit avec Robert Gauthier les comédies musicales *Monica la mitraille* (1967), *Ballade* (1972) et sa chanson *Viens faire un tour* remporte le 1er Prix au Gala de la Clé d'or (1970) tandis que *Kamouraska* se voit décerner le 1er Prix de la 6e Olympiade de la chanson à Athènes (1973). Il a fait paraître deux livres aux Éditions de Mortagne en 1979 et 1980.

**ŒUVRES**

**Le Prix des possessions,** roman. Boucherville, Éditions de Mortagne, 1979. 133 p. ISBN 2-89074-014-5.

**Nu comme dans nuages.** Boucherville, Éditions de Mortagne, 1980. 237 p.: fac-sim. ISBN 2-89074-024-2.

**Patrick**
**COPPENS**

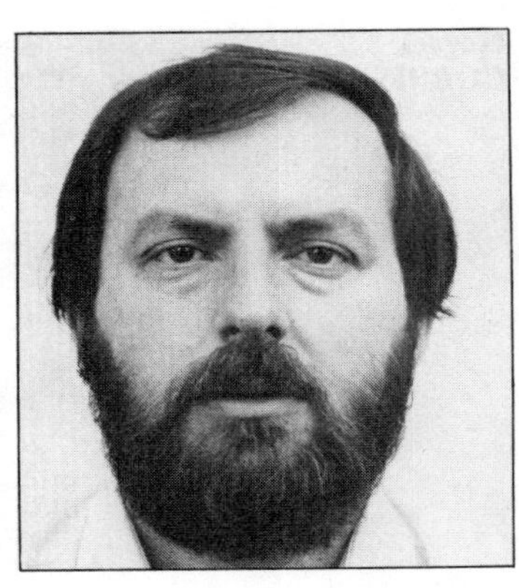
Gérard Mayen

(Orléans, France, 3 mai 1943– ). Après avoir complété des études secondaires au collège Saint-François de Sales, à Gien, Patrick Coppens a poursuivi ses études à l'université de Paris puis à l'université de Tours où il termina en 1967 des études supérieures de littérature française. Directeur-fondateur (1965) de la revue *le Pot aux roses*, il enseigna pendant deux ans le français au collège Saint-François de Gien avant de venir au Québec en 1968. D'abord bibliothécaire à la Direction générale de l'enseignement élémentaire et secondaire, il est maintenant bibliographe chargé des littératures et de la linguistique au secteur de l'évaluation de la Centrale des bibliothèques. Il a publié dans de nombreuses revues telles *Culture vivante, Documentation et Bibliothèques, Science et Technologie, Choix* et *Moebius* ainsi que dans les journaux *le Jour* et *le Devoir.*

**ŒUVRES**

**Bestiaire,** prose poétique. Orléans, Éditions H.C., 1961. N.p.

**Accès,** poésie. Illustrations d'Alain Gili. Reims, Jean-Marie Blondeau Éditeur, cahiers du cytise, 1965. 46 p.: ill.

**Pas de: poésie.** Montréal, Quinze Éditeur, 1976. 57 p. ISBN 0-88565-022-0.

**Passe,** poésie. Saint-Lambert, Éditions du Noroît, 1982. 117 p. ISBN 2-89018-057-3.

**Ludictionnaire,** dictionnaire humoristique illustré. Illustrations de Christian Desrosiers. Montréal, Moebius, Triptyque, 1981. 102 p. ISBN 2-89031-003-5.

**Littérature québécoise contemporaine,** bibliographie critique. Montréal, Société du stage en bibliothéconomie de La Pocatière et Centrale des bibliothèques, 1982. 80 p. Coll. « Bibliothème », 1. ISBN 2-89123-084-1. ISSN 0229-639X.

**Jean-Marc**
**CORMIER**

**ŒUVRES**

**Poltergeists.** Montréal, s.é., 1972. 135 p.

**On n'a pas grand-chose à dire.** Rivière-du-Loup, Castelriand, 1980. 62 p.: ill. ISBN 2-89025-042-3.

**Hugues**
**CORRIVEAU**

Danielle Péret

(Sorel, 29 octobre 1948– ). Hugues Corriveau a fait ses études collégiales à Tracy et à Longueuil avant de compléter un baccalauréat (1972) et une maîtrise en études françaises (1977) à l'université de Montréal. En 1978, il entreprenait un doctorat suite à l'obtention de bourses du Conseil de recherches en sciences humaines du Canada et de la Direction générale de l'enseignement supérieur du Québec. Professeur au collège de Sherbrooke depuis 1973, il a déjà publié un essai, deux recueils de poésie et un roman en plus de collaborer régulièrement aux revues *la Nouvelle Barre du jour, Livres et Auteurs québécois*, ainsi qu'au magazine *Spirale*. En 1981, Hugues Corriveau devenait membre de l'équipe de direction de la *nbj*.

## ŒUVRES

**Gilles Hénault : lecture de Sémaphore,** essai. Montréal, Presses de l'université de Montréal, 1978. 162 p. Coll. « Lignes québécoises, textuelles ». ISBN 0-8405-0375-X.

**Les Compléments directs,** poésie. Illustration de Danielle Péret. Montréal, Les Herbes rouges, n° 69, novembre 1978. 34 p. ISSN 0441-6627.

**Le Grégaire inefficace,** poésie. Illustrations de Danielle Péret. Montréal, Les Herbes rouges, n° 74, octobre 1979. 39 p. : ill. ISSN 0441-6627.

**Rose Marie Berthe,** roman. Illustrations de Danielle Péret. Montréal-Nord, VLB Éditeur, 1979. 144 p. : ill.

**Du masculin singulier,** poésie. Photographismes de Danielle Péret. Montréal, Les Herbes rouges, n° 86, janvier 1981. 35 p. : ill. ISSN 0441-6627.

**Les Taches de naissance,** poésie. Photographismes de Danielle Péret. Montréal, Les Herbes rouges, n° 101, mars 1982. 28 p. : ill. ISSN 0441-6627.

**† Monique**
**CORRIVEAU**

(Québec, 1927–1976). Monique Corriveau étudie au couvent des Ursulines puis à l'université Laval avant de se rendre à Toronto où elle s'inscrit à un baccalauréat en philosophie. En 1958, elle publie son premier récit, *le Secret de Vanille*, qui lui mérite le Prix de littérature de jeunesse de l'ACELF. En 1964 c'est le Prix de la province de Québec qui lui est décerné pour *le Wapiti*. Le même livre lui vaudra également la Médaille Marie-Nollet de l'Association des bibliothécaires. Bien d'autres prix viendront couronner son œuvre dont quelques titres paraîtront après son décès. Monique Corriveau a été membre de diverses associations dont la Société des écrivains canadiens et Communication-Jeunesse.

## ŒUVRES

**Le Secret de Vanille,** récit. Québec, Éditions du Pélican, 1959. 97 p.

**Les Jardiniers du hibou,** roman. Illustrations de Guy Paradis. Québec, Éditions Jeunesse, 1963. 134 p. Coll. « Brin d'herbe ».

**Le Wapiti,** roman. Québec, Éditions Jeunesse, 1964. 252 p. Coll. « Brin d'herbe ».

**Le Maître de messire,** roman. Québec, Éditions Jeunesse, 1965. 144 p. Coll. « Brin d'herbe ».

**Max,** aventure. Québec, Éditions Jeunesse, 1965. 136 p. Coll. « Plein Feu ».

**La Petite Fille au printemps,** roman. Québec, Éditions Jeunesse, 1966. 180 p. Coll. « Brin d'herbe ».

**Cécile,** roman. Québec, Éditions Jeunesse, 1968. 36 p.

**Max au rallye,** aventure. Québec, Éditions Jeunesse, 1968. 145 p. Coll. « Plein Feu ».

**Le Témoin,** roman. Montréal, Cercle du livre de France, 1969. 148 p. Coll. « Nouvelle-France ».

**Max contre Macbeth,** aventure. Québec, Éditions Jeunesse, 1972. 145 p. Coll. « Plein Feu ».

**Max tombe du ciel,** aventure. Québec, Éditions Jeunesse, 1972. 148 p. Coll. « Plein Feu ».

**Le Garçon au cerf-volant,** aventure. Illustrations de Louise Méthé. Montréal, Fides, 1974. 137 p. : ill. Coll. « Goéland ». ISBN 0-7755-0515-3.

**Les Saisons de la mer,** aventure. Préface de George-Alain Frecker ; illustrations de Louise Méthé. Montréal, Fides, 1975. 154 p. : ill. en coul. Coll. « Goéland ». ISBN 0-7755-0545-5.

**Patrick et Sophie en fusée,** aventure. Montréal, Héritage, 1975. 265 p. Coll. « Katimavik », 5. ISBN 0-7773-3005-4.

**Compagnons du soleil,** roman. Montréal, Fides, 1976. 3 t. (dans un emboîtage). Coll. « Intermondes ». T. I : **L'Oiseau de feu,** 333 p. ISBN 0-7755-0592-7. T. II : **La Lune noire,** 333 p. ISBN 0-7755-0593-5. T. III : **Le Temps des chats,** 261 p. ISBN 0-7755-0594-3.

**Le Guerrier : 1914-1915.** Montréal, Fides, 1980. 305 p. Coll. « Montcorbier ». ISBN 2-7621-0783-0.

**La Mort des autres : 1916–1918.** Montréal, Fides, 1980. 331 p. Coll. « Montcorbier ». ISBN 2-7621-0784-9.

## ŒUVRE TRADUITE

**The Wapiti,** roman. Traduction anglaise de J.M. L'Heureux ; titre original : **Le Wapiti.** Toronto, MacMillan of Canada, 1968. 188 p. : ill.

## Claude COSSETTE

(Québec, 1er décembre 1937– ). Après ses études classiques, Claude Cossette obtient un diplôme en art publicitaire de l'école des Beaux-Arts de Québec (1962). Par la suite, il acquiert un brevet d'enseignement (1963), un certificat de l'école Estienne (Paris) et un certificat en marketing de l'université Laval (1970). Il fonde en 1964 un bureau de consultation en communication et enseigne à l'université Laval depuis 1970. Outre ses recueils de poésie, Claude Cossette a publié, sous forme d'articles ou de livres, le fruit de ses recherches en « iconique » (science de l'image-langage), dirigé plusieurs séminaires et donné nombre de conférences sur la communication.

### ŒUVRES

**Estival,** poésie. En collaboration. Sainte-Foy, Cossette et associés, 1970. N.p.

**Sud,** poésie. Illustrations de Sabine Allard, Christiane Chabot et Josée Jobin. Québec, chez l'auteur, 1975. N.p. : 2 f. de planches en coul., ill.

**Communication de masse, Consommation de masse,** essai. Sillery, Boréal Express, 1975. 368 p. : ill.

**À mie,** poésie. En collaboration avec Marie Leclerc. Québec, chez l'auteur, 1978. N.p. : ill.

**La Comportementalité et la Segmentation des marchés,** essai. Québec, École des Arts visuels, 1980. 112 p.

## Jean CÔTÉ

(Drummondville, 29 octobre 1929– ). Après des études d'histoire, de géographie et de littérature à l'université Laval, Jean Côté débute dans le journalisme vers 1953. Il fait un stage à *l'Événement journal* et collabore par la suite à *la Patrie*, au *Petit Journal*, etc. Attaché au *Dimanche-Matin* (1965–1969), il est aussi directeur du service de l'information de CKLM en même temps qu'il participe à la fondation du *Journal de Montréal.* Fondateur, président et rédacteur en chef du magazine *Point de Mire* (1968–1971), il entre ensuite à Québécor où il réorganise le service de publication (1972-1973) ; il s'occupe en 1976 du bureau de presse de Terre des hommes. Outre ses nombreuses publications à titre d'auteur et de rédacteur, Jean Côté a beaucoup voyagé, ce qui lui a inspiré quelques-uns de ses livres. Il a également écrit plusieurs romans policiers, de politique-fiction et d'anticipation scientifique.

### ŒUVRES

**Deux ombres,** poésie. Illustrations d'Henri Montgrain. Québec, s.é., 1956.

**Requiem pour les pimps,** roman policier. Montréal, Éditions Éclair, 1965.

**Une jolie bande de salauds,** roman policier. Montréal, Éditions Éclair, 1965.

**On va les avoir les Anglais,** satire politique. Montréal, Éditions Jovialistes, 1973. 157 p.

**Échec au président,** anticipation. Repentigny, Éditions Point de mire, 1974, 224 p.

**La Communication au Québec,** Repentigny, Éditions Point de mire, 1974. 361 p. : portr.

**Parti pour la gloire,** roman policier. Montréal, Héritage, 1975. 158 p. Coll. « Montréal mystère : série Alonzo le Québécois », 4. ISBN 0-7773-3230-2.

**Chez les nudistes,** roman policier. Montréal, Héritage, 1975. 149 p. Coll. « Montréal mystère : série Alonzo le Québécois », 6. ISBN 0-7773-3231-0.

**À la vie à la mort,** roman policier. Montréal, Héritage, 1975. 168 p. Coll. « Montréal mystère : série Alonzo le Québécois », 7. ISBN 0-7773-3232-9.

**Cuba sans problème,** guide de voyage. Montréal, Éditions Intel, 1975.

**Le Maroc sans problème,** guide de voyage. En collaboration avec Marcel Brouillard. Montréal, 1976. 148 p.

**Les Citations de René Lévesque.** Montréal, Héritage, 1977. Paru simultanément en anglais.

**Marcel Chaput, pionnier de l'indépendance,** biographie. Montréal, Québécor, 1979.

**Le Petit Livre bleu du référendum.** Montréal, Héritage, 1980.

**Séduire,** satire. Montréal, Québécor, 1980.

**Jos Montferrand le magnifique,** roman historique. Montréal, Québécor, 1980.

**Bronzage.** Montréal, Québécor, 1980.

## Lili CÔTÉ

(Sherbrooke, 21 mai 1957–   ). Détentrice d'une maîtrise (1982) en littérature québécoise de l'université Laval, Lili Côté est actuellement chargée de cours en poésie à cette même université. Elle a participé à de nombreux récitals de poésie à Québec ainsi que dans les Cantons de l'Est et elle a collaboré à la revue *Poésie*. En 1980, elle a reçu le Prix Octave-Crémazie pour *Ellipse en mémoire*.

### ŒUVRE

**Ellipse en mémoire,** poésie. Montréal, Leméac, 1980. 65 p. ISBN 2-7609-1012-1.

## Louis-Philippe CÔTÉ (1894–   )

### ŒUVRES

**La Fée d'azur,** conte. Illustrations de Marie Gravel-Pelletier. Sainte-Foy, Les Contes du Bocage, 1973. 30 p. : ill. part. en coul.

**Les Huîtres magiques,** conte. Illustrations de Louise Méthé. Montréal, Le Tamanoir, 1975. N.p. : ill. en coul. Coll. « De l'étoile filante ».

**Le Prince Sourire et le lys bleu,** conte. Illustrations de Gilles Tibo. Montréal, Le Tamanoir, 1975. N.p. : ill. en coul. Coll. « De l'étoile filante ».

## Mario CÔTÉ

Pseud. : Cotté.

(Rimouski, 22 novembre 1941–   ). Poète, Mario Côté est vice-président du Regroupement des auteurs de l'Est du Québec depuis 1981. Caissier de 1960 à 1961, puis fonctionnaire au Revenu de 1962 à 1966, il obtient son B.A. cette même année puis travaille comme comptable à Los Angeles. Technicien en informatique depuis 1968, il a voyagé tant en Europe qu'en Amérique latine et dans le Pacifique Sud. Outre ses recueils de poésie, il a fait paraître des textes dans *Progrès-Écho* et *Poésie*.

### ŒUVRES

**Fragments d'être,** poésie. Montréal, Éditions Cosmos, 1970. 62 p. Coll. « Amorces », 9.

**Espace d'ombre,** poésie. Sherbrooke, Naaman, 1976. 81 p. Coll. « Création », 15.

**Plénitudes,** poésie. Sherbrooke, Naaman, 1981. 64 p. Coll. « Création », 98. ISBN 2-89040-193-6.

**Michel**
**CÔTÉ**

(Montréal, 23 mai 1940– ). « Bio-graphie. L'origine du gestuel donc celle de la naissance complice prend place vers les années 65 (25 ans plus tard que l'autre) au contour de l'écriture, de la peinture et de la prise de parole. Puis le reste concerne la graphie par surcroît ; sauf les enfants et l'histoire d'ici : la bio. Rien d'autre à déclarer ». Michel Côté est professeur de philosophie au cégep du Vieux-Montréal depuis 1969. Il a complété une maîtrise en sciences médiévales à l'université de Montréal (1972) et est diplômé d'histoire de l'École pratique des Hautes Études (1973).

**ŒUVRES**

**Dixième Lunaison,** poésie. Graphie de l'auteur. Saint-Lambert, Éditions du Noroît, 1974. N.p. ISBN 0-88524-006-5.

**L'Œil en fou,** poésie. Graphie de l'auteur ; photos de C. Décarie. Saint-Lambert, Éditions du Noroît, 1981. 146 p. : ill. ISBN 2-89018-044-1.

**Normand**
**CÔTÉ**

Voir Louis Sutal.

**Jacques**
**COTNAM**

(Québec, 20 juillet 1941– ). Essayiste et auteur de bibliographies et d'anthologies, Jacques Cotnam a fait ses études à l'université Laval où, après un baccalauréat ès arts et un baccalauréat en philosophie (1962), il a obtenu une licence (1964), un diplôme d'études supérieures (1966) et un doctorat en lettres (1978). Depuis 1964, il est professeur de littérature française et québécoise à l'université de York. Membre fondateur et délégué général en Amérique du Nord de la Société des amis d'André Gide depuis 1968, il a publié des articles dans bon nombre de revues, notamment dans : *Culture, les Cahiers André Gide,* la *Revue d'histoire littéraire de la France, Australian Journal of French Studies, Québec français, Journal of Canadian Fiction, Claudel Studies, Livres et Auteurs canadiens* et *University of Toronto Quarterly.*

**ŒUVRES**

**Faut-il inventer un nouveau Canada?,** essai. Montréal, Fides, 1967. 256 p.

**Poètes du Québec,** anthologie. Montréal, Fides, 1969. 222 p.

**Essai de bibliographie chronologique des écrits d'André Gide.** Paris, Association des amis d'André Gide, 1972. 58 p.

**Vivre au Québec,** anthologie. En collaboration avec Jacques Blais et Robert Dickson. Toronto, McClelland & Stewart, 1972. 111 p. ISBN 0-7710-1541-0.

**Contemporary Quebec : An Analytical Bibliography.** Toronto, McClelland & Stewart, 1973. 112 p.

**Bibliographie chronologique de l'œuvre d'André Gide (1889–1973).** Boston, G.K. Hall, 1974. X-604 p.

**Inventaire bibliographique et index analytique de la correspondance d'André Gide.** Boston, G.K. Hall, 1975. XI-737 p.

**Le Théâtre québécois, instrument de contestation sociale et politique,** essai. Montréal, Fides, 1976. 124 p. Coll. « Études littéraires ». ISBN 0-7755-0576-5.

**André Gide : perspectives contemporaines,** actes du colloque. Sous la direction d'Andrew Oliver et C.D.E. Touton. Paris, Minard, 1979. 288 p.

**COTTÉ**

Voir Mario Côté.

## Marcel COULOMBE

(Saint-Hyacinthe, 22 mai 1951– ). Très actif dans le domaine des arts, Marcel Coulombe a été membre fondateur et administrateur de la compagnie théâtrale Carcan (Belœil, Saint-Hyacinthe), administrateur des productions Macpen, responsable des relations publiques du groupe de danse contemporaine Nouvel'Aire (1971) et membre fondateur et gérant du groupe de jazz Solstice (1976). En 1971, il poursuit des recherches en sémantique, fonde les Éditions Chahan-Lutte en 1973, participe à l'organisation de spectacles de poésie en 1974 et obtient la même année un diplôme d'études collégiales en lettres françaises du cégep du Vieux-Montréal. Marcel Coulombe a été membre du Bureau de direction de l'Union des écrivains québécois en 1979-1980.

### ŒUVRES

——————(trait), sémantique. Illustrations de Louise Desjardins. Montréal, Chahan-Lutte, 1973. N.p.: ill.

**Un pli sur l'ombre,** poésie. Illustrations de Louise Desjardins. Montréal, Chahan-Lutte, 1973. N.p.: ill.

**La Nuit de poésie du 24 avril 1974.** En collaboration. Montréal, Chahan-Lutte, 1974. N.p.

**Poésie,** suivi de **Du je au nous,** poèmes et nouvelles. Montréal, Chahan-Lutte, 1975. N.p.

**Poésie Québec II.** En collaboration. Paris, Talence, Castor astral, 1976. N.p.

## Pauline COULOMBE (1950– )

### ŒUVRES

**Le Hibou et l'Écureuil,** conte. Illustrations de Monique Lauzon. Montréal, Éditions Paulines, 1978. 15 p.: ill. part. en coul. Coll. « Monsieur Hibou », 7.

**L'Île.** Illustrations de Gabriel de Beney. Montréal, Éditions Paulines, 1978. 95 p.: ill. Coll. « Jeunesse-pop », 34. ISBN 0-88840-660-6 et 0-88840-661-4.

**Mon ami parmi les oiseaux,** conte. Illustrations de Huguette Dunnigan. Montréal, Éditions Paulines, 1979. 15 p.: ill. part. en coul. Coll. « Contes du pays », 2. ISBN 2-89039-018-7.

**La Fleur du désert,** conte. Illustrations de Huguette Dunnigan. Montréal, Éditions Paulines, 1979. 15 p.: ill. part. en coul. Coll. « Contes du pays », 5. ISBN 2-89039-017-9.

**Contes de ma ville.** Montréal, Héritage, 1982. 126 p. ISBN 0-7773-423-8.

## Bernard COURTEAU

(Montréal, 18 janvier 1936– ). Bernard Courteau a publié ses premiers textes dans la revue *Amérique française* dans les années 1950. À la même époque il obtient un baccalauréat ès arts de l'université de Montréal (1956) et plus tard complète des études en théologie (1964). D'abord proffeur à la Commission des écoles catholiques de Montréal (1956–1967), il séjourne ensuite en Côte d'Ivoire où il travaille successivement comme enseignant et animateur pour le compte de l'Agence canadienne de développement international. De son séjour il ramènera un recueil de contes qu'il publiera sous le titre de *Quand les dieux dansent, les dieux créent*. Suivront ensuite un essai critique sur l'école et quelques recueils de poèmes. Depuis 1975, Bernard Courteau est fonctionnaire au ministère des Affaires sociales.

### ŒUVRES

**Quand les dieux dansent, les dieux créent,** récits. Illustrations de J.P. Karsenty. Montréal,

Leméac, 1974, 278 p.: ill. Coll. « Francophonie vivante ».

**L'École aux mains des colonels,** critique. Illustrations de Bernard Chapleau. Montréal, Éditions Québécoises, 1975. 108 p.: ill.

**Les Labyrinthes,** poésie. Gravures de Jean-Paul Jérôme. Montréal, Éditions Émile-Nelligan, 1975. 224 p.: ill.

**Les Vulnéraires,** poésie. Avec deux encres originales de Jean-Paul Jérôme. Montréal, Éditions Émile-Nelligan, 1976. 224 p.: ill.

**Les Temples de la nuit,** poésie. Avec deux encres originales de Jean-Paul Jérôme. Montréal, Éditions Émile-Nelligan, 1978. 224 p.: ill.

**Ur, tabou d'errance,** poésie. Montréal, Éditions Émile-Nelligan, 1980. 239 p.

**L'Invitation au poème.** Montréal, Éditions Émile-Nelligan, 1981. ISBN 2-920217-07-1.

**Pour un plaisir de verbe,** poésie. Montréal, Éditions Émile-Nelligan, 1982. 74 p.

## Paule COURTOIS

(Oran, Algérie, 4 octobre 1934– ). D'origine kabyle, Paule Courtois se dit attirée par l'étude de la psychologie du comportement et plus particulièrement par les réactions humaines devant l'inconnu. Journaliste au *Petit Journal*, à *Perspectives* et à *Sept-Jours magazine*, elle a écrit trois contes parus dans la collection « Contes du chalet bleu » aux Éditions Paulines.

### ŒUVRES

**Nicolas et le Géant des bois,** conte. Illustrations de Rachel Roy. Montréal, Éditions Paulines, 1972. 14 p.: ill. Coll. « Contes du chalet bleu », 15. ISBN 0-88840-323-2.

**Nicolas et la Mystérieuse Sorcière,** conte. Illustrations de Rachel Roy. Montréal, Éditions Paulines, 1972. 14 p.: ill. Coll. « Contes du chalet bleu », 20. ISBN 0-88840-342-9.

**Nicolas et la Petite Sultane,** conte. Illustrations de Rachel Roy. Montréal, Éditions Paulines, 1972. 14 p.: ill. Coll. « Contes du chalet bleu », 23. ISBN 0-88840-345-3.

## Gilles COUTURE

(Val d'Or, 5 août 1943– ). Gilles Couture a travaillé comme journaliste pour des hebdomadaires du Nord-Ouest (*Val d'Or Star, Écho abitibien*), comme traducteur à Ottawa et à Paris et plus récemment comme recherchiste auprès d'organismes amérindiens. Fondateur de la *Revue Contact* et de *la Gazette de la vallée de l'Or*, il s'intéresse particulièrement à l'impact social de la science et de la technologie, à la téléinformatique et à l'utilisation d'énergies renouvelables.

### ŒUVRES

**Les Commandos de l'anti-Apocalypse,** vulgarisation scientifique. Montréal, L'Aurore, 1979. 156 p.: ill. Coll. « Synergie ». ISBN 0-88532-159-6.

**Le Chauffage au bois,** livre pratique. En collaboration avec Marie-Anne Boulay. Montréal, Jean Basile Éditeur, 1980. 124 p.: ill. Coll. « Le Livre-outil ».

## Michel GRAIG

Pseud.: Snoute.
(1952)

### ŒUVRES

**Les Bizarreries à la Snoute.** Westmount, chez l'auteur, 1975. N.p.: ill. en coul.

**De par chez nous sur la berceuse.** En collaboration avec Bruno Viens et autres. Sherbrooke, Presses coopératives, 1977. 98 p.: ill.

## Gilles CYR

(Saint-Fidèle, Gaspésie, 23 septembre 1940– ). Après des études en lettres à l'université de Montréal où il fait une licence en 1970 et une maîtrise en 1971, Gilles Cyr séjourne deux ans à Paris. À son retour, il travaille comme chargé de cours de littérature aux universités Laval, de Montréal et du Québec à Montréal. Membre de l'équipe de l'Hexagone depuis 1977, il a fondé sa propre maison d'édition en 1980, l'Espacement.

**ŒUVRES**

**Sol inapparent,** poésie. Montréal, L'Hexagone, 1978. 84 p.
**Ce lieu,** poésie. Illustrations de Viviane Prost. Montréal, Espacement, 1980. N.p. : ill.

**Pierre**
**CZESZMER**

Voir Michel Fougères.

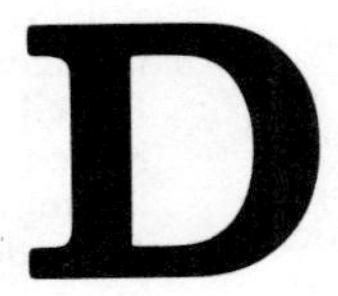

**Pierre**
**DAGENAIS**

(Montréal, 29 mai 1923– ). Comédien, metteur en scène, romancier et dramaturge, Pierre Dagenais fera partie des Compagnons de Saint-Laurent avant de fonder, en 1943, sa propre troupe de théâtre, l'Équipe. Il y joue alors divers rôles tout en participant à plusieurs radioromans. En 1948–1950, il écrit, réalise et tient un rôle dans *le Faubourg à M'lasse*, radioroman diffusé sur les ondes de Radio-Canada. Parmi d'autres de ses œuvres inédites présentées à la télévision d'État, mentionnons : *Lie de vin* (1955), *Un brave homme* (1958), *le Voyage de noces* (1971) et *Papa* (1972). En 1975, il participait à l'émission *Propos et Confidences.*

**ŒUVRES**

**Contes de la pluie et du beau temps.** Préface de Claude-Henri Grignon. Montréal, Cercle du livre de France, 1953. 209 p.

**Isabelle,** théâtre. Montréal, chez l'auteur, 1966. 100 p.

**Le Feu sacré,** roman. Montréal, Beauchemin, 1970. 374 p.

**... et je suis resté au Québec,** mémoires. Montréal, La Presse, 1974. 204 p. Coll. « Chroniqueurs des deux mondes ». ISBN 0-7777-0094-8.

**Jean**
**DAIGLE**

(Saint-Édouard, comté Lotbinière, 15 novembre 1925– ). Élève de Sita Riddez et de Jan Doat, Jean Daigle entre en 1950 dans les Compagnons de Saint-Laurent et tient de nombreux rôles tant au théâtre qu'à la radio et à la télévision : *Jeunesse dorée, la Reine blanche, la Mégère apprivoisée, les Femmes savantes*, etc., avant d'écrire un premier radioroman, *Margot* (1961). Dès lors comédien et auteur, il fait également ses débuts comme animateur à Radio-Canada tout en s'adonnant à la peinture (1968). Menant de front ces diverses carrières, il publie sa première pièce en 1976 tout en écrivant régulièrement pour la radio et la télévision : *la Fuite en Égypte* (1978), *Dame Bellot* (1979), *la Catin* (1979), etc. En 1981, il entreprenait la rédaction d'un téléroman, *les Girouettes.*

**ŒUVRES**

**Coup de sang,** théâtre. Avec sept illustrations de Charles Lemay. Saint-Lambert, Éditions du Noroît, 1976. 94 p. : ill. ISBN 0-88524-015-4.

**La Débâcle,** théâtre. Illustrations de Jacques Barbeau. Saint-Lambert, Éditions du Noroît, 1979. 84 p. : ill. ISBN 2-89018-035-2.

**Le Jugement dernier,** théâtre. Avec neuf illustrations de Charles Lemay. Saint-Lambert, Éditions du Noroît, 1979. 89 p. : ill. ISBN 2-89018-037-9.

**Le Mal à l'âme,** théâtre. Saint-Lambert, Éditions du Noroît, 1980. 93 p. : ill. en coul. ISBN 2-89018-045-X.

**Pierre**
**DAIGNAULT**

Voir Pierre Saurel.

## Antonio D'ALFONSO

(Montréal, 6 août 1953–    ). Directeur des Éditions Guernica, Antonio d'Alfonso a complété un baccalauréat en cinéma à Loyola (1975) et une maîtrise en sémiologie du cinéma à l'université de Montréal (1979). Musicien, compositeur, chansonnier et photographe, il est aussi scénariste et travaille actuellement comme technicien à l'Office national du film. Membre de la League of Canadian Poets, de la Société des poètes canadiens-français, il a publié dans les revues *The Alchemist, La Tribuna Italiana* et *South Western Ontario Poetry.*

### ŒUVRES

**La Chanson du shaman à Sedna,** poésie. Montréal, chez l'auteur, 1973. 54 p.

**Queror,** poésie. Montréal, Guernica Editions, 1979. 71 p. Coll. « Essential Poet Series ». ISBN 2-89135-000-6 et 2-89135-002-2.

**From Noon to Full Moon,** poésie. Montréal, Guernica Editions, 1981. 68 p. Coll. « Essential Poets Series », 6. ISBN 2-89135-011-1 et 2-89135-012-X.

### TRADUCTION

**My War,** poésie. Traduction de **Tufo E Gramigna** de Filippo Salvatore. Montréal, Guernica Editions, 1980. 70 p. Coll. « Essential Poets Series », 4. ISBN 2-89135-007-3 et 2-89135-008-1.

## Louis-Marie DANSEREAU

Luc Mondon

(Montréal, 2 juillet 1955–    ). Parallèlement à ses études, Louis-Marie Dansereau suit des cours de chant et d'art dramatique ; il commence à travailler en tant que comédien et chanteur en 1973-1974. Mais « travailler comme comédien est une façon d'apprivoiser en douce l'écriture ». En mars 1980, il écrit *la Trousse*, premier volet d'une trilogie, qui sera joué en octobre de la même année par La Méchante Boulotte, à Belœil. Quelques mois plus tard, la Famille Malenfant lui commande une pièce pour l'inauguration de leur théâtre à Terrebonne, au cours de l'été 1981. Il écrit alors *Chez Paul-ette bière, vin, liqueur et nouveautés.* Le second volet de la trilogie, *Ma maudite main gauche veut pus suivre*, a été créé au Théâtre de Quat'sous en mars 1982.

### ŒUVRES

**La Trousse,** théâtre. Montréal, Leméac, 1981. 124 p. : portr. Coll. « Théâtre Leméac », 90. ISBN 2-7609-0090-8.

**Chez Paul-ette bière, vin, liqueur et nouveautés,** théâtre. Montréal, Leméac, 1981. 139 p. : portr. Coll. « Théâtre Leméac », 99. ISBN 2-7609-0097-5.

**Ma maudite main gauche veut pus suivre,** théâtre. Montréal, Leméac, 1982. 93 p. : portr. Coll. « Théâtre Leméac », 111. ISBN 2-7609-0109-2.

## Pierre DANSEREAU

Kèro

(Outremont, 5 octobre 1911–    ). Après un « purgatoire de huit ans chez les Jésuites » et une « réclusion de trois ans chez les Trappistes » à l'Institut agricole d'Oka, Pierre Dansereau va étudier en Europe jusqu'à l'obtention d'un doctorat ès sciences de l'université de Genève en 1939. Collaborateur du frère Marie-Victorin au Jardin botanique de Montréal (1939–1942), il fonde ensuite le service de la biogéographie à l'université de Montréal. Son enseignement et ses recherches en écologie l'amèneront dans diverses universités tant à Montréal, Rio de Janeiro, New York qu'en Californie, au Michigan, en Nouvelle-Zélande et à Porto-Rico.

Délégué à différents congrès, colloques ou symposiums, il publie articles et livres en plusieurs langues et fait partie intégrante du réseau scientifique international. Il participe à diverses reprises à des mouvements politiques et sociaux ainsi qu'à de nombreuses commissions tant provinciales que nationales et internationales. Ses travaux en histoire naturelle conduisant à l'application des concepts écologiques à l'évaluation environnementale et à l'aménagement du territoire lui ont valu maints honneurs et récompenses : Prix David, 1959 ; Médaille Léo-Pariseau, 1965 ; Médaille Massey, 1972 ; Prix Molson du Conseil des arts, 1974, ainsi que onze doctorats honoris causa. Membre de la Société royale du Canada, compagnon de l'Ordre du Canada et membre d'honneur de l'Union des écrivains québécois, il est, depuis 1972, professeur d'écologie à l'université du Québec à Montréal.

## ŒUVRES

**L'industrie de l'érable.** Montréal, Service de biogéographie, université de Montréal, 1944. 44 p. : tableaux, fig.

**Biogeography : An Ecological Perspective.** New York, The Ronald Press Company, 1957. XIII-394 p.

**The Grading of Dispersal Types in Plant Communities and their Ecological Significance.** En coll. avec Cornelius Lems, Montréal, Institut botanique de l'université de Montréal, 1957. 52 p. : ill. Coll. « Contribution », 71.

**A Universal System for Recording Vegetation.** Montréal, Institut botanique de l'université de Montréal, 1958. 58 p. Coll. « Contribution », 72.

**Phytogeographia Laurentiana.** Tome II : **The Principal Plant Associations of the Saint-Lawrence Valley.** Illustrations de Françoise McNichols, Jeno Arros et Daniel Waltz. Montréal, Institut botanique de l'université de Montréal, 1959. 147 p. Coll. « Contribution », 75.

**Contradictions & biculture,** conférences et articles. Montréal, Éditions du Jour, 1964. 222 p. ISBN 0-7760-0912-2.

**Ecological Impact and Human Ecology.** In : Symposium on « The Future environments of North America ». New York, Natural History Press, éd. par F.F. Darling & J. Milton, 1966.

**Studies on the Vegetation of Puerto Rico.** En coll. avec Peter F. Buell. Mayagüez, Inst. of Caribbean Science, 1966. 287 p. Spec. Publ. n° 1.

**Challenge for Survival : Land, Air and Water for Man in Megapolis.** Sous la direction de P. Dansereau. New York, Columbia Univ. Press, 1970. XII-235 p. ISBN 231-03267-6.

**La Terre des hommes et le Paysage intérieur,** essai. Montréal, Leméac, 1973. 190 p.

**Inscape and Landscape,** essai. Toronto, CBC Learning Systems, 1973. 118 p. ISBN 0-88794-073-0.

**Inscape and Landscape. The Human Perception of Environment.** New York, Columbia University Press, 1975. 118 p. ISBN 0-231-03991-3.

**Atlas ÉZAIM.** En coll. avec Peter Brooke Clibbon et Gilles Paré. Montréal, PUM, 1975. 27 p. : 53 f. de planches. ISBN 0-8405-0316-4.

**Harmony and Disorder in the Canadian Environment,** essai. Ottawa, Canadian Environmental Advisory Council, 1975. 146 p. : ill., tableaux.

**ÉZAIM : Écologie de la zone de l'aéroport international de Montréal,** recherche écologique interdisciplinaire. Montréal, PUM, 1976. XVIII-343 p. ISBN 0-8405-0328-8.

**Ecological Grading and Classification of Land-occupation and Land-use Mosaics.** En coll. avec Gilles Paré. Ottawa, Fisheries & Environment Canada, 1977. X-63 p. Geographical Paper n° 58. ISBN 0-660-00779-7.

**Prospective socio-économique du Québec, 1re étape. Sous-système écologique (1). Dossier technique (1.1). Diagnostics préliminaires.** Québec, Éditeur officiel du Québec, 1978. VI-118 p. Coll. « Études et Recherches ».

**Prospective socio-économique du Québec, 1re étape. Sous-système écologique (1). Rapport-synthèse.** En collaboration avec Kimon Valaskakis. Québec, Éditeur officiel du Québec, 1978. VII-43 p. Coll. « Études et Recherches ».

**Prospective socio-économique du Québec, 1re étape. Sous-système écologique (1). Dossier technique (1.2). Aspects du développement.** En coll. avec Kimon Valaskakis. Québec, Éditeur officiel du Québec, 1978. VI-86 p. Coll. « Études et Recherches ».

**Harmonie et Désordre dans l'environnement canadien.** Ottawa, Conseil consultatif canadien de l'environnement, 1980. VI-89 p. Rapport n° 3. ISBN 0-662-91118-0.

**Pierre Dansereau : l'écologiste aux pieds nus,** entretiens avec Thérèse Dumesnil. Montréal, Nouvelle Optique, 1981. 215 p. ISBN 2-89017-020-9.

**Histoire de la Gaspésie.** En coll. avec Jules Bélanger, Marc Desjardins, Yves Frenette. Montréal, Boréal Express, 1981. IX-797 p. ISBN 2-89052-040-4.

**Le futur du Québec au conditionnel.** En coll. avec Roland Jouandet-Bernadat *et al.* Chicoutimi, Gaëtan Morin, 1982. XII-256 p. ISBN 2-89105-059-2.

## TRADUCTIONS

**Desafio para la supervivencia.** Traduction espagnole ; titre original : **Challenge For Survival.**

Sous la direction de Pierre Dansereau. Mexico, Editorial Extemporaneos, S.A., 1972. 274 p.

**Interioridad y medio ambiente.** Traduction espagnole; titre original: **Inscape and Landscape.** Mexico, Editorial Nueva Imagen, 1981. 159 p. ISBN 968-429-154-0.

**Jean-Paul**
**DAOUST**

Kèro

(Valleyfield, 30 janvier 1946–        ). Professeur au cégep Édouard-Montpetit depuis 1974, Jean-Paul Daoust avait auparavant terminé une licence (1970) et une maîtrise en lettres (1974) à l'université de Montréal. Collaborateur à *Hobo-Québec,* à l'*Atelier de production littéraire de la Mauricie*, à *Scrap* et à *Jungle* (France), Jean-Paul Daoust a participé à des soirées de poésie à Place aux poètes, au Conventum et à la Nuit de la poésie et donné une performance dans le cadre du festival « Hors-jeu », au musée d'Art contemporain.

## ŒUVRES

**Oui, cher,** récit. Montréal, Éditions Cul-Q, 1976. 35 p. Coll. « Exit ».

**L'Éventail jaune,** récit. En collaboration avec Claude Beausoleil; illustrations de Madeleine Monette. Montréal, Les Lèvres, 1978.

**Chaises longues,** livre-objet. Photos par l'auteur. Montréal, Éditions Cul-Q, 1979. Coll. « Mium/ Mium ».

**Poèmes d'horreur.** En collaboration avec Jean-Marc Desgent; illustrations de Philippe Côté. Montréal, Les Lèvres, 1979. N.p.

**Portrait d'intérieur.** Trois-Rivières, Atelier de production littéraire de la Mauricie, 1981. 87 p.: 2 f. de planches, portr. en coul. ISBN 2-920228-13-7.

**Poèmes de Babylone.** Trois-Rivières, Écrits des Forges, 1982. 48 p. ISBN 2-89046-036-3.

**François**
**d'APOLLONIA (1938–        )**

## ŒUVRES

**À contre-nuit,** poésie. Longueuil, Le Préambule, 1975. 111 p. ISBN 0-88564-001-2.

**Parfums de fulgurance,** poésie. Longueuil, Le Préambule, 1977. 33 p. ISBN 0-88564-003-9.

**Chimères et Mondes,** poésie. Longueuil, Le Préambule, 1978. 45 p. ISBN 0-88564-006-3.

**L'Homme oblique,** roman. Longueuil, Le Préambule, 1980. 168 p. ISBN 2-89133-013-7.

**Le Cœur au clair.** Longueuil, Le Préambule, 1981. 50 p. ISBN 2-89133-021-8.

**Daniel**
**DARAME**

Voir Gilbert Langevin.

**Louise**
**DARIOS**

(Paris, France, 8 novembre 1913–        ). Auteure, folkloriste et comédienne d'origine franco-péruvienne, Louise Darios s'attache à décrire les Amériques et l'Amérique latine en particulier. Depuis 1946, elle a écrit plus de deux cents textes dramatiques qui ont été diffusés sur les ondes de Radio-Canada ainsi qu'une série de treize films intitulée *Découvrons les Amériques* (1963). Lors de ses fréquents séjours en Amérique latine, elle a fondé et dirigé, à Choluteca au Honduras, la « Radio-Paz Voz del Desarrollo » (1969) ainsi que la « Casa de la Cultura de Choluteca » (1970). Professeur de français au Centre d'orientation et de formation des immigrants (1971-1972), elle a également enseigné l'espagnol à l'université de Moncton en 1968. Auteure de contes, de récits et de reportages, elle a écrit pour *le Jour, la Presse, le Monde nouveau* et *le Petit Journal.*

## ŒUVRES

**Contes étranges du Canada.** Illustrations de Claude Brousseau. Montréal, Beauchemin, 1962. 156 p.: ill.

**Tous les oiseaux du monde,** histoires de chansons. Illustrations d'Anna Vojtechova; portées musicales de Luis de Cespedes. Montréal, Beauchemin, 1975. 189 p.: ill., notes.

**Reportages du chat Alexandre au Brésil.** Illustrations d'Ihab Shaker. Montréal, Héritage, 1976. 220 p.: ill. Coll. « Katimavik ». ISBN 0-7773-3009-1.

**L'Arbre étranger: sept récits des Amériques: Québec, Pérou, Chili.** Illustrations de Carlos Baratto. Sherbrooke, Éditions Naaman, 1977. 61 p.: ill. Coll. « Création », 24.

**Le Retable des merveilles et Deux Histoires d'amour: souvenances, Venezuela, Brésil, Honduras.** Illustrations de Carlos Baratto. Sherbrooke, Éditions Naaman, 1979. 140 p.: ill. Coll. « Création », 54. ISBN 2-89040-013-1.

**Le Chat Alexandre d'un Canada à l'autre,** reportages. Illustrations d'Ihab Shaker. Montréal, Héritage, 1980. 266 p.: ill. Coll. « Katimavik ». ISBN 0-7773-3014-8.

## ŒUVRE TRADUITE

**Strange Tales of Canada,** contes. Traduction anglaise de Philippa C. Gerry; titre original: **Contes étranges du Canada.** Toronto, Ryerson Press, 1965. 162 p.

## Jean DAUNAIS (1933- )

### ŒUVRES

**Les 12 Coups de mes nuits: les aventures d'Arlène Supin,** nouvelles. Montréal, Héritage, 1979. 164 p. Coll. « À lire en vacances ». ISBN 0-7773-4522-6.

**Le Rose et le Noir: les aventures d'Arlène Supin,** nouvelles. Montréal, Héritage, 1980. 168 p. Coll. « À lire en vacances ». ISBN 0-7773-5436-5.

**Le Nippon du soupir: les aventures d'Arlène Supin,** nouvelles. Montréal, Héritage, 1982. 178 p. Coll. « À lire en vacances ». ISBN 0-7773-5579-5.

## Paule DAVELUY

(Ville-Marie, 5 avril 1919- ). Fondatrice et ex-présidente de Communication-Jeunesse, Paule Daveluy a également contribué à la création de l'Association canadienne pour l'avancement de la littérature de jeunesse. Traductrice pour les Éditions Héritage (1978) et Pierre Tisseyre (1979-1980), elle dirige, depuis 1979, la collection « Des deux solitudes — jeunesse » et est membre du comité de rédaction de l'A.C.A.L.J. L'œuvre de Paule Daveluy, surtout composée de romans pour la jeunesse, lui a valu de nombreux prix: les prix de l'Association canadienne des éducateurs de langue française (1958) et de l'Association canadienne des bibliothécaires (1959) pour *l'Été enchanté,* les prix du Salon du livre (1962) et de l'Association canadienne des bibliothécaires (1963) pour *Drôle d'automne* et enfin, le Prix de la province de Québec pour *Cet hiver-là* (1968). De plus, le Prix Michelle-LeNormand de la Société des écrivains canadiens (1972) et le Prix de l'Association des littératures canadienne et québécoise (1980) lui ont été remis pour couronner l'ensemble de son œuvre.

### ŒUVRES

**Les Guignois,** nouvelles. Montréal, Éditions de l'Atelier, 1957. 127 p.

**Chérie Martin,** roman. Montréal, Éditions de l'Atelier, 1957. 206 p.

**L'Été enchanté,** roman. Montréal, Éditions de l'Atelier, 1958. 146 p.

**Drôle d'automne,** roman. Québec, Éditions du Pélican, 1961. 132 p.

**Sylvette et les Adultes,** roman. Illustré par L. Faubert. Québec, Éditions Jeunesse, 1962. 156 p. Coll. « Vent d'avril ».

**Sylvette sous la tente bleue,** roman. Illustré par L. Faubert. Québec, Éditions Jeunesse, 1962. 156 p. Coll. « Vent d'avril ».

**Cinq filles compliquées,** roman. Illustré par L. Faubert. Québec, Éditions Jeunesse, 1965. 149 p. Coll. « Vent d'avril ».

**Cet hiver-là,** roman. Illustré par Aline Goulet. Québec, Éditions Jeunesse, 1967. 147 p. Coll. « Vent d'avril ».

**Création culturelle pour la jeunesse et Identité québécoise: textes de la rencontre de 1972. Communication-Jeunesse.** En collaboration avec Guy Boulizon. Montréal, Leméac, 1973. 188 p. Coll. « Dossiers ».

**La Maison des vacances,** roman. Illustré par Lise Thérien. Montréal, Fides, 1977. 137 p.: ill. en coul. Coll. « Goéland ». ISBN 0-7755-0662-1.

**Rosanne et la Vie,** roman. Illustré par Lise Thérien. Montréal, Fides, 1977. 139 p.: ill. en coul. Coll. « Goéland ». ISBN 0-7755-0663-X.

**Pas encore seize ans...,** nouvelle. Montréal, Éditions Paulines, 1982. 125 p. ISBN 2-89039-872-2.

## ŒUVRE TRADUITE

**Summer in Ville-Marie,** roman. Traduction anglaise; titre original : **L'Été enchanté.** New York, Holt, Rinehart and Winston, 1963. 135 p. : ill.

## TRADUCTIONS

**Amérique du Sud,** guide de voyages. Traduction de **South America** de Wm. A. Carter. Montréal, Grolier, 1969. 263 p. Coll. « À la découverte ». ISBN 0-7172-4300-1.

**Manuel complet du bricolage.** Traduction de **Complete Do-It Yourself Manual** du « Reader's Digest ». Montréal, Reader's Digest, 1975. 600 p. ISBN 0-88850-045-9.

**Guide de la couture.** Traduction de **Complete Guide to Sewing** du « Reader's Digest ». Montréal, Reader's Digest, 1976. 526 p. ISBN 0-88850-050-5.

**En avant, voyageurs.** Traduction de **With Pipe, Paddle & Song** d'Élizabeth Yates. Montréal, Héritage, 1977. 223 p. ISBN 0-7773-3008-3.

**Chemins secrets de la liberté,** roman. Traduction de **Underground to Canada** de B. Smucker. Illustrations de Robert Bigras. Montréal, Éditions Pierre Tisseyre, 1977. 161 p. : ill. Coll. « Des deux Solitudes-Jeunesse ». ISBN 0-7753-0114-0.

**Écoute, l'oiseau chantera,** roman. Traduction anglaise de **Listen for the Singing** de Jean Little. Illustrations de Robert Bigras. Montréal, Éditions Pierre Tisseyre, 1980. 194 p. : ill. Coll. « Des deux Solitudes-Jeunesse ». ISBN 2-89051-028-X.

**Deux Grands Ducs dans la famille,** roman. Traduction de **Oaks in the Family** de Farley Mowat. Illustrations de Robert Bigras. Montréal, Éditions Pierre Tisseyre, 1980. 80 p. : ill. Coll. « Des deux Solitudes-Jeunesse ». ISBN 2-89051-032-8.

**Jours de terreur,** roman pour la jeunesse. Traduction française du roman de Barbara Smucker. Montréal, Éditions Pierre Tisseyre, 1982. 217 p. ISBN 2-89051-057-3.

## ÉTUDE

Brulotte, Marie-Berthe, **Bibliographie de Paule Daveluy,** thèse. Université Laval, École de bibliothéconomie, 1964. 141 p. : photos.

# Gilbert DAVID

Michel Séguin

(Montréal, 11 décembre 1946– ). Membre du conseil d'administration du Centre d'essai des auteurs dramatiques (1976-1977) et de l'Association québécoise du jeune théâtre depuis 1976, Gilbert David consacre l'essentiel de ses énergies à la pratique théâtrale au Québec, principalement en collaborant à la rédaction des cahiers de théâtre *Jeu* dont il a été l'un des fondateurs. Maître ès lettres de l'université de Montréal (1974), il a fait un diplôme d'études approfondies en théâtre à l'université de Paris III (1978), a enseigné la littérature quelque neuf ans au cégep Rosemont (1970–1979) et, depuis 1980, est professeur au département d'études françaises de l'université de Montréal. Certains de ses textes ou articles sont parus dans *le Jour, Livres et Auteurs québécois, les Nouvelles littéraires, Études françaises,* etc.

## ŒUVRES

**Avant la violence** ou **la Révolution de mai comme préliminaire,** essai. En collaboration avec André Desjardins et Michel Bélair. Montréal, Leméac, 1968. 62 p.

**Presqu'Il,** récit. Montréal, Hurtubise HMH, 1971. 135 p. Coll. « L'Arbre ».

**Centre d'essai des auteurs dramatiques (1965–1975),** essai. En collaboration avec Marie-Francine et Claude Des Landes. Montréal, C.E.A.D., 1975. 85 p. : ill.

**Normand**
**DE BELLEFEUILLE**

(Montréal, 31 décembre 1949– ). « Professeur, critique et écrivain, Normand de Bellefeuille a fait paraître des textes de théorie et de fiction dans plusieurs revues québécoises et canadiennes dont *Liberté, Voix et Images du pays, Ellipse, la Revue de l'université laurentienne, Hobo-Québec, la Barre du jour, la Nouvelle Barre du jour, Cross Country, CV II* et *Spirale* ». Diplômé en études littéraires de l'université de Montréal (1972), « il a été critique de poésie à *la Presse* (1976-1977) et cofondateur et membre du comité de rédaction du magazine culturel *Spirale* ». Normand de Bellefeuille a remporté le premier prix du concours de textes dramatiques de la Nouvelle Compagnie théâtrale (1968) pour *Salomon*, pièce écrite en collaboration avec André Lamarre. Après *Monsieur Isaac*, paru en 1973 à l'Actuelle, il publie aux Herbes rouges. Il est professeur au cégep Maisonneuve depuis 1972.

**ŒUVRES**

**Monsieur Isaac,** roman. En collaboration avec Gilles Racette. Montréal, L'Actuelle, 1973. 134 p. ISBN 0-7752-0039-5.

**Ças,** suivi de **Trois,** poésie. Montréal, Les Herbes rouges, n° 20, mai 1974. N.p.

**Le Texte justement,** prose. Montréal, Les Herbes rouges, n° 34, janvier 1976. N.p. ISSN 0441-6627.

**L'Appareil,** poésie et prose. En collaboration avec Marcel Labine. Montréal, Les Herbes rouges, n° 38, août 1976. N.p. ISSN 0441-6627.

**Les Grandes Familles,** prose. Montréal, Les Herbes rouges, n° 52, juin 1977. 16 p. ISSN 0441-6627.

**La Belle Conduite,** prose. Illustrations de Roger Des Roches. Montréal, Les Herbes rouges, n° 63, mai 1978. 18 p. : ill. ISSN 0441-6627.

**Pourvu que ça ait mon nom,** prose. En collaboration avec Roger Des Roches. Montréal, Les Herbes rouges, 1979. 71 p. Coll. « Lecture en vélocipède ». ISBN 2-920051-040.

**Dans la conversation et la diction des monstres,** prose. Montréal, Les Herbes rouges, n° 81, avril 1980. 26 p. ISSN 0441-6627.

**Pierre**
**DE CHAMPLAIN**

(Rimouski, 16 octobre 1946– ). Auteur d'un ouvrage sur l'histoire de la mafia nord-américaine, Pierre de Champlain s'est également penché sur le phénomène du crime organisé dans le cadre d'articles publiés dans *le Devoir*. Il est détenteur d'un baccalauréat ès arts de l'université d'Ottawa (1972) et est fonctionnaire à la Chambre des communes depuis 1975. Entre 1973 et 1976, il a également écrit des contes fantastiques qui sont parus dans *Ovule*, revue des étudiants de l'université d'Ottawa.

**ŒUVRE**

**Cosa Nostra : histoire de la mafia nord-américaine.** Montréal, Libre Expression, 1979. 264 p. : ill., graph. ISBN 2-89111-025-0.

**Nicole**
**DE LA CHEVROTIÈRE**

Voir Bérith.

**Michel**
**DE LADURANTAYE**

Voir Benoît Lacroix.

**Gilles**
**DE LAFONTAINE**

(Sherbrooke, 30 octobre 1922– ). Essayiste, Gilles de Lafontaine s'intéresse aux littératures française et québécoise et porte un intérêt tout particulier aux contes et récits de la Mauricie. Détenteur d'une maîtrise (1954) et d'un doctorat (1965) en lettres françaises, respectivement de l'université de Montréal et de l'université de l'État d'Ohio, il enseigne à l'université du Québec à Trois-Rivières depuis 1969. Membre des Écrivains de la Mauricie depuis 1977, il collabore aux revues *Présence francophone, Écriture française, Histoire littéraire du Québec* et au *Dictionnaire des œuvres littéraires du Québec.*

## ŒUVRES

**Psychologie de l'adolescence. À l'usage des éducateurs.** Montréal, Éditions de l'École Normale Secondaire, 1954.

**La Fontaine dans ses fables : comment l'homme perce à travers l'œuvre,** essai. Montréal, Cercle du livre de France, 1966. 252 p.

**Livre blanc sur les responsabilités des différents organismes de l'U.Q.T.R.** Trois-Rivières, U.Q.T.R., mars 1973.

**La Fontaine dans ses contes : profil de l'homme d'après ses confidences.** Illustrations de Cécile Dubuc. Sherbrooke, Naaman, 1978. 279 p. : ill. Coll. « Études », 17.

**Hubert Aquin et le Québec,** essai. Montréal, Parti pris, 1978. 156 p. : ill., fac-sim., portr. Coll. « Frères chasseurs », 2. ISBN 0-88512-125-2.

**Jocelyne DELAGE**

(Montréal, 3 novembre 1940– ). Traductrice et rédactrice à la pige depuis 1963 et membre de la Société des traducteurs du Québec, Jocelyne Delage a complété des baccalauréats en sciences humaines (1973) et en traduction (1976) ainsi qu'une maîtrise en traduction médicale (1978) à l'université de Montréal. Elle s'intéresse également à tout ce qui a trait à la psychologie, la médecine, la musique et l'informatique.

## ŒUVRE

**Tests de langage Dudley/Delage,** ouvrage scientifique. En collaboration avec John Dudley; illustrations de Jocelyne Delage, Geneviève Côté, Catou Lachapelle, Joëlle Messier, Marylin Riggs et Lynnae Dudley. Montréal, Héritage, ABC, 1980. 77 p. de textes ; 116 illustrations.

**Jean-Paul DE LAGRAVE**

(Trois-Rivières, 6 décembre 1936– ). Historien, romancier, journaliste et professeur, Jean-Paul de Lagrave a publié, depuis 1974, de nombreux articles sur les libertés individuelles dans les pages du *Devoir* et de *la Presse*. Également collaborateur à *Libre-Magazine*, il est docteur en sciences de l'information de l'université de Paris (1972). Après des études post-doctorales en histoire à l'université Laval et à l'université de Montréal, il enseigne à l'Institut de communications sociales de l'université d'Ottawa. Depuis 1980, il est professeur au département d'art et de technologie des média du cégep de Jonquière.

## ŒUVRES

**Le Signe et la Tendresse,** roman. Montréal, Éditions de Lagrave, 1975. 124 p. Coll. « Tendresse ».

**Les Origines de la presse au Québec.** Montréal, Éditions de Lagrave, 1975. 157 p. Coll. « Liberté ».

**Le Bruissement des cœurs,** roman. Longueuil, Éditions de Lagrave, 1975. 225 p. Coll. « Tendresse ».

**Les Journalistes démocrates au Bas-Canada, 1791–1840.** Montréal, Éditions de Lagrave, 1975. 248 p. Coll. « Liberté ».
**Celui qui t'aime,** roman. Montréal, Éditions de Lagrave, 1975. Coll. « Tendresse ».
**Le Combat des idées au Québec-Uni.** Montréal, Éditions de Lagrave, 1976. Coll. « Liberté ».
**Liberté et Servitude de l'information au Québec confédéré (1867–1967).** Montréal, Éditions de Lagrave, 1978. 371 p. Coll. « Liberté ».
**Histoire de l'information au Québec.** Montréal, La Presse, 1980. 245 p. Coll. « Jadis et Naguère ». ISBN 2-89043-051-0.

**Claire**
**DE LAMIRANDE**

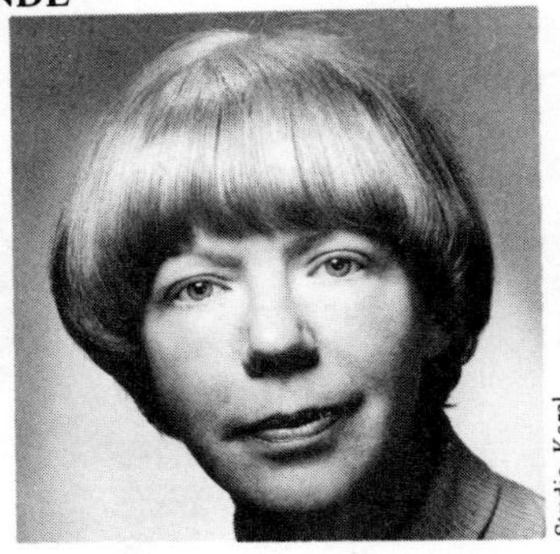
Studio Karel

(Sherbrooke, 6 août 1929– ). Dessinatrice commerciale en 1946, Claire de Lamirande poursuit ensuite des études en dessin, peinture et sculpture au musée des Beaux-Arts de Montréal. Mais c'est à la suite de ses études pour l'obtention d'une maîtrise ès arts à l'université de Montréal (1951) qu'elle opte définitivement pour la carrière littéraire. Elle a publié plusieurs romans et des textes à *la Nouvelle Barre du jour* et au *Devoir*. Elle a participé fréquemment à des tables rondes sur le roman québécois et à des rencontres avec des étudiants des niveaux secondaire et collégial. Outre un intérêt particulier pour la peinture et le modelage, arts qu'elle pratique depuis toujours, Claire de Lamirande s'intéresse à l'histoire de l'art et à l'histoire du Québec. Elle a été membre du bureau de direction de l'Union des écrivains québécois.

**ŒUVRES**

**Aldébaran** ou **la Fleur,** roman. Montréal, Éditions du Jour, 1968. 128 p.
**Le Grand Élixir,** roman. Montréal, Éditions du Jour, 1969. 265 p.
**La Baguette magique,** roman. Montréal, Éditions du Jour, 1971. 198 p. Coll. « Les Romanciers du Jour ».
**Jeu de clefs,** roman. Montréal, Éditions du Jour, 1974. 139 p. Coll. « Les Romanciers du Jour ». ISBN 0-7760-0568-5.
**La Pièce montée,** roman. Montréal, Éditions du Jour, 1975. 149 p. Coll. « Les Romanciers du Jour ».
**Signé de biais,** roman. Montréal, Éditions Quinze, 1976. 133 p. ISBN 0-88565-007-7.
**L'Opération fabuleuse,** roman. Montréal, Éditions Quinze, 1978. 191 p. ISBN 0-88565-118-9.
**Papineau** ou **l'Épée à double tranchant,** roman. Montréal, Quinze Éditeur, 1980. 187 p. Coll. « Roman ». ISBN 2-89026-213-8.
**L'Occulteur,** roman. Montréal, Québec-Amérique, 1982. 250 p. ISBN 2-89137-115-8.

**Michèle**
**DE LAPLANTE (1944– )**

**ŒUVRES**

**Missisquoi, une légende.** Farnham, Éditions La Tombée, 1976. N.p. : ill., portr.
**Psycharbre et l'étymologie.** Montréal, Éditions Vertet, 1981. 58 p. ISBN 2-920226-10-X.

**Dominique**
**DE L'ESPINE**
Pseud. de Dominique Lévy-Chédeville

(Charleroi, Belgique, 20 janvier 1938– ). Dominique de l'Espine enseigne aujourd'hui la linguistique au Canadien Pacifique. Il avait auparavant été professeur de mathématiques et de lettres à Stockholm où il est demeuré pendant une quinzaine d'années. Polyglotte, Dominique de l'Espine a participé à plusieurs expéditions, notamment dans les forêts thaïlandaises, en Amazonie et dans le Sahara.

**ŒUVRES**

**Le Tsarévitch,** roman. Montréal, Cercle du livre de France, 1978. 242 p. ISBN 0-7753-0126-4.
**Gaspard de la nuit et des étoiles,** roman. Montréal, Cercle du livre de France, 1979. 187 p. ISBN 2-89051-020-4.
**L'Homme aux passions tristes,** roman. Montréal, Pierre Tisseyre, 1982. 163 p. ISBN 2-89051-062-X.

**Louise**
**DEMERS-LAROCHE**

Voir Jeanne Voidy.

**André**
**DE PAGÈS**

(Languedoc, France, 13 janvier 1943– ). Au Québec depuis 1971, André de Pagès a toujours été fasciné par la recherche. Autodidacte, il s'est passionné très tôt pour tout ce qui touchait aux voyages, aux conquêtes et aux naufrages. « En vieillissant, ce goût de l'aventure fit place à un travail de recherche plus sérieux sur les anciennes civilisations et sur l'insolite de nos origines sur terre. » C'est dans cette optique qu'il publiait un premier livre sur les extraterrestres en 1979.

ŒUVRE

**Nos ancêtres les Extraterrestres,** essai. Montréal, Grandes Éditions du Québec, 1979. 277 p. : ill., graph., cartes.

**Dominique**
**DE PASQUALE**

(Montréal, 19 août 1946– ). Gagnant du Concours de la Nouvelle Compagnie théâtrale en 1970 pour *Oui chef*, Dominique de Pasquale enseignait à la même époque le français à la Commission des écoles catholiques de Montréal (1969–1972). À l'emploi de l'université de Montréal depuis lors : successivement comme agent d'information, responsable de la section promotion et adjoint au directeur des communications, il a également été scénariste et recherchiste pour des émissions telles *l'Université chez vous, You-hou, Pop citrouille*, etc. Il est bachelier en lettres du collège Sainte-Croix (1968) et en pédagogie de l'université de Montréal (1970).

ŒUVRES

**On n'est pas sorti du bois,** théâtre. Introduction de Gilbert David. Montréal, Leméac, 1972. 86 p. Coll. « Répertoire québécois », 16.

**Oui chef,** suivi de **l'Arme au poing,** ou **Larme à l'œil,** théâtre. Montréal, Leméac, 1973. 94 p. Coll. « Répertoire québécois », 36.

**Chaké**
**DER MELKONIAN-MINASSIAN**

(Beyrouth, Liban, 15 janvier 1926– ). D'origine arménienne, Chaké Der Melkonian a publié des contes arméniens, des études critiques sur les littératures arménienne et soviétique ainsi qu'une série de manuels scolaires pour l'enseignement de l'arménien. Détentrice d'un doctorat en littérature de la Sorbonne (1953), elle enseigne au département d'études littéraires de l'université du Québec à Montréal depuis 1969. Elle a fait partie des comités de rédaction des revues *Études Slaves* (1977 à 1978) et *The Armenian Review* depuis 1972. Membre de diverses sociétés littéraires québécoises et étrangères, elle consacre actuellement ses recherches à la littérature pour enfants de langue française.

ŒUVRES

**Contes et Légendes arméniens,** récits. Beyrouth, Mechag, 1964. 137 p.

**L'Épopée populaire arménienne « David de Sassoun »**, étude critique. Montréal, Presses de l'université du Québec, 1972. 219 p. : ill., carte, fac-sim. ISBN 0-7770-0048-2.

**Politiques littéraires en U.R.S.S. depuis les débuts à nos jours,** étude critique. Montréal, Presses de l'université du Québec, 1978. XIV-414 p. Coll. « Textes et Études Slaves ». ISBN 0-7770-0225-6.

**Mon livre d'arménien,** manuels scolaires. Montréal, 1978-1979. 2 volumes.

## Gilles DEROME

(Sainte-Agathe-des-Monts, 1er septembre 1928– ). Réalisateur, depuis 1959, de nombreuses émissions à Radio-Canada dont *Ciné Club, la Boîte à surprises, Femme d'aujourd'hui* et *5D*, Gilles Derome avait auparavant étudié (1950), puis enseigné la céramique à l'École du meuble de Montréal (1952–1958). Auteur de pièces de théâtre, de recueils de poèmes et d'un essai, il a également collaboré aux revues *Amérique française, Liberté, Châtelaine* et *Maclean* ainsi qu'au quotidien *le Devoir*.

### ŒUVRES

**Dire pour ne pas être dit,** poésie. Montréal, Déom, 1964. 78 p. Coll. « Poésie canadienne ».

**Qui est Dupressin ?,** théâtre. Avant-propos de Jean-Claude Germain. Montréal, Leméac, 1972. 85 p. Coll. « Répertoire québécois », 13.

**La Maison des oiseaux,** théâtre. Montréal, Leméac, 1973. 77 p. Coll. « Répertoire québécois », 35.

**Savoir par cœur,** poésie. Montréal, Déom, 1973. 163 p. : ill. Coll. « Poésie canadienne », 33.

**Contant,** essai. Photos de J.L. Frund, J.P. Lalonde et Gabriel Contant. Longueuil, Éditions Emmanuel, 1977. 31 p. Coll. « Peintres d'Ici ».

## Jacques DE ROUSSAN

(Paris, France, 1929– ). Arrivé au Québec en 1952, Jacques de Roussan avait auparavant obtenu une licence en lettres de l'université de Paris. Tour à tour directeur du *Petit Journal*, secrétaire de rédaction de *Perspectives*, rédacteur en chef de *Vie des arts*, directeur de collection chez Lidec, éditeur et directeur des cahiers de la Société d'histoire de Longueuil, il a publié tant des poèmes, des essais que des biographies. Il a également été actif au sein de diverses sociétés ou associations : la Société des écrivains canadiens, les Jeunesses littéraires du Québec, la Société des poètes canadiens-français, etc., tout en faisant de la traduction à la pige.

### ŒUVRES

**Mes anges sont des diables.** Montréal, Éditions de l'Homme, 1961. 126 p.

**Le Pouvoir de vivre,** poésie. Montréal, Atys, 1961. 44 p.

**Paradoxes,** essai. Montréal, À la page, 1962. 148 p.

**Éternités humaines,** poésie. Montréal, Déom, 1963. 51 p.

**Mon père, vous avez la lèpre.** Montréal, Fides, 1963. 100 p.

**Les Canadiens et Nous,** document. Montréal, Éditions de l'Homme, 1964. 123 p.

**Israël, terre de promesses,** document. Montréal, Cercle du livre de France, 1964. 228 p.

**Pénultiennes,** nouvelles. Montréal, À la page, 1964. 112 p.

**Le Guide du lecteur canadien-français,** chroniques. Montréal, s.é., 1965. 77 p.

**Art,** Montréal, Toundra, 1967. 60 p.

**Enfants.** Montréal, Toundra, 1967. 60 p.

**Gaston Petit,** biographie. Montréal, Lidec, 1967. 36 p.

**Kittie Bruneau,** biographie. Montréal, Lidec, 1967. 36 p.

**Normand Hudon,** biographie. Montréal, Lidec, 1967. 36 p.

**Richard Lacroix,** biographie. Montréal, Lidec, 1967. 36 p.

**Sculpture.** Montréal, Toundra, 1967. 40 p.

**Philip Currey,** biographie. Montréal, Lidec, 1968. 25 p.

**Réal Arsenault,** biographie. Montréal, Lidec, 1968. 25 p.

**L'aïeule qui venait de Dworitz,** récit. Montréal, Toundra, 1969. N.p.

**Mario Merola,** biographie. Montréal, Lidec, 1970. N.p.

**Jacques Ferron : quatre itinéraires,** biographie. Montréal, Presses de l'université du Québec, 1971. 91 p. : ill., fac-sim., portr.

**Au-delà du soleil. Beyond the Sun,** récit. Sérigraphie de Luc Benoît. Montréal, Toundra, 1972. N.p. : ill. en coul. ISBN 0-88776-019-8.

**Fleurs sauvages du Québec.** Montréal, Éditions du Jour, 1973. 90 p.

**If I came from Mars. Si j'étais martien,** récit. Montréal, Toundra, 1977. N.p. : ill. en coul. ISBN 0-88776-032-5.

**Paul « Tex » Lecor,** biographie. Montréal, Stanké, 1980. 62 p. : ill. part. en coul., portr. Coll. « Peintres témoins du Québec ». ISBN 2-7604-0102-2.

**M.A. Fortin,** livre d'art. Montréal, Marcel Broquet, 1982.

**Le Nu dans l'art au Québec,** livre d'art. Montréal, Marcel Broquet, 1982. ISBN 2-89000-066-4.

## TRADUCTIONS

**Désastre,** roman. Traduction de **The Wave Garden City** de Christopher Hyde. Montréal, Beauchemin, 1979. 289 p. Coll. « Bien lu partout ».

**Un héros nouveau : études comparatives des littératures québécoise et canadienne-anglaise.** Traduction de **The New Hero : Essays in Comparative Quebec/Canadian Literature** de Ronald Sutherland. Montréal, Cercle du livre de France, 1979. 172 p. Coll. « Des deux solitudes ». ISBN 2-89051-007-7.

**Take-over.** Traduction de **Take-over** de Donald Creighton. Montréal, Beauchemin, 1980. 264 p. Coll. « Bien lu partout ». ISBN 2-7616-0046-0.

**Dans l'intimité de Rampa.** Traduction de **Autiemn Lady** de Mama San Ra-ab Rampa. Montréal, Stanké, 1981. 123 p. ISBN 2-7604-0092-1.

**Comment survivre du lundi au vendredi en douze jours.** Traduction de **Aunt Ermàs cope book** de Erma Bombeck, Longueuil, Inédi, 1981. 207 p. Coll. « Mieux ».

## DERSEM

Voir Jeanne Voidy.

## Francine DÉRY

Jean Bernier

(Trois-Rivières, 20 juillet 1943–    ). Francine Déry vit depuis 1965 à Montréal où elle évolue dans le milieu de l'édition. Elle a travaillé notamment aux Éditions Hurtubise HMH (1972–1975), aux Presses de l'université du Québec (1976–1979) et œuvre actuellement comme secrétaire générale de l'Association des éditeurs canadiens. Déléguée de cette association aux foires internationales du livre de Bruxelles et de Varsovie, elle a publié des textes dans *Hobo-Québec, Possibles, Liberté, Estuaire, les Cahiers de la femme* et participé à diverses soirées de poésie dont la Nuit de la poésie 1980.

## ŒUVRES

**En beau fusil,** poésie. Préface de Denise Boucher ; collages de Célyne Fortin. Saint-Lambert, Éditions du Noroît, 1978. N.p. : ill. ISBN 0-88524-028-6.

**Un train bulgare,** suivi de **Quelques poèmes.** Monotypes de Renée Devirieux. Saint-Lambert, Éditions du Noroît, 1980. 83 p. : ill. ISBN 2-89018-039-5.

## Michelle DE SAINT-ANTOINE

Ernest Rainville

Pseud. de Micheline Gagnon.

(Québec, 11 décembre 1939–    ). Après un cours commercial (1959), Michelle de Saint-Antoine étudie le dessin et la peinture à l'école des Beaux-Arts de Québec et apprend durant deux ans le chant classique. Auteure de recueils de poèmes, de pensées, de nouvelles, etc., elle publie à compte d'auteur depuis 1968 et a fait paraître un bulletin mensuel de 1970 à 1974. Certains de ses poèmes ont été publiés dans la *Revue des employés civils* et dans la *Revue des Pères rédemptoristes.* Peintre, elle a donné quelques expositions de ses dessins et peintures. Michelle de Saint-Antoine a été, de 1960 à 1970, à l'emploi du ministère des Terres et Forêts et à celui de l'Immigration et a travaillé comme secrétaire-comptable et secrétaire juridique de 1977 à 1979. Elle est membre de la Société des écrivains canadiens depuis 1979.

## ŒUVRES

**Je rêve, je chante,** poésie et nouvelle. Québec, chez l'auteure, 1968. 72 p.

**Sa parole est ardente,** biographie. En collaboration avec l'abbé Pierre Gravel. Québec, chez l'auteure, 1969. 188 p.

**Au fil de mes lectures,** recueil de pensées. Québec, chez l'auteure, 1970. 96 p. : ill. portr.

**Va dire à mes amis...,** lettres. Québec, chez l'auteure, 1971. 111 p.

**Tous les arbres chantent...,** correspondance. Québec, chez l'auteure, 1972. 133 p.

**Visions d'espoir,** billets variés. Québec, chez l'auteure, 1973. 102 p.

**Du soleil pour votre pensée...,** pensées choisies. Québec, Éditions de l'Alouette, 1975. 100 p.

**Jean**
**DE SAINT-LUC**

Voir John Glassco.

**Denise**
**DESAUTELS**

Gabor Szilasi

(Montréal, 4 avril 1945–     ). Licenciée (1969) et maître ès arts (1980) de l'université de Montréal, Denise Desautels enseigne depuis 1977 au département des arts et lettres du cégep Sorel-Tracy. Depuis 1975, elle a publié trois livres aux Éditions du Noroît : un recueil de poèmes, des nouvelles poétiques et un récit accompagné d'une réflexion sur l'écriture. Certains de ses textes ont déjà paru dans les revues *Liberté* et *Estuaire* ou été récités à *l'Atelier des inédits* et à *Alternances* au réseau MF de Radio-Canada. Elle s'intéresse aussi aux nouvelles formes d'expression artistique notamment en théâtre et en peinture.

**ŒUVRES**

**Comme miroir en feuilles...,** poésie. Avec un dessin de Léon Bellefleur. Saint-Lambert, Éditions du Noroît, 1975. 90 p. : ill. ISBN 0-88524-010-3.

**Marie, tout s'éteignait en moi,** récits-poèmes. Dessins de Léon Bellefleur. Saint-Lambert, Éditions du Noroît, 1977. N.p. : ill. ISBN 0-88524-023-5.

**La Promeneuse et l'Oiseau,** suivi de **Journal de la promeneuse,** récit-poème. Gaufrage et dessin de Lucie Laporte. Saint-Lambert, Éditions du Noroît, 1980. 86 p. : ill. ISBN 2-89018-038-7.

**† Georgette B.**
**DESBIENS**

(Jonquière, 17 novembre 1923–30 mai 1980). Poète, Georgette B. Desbiens a fait ses études primaires à Black Lake. Membre de la Société des écrivains canadiens, elle a fait paraître des poèmes dans *le Progrès-Dimanche* et *le Quotidien* et publié deux recueils.

**ŒUVRES**

**Sans frontière,** poésie. Jonquière, Éditions Desbiens, 1974. 92 p.

**Buées ambres,** poésie. Chicoutimi, Éditions Science moderne, 1976. 90 p.

**Nicole**
**DESCHAMPS**

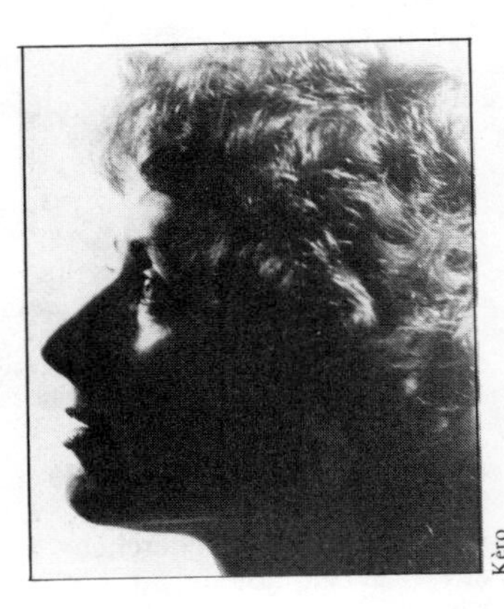

Kèro

(Montréal, 16 octobre 1931–     ). Nicole Deschamps a fait la majeure partie de ses études à Québec, où elle a obtenu une licence ès lettres de l'université Laval en 1954. Plus tard (1961), l'université de Paris lui a décerné un doctorat d'université pour sa thèse sur l'écrivaine norvégienne Sigrid Undset. La publication de cette thèse en 1966 lui a valu le Prix de la province de Québec, section essai. Elle enseigne les littératures québécoise et française à l'université de Montréal où elle est agrégée, après avoir enseigné aux universités de McGill et de Sherbrooke. Elle collabore en tant que recherchiste ou animatrice à diverses émissions littéraires de la Société Radio-Canada et a un intérêt certain pour la psychanalyse, Réjean Ducharme, les bestiaires et l'Italie.

**ŒUVRES**

**Sigrid Undset** ou **la Morale de la passion,** essai. Montréal, Presses de l'université de Montréal, 1966. 192 p.

**Louis Hémon, lettres à sa famille.** Montréal, Presses de l'université de Montréal, 1968. 219 p. : ill., fac-sim., portr.

**Lettres au cher fils. Correspondance d'Élizabeth Bégon.** Montréal, Hurtubise HMH, 1972. 221 p. : fac-sim., portr.

**Le Mythe de Maria Chapdelaine,** essai. En collaboration avec Raymond Héroux et Normand Villeneuve. Montréal, Presses de l'université de Montréal, 1980. 263 p. ISBN 2-7606-0496-9.

## Donald DESCHÊNES

Studio Donald

(Saint-Octave-de-l'Avenir, 23 juin 1952– ). Tour à tour animateur au Centre d'accueil Cap-Chat (1977), chercheur à Parcs Canada (1977–1979), auteur au programme Explorations du musée des Beaux-Arts, assistant de cours et de recherche à l'université Laval (1979–1981), consultant pour Radio-Québec, Donald Deschênes détient un baccalauréat (1976) et une maîtrise en ethnologie (1982) de l'université Laval. Ses études sur la chanson et la musique traditionnelles l'ont amené à collaborer à la revue *Gaspésie,* au *Canadian Folklore canadien* et à être rédacteur francophone à la Société canadienne de musique folklorique. Membre de nombreuses associations qui s'intéressent à l'histoire et à l'ethnologie, il parcourt le Québec depuis 1975 et y donne des spectacles de folklore.

### ŒUVRES

**Excusez-la ; recueil de chansons gaspésiennes.** Cap-Chat, chez l'auteur, 1977. 54 p. : musique.

**C'était la plus jolie des filles ; répertoire de chansons d'Angélina Paradis-Fraser.** Illustrations de Louis Tremblay. Montréal, Quinze Éditeur, 1982. 240 p. : ill., carte, tableaux, graph. et musique. Coll. « Mémoires d'homme ». ISBN 2-89026-291-X.

## Jeanine DESGAGNÉ DUBÉ (1944– )

### ŒUVRES

**Cheminement,** prose et poésie. Saint-Louis-de-Terrebonne, chez l'auteure. 1980. 46 p.

**Mille Couleurs,** prose et poésie. Saint-Louis-de-Terrebonne, chez l'auteure. 1981. 56 p.

## Jean-Marc DESGENT

(Montréal, 15 septembre 1951– ). Après l'obtention de son baccalauréat en littérature à l'université du Québec à Montréal (1975), Jean-Marc Desgent travaille un temps comme imprimeur avant de devenir professeur au cégep Édouard-Montpetit en 1976. Membre du comité de rédaction des Éditions Cul-Q de 1975 à 1977 et collaborateur régulier à *Hobo-Québec,* il a fait paraître certains de ses textes dans les revues *Ovo, Jungle* (France), *Mensuel 25* (Belgique) et à *l'Atelier de production littéraire de la Mauricie.*

### ŒUVRES

**Scrap-Book,** poésie. Illustrations de Jocelyne Villeneuve et Jean-Marc Desgent. Montréal, Éditions Cul-Q, 1974. 33 p. : en maj. part. ill. en coul.

**Frankenstein fracturé,** poésie. Montréal, Éditions Cul-Q, 1975. N.p. Coll. « Mium/Mium », 1.

**Jardin comestible,** récit-poésie. Montréal, Éditions Cul-Q, 1978. N.p.

**Dans tes lèvres parasites des palmiers de sang,** poésie. En collaboration avec Jean-Paul Daoust. Montréal, Éditions des Lèvres, 1979. N.p.

**Faillite sauvage,** poésie. Photographies de Jean Duval. Montréal, Les Herbes rouges, nº 95, août 1981. 38 p. : portr. ISSN 0441-6627.

**Guy**
**DÉSILETS**

François Rivard

(Trois-Rivières, 7 avril 1928– ). Guy Désilets obtient un diplôme de l'École de marine de Rimouski en 1950 et devient cadet-officier dans la marine marchande. Il voyage ensuite dans les Antilles et en Amérique du Sud. Après des études classiques à l'université d'Ottawa, il devient speaker radiophonique puis professeur de langues modernes et anciennes dans les collèges classiques. En 1964, il entre dans la fonction publique : à l'Office de la langue française en qualité de conseiller linguistique, puis au ministère de l'Éducation où il exerce les fonctions de rédacteur-réviseur et de responsable de la qualité du français des manuels scolaires. Il a été membre de la Société des poètes canadiens-français et a reçu une attestation de mérite poétique en 1959.

ŒUVRES

**La Tension des dieux,** poésie. Québec, Éditions de l'Équinoxe, 1962. 83 p.
**Poème pour un homme pygmée,** poésie. Montréal, Leméac, 1972. 94 p. Coll. « Poésie ».
**Un violon nu,** poésie. Montréal, Leméac, 1972. 83 p. Coll. « Poésie ».
**Ô que la vie est ronde,** poésie. Montréal, Hurtubise HMH, 1977. 84 p. Coll. « Sur parole ». ISBN 0-7758-0131-3.

**Claude-Alexandre**
**DESMARAIS**
Pseud. : Effaime Stéréo.
(1938– )

ŒUVRES

**Les Extrataires,** poésie. Montréal, Éditions du Go-Rébec, 1972. 42 p. : ill.
**La Ronde ultime,** poésie. Montréal, Éditions du Go-Rébec, 1973. 54 p.
**La Première Ronde,** poésie. Montréal, Éditions du Go-Rébec, 1974. 50 p.
**Tirez la chasse d'eau,** poésie. Montréal, Éditions du Go-Rébec, 1974. 52 p.
**Cléo et Moi,** poésie. Montréal, Éditions du Coin, 1975. 50 p.
**Au matin d'un rêve,** poésie. Dessins de Julien Santilli. Montréal, Éditions du Coin, 1976. 53 p. : ill. Coll. « Poésie ».
**Je suis l'enfant de mes rêves,** poésie. Talence, Éditions du Castor astral, 1976. 45 p. : ill. Coll. « Matin du monde ».
**Marie d'elle,** journal poétique. Montréal, Éditions du Coin, 1977. 52 p.

**Gilles**
**DES MARCHAIS**

(Montréal, 11 juillet 1935– ). Poète et linguiste, Gilles des Marchais est détenteur d'une maîtrise en linguistique de l'université de Montréal (1958) et a complété une scolarité de doctorat en phonétique à l'université d'Édimbourg (1960–1963). Conseiller linguistique et directeur du service d'édition à l'Institut de recherches psychologiques de Montréal de 1969 à 1973, il a enseigné la linguistique à l'université du Québec à Chicoutimi (1975), le théâtre au cégep de Sherbrooke (1977-1978) et, en 1980, a entrepris la rédaction d'une thèse de doctorat en linguistique à l'université de Sherbrooke. Membre actif de l'Association des auteurs des Cantons de l'Est, il collabore régulièrement à la revue *Grimoire.* Comme linguiste, Gilles des Marchais s'intéresse au « québécien », c'est-à-dire à « l'ensemble des dialectes d'origine française qui se parlent au Québec » et cherche à en élaborer une orthographe systématique.

ŒUVRES

**La Grammacritique. Postulats préliminaires pour une théorie de la critique des textes de litté-**

**rature,** critique théorique fondée en linguistique. Montréal, Leméac, 1965. 125 p.

**Mobiles sur des modes soniques,** poésie. Montréal, L'Hexagone, 1972. 116 p.

**Ombrelles verbombreuses :** quelques proses diatexturales précédées de **Parcellaires :** choix de courtes proses de même venue. Montréal, L'Hexagone, 1973. 80 p.

**Poésidoïdes. Essais, notes et réflexions sur le poème, le poète et la critique.** Montréal, L'Hexagone, 1975. 99 p.

**Demain, d'hier, l'antan,** poésie. Montréal, Leméac, 1980. 145 p. Coll. « Poésie Leméac », 13. ISBN 2-7609-1013-X.

### TRADUCTIONS

**Le Secret des choses. Initiation à la science.** Traduction de **Science Curriculum Improvement Study** de l'équipe scientifique du SCIS. Montréal, Institut de recherches psychologiques, 1979.

**Initiation aux sciences physiques.** Traduction de **Introductory Physical Science** de l'équipe IPS. Montréal, Institut de recherches psychologiques, 1979.

## Lucille DESPAROIS-DANIS

Voir Lucille.

## † Alfred DESROCHERS

Paru dans *Œuvres poétiques*, tome II, Fides

(Saint-Élie-d'Orford, 4 octobre 1901–12 octobre 1978). Alfred Desrochers travaille d'abord comme mouleur de fonte avant d'entreprendre des études classiques chez les Franciscains de Trois-Rivières. Il fréquente ensuite le collège sérigraphique de cette même ville (1918–1921), puis devient commis de magasin, homme de chantier et ouvrier de filature avant d'entrer à *la Tribune* (1925). En 1927, il fonde *l'Étoile de l'Est*, hebdomadaire dont il sera rédacteur en chef jusqu'en 1928, année où paraîtra son premier recueil de poèmes, *l'Offrande aux vierges folles.* Son deuxième ouvrage, *À l'ombre de l'Orford* est remarqué par la critique et lui mérite le Prix du Lieutenant-gouverneur (1931) et le Prix David (1932). Traducteur à Ottawa puis secrétaire de la Fédération libérale nationale (1945), il retourne à *la Tribune* l'année suivante et y demeure jusqu'en 1952. De nouveau traducteur mais cette fois à la Presse canadienne (1953), il prend sa retraite en 1964 alors que la Société Saint-Jean-Baptiste lui remet le Prix Duvernay pour l'ensemble de son œuvre. En octobre 1976, l'université de Sherbrooke lui décernait un doctorat honoris causa.

### ŒUVRES

**L'Offrande aux vierges folles,** poésie. Sherbrooke, s.é., 1928. 60 p.

**À l'ombre de l'Orford,** poésie. Montréal, Librairie d'action canadienne-française, 1930. 157 p.

**Paragraphes,** essai. Sherbrooke, Librairie d'action canadienne-française, 1931. 180 p.

**Le Retour de Titus,** poésie. Ottawa, Éditions de l'université d'Ottawa, 1963. 61 p.

**Élégies pour l'épouse en-allée,** poésie. Montréal, Parti pris, 1967. 88 p.

**Paysage d'automne,** poème. Avec une eau-forte de Roland Pichet. Châteauguay, Éditions M. Nantel, 1973. N.p.: 1 portefeuille.

**Le Livre des grandes fourches,** poésie. En collaboration. Sherbrooke, Presses coopératives, 1976. 45 p.: ill.

**Œuvres poétiques.** Textes établis et annotés par Romain Légaré. Montréal, Fides, 1977. Tome I: **Recueils colligés.** 249 p. Coll. « Du nénuphar », 53. ISBN 0-7755-0657-5. Tome II: **Choix de poésies éparses.** 207 p. Coll. « Du nénuphar », 54. ISBN 0-7755-0658-3.

### ÉTUDE

**Poètes québécois : dossiers de presse.** T. I : **Alfred Desrochers 1931–1972 ; Raoul Duguay, 1968–1979.** Sherbrooke, Bibliothèque du séminaire, 1981. 116 p.: ill., portr.

**Clémence**
**DESROCHERS**

(Sherbrooke, 23 novembre 1933– ). Comédienne, chanteuse, monologuiste, poète du geste et de la parole, Clémence Desrochers a étudié la pédagogie à l'école normale Marguerite-Bourgeoys (1955) et enseigné au primaire avant de s'inscrire à l'École nationale de théâtre. Elle entreprend alors une carrière qui la conduit sur de nombreuses scènes ainsi qu'à la radio et à la télévision où elle jouera notamment dans les émissions *Quelle famille* et *la Famille Plouffe* et participera aux scénarios de *Grujot et Délicat*. À ses spectacles et ses publications s'ajoutent enfin des textes parus dans maintes revues dont *Nous, l'Actualité, Maclean* et *Châtelaine*. Elle est membre de l'Union des artistes, de la Société des auteurs, recherchistes, documentalistes et membre honoraire de l'Association des auteurs des Cantons de l'Est.

## ŒUVRES

**Le monde sont drôles,** suivi de **la Ville depuis (lettres d'amour),** nouvelles. Montréal, Parti pris, 1966. 131 p. Coll. « Paroles ».

**Sur un radeau d'enfant,** poèmes, chansons, monologues. Présentation de Marcel Dubé. Montréal, Leméac, 1969. 199 p.: ill. Coll. « Mon pays, mes chansons », 2.

**Le rêve passe...,** théâtre. Montréal, Leméac, 1972. 56 p. Coll. « Répertoire québécois », 27.

**La Grosse Tête,** poèmes, monologues, chansons. Introduction d'Alain Pontaut. Montréal, Leméac, 1973. 136 p. Coll. « Mon pays, mes chansons », 5.

**J'ai des p'tites nouvelles pour vous autres,** nouvelles. Montréal, L'Aurore, 1974. 83 p.: ill. Coll. « L'Amélanchier », 2. ISBN 0-88532-028-X.

**Le monde aime mieux...,** poèmes, chansons, monologues. Préface de Marc Favreau ; illustrations de Jean Daigle. Montréal, Éditions de l'Homme, 1977. 225 p.: ill., notations musicales. ISBN 0-7759-0525-9.

**Les Trouvailles de Clémence,** recettes, trucs. Illustrations de Serge Chapleau. Montréal, Éditions de l'Homme, 1978. 289 p. ISBN 0-7759-0617-4.

**Roger**
**DES ROCHES**

Lucie Ménard

(Trois-Rivières, 28 août 1950– ). Roger Des Roches vit à Montréal depuis 1968 et y exerce le métier de typographe. Publiant des textes de poésie, de prose et de critique depuis 1969, il a collaboré aux revues québécoises *la Barre du jour, Chroniques, Éther, les Herbes rouges, Hobo-Québec, Presqu'Amérique, Spirale, Stratégie*, et à quelques revues françaises, belges et canado-américaines. Il a fait paraître jusqu'à présent une quinzaine de titres chez différents éditeurs. Il mène parfois double emploi dans le monde de l'édition comme maquettiste et illustrateur (*l'Outre-mesure* de Lucie Ménard à la *nbj*) et a récemment écrit des textes radiophoniques pour Radio-Canada. En août 1980, il donnait une communication au colloque « Littérature québécoise d'aujourd'hui : situations et formes », tenu à Cerisy (France). Roger Des Roches essaie de plus « de porter avec sérénité son "titre" de directeur artistique de la revue culturelle *Spirale*. Il y réussit parfois ».

## ŒUVRES

**Corps accessoires,** poésie. Montréal, Éditions du Jour, 1970. 55 p. Coll. « Les Poètes du Jour ».

**L'Enfance d'yeux,** suivi de **Interstice,** poésie. Préface de François Charron. Montréal, Éditions du Jour, 1972. 118 p. Coll. « Les Poètes du Jour ».

**Les Problèmes du cinématographe,** poésie. Montréal, Les Herbes rouges, n° 8, mars 1973. N.p.

**Space-opera,** poésie. Montréal, Les Herbes rouges, n° 15, décembre 1973. N.p.

**Reliefs de l'arsenal,** prose. Montréal, L'Aurore, 1974. 93 p. : ill. Coll. « Écrire », 1.
**Autour de Françoise Sagan indélébile,** poésie et prose. Préface de François Charron. Montréal, L'Aurore, 1975. 97 p. Coll. « Lecture en vélocipède », 15. ISBN 0-88532-0573.
**La Publicité discrète,** poésie. Montréal, Les Herbes rouges, n° 25, janvier 1975. N.p.
**Le Corps certain,** poésie. Montréal, Les Herbes rouges, n° 30, septembre 1975. N.p.
**La Vie de couple,** poésie. Montréal, Les Herbes rouges, n$^{os}$ 50-51, mai 1977. N.p.
**La Promenade du spécialiste,** poésie et prose. Montréal, Les Herbes rouges, n° 54, août 1977. N.p. ISSN 0441-6627.
**Les Lèvres de n'importe qui,** prose. Montréal, Les Herbes rouges, n° 70, décembre 1978. 31 p. ISSN 0441-6627.
**Pourvu que ça ait mon nom,** prose. En collaboration avec Normand de Bellefeuille. Montréal, Les Herbes rouges, 1979. 71 p. Coll. « Lecture en vélocipède », 23. ISBN 2-920051-040.
**L'Observatoire romanesque,** prose. Montréal, Les Herbes rouges, n° 77, décembre 1979. 29 p. ISSN 0441-6627.
**Tous, corps accessoires,** poésie et prose. Montréal, Les Herbes rouges, 1979. 287 p. : ill. Coll. « Enthousiasme », 2. ISBN 2-920051-02-4.

## Michel DESROSIERS

Kèro

(Crabtree, 22 avril 1941–    ). Bachelier en lettres et en pédagogie de l'université de Montréal (1964), Michel Desrosiers a enseigné dix ans avant d'agir comme conseiller en main-d'œuvre pour le ministère de l'Emploi et de l'Immigration en 1971. Venu par hasard à ce métier, il s'est passionné « contre toute attente » pour l'étude de l'utilisation des énergies humaines et a fait porter ses efforts sur « la description » du travail et des travailleurs. En 1977, il devenait directeur de recherche chez Flammarion. Deux ans plus tard, il publiait un ouvrage sur le marché du travail au Québec, *le Guide Impact*. Depuis 1980, Michel Desrosiers œuvre à la conception de cours pour la Télé-université.

### ŒUVRES

**L'Envol des corneilles,** récit. Montréal, La Presse, 1975. 189 p. Coll. « Chroniqueurs des deux mondes ». ISBN 0-7777-0160-X.
**Le Guide Impact.** En collaboration avec Paulette Villeneuve ; illustrations de Nicole Morrisset. Montréal, Flammarion, 1979. 383 p. : tableaux et cartes. ISBN 2-89077-022-2.

## Pierre DES RUISSEAUX

Michel Dubreuil

(Sherbrooke, 7 juillet 1945–    ). Pierre Des Ruisseaux a complété des études universitaires en philosophie à l'université de Montréal et publié plusieurs ouvrages à caractère ethnologique. Tour à tour rédacteur et journaliste pour divers journaux puis rédacteur en chef de la revue *Opérations forestières et de scierie* (1977-1978), il est également depuis 1976 directeur littéraire de la revue *Moebius*, cofondateur et codirecteur des Éditions Triptyque. Réalisateur des émissions *Fictions 80* à l'antenne de CINQ-MF, il se consacre à une œuvre axée en partie sur la culture populaire. Ses voyages, notamment au Moyen-Orient en 1969 et aux Antilles en 1977, l'ont profondément marqué tout comme les œuvres de Hubert Aquin, Knut Hamsun, Joseph Delteil et Charles-Albert Cingria, auteur qu'il affectionne particulièrement.

### ŒUVRES

**Croyances et Pratiques populaires au Canada français,** essai. Montréal, Éditions du Jour, 1973. 224 p. : ill.

**Le Livre des proverbes québécois,** essai. Montréal, L'Aurore, 1974. 205 p. Coll. « Connaissance des pays québécois ».

**Le P'tit Almanach illustré de l'habitant.** Montréal, L'Aurore, 1974. 139 p. : ill. Coll. « Connaissance des pays québécois ». ISBN 0-88532-010-74.

**Le Noyau,** roman. Montréal, L'Aurore, 1975. 109 p. Coll. « L'Amélanchier ». ISBN 0-88532-087-5.

**Dictionnaire de la météorologie populaire au Québec.** Montréal, L'Aurore, 1976. 215 p. : ill. Coll. « Connaissance des pays québécois ». ISBN 0-88532-103-0.

**Magie et Sorcellerie populaires au Québec,** essai. Montréal, Éditions Triptyque, 1976. 205 p. : ill.

**Le Livre des expressions québécoises,** essai. Montréal, Hurtubise HMH, 1979. 278 p. : ill. ISBN 2-89045-200-X.

**Lettres,** poésie. Montréal, L'Hexagone, 1979. 56 p. ISBN 2-89006-162-0.

**Ici la parole jusqu'à mes yeux,** poésie. Trois-Rivières, Écrits des Forges, 1980. 76 p. Coll. « Les Rouges-Gorges », 29.

## Jean-Louis DE VARRO

Voir Ernest Pallascio-Morin.

## Meery DEVERGNAS

Mark Friedman Photo Studio

(Krindatchevka, Estonie, 25 mars 1912– ). Native de l'Estonie, Meery Devergnas quitte l'Union soviétique en 1922. Installée en France dès 1925, elle séjourne dans de nombreux pays dont la Suisse avant de se fixer à Montréal en 1963. Essayiste, elle a écrit pour *le Devoir* de nombreux articles sur la littérature russe et soviétique. Poète et conteuse, elle a publié, depuis 1962, plusieurs livres dont *Reliquaires* pour lequel elle a reçu le Prix Découverte-Poésie (Paris, 1961) et une mention pour le Prix international de Vichy (1963). Membre de la Société des poètes canadiens-français, de la Société des écrivains canadiens-français depuis 1967 et du PEN club international depuis 1973, Meery Devergnas a collaboré aux revues *Poésie, Incidences, le Monde moderne, Catacombes* (Paris), etc.

### ŒUVRES

**Reliquaires,** poésie. Paris, Jean Germain, 1962. 48 p.

**Les Chants de la pitié,** poésie. Saint-Constant, Éditions Passe-partout, 1972. 15 p.

**Osmoses,** poésie. Québec, Éditions de la Société des poètes canadiens-français, 1974. 94 p. Coll. « Prisme », 3.

**Fête apocalyptique,** poésie. Montréal, Société de Belles-Lettres Guy Maheux, 1976. 72 p. Coll. « La Papesse ». ISBN 0-88582-012-6.

**Fuite,** conte et nouvelles. Montréal, Société de Belles-Lettres Guy Maheux, 1976. 233 p. Coll. « Cybèle ». ISBN 0-88582-088-8.

**Tec-Tec,** contes pour enfants. Illustrations d'Annie Devergnas-Collins. Montréal, Société de Belles-Lettres Guy Maheux, 1977. 75 p. : ill. Coll. « Le Bateleur ». ISBN 0-88582-013-4.

## François DE VERNAL

Jean-Guy Prévost

(Dijon, France, 29 décembre 1933– ). Après des études de droit à Aix (1955), François de Vernal émigre au Québec en 1956. D'abord scripteur radiophonique, il est ensuite professeur à Moncton puis à Ottawa où il complète une maîtrise en lettres en 1965. Cette même année, il devient responsable d'un projet de coopération pour l'Agence canadienne de développement international et demeure cinq ans en Afrique. Revenu au Québec en 1970, il enseigne depuis lors au cégep de Shawinigan tout en poursuivant sa carrière littéraire comme critique, conférencier et correspondant de la *Revue indépendante* (organe littéraire du Syndicat des journalistes et des écrivains de France). Directeur de la Société des écrivains de la Mauricie, il a écrit, depuis 1956, plus de cinq cents textes dramatiques et documentaires pour la télévision et le réseau MF de Radio-Canada dont huit pièces de théâtre pour la seule année 1980.

### ŒUVRES

**Pour toi,** poésie. Montréal, Éditions du Soir, 1956. 46 p.
**La Villa du mystère,** roman. Montréal, Beauchemin, 1959. 96 p.
**Le Jardin de mon père,** poésie. Montréal, Leméac, 1962. 79 p.
**Histoire de quelques poètes de Walt Whitman à Saint-John Perse,** essai. Moncton, Études littéraires, 1963. 47 p.
**Une demi-heure avec François-Xavier Garneau,** document. Montréal, Radio-Canada, 1965.
**D'amour et de douleur,** poésie. Honfleur, Paris, P.J. Oswald, 1967. 56 p.
**Jean-le-lâche,** théâtre. Honfleur, Paris, P.J. Oswald, 1967. 86 p.
**Vivre ou Mourir,** nouvelles. Honfleur, Paris, P.J. Oswald, 1970. 38 p.
**Grands Poètes du monde: de Walt Whitman à Patrice de la Tour du Pin,** essai. Trois-Rivières, Éditions du Bien public, 1981. 116 p. Coll. « Études poétiques ».

## Gaby (Gabrielle) DÉZIEL-HUPÉ

(Saint-Pierre-de-Wakefield, 11 juin 1934– ). Dramaturge et comédienne de la région outaouaise, Gaby Déziel-Hupé a écrit plus d'une quarantaine de pièces de théâtre dont plusieurs ont été jouées ou publiées. Fondatrice de la troupe les Giroflées, critique littéraire au journal *le Droit* (1973, 1975-1976), elle a enseigné aux universités d'Ottawa et de Montréal de 1969 à 1977 et traduit l'œuvre de Betty Campbell, dramaturge albertaine, de 1973 à 1977. Victime d'une hémorragie cérébrale en 1977, elle a décrit cette expérience dans son récit *Franchir le seuil.* Gaby Déziel-Hupé a reçu le Prix Henri-Desjardins de la Société nationale des Québécois pour l'ensemble de son œuvre en 1977.

### ŒUVRES

**Les Outardes,** théâtre. Hull, A. Couture, 1971. 96 p. 10 f. de planches: ill.
**La Bigote chez Bigot,** théâtre. Hull, Asticou, 1975.
**Délivrez-nous du mâle... amen!,** théâtre. Hull, Asticou, 1975. 89 p.: ill. ISBN 2-89198-002-6.
**Sidéral et Polluo,** théâtre. Hull, Asticou, 1976.
**Franchir le seuil,** récit. Ottawa, La Petite Nation, 1979.
**L'Humanité resplendissante,** récit. Hull, Asticou, 1980.
**Première Épître d'une femme aux humains,** récit. Ottawa, La Petite Nation, 1980.

## Serge DION

(Hull, 29 août 1953– ). Depuis qu'il est en âge de travailler, Serge Dion a occupé divers emplois, aussi bien fossoyeur que fonctionnaire, commis aux légumes qu'interviewer à Radio-Canada (CBOFT). Détenteur d'un baccalauréat spécialisé en lettres de l'université du Québec à Hull (1978), il a fondé, en 1980, l'Association des auteurs de l'Outaouais québécois. Il participe activement à l'organisation du Salon du livre de l'Outaouais. Collaborateur à la revue *Estuaire*, Serge Dion écrit aussi des textes dramatiques pour la radio et la télévision.

### ŒUVRES

**Mon pays a la chaleur et l'hiver faciles,** poésie. Hull, Éditions Asticou, 1976. 83 p.: ill. Coll. « Poètes de l'Outaouais », 1. ISBN 2-89198-003-4.
**Décors d'amour,** précédé de **Aubes mortes,** poésie. Hull, Éditions Asticou, 1978. 116 p. Coll. « Poètes de l'Outaouais », 3. ISBN 2-89198-006-9.

**Océanie** ou **les Asperges du matin,** poésie. Hull, Éditions Asticou, 1980, 61 p.: Coll. « Poètes de l'Outaouais », 7. ISBN 2-89198-012-3.
**Écarts,** poésie. Montréal, VLB Éditeur, 1982. 100 p.

## André DIONNE

Van Dyck & Meyers

(Saint-Wenceslas, 13 décembre 1945–     ). Poète, André Dionne collabore aux revues *Estuaire, Lettres québécoises, Nos livres* et *Livres et Auteurs québécois.* Bachelier en études françaises de l'université du Québec à Trois-Rivières (1971), il enseigne d'abord le français dans cette dernière institution (1970-1971) avant de devenir professeur de littérature québécoise dans le Nord-Ouest (1971-1972). Professeur au cégep de Rimouski de 1972 à 1974, il travaille comme scénariste et recherchiste à Radio-Québec de 1974 à 1975 avant de retourner à l'enseignement au cégep Saint-Laurent en 1976. André Dionne a par ailleurs été président de la section québécoise de la Northeast Modern Language Association en 1979.

### ŒUVRES

**Dyke,** poésie. Illustrations de Francine Chainé. Trois-Rivières, Éditions des Forges, 1971. 59 p.: ill. Coll. « Les Rouges-Gorges », 3.
**Envers,** précédé de **Gangue,** poésie. Trois-Rivières, Éditions des Forges, 1972. 55 p. Coll. « Les Rouges-Gorges », 5.
**Demain d'aujourd'hui,** poésie. Trois-Rivières, Écrits des Forges, 1977. 64 p. Coll. « Les Rouges-Gorges », 21.

## René DIONNE

Studio Jac Guy Enr.

(Saint-Philippe-de-Néri, 29 janvier 1929–     ). René Dionne a fait des études universitaires au Québec, aux États-Unis (Georgetown), en France (Paris, Lyon, Strasbourg) et en Grande-Bretagne (Cambridge, Édimbourg, Oxford). Il possède divers diplômes: B.A. (Laval), M.A. (Montréal), L.Ph. (L'Immaculée-Conception), L. ès L. (Montréal), D. ès L. (Sherbrooke). Ses thèses universitaires ont porté sur Démosthène, Sartre et Antoine Gérin-Lajoie. Professeur, il a enseigné les littératures française, québécoise (surtout) et canadienne-française au collège Sainte-Marie et aux universités de Montréal, de Sherbrooke et d'Ottawa (depuis 1970). Directeur d'un département de lettres françaises (1975–1978), il a fait partie de nombreux comités universitaires et a participé aux travaux de plusieurs sociétés savantes. Essayiste et critique littéraire, il a publié une dizaine de volumes et plus de deux cents articles et comptes rendus dans différentes revues: *Études françaises, Études littéraires,* etc. Directeur de la revue-collection *Histoire littéraire du Québec* depuis sa fondation (1979), il est responsable, depuis 1966, de la section littéraire de la revue *Relations* et, depuis 1976, d'une chronique dans *Lettres québécoises* et de la page littéraire du journal *le Droit* d'Ottawa. Conférencier et chercheur, il poursuit ses travaux en littérature québécoise et canadienne-française.

### ŒUVRES

**Propos littéraires, (littérature et sciences; littérature française — littérature québécoise),** actes du 40ᵉ congrès de l'ACFAS (section des littératures de langue française). Textes recueillis et présentés par René Dionne. Ottawa, Éditions de l'université d'Ottawa, 1973. 128 p. Coll. « Cahiers du Centre de recherche en civilisation canadienne-française », 7. ISBN 0-7766-4122-0.

**Le Roman engagé au Canada français/The Social and Political Novel in English Canada,** actes du colloque de l'ALCQ en mai 1976 à l'université Laval (Congrès des sociétés savantes du Canada). Textes recueillis et présentés par René Dionne. Numéro spécial de la *Revue de l'Université Laurentienne/Laurentian University Review*, vol. 9, n° 1, novembre 1976. 124 p.

**Antoine Gérin-Lajoie, homme de lettres,** essai. Sherbrooke, Éditions Naaman, 1978. 435 p. : ill., portr. Coll. « Études », 16.

**Bibliographie de la littérature outaouaise et franco-ontarienne.** Ottawa, CRCCF, février 1978. 91 p. Coll. « Documents de travail du Centre de recherche en civilisation canadienne-française », 10.

**Propos sur la littérature outaouaise et franco-ontarienne, I.** Introduction et choix de textes de René Dionne. Ottawa, CRCCF, février 1978. 209 p. Coll. « Documents de travail du Centre de recherche en civilisation canadienne-française », 11.

**Situation de l'édition et de la recherche (littérature québécoise ou canadienne-française).** Travaux du comité de recherche francophone de l'ALCQ recueillis et présentés par René Dionne. Ottawa, CRCCF, mai 1978. 182 p. Coll. « Documents de travail du Centre de recherche en civilisation canadienne-française », 18.

**Répertoire des professeurs et chercheurs (littérature québécoise ou canadienne-française).** Ottawa, CRCCF, mai 1978. 120 p. Coll. « Documents de travail du Centre de recherche en civilisation canadienne-française », 19.

**Anthologie de la littérature québécoise.** Tome II : **La Patrie littéraire, 1760–1895.** Sous la direction de Gilles Marcotte. Montréal, La Presse, 1978. XII-516 p.

**Propos sur la littérature outaouaise et franco-ontarienne, II.** Introduction et choix de textes par René Dionne. Ottawa, La Société des écrivains canadiens, octobre 1979. 215 p.

**Anthologie de la littérature québécoise.** Tome IV : **L'Âge de l'interrogation, 1937–1952.** Sous la direction de Gilles Marcotte ; en collaboration avec Gabrielle Poulin. Montréal, La Presse, 1980. VII-463 p.

**Répertoire des professeurs et chercheurs (littérature québécoise et canadienne-française).** Édition revue et augmentée. Sherbrooke, Éditions Naaman, 1980. 119 p. Coll. « Bibliographies », 4.

**Histoire littéraire du Québec.** Tome I : **Situation de l'édition et de la recherche.** Montréal, Éditions Bellarmin, 1980. 267 p. Coll. « Histoire littéraire du Québec ».

## Jan DOAT

(Paris, France, 17 décembre 1909– ). De nationalité française, Jan Doat obtient sa citoyenneté canadienne en 1971. Après des études de droit, il se tourne vers le théâtre et devient élève de Charles Dullin au Théâtre de l'Atelier puis assistant d'Abel Gance. Metteur en scène, il fait plus de deux cents mises en scène pour le théâtre, le cinéma, la télévision. Professeur, il enseigne à l'École internationale du Vieux Colombier à Paris et à l'École des hautes études cinématographiques ; fonde et dirige pendant trois ans le Conservatoire d'art dramatique de la province de Québec ; met sur pied et supervise, pendant sa première année d'expérience, l'École de théâtre de Tel-Aviv et enfin, initie et conduit pendant dix ans les études théâtrales à la faculté des lettres de l'université Laval. Professeur émérite de cette dernière université, membre de l'Académie des lettres et des sciences humaines de la Société royale du Canada, officier de la Légion d'honneur et de l'Ordre des arts et lettres, Jan Doat a publié des ouvrages de technique et d'esthétique en art dramatique de même que des textes littéraires.

### ŒUVRES

**Feux de camp, essai sur une forme primitive de l'expression dramatique.** Paris, Éducation intégrale, 1937. 95 p.

**L'Expression corporelle du comédien, manuel de plastique, d'improvisation et d'expression théâtrale.** Paris, Bordas, 1940. 72 p.

**Architecture et Décors de théâtre,** essai. Lyon, Marche, 1945. 75 p.

**La Récitation orale, essai sur l'histoire et la méthode de la déclamation collective : du chœur eschylien au plain-chant et au chœur parlé.** Paris, Billaudot, 1945. 85 p.

**Entrée du public, essai sur la psychologie collective et la contagion mentale dans l'art dramatique.** Préface de Charles Dullin. Paris, Éditions de Flore, 1947. 195 p.

**Théâtre portes ouvertes.** Montréal, Cercle du livre de France, 1970. 130 p.

**Pour solde de tout compte,** poésie. Québec, Éditions La Liberté, 1972. 117 p. Coll. « Le Dévidoir ».

**Le Pèse-Bonheur,** poésie. Québec, Éditions La Liberté, 1972. 105 p. Coll. « Le Dévidoir ».

**Anthologie du théâtre québécois, 1606-1970.** Québec, Éditions La Liberté, 1973. 505 p.

**Dire : parler, lire, jouer.** Montréal, Cercle du livre de France, 1975. 94 p. Coll. « Pleins Feux ».

**Anthologie littéraire et poétique de la Bible.** Bruxelles, Marabout, 1975. 475 p.

**Napoléon par Balzac,** curiosité littéraire. Montréal, Pierre Tisseyre, 1976. 234 p.

**Georges DOR**

Antoine Desilets

(Drummondville, 1931- ). Poète, romancier et chansonnier, Georges Dor quitte les études à 16 ans pour le travail en usine. Une rencontre avec le père Legault des Compagnons de Saint-Laurent l'amène au théâtre et il prend alors des leçons d'art dramatique de Lucie de Vienne. Annonceur en Abitibi et à Montréal, commis sur les chantiers de la Bersimis et de nouveau annonceur, il entre ensuite au service de Radio-Canada comme rédacteur des informations puis réalisateur au service des nouvelles. Si ses premières publications remontent à 1954, c'est en 1964 qu'il compose toutefois sa première chanson et en 1965 qu'il se produit pour la première fois en spectacle, à la Butte-à-Mathieu. Son premier disque, *la Manic*, remporte un vif succès et, en mai 1967, sa contribution à la chanson québécoise est soulignée lors de la remise des trophées du Gala des artistes. Georges Dor qui a alors laissé Radio-Canada pour se consacrer à la chanson donne des tournées un peu partout en province ainsi qu'à Paris, participe à diverses émissions de la télévision, fonde une compagnie de disques et ouvre une galerie d'art. En 1973, il décidait de ralentir quelque peu ses activités artistiques et retournait à Radio-Canada. En 1982, il entreprenait la rédaction d'un téléroman, *les Moineau et les Pinson.*

**ŒUVRES**

**Éternelles Saisons,** poésie. Trois-Rivières, s.é., 1954. 48 p.

**La Mémoire innocente,** poésie. Québec, L'Aurore, 1956. 48 p. Coll. « Trouvailles ».

**Portes closes,** poésie. Montréal, L'Aube, 1958. 48 p.

**Chante-pleure,** poésie. Montréal, Éditions Atys, 1960. 48 p.

**Je chante-pleure encore,** poésie. Montréal, Éditions Emmanuel, 1966. 63 p.

**Poèmes et Chansons 1.** Montréal, L'Hexagone, 1968. 71 p.

**La Grande Aventure du feu.** En collaboration. Montréal, Leméac, 1970. 127 p. Coll. « Le Monde de l'avenir ».

**Poèmes et Chansons 2.** Montréal, Leméac, L'Hexagone, 1971. 71 p.

**Poèmes et Chansons 3.** Montréal, Leméac, L'Hexagone, 1972. 70 p.

**D'aussi loin que l'amour nous vienne,** roman. Montréal, Leméac, 1974. 118 p. Coll. « Roman québécois », 7.

**Après l'enfance,** nouvelle. Montréal, Leméac, 1975. 103 p. Coll. « Roman québécois », 11. ISBN 0-7761-3010-2.

**Le Québec aux Québécois et le paradis à la fin de vos jours.** Montréal, Leméac, L'Hexagone, 1976. 71 p. ISBN 0-7761-1106-X.

**Si tu savais...** Préface de Gaston Miron. Montréal, Éditions de l'Homme, 1977. 158 p. : ill., fac-sim., notations musicales, portr. ISBN 0-7759-0561-5.

**Poèmes et Chansons 4.** Montréal, Leméac, L'Hexagone, 1980. 69 p. ISBN 2-7609-1011-3.

**Du sang bleu dans les veines,** théâtre. Montréal, Leméac, 1981. 155 p. : ill., portr. Coll. « Théâtre Leméac », 94. ISBN 2-7609-0096-7.

**Les Moineau chez les Pinson,** théâtre. Montréal, Leméac, 1982. 181 p. Coll. « Théâtre Leméac ».

**Marc DORÉ**

(Neuville, 28 mars 1938– ). Né dans le comté de Portneuf, Marc Doré arrive à Québec en 1945. Il y fréquente « une école par année » avant d'aller suivre de 1959 à 1963 les cours de Dullin à l'école de théâtre Jacques Lecoq de Paris. À ses activités théâtrales s'ajoute son travail de professeur de théâtre au cégep de Sainte-Foy de 1963 à 1973 et depuis 1967 au Conservatoire d'art dramatique. Comédien et animateur au Théâtre Euh ! de 1970 à 1976, Marc Doré a collaboré au *Journal de l'A.Q.J.T.* (Association québécoise du jeune théâtre) et à la revue *Travail théâtral*. Auteur de romans à ses débuts, il se consacre de plus en plus à l'écriture théâtrale.

## ŒUVRES

**Le Billard sur la neige,** roman. Montréal, Éditions du Jour, 1970. 175 p. Coll. « Les Romanciers du Jour ».

**Le Raton laveur,** roman. Montréal, Éditions du Jour, 1971. 159 p. Coll. « Les Romanciers du Jour ».

**Kamikwakushit,** théâtre. Montréal, Leméac, 1978. 132 p. : ill., portr. Coll. « Théâtre Leméac », 77. ISBN 0-7761-0074-2.

**Paule DOYON**

Normand Rhéault

(Taschereau, 27 mai 1934– ). Auteure de contes pour enfants dont la série « le Monde de Francis et Nathalie » publiée aux Éditions Paulines, Paule Doyon a également remporté de nombreux prix pour certains contes inédits : Prix du *Nouvelliste* en 1965, 1966, 1967 et Prix de l'Association France-Canada en 1979. Elle collabore à diverses revues parmi lesquelles nous retrouvons les *Écrits du Canada français, Perspectives* et *l'Actualité*. Sa carrière d'auteure pour enfants l'a également amenée à rencontrer fréquemment des élèves dans des écoles de l'Ontario et de l'Alberta. Paule Doyon est membre de la Société d'études et de conférences et de la Société des écrivains de la Mauricie.

## ŒUVRES

**Noirette,** conte. Illustrations de Claire Duguay. Sherbrooke, Éditions Paulines, 1971. 14 p. : ill. partiellement en coul. Coll. « Contes du chalet bleu », 3. ISBN 0-88840-117-5.

**Comic et Alain,** conte. Illustrations de Claire Duguay. Sherbrooke, Éditions Paulines, 1971. 14 p. : ill. en coul. Coll. « Contes du chalet bleu », 6. ISBN 0-88840-120-5.

**Roussette,** conte. Illustrations de Claire Duguay. Sherbrooke, Éditions Paulines, 1972. 14 p. : ill. partiellement en coul. Coll. « Contes du chalet bleu », 21. ISBN 0-88840-343-7.

**Vagabond,** conte. Illustrations de Claire Duguay. Montréal, Éditions Paulines, 1974. 15 p. : ill. partiellement en coul. Coll. « Rêves d'or », 3. ISBN 0-88840-409-3.

**Apic et Nectarine,** conte. Illustrations de Gabriel de Beney. Montréal, Éditions Paulines, 1975. 15 p. : ill. partiellement en coul. Coll. « Rêves d'or », 5. ISBN 0-88840-411-5.

**Francis,** conte. Illustrations de Rachel Roy. Montréal, Éditions Paulines, 1976. 14 p. : ill. partiellement en coul. Coll. « Le Monde de Francis et Nathalie », 1. ISBN 0-88840-543-X.

**Nathalie,** conte. Illustrations de Rachel Roy. Montréal, Éditions Paulines, 1976. 14 p. : ill. partiellement en coul. Coll. « Le Monde de Francis et Nathalie », 2. ISBN 0-88840-545-6.

**Vri-Vri et Francis,** conte. Illustrations de Rachel Roy. Montréal, Éditions Paulines, 1976. 14 p. : ill. partiellement en coul. Coll. « Le Monde de Francis et Nathalie », 3. ISBN 0-88840-547-2.

**Gris-Gris, le chat de Francis et Nathalie,** conte. Illustrations de Rachel Roy. Montréal, Éditions Paulines, 1976. 14 p. : ill. partiellement en coul. Coll. « Le Monde de Francis et Nathalie », 4. ISBN 0-88840-549-9.

**Gris-Gris joue un tour à Francis,** conte. Illustrations de Rachel Roy. Montréal, Éditions Paulines, 1976. 14 p. : ill. partiellement en coul. Coll. « Le Monde de Francis et Nathalie », 5. ISBN 0-88840-551-0.

**Nathalie s'ennuie,** conte. Illustrations de Rachel Roy. Montréal, Éditions Paulines, 1976. 14 p.: ill. partiellement en coul. Coll. « Le Monde de Francis et Nathalie », 6. ISBN 0-88840-553-7.

**Francis et Nathalie au supermarché,** conte. Illustrations de Rachel Roy. Montréal, Éditions Paulines, 1976. 14 p.: ill. partiellement en coul. Coll. « Le Monde de Francis et Nathalie », 7. ISBN 0-88840-555-3.

**Francis et Nathalie jouent au cow-boy,** conte. Illustrations de Rachel Roy. Montréal, Éditions Paulines, 1976. 14 p.: ill. partiellement en coul. Coll. « Le Monde de Francis et Nathalie », 8. ISBN 0-88840-557-X.

**Eugène Vittapattes,** conte. Illustrations de Gabriel de Beney. Montréal, Éditions Paulines, 1977. 63 p.: ill. Coll. « Boisjoli », 2. ISBN 0-88840-585-5.

**Francis et Nathalie au zoo,** conte. Illustrations de Rachel Roy. Montréal, Éditions Paulines, 1978. 14 p.: ill. partiellement en coul. Coll. « Le Monde de Francis et Nathalie », 9. ISBN 0-88840-632-0 et 0-88840-633-9.

**Nathalie à la bibliothèque,** conte. Illustrations de Rachel Roy. Montréal, Éditions Paulines, 1978. 14 p.: ill. partiellement en coul. Coll. « Le Monde de Francis et Nathalie », 10. ISBN 0-88840-630-4 et 0-88840-631-2.

**Francis chez les Indiens,** conte. Illustrations de Rachel Roy. Montréal, Éditions Paulines, 1978. 14 p.: ill. partiellement en coul. Coll. « Le Monde de Francis et Nathalie », 11. ISBN 0-88840-636-3 et 0-88840-637-4.

**Nathalie aux bleuets,** conte. Illustrations de Rachel Roy. Montréal, Éditions Paulines, 1978. 14 p.: ill. partiellement en coul. Coll. « Le Monde de Francis et Nathalie », 12. ISBN 0-88840-634-7 et 0-88840-635-5.

**Le Mauvais Pied,** conte. Illustrations de Rachel Roy. Montréal, Éditions Paulines, 1978. 14 p.: ill. partiellement en coul. Coll. « Le Monde de Francis et Nathalie », 13. ISBN 0-88840-642-8 et 0-88840-643-6.

**Nathalie fait du ski,** conte. Illustrations de Rachel Roy. Montréal, Éditions Paulines, 1978. 14 p.: ill. partiellement en coul. Coll. « Le Monde de Francis et Nathalie », 14. ISBN 0-88840-640-1 et 0-88840-641-X.

**Francis et Nathalie à la sucrerie,** conte. Illustrations de Rachel Roy. Montréal, Éditions Paulines, 1978. 14 p.: ill. partiellement en coul. Coll. « Le Monde de Francis et Nathalie », 15. ISBN 0-88840-644-4 et 0-88840-645-2.

**Un choix difficile pour Nathalie,** conte. Illustrations de Rachel Roy. Montréal, Éditions Paulines, 1978. 14 p.: ill. partiellement en coul. Coll. « Le Monde de Francis et Nathalie », 16. ISBN 0-88840-638-X et 0-88840-639-8.

**Le Petit Hiver,** conte. Illustrations de Jean-Christian Knaff. Montréal, Éditions Projets, 1981. 23 p.: en maj. part. ill. en coul. Coll. « Coquelicot », 12. ISBN 2-89038-939-1.

**Pollu-Ville,** conte. Illustrations de Philippe Béha. Montréal, Éditions Projets, 1981. 23 p.: en maj. part. ill. en coul. Coll. « Coquelicot », 16. ISBN 2-89038-943-X.

## Papartchu DROPAÔTT

Voir François-Marie Gérin-Lajoie.

## Marcel DUBÉ

Kèro

(Montréal, 3 janvier 1930– ). Alors étudiant au collège Sainte-Marie, Marcel Dubé fonde la troupe de théâtre la Jeune Scène (1950) et écrit sa première pièce, *le Bal triste*, jouée à l'Ermitage en 1951. Il entre ensuite à la faculté des lettres de l'université de Montréal (1951-1952) et crée *Zone* au Théâtre des Compagnons : ce qui lui vaut le trophée Calvert (1953). Dès lors, il travaille régulièrement pour Radio-Canada et ses textes sont diffusés tant à la radio, dans le cadre des *Nouveautés dramatiques*, qu'à la télévision où téléromans et téléthéâtres se succèdent. Mentionnons *Chambres à louer* (1954), *Florence* (1957), *Médée* (1958), *le Temps des lilas* (1962), *les Beaux Dimanches* (1972) pour les téléthéâtres, et *la Côte de sable* (1960–1962) et *le Monde de Marcel Dubé* pour les téléromans. Outre les publications, l'œuvre de Marcel Dubé regroupe nombre de pièces restées inédites mais jouées tant à la scène que sur les ondes de la radio d'État. En 1966 et 1973, Marcel Dubé voyait son apport à la dramaturgie québécoise souligné par la remise du

Prix Victor-Morin de la Société Saint-Jean-Baptiste et du Prix David.

## ŒUVRES

**Zone,** théâtre. Montréal, Éditions de la Cascade, 1956. 145 p.

**Le Temps des lilas,** suivi de **Un simple soldat,** théâtre. Québec, Institut littéraire du Québec, 1958. 311 p.

**Florence,** théâtre. Québec, Institut littéraire du Québec, 1960. 172 p.

**Les Beaux Dimanches,** théâtre. Montréal, Leméac, 1968. 185 p. : ill. Coll. « Théâtre canadien », 3.

**Bilan,** théâtre. Montréal, Leméac, 1968. 182 p. Coll. « Théâtre canadien », 4.

**Textes et Documents,** essai. Montréal, Leméac, 1968. 80 p. Coll. « Théâtre canadien, documents », 1.

**Pauvre Amour,** théâtre. Montréal, Leméac, 1969. 161 p. : portr. Coll. « Théâtre canadien », 6.

**Hold-up,** photo-roman. En collaboration avec Louis-Georges Carrier. Montréal, Leméac, 1969. 94 p. Coll. « Répertoire québécois ».

**Au retour des oies blanches,** théâtre. Montréal, Leméac, 1969. 189 p. : ill. Coll. « Théâtre canadien », 10.

**Un matin comme les autres,** théâtre. Présentation de Martial Dassylva. Montréal, Leméac, 1970. 181 p. : ill. Coll. « Théâtre canadien », 14.

**Le Coup de l'étrier** et **Avant de t'en aller,** théâtre. Montréal, Leméac, 1970. 126 p. : ill. Coll. « Théâtre canadien », 17.

**Entre midi et soir,** théâtre. Montréal, Leméac, 1971. 251 p. : ill. Coll. « Le Monde de Marcel Dubé », 1.

**Le Naufragé,** théâtre. Introduction de Jean-Cléo Godin. Montréal, Leméac, 1971. 132 p. : ill. Coll. « Théâtre canadien », 22.

**L'Échéance du vendredi,** suivi de **Paradis perdu,** théâtre. Montréal, Leméac, 1972. 90 p. Coll. « Répertoire québécois », 20-21.

**Manuel,** texte dramatique. Montréal, Leméac, 1973. 148 p. : ill. Coll. « Les Beaux Textes ».

**Médée,** théâtre. Introduction d'André Major. Montréal, Leméac, 1973. 124 p. : ill. Coll. « Théâtre canadien », 27.

**La Cellule,** théâtre. Montréal, Leméac, 1973. 116 p. : ill. Coll. « Le Monde de Marcel Dubé », 2.

**Jérémie, argument de ballet.** Montréal, Leméac, 1973. 69 p. : ill. Coll. « Spectacles ».

**De l'autre côté du mur,** suivi de **Rendez-vous du lendemain, le Visiteur, l'Aiguillage, le Père idéal, les Frères ennemis,** théâtre. Montréal, Leméac, 1973. 214 p. : planches. Coll. « Théâtre canadien », 29.

**Textes et Documents.** Tome II : **La Tragédie est un acte de foi,** essai. Montréal, Leméac, 1973. 120 p. Coll. « Documents ».

**Virginie,** théâtre. Introduction de François Ricard. Montréal, Leméac, 1974. 161 p. : 12 p. de planches, ill. Coll. « Théâtre canadien », 37.

**L'Impromptu de Québec** ou **le Testament,** théâtre. Montréal, Leméac, 1974. 201 p. : ill. Coll. « Théâtre canadien », 40.

**Poèmes de sable.** Montréal, Leméac, 1974. 205 p. Coll. « Poésie Leméac ». ISBN 0-7761-1005-5.

**L'été s'appelle Julie,** théâtre. Présentation d'Alain Pontaut. Montréal, Leméac, 1975. VIII-154 p. Coll. « Théâtre Leméac », 43. ISBN 0-7761-0042-4.

**Le Réformiste** ou **l'Honneur des hommes,** théâtre. Montréal, Leméac, 1977. 151 p. Coll. « Théâtre Leméac », 61. ISBN 0-7761-0060-2.

**Octobre,** théâtre. Montréal, Leméac, 1977. XVI-92 p. : 8 p. de planches, ill., portr. Coll. « Théâtre Leméac », 64. ISBN 0-7761-0063-7.

## ŒUVRE TRADUITE

**The White Geese,** théâtre. Traduction anglaise de Jean Remple ; titre original : **Au retour des oies blanches.** Toronto, New Press, 1972. XI-106 p. : ill. Coll. « New Drama », 5. ISBN 0-88770-604-5.

## ÉTUDES

Laroche, Maximilien, **Marcel Dubé.** Montréal, Fides, 1970. 190 p. : ill., fac-sim., portr.

Hamvlet, Edwin Clifford, **Marcel Dubé and French-Canadian Drama.** New York, Exposition Press, 1970. 112 p. Coll. « Exposition University Book ».

**Marcel Dubé : dossier de presse 1953–1980.** Sherbrooke, Bibliothèque du séminaire, 1981. N.p. : ill., portr.

## Rodolphe DUBÉ

Voir François Hertel.

## Marie-France DUBOIS

(Montréal, 16 juillet 1947– ). Vers le milieu des années 60, Marie-France Dubois se produit en tant qu'auteure-compositeure-interprète avec la troupe de folklore les Cotillons, à la Butte-à-Mathieu, la Pointe-au-Café et l'Auberge du P'tit Bonheur. Elle poursuit néanmoins ses études à l'école normale puis à l'Institut pédagogique de Montréal (1968) tout en étudiant la musique avec Sœur Louis-Alexandre. Par la suite, elle occupe divers emplois : serveuse, professeure suppléante, vendeuse, etc. Elle enseigne la formation morale au niveau secondaire depuis 1972. Dans le cadre d'une sensibilisation à la torture dans le monde, ses étudiants ont échangé des textes et des dessins avec de jeunes prisonniers salvadoriens. En collaboration avec des représentants de ce pays, Marie-France Dubois prépare actuellement la publication de ces témoignages et une exposition des dessins recueillis.

## ŒUVRES

**Le Passage secret,** roman. Montréal, Parti pris, 1975. 91 p.: ill. Coll. « Paroles », 35. ISBN 0-88512-078-7.

**Les Animots en fuite,** roman. Montréal-Nord, VLB, 1978. 197 p. ISBN 2-89005-047-5.

## René-Daniel DUBOIS

(Montréal, 20 juillet 1955– ). Après avoir terminé l'École nationale de théâtre en interprétation (1976), René-Daniel Dubois travaille deux ans comme comédien à Montréal tout en effectuant des tournées au Québec, au Canada et en France. À Paris en 1978-1979, il étudie l'improvisation et l'écriture dramatique avec Alain Knapp.

## ŒUVRES

**Panique à Longueuil,** théâtre. Montréal, Leméac, 1980. ISBN 2-7609-0086-X.

**Adieu, docteur Munch,** théâtre. Montréal, Leméac, 1982. ISBN 2-7609-0106-8.

## Réjean DUCHARME

(Saint-Félix-de-Valois, 12 août 1941– ). Romancier, dramaturge et scénariste, Réjean Ducharme fait ses études à Joliette puis à Montréal avant de s'engager dans l'aviation canadienne qui l'enverra dans le Grand Nord (1962). Il voyage ensuite quelque trois ans au Canada, aux États-Unis et au Mexique et publie en 1966 *l'Avalée des avalés.* Candidat au Prix Goncourt pour ce premier livre, il reçoit le Prix du Gouverneur général en 1967. C'est cette même année qu'il fait paraître son second roman, *le Nez qui voque,* et se voit remettre le Prix littéraire de la province de Québec. En 1968, *Ines Pérée et Inat Tendu, sur la terre* et *le Cid maghané* constituent son premier contact avec l'écriture théâtrale et sont jouées lors du festival de Sainte-Agathe. Récipiendaire du Prix Belgique-Canada en 1973 et du Prix France-Canada en 1976, respectivement pour *l'Hiver de force* et *les Enfantômes*, il écrit à la même époque les paroles de plusieurs chansons de Robert Charlebois (1976). En 1978, il écrit le scénario du film *les Bons Débarras*, réalisé par Francis Mankiewicz. Sa collaboration avec Mankiewicz devait plus récemment conduire à la production d'un second long métrage intitulé *les Beaux Souvenirs* (1981).

## ŒUVRES

**L'Avalée des avalés,** roman. Paris, Gallimard, 1966. 282 p.

**Le Nez qui voque,** roman. Paris, Gallimard, 1967. 275 p.

**L'Océantume,** roman. Paris, Gallimard, 1968. 190 p.

**La Fille de Christophe Colomb,** roman. Paris, Gallimard, 1969. 232 p.

**L'Hiver de force,** récit. Paris, Gallimard, 1973. 282 p.

**Les Enfantômes,** roman. Saint-Laurent, Lacombe, Gallimard, 1976. 283 p.

**Ines Pérée et Inat Tendu,** théâtre. Montréal, Leméac, Parti pris, 1976. XIX-127 p. Coll. « Théâtre Leméac, Parti pris ». ISBN 0-7761-0057-2.

**HAha !...** théâtre. Montréal, Lacombe, Paris, Gallimard, 1982. 112 p. ISBN 2-89085-006-4.

## ŒUVRE TRADUITE

**Wild to Mild,** récit. Traduction anglaise de Robert Guy Scully ; titre original : **L'Hiver de force.** Saint-Lambert, Héritage, 1980. 419 p. Coll. « Héritage Amérique ». ISBN 0-7773-3847-5.

## ÉTUDE

**Réjean Ducharme : dossier de presse 1966–1981.** Sherbrooke, Bibliothèque du séminaire. 1981. N.p. : ill., portr.

Leduc-Park, Renée, **Réjean Ducharme, Nietzsche et Dionysos.** Québec, Presses de l'université Laval, 1982. 320 p.

# Christiane DUCHESNE

(Montréal, 12 août 1949– ). Illustratrice, traductrice et recherchiste, Christiane Duchesne est également l'auteure de nombreux contes pour enfants. Après des études au collège Jésus-Marie d'Outremont (1960–1966) et au collège Jean-de-Brébeuf (1966–1968), elle fait une année de design industriel à l'université de Montréal (1969-1970). Recherchiste pour diverses maisons de production audio-visuelle, elle est également rédactrice en chef de *Décormag* en 1972 et éditrice associée aux éditions la Courte Echelle en 1977. Elle est de plus l'illustratrice de ses propres livres et de ceux d'un certain nombre d'auteurs.

## ŒUVRES

**Lazarus Olibrius,** conte pour enfants. Illustrations de l'auteure. Montréal, Héritage, 1975. N.p. : ill. Coll. « Les Enfants du roi Cléobule ». ISBN 0-7773-2511-X.

**Le Triste Dragon,** conte pour enfants. Illustrations de l'auteure. Montréal, Héritage, 1975. N.p. : ill. en coul. Coll. « Les Enfants du roi Cléobule ». ISBN 0-7773-2512-8.

**Le Serpent vert,** conte pour enfants. Illustrations de l'auteure. Montréal, Héritage, 1978. N.p. : ill. en coul. Coll. « Les Enfants du roi Cléobule ». ISBN 0-7773-2514-4.

**Le Loup, l'Oiseau et le Violoncelle,** conte pour enfants. Illustrations de l'auteure. Montréal, Le Tamanoir, 1978. N.p. : ill. en coul. Coll. « De l'étoile filante ». ISBN 0-88570-012-0.

**L'Enfant de la maison folle,** conte pour enfants. Illustrations de l'auteure. Montréal, La Maison folle, 1980. N.p. : ill. en coul. ISBN 2-920113-00-3.

**Le grand qui passe** ou **l'Histoire des avions de papier,** conte pour enfants. Illustrations de l'auteure. Québec, Service des communications du ministère de l'Environnement, 1980. N.p. : ill. Hors-commerce.

## ŒUVRES TRADUITES

**The Lonely Dragon,** conte pour enfants. Traduction anglaise de Rosemary Allison ; titre original : **Le Triste Dragon.** Toronto, J. Lorimer, 1977. N.p. : ill. en coul. ISBN 0-88862-155-8 et 0-88862-154-X.

**Lazarus Laughs,** conte pour enfants. Traduction anglaise de Rosemary Allison ; titre original : **Lazarus Olibrius.** Toronto, J. Lorimer, 1977. N.p. : ill. en coul. ISBN 0-88862-156-6 et 0-88862-157-4.

# Louis DUDEK

(Montréal, 6 février 1918– ). Éditeur de Delta Canada Press, Louis Dudek est professeur d'anglais à l'université McGill depuis 1951. C'est à cette même institution qu'il avait obtenu son B.A. (1939) peu après son passage au Montreal High School. Il est aussi détenteur d'une maîtrise en histoire de l'université Columbia de New York (1946) et d'un doctorat en littérature comparée (1955). En 1968, il a remporté le Prix littéraire du Québec.

### ŒUVRES

**Unit of Five,** poésie. Toronto, Ryerson Press, 1944.
**East of the City,** poésie. Toronto, Ryerson Press, 1946.
**The Searching Image,** poésie. Toronto, Ryerson Press, 1952.
**Cerberus,** poésie. En collaboration avec Irving Layton et Raymond Souster. Toronto, Contact Press, 1952.
**Twenty-Four Poems.** Toronto, Contact Press, 1952.
**Canadian Poems 1850–1952.** Sous la direction de Louis Dudek et Irving Layton. Toronto, Contact Press, 1952.
**Europe,** poésie. Toronto, Laocoon Press, 1954.
**The Transparent Sea,** poésie. Toronto, Contact Press, 1956.
**Selected Poems.** De Raymond Souster, sous la direction de Louis Dudek. Toronto, Contact Press, 1956.
**En Mexico,** poésie. Toronto, Contact Press, 1958.
**Laughing Stalks,** poésie. Toronto, Contact Press, 1958.
**Literature and the Press: A History of Printing, Printed Media and their Relation to Literature.** Toronto, Ryerson Press, Contact Press, 1960.
**Poetry of our Time.** Sous la direction de Louis Dudek. Toronto, MacMillan, 1966.
**The Making of Modern Poetry in Canada.** Sous la direction de Louis Dudek et Michael Gnarowski. Toronto, Ryerson Press, 1967.
**The First Person in Literature.** Toronto, Canadian Broadcasting Corporation, 1967.
**Atlantis,** poésie. Montréal, Delta Canada, 1967.
**Collected Poetry.** Montréal, Delta Canada, 1971. VIII-327 p. ISBN 0-919162-312.
**All Kinds of Everything.** Sous la direction de Louis Dudek. Toronto, Clarke Irwin, 1973.

## Francine DUFRESNE

(Montréal, 14 novembre 1941–    ). Francine Dufresne a étudié au collège Marguerite-Bourgeoys et fréquenté le Centre d'études slaves de l'université de Montréal avant de faire ses débuts à la radio (CKJL) en 1959. Reporter à *la Presse, la Patrie* et au *Petit Journal*, elle devient en 1965 pigiste à Radio-Canada. Attachée de presse de la famille Johnson de 1966 à 1969, elle dirige également le magazine *l'Univers féminin*. Depuis 1970, elle a travaillé comme scénariste, recherchiste, interviewer et animatrice dans le cadre de productions pour la télévision et, en 1979, elle fondait avec la collaboration du cinéaste Raoul Fox une compagnie de production, le Trèfle à cinq pattes.

### ŒUVRES

**Une femme en liberté,** roman. Montréal, Ferron Éditeur, 1972. 111 p.
**Solitude maudite,** roman. Montréal, Ferron Éditeur, 1973. 128 p.
**Dieu le clown,** roman. Montréal, Ferron Éditeur, 1975. 175 p.

## Guy DUFRESNE

(Montréal, 17 avril 1915–    ). Né à Montréal, Guy Dufresne s'installe très tôt à Frelighsburg où il devient pomiculteur, métier qu'il partagera avec celui d'écrivain. Son œuvre dramatique est importante : depuis 1945, il signe régulièrement des textes diffusés à la radio, à la télévision et au théâtre. Parmi les nombreux feuilletons qu'il a écrits, mentionnons : *Cap-aux-sorciers* (1955–1958), *Septième-Nord* (1963–1967), *les Forges du Saint-Maurice* (1971–1974). On lui doit également des traductions et des adaptations (adaptation de l'œuvre de Steinbeck, *Des souris et des hommes* pour la télévision, etc.), des scénarios de longs métrages et de nombreux écrits historiques. En 1978, il recevait le Prix Anik du meilleur texte dramatique pour *Johanne et ses vieux.*

### ŒUVRES

**Cap-aux-sorciers,** théâtre. Montréal, Leméac, 1969. 268 p.: ill. Coll. « Les Beaux Textes ».

**Les Traitants,** théâtre. Montréal, Leméac, 1969. 176 p. : ill. coll. « Théâtre canadien », 8.
**Le Cri de l'engoulevent,** théâtre. Notes préliminaires d'Alain Pontaut. Montréal, Leméac, 1969. 123 p. : ill. Coll. « Théâtre canadien », 9.
**Docile,** théâtre. Montréal, Leméac, 1972. 103 p. Coll. « Répertoire québécois », 18-19.
**Ce maudit lardier,** théâtre. Montréal, Leméac, 1975. XIII-167 p. : 16 p. de planches, ill. Coll. « Théâtre Leméac », 49. ISBN 0-7761-0048-3.

### ŒUVRE TRADUITE

**The Call of the Whippoorwill,** théâtre. Traduction anglaise de Philip London et Laurence Bérard ; titre original : **Le Cri de l'engoulevent.** Toronto, New Press, 1972. XIII-102 p. : ill. Coll. « New Drama », 6. ISBN 0-88770-699-1 et 0-88770-698-3.

### ÉTUDE

Lasnier, Marie, **Le Cri de l'engoulevent,** thèse de maîtrise. Montréal, université McGill, 1976.

## Raôul DUGUAY

Pseud. : Luôar Yaugud.

(Val d'Or, 13 février 1939– ). Poète et chansonnier, Raôul Duguay a fait des études de philosophie à l'université de Montréal (licence en 1964 puis scolarité de doctorat) pour ensuite enseigner au collège Sainte-Croix. Sa conception non orthodoxe de l'enseignement lui vaudra un congédiement en 1967. Entre temps il donne, dès 1965, lecture de ses premiers poèmes au Perchoir d'Haïti. C'est à cette époque également qu'il rencontre Gaston Miron qui l'ouvre à la poésie « kébékoise ». Il fonde alors avec Pierre Bertrand et Juan Garcia la revue *Passe-partout* (1965) et publie *Ruts* aux Éditions Estérel (1966). Il entre aussi et pour un temps à *Parti pris* où il assumera une chronique littéraire de 1967 à 1968. Il devient, également en 1967, rédacteur publicitaire chez Cockfield Brown Co. mais n'y reste que neuf mois. Il fait alors la connaissance de Walter Boudreau et d'autres musiciens et artistes avec qui il formera le groupe l'Infonie. Seul depuis 1972, Raôul Duguay a donné de nombreux spectacles tant en province qu'en France et en Belgique. À ses publications s'ajoutent les nombreux textes qu'il a écrits pour des revues telles *Mainmise, Liberté, Hobo-Québec*, etc., ainsi que quelques pièces de théâtre inédites. Il a également participé à titre de comédien à certains films dont *Mon amie Pierrette* et *Mon œil* du cinéaste Jean-Pierre Lefebvre. Il est l'auteur de plusieurs microsillons parmi lesquels *l'Envol* et *Allô tôutlmônd.* Depuis 1979, il anime une émission intitulée *le Voyage* à la radio de Radio-Canada tout en continuant sa carrière littéraire et artistique.

### ŒUVRES

**Aux lyres du matin,** poésie. En collaboration. Montréal, Nocturne, 1961. 59 p.
**Ruts,** poésie. Montréal, Estérel, 1966. 92 p.
**Or le cycle du sang dure donc,** poésie. Montréal, Estérel, 1967. 96 p. : ill.
**Le Manifeste de l'Infonie : le toutartbel,** essai-poésie. Montréal, Éditions du Jour, 1970. 111 p. : ill., musique.
**Lapokalipsô,** essai-poésie. Montréal, Éditions du Jour, 1971. 333 p. : ill.
**Musique du Kébèk,** document. Montréal, Éditions du Jour, 1971. 333 p. : graphiques.
**L'Amour,** poésie. Gravures de Jacques Brousseau et al. Québec, Atelier de réalisations graphiques, 1975. 1 portefeuille.
**Suite québécoise,** poésie. Illustrations de Roland Pichet. Montréal, Songe, 1976. N.p. : ill.
**Quand j'étions p'tit,** poésie. Sérigraphies de Christiane Valcourt. Montréal, s.é., 1977. N.p. : ill.
**Chansons d'Ô.** Montréal, Hexagone, 1982. 177 p. ISBN 2-29006-183-3.

### ÉTUDES

En collaboration. **Raôul Duguay** ou **le Poète à la voix d'ô,** document bio-bibliographique. Montréal, Éditions Univers, 1979. 245 p. : 64 p. de planches, ill., fac-sim., notations musicales, portr.
**Poètes québécois : dossiers de presse.** T. I **Alfred Desrochers, 1931-1978 ; Raôul Duguay, 1969-1979.** Sherbrooke, Bibliothèque du séminaire, 1981. 116 p. ill., portr.

André
DUHAIME

(Montréal, 19 mars 1948– ). Après avoir obtenu un baccalauréat en pédagogie à l'université de Montréal (1970), André Duhaime s'installe en Outaouais où il enseignera le français comme langue seconde au sein de divers organismes. Poète, il a également écrit des pièces de théâtre pour enfants : *Un monde en nœuf* et *Campignons* qui ont été jouées en 1980 mais demeurent inédites. Depuis 1979, il est conseiller de l'Association des auteurs de l'Outaouais québécois.

ŒUVRE

**Peau de fleur,** poésie. Hull, Asticou, 1979. 75 p. Coll. « Poètes de l'Outaouais ».

Roger
DUHAMEL

(Hamilton, Ont., 1916– ). Licencié en droit de l'université de Montréal, Roger Duhamel se porte candidat pour le Bloc populaire en 1944. Défait, il se lance dans le journalisme et travaillera tant au *Canada*, qu'au *Devoir*, à *la Patrie* et à *Montréal-Matin*. Également, un temps, professeur à l'université de Montréal puis Imprimeur de la Reine (1960–1969), il devient conseiller du secrétaire d'État à Ottawa (1969–1972) avant d'embrasser la carrière diplomatique. Critique et essayiste, Roger Duhamel remportait en 1962 le Prix Duvernay qui lui était décerné pour l'ensemble de son œuvre.

ŒUVRES

**Un manuel d'histoire unique.** Montréal, Imprimerie populaire, 1944. 11 p.

**Les Moralistes français,** essai. Montréal, Lumen, 1947. 194 p. Coll. « H ».

**Les Cinq Grands,** étude. Montréal, Éditions Fernand Pilon, 1947. 238 p.

**Littérature,** histoire et critique. Montréal, Éditions Fernand Pilon, 1948. 248 p.

**Lettres à une provinciale.** Montréal, Beauchemin, 1962. 252 p.

**Aux sources du romantisme français,** essai. Ottawa, Éditions de l'université d'Ottawa, 1965. 175 p.

**Manuel de littérature canadienne-française,** histoire et critique. Montréal, Éditions du Renouveau pédagogique, 1967. 161 p.

**L'Air du temps,** chroniques. Montréal, Cercle du livre de France, 1968. 203 p.

**Le Roman des Bonaparte,** histoire. Montréal, Éditions du Jour, 1969. 231 p. Coll. « Histoire vivante ».

**Témoins de leur temps : Châteaubriand, Barrès, Brasillach,** étude. Montréal, La Presse, 1980. 302 p. Coll. « Jadis et Naguère ». ISBN 2-89043-061-8.

**Le Choix de Roger Duhamel dans l'œuvre de Roger Duhamel.** Notre-Dame-des-Laurentides, Presses laurentiennes, 1981. 79 p. : portr. Coll. « Le Choix de... ». ISBN 2-89015-0216.

TRADUCTION

**Le Canada vu par un Américain.** Traduction de **Canada, Today and Tomorrow** de William Henry Chamberlin. Montréal, Éditions de l'Arbre, 1943. 317 p.

Nelson
DUMAIS

(Québec, 27 mars 1944– ). Journaliste à la pige, Nelson Dumais a travaillé comme agent de développement pour le Centre régional de développement de l'est du Québec (1975-1976) et comme professionnel pour le ministère des Affaires culturelles (1976–1978). Licencié en histoire de l'université Laval (1970) et bachelier en enseignement de l'université du Québec à Trois-Rivières (1972), il a reçu le Prix Jean-Béraud-Molson pour son premier roman *l'Embarquement pour Anticosti*. Également auteur-compositeur, Nelson Dumais a écrit une des chansons de *la Traversée*, microsillon de Gilles Bélanger.

ŒUVRES

**L'Embarquement pour Anticosti,** roman. Illustrations de Huguette Dunnigan. Montréal, Cercle du livre de France, 1976. 231 p. : ill. ISBN 0-7753-0082-9.

**Autrefois Sainte-Luce...,** monographie historique. Rimouski, Corporation de la seigneurie Lepage-Thibierge, 1979. 24 p. : cartes, photos.

**Le Septième Jour,** étude sociologique. En collaboration avec F.-X. Légaré et al. Rimouski, CRSSS-01, 1979. 254 p. : graphiques.

**Le Sabbat des dieux,** roman. Montréal, Cercle du livre de France, 1979. 183 p. ISBN 2-89051-009-3.

**Fernand DUMONT**

Kéro

(Montmorency, 24 juin 1927– ). Professeur à l'université Laval depuis 1955, président de l'Institut québécois de recherche sur la culture depuis 1979, Fernand Dumont est également directeur de la collection « Sciences de l'homme et humanisme » chez HMH et codirecteur de *Recherches sociographiques* ainsi que de la collection « Histoire et Sociologie de la culture » aux Presses de l'université Laval. Bachelier ès arts (1949) et détenteur d'une maîtrise en sciences sociales (1953) de l'université Laval, il a complété à la Sorbonne des certificats d'études supérieures en psychologie (1955), psychologie sociale (1956) et un doctorat en sociologie (1966). Ancien président de l'Association internationale des sociologues de langue française, il a collaboré aux revues *Maintenant, Relations, Liberté, Lumière et Vie, Communauté chrétienne, Esprit* ainsi qu'au *Devoir* et au *Monde diplomatique*. En 1964, Fernand Dumont recevait le Prix littéraire de la ville de Montréal pour son livre intitulé *Pour la conversion de la pensée chrétienne*. Il a depuis été récipiendaire du Prix du Gouverneur général 1964, (*le Lieu de l'homme*), de la Médaille Parizeau de l'ACFAS (1969), du Prix David (1976) et du Prix Esdras-Minville (1980). Il est également docteur honoris causa de l'université de Paris (1978).

## ŒUVRES

**L'Ange du matin,** poésie. Illustrations de Louise Carrier-Garant. Montréal, Éditions de Malte, 1952. 79 p. : ill.

**Situation de la recherche au Canada français,** essai. En collaboration avec Yves Martin. Québec, Presses de l'université Laval, 1962. 296 p.

**L'Analyse des structures sociales régionales,** essai. Québec, Presses de l'université Laval, 1963. 270 p. : cartes.

**Littérature et Société canadiennes-françaises,** essai. En collaboration avec Jean-Charles Falardeau. Québec, Presses de l'université Laval, 1964. 272 p.

**Pour la conversion de la pensée chrétienne,** essai. Montréal, HMH, 1964. 237 p.

**Le Pouvoir dans la société canadienne-française,** essai. En collaboration avec Jean-Paul Montminy. Québec, Presses de l'université Laval, 1966. 252 p.

**Le Lieu de l'homme,** essai. Montréal, HMH, 1968. 233 p.

**La Dialectique de l'objet économique,** essai. Paris, Éditions Anthropos, 1970. 386 p.

**Parler de septembre,** poésie. Montréal, L'Hexagone, 1970. 77 p.

**La Vigile du Québec,** essai. Montréal, HMH, 1971. 234 p.

**L'Église du Québec : un héritage, un projet,** essai. Montréal, Fides, 1971. 323 p.

**Idéologies au Canada français (1850–1900),** essai. Ouvrage publié sous la direction de Fernand Dumont et al. Québec, Presses de l'université Laval, 1971. Coll. « Histoire et Sociologie de la culture ».

**Chantiers. Essais sur la pratique des sciences de l'homme.** Montréal, HMH, 1973. 254 p. Coll. « Sciences de l'homme et humanisme ».

**Le Merveilleux, deuxième colloque sur les religions populaires 1971.** Textes présentés par Fernand Dumont et al. Québec, Presses de l'université Laval, 1973. Coll. « Histoire et Sociologie de la culture ».

**Idéologies au Canada français (1900–1929),** essai. Ouvrage publié sous la direction de Fernand Dumont et al. Québec, Presses de l'université Laval, 1974. Coll. « Histoire et Sociologie de la culture ».

**Les Idéologies,** essai. Paris, Presses universitaires de France, 1974. 183 p.

**Idéologies au Canada français (1930–1939),** essai. Ouvrage publié sous la direction de Fernand Dumont et al. Québec, Presses de l'université Laval, 1978. 361 p. Coll. « Histoire et Sociologie de la culture ».

**L'Anthropologie en l'absence de l'homme,** essai. Paris, Presses universitaires de France, 1981. 372 p.

**Questions de culture : cette culture qu'on appelle savante,** étude. Sous la direction de Fernand Dumont. Montréal, IQRC, Leméac, 1982. 190 p. ISBN 2-7609-6025-0.

**Idéologies au Canada français (1940–1976),** essai. Sous la direction de Fernand Dumont et al. Sainte-Foy, Presses de l'université Laval, 1982. 3 vol. ISBN 2-7637-6924-1.

### ŒUVRES TRADUITES

**The Vigil of Quebec,** essai. Traduction anglaise de Sheila Fischman et Richard Howard; titre original: **La Vigile du Québec.** Toronto, University of Toronto Press, 1974. 131 p.

**Las Ideologias,** essai. Traduction espagnole de C. Hizcorke et Eddy Montaldo; titre original: **Les Idéologies.** Madrid et Buenos Aires, 1978. 138 p.

## Françoise DUMOULIN-TESSIER

(Québec, ). Françoise Dumoulin-Tessier a enseigné à Ottawa, à l'université Laval et, pendant quelques mois, en Afrique du Sud. Elle a écrit et participé à la réalisation de l'émission « Paroles » qui a été diffusée pendant deux ans sur les ondes de CKRL. Ses téléthéâtres *Antoine et Sébastien* et *Élise ou le Temps d'aimer* ont été présentés à Ottawa. En 1980, son roman *Le Salon vert* lui valait le Prix Esso du Cercle du livre de France.

### ŒUVRES

**Le Salon vert,** roman. Montréal, Cercle du livre de France, 1980. 124 p. ISBN 2-89051-040-9.

**Visions d'amour,** recueil de nouvelles. Montréal, J. Frénette Éditeur, 1980, 159 p. ISBN 2-89190-005-7.

## † Carol DUNLOP

J. Cortazar

(Boston, Mass., 2 avril 1946–1982). Traductrice, romancière et nouvelliste, Carol Dunlop a fait des études de lettres à l'université McGill (1967) et complété une licence (1968) et une maîtrise (1969) en lettres modernes à l'université d'Aix-en-Provence. Membre de l'Association des traducteurs littéraires, elle a traduit à partir de 1973 nombre de livres pratiques, de romans et de récits. Les revues *Châtelaine, Liberté, Écrits du Canada français* ont publié certains de ses textes.

### ŒUVRES

**La Solitude inachevée,** roman. Montréal, La Presse, 1976. 184 p. ISBN 0-7777-0169-3.

**L'Immoraliste,** récit. Montréal, Estérel, 1979. 103 p.: ill. ISBN 2-90044-08-7.

**Mélanie dans le miroir,** roman. Paris, Éditions Acropole, 1980. 245 p.

### TRADUCTIONS

**Ultimatum,** roman. Traduction de **Ultimatum** de Richard Rohmer. Montréal, Éditions de l'Homme, 1974. 310 p.: ill., cartes. ISBN 0-7759-0410-4.

**Exonération,** roman. Traduction de **Exoneration** de Richard Rohmer. Montréal, Éditions de l'Homme, 1974. 278 p.: ill., cartes. ISBN 0-7759-0438-4.

**Exodus,** roman. Traduction de **Exodus** de Richard Rohmer. Montréal, Éditions de l'Homme, 1975. 313 p. ISBN 0-7759-0473-2.

**Children of the Black Sabbath,** roman. Traduction de **Les Enfants du Sabbat** d'Anne Hébert. Don Mills, Musson Books co., 1977. 198 p. ISBN 0-7737-0032-3.

**Beauté tragique,** prose. Traduction de **A Terrible Beauty** de Heather Robertson et al. Toronto, James Lorimer & co., 1978. 240 p.: ill.

**The Struma Incident,** roman. Traduction de **La Struma** de Michel Solomon. Toronto, McClelland & Stewart, 1979.

**Deaf to the City,** roman. Traduction de **Le Sourd dans la ville** de Marie-Claire Blais. Toronto, Lester, Orpen & Dennys, 1981.

## Jean-Pierre DUQUETTE

(Valleyfield, 27 juin 1939– ). Critique et essayiste, Jean-Pierre Duquette est professeur à l'université McGill depuis 1969 et directeur de la collection « Arts d'aujourd'hui » aux Éditions Hurtubise depuis 1977. Il a obtenu une licence en lettres de l'université de Montréal en 1963 et après des études à l'université de Paris X, un doctorat en littérature française. Ses recherches portent principalement sur le roman français du XIX$^{e}$ siècle, le roman québécois de

Van Dyck & Meyers

1845 à 1945, ainsi que sur l'art au Québec depuis le mouvement automatiste. Il collabore aux journaux *le Devoir* et *le Droit* et aux revues *Liberté, Livres et Auteurs québécois, Voix et Images*, etc. Il est membre de l'Association des écrivains de langue française, de la Société des écrivains canadiens et de l'Association des professeurs de français des universités canadiennes.

### ŒUVRES

**Flaubert ou l'architecture du vide,** critique. Montréal, Presses de l'université de Montréal, 1972. 186 p. ISBN 0-8405-0187-0.

**Germaine Guèvremont: une route, une maison,** critique. Montréal, Presses de l'université de Montréal, 1973. 78 p. Coll. « Lignes québécoises, textuelles ». ISBN 0-8405-0220-6.

**Fernand Leduc,** essai. Montréal, Hurtubise HMH, 1980. 154 p.: ill. Coll. « Arts d'aujourd'hui ».

## Lucile DURAND

Voir Louky Bersianik.

## Jean-Claude DUSSAULT

Kèro

(La Minerve, 9 septembre 1930–      ). Jean-Claude Dussault termine abruptement ses études à l'école normale Jacques-Cartier en 1950 puis fréquente le groupe automatiste de Montréal réuni autour de Claude Gauvreau. Après un séjour d'un an en France, il débute dans le journalisme (1959) et devient, en 1967, directeur du service des arts et lettres de *la Presse*, poste qu'il occupe toujours et qui l'a amené à rédiger d'innombrables articles et comptes rendus. Jean-Claude Dussault a fait le tour du monde, depuis l'Italie jusqu'au Japon et a séjourné durant six mois en Inde. Ses voyages jalonnent en quelque sorte un itinéraire intellectuel dont ses livres témoignent avec rigueur et constance. En 1981, Jean-Claude Dussault complétait une maîtrise en sciences religieuses à l'université du Québec à Montréal.

### ŒUVRES

**Proses: suites lyriques.** Montréal, Éditions d'Orphée, 1955. 119 p.

**Le Jeu des brises,** poésie. Montréal, Éditions d'Orphée, 1956. 52 p.

**Dialogues platoniques,** essai. Montréal, Éditions d'Orphée, 1956. 130 p.

**Sentences d'amour et d'ivresse,** poésie. Montréal, Éditions d'Orphée, 1958. 56 p.

**Essai sur l'hindouisme.** Montréal, Éditions d'Orphée, 1965. 99 p.

**Pour une civilisation du plaisir,** essai. Montréal, Éditions du Jour, 1968. 134 p.

**Le corps vêtu de mots,** essai. Montréal, Éditions du Jour, 1972. 156 p.

**L'Orbe du désir,** essai. Montréal, Quinze, 1976. 156 p.

**Éloge et Procès de l'art moderne,** essai. En collaboration avec Gilles Toupin. Montréal, VLB Éditeur, 1979. 129 p.: photos et dessins.

**1 Ching,** essai. Montréal, Libre Expression, 1982. 171 p. ISBN 2-89111-103-6.

## René DUVAL (1938–      )

### ŒUVRES

**Abitibi: mon pays, mes humeurs,** premier recueil de billets hebdomadaires publiés dans *l'Écho abitibien*. Val d'Or, chez l'auteur, 1980. 122 p.: ill.

**Abitibi: brumes et frimas,** deuxième recueil de billets hebdomadaires publiés dans *l'Écho abitibien*. Val d'Or, chez l'auteur, 1980. 122 p.: ill.

**Abitibi, caractères,** troisième recueil de billets hebdomadaires publiés dans *l'Écho abitibien*. Val d'Or, chez l'auteur, 1981. 131 p.: ill.

## Thérèse DUVAL

Hydro-Québec

(Québec, 15 février 1925–      ). Thérèse Duval a traité dans ses livres des problèmes de la femme en milieu de travail. Secrétaire du doyen de la faculté des sciences sociales de l'université Laval en 1952, elle travaille ensuite de 1955 à 1960 à l'Ambassade de France à Ottawa et entre ensuite, en juin 1962, comme secrétaire à Hydro-Québec. En 1968, elle prend charge du Centre de documentation tout en rédigeant une rubrique régulière dans le journal de l'Hydro-Québec. Elle y publie alors un dossier sur la situation de la femme au sein de cette société et est congédiée suite à cette publication. C'est en 1977 qu'elle entreprenait la rédaction de son premier essai qui portait sur le célibat féminin, *Madame ou Mademoiselle?*

### ŒUVRES

**Madame ou Mademoiselle?,** essai. Montréal, Libre Expression, 1978. 156 p. ISBN 0-88615-002-7.

**Ok boss,** essai. Montréal, Libre Expression, 1978. 294 p.

**La Marche nuptiale,** anecdotes, facéties, satires. Montréal, Libre Expression, 1980. 154 p. ISBN 2-89111-035-8.

**Béla**
**EGYEDI**

(Esztergom, Hongrie, 18 décembre 1913– ). Après des études en linguistique et littératures française et allemande (licence et maîtrise) à l'université Pázmány Péter de Budapest, Béla Egyedi devient rédacteur à l'Agence télégraphique hongroise (1940–1948). En 1945, il connaît la vie dans les camps de prisonniers et décide en 1948 de quitter son pays d'abord pour la France puis, en 1951, pour le Canada. Tour à tour professeur, documentaliste, traducteur, laveur de vaisselle, chômeur, administrateur technique, etc., il a publié en plusieurs langues, a écrit dans *The Antigonish Review* et est membre du Pen Club, de l'Association des journalistes hongrois libres et de l'Association des écrivains hongrois au Canada.

### ŒUVRES

**Joseph Conrad : his Verbal-Mental Photokinetics,** essai. Montréal, chez l'auteur, 1972. 16 f.
**3 × 7 (–) + : antologia.** Montréal, chez l'auteur, 1974. 57 p. : ill.
**Mushi-no-koe,** poésie. Montréal, chez l'auteur, 1978. 30 p.
**Haiku etc ! : Haiku-no-hirdoa,** poésie. Montréal, chez l'auteur, 1980. 46 p. : ill., portr.

**Toufik**
**EL HADJ-MOUSSA**

(Constantine, Algérie, 1944– ). Auteur de contes et de nouvelles, Toufik El Hadj-Moussa est également graphiste. Diplômé en architecture, il a voyagé un peu partout en Europe et au Moyen-Orient avant de venir habiter Montréal.

### ŒUVRES

**Le Passage,** conte, suivi de **Errances,** nouvelles. Sherbrooke, Naaman, 1980. 74 p. Coll. « Création », 84. ISBN 2-89040-174-X.
**Les Collines de l'épouvante,** nouvelles. Westmount, Desclez, 1981. 117 p. Coll. « Nuits d'encre », 2. ISBN 2-89142-068-3.

**Normande**
**ÉLIE**

(La Tuque, 19 novembre 1942– ). Romancière, Normande Élie a fait ses études à l'école normale de Trois-Rivières où elle a obtenu un brevet d'enseignement en 1961. Elle a été professeur à la commission scolaire de Sherbrooke (1976-1977) avant de reprendre ses études à l'université de cette même ville. Elle est membre de l'Association des auteurs des Cantons de l'Est et avoue s'intéresser à la « poésie fantastique ».

## ŒUVRES

**Sanmaur,** roman. Montréal, Éditions de Lagrave, 1975. 118 p. Coll. « Tendresse ».
**Vertige,** roman. Jonquière, Éditions de Lagrave, 1980. 111 p. Coll. « Tendresse ».

### Dany-El EMMANUEL

Pseud. de Denise Beaulne.
(1945- )

## ŒUVRES

**Natasha,** poésie. Outremont, Éditions du Soudain, 1973. 57 p.
**Vivre debout,** ou **Alpiniki,** poésie. Montréal, Éditions d'Éros, 1974. 93 p.

### Gloria ESCOMEL

(Montevideo, Uruguay, 15 octobre 1941- ). Gloria Escomel a vécu en Uruguay jusqu'à l'âge de dix-neuf ans. Elle a ensuite fait une licence en lettres à Paris avant de s'installer à Montréal en 1967. En plus d'enseigner, elle collabore à de nombreux périodiques : *Châtelaine, l'Actualité, la Gazette des femmes, le Devoir, la Nouvelle Barre du jour, Liberté*, etc. En 1979, elle obtenait un doctorat en études françaises de l'université de Montréal. Sa dramatique, *Tu en parleras... et après ?*, diffusée sur les ondes de Radio-Canada en 1980, lui valait le Prix des Radios européennes.

## ŒUVRES

**Ferveurs,** poésie. Paris, Éditions Saint-Germain-des-Prés, 1972.
**Exorcisme du rêve,** poésie. Paris, Éditions Saint-Germain-des-Prés, 1974.

### Jean ÉTHIER-BLAIS

(Sudbury, 1925- ). Jean Éthier-Blais est professeur et critique littéraire au *Devoir*. Il a étudié à l'université de Montréal, à l'École normale supérieure, à l'École pratique des hautes études de Paris et à l'université Laval. Ses *Signets I* et *2* ont été couronnés par le Prix France-Canada en 1967.

## ŒUVRES

**Exils,** essai. Montréal, Presses de l'université de Montréal, 1964, 32 p.
**Signets,** essai. Montréal, Cercle du livre de France, 1967, 2 vol.
**Mater Europa,** roman. Montréal et Paris, Cercle du livre de France, Grasset, 1968. 170 p.
**Asies,** poésie. Paris, Grasset, 1969. 93 p.
**Signets III,** essai. Montréal, Cercle du livre de France, 1973. 269 p.
**Ozias Leduc et Paul-Émile Borduas.** En collaboration avec François Gagnon et G.-A. Vachon. Montréal, Presses de l'université de Montréal, 1973. 153 p.
**Le Manteau de Ruben Dario,** nouvelles. Montréal, HMH, 1974. 158 p. Coll. « L'Arbre ». ISBN 0-7758-0028-7.
**Borduas et ses amis.** Montréal, Presses de l'université de Montréal, 1976.
**Dictionnaire de moi-même,** essai. Montréal, La Presse, 1976. 197 p. Coll. « Échanges », ISBN 0-7777-0127-8.
**Petits Poèmes presque en prose.** Montréal, Hurtubise HMH, 1978. 100 p. Coll. « Sur parole ». ISBN 0-7758-0025-2.

### Gérard ÉTIENNE

(Cap-Haïtien, Haïti, 28 mai 1936- ). Gérard Étienne détient un baccalauréat ès arts (1956), une licence ès lettres de l'université de Montréal (1968) et un doctorat en linguistique de l'université de Strasbourg (1974). À partir de 1958, il entreprit simultanément une carrière de journaliste, de professeur de lettres et d'écrivain. En plus de signer un premier recueil qui s'inscrivait dans ce qu'on appelait la nouvelle poésie haïtienne, il se retrouve à la tête de plusieurs mouvements culturels et littéraires dans son pays. À la suite d'une longue détention dans les prisons de Duvalier, il s'exile au Québec en août 1964. C'est à cette époque qu'il découvre les écrivains québécois : Miron, M. Beaulieu, Y.-G. Brunet, Olivier Marchand, N. Brossard, G. Langevin et Raôul Duguay avec lequel il organise au Perchoir d'Haïti une série de récitals de poésie à Montréal. À la même époque, il est membre du comité de lecture des Éditions Estérel et directeur de la revue *Lettres et Écritures*. L'œuvre de Gérard Étienne figure dans plusieurs anthologies : *Présence africaine* (France), *Anthologie des meilleurs poètes et romanciers haïtiens, Poésie vivante à Haïti* (France), *Histoire de la littérature haïtienne* (Haïti), *le Silence éclate* (URSS). Gérard Étienne a donné des conférences dans plusieurs pays. Il est professeur agrégé de linguistique et de journalisme à l'université de Moncton, rédacteur en chef de *la Revue de l'université de Moncton* et membre du conseil d'administration des Éditions d'Acadie.

## ŒUVRES

**Au milieu des larmes,** poésie. Haïti, Togiram Presse, 1960.
**Plus large qu'un rêve,** poésie. Haïti, Imprimerie Dorsainvil, 1960.
**La Raison et mon amour,** poésie. Haïti, Les Presses port-au-princiennes, 1961.
**Essai sur la négritude.** Haïti, Éditions Panorama, 1962.
**Gladys,** chant littéraire. Haïti, Éditions Panorama, 1963.
**Le Nationalisme dans la littérature haïtienne,** essai. Haïti, Éditions du Lycée Pétion, 1964.
**Lettre à Montréal,** poésie. Montréal, Estérel, 1966.
**Dialogue avec mon ombre,** poésie. Montréal, Éditions francophones du Canada, 1972. 135 p.
**Le Nègre crucifié,** récit. Montréal, Éditions francophones et Nouvelle Optique, 1974. 150 p.
**Un ambassadeur-macoute à Montréal,** roman. Montréal, Nouvelle Optique, 1979. 233 p. Coll. « Caliban & cie ». ISBN 2-89017-008-X.

# Ronald G. EVERSON

(Oshawa, Ont., 18 novembre 1903– ). Cofondateur de la maison d'édition Delta Canada et de la League of Canadian Poets, Ronald G. Everson a également dirigé la maison Ryerson Press. Il a fréquenté l'université de Toronto, a été admis au Barreau ontarien en 1930. Il habite Montréal depuis de nombreuses années. Les revues *Saturday Night, Prism International, Mosaic, Canadian Forum*, pour n'en citer que quelques-unes, ont accueilli plusieurs de ses textes.

## ŒUVRES

**Three Dozen Poems.** Montréal, Cambridge Press, 1927.
**A Lattice for Momos,** poésie. Toronto, Contact Press, 1958.
**Blind Man's Holiday,** poésie. Toronto, Ryerson Press, 1963.
**Four Poems.** Norwich, American Letters Press, 1963.
**Wrestle with an Angel,** poésie. Montréal, Delta Canada, 1965.
**Incident on Côte des Neiges & Other Poems.** Amherst, Green Knight Press, 1966.
**Raby Head and Other Poems.** Amherst, Green Knight Press, 1967.
**The Dark is not so Dark,** poésie. Illustrations de Colin Haworth. Montréal, Delta Canada, 1969. 91 p. : ill.
**Selected Poems 1920–1970.** Illustrations de Colin Haworth. Montréal, Delta Canada, 1970. 108 p. : ill., portr.
**Indian Summer,** poésie. Ottawa, Oberon Press, 1976.
**Carnival,** poésie. Ottawa, Oberon Press, 1978.

# F

**Andre**
**FARKAS**

(Hajdunanas, Hongrie, 11 mars 1948– ). Andre Farkas est arrivé au Canada comme bien d'autres immigrants hongrois en 1956. Professeur au collège John Abbot, il est, avec Ken Norris, l'auteur d'une anthologie sur les poètes anglophones de Montréal, *Montreal English Poetry of the Seventies.*

## ŒUVRES

**Szerbusz,** poésie. Montréal, Eldorado Editions, Davinci Press, 1974. N.p.

**Murders in the Welcome Cafe,** poésie. Montréal, Véhicule Press, 1977. N.p. : ill. ISBN 0-919890-11-3.

**Montreal English Poetry of the Seventies,** anthologie. En collaboration avec Ken Norris. Montréal, Véhicule Press, 1977. XII-149 p. : ill. ISBN 0-919890-13-X et 0-919890-12-1.

**From Here to Here,** poésie. Montréal, The Muse's Co., 1982. 32 p.

**Marc**
**FAVREAU**

Voir Sol.

**Jocelyne**
**FELX**

(Saint-Lazare-de-Vaudreuil, 2 janvier 1949– ). Jocelyne Felx est l'auteure de deux romans : *les Vierges folles* et *les Petits Camions rouges* parus en 1975 aux Éditions du Jour. Elle avait auparavant obtenu un baccalauréat en lettres françaises (1974) après des études à

l'université de Montréal puis à l'université du Québec à Chicoutimi. Elle est membre de la Société des écrivains de la Mauricie. Ses livres, parmi ceux de plusieurs autres, ont servi à étayer un essai sur *les Femmes québécoises depuis 1960, en littérature*, paru à Paris aux Éditions CNRS. En 1982, Jocelyne Felx remportait le Prix Émile-Nelligan pour *Orpailleuse*.

## ŒUVRES

**Les Vierges folles,** roman. Montréal, Éditions du Jour, 1975. 77 p. ISBN 0-7760-0645-2.

**Les Petits Camions rouges,** roman. Montréal, Éditions du Jour, 1975. 140 p. Coll. « Les Romanciers du Jour ».

**Feuillets embryonnaires,** prose. Trois-Rivières, Écrits des Forges, 1980. 65 p. Coll. « Les Rivières », 5.

**Orpailleuse,** poésie. Avec un dessin de Célyne Fortin. Saint-Lambert, Éditions du Noroît, 1982. 68 p. Coll. « L'Instant d'après », 1. ISBN 2-89018-059-X.

**David**
**FENNARIO**

(Montréal, 26 avril 1947– ). David Fennario écrit et décrit, aussi bien dans ses romans que dans ses pièces de théâtre, le milieu ouvrier d'où il vient et où il tient à demeurer. Ses

Kèro

pièces, en particulier, qui reflètent la vie du quartier Pointe Saint-Charles de Montréal, ont connu un vif succès tant au Québec qu'à l'extérieur.

## ŒUVRES

**Without a Parachute,** roman. Toronto, McClelland & Stewart, 1974. 229 p. ISBN 0-7710-3120-3.
**On the job,** théâtre. Montréal, Talonbook, 1977.
**Nothing to lose,** théâtre. Montréal, Talonbook, 1978.

## ŒUVRES TRADUITES

**Sans parachute,** roman. Traduction française de Gilles Hénault ; titre original : **Without a Parachute.** Montréal, Parti pris, 1977. 239 p. Coll. « Paroles », 55. ISBN 0-88512-121-X.
**À l'ouvrage,** théâtre. Traduction française de Robert Guy Scully ; titre original : **On the job.** Saint-Lambert, Héritage, 1979. 94 p. Coll. « Héritage-Amérique ». ISBN 0-7773-3833-5.

## Jean FERGUSON

(Restigouche, 13 janvier 1939- ). Né dans la réserve indienne de Restigouche (micmacque), ce dont il n'est pas peu fier, Jean Ferguson avait dix ans quand il est parti pour un assez long séjour au Brésil, séjour qui, dit-il a stimulé son imagination jusqu'à l'excès. Adolescent, il s'est arrêté « pour d'assez longues périodes dans la Beauce, à Montréal, au bord du Richelieu, à Ottawa, d'un collège à l'autre, ballotté entre Félix Leclerc et Marie-Josée Neuville, Camus et la découverte de tous les écrivains québécois d'alors, à une époque où la lecture était tenue pour une activité très suspecte. » Adulte, après un baccalauréat en philosophie à l'université d'Ottawa (1966) et en éducation à l'université de Montréal (1969), après des séjours en Gaspésie et à Montréal, il a choisi de s'installer à Val d'Or où il enseigne et écrit des romans, des pièces de théâtre et des essais. En 1978, le Festival du livre de Nice lui décernait un prix pour son essai sur *les Humanoïdes.*

## ŒUVRES

**Tout sur les soucoupes volantes,** essai. Illustrations d'Eddy Thomas. Montréal, Leméac, 1972. 258 p. : ill. Coll. « L'Homme et l'Univers ». ISBN 0-7761-4900-8.
**Contes ardents du pays mauve.** Montréal, Leméac, 1974. 154 p. Coll. « Roman québécois », 8.
**Les Humanoïdes : les cerveaux qui dirigent les soucoupes volantes,** essai. Illustrations de Daniel Saint-Pierre et Madeleine Naud. Montréal, Leméac, 1977. 279 p. : ill. Coll. « L'Homme et l'Univers ». ISBN 0-7761-4902-4.
**Énigmes du temps présent,** essai. Illustrations de Daniel Saint-Pierre. Montréal, Leméac, 1979. 140 p. : ill. Coll. « L'Homme et l'Univers ». ISBN 2-7609-4903-6.
**Frère Immondice, trente-troisième cuisinier de l'ordre des Catacombiens de la très stricte réforme,** roman. Montréal, La Presse, 1980. 141 p. Coll. « Roman d'aujourd'hui ». ISBN 2-89043-041-3.

## Jacques FERRON

Kèro

(Louiseville, 20 janvier 1921- ). Après avoir étudié aux collèges Jean-de-Brébeuf, Saint-Laurent et l'Assomption, Jacques Ferron obtient son doctorat en médecine à l'université Laval en 1945. Médecin dans l'armée de 1945 à 1946, il pratique ensuite à Rivière-Madeleine et, depuis 1948, à Ville Jacques-Cartier. Il n'a jamais cessé d'exercer sa profession qui le garde en contact avec la réalité « vécue » des Québécois. C'est en 1948 qu'il commence à écrire. Il publie, à ses débuts, du théâtre puis se tourne vers le conte et le roman. Critique au *Petit Journal* puis à *Maclean* (1966–1970), il assume également la rubrique « Historiette » dans *l'Information médicale* depuis 1959. Il commence à publier à compte d'auteur en 1962 mais, dès 1964, le Prix du Gouverneur général lui est attribué. Suivent dix années d'écriture riche et féconde et la consécration par le Prix de la Société Saint-Jean-Baptiste (1972) et le Prix David (1977). Outre sa carrière littéraire, Jacques Ferron est également connu pour ses prises de position politiques et pour son engagement social par le biais d'un parti de contestation qu'il a fondé en 1964 : le Parti Rhinocéros.

## ŒUVRES

**L'Ogre,** théâtre. Montréal, Cahiers de la file indienne, 1949. 83 p.

**La Barbe de François Hertel,** suivi de **le Licou,** théâtre. Montréal, Éditions d'Orphée, 1951. 40 p.

**Le Dodu,** théâtre. Montréal, Cahiers de la file indienne, 1953. 91 p.

**Tante Élise** ou **le Prix de l'amour,** théâtre. Montréal, Éditions d'Orphée, 1956. 103 p.

**Le Cheval de Don Juan,** théâtre. Montréal, Éditions d'Orphée, 1957. 223 p.

**Les Grands Soleils,** théâtre. Montréal, Éditions d'Orphée, 1958. 190 p.

**Le Licou,** théâtre. Montréal, Éditions d'Orphée, 1958. 103 p.

**Cotnoir,** roman. Montréal, Éditions d'Orphée, 1962. 99 p.

**Contes du pays incertain.** Montréal, Éditions d'Orphée, 1962. 200 p.

**Cazou** ou **le Prix de la virginité.** Montréal, Éditions d'Orphée, 1963. 86 p.

**La Tête du roi,** théâtre. Montréal, Presses de l'AGEUM, 1963. 93 p.

**Contes anglais et autres.** Montréal, Éditions d'Orphée, 1964. 153 p.

**La Nuit,** roman. Montréal, Parti pris, 1965. 134 p.

**Papa Boss,** roman. Montréal, Parti pris, 1966. 142 p.

**La Charrette,** roman. Montréal, HMH, 1968. 207 p. Coll. « L'Arbre », 14.

**Contes,** édition intégrale. Montréal, HMH, 1968. 210 p. Coll. « L'Arbre ».

**Théâtre.** Tome I : **les Grands Soleils, Tante Élise, le Don Juan chrétien.** Montréal, Déom, 1968. 229 p.

**Historiettes,** récits. Montréal, Éditions du Jour, 1969. 182 p. Coll. « Les Romanciers du Jour ».

**Le Ciel de Québec,** roman. Montréal, Éditions du Jour, 1969. 403 p. Coll. « Les Romanciers du Jour ».

**L'Amélanchier,** récit. Montréal, Éditions du Jour, 1970. 163 p. Coll. « Les Romanciers du Jour ».

**Cotnoir,** suivi de **la Barbe de François Hertel,** théâtre. Montréal, Éditions du Jour, 1970. 127 p. Coll. « Les Romanciers du Jour ».

**Le Salut de l'Irlande,** roman. Montréal, Éditions du Jour, 1970. 221 p. Coll. « Les Romanciers du Jour ».

**Les Roses sauvages : petit roman suivi d'une lettre d'amour soigneusement présentée.** Montréal, Éditions du Jour, 1971. 177 p. Coll. « Les Romanciers du Jour ».

**La Chaise du maréchal-ferrant,** roman. Montréal, Éditions du Jour, 1972. 223 p. Coll. « Les Romanciers du Jour ».

**Les Confitures de coings et autres textes.** Version corrigée et refondue de **Papa Boss,** version nouvelle de **la Nuit ; la Créance ; Appendice aux confitures de coings.** Montréal, Parti pris, 1972. 326 p. Coll. « Paroles », 21. ISBN 0-88512-046-9.

**Le Saint-Élias,** roman. Montréal, Éditions du Jour, 1972. 186 p. Coll. « Les Romanciers du Jour ».

**Du fond de mon arrière-cuisine,** essai. Montréal, Éditions du Jour, 1973. 290 p. Coll. « Les Romanciers du Jour ».

**Théâtre.** Tome II : **la Tête du roi ; le Dodu ; la Mort de M. Borduas ; le Permis de dramaturge ; l'Impromptu des deux chiens.** Montréal, Déom, 1975. 192 p.

**Escarmouches : la longue passe,** essai. Montréal, Leméac, 1975. T. 1 : 391 p. ISBN 0-7761-8903-4. T. 2 : 227 p. ISBN 0-7761-8904-2.

**Les Confitures de coings et autres textes,** suivi de **le Journal des confitures de coings,** roman. Montréal, Parti pris, 1977. 293 p. : ill., facsim., portr. Coll. « Projections libérantes », 3. ISBN 0-88512-126-0.

**Rosaire,** précédé de **l'Exécution de Maski,** roman. Montréal-Nord, VLB, 1981. 200 p. ISBN 2-89005-059-2.

## ŒUVRES TRADUITES

**Tales from the Uncertain Country.** Traduction anglaise de Betty Bednarski ; titre original : **Contes anglais ; Contes du pays incertain ; Contes inédits.** Toronto, Anansi, 1972. 101 p. Coll. « Anansi Fiction ». ISBN 0-88784-320-4 et 0-88784-419-7.

**Dr. Cotnoir,** roman. Traduction anglaise de Pierre Cloutier ; titre original : **Cotnoir.** Montréal, Harvest House, 1973. 86 p. Coll. « French Writers of Canada Series ». ISBN 0-88772-140-0.

**The Juneberry Tree,** récit. Traduction anglaise de Raymond Y. Chamberlain ; titre original : **L'Amélanchier.** Montréal, Harvest House, 1975. 157 p. Coll. « French Writers of Canada Series ». ISBN 0-88772-158-3.

**The Saint Elias,** roman. Traduction anglaise de Pierre Cloutier ; titre original : **Le Saint-Élias.** Montréal, Harvest House, 1975. 145 p. Coll. « French Writers of Canada Series ». ISBN 0-88772-147-8.

**Wild Roses : a Story Followed by a Love Letter,** roman. Traduction anglaise de Betty Bednarski ; titre original : **Les Roses sauvages.** Toronto, McClelland & Stewart, 1976. 123 p. ISBN 0-7710-3130-0.

## ÉTUDES

Marcel, Jean, **Jacques Ferron malgré lui.** Montréal, Éditions du Jour, 1970. 221 p. Coll. « Littérateurs du Jour ».

De Roussan, Jacques, **Jacques Ferron : quatre itinéraires.** Montréal, Presses de l'université du Québec, 1971. 91 p.

Boucher, Jean-Pierre, **Jacques Ferron au pays des amélanchiers.** Montréal, Presses de l'université de Montréal, 1973. 112 p. Coll. « Lignes québécoises ».

Boucher, Jean-Pierre, **Les Contes de Jacques Ferron.** Montréal, L'Aurore, 1974. 149 p. Coll. « L'Amélanchier ». ISBN 0-88532-014-X.

Taschereau, Yves, **Le Portuna : la médecine dans l'œuvre de Jacques Ferron.** Préface de Gilbert La Rocque. Montréal, L'Aurore, 1974. 120 p. Coll. « L'Amélanchier-essai », 3. ISBN 0-88532-047-6.

Ziroff, Mary, **A Study Guide to Jacques Ferron's Tales from the Uncertain Country.** Toronto, Anansi, 1977. 28 p.

Marcel, Jean, **Jacques Ferron malgré lui.** Edition revue et augmentée. Montréal, Parti pris, 1978. 285 p. : ill., diagr., portr. Coll. « Frères chasseurs ». ISBN 0-88512-124-4.

L'Hérault, Pierre, **Jacques Ferron, cartographe de l'imaginaire.** Montréal, Presses de l'université de Montréal, 1980. 293 p. Coll. « Lignes québécoises ». ISBN 2-7606-0440-3.

**Jacques Ferron : dossier de presse 1950–1981.** Sherbrooke, Bibliothèque du séminaire, 1981. N.p. : ill., portr.

## Madeleine FERRON

(Louiseville, 24 juillet 1922– ). « Autodidacte comme la plupart des femmes de sa génération », Madeleine Ferron suivra quelques cours en histoire et en littérature à l'université de Montréal (1944) et, plus tard, en ethnographie à l'université Laval (1966). Membre du conseil d'administration de plusieurs organismes publics, présidente d'Épilepsie Québec et de la Fondation Robert-Cliche du nom de celui avec qui elle partagea trente-deux ans de vie commune, elle a collaboré à plusieurs revues et journaux dont *le Devoir, l'Actualité, Liberté, Châtelaine* et *l'Information médicale.* Deux de ses œuvres, *la Fin des loups-garous* et *le Baron écarlate* reçurent respectivement des mentions pour le Prix France-Québec (1967) et le Prix littéraire de la ville de Montréal (1972). Membre du jury de ce prix en 1979 et de celui de l'Institut canadien de Québec la même année, Madeleine Ferron est commissaire à la Commission des biens culturels du Québec depuis 1975.

Kèro

## ŒUVRES

**Cœur de sucre,** contes. Montréal, HMH, 1966. 219 p.

**La Fin des loups-garous,** roman. Montréal, HMH, 1966. 187 p.

**Le Baron écarlate,** roman. Montréal, HMH, 1971. 175 p. Coll. « L'Arbre ».

**Quand le peuple fait la loi ; la loi populaire à Saint-Joseph-de-Beauce,** essai. En collaboration avec Robert Cliche. Montréal, Hurtubise HMH, 1972. 157 p.

**Les Beaucerons, ces insoumis : 1735–1867,** essai. En collaboration avec Robert Cliche. Montréal, Hurtubise HMH, 1974. 174 p. : 4 p. de planches, cartes.

**Le Chemin des dames,** nouvelles. Illustrations d'Yseult Ferron. Montréal, La Presse, 1977. 166 p. : ill. ISBN 0-7777-0187-1.

**Histoires édifiantes,** nouvelles. Montréal, La Presse, 1981. 156 p. ISBN 2-89043-059-6.

## Jean-Paul FILION

(Notre-Dame-de-la-Paix, 24 février 1927– ). Jean-Paul Filion, qui a fait ses études à l'école des Beaux-Arts et qui travaille comme décorateur à Radio-Canada (Québec) depuis 1969, a poursuivi une carrière parallèle comme chansonnier et dramaturge. Gagnant du Grand Prix de la chanson canadienne en 1958, il enregistre un premier microsillon cette même année avant

Marc Réardon

de se rendre à Paris où il participe à des émissions de télévision et chante dans plusieurs boîtes de la Rive Gauche. De retour au pays, il écrira la musique et les paroles pour des longs métrages (O.N.F.) et des séries télévisées à Radio-Canada. Jean-Paul Filion est également auteur de nombreuses séries dramatiques jouées à la radio et à la télévision et de téléthéâtres dont *Une marche au soleil* (1963) qui a été présenté à la télévision belge et française et, en version anglaise, à la télévision australienne et anglaise. Jean-Paul Filion a reçu le Prix littéraire du Québec en 1963 pour *Un homme en laisse* et *les Murs de Montréal* a été désigné Choix du libraire en 1978.

## ŒUVRES

**Du centre de l'eau,** poésie. Montréal, L'Hexagone, 1955. 32 p. Coll. « Les Matinaux ».

**Demain les herbes rouges,** poésie. Montréal, L'Hexagone, 1962. 34 p.

**Un homme en laisse,** roman. Montréal, Éditions du Jour, 1962. 124 p. Coll. « Les Romanciers du Jour ».

**Chansons, Poèmes et la Grondeuse.** Montréal, Leméac, L'Hexagone, 1973. 87 p.

**Saint-André Avelin... le premier côté du monde,** roman. Montréal, Leméac, 1975. 282 p. Coll. « Roman québécois », 14. ISBN 0-7761-3015-3.

**Mon ancien temps.** Réédition du roman **Un homme en laisse,** avec une nouvelle inédite, **la Pitro** et une pièce en un acte **la Maison de Jean-Bel.** Montréal, Leméac, 1976. 190 p. Coll. « Les Classiques Leméac ». ISBN 0-7761-3800-6.

**Les Murs de Montréal,** roman. Montréal, Leméac, 1977. 431 p. Coll. « Roman québécois », 22. ISBN 0-7761-3025-0.

**Cap Tourmente,** roman. Montréal, Leméac, 1980. 163 p. Coll. « Roman québécois », 40. ISBN 2-7609-3047-5.

## Pierre FILION

Kero

(Frelighsburg, 27 juin 1951- ). Pierre Filion poursuit ses études de doctorat à l'université de Montréal où il obtient sa maîtrise ès lettres en 1975. Directeur de production aux Éditions Leméac en 1972 puis directeur littéraire en 1975, il est depuis 1978 chef du service de la production aux Presses de l'université de Montréal. Scripteur et auteur de théâtre pour la radio, secrétaire du Prix de la revue *Études françaises*, il a fondé les Éditions du Silence, maison d'édition artisanale qui publie prose et poésie à tirage limité. Il rédige des introductions critiques, des préfaces et des critiques journalistiques pour diverses publications.

## ŒUVRES

**Le Personnage,** roman. Montréal, Leméac, 1972. 99 p. Coll. « Roman québécois », 4.

**Impromptu pour deux virus,** théâtre. Montréal, Leméac, 1973. 63 p. : planches. Coll. « Répertoire québécois », 31.

**La Brunante,** roman. Montréal, Leméac, 1973. 104 p. Coll. « Roman québécois », 6.

**Sainte-bénite de sainte-bénite de mémère,** roman. Montréal, Leméac, 1975. 134 p. Coll. « Roman québécois », 13. ISBN 0-7761-3014-5.

**Un/une : Marie-Laure, quintette à mots.** Montréal, Éditions du Silence, 1980. 11 p. ISBN 2-920180-00-2.

**Juré craché,** roman. Montréal, VLB, 1982. 196 p. ISBN 2-89005-137-4.

## Jacques FOLCH-RIBAS

(Barcelone, Espagne, 4 novembre 1928- ). Jacques Folch-Ribas est architecte, urbaniste, critique et historien d'art, auteur et commentateur radiophonique. Membre du comité de direction de *Vie des arts* depuis 1958 et du comité de direction de *Liberté* depuis 1961. Journaliste, il collabore à divers journaux depuis 1950. Prix France-Canada 1974 pour son roman *Une aurore boréale.*

Kèro

## ŒUVRES

**Jordi Bonet. Le signe et la terre,** essai-monographie. Montréal, C.P.P., 1964. 80 p. : ill. part. en coul., portr.

**Le Démolisseur,** roman. Premier titre de **La Horde des Zamé.** Paris, Robert Laffont, 1970. 225 p.

**Le Greffon,** roman. Deuxième titre de **La Horde des Zamé.** Paris, Montréal, Robert Laffont, Éditions du Jour, 1971. 309 p.

**Jacques de Tonnancour. Le signe et le temps,** essai-monographie. Montréal, Presses de l'université du Québec, 1971. 92 p. : ill. partiellement en coul., portr.

**Une aurore boréale,** roman. Paris, Robert Laffont, 1974. 226 p.

## ŒUVRE TRADUITE

**Northlight, Lovelight,** roman. Traduction anglaise de Jeremy J. Leggatt ; titre original : **Une aurore boréale.** New York, Reader's Digest Press, 1976. 155 p.

## Jacques FORTIER (1940- )

## ŒUVRES

**Nerfs et Danse,** poésie. Sherbrooke, Cosmos, 1970. 78 p. Coll. « Amorces », 6.

**Redondances,** poésie. Sherbrooke, Cosmos, 1973. 81 p. Coll. « Relances », 8.

**Bivouac,** poésie. Sherbrooke, Cosmos, 1976. 74 p. Coll. « Relances », 12.

## Célyne FORTIN

(La Sarre, 30 août 1943- ). Codirectrice des Éditions du Noroît, Célyne Fortin a fait la conception graphique de nombreux livres parus à cette maison d'édition. Elle a étudié en science infirmière, en cinéma et en arts plastiques. Ses peintures et ses collages ont fait partie de plusieurs expositions.

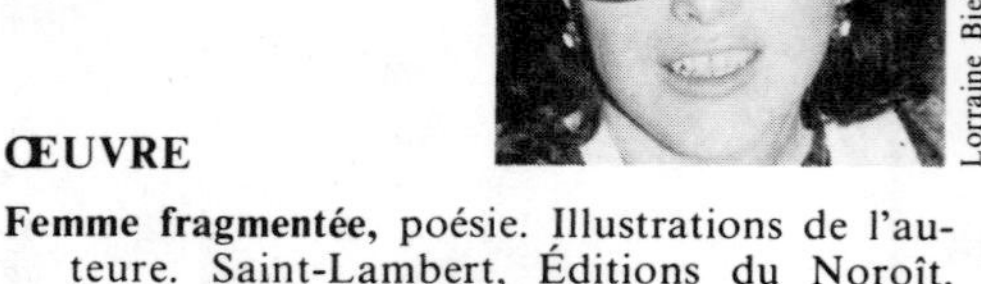

Lorraine Bielman

## ŒUVRE

**Femme fragmentée,** poésie. Illustrations de l'auteure. Saint-Lambert, Éditions du Noroît, 1982. N.p. : ill. ISBN 2-89018-058-1.

## Michel FOUGÈRES

Pseud. : Pierre Czeszmer.

(Paris, France, 28 janvier 1924- ). Après des études en France et en Belgique, Michel Fougères s'inscrit à l'université de New York où il complète un B.A. et une maîtrise en français (1964 et 1965) ainsi qu'un doctorat en littérature comparée (1972). Professeur au département de langues modernes de la Carnegie-Mellon University de Pittsburgh, il a donné des conférences dans plusieurs universités ou sociétés américaines, écrit des articles pour les revues *Présence francophone, les Temps modernes, Commentary,* etc., et animé des émissions radiophoniques sur la chanson française. Il est membre de la Modern Language Association of America, de l'American Association of Teachers of French et de quelques autres organismes.

## ŒUVRES

**Les Ruines d'Angkor,** récit. Paris, Promotion et Édition, 1967.

**Cho'Qua'n,** récit. Sherbrooke, Éditions Cosmos, 1971. 81 p. : ill. Coll. « Relances », 5.

**La Liebestod dans le roman français, anglais et allemand au XVIIIe siècle,** essai. Préface de Jean-Pierre Monnier. Sherbrooke, Éditions Naaman, 1974. 223 p. Coll. « Études », 4.

**Guy-Marc**
**FOURNIER**

(Roberval, 2 février 1939– ). Autodidacte, Guy-Marc Fournier a exercé divers métiers (travailleur forestier, ouvrier de scierie, etc.) avant de devenir journaliste en 1969. Successivement à l'emploi du *Droit*, du *Montreal Star*, du *Nouvelliste* et du *Quotidien* il est, depuis quelques années, pigiste au *Progrès-Dimanche* de Chicoutimi. Depuis 1973, le Cercle du livre de France a publié quatre de ses romans dont *l'Aube* qui lui a valu le Prix Jean-Béraud-Molson en 1974. Passionné de peinture, de cinéma et de littérature québécoise, il s'intéresse particulièrement aux artistes qui représentent la culture populaire dans son quotidien : sculpteurs et peintres traditionnels, etc.

ŒUVRES

**Ma nuit,** roman. Montréal, Cercle du livre de France, 1973. 200 p. ISBN 0-7753-0030-6.
**L'Aube,** roman. Montréal, Cercle du livre de France, 1974. 136 p. ISBN 0-7753-0054-3.
**Les Ouvriers,** roman. Montréal, Cercle du livre de France, 1975. 216 p. ISBN 0-7753-0083-7.
**L'Autre Pays,** roman. Montréal, Cercle du livre de France, 1978. 243 p. ISBN 0-7753-0108-6.

**Roger**
**FOURNIER**

(Saint-Anaclet, 22 octobre 1929– ). Roger Fournier quitte la ferme de ses parents pour aller étudier au petit séminaire de Rimouski puis à l'université Laval d'où il ressort licencié en lettres. Réalisateur à la télévision de Radio-Canada, il a également réalisé deux longs métrages et collaboré aux revues *Écrits du Canada français* et *Liberté*. Son roman, *les Cornes sacrées*, s'est vu attribuer le Prix Louis-Barthon de l'Académie française.

Kèro

ŒUVRES

**Inutile et Adorable,** roman. Montréal, Cercle du livre de France, 1963. 204 p.
**À nous deux !,** roman. Préface d'Henri Guillemin. Montréal, Cercle du livre de France, 1965. 210 p.
**Les Filles à Mounne,** nouvelles. Montréal, Cercle du livre de France, 1966. 163 p.
**Journal d'un jeune marié,** roman. Montréal, Cercle du livre de France, 1967. 198 p.
**La Voix,** roman. Montréal, Cercle du livre de France, 1968. 230 p.
**L'Innocence d'Isabelle,** roman. Montréal, Cercle du livre de France, 1969. 238 p.
**L'Amour humain,** roman. Montréal, Presses libres, 1970. 140 p. : ill.
**Gilles Vigneault, mon ami,** essai. Montréal, La Presse, 1972. 205 p. : ill. ISBN 0-7777-026-3.
**La Marche des grands cocus,** roman. Montréal, L'Actuelle, 1972. 255 p. ISBN 0-7752-0023-7.
**Moi, mon corps, mon âme, Montréal, etc.,** roman. Montréal, La Presse, 1974. 251 p. ISBN 0-7777-0089-1.
**Les Cornes sacrées,** roman. Paris, Albin Michel, 1977. 317 p.
**Le Cercle des arènes,** roman. Paris, Albin Michel, 1982. 273 p. ISBN 2-226-01417-90.

**Lucien**
**FRANCŒUR**

(Montréal, 9 septembre 1948– ). Lucien Francœur quitte l'école à quinze ans et se rend à New York où il séjourne quelques mois à Greenwich Village. De retour au Québec, il erre dans les rues de Montréal et, à dix-huit ans, commence à écrire. En 1969, il se rend à la Nouvelle-Orléans où il termine ses études secondaires. On le retrouve ensuite à Montréal, étudiant en lettres au cégep Maisonneuve (1970-1971). Il collabore aux Herbes rouges et rencontre Gaston Miron qui publie son premier recueil *Minibrixes réactés* à l'Hexagone. Après plusieurs voyages à Los Angeles et à Vancou-

ver, il crée à son retour à Montréal, le groupe rock « Aut'chose » afin d'étendre « le chant de sa poésie ». Il donne des spectacles de poésie rock partout au Québec ainsi qu'à Paris tout en continuant à publier des livres et à enregistrer des disques. Il collabore également aux revues *Hobo-Québec, Possibles, Liberté, Estuaire*, etc. et à certaines anthologies. Il est, depuis 1979, directeur de la collection « H » aux Éditions de l'Hexagone et a conçu et animé une série de quatorze émissions sur la chanson rock et la poésie moderne sur les ondes de CKOI-MF (1980). Lucien Francœur est bachelier en lettres de l'université du Québec à Trois-Rivières (1980) et prépare une thèse de maîtrise sur sa démarche poétique.

### ŒUVRES

**Minibrixes réactés,** poésie. Montréal, L'Hexagone, 1972. 58 p.

**5-10-15,** poésie et prose. Montréal, Éditions Danielle Laliberté, 1972. N.p. : ill.

**Snack Bar,** poésie. Montréal, Les Herbes rouges, n° 10, juillet 1973. N.p.

**Roman d'amour.** Montréal, Éditions Danielle Laliberté, 1973. 80 p. : ill.

**Les Grands Spectacles : été 70, été 71 : a powerhouse book designed to keep any party swinging,** poésie. Montréal, L'Aurore, 1974. 118 p. : ill., portr. Coll. « Lecture en vélocipède », 9. ISBN 0-88532-030-1.

**Suzanne le cha-cha-cha et moi,** prose. Montréal, L'Hexagone, 1975. 85 p.

**Drive-In,** poésie. Paris et Montréal, Seghers et L'Hexagone, 1976. 59 p.

**Le Calepin d'un menteur,** prose. Montréal, Éditions Cul-Q, 1976. 62 p. : ill., portr.

**Les Néons las,** poésie. Montréal, L'Hexagone, 1977. 110 p.

**À propos de l'été du serpent,** poésie. Paris, Le Castor astral, 1980. 90 p.

**Des Images pour une Gitane,** poésie. Montréal, Éditions d'Orphée, 1981. N.p.

## Pierre FRANCŒUR

(Thetford-Mines, 6 juillet 1952–    ). Directeur des nouvelles et des pages culturelles du *Journal de Montréal*, Pierre Francœur est détenteur d'un diplôme d'études collégiales en psychologie (1973). Président fondateur de l'Association des auteurs des Cantons de l'Est et fondateur des Éditions Sherbrooke, il a également travaillé au sein de diverses publications dont *la Tribune* de Sherbrooke où il a agi comme chroniqueur artistique et directeur de l'information.

### ŒUVRES

**Bouquets de la mer,** poésie. Avec 10 dessins de Francine Boivin. Sherbrooke, Éditions Sherbrooke, 1975. 103 p. : ill. en coul. Coll. « De la muse », 2.

**Fragments noirs,** poésie. Sherbrooke, Éditions Sherbrooke, 1976. 24 p.

**Thermostats,** poésie. Sherbrooke, Éditions Sherbrooke, 1980. 75 p. Coll. « Chez la muse ».

## Jean-Marc FRÉCHETTE

(Sainte-Brigitte-des-Saults, 6 mai 1943–    ). Détenteur d'une maîtrise en lettres françaises de l'université McGill (1968), Jean-Marc Fréchette a fait de longs séjours en Europe (sept ans à Paris, en Grèce et en Italie) et aux Indes (deux ans). Poète et admirateur de René Char, il a collaboré à la revue *Liberté* et publié deux recueils de poésie aux Écrits des Forges.

### ŒUVRES

**Le Retour,** poésie. Trois-Rivières, Écrits des Forges, 1975. 66 p. Coll. « Les Rouges-Gorges », 17.

**L'Altra Riva,** poésie. Trois-Rivières, Écrits des Forges, 1976. 57 p. Coll. « Les Rouges-Gorges », 18.

**Louise**
**FRÉCHETTE**

(Montréal, 27 juin 1946– ). Psychologue et consultante en orientation au cégep Ahuntsic depuis 1971, Louise Fréchette a une formation en analyse bioénergétique. Elle est détentrice d'un baccalauréat en orientation (1971) et d'une maîtrise en psychologie (1976) de l'université de Montréal et fait de la pratique privée en thérapie. Outre la psychologie, elle s'intéresse à la création littéraire ainsi qu'à tout ce qui a trait au vécu des femmes.

**ŒUVRE**

**Guide d'orientation professionnelle.** En collaboration avec Josée Lafleur. Montréal, Agence d'Arc, 1980. 120 p.: graph. ISBN 2-89022-009-5.

# G

**Marc**
**GAGNÉ**

(Saint-Joseph-de-Beauce, 16 décembre 1939– ). Docteur en lettres de l'université Laval en 1973 et professeur à cette même université depuis 1970, Marc Gagné est l'auteur d'un essai sur Gabrielle Roy et de deux publications sur Gilles Vigneault. Également compositeur, il a créé une « Symphonie de chants paysans » pour les Choralies internationales de Moncton en 1979 et certaines de ses œuvres musicales ont été entendues sur les ondes de Radio-Canada.

**ŒUVRES**

**Visages de Gabrielle Roy, l'œuvre et l'écrivain,** suivi de **Jeux du romancier et des lecteurs,** essai. Montréal, Beauchemin, 1973. 327 p. ISBN 0-7750-0153-8.
**Propos de Gilles Vigneault,** interview. Montréal, Nouvelles Éditions de l'Arc, 127 p. : ill. Coll. « Itinéraires », 1.
**Gilles Vigneault. Bibliographie descriptive et critique, discographie, filmographie, iconographie, chronologie.** Québec, Presses de l'université Laval, 1977. XXXII-976 p. : ill., fac-sim., ISBN 0-7746-6799-0.
**C'est dans la Nouvelle-France,** coffret-livre et chansons folkloriques. Montréal, Le Tamanoir, 1977. 40 p.

**Joseph-Léopold**
**GAGNER**

(Montréal, 1er septembre 1908– ). Romancier et auteur de livres pédagogiques, Joseph-Léopold Gagner est diplômé du collège Sainte-Marie (1935) et licencié en pédagogie de l'université de Montréal (1960). Actif au sein de la Société Saint-Jean-Baptiste de Montréal pour laquelle il a été chef du secrétariat de 1947 à 1950, il a enseigné le français d'abord au collège Saint-Laurent de 1961 à 1962 puis aux régionales Duvernay et les Écores de 1962 à 1978. Il a rédigé certains articles pour le *Guide de Montréal-Nord.*

**ŒUVRES**

**Duvernay et la Saint-Jean-Baptiste,** monographie historique. Montréal, Chantecler, 1952. 51 p.
**Un cri d'adolescent,** roman. Montréal, Beauchemin, 1971. 188 p.
**L'Aurore de la victoire,** roman. Montréal, Beauchemin, 1972. 137 p.
**Les Princes de l'espoir : un père prestigieux, deux enfants merveilleux,** roman. Montréal, Beauchemin, 1974. 160 p. ISBN 0-7750-0283-6.
**Lettres à Christian sur la connaissance et la défense de l'expression française,** pédagogie. Montréal, Publications scolastiques, 1978. 41 p.
**L'Expression française : exercices personnels,** pédagogie. Montréal, Publications scolastiques, 1978. 45 p.

**Alain**
**GAGNON**

(Saint-Félicien, 8 mars 1943– ). Après des études classiques, Alain Gagnon fait une licence en histoire à l'université Laval (1971). Enseignant de 1968 à 1977, il entre alors au service de l'Alcan où il travaille d'abord comme communicateur puis, depuis 1978, comme négociateur. Il a publié contes, nouvelles, romans et poésie au Cercle du livre de France et a égale-

ment fait paraître des articles dans *Perspectives* et *l'Actualité.*

## ŒUVRES

**Le Pour et le Contre,** nouvelles. Montréal, Cercle du livre de France, 1970. 121 p.

**Tryptique de l'homme en queste,** contes. Montréal, Cercle du livre de France, 1971. 107 p.

**Ilse ou Salmacis avortée,** roman. Montréal, Cercle du livre de France, 1972. 118 p. ISBN 0-7753-0010-1.

**La Grenouille et le Bulldozer,** roman. Montréal, Cercle du livre de France, 1973. 133 p. ISBN 0-7753-0033-0.

**Poèmes de l'homme non-né.** Montréal, Cercle du livre de France, 1975. 71 p. ISBN 0-7753-9100-X.

**Le Jourdain inversé,** poésie. Montréal, Cercle du livre de France, 1977. 109 p. ISBN 0-7753-0101-9.

**Du Sakini au Piékouagami,** prose poétique publiée dans **le Saguenay-Lac Saint-Jean.** En collaboration ; illustrations de Francine Taschereau. Québec, Éditeur officiel du Québec, 1977. 179 p. : ill., cartes, portr. Coll. « Études et Dossiers : série études régionales ».

**La Damnation au quotidien,** roman. Montréal, Cercle du livre de France, 1979. 133 p. ISBN 0-7753-0128-0.

**Cécile GAGNON**

Diane Hardy

(Québec, 7 janvier 1936–      ). Auteure et illustratrice de contes pour enfants, Cécile Gagnon est également directrice de la collection « Brindille » aux Éditions Héritage depuis 1979. Elle avait auparavant été rédactrice en chef des *Cahiers Passe-partout* au ministère de l'Éducation (1977–1979) et responsable au *Montréal-Matin* du journal pour enfants « Safari » (1971–1973). Elle a étudié les lettres à l'université Laval (1956), les arts graphiques au Boston University (1956–1958) et à l'École nationale supérieure des arts décoratifs de Paris (1958-1959) et l'éducation artistique à Sir George Williams (1968-1969). Membre-fondatrice de Communication-Jeunesse, elle en assuma la présidence de 1977 à 1979. Elle a collaboré aux revues *Lurelu, Cahiers de la femme, Municipalité* et *Ibby Newsletter*, a participé à divers projets d'animation et d'expositions centrés sur le livre québécois pour enfants tant en France qu'au Québec ou en Lousiane et a rencontré les jeunes dans les écoles ou les bibliothèques du Québec, de l'Ontario ou du Nouveau-Brunswick. Le Prix de la province de Québec lui a été décerné en 1970 pour *Martine-aux-oiseaux* et *Alfred dans le métro* lui a valu le Prix de l'Association canadienne des éducateurs de langue française en 1980.

## ŒUVRES

**La Pêche à l'horizon,** conte. Illustrations de l'auteure. Québec, Éditions du Pélican, 1961. 32 p. : ill.

**Martine-aux-oiseaux,** conte. Illustrations de l'auteure. Québec, Éditions du Pélican, 1964. 32 p. : ill.

**La Bergère et l'Orange,** conte. Illustrations de l'auteure. Saint-Lambert, Héritage, 1972. 16 p. : ill. en coul. Coll. « Brindille ».

**La Journée d'un chapeau de paille,** conte. Illustrations de l'auteure. Saint-Lambert, Héritage, 1972. 16 p. : ill. en coul. Coll. « Brindille ».

**La Marmotte endormie,** conte. Illustrations de l'auteure. Saint-Lambert, Héritage, 1972. 16 p. : ill. en coul. Coll. « Brindille ».

**Trèfle et Tournesol,** conte. Illustrations de l'auteure. Saint-Lambert, Héritage, 1972. 16 p. : ill. en coul. Coll. « Brindille ».

**Le Voilier et la Lune,** conte. Illustrations de l'auteure. Saint-Lambert, Héritage, 1972. 16 p. : ill. en coul. Coll. « Brindille ».

**Le Voyage d'un cerf-volant,** conte. Illustrations de l'auteure. Saint-Lambert, Héritage, 1972. 16 p. : ill. en coul. Coll. « Brindille ».

**Plumeneige,** contes. Illustrations de l'auteure. Saint-Lambert, Héritage, 1976. 126 p. : ill. Coll. « Pour lire avec toi ». ISBN 0-7773-4405-X.

**L'Épouvantail et le Champignon,** contes. Illustrations de l'auteure. Saint-Lambert, Héritage, 1978. 126 p. : ill. Coll. « Pour lire avec toi ». ISBN 0-7773-4411-4.

**Le Parapluie rouge,** conte. Illustrations de l'auteure. Saint-Lambert, Héritage, 1979. N.p. : ill. part. en coul. Coll. « Brindille ». ISBN 0-7773-4313-4.

**Les Boutons perdus,** conte. Illustrations de l'auteure. Saint-Lambert, Héritage, 1979. N.p. : ill. en coul. Coll. « Brindille ». ISBN 0-7773-4315-0.

**La chemise qui s'ennuyait,** conte. Illustrations de l'auteure. Saint-Lambert, Héritage, 1979. N.p. : ill. en coul. Coll. « Brindille ». ISBN 0-7773-4317-7.

**L'Édredon de minuit,** conte. Illustrations de l'auteure. Saint-Lambert, Héritage, 1980. N.p. : en majeure partie ill. (part. en coul.). Coll. « Brindille ». ISBN 0-7773-4325-8.

**Lucienne,** conte, Illustrations de Fernande Lefèbvre. Saint-Lambert, Héritage, 1980. N.p. : en majeure partie ill. en coul. Coll. « Brindille ». ISBN 0-7773-4326-6.

**Une nuit chez le lièvre,** conte. Illustrations de Jean-Christian Knaff. Saint-Lambert, Héritage, 1980. N.p. : en majeure partie ill. (part. en coul.). Coll. « Brindille ». ISBN 0-7773-4331-2.

**Alfred dans le métro,** roman. Illustrations de l'auteure. Montréal, Héritage, 1980. 122 p. : ill., carte. Coll. « Pour lire avec toi ». ISBN 0-7773-4419-X.

**Toudou est malade**, conte. Illustrations de Jean-Christian Knaff. Montréal, Éditions Projets, 1981. 15 p. : en majeure partie ill. en coul. Coll. « Capucine », 20. ISBN 2-89039-921-9.

**Les Lunettes de Sophie,** conte. Illustrations de Josée La Perrière. Montréal, Éditions Projets, 1981. 15 p. : en majeure partie ill. en coul. Coll. « Capucine », 23. ISBN 2-89038-924-3.

**Zoum et le Monstre,** conte. Illustrations de Josée La Perrière. Montréal, Éditions Projets, 1981. 23 p. : en majeure partie ill. en coul. Coll. « Coquelicot », 13. ISBN 2-89038-940-5.

**Le Pierrot de monsieur Autrefois,** conte. Illustrations de Josée La Perrière. Laval, Mondia, 1981. 32 p. : ill. en coul. ISBN 2-89114-107-5.

**Le Roi de Novilande,** conte. Illustrations de Darcia Labrosse. Montréal, Éditions Pierre Tisseyre, 1982. N.p. : ill. ISBN 2-89051-055-7.

**Histoire d'Adèle Viau et de Fabien Petit,** conte. Illustrations de Darcia Labrosse. Montréal, Éditions Pierre Tisseyre, 1982. 23 p. : ill. ISBN 2-89051-065-U.

**Daniel GAGNON**

(Giffard, 7 mai 1946–     ). Daniel Gagnon passe son enfance « sur les bords du lac Memphrémagog et à l'ombre du mont Orford » puis part pour Montréal en 1966 où il s'inscrit en lettres à l'université de Montréal et y complète une licence (1970). Agent de développement à l'Office de la langue française jusqu'en 1976, il est également critique pour les Éditions de l'Estrie en 1979-1980. Il a publié des textes dans *les Cahiers du hibou* et *l'Estrie.*

**ŒUVRES**

**Surtout à cause des viandes ; recettes de bonheur,** roman. Montréal, Cercle du livre de France, 1972. 111 p. Coll. « De l'ange et de la bouteille de ketchup », 2. ISBN 0-7753-0025-X.

**Loulou,** roman. Montréal, Cercle du livre de France, 1976. 160 p. Coll. « De l'ange ». ISBN 0-7753-0086-1.

**King Wellington,** roman. Montréal, Cercle du livre de France, 1978. 171 p. ISBN 0-7753-0116-7.

**Denys GAGNON**

Rodolf Noël

(Québec, 9 juin 1954–     ). Bachelier en littérature québécoise et théâtre de l'université

Laval (1976), Denys Gagnon a œuvré comme réalisateur à CKRL-MF, professeur au collège Sainte-Foy, metteur en scène au séminaire de Québec et à l'université Laval et conférencier au sein de nombreuses institutions. Membre du Chœur symphonique de Québec, il a également collaboré aux *Cahiers de la Nouvelle Compagnie théâtrale* (sur Goldoni) et au *Dictionnaire des œuvres littéraires du Québec.*

## ŒUVRES

**Le Village et la Ville : sorcelleries lyriques,** contes. Québec, Serge Fleury Éditeur, 1981. 105 p. ISBN 2-89195-010-0.

**Haute et profonde la nuit,** contes. Montréal, Éditions Internationales Pilou, 1982. 144 p. Coll. « Recueils ». ISBN 2-89239-003-6.

## Germain GAGNON

(Saint-Ambroise, 13 septembre 1935– ). À sa sortie de l'Institut technologique de Chicoutimi, Germain Gagnon travaille quelques années dans l'industrie avant de devenir infirmier à l'hôpital de cette même ville puis archiviste au sein de cette institution. Animateur du groupe la Rencontre depuis 1974, il se prend d'intérêt pour l'animation et obtient en 1980 un diplôme dans cette discipline de l'université du Québec à Chicoutimi. Poète et auteur de récits et de nouvelles, il a suivi les cours de rédaction littéraire de l'école A.B.C. de Paris (1976). Amateur de peinture et de musique, il est aussi un lecteur assidu de la Bible et de tout livre qui se rapporte au développement de la vie spirituelle.

## ŒUVRES

**L'Éclaircie,** poésie. Photos de Gilles Potvin. Montréal, Libre Expression, 1977. N.p. : ill. ISBN 0-88566-047-1.

**Le Chant de l'espoir,** récits et nouvelles. Illustrations de Martial Grenon. S.l., chez l'auteur, 1978. 67 p. : ill. ISBN 0-88615-006-X.

## Jean Chapdelaine GAGNON

(Sorel, 25 novembre 1949– ). Jean Gagnon est diplômé en études françaises (baccalauréat et maîtrise) de l'université de Montréal. Il a été chargé de cours au cégep Rosemont, à l'UQAM et à l'université de Montréal (1976–1980), réviseur-correcteur aux Éditions de l'Homme (1978-1979), rédacteur-pigiste pour la revue *Music/Musique* du Centre national des arts (1980-1981) et est traducteur-réviseur pour les Éditions Héritage-Plus. Intéressé tant par la poésie que par la musique, il a terminé en février 1981 une thèse de doctorat sur Saint-Denys Garneau à l'université de Montréal.

## ŒUVRE

**« L » dites lames,** poésie, nouvelles. Illustrations de Lorraine Bénic. Saint-Lambert, Éditions du Noroît, 1980. 81 p. : ill. ISBN 2-89018-043-3.

## TRADUCTION

**Fille à papa,** autobiographie. Traduction de **Daddy's Girl** de Charlotte Vale Allen. Saint-Lambert, Héritage-Plus, 1981. 307 p. Coll. « Vis-à-vies ». ISBN 0-7773-5535-3.

## Jeanne GAGNON

(Bagotville, 3 février 1935– ). Attachée au conservateur en chef du musée des Beaux-Arts depuis septembre 1980, Jeanne Gagnon avait, jusqu'en 1976, travaillé en gestion hospitalière. Elle détient d'ailleurs un certificat de l'université de Montréal dans cette dernière discipline.

Membre du Regroupement des femmes québécoises en 1979-1980, elle a œuvré au sein de divers comités. Elle a enfin participé à quelques récitals de poésie et émissions de radio.

## ŒUVRES

**Manifeste sur l'écriture.** En collaboration. Montréal, Éditions À Maison, 1981. 120 p.

**Clair obscur,** poésie. Montréal, Éditions Émile-Nelligan, 1981. 71 p. ISBN 2-920217-08-9.

### Madeleine GAGNON

Kèro

(Amqui, 27 juillet 1938-     ). Madeleine Gagnon détient un baccalauréat en littérature de l'université Saint-Joseph du Nouveau-Brunswick (1959), une maîtrise en philosophie de l'université de Montréal (1961) et un doctorat en littérature de l'université d'Aix-en-Provence (1968). Membre du collectif de rédaction de la revue *Chroniques* (1974-1976), son activité l'a amenée, depuis plus de dix ans, sur tous les fronts où l'on se battait pour les droits de la personne et de la littérature. Plus d'une quarantaine d'études critiques et d'essais publiés dans diverses revues québécoises et françaises (*Voix et Images, la Nouvelle Barre du jour, Sorcières,* etc.) témoignent de la qualité et de l'ardeur de son engagement de femme, d'écrivaine et de Québécoise. Elle a été professeure de lettres à l'université du Québec à Montréal de 1969 à 1982.

## ŒUVRES

**Les Morts-vivants,** nouvelles. Montréal, HMH, 1969. 174 p. Coll. « L'Arbre », 15.

**Pour les femmes et tous les autres,** poésie. Encres de l'auteure. Montréal, L'Aurore, 1974. 50 p.: ill. Coll. « Lecture en vélocipède », 8. ISBN 0-88532-011-5.

**Portraits du voyage,** récits. En collaboration avec Jean-Marc Piotte et Patrick Straram; illustrations de Roger Des Roches. Montréal, L'Aurore, 1975. 96 p.: ill. Coll. « Écrire ». ISBN 0-88532-032-8.

**Poélitique,** poésie. Montréal, Les Herbes rouges, n° 26, février 1975. N.p.

**La Venue à l'écriture,** essai-fiction. En collaboration avec Hélène Cixous et Annie Leclerc. Paris, 10/18, 1977. 152 p. Coll. « Féminin Futur ». ISBN 2-264-00148-8.

**Retailles,** essai-fiction. En collaboration avec Denise Boucher. Montréal, L'Étincelle, 1977. 163 p. ISBN 0-88515-072-4.

**Antre,** poésie. Montréal, Les Herbes rouges, n°s 65-66, juillet-août 1978. 51 p. ISSN 0441-6627.

**Lueur,** roman archéologique. Montréal, VLB Éditeur, 1979. 165 p.: ill. ISBN 2-89005-060-2.

**Au cœur de la lettre.** Montréal, VLB Éditeur, 1982. 102 p. ISBN 2-89005-140-4.

**Autographie 1. Fictions,** poésie et prose. Montréal, VLB Éditeur, 1982. 304 p. ISBN 2-89005-061-0.

### Maurice GAGNON

Studio Jac-Guy

(Winnipeg, Manitoba, 13 août 1912-     ). Maurice Gagnon est licencié en droit de l'université McGill mais, depuis 1956, il se consacre entièrement à l'écriture. Auteur de nombreux romans, de nouvelles, de textes pour la radio et la télévision, il a également traduit de l'anglais plus d'une dizaine de livres: des biographies sur Hank Aaron et Tretyak, des romans de la série *Six Million Dollar Man*, des livres pratiques sur le jardinage et la sculpture sur bois, etc. Maurice Gagnon a également été collaborateur au *Devoir* (avant 1945), à *Châtelaine*, au *Maclean* et à bien d'autres revues. Il a reçu le Prix du Cercle du livre de France pour son roman *l'Échéance* (1956) et le Prix de l'Actuelle pour *les Tours de Babylone* (1972).

## ŒUVRES

**L'Échéance,** roman. Montréal, Cercle du livre de France, 1956. 283 p.

**Rideau de neige,** roman. Montréal, Cercle du livre de France, 1957. 235 p.

**L'Anse aux brumes,** roman. Montréal, Cercle du livre de France, 1958. 218 p.

**Les Chasseurs d'ombres,** roman. Montréal, Cercle du livre de France, 1959. 279 p.

**Entre tes mains,** roman. Montréal, Cercle du livre de France, 1960. 229 p. Publié chez Robert Laffont sous le titre : **les Chirurgiennes**.

**Meurtre sous la pluie,** roman policier. Montréal, Éditions du Jour, 1963. 110 p. Coll. « Les Policiers du Jour ».

**Unipax intervient,** science-fiction. Montréal, Lidec, 1965. 118 p. Coll. « Lidec-Aventures ».

**Les Savants réfractaires,** science-fiction. Montréal, Lidec, 1965. 119 p. Coll. « Lidec-Aventures ».

**Le Trésor de la Santissima Trinidad,** science-fiction. Montréal, Lidec, 1966. 143 p. Coll. « Lidec-Aventures ».

**Une aventure d'Ajax,** science-fiction. Montréal, Lidec, 1966. 142 p. Coll. « Lidec-Aventures ».

**Opération Tanga,** science-fiction. Montréal, Lidec, 1966. 147 p. Coll. « Lidec-Aventures ».

**Alerte dans le Pacifique,** science-fiction. Montréal, Lidec, 1967. 155 p. Coll. « Lidec-Aventures ».

**Un complot à Washington,** science-fiction. Montréal, Lidec, 1968. 150 p. Coll. « Lidec-Aventures ».

**Servax à la rescousse,** science-fiction. Montréal, Lidec, 1968. 151 p. Coll. « Lidec-Aventures ».

**Les Tours de Babylone,** roman. Montréal, L'Actuelle, 1972. 191 p. ISBN 0-7752-0024-7.

**Cent ans d'histoire d'un régiment canadien-français : les Fusiliers Mont-Royal (1869-1969),** étude. Montréal, Éditions du Jour, 1971. 416 p.

**Le Fils du grand Jim,** roman pour adolescents. Montréal, Héritage, 1974. 250 p. Coll. « Katimavik », 2. ISBN 0-7773-3002-4.

**Le Corps dans la piscine,** roman. Montréal, Héritage, 1974. 143 p. Coll. « Montréal mystère : série Marie Tellier », 1. ISBN 0-7773-3201-9.

**Les Motards,** roman. Montréal, Héritage, 1974. 138 p. Coll. « Montréal mystère : série Marie Tellier », 2. ISBN 0-7773-3202-7.

**L'Ange noir,** roman. Montréal, Héritage, 1974. 136 p. Coll. « Montréal mystère : série Marie Tellier », 3. ISBN 0-7773-3203-5.

**La Mort d'une super-étoile,** roman. Montréal, Héritage, 1975. 146 p. Coll. « Montréal mystère : série Marie Tellier », 5. ISBN 0-7773-3204-3.

**Le Maniaque du traversier,** roman. Montréal, Héritage, 1975. 143 p. Coll. « Montréal mystère : série Marie Tellier », 8. ISBN 0-7773-3205-1.

**Simon,** roman pour adolescents. Montréal, Héritage, 1975. 222 p. Coll. « Katimavik », 6. ISBN 0-7773-3006-7.

## TRADUCTIONS

**Hank Aaron**, biographie. Traduction de **Hank Aaron** de Stan Baldwin et Jerry Jenkins. Montréal, Héritage, 1974. 206 p. ISBN 0-7773-3500-X.

**Remède ou Suicide,** essai. Traduction de **Premedicated Murder** de Leland et Lee Cooley. Montréal, Héritage, 1974. 200 p. ISBN 0-7773-3501-8.

**L'Empire des marchands de muscles,** essai. Traduction de **The Jock Empire** de Glenn Dickey. Montréal, Héritage, 1975. 316 p. ISBN 0-7773-3503-4.

**Le Journal de bord du film Jaws.** Traduction de **The Jaws Log** de Carl Gottlied. Montréal, Héritage, 1975. 207 p. ISBN 0-7773-3513-1.

**Le Tournage du film Jaws.** Traduction de **The Movie Jaws** d'Edith Blake. Montréal, Héritage, 1975. 185 p. ISBN 0-7773-3509-3.

**Le Cœur d'un champion.** Traduction de **The Heart of a Champion** de Bob Richards. Montréal, Héritage, 1976. 136 p. ISBN 0-7773-3526-3.

**Le Jardin potager.** Traduction de **Vegetable Gardening** de J. Rodel. Montréal, Héritage, 1977. 166 p. ISBN 0-7773-3517-4.

**Tretyak,** biographie. Traduction de **Tretyak** de Vladislav Tretyak. Montréal, Héritage, 1977. 124 p. ISBN 0-7773-3811-4.

**Sculpture sur bois.** Traduction de **Wood Carving** de Percy Blandford. Montréal, Héritage, 1977. 123 p. ISBN 0-7773-3518-2.

**Erreur de pilotage,** roman. Traduction de **Pilot Error : Six Million Dollar Man** de Jay Barbree. Montréal, Héritage, 1978. 167 p. ISBN 0-7773-3706-1.

**Au secours d'Athéna Un,** roman. Traduction de **The Rescue of Athena One : Six Million Dollar Man** de Michael John. Montréal, Héritage, 1979. 163 p. ISBN 0-7773-3707-X.

# Micheline GAGNON

Voir Michelle de Saint-Antoine.

# Marie-Reine GAREAU

Voir Margerie.

**Philippe GARIGUE**

(Manchester, Angleterre, 13 octobre 1917– ). Politicologue, sociologue et universitaire, Philippe Garigue reçoit son éducation primaire et secondaire en France avant d'entreprendre des études préparatoires pour devenir ingénieur métallurgiste, en France et en Angleterre (1936–1938). Mobilisé de 1939 à 1948, il s'inscrit alors en sciences économiques (1948–1951) puis aux études doctorales en anthropologie (1951–1953) au London School of Economics. Professeur de sociologie à l'université McGill (1954–1957), il enseigne ensuite à l'université de Montréal où il occupera également de nombreux postes administratifs. Philippe Garigue a, de plus, effectué des travaux de recherche pour nombre d'organismes gouvernementaux ou industriels : président du Conseil supérieur de la famille (1964–1971), vice-président du Conseil consultatif de l'environnement (1975–1980), etc. Membre de plusieurs associations et sociétés, il a collaboré à *Culture, l'Actualité économique, Revue française de sociologie, Relations, Recherches sociographiques, The Journal of Strategic Studies.* Parmi les nombreux honneurs remportés par Philippe Garigue figure le Prix littéraire de la province de Québec, section sciences humaines (1968).

**ŒUVRES**

**A Bibliographical Introduction to the Study of French Canada.** Montréal, McGill University, 1956. 136 p.
**Études sur le Canada français.** Montréal, Université de Montréal, 1958. 110 p.
**La Vie familiale des Canadiens français,** étude. Paris, Montréal, Presses universitaires de France, Presses de l'université de Montréal, 1962. 165 p.
**L'Option politique du Canada français,** étude. Montréal, Éditions du Lévrier, 1963. 180 p.
**Analyse du comportement familial,** étude. Montréal, Presses de l'université de Montréal, 1967. 190 p.
**Bibliographie du Québec (1955–1965).** Montréal, Presses de l'université de Montréal, 1967. 247 p.
**Science Policy in Canada,** étude. Montréal, Private Planning Association, 1972. 42 p.
**Famille, Science et Politique,** étude. Montréal, Leméac, 1973. 183 p.
**Famille et Humanisme,** étude. Montréal, Leméac, 1973. 333 p.
**Le Temps vivant,** poésie. Montréal, Leméac, 1973. 97 p. Coll. « Poésie Leméac ».
**L'Humaine Demeure,** poésie. Montréal, Leméac, 1974. 84 p. Coll. « Poésie Leméac ». ISBN 0-7761-1006-3.

**Jacques GARNEAU**

Anne-Marie Guérineau

(Québec, 28 novembre 1939– ). Jacques Garneau « végète pendant quelques années : pensionnat, cours classique, université ». Période qui se termine à l'université Laval en 1965 par une licence en lettres. Il y avait auparavant complété des baccalauréats en pédagogie (1963) et ès arts (1962). Professeur de littérature au secondaire (1965–1972) puis conseiller pédagogique en français (1972–1975), il est ensuite chargé d'enseignement et de recherche au Programme de perfectionnement des maîtres en français à l'université Laval et prépare une thèse de maîtrise en didactique de la création littéraire. Collaborateur à *Québec français, la Barre du jour* et *Estuaire*, Jacques Garneau a été des grandes manifestations des années 1970 (Nuit de la poésie, etc.).

**ŒUVRES**

**Mémoire de l'œil,** roman. Montréal, Cercle du livre de France, 1972. 161 p. ISBN 0-7753-0015-2.
**Inventaire pour St-Denys,** roman. Montréal, Cercle du livre de France, 1973. 138 p. ISBN 0-7753-0022-5.
**Poèmes à ne plus dormir dans votre sang**. Montréal, Nouvelles Éditions de l'Arc, 1973. 92 p. Coll. « De l'Escarpel ».
**Les Espaces de vivre à vif,** poésie. Montréal, Nouvelles Éditions de l'Arc, 1973. 93 p. Coll. « De l'Escarpel ».
**La Mornifle,** roman. Montréal, Cercle du livre de France, 1976. 206 p. ISBN 0-7753-0089-6.
**Les Difficiles Lettres d'amour,** roman. Montréal, Quinze, 1979. 144 p. Coll. « Roman ». ISBN 2-89026-004-6.

## Michel GARNEAU

Anne de Guise

(Montréal, 25 avril 1939– ). Poète, auteur de théâtre, chanteur-compositeur, animateur et metteur en scène, Michel Garneau a fait ses études classiques aux collèges Brébeuf, Sainte-Marie et Saint-Denis (1951–1955) et suivi des cours d'interprétation à l'école de théâtre du Nouveau Monde et, à titre d'auditeur libre, au Conservatoire d'art dramatique. À l'été 1955, il fait ses débuts comme annonceur-radio d'abord à CHLN et CKTR puis au sein de diverses stations privées ainsi que, de 1961 à 1968, à la radio et à la télévision de Radio-Canada. En 1968-1969, il entreprend une tournée du Québec avec son spectacle *Parlures, Paroles, Poèmes*. L'année suivante, toujours en tournée, il organise une *Rencontre-Animation-Théâtre*. Tout en se consacrant à l'écriture théâtrale et à la mise en scène, Michel Garneau a animé ou participé à diverses manifestations d'importance : la Nuit de la poésie (1970 et 1980), Poèmes et Chants de la résistance, le Festival d'Avignon 1978, le spectacle Sept paroles du Québec (en tournée en France en 1980), etc. Il a également composé nombre de chansons, enregistré deux microsillons, enseigné tant à l'École nationale de théâtre qu'au Conservatoire d'art dramatique et, enfin, a agi comme « entraîneur » pour une équipe de la Ligue nationale d'improvisation. Membre actif du Centre d'essai des auteurs dramatiques depuis 1967, Michel Garneau a remporté mais refusé le Prix du Gouverneur général en 1978.

### ŒUVRES

**Eau de pluie,** poésie. Rimouski, chez l'auteur, 1958. N.p.

**Langage,** poésie. Montréal, Éditions à la Page, 1962. N.p.

**Le Pays,** poésie. En collaboration. Montréal, Déom, 1963. 73 p.

**Langage I : Vous pouvez m'acheter pour 69¢,** poésie. Montréal, chez l'auteur, 1972. N.p.

**Langage 2 : Blues des élections,** poésie. Montréal, chez l'auteur, 1972. N.p.

**Langage 3 : l'Animal humain,** poésie. Montréal, chez l'auteur, 1972. N.p.

**Moments,** poésie. Montréal, Éditions Danielle Laliberté, 1973. 66 p.

**Langage 4 : J'aime la littérature, elle est utile,** poésie. Montréal, L'Aurore, 1974. N.p.

**Langage 5 : Politique,** poésie. Montréal, L'Aurore, 1975. N.p. ISBN 0-88532-004-2.

**Sur le matelas,** théâtre. Montréal, L'Aurore, 1974. 91 p. : ill. Coll. « Entre le parvis et le boxon », 2.

**La Chanson d'amour de cul,** théâtre. Montréal, L'Aurore, 1974. 41 p. : ill. Coll. « Entre le parvis et le boxon », 5.

**Quatre à quatre,** théâtre. Montréal, L'Aurore, 1974. 61 p. : ill. Coll. « Entre le parvis et le boxon », 7. ISBN 0-88532-015-8.

**Strauss et Pesant et Rosa,** théâtre. Préface d'André Pagé. Montréal, L'Aurore, 1974. 74 p. : ill. Coll. « Entre le parvis et le boxon », 9. ISBN 0-88532-016-6.

**Élégie au génocide des nasopodes,** poésie. Illustrations de Maureen Maxwell. Montréal, L'Aurore, 1974. 1 portefeuille. ISBN 0-88532-027-1.

**La plus belle île,** poésie. Montréal, Parti pris, 1975. 63 p. Coll. « Paroles », 26. ISBN 0-88512-055-8.

**Le Théâtre sur commande,** entretien avec Michel Garneau et Roland Lepage. Montréal, Centre d'essai des auteurs dramatiques, 1975. 52 f. Coll. « Entretien », 1.

**Gilgamesh,** théâtre. Montréal-Nord, VLB Éditeur, 1976. 120 p. : ill. ISBN 2-89005-068-8.

**Les Voyagements,** suivi de **Rien que la mémoire,** théâtre. Montréal-Nord, VLB Éditeur, 1977. 116 p. : ill.

**Les Célébrations,** suivi de **Adidou Adidouce,** théâtre. Montréal-Nord, VLB Éditeur, 1977. 138 p. : ill.

**Les Petits Chevals amoureux,** poésie. Montréal-Nord, VLB Éditeur, 1977. N.p.

**Pour travailler ensemble,** essai. Avec la participation de Pierre Curzi et al. Montréal, Fondation du Théâtre public, 1978. N.p. : ill., portr.

**Abriés désabriés,** suivi de **l'Usage du cœur dans le domaine réel,** théâtre. Photos de Daniel Kieffer et Clément Demers. Montréal-Nord, VLB Éditeur, 1979. 99 p. : ill. ISBN 2-89005-063-7.

**Émilie ne sera plus jamais cueillie par l'anémone,** théâtre. Illustrations de Maureen Maxwell. Montréal. VLB Éditeur, 1982. 111 p. : ill. ISBN 2-89005-144-7.

**Petitpetant et le Monde** suivi de **le Groupe,** théâtre. Montréal, VLB Éditeur, 1982. 141 p. : ill.

## ŒUVRE TRADUITE

**Four to Four,** théâtre. Traduction anglaise de Christian Bédard et Keith Turnbull ; titre original : **Quatre à quatre.** Toronto, Simon and Pierre Publishing Co., 1979. 48 p. Coll. « A Collection of Canadian Plays ». ISBN 0-88924-022-1.

## TRADUCTIONS

**Macbeth,** théâtre. Traduction québécoise de **Macbeth** de William Shakespeare ; illustrations de Maureen Maxwell. Montréal-Nord, VLB, 1978. 106 p. : ill. ISBN 2-89005-071-8.

### Renée GARNEAU

Kèro

(Québec, 8 avril 1925– ). Bachelière en musique de l'université Laval (1949), Renée Garneau a fait par la suite de nombreuses recherches en histoire et en littérature québécoises, particulièrement sur Louis-Joseph Papineau, Laure Conan, sœur Aurélie Caouette, Chiniquy et le clergé du XIXe siècle, de même que sur la ville de Saint-Hyacinthe. Militante politique et peintre à ses heures, elle a selon son propre aveu « médité pendant 25 ans avant de plonger dans la carrière d'écrivain ». Elle a publié des articles dans *les Cahiers de la femme* et étudie la littérature québécoise à l'université Concordia.

## ŒUVRE

**L'Œuf de coq : chronique d'une enfance à Québec,** historiettes. Montréal, Éditions du Jour, 1975. 117 p. ISBN 0-7760-0647-9.

## TRADUCTION

**L'Esprit libre,** philosophie. Traduction de **The Free Mind** de Robert Powell. Montréal, Quinze, 1977. 215 p. ISBN 0-88565-124-3.

### Madeleine GAUDREAULT-LABRECQUE

(La Malbaie, 25 avril 1931– ). Professeure de ballet classique depuis 1965, Madeleine Gaudreault-Labrecque a complété un baccalauréat en littérature française et en journalisme à l'université Laval (1980) et poursuit ses études en vue d'obtenir une maîtrise en création littéraire. Journaliste à la pige et chroniqueuse littéraire à CKRL-MF (1980), elle a écrit un reportage pour la revue *Châtelaine* et fait un stage au Centre de formation des journalistes à Paris.

## ŒUVRES

**Vol à bord du Concordia,** roman d'aventures. Québec, Éditions Jeunesse, 1968.

**Alerte ce soir à 22 heures,** roman d'aventures. LaSalle, Hurtubise HMH, 1979. 75 p. Coll. « Jeunesse ». ISBN 2-89045-209-2.

**La Girafe,** conte. Illustrations de Marie-Claude Gay. Montréal, Éditions Projets, 1981. 15 p. : en maj. part. ill. en coul. Coll. « Capucine », 15. ISBN 2-89038-916-2.

**Dents-de-lion,** conte. Illustrations de Marie-Claude Gay. Montréal, Éditions Projets, 1981. 15 p. : en maj. part. ill. en coul. Coll. « Capucine », 17. ISBN 2-89038-918-9.

**Le Mystère du grenier.** Montréal, Hurtubise HMH, 1982. 142 p. ISBN 2-89045-515-7.

### Bertrand GAUTHIER

(Montréal, 3 mars 1945– ). Auteur de livres pour enfants et directeur de la maison d'édition la Courte Échelle, Bertrand Gauthier a d'abord enseigné cinq ans au secondaire et a ensuite été chargé de produire pour le ministère de l'Éducation des documents audio-visuels destinés aux enseignants. C'est en contribuant à la réalisation de microsillons sur les principaux courants de la littérature pour enfants que

Diane Hardy

Bertrand Gauthier a eu « le goût d'apporter sa contribution à un genre littéraire souvent marqué par son manque de diversité et par son sexisme ».

ŒUVRES

**Étoifilan,** littérature de jeunesse. Illustrations de Gilles Pednault. Montréal, Le Tamanoir, 1976. N.p.: ill. en coul. Coll. « De l'étoile filante ». ISBN 0-88570-003-1.

**Hou Ilva,** littérature de jeunesse. Illustrations de Marie-Louise Gay. Montréal, Le Tamanoir, 1976. N.p.: ill. en coul. Coll. « De l'étoile filante ». ISBN 0-88570-008-2.

**Dou Ilvien,** littérature de jeunesse. Illustrations de Marie-Louise Gay. Montréal, La Courte Échelle, 1978. N.p.: en maj. part. ill. en coul. ISBN 0-88570-016-3.

**Hébert Luée,** littérature de jeunesse. Illustrations de Marie-Louise Gay. Montréal, La Courte Échelle, 1980. N.p.: ill. en coul. ISBN 2-89021-022-7.

**Un jour d'été à Fleurdepeau,** littérature de jeunesse. Illustrations de Daniel Sylvestre. Montréal, La Courte Échelle, 1981. 24 p.: ill. en coul. ISBN 2-89021-212-X.

**Les Amantures,** roman. Montréal, Libre Expression, 1982. 160 p.

**Jacques GAUTHIER**

(Grand-Mère, 4 décembre 1951– ). Animateur du café chrétien de Sainte-Thérèse, Jacques Gauthier a travaillé avec Jean Vanier à la communauté de l'Arche, en France (1972), avant d'entrer à la trappe d'Oka où il fut moine pendant quatre ans. Jacques Gauthier étudie de plus la théologie à l'université du Québec à Trois-Rivières. Il a été membre de la Société des poètes canadiens-français et a collaboré aux revues *Poésie, Vertet* et *l'Esplumoir*. À ses recueils de poésie se greffe sa participation à certaines émissions littéraires du réseau MF de Radio-Canada.

ŒUVRES

**L'Oraison des saisons,** poésie. Trois-Rivières, Éditions du Bien public, 1978. 60 p.

**Dégel en noir et blanc,** poésie. Trois-Rivières, Éditions du Bien public, 1978. 49 p.

**À la rencontre de mai,** poésie. Trois-Rivières, Éditions du Bien public, 1979. 65 p.

**Les Heures en feu,** poésie. Sherbrooke, Éditions Paulines, 1981. 135 p. ISBN 2-89039-862-5.

**Louis GAUTHIER**

(Montréal, 4 décembre 1944– ). Bachelier en philosophie de l'université de Montréal, Louis Gauthier a dirigé la collection « l'Ange » au Cercle du livre de France en 1973, puis il a été directeur et rédacteur en chef du journal *l'Univers-Matin* en 1976. Passionné tant de parthénogénèse que de baseball, il a exercé divers métiers: rédacteur-concepteur à la pige (1972–1976), chauffeur de taxi, agent d'information et animateur à la radio.

ŒUVRES

**Anna,** récit. Montréal, Cercle du livre de France, 1967.

**Les Aventures de Sivis Pacem et de Para Bellum,** roman d'aventures. Montréal, Cercle du livre de France, 1970.

**Les grands légumes célestes vous parlent,** précédé de **le Monstre-mari,** traité de littérature. Montréal, Cercle du livre de France, 1973. 153 p. ISBN 0-7753-0037-3.

**Souvenir du San Chiquita,** roman. Montréal-Nord, VLB Éditeur, 1978. 148 p. ISBN 2-89005-077-7.

**Lise GAUVIN**

Kèro

(Québec, 9 octobre 1940– ). Professeur, essayiste, critique littéraire et commentatrice à la radio, Lise Gauvin a fait ses études de lettres aux universités Laval et de Vienne et à la Sorbonne (doctorat en 1967). Depuis 1969, elle enseigne au département d'études françaises de l'université de Montréal. Particulièrement intéressée par la production littéraire québécoise, elle a publié, en 1975, la première étude d'ensemble sur le phénomène *Parti pris*. Animatrice et critique à l'émission *Book-Club* de 1975 à 1979, membre des comités de rédaction des revues *Études françaises* et *Possibles*, collaboratrice au *Devoir*, elle se passionne pour le « théâtre des commencements », le conte, la littérature québécoise et en particulier celle qu'écrivent les femmes.

## ŒUVRES

**Giraudoux et le Thème d'Électre,** essai. Paris, Minard, 1970. 40 p. Coll. « Archives des lettres modernes ».

**Parti pris littéraire,** essai. Montréal, Presses de l'université de Montréal, 1975. 217 p. Coll. « Lignes québécoises, sérielles ». ISBN 0-8405-0280-X.

**Guide culturel du Québec.** En collaboration avec Laurent Mailhot. Montréal, Boréal Express, 1982. 533 p. ISBN 2-89052-044-7.

**† Claude GAUVREAU**

La Presse

(Montréal, 19 août 1925–6 juillet 1971). Poète, dramaturge et polémiste, Claude Gauvreau a fait ses études au collège Sainte-Marie et ensuite à l'université de Montréal où il a obtenu un baccalauréat en philosophie. Préoccupé dès son plus jeune âge par l'écriture, il fut aussi, grâce à son frère Pierre, initié à l'art moderne. Membre actif du mouvement automatiste avec Borduas (1946–1954), il dit de celui-ci qu'il « fut le premier à me faire confiance sans restriction ». Il signa en 1948 le manifeste du *Refus global* et se mit, à peu près à la même époque, à lire les surréalistes. Outre son œuvre poétique et théâtrale, il a écrit de nombreuses pièces radiophoniques, fut chargé de la critique des spectacles à l'hebdomadaire *le Haut-Parleur* et organisa en 1954 une exposition de peinture, *La matière chante*, dont les œuvres exposées furent sélectionnées par Borduas. Malgré de fréquentes hospitalisations entre 1955 et 1965, Claude Gauvreau poursuivit son travail d'écriture et, en 1958, janou saint-denis monta deux de ses pièces, *la Jeune Fille et la Lune* et *les Grappes lucides*, à l'école des Beaux-Arts ; il fut également, durant cette période, scénariste à CBFT. Il a participé à plusieurs récitals de poésie dont Poèmes et Chansons de la résistance. En plus des nombreux articles polémiques qu'il publia tout au long de son existence, il collabora en 1969 au numéro de *la Barre du jour* portant sur « Refus global ». Sa pièce, *Les oranges sont vertes*, fut jouée au TNM et ses œuvres créatrices complètes ont été publiées par les Éditions Parti pris en 1977. Il est mort tragiquement le 6 juillet 1971.

## ŒUVRES

**Bien-être/L'Ombre sur le cerceau/Au cœur des quenouilles,** théâtre. Paru dans l'édition origi-

nale de **Refus global**; photographies de Maurice Perron. Montréal, Mithra-Mythe, 1948.
**Sur fil métamorphose,** poésie. Gravures et dessins de Jean-Paul Mousseau. Montréal, Erta, 1956. 55 p. : ill. Coll. « De la tête armée », 4.
**Brochuges,** poésie. Montréal, Éditions de feu-Antonin, 1957. 63 p.
**Étal mixte,** poésie. Avec six dessins de l'auteur. Montréal, Éditions d'Orphée, 1968. 68 p. : ill.
**Œuvres créatrices complètes.** Montréal, Parti pris, 1977. 1498 p. Coll. « Du chien d'or ». ISBN 0-88512-070-1.

### ÉTUDES

saint-denis, janou. **Claude Gauvreau, le cygne.** Montréal, Presses de l'université du Québec, Éditions du Noroît, 1978. 295 p. : ill., fac-sim., portr.
Marchand, Jacques. **Claude Gauvreau, poète et mythocrate.** Montréal-Nord, VLB, 1979. 443 p. : ill., portr. ISBN 2-89005-109-9.

## Michel GAY

J. Carreau

(Montréal, 5 août 1949–    ). Michel Gay a complété des études de lettres au collège Sainte-Marie (1969) et à l'université du Québec à Montréal (1971). Il a enseigné pendant plusieurs années avant de se retrouver à l'Union des écrivains québécois où il travaille à titre de secrétaire général. Bon nombre de ses textes ont été publiés dans le journal *le Devoir*, dans les revues *Co-Incidences, la Barre du jour, Liberté, Estuaire, Ellipse, Odradek* (Belgique), *Rampike* (Toronto) ainsi qu'à *la Nouvelle Barre du jour* dont il fut l'un des fondateurs et qu'il a dirigée de 1977 à 1981. Michel Gay collabore également aux émissions littéraires de Radio-Canada. Son « crayon » ressemble à un scalpel qu'il promène (en automobile) à travers la pensée, la ville, la poésie, pour décrire et tracer le paysage d'une *très certaine* « fin de siècle ».

### ŒUVRES

**Cette courbure du cerveau,** poésie. Montréal, Éditions du Pli, 1973. N.p.
**Au fur et à mesure,** poésie. Montréal, Éditions du Pli, 1974. N.p.
**Coq à l'âme,** poésie. Montréal, Éditions du Pli, 1974. N.p.
**Oxygène/Récit.** Illustrations de Michèle Deraiche. Montréal, Estérel, 1978. 36 p. : ill.
**L'Implicite/Le Filigrane,** poésie. Illustrations de Michèle Deraiche. Montréal, nbj, 1978. 47 p. : ill.
**Métal mental,** poésie. Montréal, Éditions Et cetera, 1981. 43 p.
**Plaque tournante,** récit. Montréal, L'Hexagone, 1981. 32 p. ISBN 2-89006-189-2.
**Éclaboussures,** poésie. Montréal, VLB, 1982. 91 p. : ill. ISBN 2-89005-152-8.

## Gary GEDDES

(Vancouver, C.B., 1940–    ). Professeur à l'université Concordia, Gary Geddes est également critique au *Globe* et à la *Gazette*. Ses œuvres apparaissent dans plusieurs anthologies et il est de plus l'auteur de plusieurs ouvrages de ce genre. En 1970, Gary Geddes était récipiendaire de la Médaille E.J. Pratt et du Prix de poésie de l'université de Toronto.

### ŒUVRES

**Leonard Cohen,** essai. Toronto, Copp Clark Publishers, s.d.
**Rivers Inlet,** poésie. Vancouver, Talonbooks, 1972.
**Snakeroot,** poésie. Vancouver, Talonbooks, 1973.
**Letter of the Master of Horse,** poésie. Ottawa, Oberon Press, 1973.
**War & Other Measures,** poésie. Toronto, House of Anansi, 1976.
**Conrad's later novels,** étude. Montréal, McGill-Queen's University Press, 1980. X-223 p. ISBN 0-7735-330357-9.
**The Acid Test,** poésie. Winnipeg, Turnstone, 1981.

## Gratien GÉLINAS

(Saint-Tite, comté de Champlain, 8 décembre 1909–    ). Auteur, comédien et metteur en scène, Gratien Gélinas a étudié au collège de Montréal et à l'École des hautes études commerciales. Si, dès 1929, il participe à diverses troupes de théâtre, ce n'est toutefois qu'en 1937 qu'il crée le personnage de Fridolin et décide de se consacrer entièrement au théâtre. Il monte alors *Fridolinons*, une revue d'actualités qu'il

Jan Westbury

renouvellera chaque année de 1938 à 1946. En 1948, il écrit *Tit-Coq*, pièce dont le nombre de représentations sera sans précédent au Canada et pour laquelle on lui décerne le Grand Prix de la Société des auteurs dramatiques de Montréal. Nommé membre du conseil d'administration de l'Office national du film en 1950 et vice-président du Conseil des arts de Montréal, en 1957, Gratien Gélinas fonde, la même année, la Comédie canadienne. En 1960, il contribue à la fondation de l'École nationale de théâtre et assume, de 1969 à 1978, la présidence de la Société de développement de l'industrie cinématographique. L'apport de Gratien Gélinas au milieu littéraire et artistique fut souligné de maintes façons : par des doctorats honorifiques, par son élection à la Société royale du Canada, et par de nombreux prix tel le Grand Prix de théâtre Victor-Morin. En 1980, Gratien Gélinas rassemblait l'essentiel de ses revues « Fridolinons » et publiait *les Fridolinades*. Gratien Gélinas est membre d'honneur de l'Union des écrivains québécois.

### ŒUVRES

**Tit-Coq,** théâtre. Montréal, Beauchemin, 1949. 194 p.

**Bousille et les Justes,** théâtre. Québec, Institut littéraire du Québec, 1960. 206 p.

**Hier les enfants dansaient,** théâtre. Montréal, Leméac, 1968. 160 p.

**Les Fridolinades, 1945-1946**, comédie musicale. Montréal, Quinze, 1980. 265 p. : ill. ISBN 2-89026-258-8.

**Les Fridolinades, 1943 et 1944,** comédie musicale. Présentation de Laurent Mailhot. Montréal, Quinze, 1981. 345 p. : ill., portr. ISBN 2-89026-268-5.

**Les Fridolinades, 1941 et 1942,** comédie musicale. Montréal, Quinze, 1981. 363 p. : ill., fac-sim., portr. ISBN 2-89026-287-1.

### ŒUVRES TRADUITES

**Ti-Coq,** théâtre. Traduction anglaise de Kenneth Johnson ; titre original : **Tit-Coq.** Toronto, Clarke & Irwin Co., 1967. 84

**Bousille and the Just,** théâtre. Traduction anglaise de Kenneth Johnson ; titre original : **Bousille et les Justes.** Toronto, Clarke & Irwin Co., 1961. 104 p.

**Yesterday, the Children were Dancing,** théâtre. Traduction anglaise de Kenneth Johnson ; titre original : **Hier les enfants dansaient.** Toronto, Clarke & Irwin Co., 1967. 76 p.

### ÉTUDE

**Gratien Gélinas : dossiers de presse, 1940–1980.** Sherbrooke, Bibliothèque du séminaire, 1981. N.p : ill., portr.

## François GENDRON

(Montréal, 10 novembre 1942– ). Professeur au collège militaire royal de Saint-Jean, François Gendron a complété une maîtrise en histoire à l'université McGill et un doctorat à la Sorbonne (1976). Spécialiste de la Révolution française, sa thèse sur *la Jeunesse dorée* lui a valu d'être lauréat de l'Académie française en 1980.

### ŒUVRE

**La Jeunesse dorée,** histoire. Montréal, Presses de l'université du Québec, 1979. 448 p. ISBN 2-7605-0254-6.

## Marc GENDRON

« Né (semble-t-il). Puis grand seigneur sur ses terres. École primaire en ville. Cours déclassique en province. Hébétudes en philo et en lettres. Puis métiers occasionnels : prof. de philo, balayeur d'horizon, chômeur, prof. de français, contrebandier en pierres semi-précieuses, prof. d'allemand, plongeur, assisté social, vendangeur, chauffeur, décrocheur de lunes. Rivé depuis une décade (sauf rares séjours ici) à

quelques retraites d'outre-mer. (Allemagne, Paris, Asie, Îles grecques). » M.G.

### ŒUVRES

**Louise** ou **la Nouvelle Julie,** roman. Montréal, Québec-Amérique, 1981. 296 p. Coll. « Littérature d'Amérique ». ISBN 2-89037-060-7.

**Les Espaces glissants,** roman. Montréal, Québec-Amérique, 1982. 102 p. Coll. « Littérature d'Amérique ».

## Guy GENEST

(Québec, 24 janvier 1951– ). Après son cours collégial au cégep Limoilou (1970), Guy Genest entreprend des études de lettres à l'université Laval. Il quitte cependant l'université pour entrer au Conservatoire d'art dramatique de Québec et travaille comme comédien de 1971 à 1974. Depuis lors, il enseigne au cégep Limoilou et collabore occasionnellement au journal *le Soleil* et aux revues *Aspects, Hobo-Québec, Estuaire*, etc. Auteur de trois recueils de poésie, Guy Genest se dit intéressé par tout ce qui constitue l'univers : « Rien ne m'est indifférent et rien ne me semble plus important que le reste, pas même le baseball. »

### ŒUVRES

**Le Parti pris de la vie,** poésie. Montréal, Éditions du Jour, 1974. 95 p. Coll. « Les Poètes du Jour ». ISBN 0-7760-0572-3.

**La Voie pactée,** poésie. Québec, Le loup qui hurle, 1978. N.p.

**Clé de tête,** poésie et récit. Québec, Le loup qui hurle, 1979. N.p.

## Olivette GENEST

Excel Photo Studio

Pseud. : Marie Bernard.

(Québec, 14 septembre 1931– ). Collaboratrice des revues *Laval théologique et philosophique, Science et Esprit* et *Relations*, Olivette Genest enseigne à l'université de Montréal depuis 1975. Licenciée en théologie de l'université Laval (1970), elle a complété un doctorat en études bibliques à l'Université Grégorienne de Rome en 1974. Elle s'intéresse particulièrement à l'application de la sémiotique à la Bible, à l'herméneutique biblique, aux textes religieux de la tradition judéo-chrétienne et est membre de diverses associations telles le Centre d'analyse du discours religieux (Lyon, France) et la Société canadienne de théologie.

### ŒUVRES

**Les Morceaux de soleil de Memnoukia,** roman pour enfants. Montréal, Éditions Jeunesse, 1963. 142 p. : ill. Coll. « Brin d'herbe ».

**Le Christ de la Passion : perspective structurale,** étude. Montréal, Paris, Tournai, Éditions Bellarmin, Éditions Desclée, 1978. 220 p. : ill. Coll. « Recherches », 21 ISBN 0-88502-247-5.

## † Louis GEOFFROY

(Montréal, 13 septembre 1947–7 octobre 1977). Peu après ses études classiques aux collèges de Joliette, Terrebonne et Rigaud (1958–1964), Louis Geoffroy remporte le Premier Prix du Concours des jeunes auteurs de Radio-Canada, section poésie, pour un texte intitulé *Portrait d'une ville* (1966). Il fonde ensuite les Éditions de l'Obscène Nyctalope (1968) et travaille également comme lecteur et correcteur pour différentes maisons d'édition. Directeur de la collection « le Cadavre exquis » aux Éditions Guérin

(1974–1976), il dirige, en 1977, la production chez Parti pris et Hurtubise HMH. Chroniqueur de jazz pour la revue *Hobo-Québec*, il publie également des textes dans *Liberté, la Barre du jour, le Chien d'or, les Herbes rouges, Cul-Q, Ovo* et *Écrits du Canada français*. Hors le milieu littéraire, Louis Geoffroy a également œuvré comme comptable (1970–1972), concepteur de publicité (1977) ainsi que comme monteur, scripteur et directeur de production pour une compagnie cinématographique. Il laissait à sa mort quelques manuscrits dont certains furent ou seront publiés à titre posthume.

## ŒUVRES

**Les Nymphes cabrées,** poésie. Illustrations de Jean Lepage. Montréal, L'Obscène Nyctalope, 1968. N.p. : ill.

**Graffiti,** poésie. Montréal, L'Obscène Nyctalope, 1968. 68 p.

**Le Saint rouge et la Pécheresse,** poésie. Montréal, Éditions du Jour, 1970. 95 p. Coll. « Les Poètes du Jour ».

**Empire State Coca Blues : triptyque 1963–1966,** poésie. Montréal, Éditions du Jour, 1971. 75 p. Coll. « Les Poètes du Jour ».

**Un verre de bière mon minou : let's go get stoned : Lmnogh — tome zéro,** chronique. Montréal, Éditions du Jour, 1973. 177 p. : ill. Coll. « Proses du Jour ».

**Totem poing fermé,** poésie. Montréal, L'Hexagone, 1973. 57 p.

**Max-Walter Swanberg,** conte érotique. Montréal, L'Obscène Nyctalope, 1973. 41 p.

**Être ange étrange,** érostase. Illustrations d'Emmanuelle Septembre. Montréal, Éditions Danielle Laliberté, 1974. 138 p. : ill.

**LSD, voyage,** poésie. Illustrations de Jean Lepage. Montréal, Éditions Québécoises, 1974. 58 p. : ill. Coll. « Poésie », 0.

**Press Club,** érostase. Illustrations de Jean Lepage. Montréal, Macbec, 1980. 82 p. : ill.

# François-Marie GÉRIN-LAJOIE

Pseud. : Papartchu Dropaôtt, Alfraède Papartchu.

(Québec, 5 mai 1951–      ). Poète aussi bien qu'auteur de romans fantaisistes qu'il a publiés sous pseudonyme, François-Marie Gérin-Lajoie a également rédigé des billets humoristiques, « la Comédie humaine », dans le défunt quotidien *le Jour*. Muni d'un baccalauréat en traduction de l'université d'Ottawa (1972), il a travaillé comme rédacteur publicitaire (1972-1973) et comme traducteur (1974-1975) avant de cumuler ces deux fonctions à titre de pigiste. Il a été boursier du Conseil des arts (1977) et de la Direction générale de l'enseignement supérieur (1979) pour fins de création littéraire.

## ŒUVRES

**L'Histoire louche de la cuiller à potage,** roman. Montréal, Éditions Quinze, 1976. 140 p. ISBN 0-88565-028-4.

**Du pain et des œufs,** roman. Montréal, Éditions Quinze, 1977. 148 p. ISBN 0-88565-115-4.

**Viens prendre un ver(s),** poécit (poème-récit). Paris, Éditions Saint-Germain-des-Prés, 1977. 64 p. Coll. « À l'écoute des sources ». ISBN 2-243-00600-6.

**Salut bonhomme !,** roman. Montréal, Quinze Éditeur, 1978. 198 p. ISBN 0-88565-158-8.

**Les Noires Tactiques du révérend Dum,** roman. Montréal, Québécor, 1980. 175 p. Coll. « Roman ». ISBN 2-89089-051-1.

**Brise la glace, Narcisse,** poécit (poème-récit). Paris, Éditions Saint-Germain-des-Prés, 1980. 65 p. Coll. « À l'écoute des sources ». ISBN 2-243-01169-7.

**Les Taxis volants,** roman. Illustrations de Raymond Parent. Montréal, Desclez Éditeur, 1980. 159 p. : ill. Coll. « La Cible ». ISBN 2-89142-009-6.

**Pas de chocolat pour tante Laura,** roman. Illustrations de Raymond Parent. Montréal, Desclez Éditeur, 1980. 160 p. : ill. Coll. « La Cible ». ISBN 2-89173-019-4.

**Jean-Claude GERMAIN**

Pseud. : Claude-Jean Magnier.

(Montréal, 18 juin 1939– ). Auteur de théâtre et metteur en scène, Jean-Claude Germain a également écrit plusieurs scénarios pour la télévision et le cinéma ainsi que les paroles de plusieurs chansons. Bachelier du collège Sainte-Marie en 1957, il étudie l'histoire à l'université de Montréal (1957–1959). Dès 1958, il fonde le Théâtre Antonin-Artaud qui, faute d'argent, devra fermer ses portes avant la première. Reporter et critique au *Petit Journal* (1965–1969), il collabore à la revue *Dimensions* de Victor-Lévy Beaulieu (1968-1969). Fondateur du Théâtre du Même Nom en 1969, il anime la troupe des Enfants de Chénier de 1969 à 1971. C'est à cette époque qu'il écrit et fait la mise en scène de ses premières pièces dont *les Enfants de Chénier dans un autre grand spectacle d'adieu* et *Diguidi, diguidi, ha! ha! ha!* De 1970 à 1971, il est directeur du journal littéraire *l'Illettré* qu'il avait fondé avec Victor-Lévy Beaulieu, Pierre Turgeon, Michel Beaulieu et Jean-Marie Poupart. Depuis, tout en faisant la mise en scène de ses propres pièces, Jean-Claude Germain a été secrétaire du Centre d'essai des auteurs dramatiques, membre du conseil d'administration de l'Association des directeurs de théâtre (1972), directeur du centre du Théâtre d'Aujourd'hui, professeur à l'École nationale de théâtre, chroniqueur au *Maclean* (1972-1973), fondateur de la Grande Confrérie des Enfants Sans Soucis (1975) et chroniqueur à l'émission de radio *la Vie quotidienne* (1979-1980). En 1977, le Prix Victor-Morin lui était remis afin de souligner son importante contribution au théâtre québécois.

## ŒUVRES

**Diguidi, diguidi, ha! ha! ha!,** suivi de **Si les Sansoucis s'en soucient, ces Sansoucis-ci s'en soucieront-ils? Bien parler, c'est se respecter!,** théâtre. Introduction de Robert Spickler. Montréal, Leméac, 1972. 194 p.: ill. Coll. « Théâtre canadien », 24.

**Le Roi des mises à bas prix,** théâtre. Montréal, Leméac, 1972. 96 p.: ill. Coll. « Répertoire québécois », 24.

**Les Tourtereaux,** ou **La vieillesse frappe à l'aube,** théâtre. Préface de Robert Spickler. Montréal, L'Aurore, 1974. 89 p.: ill. Coll. « Entre le parvis et le boxon », 3.

**Les Hauts et les Bas dla vie d'une Diva: Sarah Ménard par eux-mêmes: une monologuerie bouffe.** Montréal-Nord, VLB Éditeur, 1976. 150 p.: ill., notations musicales. ISBN 2-89005-080-7.

**Un pays dont la devise est je m'oublie,** théâtre. Montréal-Nord, VLB Éditeur, 1976. 138 p.: ill. ISBN 2-89005-082-3.

**Les Faux Brillants de Félix-Gabriel Marchand: paraphrase.** Montréal-Nord, VLB Éditeur, 1977. 295 p.: ill., portr. ISBN 2-89005-079-3.

**L'École des rêves,** théâtre. Montréal-Nord, VLB Éditeur, 1979. 128 p.: ill. ISBN 2-89005-078-5.

**Mamours et Conjugat: scènes de la vie amoureuse québécoise,** théâtre. Montréal-Nord, VLB Éditeur, 1979. 139 p.: ill., musique. ISBN 2-89005-081-5.

## ÉTUDE

**Dramaturges québécois: dossier de presse Jean Barbeau, 1970–1980; Jean-Claude Germain, 1969–1981.** Sherbrooke, Bibliothèque du séminaire, 1981. N.p.: ill., portr.

**André GERVAIS**

(Montréal, 16 avril 1947– ). Poète, André Gervais a publié aux Herbes rouges et aux Éditions de l'Aurore. Professeur au niveau collégial depuis 1969, il poursuit simultanément des études en lettres : licence à l'université de Sherbrooke (1970), maîtrise à l'université d'Aix-Marseille (1973) et doctorat sur l'œuvre littéraire et picturale de Marcel Duchamp à l'université de Sherbrooke (1979). André Gervais a publié articles et comptes rendus dans *Études françaises, Chroniques, Voix et Images, la Nouvelle Barre du jour*, etc. et donné des conférences sur Marcel Duchamp et Réjean Ducharme, notamment en France (colloques de Cerisy, 1977 et 1980), aux États-Unis et au Québec. Il est membre de la Modern Language Association of America depuis 1978.

## ŒUVRES

**Trop plein pollen,** poésie. Montréal, Les Herbes rouges, n° 23, août 1974. N.p.

**Hom storm grom,** suivi de **Pré prisme aire urgence,** poésie. Montréal, L'Aurore, 1975. 89 p. Coll. « Lecture en vélocipède », 17. ISBN 0-88532-086-7.

**L'Instance de l'ire,** poésie et prose. Montréal, Les Herbes rouges, n° 56, octobre 1977. 36 p. ISSN 0441-6627.

## Denise GERVAIS

(Montréal, 30 juin 1943– ). Détentrice d'un brevet en pédagogie de l'école normale Cardinal-Léger (1961), Denise Gervais enseigne jusqu'en 1969 tout en complétant un baccalauréat ès arts à l'université de Montréal (1966). Journaliste à *l'Écho du Nord* de Saint-Jérôme de 1969 à 1972, elle obtient une subvention du ministère des Affaires culturelles et décide de se consacrer entièrement à l'écriture. Après la parution de ses premiers poèmes, Denise Gervais fonde sa propre maison d'édition, les Éditions Manuelles (1975) et se joint au Regroupement des auteurs et éditeurs artisans en 1980. Depuis 1978, Denise Gervais travaille dans le domaine de l'immobilier.

## ŒUVRES

**Avec tout mon amour,** poésie. Montréal, Éditions Manuelles, 1975. 100 f.

**Cré société,** poésie. Montréal, Éditions Manuelles, 1976. 104 f.

**Oh ! Sagesse,** poésie. Montréal, Éditions Manuelles, 1977. 103 f.

**Doucement...,** poésie. Montréal, Éditions Manuelles, 1978. 103 f.

## Guy GERVAIS

Richard Wroom

(Montréal, 25 avril 1937– ). Guy Gervais a dirigé la section arts plastiques du Centre culturel de Vaudreuil (1967–1970), conçu des séries sur Raymond Abellio et l'hindouïsme, pour la radio et la télévision (1971–1974), avant de travailler pour l'Agence canadienne de développement puis pour le ministère des Affaires extérieures. Poète, il a écrit pour les revues *Liberté, Culture vivante* et *Parti pris* et, plus récemment, complété une maîtrise en lettres à l'université d'Ottawa (1982). Guy Gervais est l'auteur d'un poème radiophonique, *Millions d'oiseaux d'or*, et d'un *Essai sur l'esthétique de R. Abellio* paru dans les Cahiers de l'Herne.

## ŒUVRES

**Vailloches,** poésie. En collaboration avec J.A. Contant et P. Desjardins. Montréal, Cascade, 1956.

**Le Froid et le Fer,** poésie. Montréal, Cascade, 1957.

**Thermidor,** poésie. Montréal, L'Alicante, 1958.

**Chant I-II,** poésie. Montréal, Orphée, 1965.

**Poésie I.** Montréal, Parti pris, 1969.

**Gravité,** poésie. Montréal, L'Hexagone, 1982. 99 p. ISBN 2-89006-196-5.

**Nadia**
**GHALEM**

(Oran, Algérie, 26 juin 1941–      ). Journaliste à la pige depuis 1958, Nadia Ghalem a écrit pour *Décormag, l'Actualité, les Cahiers de la femme, Châtelaine* et la *Revue du Conseil du statut de la femme.* Animatrice et recherchiste tant à Radio-Canada qu'à Radio-Québec, elle a également produit des textes documentaires et des dramatiques pour la radio et la télévision. Poète et auteure de nouvelles et de récits, elle a étudié la psychologie, la sociologie et la littérature aux universités Concordia et du Québec à Montréal.

**ŒUVRES**

**Exil,** poésie. Montréal, N. Ghalem et Compagnons du lion d'or, 1980. N.p.

**Les Jardins de cristal,** récit. Montréal, Hurtubise HMH, 1981. Coll. « L'Arbre ». ISBN 2-89045-468-1.

**L'Oiseau de fer,** nouvelles. Sherbrooke, Naaman, 1981. ISBN 2-89040-204-5.

**Diane**
**GIGUÈRE**

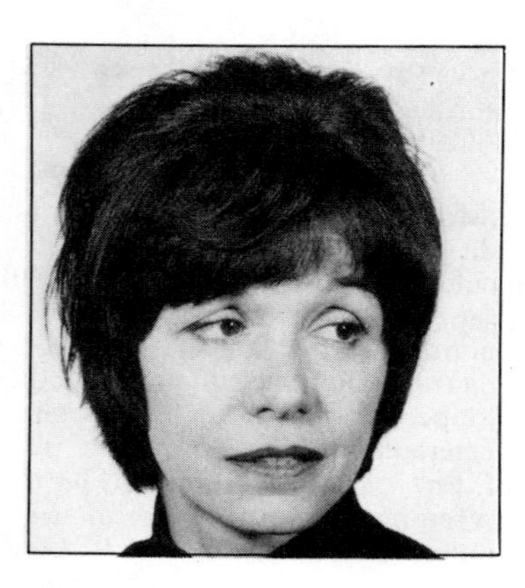

(Montréal, 6 décembre 1937–      ). Ayant fréquenté le collège Marie-de-France, Diane Giguère entre au Conservatoire d'art dramatique de la province de Québec d'où elle sort avec un Premier Prix d'interprétation de comédie moderne. Après une carrière de comédienne, elle devient speakerine à Radio-Canada en 1960. Elle a reçu le Prix du Cercle du livre de France (1961) pour *le Temps des jeux* et le Prix France-Québec (1977) pour *Dans les ailes du vent.* Ses romans ont été traduits en anglais et publiés chez McClelland & Stewart. Diane Giguère se dit fascinée par l'imprimé, autant par les magazines que par les reportages écrits, ouvrages historiques, fichiers, archives qui sont le reflet « de la production chaotique de notre monde moderne ».

**ŒUVRES**

**Le Temps des jeux,** roman. Montréal, Cercle du livre de France, 1961. 202 p.

**L'eau est profonde,** roman. Montréal, Cercle du livre de France, 1965. 141 p.

**Dans les ailes du vent,** roman. Montréal, Cercle du livre de France, 1976. 148 p. ISBN 0-7753-0087-X.

**ŒUVRES TRADUITES**

**Innocence,** roman. Traduction anglaise de Peter Green; titre original: **Le Temps des jeux.** Toronto, McClelland & Stewart, 1962. 191 p.

**Whirlpool,** roman. Traduction anglaise de Charles Fulmann; titre original: **L'eau est profonde.** Toronto, McClelland & Stewart, 1966. 178 p.

**Wings in the Wind,** roman. Traduction anglaise d'Alan Brown; titre original: **Dans les ailes du vent.** Toronto, McClelland & Stewart, 1979. 108 p. ISBN 0-7710-3310-9.

**Roland**
**GIGUÈRE**

Kèro

(Montréal, 4 mai 1929–      ). Après des études secondaires à l'école supérieure Saint-Viateur, Roland Giguère étudie la gravure à l'école des Arts graphiques de Montréal. En 1949, il fonde les Éditions Erta qui publient des livres d'art où sont soigneusement réunis poèmes et gravures d'écrivains et d'artistes québécois. Poursuivant sa carrière de graveur, il séjourne de 1957 à 1963 à Paris où il suit les cours supérieurs d'arts et techniques graphiques de l'école Estienne, étudie la gravure à l'atelier J. Friedlander et la lithographie à l'atelier Desjobert. C'est au cours de ce séjour en France qu'il participe aux activités du groupe Phases et du mouvement surréaliste. Aux publications de Roland Giguère s'ajoutent les textes parus dans diverses revues : *Phases* (Paris), *Edda* (Bruxelles), *Place publique* (Montréal), *Liberté, Estuaire, Odradek* (Liège), *Amérique française, la Barre du jour, Possibles.* Plusieurs prix importants ont déjà couronné son œuvre poétique dont, en 1966, le Grand Prix littéraire de la ville de Montréal, le Prix France-Canada et le Prix de la province de Québec pour son recueil *l'Âge de la parole.* En 1974, il refusait le Prix du Gouverneur général qui lui était décerné pour *la Main au feu.* Roland Giguère a, en outre, exercé tour à tour les métiers de typographe (1951–1955), de maquettiste à *Jours de France* (1958–1962) et au TNM (1965–1970) et il a été professeur à la faculté des sciences de l'éducation de l'université Laval (1970–1975).

### ŒUVRES

**Faire naître,** poésie. Illustrations d'Albert Dumouchel. Montréal, Éditions Erta, 1949. N.p.: ill.

**Trois pas,** poésie. Illustrations de Gérard Tremblay. Montréal, Éditions Erta, 1950. N.p.: ill.

**Les Nuits abat-jour,** poésie. Illustrations d'Albert Dumouchel. Montréal, Éditions Erta, 1950. N.p.: ill.

**Midi perdu,** poésie. Illustrations de Gérard Tremblay. Montréal, Éditions Erta, 1951. N.p.: ill.

**Yeux fixes,** poésie. Montréal, Éditions Erta, 1951. 20 p.

**Images apprivoisées,** poésie. Montréal, Éditions Erta, 1953. N.p.: ill.

**Les Armes blanches,** poésie. Avec six dessins de l'auteur. Montréal, Éditions Erta, 1954. 29 p.: ill.

**Le défaut des ruines est d'avoir des habitants,** poésie. Avec trois dessins de l'auteur. Montréal, Éditions Erta, 1957. 108 p.: ill.

**Adorable Femme des neiges,** poésie. Illustrations de l'auteur. Aix-en-Provence, Éditions Erta, 1959. 12 p.: ill., 6 planches en coul.

**L'Âge de la parole: poèmes 1949–1960.** Montréal, L'Hexagone, 1965. 170 p. Coll. « Rétrospectives ».

**Pouvoir du noir,** poésie. Préface de Gilles Hénault. Montréal, ministère des Affaires culturelles, musée d'Art contemporain, 1966. N.p.: ill.

**Naturellement,** poésie. Montréal, Éditions Erta, 1968. N.p.: ill., 8 planches en coul.

**La Main au feu, 1949–1968,** poésie. Montréal, L'Hexagone, 1973. 145 p. Coll. « Rétrospectives ». Également en édition de luxe.

**La Sérigraphie à la colle.** Montréal, Éditions Formart, 1973. 32 p.: ill.

**Abécédaire,** poésie. Illustrations de Gérard Tremblay. Montréal, Éditions Erta, 1975. 1 emboîtage: ill.

**J'imagine,** poésie. Avec dix lithographies de Gérard Tremblay. Montréal, Éditions Erta, 1976. N.p.: 10 planches en coul.

**Forêt vierge folle,** poésie. Montréal, L'Hexagone, 1978. 219 p.: ill. Coll. « Parcours ».

**10 cartes postales,** poésie. Montréal, Éditions Aubes 3935, 1982.

### ŒUVRES TRADUITES

**Eight Poems.** Traduction anglaise de Jean Beaupré et Gael Turnbull; titre original: **Les Armes blanches.** Iroquois Falls (Ontario), Contact Press, 1955.

**Mirror and Other Poems.** Traduction anglaise de Sheila Fischman; titre original: **La Main au feu: 1949–1968.** Erin (Ontario), Porcepic Press, 1977. 60 p. ISBN 0-88878-049-4.

## Wilfrid-Hidola GIRARD

(Roberval, 14 décembre 1903– ). Avocat depuis 1932, Wilfrid-Hidola Girard avait auparavant complété son cours classique au séminaire de Chicoutimi et étudié le droit et l'économie politique à l'université Laval. Vice-président de la section du Saguenay de la Société des écrivains canadiens, il a également été président de la Société Saint-Jean-Baptiste et de la Chambre de commerce de Roberval. Romancier et essayiste, il a collaboré à certains journaux de sa région tels *le Quotidien, l'Étoile du lac* et *le Lac Saint-Jean.*

### ŒUVRES

**Le solitaire de la montagne qui dort,** essai fantaisiste. Desbiens, Editions du Phare, 1970. 272 p.

**Le Pionnier,** histoire romancée de la fondation du Lac Saint-Jean. Desbiens, Éditions du Phare, 1972. 226 p.

**Le Conscrit,** roman. Desbiens, Éditions du Phare, 1972. 267 p.

**Le Choix,** essai littéraire. S.l., s.é., 1979. 187 p.

## Robert GIROUX

(Montréal, 29 janvier 1944– ). Critique littéraire pour plusieurs revues : *Voix et Images, Études françaises, Études littéraires, Livres et Auteurs québécois, Lettres québécoises*, etc., Robert Giroux a complété une maîtrise en langue et littérature françaises à l'université McGill (1967) et un doctorat en lettres modernes à Vincennes (1971). Il a enseigné aux universités McGill et de Montréal, au collège Loyola et, depuis 1972, à l'université de Sherbrooke. Membre de diverses associations, il siège au conseil d'administration des Éditions Coopératives Albert Saint-Martin et participe occasionnellement tant à des congrès qu'à des lectures publiques de poésie. Comme professeur, il analyse les mécanismes de fonctionnement de la littérature et comme écrivain il se méfie des modes et des mots de passe.

## ŒUVRES

**Les Bengalis d'Arthur de Bussières,** critique. Sherbrooke, Cosmos, 1975. 127 p.
**Désir de synthèse chez Mallarmé,** essai. Sherbrooke, Naaman, 1978. 291 p.
**Littérature, Histoire, Idéologie,** essai. En collaboration. Sherbrooke, Robert Giroux, Université de Sherbrooke, 1980. 267 p.
**L'Appel d'air,** poésie. Paris, Éditions Saint-Germain-des-Prés, 1980. 63 p.
**Littérature, Histoire, Idéologie : Québec-Haïti.** Sous la direction de Robert Giroux et al. Sherbrooke, Université de Sherbrooke, 1980. 267 p.
**Sémiotique de la pensée québécoise,** essai. Sherbrooke, Robert Giroux, Université de Sherbrooke, 1981. 210 p.

# † John GLASSCO

Pseud. : Jean de Saint-Luc, Miles Underwood, Sylvia Bayer, George Colman.

(Montréal, 15 décembre 1909–1981). Poète et romancier, John Glassco a passé la majeure partie de son existence dans les Cantons de l'Est. Après des études au Selwyn House School, au collège Bishop de Lennoxville (1922–1929), au Lower Canada College (1924-1925) et à l'université McGill (1925–1928), il part vivre quelque temps à Paris. Ce séjour lui inspirera *Memoirs of Montparnasse*, œuvre qu'il terminera en 1932 mais qui ne sera publiée qu'en 1970. Se qualifiant lui-même d'écrivain pornographique, John Glassco a publié romans et nouvelles et de nombreux textes dans des revues telles *Canadian Literature, Ellipse, The New Yorker, Poetry, Tamarack Review, Canadian Forum* et dans des anthologies comme *Poetry of our Time* et *Canadian Writing Today*. Également traducteur, il remportait d'ailleurs en 1975 le Prix de traduction du Conseil des arts pour *Complete Poems of Saint-Denys Garneau.* À ce prix s'ajoutent ceux qui ont couronné son œuvre : le Prix de la province de Québec (1961) et, en 1972, le Prix du Gouverneur général pour *Selected Poems.*

## ŒUVRES

**Conan's Fig,** poésie. Paris, s.é., 1928.
**Contes en Crinoline.** Paris, Gaucher, 1930.
**The Deficit Made Flesh,** poésie. Toronto, McClelland & Stewart, 1958.
**Under the Hill,** roman inachevé d'Aubrey Beardsley complété par John Glassco. Paris, Olympia Press, 1959.
**The English Governess,** roman. Paris, Olympia Press, 1960.
**A Point of Sky,** poésie. Toronto, Oxford University Press, 1964.
**English Poetry in Quebec.** Sous la direction de John Glassco. Montréal, McGill University Press, 1965.
**Squire Hardman,** poésie. Waterloo, (Québec), Pastime Press, 1966.
**Harriet Marwood, Governess,** roman. New York, Grove Press, 1967.
**The Poetry of French Canada in Translation,** anthologie. Sous la direction de John Glassco. Toronto, Oxford University Press, 1970. XXVI-270 p.
**The Temple of Pederasty.** D'Ihara Saikaku ; sous la direction de John Glassco. North Hollywood, California, Essey House, 1970.
**Memoirs of Montparnasse.** Toronto, Oxford University Press, 1970.
**Selected Poems.** Toronto, Oxford University Press, 1971. 94 p. ISBN 019-540188-3.
**Fetish Girl,** roman. New York, Grove Press, 1972.
**Montreal,** poésie. Montréal, Delta Canada, 1973.
**The Fatal Woman,** nouvelles. Toronto, House of Anansi, 1974.

## TRADUCTIONS

**The Journal of Saint-Denys Garneau.** Traduction de **Journal** de Saint-Denys Garneau. Toronto, McClelland & Stewart, 1962. 139 p.
**Lot's Wife,** roman. Traduction de **la Femme de Loth** de Monique Bosco. Toronto, McClelland & Stewart, 1975. 149 p. ISBN 0-17710-1586-0.
**The Complete Poems of Saint-Denys Garneau.** Ottawa, Oberon Press, 1975.
**Venus in Furs,** roman. Traduction de l'allemand de l'œuvre de Sacher-Masoch. Burnaby, Blackfish Press, 1974.
**Creatures of the Chase,** roman. Traduction de **Un dieu chasseur** de Jean-Yves Soucy. Toronto, McClelland & Stewart, 1979.

**Raymond**
**GODARD**

(Montréal, 3 mars 1936– ). Médecin à Matagami de 1961 à 1964 et à Amos depuis, Raymond Godard collabore à *l'Information médicale et paramédicale.*

## ŒUVRES

**Montréal ailleurs ; la poésie du Nord-Ouest québécois** suivi de **Ce pays t'appartient ; la socialisation des territoires de chasse et pêche** de Pierre Grenier, poésie et essai. Montréal, Claude Langevin Éditeur, 1971. 148 p.
**Retour de l'éloignement,** poésie. Hull, Éditions Asticou, 1980. 80 p. Coll. « Poésie ».

**Jacques**
**GODBOUT**

Kèro

(Montréal, 27 novembre 1933– ). Après avoir obtenu une maîtrise ès arts à l'université de Montréal en 1954, Jacques Godbout enseigne le français en Éthiopie jusqu'en 1957. En 1958, il se retrouve publicitaire avant d'entrer à l'Office national du film où il entreprend et poursuit jusqu'à aujourd'hui une carrière de cinéaste. Il réalise, entre autres, *Kid Sentiment, IXE-13* et *Derrière l'image.* La plupart de ses courts et longs métrages ont remporté des prix dans différents festivals internationaux. Poète, romancier, essayiste, dramaturge et journaliste, il est l'un des membres fondateurs de la revue *Liberté.* Il a aussi participé à la fondation du Mouvement laïque en 1960 et plus tard, en 1968, à celle du Mouvement Souveraineté-Association. Plusieurs prix importants ont couronné son œuvre littéraire : le Prix France-Canada (1962) pour son roman *l'Aquarium,* le Prix du Gouverneur général (1967) pour *Salut Galarneau !,* le Prix Dupau de l'Académie française (1973) pour *D'Amour P.Q.* ; le Prix Duvernay et plus tard, en 1978, le Prix Belgique-Canada lui ont été décernés pour l'ensemble de son œuvre. Jacques Godbout a été l'un des fondateurs et le premier président de l'Union des écrivains québécois.

## ŒUVRES

**Carton-pâte,** poésie. Paris, Seghers, 1956. 38 p.
**Les Pavés secs,** poésie. Montréal, Beauchemin, 1958. 90 p.
**C'est la chaude loi des hommes,** poésie. Montréal, L'Hexagone, 1960. 67 p.
**L'Aquarium,** roman. Paris, Éditions du Seuil, 1962. 156 p.
**Poésie-Poetry 64, anthologie.** En collaboration avec John Robert Colombo. Montréal, Toronto, Éditions du Jour, Ryerson Press, 1964. 157 p.
**Le Couteau sur la table,** roman. Paris, Éditions du Seuil, 1965. 157 p.
**Le Mouvement du 8 avril,** pamphlet. Montréal, M.L.F., 1966. N.p.
**Salut Galarneau !,** roman. Paris, Éditions du Seuil, 1967. 154 p.
**En marche vers l'unicité.** En collaboration. Ottawa, Centre catholique de l'université Saint-Paul, 1967. 171 p. : ill.
**La Grande Muraille de Chine,** poésie. En collaboration avec John Robert Colombo. Montréal, Éditions du Jour, 1969. 115 p. : ill.
**D'Amour P.Q.,** roman. Montréal, Paris, Hurtubise HMH, Éditions du Seuil, 1972. 155 p.
**L'Interview,** texte radiophonique. En collaboration avec Pierre Turgeon. Montréal, Leméac, 1973. 59 p. Coll. « Répertoire québécois », 37.
**Le Réformiste, textes tranquilles.** Montréal, Éditions Internationales A. Stanké, Quinze, 1975. 199 p. ISBN 0-88565-001-8.
**L'Isle au dragon,** roman. Paris, Éditions du Seuil, 1976. 157 p.
**Les Têtes à Papineau,** roman. Paris, Éditions du Seuil, 1981. 155 p.

## ŒUVRES TRADUITES

**Knife on the Table,** roman. Traduction anglaise de Penny Williams ; titre original : **Le Couteau sur la table.** Toronto et Montréal, McClelland & Stewart, 1968. 128 p. : ill.
**Hail Galarneau !,** roman. Traduction anglaise d'Alan Brown ; titre original : **Salut Galarneau !** Don Mills, Ontario, Longman Canada, 1970. 131 p.

## ÉTUDES

Conseil québécois pour la diffusion du cinéma, **Jacques Godbout.** Montréal, 1972. 47 p. : ill. Coll. « Cinéastes du Québec », 9.
Smith, André, **L'Univers romanesque de Jacques Godbout.** Montréal, Éditions Aquila, 1976.

95 p. Coll. « Figures du Québec ». ISBN 0-88510-040-9.

Roy, Fernand, **L'Italique de Jacques Godbout : du style comme processus d'énonciation.** Sainte-Foy, INRS-Éducation, 1980. 16 f.

**Jacques Godbout, écrivain-cinéaste, dossier de presse 1961–1980.** Sherbrooke, Bibliothèque du séminaire, 1981. N.p. : ill., portr.

## Gérald GODIN

(Trois-Rivières, 13 novembre 1938– ). Député du Parti québécois à l'Assemblée nationale et ministre des Communautés culturelles et de l'Immigration, Gérald Godin avait auparavant œuvré dans le domaine de l'information. Journaliste au *Nouvelliste* (1959–1962) et au *Nouveau Journal* (1962-1963), il a été recherchiste (1963–1967) puis chef de nouvelles (1967–1969) à Radio-Canada ; il a travaillé pour *Québec-Presse* de 1969 à 1972, date à laquelle il devenait directeur général de cet hebdomadaire. À ses activités journalistiques, s'ajoute sa participation à *Parti pris*, revue qu'il contribua à fonder en 1963, ainsi qu'aux Éditions Parti pris qu'il dirigea de 1969 à 1977. Gérald Godin a enfin collaboré à la réalisation de *On est au coton*, film de Denys Arcand, et au scénario de *Entre la mer et l'eau douce* de Michel Brault.

### ŒUVRES

**Chansons très naïves,** poésie. Trois-Rivières, Éditions du Bien public, 1960. 51 p.

**Poèmes et Cantos.** Trois-Rivières, Éditions du Bien public, 1962. 43 p.

**Nouveaux Poèmes.** Trois-Rivières, Éditions du Bien public, 1963. 53 p.

**Les Cantouques,** poésie. Montréal, Parti pris, 1967. 56 p. Coll. « Paroles », 10.

**Libertés surveillées,** poésie. Montréal, Parti pris, 1975. 50 p. Coll. « Paroles », 38. ISBN 0-88512-083-3.

## Jean-Cléo GODIN

(Petit-Rocher, N.B., 13 août 1936– ). Jean-Cléo Godin a obtenu une licence en lettres de l'université de Montréal (1964) et un doctorat de l'université d'Aix-Marseille (1966), avant de devenir professeur à l'université de Montréal (1966). Président de la Société d'histoire du Québec depuis 1977, il a publié des articles dans *Études françaises, Jeu, Livres et Auteurs québécois, Québec français*, etc. Essayiste, il a écrit avec Laurent Mailhot deux volumes sur *le Théâtre québécois*. Son premier essai, *Henri Bosco : une poétique du mystère*, lui a valu le Prix du Québec en 1969.

### ŒUVRES

**Henri Bosco : une poétique du mystère,** essai. Montréal, Presses de l'université de Montréal, 1968. 402 p.

**Le Théâtre québécois : introduction à dix dramaturges contemporains.** Montréal, Hurtubise HMH, 1970. 254 p.

**Le Théâtre québécois II,** essai. En collaboration avec Laurent Mailhot. Montréal, Hurtubise HMH, 1980. 248 p. ISBN 2-89045-208-5.

**Nouveaux Auteurs, Autres Spectacles,** étude. En collaboration avec Laurent Mailhot. LaSalle, Hurtubise HMH, 1980. 247 p. ISBN 2-89045-208-5.

## Marcel GODIN

Kèro

(Trois-Rivières, 10 mars 1932– ). Autodidacte, Marcel Godin est « journaliste, concepteur d'émissions, conseiller en information générale, adaptateur, conseiller pour l'enseignement de la langue seconde auprès du ministère de l'Éducation du Québec, interviewer, animateur, "rewriter" et parfois chômeur ». Outre ces activités para-littéraires auxquelles il s'adonne à l'occasion, il est aussi représentant littéraire d'une maison française et lecteur pour plusieurs éditeurs québécois. Il fut membre du jury du Prix de l'Actuelle en 1973. Il a été boursier du Conseil des arts du Canada et a reçu une mention au Prix David (1966) pour *Ce maudit soleil.*

### ŒUVRES

**La Cruauté des faibles,** nouvelles. Montréal, Éditions du Jour, 1961. 125 p. Coll. « Les Romanciers du Jour ».
**Ce maudit soleil,** roman. Paris, Laffont, 1965. 190 p.
**Une dent contre Dieu,** roman. Paris, Laffont, 1969. 211 p.
**Danka,** roman. Montréal, L'Actuelle, 1971. 173 p.
**Confettis,** nouvelles. Illustrations de Louisa Nicol. Montréal, Stanké, 1976. 179 p.: ill. ISBN 0-88566-019-6.
**Manuscrit,** poésie. Montréal, Stanké, 1978. N.p. ISBN 0-88566-123-0.

## Artie GOLD

(Brockville, Ont., 15 janvier 1947–    ). Collaborateur des revues *Cross Country, Weekend Magazine, Montreal Writer's* et coéditeur de Véhicule Press, Artie Gold a également vu plusieurs de ses textes publiés dans nombre d'anthologies dont *Four Montreal Poets, Montreal English Poetry of the Seventies, 10 Montreal Poets at the Cegeps* et *Whale Sound.*

### ŒUVRES

**Cityflowers,** poésie. Montréal, Delta, 1974.
**Even Yr Photograph Looks Afraid of Me,** poésie. Vancouver, Talonbooks, 1975.
**Mixed Doubles,** poésie. En collaboration avec Geoff Young. Berkeley, The Figures, 1976.
**5 Jockey Poems.** Montréal, The Word, 1977.
**Some of the Cat Poems.** Montréal, Cross Country Press, 1978.
**Before Romantic Words,** poésie. Montréal, Véhicule Press, 1979. 73 p.

## † Gaston GOUIN

(Saint-Camille, comté de Wolfe, 22 avril 1944–10 juin 1970). Décédé accidentellement en juin 1970, Gaston Gouin venait de terminer une licence en littérature française à l'université de Sherbrooke (1969) et y avait complété sa scolarité de maîtrise. Chroniqueur pour *le Campus estrien* de 1965 à 1969, il en était devenu le rédacteur en chef. Coordonnateur du Comité des fêtes populaires de la Saint-Jean en 1969, il participa également à la fondation des Éditions Cosmos avec Antoine Naaman. Poète, Gaston Gouin avait, avant son décès, publié quelques titres, mais la majeure partie de son œuvre est parue à titre posthume.

### ŒUVRES

**Temps obus,** poésie. Postface de Gaétan Dostie. Sherbrooke, Cosmos, 1969. 102 p.
**Le Double-Roi,** poème-affiche. Sherbrooke, Édition privée, 1970. N.p.
**Poème-affiche.** Sherbrooke, Cosmos, 1970. N.p.
**J'il de noir,** poésie. Illustrations de l'auteur. Sherbrooke, Montréal, Cosmos, Hexagone, Parti pris, 1971. 55 p.: ill.

### ÉTUDE

En collaboration. **Gaston Gouin, 1944–1970.** Sherbrooke, Windsor, Société Gaston Gouin, Carnet des auteurs réunis, 1970. N.p.: ill.

## Jacques GOUIN

Pierre Widaut

(Montréal, 2 janvier 1919–    ). Jacques Gouin a complété un baccalauréat en langues et littératures française et anglaise à l'université McGill (1941) et un diplôme en sciences politiques à l'université d'Ottawa (1952). Engagé volontaire dans l'armée canadienne dès 1942, il devient après la guerre traducteur pour le gouvernement fédéral et est tour à tour à l'emploi des ministères des Anciens Combattants, des Affaires extérieures et de la Défense nationale. Parallèlement à son travail de fonctionnaire fédéral, il fut journaliste au journal *le Droit* et mena une carrière d'historien. Membre de plusieurs sociétés historiques, il a lui-même fondé deux sociétés d'histoire régionale, soit la Société historique de l'Ouest du Québec, à Hull, et la Société d'histoire des Pays d'en haut, à Saint-Sauveur-des-Monts. Il est d'ailleurs rédacteur en chef des cahiers de cette institution. En 1980, le Prix David-M.-Stewart lui était remis pour souligner son apport à l'histoire.

## ŒUVRES

**Par la bouche de nos canons. Histoire du 4e régiment d'artillerie moyenne (1941-1945).** Hull, Imprimerie Gasparo, 1970. 300 p.

**Lettres de guerre d'un Québécois (1942-1945).** Montréal, Éditions du Jour, 1975. 343 p.

**Antonio Pelletier, médecin et poète méconnu (1876-1917).** Montréal, Éditions du Jour, 1975. 202 p.

**Lettres d'amour (1909-1924).** Saint-Sauveur-des-Monts, hors commerce, 1979. 211 p.

**La Famille Gouin en Amérique.** Société des amis de l'histoire de la Pérade, Éditions du Bien public, 1979. 43 p.

**Bon Cœur et Bon Bras. Histoire du régiment de Maisonneuve (1880-1980).** Montréal, Médiabec Inc., 1980. 303 p.

**William-Henry Scott et sa descendance,** ou **le Destin romanesque et tragique d'une famille de rebelles (1799-1944).** Hull, Société historique de l'Ouest du Québec, 1980. 69 p.

## TRADUCTIONS

**Les Opérations du Canada dans les eaux coréennes, 1950-1955.** Traduction de l'anglais. Ottawa, ministère de la Défense nationale, 1965. 179 p.

**Singulier Champ de bataille : les opérations en Corée et leurs effets sur la politique de défense du Canada.** Traduction de l'anglais. Ottawa, ministère de la Défense nationale, 1966. 354 p.

**La Participation du Canada à la Première Guerre mondiale.** Traduction de l'anglais. Ottawa, musée de la Guerre, 1968. 62 p.

**Le Jour-J.** Traduction de l'anglais. Ottawa, musée de la Guerre, 1969. 30 p.

**Armes, Hommes et Gouvernements : les politiques de guerre du Canada (1939-1945).** Traduction de l'anglais. Ottawa, ministère de la Défense nationale, 1970. 247 p.

**Bethune.** Traduction de l'anglais. Montréal, Éditions du Jour, 1973. 221 p.

**30e Anniversaire des débarquements en Normandie au Jour J, 1944 - 6 juin - 1974.** Traduction de l'anglais. Ottawa, ministère des Affaires des Anciens Combattants, 1974. 27 p.

**Témoins silencieux,** guide historique et descriptif des monuments et cimetières canadiens des deux guerres mondiales et du conflit coréen. Adaptation française de **Silent Witnesses** du lieutenant-colonel H.F. Wood et du major John Swettenham. Ottawa, musée de la Guerre et ministère des Affaires des Anciens Combattants, 1974. 249 p.

**Trentième Anniversaire : les Canadiens en Italie, du 22 avril au 3 mai 1975.** Traduction de l'anglais. Ottawa, ministère des Affaires des Anciens Combattants, 1975. 31 p.

**Les Opérations aériennes du Canada dans le Sud-Est asiatique (1941-1945).** Traduction de l'anglais. Ottawa, ministère des Approvisionnements et Services, 1976. 202 p.

**Coutumes et Traditions des Forces armées canadiennes.** Traduction de l'anglais. Québec, Éditions du Pélican, Ottawa, ministère de la Défense nationale et Centre d'édition du gouvernement du Canada. 1980. 340 p.

# Pierre GOULET

(Québec, 12 juin 1948- ). Romancier et auteur de théâtre, Pierre Goulet a complété un baccalauréat en journalisme à l'université Laval (1974) avant de travailler comme conseiller technique pour le Syndicat des professeurs du Québec métropolitain (1974-1976). « Particulièrement intéressé par le temps à l'échelle humaine comme à l'échelle cosmique » et ayant « un goût assez marqué pour les fins du monde », il avoue de plus « une certaine passion pour l'œuvre de J.M.G. Le Clézio et une admiration sans borne pour *Mémoires d'Hadrien* de Marguerite Yourcenar ».

## ŒUVRES

**Les Lois de la pesanteur,** théâtre. Photos d'Isabelle Villeneuve. Montréal, Leméac, 1978. 184 p. : ill. portr. Coll. « Théâtre Leméac », 76. ISBN 0-7761-0073-4.

**Le Temple de Vénus,** roman. Montréal, Ferron Éditeur, 1980. 181 p.

**Pontiac,** théâtre. Montréal, Québec-Amérique, 1982. 183 p. Coll. « Premières ». ISBN 2-89037-117-4.

† **Alain GRANDBOIS**

André Larose

(Saint-Casimir de Portneuf, 25 mai 1900–mars 1975). Alain Grandbois fait ses études classiques au collège de Montréal et au séminaire de Québec puis entreprend des études à l'université Saint-Dunstan (Charlottetown) et complète une licence en droit à l'université Laval (1944). Il séjourne ensuite à Paris et effectue de nombreux voyages qui lui font découvrir l'Italie, l'Espagne, l'Autriche, l'Allemagne, l'Union soviétique, la Chine, le Japon, les Indes et l'Afrique. Après la guerre, il contribue à la fondation de l'Académie canadienne-française, commence à écrire de la poésie et publie dans nombre de revues telles: *Amérique française, Liaison, Liberté, Notre Temps,* etc. L'apport littéraire d'Alain Grandbois a été souligné par de nombreuses récompenses: les prix David 1941 (*Les Voyages de Marco Polo*), 1947 et 1970 (pour l'ensemble de son œuvre); le Prix Duvernay en 1950, la Médaille Lorne-Pierce de la Société royale en 1954, le Prix France-Canada, pour *Poèmes,* en 1963; le Prix Molson cette même année; enfin, la Médaille d'or de l'Académie canadienne-française pour l'ensemble de son œuvre en 1968.

## ŒUVRES

**Né à Québec,** récit. Paris, Messein, 1933. 256 p.
**Poèmes.** Hankéou, Chine, 1934. 32 p.
**Les Voyages de Marco Polo,** récit. Montréal, Éditions Bernard Valiquette, 1941. 229 p.
**Les Îles de la nuit,** poésie. Illustrations d'Alfred Pellan. Montréal, Éditions Parizeau, 1944. 134 p.: ill.
**Avant le chaos,** nouvelles. Montréal, Éditions Modernes, 1945. 201 p.
**Rivages de l'homme,** poésie. Québec, s.é., 1948. 96 p.
**L'Étoile pourpre,** poésie. Montréal, L'Hexagone, 1957. 79 p.
**Alain Grandbois.** Textes choisis et présentés par Jacques Brault. Montréal, Fides, 1958. 95 p. Coll. « Classiques canadiens ».
**Poèmes: les Îles de la nuit, Rivages de l'homme, l'Étoile pourpre.** Montréal, L'Hexagone, 1963. 246 p.
**Alain Grandbois.** Textes choisis par Jacques Brault. Montréal et Paris, L'Hexagone, Seghers, 1968. 200 p. Coll. « Poètes d'aujourd'hui ».
**Poèmes choisis.** Montréal, Fides, 1970. 141 p. Coll. « Bibliothèque canadienne-française ».
**Visages du monde. Images et Souvenirs de l'entre-deux guerres.** Montréal, Hurtubise HMH, 1971. 378 p. Coll. « Reconnaissances ».
**Délivrance du jour et autres inédits.** Avec dessins de l'auteur. Montréal, Éditions du Sentier, 1980. 79 p.: ill. en coul., fac-sim.

## ÉTUDES

Leblanc, Léopold, **Alain Grandbois** ou **la Tentation de l'absurde,** thèse de maîtrise. Montréal, Université de Montréal, 1957. 108 p.
**Liberté 60,** n^os^ 9-10, 1960. pp. 145–288. Numéro spécial sur Alain Grandbois.
Beaudet, Jean-A., **Dictionnaire du vocabulaire d'Alain Grandbois.** Montréal, Centre de calcul de l'université de Montréal, 1966. 903 p.
Beauchemin, Normand, **Recherches sur l'accent d'après les poèmes d'Alain Grandbois.** Québec, Presses de l'université Laval, 1970. 192 p. Coll. « Langue et Littérature française au Canada ».
Dallard, Sylvie, **L'Univers poétique d'Alain Grandbois: symbolique et signification ou l'itinéraire spirituel d'un poète,** thèse de maîtrise. Sainte-Foy, université Laval, 1970. XII-154 p.
Leblanc, Léopold, **Poésie et Thématique d'Alain Grandbois,** thèse de doctorat. Université de Caen, 1971. 430 p.
Fournier, Claude, **Le Paysage de l'amoureuse dans la poésie d'Alain Grandbois,** thèse de maîtrise. Trois-Rivières, université du Québec à Trois-Rivières. 1972. IV-97 p.
Gallays, François, **Les Mots et les Images dans la poésie d'Alain Grandbois,** thèse de doctorat. Ottawa, université d'Ottawa, 1971. XVI-270 p.
Blais, Jacques, **Présence d'Alain Grandbois.** Québec, Presses de l'université Laval, 1974. VIII-261 p. Coll. « Vie des lettres canadiennes », 11. ISBN 0-7746-6480-0.
Greffard, Madeleine, **Alain Grandbois.** Montréal, Fides, 1975. 191 p.: ill. Coll. « Écrivains canadiens d'aujourd'hui », 12. ISBN 0-7755-0564-2.
Dallard, Sylvie, **L'Univers poétique d'Alain Grandbois.** Sherbrooke, Éditions Cosmos, 1975. 134 p. Coll. « Profils », 9.
Alain Grandbois, **Dossier de presse 1944–1980.** Sherbrooke, Bibliothèque du séminaire, 1981. N.p.: ill., portr.

**Jacques GRAND'MAISON**

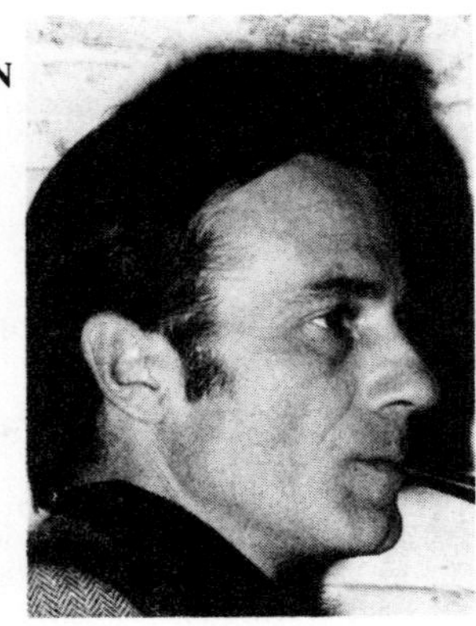

(Saint-Jérôme, 18 décembre 1931– ). Essayiste, Jacques Grand'Maison est professeur titulaire à l'université de Montréal depuis 1965 et directeur, depuis 1975, des collections « Hauteur d'homme » et « Quel ? » aux Éditions Leméac. Licencié en sociologie de l'Université Grégorienne (1963) et docteur en théologie de l'université de Montréal (1965), il est membre de l'Association des sociologues canadiens, de la Société canadienne de sociologie et un collaborateur assidu de *la Presse* et du *Devoir*. Depuis 1970, il anime une équipe de recherche interdisciplinaire qui a produit des travaux de pédagogie et d'expérimentation et participe également à divers projets de recherche dont celui entrepris pour la réforme Castonguay-Nepveu. « Toujours soucieux de suivre l'évolution de nouvelles pratiques d'intervention, il s'est associé à plusieurs initiatives de sociologie appliquée en développement régional, en réformes urbaines, agraires et industrielles, particulièrement en France, en Angleterre, en Italie. » Enfin, au plan pastoral, il est conseiller théologique auprès des évêques et consacre un mois par année à des collaborations internationales en matière de développement. Jacques Grand' Maison a reçu le Prix des sciences humaines du gouvernement du Québec en 1970 pour *Vers un nouveau pouvoir* et le Prix Esdras-Minville de la Société Saint-Jean-Baptiste, pour l'ensemble de son œuvre, en 1982.

## ŒUVRES

**Crise de prophétisme,** essai. Montréal, L'Action catholique canadienne, 1965. 315 p.

**La Paroisse en concile; coordonnées sociologiques et théologiques,** essai. Montréal, Fides, 1966. 300 p.

**L'Église en dehors de l'église,** essai. Montréal, Institut dominicain de pastorale, 1966. 208 p.

**Le Monde et le Sacré.** Paris, Éditions ouvrières, 1966–1968. 2 vol. Traduit en quatre langues.

**Vers un nouveau pouvoir,** essai. Montréal, Hurtubise HMH, 1969. 257 p.

**Nationalisme et Religion,** essai. Montréal, Beauchemin, 1972. 2 vol.

**Stratégies sociales et Nouvelles Idéologies ; un instrument d'analyse et d'action pour les engagés sociaux, politiques et culturels,** essai. Montréal, Hurtubise HMH, 1970. 266 p.

**Nouveaux Modèles sociaux et Développement,** essai. Montréal, Hurtubise HMH, 1972. 491 p. : ill.

**La Seconde Évangélisation,** essai. Montréal, Fides, 1973. 2 vol.

**Symboliques d'hier et d'aujourd'hui : un essai socio-théologique sur le symbolisme dans l'Église et la société contemporaine.** Montréal, Hurtubise HMH, 1974. 318 p.

**Le Privé et le Public,** essai. Montréal, Leméac, 1974. 2 vol.

**Des milieux de travail à réinventer,** essai. Montréal, Presses de l'université de Montréal, 1975. 254 p.

**Une tentative d'autogestion,** essai. Montréal, Presses de l'université de Montréal, 1975. 228 p. : diagr.

**Au mitan de la vie,** essai. Montréal, Leméac, 1975. 210 p.

**Pour une pédagogie sociale d'autodéveloppement en éducation,** essai. Montréal, Éditions Internationales A. Stanké, 1976. 191 p. : diagr.

**Une philosophie de la vie,** essai. Montréal, Leméac, 1977. 290 p.

**Une société en quête d'éthique,** essai. Montréal, Fides, 1977. 207 p.

**L'École enfirouapée,** essai. Montréal, Stanké, 1978. 156 p.

**Quel homme ?,** essai. Montréal, Leméac, 1978. 146 p.

**Quelle société ?,** essai. Montréal, Leméac, 1978. 162 p.

**Au seuil critique d'un nouvel âge,** essai. Montréal, Leméac, 1979.

**La Nouvelle Classe et l'Avenir du Québec,** essai. Montréal, Stanké, 1979.

**Une foi ensouchée dans ce pays,** essai. Montréal, Leméac, 1980.

**De quel droit ?,** essai. Montréal, Leméac, 2 vol.

**La Révolution affective et l'Homme d'ici,** essai. Montréal, Leméac, 1982. 196 p. ISBN 2-7609-5512-5.

## ÉTUDE

Tarrab, Gilbert, **Jacques Grand'Maison : le roc et la source.** Illustrations de Robert Etcheverry. Montréal, Nouvelle Optique, 1980. 184 p. : ill. Coll. « Traces et Paroles ». ISBN 2-89017-001-2.

**Ronald A.**
**GRANT**

(Hamilton, Ont., 10 septembre 1927– ). Poète et romancier, Ron Grant a travaillé comme journaliste à *The Montreal Gazette* (1967–1971) et comme annonceur à la radio anglaise de Radio-Canada pour l'émission *Quebec Now* (1976). Responsable des publications au Canadien Pacifique depuis 1971, il a également enseigné l'anglais à la Commission des écoles catholiques de Montréal et a donné plusieurs conférences sur l'écriture et l'édition. Membre du Montreal Press Club, de l'Association of Railroad Editors et de l'Association québécoise de Judo Kodokan, il a collaboré à nombre de revues et journaux dont *the Montrealer, Edge, Winsconsin Poetry Magazine* et *The Fiddlehead.*

**ŒUVRES**

**The Drowning Song,** poésie. Philadelphia, Dorrance & Co., 1967. 46 p. Coll. « Contempory Poets ».
**Let's All Light the Candle in the Putt-Putt Boat,** poésie. Couverture par Aislin. Pointe-Claire, Alastair Ink, 1973. 52 p.
**Poems Written after Death.** Couverture par Aislin. Pointe-Claire, Alastair Ink, 1978. N.p.
**Where the Light was Burning,** roman. Great Neck, N.Y., Todd & Honeywell Inc., 1980. 192 p.

**Eldon**
**GRIER**

(Angleterre, 1917– ). Peintre et poète, Eldon Grier a collaboré à diverses revues et plusieurs de ses poèmes sont parus dans des anthologies sur la poésie canadienne. Il habite Montréal depuis son enfance.

**ŒUVRES**

**A Morning from Scraps,** poésie. S.l., s.é., 1955.
**Poems.** S.l., s.é., 1956.
**The Ring of Ice.** S.l., s.é., 1957.
**Manzanillo and Other Poems.** S.l., s.é., 1958.
**A Friction of Lights,** poésie. Montréal, Contact Press, 1963.
**Pictures on the Skin.** Montréal, Delta, 1967.
**Selected Poems.** Montréal, Delta, 1971.
**The Assassination of Colour.** Fredericton, Fiddlehead Poetry Books, s.d.

**Monique**
**GRIGNON-LAPIERRE**
Pseud. : Mimi Verdi.

(Saint-Jovite, 31 décembre 1931– ). Monique Grignon-Lapierre écrivait depuis longtemps des poèmes, lorsqu'elle se tourna vers la prose. Après avoir écrit un premier roman demeuré inédit, elle publie en 1971 un recueil de nouvelles, *Bonjour Twiggy*, pour lequel elle avait été finaliste au Prix du Cercle du livre de France deux ans auparavant. Membre de la Société des poètes canadiens-français, (1977-1978) et de Arts et Lettres (1980-1981), elle est depuis 1980 coéditrice des Éditions de l'Étape où elle a publié son deuxième livre. Elle a également fait paraître quelques poèmes dans la revue *Regards sur Israël.*

**ŒUVRES**

**Bonjour Twiggy,** nouvelles. Montréal, Cercle du livre de France, 1971. 85 p.
**L'Artère en feu,** poésie. Illustrations d'Ève Lapierre. Laval, Éditions de l'Étape, 1980. 113 p. : ill.

**Pierre**
**GRIMARD (1955– )**

**ŒUVRES**

**D'abîme d'amour.** Candiac, Éditions Je Me Moi, 1975. N.p.
**Le Rat dans la matrice.** Québec, Éditions Je Me Moi, 1976. N.p.

**Jean-Pierre**
**GUAY**

Kèro

(Québec, 12 juin 1946– ). Jean-Pierre Guay est scénariste, recherchiste, auteur de chansons, journaliste, agent d'information, attaché de presse, secrétaire de rédaction, coordonnateur de manifestations culturelles mais, avant tout, écrivain. Son premier livre, *Mise en liberté*, lui a valu le Prix du Cercle du livre de France en 1974. Il a aussi obtenu le Prix international la Licorne en 1972 pour un recueil de poèmes encore inédit. En 1971, boursier du gouvernement français, il fait un stage de perfectionnement en journalisme au journal *le Figaro*. Membre du comité de rédaction de la revue *Estuaire* (1976–1980) dont il fut l'un des fondateurs, il a écrit dans *le Soleil, le Devoir* et *la Nouvelle Barre du jour*. En 1982, il devenait président de l'Union des écrivains québécois.

## ŒUVRES

**Mise en liberté,** roman. Montréal, Cercle du livre de France, 1974. 134 p. ISBN 0-7753-0052-7.
**Porteur d'os,** poésie. Paris, Guy Chambelland, 1974. 60 p.
**Ô l'homme,** poésie. Paris, Guy Chambelland, 1975. 69 p.
**Voir les mots,** essai. Préface de Pierre Tisseyre. Montréal, Cercle du livre de France, 1975. 109 p. Coll. « Écritudes ». ISBN 0-7753-0065-9.
**Le Bonheur de Christian Dagenais,** roman. Montréal, Cercle du livre de France, 1980. 111 p. ISBN 2-89051-042-5.

## Jean-René GUAY

(Robertsonville, 28 avril 1939– ). Jean-René Guay a fait ses humanités gréco-latines au collège de Lévis et un an de bibliothéconomie à l'université Laval (1960). Il travailla au Service de la documentation du Secrétariat de la province de 1960 à 1964 et revint vivre à Thetford-Mines où il termina ses études collégiales et obtint un diplôme en sciences humaines (1975).

## ŒUVRES

**Évanescents,** poésie. Thetford-Mines, chez l'auteur, 1968. 14 f.
**Le Pont des jours,** poésie. Thetford-Mines, chez l'auteur, 1968. 15 f.
**Onirisme,** poésie. Thetford-Mines, chez l'auteur, 15 f.
**Le Revenir des eaux troubles,** poésie. Thetford-Mines, chez l'auteur, 1969. 18 f.
**Derrière l'univers,** poésie. Thetford-Mines, chez l'auteur, 1971. 17 f.
**Silence floral,** poésie. Thetford-Mines, chez l'auteur, 1974. 20 f., portr.
**Contrevers,** poésie. Sherbrooke, Éditions Cosmos, 1976. 71 p. Coll. « Amorces », 18.
**Transparence terne du temps,** poésie. Sherbrooke, Naaman, 1981. 103 p. Coll. « Création », 101. ISBN 2-89040-198-7.

## Michelle GUÉRIN

Pierre Widaut

(Louiseville, 12 septembre 1936– ). Journaliste à *la Terre de chez nous* (1962–1965) et au *Nouvelliste* (1958–1960 et depuis 1971, Michelle Guérin a terminé son cours classique au collège Marie de l'Incarnation de Trois-Rivières (1956) et suivi le cours de journalisme de l'École supérieure de journalisme de Paris (1961). Poète, conteuse et romancière, elle a, parallèlement à la publication de ses livres, publié de nombreux articles dans des revues telles *Châtelaine, l'Actualité* et *Éducation Québec*. Membre pour un temps de la troupe des Compagnons de Notre-Dame de Trois-Rivières, elle a été présidente de la Société d'études et de conférences et est vice-présidente des Écrivains de la Mauricie. Certains de ses poèmes ou contes lui ont valu des honneurs et son œuvre journalistique a été reconnue par la Société Saint-Jean-Baptiste de Trois-Rivières qui lui a décerné le Prix Benjamin-Sulte en 1975.

## ŒUVRES

**Les Oranges d'Israël,** roman. Montréal, Cercle du livre de France, 1972. 164 p. ISBN 0-8853-0021-7.
**Le Sentier de la louve,** roman. Montréal, Cercle du livre de France, 1973. 182 p. ISBN 0-7753-0032-2.
**Le Ruban de Moebius,** contes et nouvelles. Montréal, Cercle du livre de France, 1973. 153 p. ISBN 0-7753-0045-4.
**Onyx,** roman. Montréal, Cercle du livre de France, 1975. 186 p. ISBN 0-7753-0080-2.
**Temple oral,** poésie. Trois-Rivières, Éditions du Bien public, 1977. 51 p.
**En importunant la dame,** roman. Montréal, Cercle du livre de France, 1979. 209 p. ISBN 2-89051-003-4.

### Jacques GUIMONT

(Lévis, 24 septembre 1949– ). Historien de formation, Jacques Guimont a étudié au collège de Lévis et au séminaire de Québec avant d'obtenir une licence en histoire à l'université Laval (1972). Il a fait nombre de travaux de recherche historique pour divers organismes dont la cité de Sillery, le ministère des Affaires indiennes et du Nord et, depuis 1980, Ethnotech. Secrétaire de la maison Le Palier, il a participé à titre d'éditeur à un stage de l'Office franco-québécois sur « la littérature de jeunesse » en 1979, en France.

## ŒUVRES

**L'En-Nuit,** poésie. Québec, Éditions de la Basoche, 1977. 52 p.
**Quintefeuille,** poésie. En collaboration. Québec, Maison Le Palier, 1978. 87 p.

### Madeleine GUIMONT

Pseud. : Clothilde Rainville.

(Québec, 1er septembre 1932– ). Depuis plus de trente ans, Madeleine Guimont enseigne en deuxième année à l'école Saint-Sauveur de Québec, sa paroisse natale. Lectrice pour la revue *Poésie* de 1966 à 1969 et pour les Éditions La Liberté depuis lors, elle a publié ses textes dans les revues *l'Étincelle, Nord, Québec français, le Piolet* et, sous le pseudonyme de Clothilde Rainville, dans *l'Action nationale*. Parmi ses poèmes inédits, certains ont été lus sur les ondes de Radio-Canada et des radios belge et française. Madeleine Guimont partage sa vie entre l'enseignement, la musique et la poésie.

## ŒUVRES

**Chemins neufs,** poésie. Québec, Garneau, 1966. 85 p. Coll. « Garneau poésie ».
**Temps miscibles,** poésie. Québec, Garneau, 1968. 155 p. Coll. « Garneau poésie ».
**Manège apprivoisé,** poésie. Québec, Garneau, 1970. 117 p. Coll. « Garneau poésie ».
**Entre sève et mirage,** poésie. Québec, Garneau, 1973. 113 p. Coll. « Garneau poésie ».
**Les Roses bleues de la Malombre,** poésie. Québec, Garneau, 1975. 109 p. Coll. « Garneau poésie ». ISBN 0-7757-0553-5.
**Dans l'aura de l'absence,** poésie. Québec, Garneau, 1977. 100 p. Coll. « Garneau poésie ». ISBN 0-7757-0566-7.
**Fileuses d'embruns,** poésie. Illustrations de Marguerite Geoffroy. Québec, La Liberté, 1979. 114 p. : ill. Coll. « Le Dévidoir ». ISBN 2-89084-004-2.

### Robert GURIK

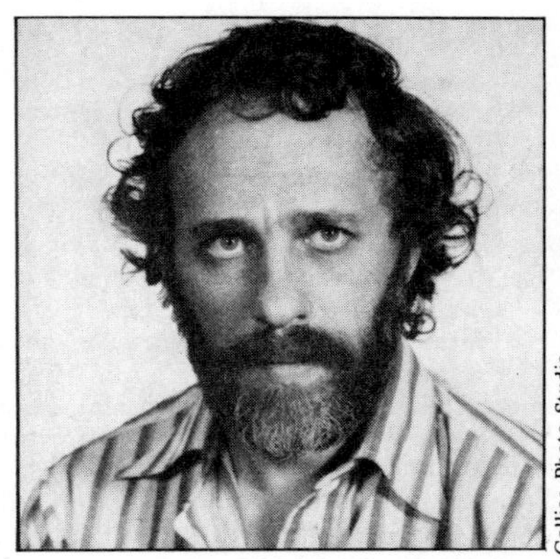
Collias Photo Studio

(Paris, France, 16 novembre 1932– ). Diplômé de polytechnique de l'université de

Montréal, Robert Gurik est ingénieur de 1957 à 1971 tout en s'intéressant activement au théâtre. Il participe, dès 1965, à la fondation du Centre d'essai des auteurs dramatiques et en devient le premier président. Il reçoit à deux reprises la Médaille Massey pour la meilleure pièce au Canada, soit en 1967 pour *le Pendu* et en 1969 pour *les Louis d'or.* Il est membre des conseils d'administration de la Société des auteurs, recherchistes, documentalistes et compositeurs et de la Société de gestion du droit d'auteur.

## ŒUVRES

**Spirales,** roman. Illustrations d'André Linglet. Montréal, HRW, 1966. 73 p. : ill.

**Hamlet, prince du Québec,** théâtre. Montréal, Éditions de l'Homme, 1968. 95 p.

**À cœur ouvert,** théâtre. Montréal, Leméac, 1969. 82 p. Coll. « Répertoire québécois », 4.

**Le Pendu,** théâtre. Montréal, Leméac, 1970. 109 p. : ill. Coll. « Théâtre canadien », 12.

**Api 2967** et **la Palissade,** théâtre. Introduction de Réginald Hamel. Montréal, Leméac, 1971. 147 p. : ill. Coll. « Théâtre canadien », 20.

**Les Tas de sièges,** théâtre. Montréal, Leméac, 1971. 52 p. Coll. « Répertoire québécois », 9.

**Le Procès de Jean-Baptiste M.,** théâtre. Montréal, Leméac, 1972. 91 p. Coll. « Répertoire québécois », 23.

**Le Tabernacle à trois étages,** théâtre. Montréal, Leméac, 1972. 70 p. Coll. « Répertoire québécois », 25.

**Allô... police,** comédie musicale. Musique de Robert Léonard. Montréal, Leméac, 1974. 87 p. Coll. « Répertoire québécois », 45.

**Sept Courtes Pièces,** théâtre. Préface de Pierre Filion. Montréal, Leméac, 1974. 119 p. Coll. « Répertoire québécois », 43-44.

**Lénine,** théâtre. Montréal, Leméac, 1975. XVII-111 p. : ill. Coll. « Théâtre Leméac », 47. ISBN 0-7761-0046-7.

**Le Champion,** théâtre. Montréal, Leméac, 1977. XVII-79 p., portr. Coll. « Théâtre Leméac », 67. ISBN 0-7761-0065-3.

**La Baie des Jacques,** théâtre. Montréal, Leméac, 1978. 161 p. : ill., portr. Coll. « Théâtre Leméac », 75. ISBN 0-7761-0067-X.

**Théâtre et Engagement,** entretien avec Robert Gurik. Marie-Francine Hébert et le Théâtre Parminou. Montréal, Centre d'essai des auteurs dramatiques, 1976. 59 f. Coll. « Entretien », 2.

**Jeune Délinquant,** roman. Montréal, Leméac, 1980. 247 p. Coll. « Roman québécois ». ISBN 2-7609-3045-9.

## ŒUVRES TRADUITES

**The Hangman,** théâtre. Traduction anglaise de Phillip London ; titre original : **Le Pendu.** Toronto, New Press.

**The Trial of Jean-Baptiste M.,** théâtre. Traduction anglaise d'A. Van Meer ; titre original : **Le Procès de Jean-Baptiste M.** Vancouver, Talon Books.

**API 2967,** théâtre. Traduction anglaise de Marc F. Gélinas. Toronto, Playwrights Co-op, 1973.

## Ralph GUSTAFSON

Gerry Lemay Studio

(Lime-Ridge, 16 août 1909–    ). Ralph Gustafson a étudié aux universités Bishop et Oxford. Il enseigne d'abord aux collèges Bishop et St. Alban puis travaille pour les services d'information britanniques de 1942 à 1946. Critique musical à Radio-Canada, il est depuis 1963, poète résident et professeur d'anglais à l'université Bishop. Outre ses publications, l'œuvre de Ralph Gustafson comprend de nombreux poèmes parus dans diverses anthologies : *Modern Canadian Poetry, Penguin Book of Canadian Verse, Literature in Canada*, etc. Récipiendaire du Prix du Gouverneur général en 1974, il détient des doctorats honorifiques des universités Bishop et Mount Allison.

## ŒUVRES

**The Golden Chalice,** poésie. London, Nicholson and Watson, 1935.

**Alfred the Great,** théâtre. London, Joseph, 1937.

**Epithalamium in Time of War,** poésie. New York, chez l'auteur, 1941.

**Lyrics Unromantic,** poésie. New York, chez l'auteur, 1942.

**Anthology of Canadian Poetry.** Sous la direction de Ralph Gustafson. London, Penguin, 1942.

**A Little Anthology of Canadian Poets.** Sous la direction de Ralph Gustafson. New York, New Direction, 1943.

**Canadian Accent : A Collection of Stories and Poems by Contempory Writers from Canada,** anthologie. Sous la direction de Ralph Gustafson. London, Penguin, 1944.

**Flight into Darkness: Poems.** New York, Pantheon Books, 1944.
**Poetry and Canada.** Ottawa, Canadian Legion Educational Service, 1945.
**The Penguin Book of Canadian Verse,** anthologie. Sous la direction de Ralph Gustafson. London, Penguin, 1958.
**Rivers among Rocks,** poésie. Toronto, McClelland & Stewart, 1960.
**Rocky Mountain Poems.** Vancouver, Klanak Press, 1960.
**Sift in an Hourglass,** poésie. Toronto, McClelland & Stewart, 1966.
**Ixion's Wheel: Poems.** Toronto, McClelland & Stewart, 1969.
**Themes and Variations for Sounding Brass,** poésie. Sherbrooke, Progress Publications, 1972.
**Selected Poems.** Toronto, McClelland & Stewart, 1972.
**Fire on Stone,** poésie. Toronto, McClelland & Stewart, 1974.
**The Brazen Tower,** nouvelles. Tillsonburg, Ont., Roger Ascham Press, 1974.
**Corners in the Glass,** poésie. Toronto, McClelland & Stewart, 1977.
**Soviets Poems.** Winnipeg, Turnstone Press, 1978.
**Gradations of Grandeur,** poésie. Victoria, Sono Nis Press, 1979.
**Sequences,** poésie. Windsor, Black Moss Press, 1979.
**Landscape with Rain,** poésie. Toronto, McClelland & Stewart, 1980.

## Marie-Anne GUY

Studio W.B. Edwards Inc

(Sainte-Anne-de-la-Pocatière, 16 avril 1907– ). Romancière et poète, Marie-Anne Guy a fait des études en littérature au collège Jésus-Marie. Elle a travaillé, à titre bénévole, comme recherchiste à Télé-Capitale et comme journaliste au *Journal de Québec* (1969–1973) et a également écrit des articles pour des quotidiens ou des hebdomadaires dont *l'Action catholique* et *le Courrier de Limoilou*. Elle a été membre de la Société des poètes du Québec, de la Société des gens de Lettres de France et est membre de l'Association des compositeurs, auteurs et éditeurs du Canada (CAPAC).

### ŒUVRES

**Autour d'un rêve,** roman. Montréal, Guy Boulizon, 1958.
**Toi et Moi vers l'amour,** roman. Québec, L'Action catholique, 1962.
**Flux et Reflux,** poésie. Québec, Éditions Leroy Audy.
**L'Écho du silence,** poésie. Québec, Garneau, 1973. 102 p. Coll. « Garneau poésie ».
**Récolte d'un âge,** poésie. Québec, Garneau, 1975. 108 p. Coll. « Garneau poésie ».

## Roger HACHEZ

(Val d'Or, 15 mars 1945–    ). Roger Hachez est membre du conseil d'administration de la Fédération québécoise du loisir littéraire. Il a écrit dans les revues *l'Auberge, Parlure* et *Québec Science.*

### ŒUVRE

**Pipe et Pipes,** guide pratique. Illustrations de Hélène Faber. Montréal, Domino, 1979. 163 p.: ill. ISBN 2-89029-000-X.

## Philippe HAECK

Kèro

(Montréal, 27 décembre 1946–    ). Enseignant au collège de Maisonneuve depuis 1968, Philippe Haeck a été cofondateur de la revue *Chroniques* en janvier 1975 et a fait partie des *Herbes rouges* de 1973 à 1976 jusqu'à sa rupture avec cette revue en 1977. Critique à *Hobo-Québec* (1974) et au *Devoir* (1975–1977), collaborateur à *Spirale*, lecteur aux Éditions de l'Aurore (1974-1975) et chez VLB Éditeur, il a également collaboré à *la Nouvelle Barre du jour*, au *Magazine littéraire*, à *Québec français* et à bien d'autres publications. Il a fait des études en lettres, a rédigé un mémoire de maîtrise, *le Vierge incendié, une nouvelle écriture*, à l'université de Montréal (1972) et une thèse de doctorat, *Naissances. De l'écriture québécoise*, à l'université de Sherbrooke (1979). En 1982, le Prix Émile-Nelligan lui était décerné pour *la Parole verte*.

### ŒUVRES

**Nattes,** poésie. Montréal, Les Herbes rouges, nº 18, mars 1974. N.p.

**L'Action restreinte de la littérature,** essais. Montréal, L'Aurore, 1975. 108 p. Coll. « Écrire », 6. ISBN 0-88532-025-5.

**Tout va bien,** poésie. Montréal, L'Aurore, 1975. 91 p. Coll. « Lecture en vélocipède », 13. ISBN 0-88532-042-5.

**Les dents volent,** poésie. Montréal, Les Herbes rouges, nºs 39-40, septembre 1976. 49 p.: ill. ISSN 0441-6627.

**Polyphonie, roman d'apprentissage,** poésie. Montréal-Nord, VLB Éditeur, 1978. 311 p.: ill. ISBN 2-89005-087-4.

**Naissances. De l'écriture québécoise,** essais. Montréal-Nord, VLB Éditeur, 1979. 410 p.: ill.

**La Parole verte,** poésie. Montréal, VLB Éditeur, 1982. 160 p. ISBN 2-89005-086-6.

## Claude HAEFFELY

(Tourcoing, France, 26 juillet 1927–    ). Poète d'origine française, Claude Haeffely fait une année de droit à la Faculté de Paris avant d'entrer à l'École de librairie et d'édition. Fondateur et directeur des Éditions Rouge Maille (1950-1951) et chef de fabrication aux Éditions Payot (1951-1952), c'est en 1953 qu'il vient pour la première fois au Québec et s'associe avec Roland Giguère aux Éditions Erta. Il retourne en France en 1955 et fonde les cahiers de poésie *le Périscope* (1958-1960). De retour au Québec en 1963, il ouvre une galerie où il tente quelques expériences d'animation (soirées de poésie, mini-expositions, etc.). En 1965, il est responsable de la revue *Culture vivante* au ministère des Affaires culturelles et, en 1967, devient directeur des manifestations culturelles de la bibliothèque Saint-Sulpice. Il participe en 1970 à la préparation de la Nuit de la poésie et entre en 1973 à l'Office du film du Québec où il travaille toujours. Claude Haeffely a collaboré aux revues *Amérique française, Vie des arts, Liberté, la Barre du jour, les Herbes rouges* et *Estuaire.*

## ŒUVRES

**La Vie reculée,** poésie. Linogravures d'Anna Kahane. Montréal, Éditions Erta, 1954. N.p.: ill.

**Le Sommeil et la Neige,** prose. Sérigraphies de Gérard Tremblay. Montréal, Éditions Erta, 1956. N.p.: ill.

**Le temps s'effrite rose,** poésie. Lithographies de Michèle Cournoyer. Montréal, Éditions du Chiendent, 1971. N.p.: dans un emboîtage, ill. en coul.

**Des murs et des pierres,** poésie. Linogravures de l'auteur. Montréal, Librairie Déom, 1973. 79 p.: ill. Coll. « Poésie canadienne », 32.

**Rouge de nuit: poèmes 1970-1973.** Montréal, L'Hexagone, 1973. 50 p.

**Le Sang du réel,** poésie. Avec onze eaux-fortes d'Angèle Beaudry. Montréal, Éditions Rouge Maille, 1975. N.p.: ill.

**Jusqu'au plomb,** poésie. Gravures de Kittie Bruneau. Montréal, Éditions du Chiendent, 1975. N.p.: ill.

**Glück,** poésie. Photos de Francisco Olaechea. Montréal, L'Hexagone, 1975. 45 p.: ill., portr.

**D'ailes et d'îles,** poésie. En collaboration avec Leonard Cohen, Jacques Renaud et Michael Lachance; avec des lithographies de Kittie Bruneau. Montréal, Éditions de la Marotte, 1980. N.p.: ill.

# Jean HALLAL

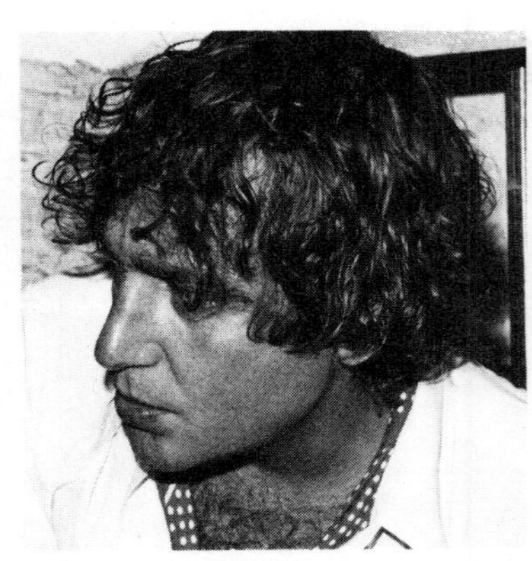

(Alexandrie, Égypte, 4 mars 1942- ). De descendance arménienne, Jean Hallal arrive au Québec en 1959. Après un bref séjour en polytechnique à l'université McGill, il quitte les études formelles. De 1960 à 1975, il frôle la peinture, la sculpture et l'écriture. Il travaille également avec des ingénieurs à la conception du premier réacteur nucléaire de pouvoir hydroélectrique au Canada, puis se tourne vers le design industriel pour le compte d'une multinationale. En 1975, il fonde sa propre compagnie de design, de publicité et de construction et remplit divers contrats tant au Québec qu'à l'étranger. Son travail le mènera un peu partout en Europe ainsi que dans la mer des Antilles et en Afrique. Au plan littéraire, Jean Hallal a publié depuis 1973 plusieurs recueils de poèmes à l'Hexagone.

## ŒUVRES

**Le Songe de l'enfant-satyre: aventure verbale,** poésie. Montréal, L'Hexagone, 1973. 39 p.

**La Tranche sidérale: hyperbole,** poésie. Montréal, L'Hexagone, 1974. 49 p.

**Le Temps-nous,** poésie. Montréal, L'Hexagone, 1977. N.p.: ill.

**Le Temps-nous,** poésie. Trilogie réunissant les trois premiers ouvrages. Montréal, L'Hexagone, 1977. 143 p.: ill.

**Jeu de neuf,** poésie. Gravures de Monique Dussault. Montréal, Éditions du Pôle, 1980. N.p.: ill.

**Le Décalage,** poésie. Montréal, L'Hexagone, 1980. 51 p.: ill. ISBN 2-89006-174-4.

**André HALLÉE**

(Saint-Romain, 7 juin 1940- ). Poète et romancier, André Hallée a fait des études en pédagogie (1965) et en lettres (1966) à l'université de Sherbrooke. Professeur depuis 1964, il a parallèlement travaillé comme gérant d'un commerce de meubles (1964-1979), agent de développement pédagogique (1970-1972) et garagiste (1979-1980). Éditeur des Éditions Sherbrooke de 1975 à 1978 et des Éditions Estriennes depuis 1978, il est également un membre actif de l'Association des auteurs des Cantons de l'Est.

## ŒUVRES

**Sauver la face,** roman. Sherbrooke, Éditions Cosmos, 1974. 153 p. Coll. « Amorces », 15.

**Salut quotidien,** poésie. Illustrations de Roger Courchesne. Sherbrooke, Éditions Sherbrooke, 1975. 114 p. : ill.

**À la taille des hommes,** roman. Sherbrooke, Éditions Sherbrooke, 1976. 255 p. Coll. « Amplitudes », 1.

**Le Temps à la fuite,** poésie. Illustrations de Stéphanie Caron. Sherbrooke, Éditions Sherbrooke, 1977. 81 p. : ill. Coll. « Chez la muse ».

**Entre l'hiver et l'été,** roman. Sherbrooke, Éditions Estriennes, 1979. 153 p. Coll. « Vivre », 2.

**Réginald HAMEL**

(Frampton, 1931- ). Réginald Hamel a fait des études en commerce au collège de Lévis (1943-1946) et des études classiques au collège Saint-Laurent (1946-1951). Par la suite, il s'enrôle dans l'armée canadienne, participe à une expédition d'exploration dans l'Arctique canadien, se spécialise en anthropologie et archéologie à l'université du Michigan, devient conseiller technique au Musée national du Canada et conservateur du Musée historique des Archives nationales (1958). En 1961, il commence à enseigner à l'université d'Ottawa tout en préparant une maîtrise sur le poète Charles Gill. Il est ensuite nommé secrétaire du ministre des Transports (1962), fonde en 1964 le Centre de documentation des lettres canadiennes-françaises et dirige jusqu'en 1969 les *Cahiers bibliographiques des lettres québécoises.* Il obtient son doctorat (1971) de l'université de Montréal en soutenant une thèse sur Gaëtane de Montreuil. Il est professeur au département d'études françaises de cette même université et ses nombreux ouvrages critiques lui ont valu d'être invité à enseigner dans plusieurs universités étrangères.

## ŒUVRES

**Le Préromantisme au Canada français** (1764-1844). Montréal, Librairie des Presses de l'université de Montréal, 1965. 127 p.

**Cahiers bibliographiques des lettres québécoises.** Montréal, Centre de documentation des lettres canadiennes-françaises, 1966. Vol. 1, n^os 1-4, 1176 p.

**Cahiers bibliographiques des lettres québécoises.** Montréal, Centre de documentation des lettres canadiennes-françaises, 1967. Vol. 2, n^os 1-4. 843 p.

**La Littérature et l'Érotisme,** essai. Montréal, I.S.E.F., 1967. 162 p.

**Cahiers bibliographiques des lettres québécoises.** Montréal, Librairie des Presses de l'université de Montréal, 1968. Vol. 3, n^os 1-4, 843 p.

**Cahiers bibliographiques des lettres québécoises.** Montréal, Librairie des Presses de l'université de Montréal, 1969. Vol. 4, n^os 1-2, 346 p.

**La Correspondance de Charles Gill 1885-1918,** édition critique. Montréal, Parti pris, 1969. 247 p.

**Introduction à la littérature québécoise des origines à l'École littéraire de Montréal.** Montréal, Librairie des Presses de l'université de Montréal, 1970. 257 p.

**Une de perdue, deux de trouvées de Boucher de Boucherville,** édition critique. Montréal, HMH, 1972. 251 p.

**Procès-verbaux, correspondance et autres documents inédits sur l'École littéraire de Montréal,** réunis, classés et annotés par Réginald Hamel. Montréal, Librairie des Presses de l'université de Montréal, 1974. 933 p. : ill.

**Bibliographie sommaire sur l'histoire de l'écriture féminine au Canada, (1769-1961).** Montréal, Librairie des Presses de l'université de Montréal, 1974. 134 p.

**Analyse de la documentation canadienne dans les universités françaises.** Montréal, Ottawa, ministère des Affaires extérieures, 1975. 94 p.

**Analyse de la documentation canadienne dans les universités israéliennes.** Montréal, Jérusalem, Tel-Aviv, ministère des Affaires intergouvernementales, 1976. 71 p. Suivi de **Mission en Israël.** Montréal, Ottawa, Canada-Israël Foundation for Academic Exchange, 1978. 16 p.
**Gaëtane de Montreuil, journaliste québécoise (1867–1951).** Montréal, L'Aurore, 1976. 205 p.: portr. Coll. « Connaissance des pays québécois ». ISBN 0-80532-115-4.
**Dictionnaire pratique des auteurs québécois.** En collaboration avec John E. Hare et Paul Wyczynski. Montréal, Fides, 1976. XXV-273 p.: portr. ISBN 0-7755-0597-8.
**Analyse de la documentation canadienne dans les universités belges.** Bruxelles, Montréal, ministère des Affaires Inter et Extérieures, 1977. 115 p.
**Alexandre Dumas (père), bibliographie, chronologie et index des personnages.** Montréal, Librairie des Presses de l'université de Montréal, 1979. 511 p.

## Francine HAMELIN

### ŒUVRES

**Et je serai Orphée,** poésie. Québec, Garneau, 1971. 133 p. Coll. « Garneau poésie ».
**Temps éclaté,** poésie. Québec, Garneau, 1972. 81 p. Coll. « Garneau poésie ».
**Pays perdu,** roman. Québec, Garneau, 1974. 89 p. Coll. « Garneau roman ».
**Intérieur des jours,** poésie. Verdun, M. Broquet Éditeur, 1978. 120 p. ISBN 2-89000-000-1.

## Jack HANNAN

(Montréal, 14 janvier 1949– ). Poète mais aussi auteur de romans, nouvelles et récits inédits, Jack Hannan est éditeur des maisons M.B.M. Monograph Series et L.L. Editions. Il a publié à ce jour trois recueils de poésie.

### ŒUVRES

**Peeling Oranges in the Shade,** poésie. Sutton West, Ont., Paget Press, 1978. N.p. ISBN 0-920348-06-8.
**Points North of A,** poésie. Montréal, Villeneuve Publications, 1980. N.p. ISBN 0-920288-06-5.
**For the Coming Surface,** poésie. Toronto, Dreadnaught Publications, 1980. N.p.

## John E. HARE

(Toronto, 1933– ). Professeur de lettres à l'université d'Ottawa, John Hare détient une maîtrise en philosophie (1956) et une maîtrise (1962) et un doctorat en linguistique (1971) de l'université Laval. Chroniqueur de théâtre au *Ottawa Citizen*, il a publié des bibliographies et des études littéraires.

### ŒUVRES

**Les Canadiens français aux quatre coins du monde; une bibliographie commentée des récits de voyage de 1670 à 1914.** Québec, Société historique du Québec, 1964. 212 p.
**Bibliographie du roman canadien-français 1837–1962.** In **le Roman canadien-français.** Montréal, Fides, 1964. 458 p.
**Voirie et Peuplement au Canada français, la Nouvelle Beauce.** En collaboration avec Honorius Provost. Québec, Société historique de la Chaudière, 1965. 34 p.
**Les Imprimés dans le Bas-Canada 1801–1840,** T. I: **1801–1810.** En collaboration avec Jean-Pierre Wallot. Montréal, Presses de l'université de Montréal, 1967. XXIV-384 p.
**Contes et Nouvelles du Canada français, 1778–1859.** Textes établis et annotés par John Hare. Ottawa, Éditions de l'université d'Ottawa, 1971. 200 p. Coll. « Cahiers du Centre de recherche en civilisation canadienne-française », 4.
**Idéologies-Ideas in Conflict, 1806–1810.** En collaboration avec Jean-Pierre Wallot. Trois-Rivières, Boréal Express, 1971. 400 p.
**Les Patriotes, 1830–1839.** Montréal, Éditions Libération, 1971. 220 p.
**Dictionnaire pratique des auteurs québécois.** En collaboration avec Réginald Hamel et Paul Wyczynski. Montréal, Fides, 1976. XXV-273 p.: portr. ISBN 0-7755-0597-8.
**Anthologie de la poésie québécoise du XIXe siècle (1780–1890).** Montréal, Hurtubise HMH, 1979. 410 p. Coll. « Cahiers du Québec », 44.

## Michael HARRIS

(Glasgow, Écosse, 23 novembre 1944– ). Professeur au collège Dawson, Michael Harris est détenteur d'une maîtrise de l'université Concordia. Il a écrit articles et textes pour des revues telles : *The Canadian Review, Vanderbilt Poetry Review* et *Canadian Forum.*

## ŒUVRES

**Poems from Ritual.** Montréal, Ransack Press, 1967.
**Text for Nausikaa,** poésie. Montréal, Delta, 1971.
**Poetry Readings: Ten Montreal Poets at the Cegeps,** anthologie. Sous la direction de Michael Harris. Montréal, New Delta, 1976.
**Sparks,** poésie. Montréal, New Delta, 1976.
**Grace,** poésie. Montréal, New Delta, 1977.

### Azade HARVEY

(Grand-Ruisseau, 1er février 1925– ). Autodidacte, Azade Harvey quitte les Îles-de-la-Madeleine à 18 ans pour travailler dans un chantier maritime. Il fait ensuite son service militaire avant de s'engager dans la marine marchande pour une période de cinq ans. Cheminot à l'emploi du Canadien National depuis 1950, il écrit les « Épîtres d'Azade aux Madelinots » qui sont publiés dans l'hebdomadaire *Radar* dès 1971. C'est toutefois en 1975 qu'il publiera le premier recueil des *Contes et Légendes des Îles-de-la-Madeleine.* Azade Harvey retrace dans ses contes l'histoire de son archipel d'origine.

## ŒUVRES

**Contes et Légendes des Îles-de-la-Madeleine.** T. I : **Les Contes d'Azade.** Illustrations de Mario Leclerc. Montréal, L'Aurore, 1975. 171 p. : ill. Coll. « Le Goglu », 5. ISBN 0-88532-058-1.
**Contes et Légendes des Îles-de-la-Madeleine.** T. II : **Azade raconte-moi tes îles.** Illustrations de Danielle Laferrière. Montréal, Intrinsèque, 1976. 127 p. : ill., carte.
**Contes et Légendes des Îles-de-la-Madeleine.** T. III : **Azade vous ramène dans ses îles.** Photographies de Claire Beaudoin, Montréal, Intrinsèque, 1977. 125 p. : ill., carte.
**Auguste Le Bourdais, naufragé en 1871 aux Îles-de-la-Madeleine,** récit. Montréal, Intrinsèque, 1979.

### Pauline HARVEY

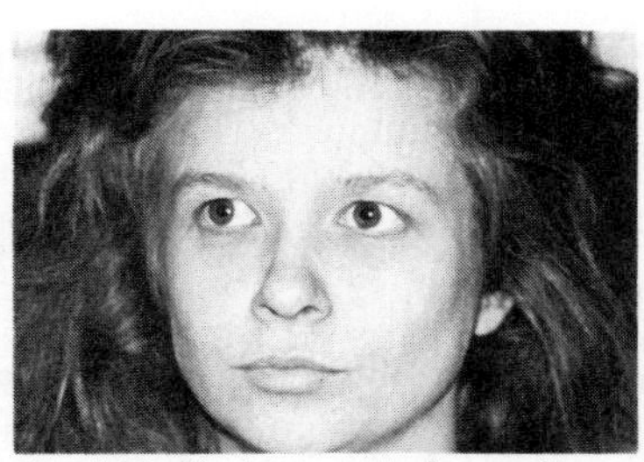
Denyse Coutu

(Chicoutimi, 17 novembre 1950– ). Poète et romancière, Pauline Harvey s'est produite lors de nombreux spectacles de poésie sonore tant à Montréal qu'à l'occasion de colloques internationaux. Détentrice d'un diplôme d'études collégiales, elle a travaillé comme reporter à Radio-Canada à Ottawa et, dans cette même ville, comme traductrice au gouvernement. Elle a également étudié la littérature, le journalisme et la philosophie à l'université Laval et à celle de Vincennes. Les revues *Hobo-Québec, Mainmise* et *la Barre du jour* ont accueilli certains de ses textes. Elle s'est méritée le Prix des Jeunes écrivains du *Journal de Montréal*, en 1982.

## ŒUVRES

**Ta dactylo va taper,** poésie. Montréal, Cul-Q, 1978. N.p.
**Le Deuxième Monopoly des précieux,** roman. Montréal, La Pleine Lune, 1981. 223 p. ISBN 2-89024-016-9.
**La Ville aux gueux,** roman. Montréal, La Pleine Lune, 1982. 262 p. ISBN 2-89024-020-7.

### Anne HÉBERT

La Presse

(Sainte-Catherine-de-Fossambault, 1er août 1916– ). C'est en 1939 qu'Anne Hébert publie ses premiers poèmes dans des revues comme *le Canada français* et *Amérique française.* Auparavant, elle avait étudié à Québec, aux collèges Notre-Dame de Bellevue et Mérici. En 1942, elle fait paraître son premier livre, *les Songes en équilibre*, pour lequel elle reçoit le Prix David (1943). De 1950 à 1954, elle rédige plusieurs textes pour la radio de Radio-Canada (Québec) notamment pour les séries *Trois de Québec* et *À travers le temps* et, en 1953, elle entre comme scénariste et rédactrice à l'Office national du film. C'est en 1954 qu'elle séjourne à Paris pour la première fois ; elle y restera trois ans, puis partagera longtemps son temps entre Montréal et Paris avant de s'installer définitivement en France en 1967. L'œuvre d'Anne Hébert est ponctuée de nombreuses récompenses littéraires : le Prix David, de nouveau, en 1952 ; le Prix Duvernay pour son œuvre poétique et le Prix France-Canada pour *les Chambres de bois* (1958) ; le Prix de la province de Québec en 1959, en 1961, 1967 et 1971 successivement ; les prix du Gouverneur général (pour l'ensemble de sa poésie), Molson, des Librairies et de l'Académie royale de Belgique (pour *Kamouraska*) ; en 1976, les Prix du Gouverneur général et de l'Académie française pour *les Enfants du Sabbat* et enfin, en 1976 et 1978, les Prix Prince-Pierre de Monaco et David pour l'ensemble de son œuvre. Le cinéaste Claude Jutra a mis en images son roman *Kamouraska* et l'université de Toronto lui décerna un doctorat honoris causa en 1969. Membre de la Société royale du Canada, Anne Hébert est aussi membre d'honneur de l'Union des écrivains québécois. Son dernier roman, *les Fous de Bassan,* lui a valu le Prix Fémina 1982.

## ŒUVRES

**Les Songes en équilibre,** poésie. Montréal, L'Arbre, 1942. 156 p.

**Le Torrent,** nouvelles. Montréal, Beauchemin, 1950. 171 p.

**Le Tombeau des rois,** poésie. Présentation de Pierre Emmanuel. Québec, Institut littéraire du Québec, 1953. 76 p.

**Les Chambres de bois,** roman. Préface de Samuel de Sacy. Paris, Éditions du Seuil, 1958. 189 p.

**Poèmes. Le Tombeau des rois** et **Mystère de la parole.** Préface de Pierre Emmanuel. Paris, Éditions du Seuil, 1960. 109 p.

**Le Torrent,** suivi de **Deux Nouvelles inédites.** Montréal, HMH, 1963. 248 p.

**Le Temps sauvage. La Mercière assassinée. Les Invités au procès,** théâtre. Montréal, HMH, 1967. 187 p.

**Dialogue sur la traduction à propos du « Tombeau des rois ».** En collaboration avec F.R. Scott ; présentation de Jeanne Lapointe ; préface de N. Frye. Montréal, HMH, 1970. 109 p. Coll. « Sur parole ».

**Kamouraska,** roman. Paris, Éditions du Seuil, 1970. 249 p.

**Les Enfants du Sabbat,** roman. Paris, Éditions du Seuil, 1975. 186 p.

**Héloïse,** roman, Paris, Éditions du Seuil, 1981. 123 p. ISBN 2-02-005462-0.

**Les Fous de Bassan,** roman. Paris, Éditions du Seuil, 1982. 250 p. ISBN 2-02-006243-7.

## ŒUVRES TRADUITES

**St-Denys Garneau and Anne Hébert.** Traductions de F.R. Scott ; préface de Gilles Marcotte. Vancouver, Klanak Press, 1962. 49 p.

**Tomb of the Kings,** poésie. Traduction anglaise de Peter Miller ; titre original : **Le Tombeau des rois.** Toronto, Contact Press, 1967. 91 p.

**The Torrent : Novellas and Short Stories.** Traduction anglaise de Gwendolyn Moore ; titre original : **Le Torrent.** Montréal, Harvest House, 1973. 141 p. Coll. « French Writers of Canada Series ». ISBN 0-88772-139-7.

**Kamouraska,** roman. Traduction anglaise de Norman Shapiro. Toronto, Musson Book Co., 1973. 250 p. ISBN 0-7737-0012-9.

**Poems.** Traduction anglaise d'Alan Brown ; titre original : **Poèmes.** Don Mills, Musson Book Co., 1975. X-76 p. ISBN 0-7737-1007-8 et 0-7737-0022-6.

**Children of the Black Sabbath,** roman. Traduction anglaise de Carol Dunlop-Hébert ; titre original : **Les Enfants du Sabbat.** Don Mills, Musson Book Co., 1977. 198 p. ISBN 0-7737-0032-3.

## ÉTUDES

Robert, Guy, **La Poétique du songe : introduction à l'œuvre d'Anne Hébert.** Montréal, Presses de l'AGEUM, 1962. 125 p.

Pagé, Pierre, **Anne Hébert.** Montréal, Fides, 1965. 189 p.

Sincennes, Gustave, **Le Tombeau des rois d'Anne Hébert et l'Introspection,** thèse de maîtrise. Ottawa, université d'Ottawa, 1968. 97 p.

De Jubécourt, Sthème, **L'Univers poétique d'Anne Hébert dans le Tombeau des rois,** thèse de maîtrise. Université d'Alberta, 1969. 178 p.

Lacôte, René, **Anne Hébert et son temps.** Paris, Seghers, 1969. 188 p. Coll. « Poètes d'aujourd'hui ».

Le Grand, Albert, **Anne Hébert : FRAN 341.** Montréal, Librairie de l'université de Montréal, 1973. 228 p.

Lemieux, Pierre, **Entre songe et parole : lecture du Tombeau des rois d'Anne Hébert,** thèse de doctorat. Ottawa, université d'Ottawa, 1974. XVIII-394 p.

Major, Jean-Louis, **Anne Hébert et le Miracle de la parole.** Montréal, Presses de l'université de Montréal, 1976. 114 p. Coll. « Lignes québécoises ». ISBN 0-8405-0321-0.

Bouchard, Denis, **Une lecture d'Anne Hébert : la recherche d'une mythologie.** Montréal, Hurtubise HMH, 1977. 242 p.

Thériault, Serge A., **La Quête d'équilibre dans l'œuvre romanesque d'Anne Hébert.** Hull, Éditions Asticou, 1980. 223 p. : diagr. Coll. « Centre d'études universitaires dans l'Ouest québécois », 1. ISBN 2-89198-014-X.

**Anne Hébert : dossier de presse 1942-1980.** Sherbrooke, Bibliothèque du séminaire, 1981. N.p. : ill., portr.

Harvey, Robert, **Kamouraska d'Anne Hébert : une écriture de la passion** suivi de **Pour un nouveau torrent,** essai. Montréal, Hurtubise HMH, 1982. 211 p. Coll. « Cahiers du Québec ». ISBN 2-89045-514-9.

## Carole HÉBERT

Voir Carole Massé.

## François HÉBERT

(Montréal, 23 avril 1946- ). François Hébert enseigne depuis 1972 à l'université de Montréal. Il avait auparavant obtenu un doctorat de 3e cycle de l'université de Provence. Membre du comité de rédaction de la revue *Liberté* depuis 1976, du comité d'organisation de la Rencontre québécoise internationale des écrivains de 1978 à 1980, il est directeur littéraire des Éditions Quinze depuis 1979.

### ŒUVRES

**Barbarie,** histoires. Avec un frontispice de Roland Giguère. Montréal, Estérel, 1978. 26 p. : ill.

**Triptyque de la mort : une lecture des romans de Malraux,** essai. Montréal, Presses de l'université de Montréal, 1978. 246 p. Coll. « Lectures ». ISBN 0-8405-0389-X.

**Holyoke,** roman. Montréal, Quinze Éditeur, 1979. 304 p. Coll. « Prose entière ».

**Anthologie de la littérature québécoise.** T. III : **Vaisseau d'or et Croix du chemin.** En collaboration avec Gilles Marcotte. Montréal, La Presse, 1979. 498 p. ISBN 2-89043-008-1.

**Le Rendez-vous,** roman. Montréal, Quinze Éditeur, 1980. 234 p. Coll. « Prose entière ». ISBN 2-89026-252-9.

**Fuites et Poursuites,** nouvelles. En collaboration. Montréal, Quinze Éditeur, 1982. 199 p. ISBN 2-89026-307-X.

## Louis-Philippe HÉBERT

(Montréal, 20 décembre 1946- ). Louis-Philippe Hébert écrit professionnellement depuis plus de quinze ans. Il a publié des textes dans la plupart des revues littéraires du Québec (des *Écrits du Canada français* à *Voix et Images*). Poète et prosateur, il s'est intéressé à toutes les formes de création littéraire : poésie, essai, nouvelle, théâtre radiophonique ; mais aussi à

Kèro

tous les moyens d'expression mis à la disposition du créateur moderne. Ainsi, il a étudié les beaux-arts au collège Jean-de-Brébeuf et le théâtre au collège Sainte-Marie (c'est à ces deux endroits qu'il fit ses études de baccalauréat en lettres (1967)). Il a été stagiaire à l'Office national du film, il a écrit des textes pour la radio MF de Radio-Canada et il a travaillé à titre de rédacteur-éditeur pour les Archives nationales. Il a été réalisateur aux émissions culturelles de Radio-Canada, ainsi que commentateur de livres étrangers, lecteur et interviewer pour ce même service. Il a donné des conférences dans diverses institutions et animé des ateliers de création littéraire aux universités Laval et d'Ottawa. Polygraphe parce que passionné par toutes les formes d'écriture, il est surtout fasciné par l'éventail des métamorphoses qui s'offrent à ses contemporains et, depuis les cinq dernières années, il s'est concentré sur les transformations mécaniques et électroniques de notre civilisation. Il dirige actuellement la première maison d'édition de logiciels québécois : Logidisque.

### ŒUVRES

**Les Épisodes de l'œil,** poésie. Illustrations de Louis McComber. Montréal, Estérel, 1967. 97 p.

**Les Mangeurs de terre et autres textes,** poésie. Montréal, Éditions du Jour, 1970. 235 p. Coll. « Les Poètes du Jour ».

**Le Roi jaune,** proses. Illustrations de Micheline Lanctôt. Montréal, Éditions du Jour, 1971. 321 p. : ill. Coll. « Proses du Jour ».

**Le Petit Catéchisme : la vie publique de W et On,** proses. Illustrations de Micheline Lanctôt. Montréal, L'Hexagone, 1972. 95 p. : ill.

**Récits des temps ordinaires.** Montréal, Éditions du Jour, 1972. 154 p. Coll. « Les Romanciers du Jour ».

**Le Cinéma de Petite-Rivière,** proses. Illustrations de Micheline Lanctôt. Montréal, Éditions du Jour, 1974. 111 p. : ill. Coll. « Proses du Jour ». ISBN 0-7760-0567-7.

**Textes extraits de vanille,** proses. Illustrations de Micheline Lanctôt. Montréal, L'Aurore, 1974. 86 p. : ill. Coll. « Écrire », 3. ISBN 0-88532-006-9.

**Textes d'accompagnement,** proses. Illustrations de Micheline Lanctôt. Montréal, L'Aurore, 1975. 81 p. : ill. Coll. « Écrire », 9. ISBN 0-88532-093-X.

**La Manufacture de machines,** récits. Montréal, Quinze Éditeur, 1976. 143 p. ISBN 0-88565-081-6.

**Manuscrit trouvé dans une valise,** proses. Illustrations de Martin Vaughn-James. Montréal, Quinze Éditeur, 1979. 175 p. : ill. Coll. « Prose entière ». ISBN 2-89026-007-0.

## Marie-Francine HÉBERT

(Montréal, 24 mars 1943– ). Poète et auteure de littérature pour enfants, Marie-Francine Hébert consacre l'essentiel de son temps, depuis l'obtention de sa licence ès lettres de l'université de Montréal en 1971, à l'écriture télévisuelle. Scénariste-pigiste pour diverses émissions de jeunesse à Radio-Canada, elle s'intéresse prioritairement aux enfants et aux femmes parce qu'ils sont « les plus susceptibles d'être des agents de changement et souvent les moins conscients de pouvoir l'être ».

### ŒUVRES

**Slurch,** prose poétique. Photos de Bernard Norbert. Montréal, La Barre du jour, 1970. N.p. : ill.

**Miscible,** poésie. Illustrations de Roland Pichet. Montréal, Éditions du Songe, 1971. N.p. : ill.

**Une ligne blanche au jambon,** théâtre pour enfants. D'après une idée de Bernard Tanguay et de l'auteure. Montréal, Leméac, 1974. 90 p. : 4 p. de planches, ill. Coll. « Théâtre pour enfants ».

**Cé tellement « cute » des enfants,** théâtre pour enfants. Montréal, Quinze Éditeur, 1975. 92 p. : ill. ISBN 0-88565-006-9.

**Théâtre et Engagement,** entretien avec Marie-Francine Hébert, Robert Gurik et le Théâtre Parminou. Montréal, Centre d'essai des auteurs dramatiques, 1976. 59 f. Coll. « Entretien », 2.

**Abécédaire,** littérature pour enfants. Illustrations de Gilles Tibo. Montréal, La Courte Échelle, 1979. N.p. : en maj. part. ill. en coul. ISBN 2-89021-009-X.

## HÉLIOTROPE

Voir Ernest Pallascio-Morin.

## Gilles HÉNAULT

Kèro

(Saint-Majorique, comté Drummond, 1er août 1920– ). Gilles Hénault a fait ses études à Montréal. Devenu journaliste, il a travaillé au *Jour* de Jean-Charles Harvey, au *Canada*, à *la Presse*, au *Devoir* où il dirigea la section « Arts et Lettres » de 1959 à 1961 et au *Nouveau Journal*. En 1946, il publiait son premier recueil de poèmes et fondait avec Éloi de Grandmont *les Cahiers de la file indienne*, une collection de plaquettes illustrées par des artistes tels que Pellan, Daudelin, Mousseau. Il avait déjà signé des poèmes, des contes et des articles dans *la Relève, la Nouvelle Relève, Gants du ciel* et *Amérique française*. Gilles Hénault a collaboré à *Place publique, Études françaises, Vie des arts,* etc. Il fut aussi l'un des fondateurs de *Liberté*. Prix du grand jury des Lettres et 2e prix des Concours littéraires du Québec en 1962. Prix du Gouverneur général en 1972. Prix de traduction du Conseil des arts en 1978. Il a été directeur du Musée d'art contemporain de 1966 à 1971. Il enseigne à l'université du Québec à Montréal. Gilles Hénault est membre d'honneur de l'Union des écrivains québécois.

## ŒUVRES

**Théâtre en plein air,** poésie. Illustration de Charles Daudelin. Montréal, Cahiers de la file indienne, 1946. 41 p.
**Totems,** poésie. Illustration d'Albert Dumouchel. Montréal, Erta, 1953. N.p. Coll. « La Tête armée ».
**Voyage au pays de mémoire,** poésie et prose. Illustration de Marcelle Ferron. Montréal, Erta, 1959. 36 p.
**Sémaphore,** poésie. Montréal, L'Hexagone, 1962. 71 p.
**Signaux pour les voyants : poèmes 1941–1962.** Montréal, L'Hexagone, 1972. 211 p. Coll. « Rétrospectives ».

## ÉTUDE

Corriveau, Hugues, **Gilles Hénault : lecture de Sémaphore.** Montréal, Presses de l'université de Montréal, 1978. 162 p. Coll. « Lignes québécoises, textuelles ». ISBN 0-8405-0375-X.

## TRADUCTIONS

**Sans parachute,** roman. Traduction de **Without a parachute** de David Fennario. Montréal, Parti pris, 1977. 239 p. Coll. « Paroles », 55.
**Pour une poétique de la science-fiction : études en théorie et en histoire d'un genre littéraire.** Traduction du manuscrit original de Darko Survin. Montréal, Presses de l'université du Québec, 1977. 228 p. : ill., diagr. Coll. « Genres et Discours », 3.

## François HERTEL

Pseud. de Rodolphe Dubé.

(Rivière-Ouelle, 31 mai 1905–     ). Poète, essayiste, romancier et dramaturge, François Hertel, après des études secondaires à Sainte-Anne-de-la-Pocatière et au séminaire de Rimouski (1916–1920), fait son noviciat et son juvénat chez les Jésuites et complète un doctorat en philosophie et théologie. Professeur pour diverses institutions : collège Brébeuf, Saint-Ignace, Sudbury et Grasset, il quitte les Jésuites en 1947 et rêve alors de fonder une université libre. Il s'installe ensuite à Sherbrooke puis en France où, après une période d'adaptation, il entreprend une série de conférences qui le conduiront dans plus de 600 villes de ce pays. Tout en étant journaliste pour de nombreux journaux canadiens : *le Nouvelliste, le Petit Journal, le Soleil, l'Information médicale*, il fonde et dirige les Éditions de la Diaspora française et assure la direction des revues *Rythmes et Couleurs* et *Radiesthésie Magazine.* Ancien directeur de la revue *Amérique française*, membre du Cercle Ernest Renan (Paris) et de l'Académie canadienne-française, François Hertel a vu son œuvre couronnée par de nombreux prix.

## ŒUVRES

**Les Voix de mon rêve,** poésie. Montréal, Albert Lévesque, 1934. 157 p.
**Leur inquiétude,** essai. Montréal, Albert Lévesque, 1936. 244 p.
**Le Beau Risque,** roman. Montréal, B. Valiquette, 1936. 136 p.
**Mondes chimériques,** roman. Montréal, B. Valiquette, 1940. 150 p.
**Axes et Parallaxes,** poésie. Montréal, Éditions Variétés, 1941. 112 p.
**Pour un ordre personnaliste,** essai. Montréal, Éditions de l'Arbre, 1942. 230 p.
**Strophes et Catastrophes,** poésie. Montréal, Éditions de l'Arbre, 1943. 112 p.
**Nous ferons l'avenir,** essai. Montréal, Fides, 1944. 135 p.
**Anatole Laplante, curieux homme,** roman. Montréal, Éditions de l'Arbre, 1944. 163 p.
**Cosmos,** poésie. Montréal, Serge Brousseau, 1945. 114 p.
**Journal d'Anatole Laplante,** roman. Montréal, Serge Brousseau, 1947. 146 p.
**Quatorze,** poésie. Paris, Debresse, 1948. 27 p.
**Six Femmes, un homme,** roman. Paris, Éditions de l'Ermite, 1949. 186 p.
**Mes naufrages,** poésie. Paris, Éditions de l'Ermite, 1951. 19 p.
**Jeux de mer et de soleil,** poésie. Paris, Éditions de l'Ermite, 1951. 29 p.
**Le Canada, pays de curiosités, pays de contrastes,** essai. Paris, Éditions de l'Ermite, 1953. 14 p.
**Un Canadien errant,** récit. Paris, Editions de l'Ermite, 1953. 203 p.
**Claudine et les Écueils,** suivi de **la Folle,** théâtre. Paris, Éditions de l'Ermite, 1954. 63 p.
**Afrique,** reportage. Illustrations de Marcel Barie. Paris, Nouvelles Éditions de l'Ermite, 1955. 61 p. : ill.

**Jérémie et Barrabas,** nouvelles. Paris, Éditions de la Diaspora française, 1959. 198 p.
**Ô Canada, mon pays, mes amours,** essai. Paris, Éditions de la Diaspora française, 1959. 176 p.
**Journal philosophique et littéraire,** essai. Paris, Éditions de la Diaspora française, 1961. 77 p.
**Méditation philosophique 1952–1962,** essai. Paris, Éditions de la Diaspora française, 1962. 53 p.
**Du séparatisme québécois,** essai. Paris, Éditions de la Diaspora française, 1963. 26 p.
**Anthologie 1934–1964,** poésie. Paris, Éditions de la Diaspora française, 1964. 138 p.
**Méditation théologique,** essai. Paris, Éditions de la Diaspora française, 1964. 23 p.
**Poèmes européens.** Paris, Éditions de la Diaspora française, 1964. 56 p.
**La Morte,** théâtre. Paris, Éditions de la Diaspora française, 1965. 26 p.
**Poèmes.** Paris, Éditions de la Diaspora française, 1966. 24 p.
**Vers une sagesse,** essai. Paris, Éditions de la Diaspora française, 1966. 135 p.
**Poèmes perdus et retrouvés, anciens et nouveaux, revus et corrigés.** Paris, Éditions de la Diaspora française, 1966. 24 p.
**Cent ans d'injustice,** essai. Montréal, Éditions du Jour, 1967. 110 p.
**Louis Préfontaine, apostat,** roman. Montréal, Éditions du Jour, 1967. 156 p.
**Poèmes d'hier et d'aujourd'hui 1927–1967.** Montréal, Éditions du Jour, 1967. 156 p.
**Du métalangage,** essai. Paris, Éditions de la Diaspora française, 1968. 124 p.
**Divagations sur le langage,** suivies de **Quelques Discours aux sourds,** essai. Paris, Éditions de la Diaspora française, 1969. 138 p.
**Tout en faisant le tour du monde,** récits et essais. Paris, Éditions de la Diaspora française, 1971. 128 p. Coll. « Alerte ».
**Souvenirs, Historiettes, Réflexions.** Paris, Éditions de la Diaspora française, 1972. 156 p. Coll. « Alerte ».
**Nouveaux Souvenirs, Nouvelles Réflexions.** Paris, Éditions de la Diaspora française, 1973. 98 p. Coll. « Alerte ».
**Mystère cosmique et Condition humaine,** essai. Montréal, La Presse, 1975. 259 p.
**Souvenirs et Impressions du premier âge, du deuxième âge, du troisième âge: mémoires humoristiques et littéraires.** Montréal, Stanké, 1977. 167 p. ISBN 0-88566-049-8.

## Hélène P. HOLDEN

Romancière, Hélène P. Holden a publié tant en anglais qu'en français. Elle a d'ailleurs étudié dans les deux langues, d'abord au collège Marguerite-Bourgeoys puis à Sir George Williams. Ses écrits sont parus dans *les Écrits du Canada français, Room of One's Own, Fireweed*, etc. En 1977, elle remportait le Prix de littérature Benson & Hedges.

### ŒUVRES

**The Chain,** roman. Toronto, Longmans, 1969.
**Satan, My Love,** roman. New York, Curtis Books, 1974.

### ŒUVRE TRADUITE

**La Chaîne,** roman. Traduction de l'auteure. Montréal, Aries, 1970.

## Alain HORIC

Kèro

(Kulen Vakuf, Bosnie, Croatie, 3 janvier 1929– ). Après ses études classiques à Bihac et Banja-Luka (1937–1945) et un séjour à la Sorbonne, Alain Horic étudie l'électronique à l'Institut Teccart de Montréal (1953), les lettres à l'université de Montréal (maîtrise en littératures slaves, 1957) et les sciences commerciales à l'université La Salle de Chicago (1959). Alain Horic avait quitté son pays natal vers l'âge de quinze ans pour se retrouver (illégalement) en Italie, en Afrique du Nord, en Extrême-Orient, en France avant de se fixer au Québec en 1952. Il publiera ses premiers poèmes dans *Amérique française*, en 1954, parmi d'autres futurs auteurs de l'Hexagone. À la fin des années cinquante, il fait déjà partie de l'équipe de direction de l'Hexagone, qu'il n'a pas quittée depuis. En 1978, il participait avec Gaston Miron, François et Marcel Hébert, à la fondation des Éditions les Herbes rouges.

## ŒUVRES

**L'Aube assassinée,** poésie. Avec deux sérigraphies originales de Jean-Pierre Beaudin. Montréal, Erta, 1957. 44 p. : ill.

**Nemir duse (Malêtre),** poésie (en croate). Avec cinq dessins originaux de Julio Martin Caro. Madrid, Éditions Osvit, 1959. 52 p. : ill.

**Blessure au flanc,** poésie. Montréal, L'Hexagone, 1962. 49 p.

**Cela commença par un rêve et ce fut la Création,** poésie. Avec soixante-quinze photos. Ottawa, Office national du film, 1969. 116 p. : photos.

**Les Coqs égorgés,** poésie. Montréal, L'Hexagone, 1972. 31 p.

# I - J

**ISOCRATE**

Voir Gérard Bergeron.

**Louis JACOB**

(Trois-Rivières, 27 août 1954–     ). Codirecteur de l'Atelier de production littéraire de la Mauricie (1978–1980), Louis Jacob a également collaboré aux revues *Estuaire* et *Hobo-Québec*. Détenteur d'un baccalauréat (1977) et d'une maîtrise en lettres (1980) de l'université du Québec à Trois-Rivières, il a publié deux recueils de poésie et un récit aux Écrits des Forges et a écrit également des textes de chansons. Louis Jacob est membre des Écrivains de la Mauricie.

**ŒUVRES**

**Avant-Serrure,** poésie. Trois-Rivières, Écrits des Forges, 1977. 62 p. Coll. « Les Rouges-Gorges », 20.

**Manifeste : Jet/Usage/Résidu,** poésie. En collaboration avec Bernard Pozier et Yves Boisvert. Trois-Rivières, Écrits des Forges, 1977. 76 p. Coll. « Les Rouges-Gorges ».

**Double Tram,** récit. En collaboration avec Bernard Pozier ; illustrations de Louis Jacob. Trois-Rivières, Écrits des Forges, 1979. 76 p. : ill. Coll. « Les Rivières ».

**Suzanne JACOB**

Aline Lévesque

Récipiendaire du trophée de la meilleure auteure-compositeure-interprète du Patriote de Montréal en 1970, Suzanne Jacob mène, parallèlement à sa carrière de chansonnière, une carrière d'écrivaine. Aux nombreux textes de chansons qu'elle a écrits, s'ajoutent un roman, des nouvelles et des dramatiques pour la télévision : *Exercice pour comparution* et *le Mur*. Elle a complété des études classiques au collège Notre-Dame-de-l'Assomption de Nicolet (1965) où elle s'est initiée au théâtre et à la musique. Professeur de français langue seconde de 1967 à 1972, elle a publié dans les revues *Liberté, Possibles* et *la Nouvelle Barre du jour*. En 1978, elle fondait avec l'écrivain Paul Paré la maison d'édition le Biocreux.

### ŒUVRES

**Flore Cocon,** poésie. Montréal, Parti pris, 1978. 124 p. Coll. « Sic », 1. ISBN 0-88512-128-7.

**La Survie,** nouvelles. Montréal, Le Biocreux, 1979. 140 p. ISBN 2-89151-004-6.

**Poèmes I : Gémellaires, le Chemin de Damas.** Montréal, Le Biocreux, 1980. 80 p. Coll. « Poésie ». ISBN 2-89151-800-4.

## Maurice JACQUES

(Verrettes, Haïti, 15 mai 1939– ). Auteur de théâtre en Haïti où plusieurs de ses pièces inédites ont été jouées, Maurice Jacques émigre au Québec en 1969. Déjà détenteur d'une licence en droit (1968), il obtient un brevet d'enseignement en enfance exceptionnelle (1974) et un baccalauréat en psychopédagogie (1978) de l'université Laval. Professeur à Montréal (1969–1971) puis à Québec, il est membre de l'Association des écrivains de langue française et de Solidarité haïtienne et participe aux activités socio-culturelles de diverses associations et groupes ethniques du Québec.

### ŒUVRES

**Le Miroir,** poésie. Illustrations de Michel Bonaparte. Sherbrooke, Éditions Naaman, 1977. 76 p. : ill. Coll. « Création », 19.

**L'Ange du diable,** conte. Illustrations de Michel Bonaparte. Sherbrooke, Éditions Naaman, 1979. 58 p. : ill. Coll. « Création », 56. ISBN 2-89040-016-6.

**Les Voix closes : florilège.** Sherbrooke, Éditions Naaman, 1980. 77 p. : ill. Coll. « Création », 77. ISBN 2-89040-159-6.

## Claude JANELLE

(Saint-Germain-de-Grantham, 22 décembre 1952– ). Agent d'information au ministère des Transports depuis 1975, Claude Janelle est chroniqueur littéraire de science-fiction à la revue *Solaris* depuis 1979. Il est bachelier en littérature de l'université Laval (1974) et a collaboré au *Jour,* au *Voltigeur* (hebdo de Drummondville) et à *Livres et Auteurs québécois.*

### ŒUVRE

**Citations québécoises modernes.** Illustrations de Claude Lignères. Montréal, L'Aurore, 1976. 126 p. : ill. Coll. « Connaissance des pays québécois ». ISBN 0-88532-117-0.

## Alexandre JARRAULT

Voir Gilbert Langevin.

## Claude JASMIN

Daniel Jasmin

(Montréal, 10 novembre 1930– ). Après des études au collège Grasset, à l'École du meuble et à l'Institut des arts appliqués (où il enseignera l'histoire de l'art de 1963 à 1966), Claude Jasmin deviendra étalagiste avant de donner des cours de peinture au Service des parcs de la ville de Montréal (1953–1955). Décorateur et scénographe à Radio-Canada depuis 1956, il publie *la Corde au cou*, en 1960 et remporte ainsi le Prix du Cercle du livre de France. Critique d'art à *la Presse* de 1961 à 1966, il écrit également des textes pour la série *Nouveautés dramatiques* de Radio-Canada dont *la Rue de la liberté* et *Concordance des êtres*. Suivent, pour la télévision, des téléthéâtres tels *la Mort dans l'âme* (1962) et *Blues pour un homme averti* (1964) et, pour le théâtre, certaines pièces demeurées inédites dont *Requiem pour les croyants* (1966) et *la Tortue* (1967). Plus récemment, il adaptait pour la télévision deux de ses récits et créait ainsi les feuilletons *la Petite Patrie* et *Boogie-Woogie 47*. À tous ces feuilletons, téléthéâtres et publications s'ajoutent également quantité de textes parus dans *la Presse, Sept-Jours, Québec-Presse, l'Actualité*, etc. Outre le prix décerné à son premier roman, Claude Jasmin a aussi obtenu le Prix Arthur-B.-Wood pour sa pièce *le Veau d'or* (1963), le Prix France-Québec pour son roman *Éthel et le terroriste* (1965) et le Prix Wilderness-Anik pour *Un chemin de croix dans le métro* (1970). En 1980, la Société Saint-Jean-Baptiste lui remettait le Prix Duvernay pour souligner l'ensemble de son œuvre de romancier, de dramaturge, d'essayiste et de chroniqueur.

## ŒUVRES

**La Corde au cou,** roman. Montréal, Cercle du livre de France, 1960. 233 p.

**Délivrez-nous du mal,** roman. Montréal, Éditions À la page, 1961. 187 p.

**Blues pour un homme averti,** théâtre. Montréal, Parti pris, 1964. 93 p.

**Éthel et le Terroriste,** roman. Montréal, Déom, 1964. 145 p.

**Et puis tout est silence,** roman. Montréal, Éditions de l'Homme, 1965. 159 p.

**Pleure pas Germaine,** roman. Montréal, Éditions Parti pris, 1965. 167 p.

**Roussil manifeste,** interview et commentaires. Montréal, Éditions du Jour, 1965. 88 p.

**Les Artisans créateurs,** essai. Montréal, Lidec, 1967. 118 p.: portr.

**Les Cœurs empaillés,** nouvelles. Montréal, Parti pris, 1967. 135 p.

**Rimbaud, mon beau salaud!,** roman. Montréal, Éditions du Jour, 1969. 138 p.

**Jasmin par Jasmin,** dossier. Montréal, C. Langevin, 1970. 138 p.

**Tuez le veau gras,** théâtre. Montréal, Leméac, 1970. 79 p. Coll. « Répertoire québécois », 5.

**L'Outaragasipi,** roman. Montréal, L'Actuelle, 1971. 207 p.

**C'est toujours la même histoire,** roman. Montréal, Leméac, 1972. 53 p. Coll. « Répertoire québécois », 26.

**La Petite Patrie,** récit. Montréal, La Presse, 1972. 141 p.: ill. ISBN 0-7777-0028-X.

**Pointe-Calumet boogie-woogie,** récit. Montréal, La Presse, 1973. 131 p.: ill. Coll. « Chroniqueurs des deux mondes ». ISBN 0-7777-0064-6.

**Sainte-Adèle-la-vaisselle,** récit. Montréal, La Presse, 1974. 132 p.: ill. Coll. « Chroniqueurs des deux mondes ». ISBN 0-7777-0112-X.

**Revoir Éthel,** roman. Montréal, Stanké, 1976. 169 p. ISBN 0-88566-007-2.

**Le Loup de Brunswick city,** roman. Montréal, Leméac, 1976. 119 p. Coll. « Roman québécois », 19. ISBN 0-7761-3022-6.

**Feu à volonté,** recueil d'articles. Montréal, Leméac, 1976. 289 p. Coll. « Documents ». ISBN 0-7761-9420-8.

**Danielle, ça va marcher!,** reportage. Propos de Danielle Ouimet recueillis par Claude Jasmin. Montréal, Stanké, 1976. 175 p.

**Feu sur la télévision,** recueil d'articles. Montréal, Leméac, 1977. 177 p.

**La Sablière,** roman. Montréal, Leméac, 1979. 212 p. ISBN 2-7609-3035-1.

**Le Veau d'or,** théâtre. Montréal, Leméac, 1979. XV-125 p.: portr. Coll. « Théâtre Leméac », 85. ISBN 2-7609-0076-2.

**Les Contes du sommet bleu.** Montréal, Québécor, 1980. 106 p.: ill. Coll. « Jeunesse ». ISBN 2-89089-104-6.

**L'Armoire de Pantagruel,** roman. Montréal, Leméac, 1982. 141 p. Coll. « Roman québécois ». ISBN 2-7609-3065-3.

**Fuites et Poursuites,** nouvelles. En collaboration. Montréal, Quinze Éditeur, 1982. 199 p. ISBN 2-89026-307-X.

## ŒUVRE TRADUITE

**Ethel and the Terrorist,** roman. Traduction de David Walker; titre original: **Éthel et le Terroriste.** Montréal, Harvest House.

## ÉTUDES

Marcotte, Gilles. **L'Aventure romanesque de Claude Jasmin.** Montréal, Presses de l'université de Montréal, 1965. 24 p.

Trudeau, Mireille, **Claude Jasmin.** Montréal, Fides, 1973. 39 p.: ill. Coll. « Dossiers de documentation sur la littérature canadienne-française », 9.

**Claude Jasmin: dossier de presse 1960–1980.** Sherbrooke, Bibliothèque du séminaire, 1981. N.p.: ill., portr.

† **Paul**
**JAVOR**
Pseud. de Georges Skvor.

(Tchécoslovaquie, 1916–1981). Ayant quitté la Tchécoslovaquie en 1950, Paul Javor a travaillé à Radio-Canada international et enseigné la littérature tchèque à l'université de Montréal. Il est décédé en janvier 1981.

**ŒUVRES**

**Pat et son maître,** récit. Montréal, Presses Sélect, 1979. 148 p. ISBN 2-89132-107-3.
**Sa raison de vivre,** roman. Traduction d'Anne Pierquet. Montréal, Presses Sélect, 1978. 292 p. ISBN 2-89132-335-1.

**Douglas Gordon**
**JONES**

(Bancroft, Ont., 1er janvier 1929– ). Douglas Gordon Jones est professeur au département d'études anglaises de l'université de Sherbrooke. Il a étudié à l'université McGill et à l'université Queen's. Poète, il a également dirigé la publication d'un numéro spécial de la revue *Ellipse* sur la littérature en traduction. Il recevait en 1977 le Prix de poésie du Gouverneur général pour *Under the Thunder the Flowers Light Up the Earth.*

**ŒUVRES**

**Frost on the Sun,** poésie. Toronto, Contact Press, 1957.
**The Sun is Axeman,** poésie. Toronto, University of Toronto Press, 1961.
**Phrases from Orpheus,** poésie. Toronto, Oxford University Press, 1967.
**Butterfly on Rock : A Study of Themes and Images in Canadian Literature.** Toronto, University of Toronto Press, 1970.
**Under the Thunder the Flowers Light Up the Earth,** poésie. Toronto, Coach Press, 1977.

**Claire**
**JULIEN-DUMONT**

(Montréal, 28 septembre 1921– ). C'est à la suite d'une expérience de dix ans comme gardienne d'enfants que Claire Julien-Dumont a décidé d'écrire les contes qu'elle avait pris l'habitude de leur raconter. Elle avait auparavant étudié au couvent Hochelaga de Montréal (1939) et travaillé pour le Cercle missionnaire des pères de Pont-Viau (1943–1956). Elle est active au sein de diverses associations, notamment : le Cercle des fermières, l'Association d'horticulture et l'Association des propriétaires de Saint-Bruno. Claire Julien-Dumont se dit très près de la matière et fait vivre des objets inanimés afin d'imprimer à ses contes un caractère didactique.

**ŒUVRES**

**Le Petit Bout de laine,** littérature pour enfants. Illustrations d'Armand Côté. Montréal, Éditions Paulines, 1975. 15 p. : ill. part. en coul. Coll. « Rêves d'or », 8. ISBN 0-88840-414-X.
**Sac de jute,** littérature pour enfants. Illustrations de Monique Lauzon. Montréal, Éditions Paulines, 1977. 14 p. : ill. part. en coul. Coll. « Contes de ma maison », 4. ISBN 0-88840-610-X et 0-88840-609-6.

**Jeanne d'Arc**
**JUTRAS**

Josephte Coulombe

(Sainte-Brigitte-des-Saults, 14 février 1927– ). Autodidacte, fortement préoccupée par la reconnaissance des droits et libertés civiques, c'est une courte entrevue réalisée en 1973 et portant sur l'homosexualité féminine qui incite Jeanne d'Arc Jutras à écrire *Georgie*, son unique roman publié. Elle milite depuis près d'une décade pour la reconnaissance des droits des lesbiennes et des gais. Elle a fait paraître plusieurs articles ou lettres ouvertes dans des revues et journaux tels *la Presse, le Devoir*, le journal *Têtes de pioche, les Cahiers de la femme*, etc., et a participé à diverses émissions de télé et de radio et à des lectures de textes.

**ŒUVRE**

**Georgie,** roman. Montréal, Éditions de la Pleine Lune, 1978. 187 p.

# K

**Naïm KATTAN**

(Bagdad, Irak, 26 août 1928– ). Naïm Kattan a fait ses études universitaires à la faculté de droit de Bagdad, puis à la Sorbonne où il a étudié la littérature à titre de boursier du Gouvernement français. Il a collaboré à un grand nombre de journaux et de revues du Proche-Orient et d'Europe, et participé à des émissions radiophoniques dans plusieurs pays européens. Depuis qu'il a émigré au Canada en 1954, Naïm Kattan n'a cessé de s'intéresser aux multiples aspects de la vie intellectuelle du pays, tout en se consacrant de façon particulière au domaine littéraire. Après avoir été rédacteur de politique internationale au *Nouveau Journal* (1961-1962), il a été pendant un an chargé de cours à la faculté des sciences sociales de l'université Laval. Il fut pendant plusieurs années secrétaire du Cercle juif de langue française de Montréal et rédacteur en chef du *Bulletin du Cercle juif*. Il a continué parallèlement à collaborer à plusieurs revues et journaux canadiens et français, dont *le Devoir, les Lettres nouvelles, la Quinzaine littéraire* (Paris), *Tamarack Review* (Toronto) et *Canadian Literature* (Vancouver), et à participer fréquemment à des émissions à la radio et à la télévision. En outre, il a exercé pendant deux ans les fonctions de rédacteur à la Commission royale d'enquête sur le bilinguisme et le biculturalisme. Il dirige à l'heure actuelle le Service des lettres et de l'édition du Conseil des arts.

## ŒUVRES

**Le Réel et le Théâtral,** essai. Montréal, HMH, 1970. 188 p.

**Écrivains des Amériques, t. I,** essai. Montréal, HMH, 1972. 243 p. Coll. « Reconnaissances ».

**La Discrétion, la Neige, le Trajet, les Protagonistes,** théâtre. Montréal, Leméac, 1974. 141 p. Coll. « Théâtre canadien », 30.

**Dans le désert,** nouvelles. Montréal, Leméac, 1974. 153 p. Coll. « Roman québécois », 9. ISBN 0-7761-3008-0.

**Adieu Babylone,** roman. Montréal, La Presse, 1975. 238 p. ISBN 0-7777-0167-7.

**Écrivains des Amériques, t. II,** essai. Montréal, HMH, 1976. 207 p. Coll. « Constantes ».

**La Traversée,** nouvelles. Illustrations de Louise Dancoste. Montréal, HMH, 1976. 152 p. : ill. Coll. « L'Arbre ». ISBN 0-7758-0071-6.

**Les Fruits arrachés,** roman. Montréal, HMH, 1977. 229 p. Coll. « L'Arbre ». ISBN 0-7758-0117-8.

**La Mémoire et la Promesse,** essai. Montréal, HMH, 1978. 160 p. Coll. « Constantes », 37. ISBN 0-7758-0114-3.

**Le Rivage,** nouvelles. Montréal, HMH, 1979. 179 p. Coll. « L'Arbre ». ISBN 2-89045-179-8.

**Écrivains des Amériques,** T. III : **l'Amérique latine,** essai. Montréal, Hurtubise HMH, 1980. 165 p. Coll. « Constantes », 41. ISBN 2-89045-452-5.

**Le Sable de l'île,** nouvelles. LaSalle, HMH, 1981. 222 p. Coll. « L'Arbre ». ISBN 2-89045-476-2.

## ŒUVRES TRADUITES

**Reality and Theatre,** essai. Traduction anglaise d'Alan Brown ; titre original : **Le Réel et le Théâtral.** Toronto, House of Anansi, 1972. 142 p.

**Farewell Babylon,** roman. Traduction anglaise ; titre original : **Adieu Babylone.** Toronto, McClelland & Stewart, 1976. 192 p.

**Paris Interlude,** roman. Traduction anglaise ; titre original : **Les Fruits arrachés.** Toronto, McClelland & Stewart, 1979. 208 p.

## Gary KLANG

Kèro

(Port-au-Prince, Haïti, 28 décembre 1941– ). Gary Klang se rend en 1961 à Paris où il enseigne le français tout en faisant une licence (1967), une maîtrise (1968) et un doctorat (1973) ès lettres à la Sorbonne. Au Québec depuis 1973, il est d'abord professeur de stylistique du français à l'université de Montréal avant de devenir traducteur-rédacteur pour une firme d'ingénieurs en 1975. Gary Klang a travaillé aux Éditions La Presse (1973–1975) et est l'auteur d'une pièce, *l'Immigrant*, jouée sur les ondes de Radio-Québec en 1979.

## ŒUVRE

**La Méditation transcendentale ; l'enseignement de Maharashi Mahesh Yogi,** essai. Préface de Roger Marcaurelle. Montréal, Stanké, 1976. 168 p. : ill., diagr., graph., portr. ISBN 0-88566-012-9.

## Alexis KLIMOV

Harvey Rivard

(Liège, Belgique, 19 avril 1937– ). Essayiste et poète, Alexis Klimov obtient sa licence et son agrégation de l'université de Liège en 1960 avant d'enseigner la philosophie au Centre des études universitaires de Trois-Rivières en 1964. Professeur au département de philosophie de l'université du Québec à Trois-Rivières depuis 1969, il a dirigé le Groupe de recherches en histoire des religions et en archéologie préhistorique de 1969 à 1975. Membre du comité d'édition de Paléo-Québec et du comité de rédaction de la revue *Sciences religieuses*, directeur de la collection « Textes et Études slaves » aux Presses de l'université du Québec, Alexis Klimov est président du Cercle Gabriel-Marcel, vice-président des Écrivains de la Mauricie et président-fondateur du Cercle de philosophie de Trois-Rivières. Collaborateur aux revues *Hermès* (Paris), *Synthèses* (Bruxelles), *Dialogue, le Bien public*, etc., il a donné nombre de conférences et fait plusieurs communications tant au Québec qu'à l'étranger. Son essai sur *Dostoïevski ou la Connaissance périlleuse* lui a valu le Prix Benjamin-Sulte de la Société Saint-Jean-Baptiste en 1972 et l'ensemble de ses activités culturelles dans la région de Trois-Rivières lui a mérité le Prix décerné aux travailleurs de la culture par le cégep de cette ville (1980).

## ŒUVRES

**Nicolas Berdiaeff** ou **la Révolte contre l'objectivation,** essai. Paris, Seghers, 1967. 192 p. : ill. Coll. « Philosophes de tous les temps ».

**Le Vide. Expérience spirituelle en Occident et en Orient.** En collaboration. Paris, Minard, 1969. Coll. « Hermès ».

**Dostoïevski** ou **la Connaissance périlleuse,** essai. Paris, Seghers, 1971. 185 p. Coll. « Philosophes de tous les temps ».

**Le « Philosophe teutonique » ou l'Esprit d'aventure,** suivi de **Confessions de Jacob Boehme,** essai. Paris, Fayard, 1973. XXVI-304 p. Coll. « Documents spirituels ».

**Approches de l'art,** essai. En collaboration. Bruxelles, La Renaissance du livre, 1973.

**Dostoïevski : miroir,** anthologie de textes critiques. Montréal, Presses de l'université du Québec, 1975. XVI-149 p. : portr. Coll. « Textes et Études slaves ». ISBN 0-7770-0124-1.

**Archéologie de la Mauricie : reconnaissance archéologique dans la région du lac Némiskachi,** essai. En collaboration avec René Ribes. Trois-Rivières, Paléo-Québec, 1976. 352 p. : ill.

**Des arcanes et des jeux. XXII ordonnances pour une fête baroque,** poésie. Trois-Rivières, Éditions du Bien public, 1976. 202 p. : ill.

**Soljenitsyne, la science et la dignité de l'homme,** suivi de **Culture et Anticulture chez Nicolas Berdiaeff** et de **Sans tarder,** essai. Montréal, Société des belles-lettres Guy Maheux, 1978. 79 p. Coll. « Le Chariot ». ISBN 0-88582-029-0.

### ŒUVRE TRADUITE

**Nicolas Berdiaev. Introduccion a su vida y obra,** essai. Traduction espagnole de Ramon Alcade ; titre original : **Nicolas Berdiaeff ou la Révolte contre l'objectivation.** Buenos Aires, Carlos Lohlé, 1979. 203 p.

## Tom KONYVES

(Budapest, Hongrie, 13 juillet 1947– ). Éditeur du magazine *Hh*, secrétaire de Véhicule Art et critique de poésie au défunt *Montreal Star*, Tom Konyves est arrivé au Québec avec la vague d'émigrés hongrois de 1956. Représentant pour le Québec de la League of Canadian Poets, il a collaboré à de nombreuses revues : *Cross Country, CV/II, Mouse Eggs,* etc., et ses textes figurent dans de nombreuses anthologies. Outre ses publications, il a également enregistré des poèmes sur vidéo : *See/Saw* (1977), *Sympathies of War* (1978), *Ubu's Blues* (1979), *Yellow Light Blues* (1980).

### ŒUVRES

**Love Poems.** Montreal, Asylum Publishing Co., 1974.

**Proverbsi,** poésie. En collaboration avec Ken Norris. Montreal, Asylum Publishing, 1977.

**No Parking,** poésie. Montreal, Véhicule Press, 1978.

**Poetry in Performance.** Montreal, Asylum Publishing, 1980.

## Odette KWIATKOWSKY

Voir Odette Yvon.

# L

Marie
LABERGE

(Québec, 1929–     ). Peintre et poète, Marie Laberge a étudié les beaux-arts à Québec et monté ensuite diverses expositions de ses œuvres tant à Québec qu'à Montréal et Ottawa. Elle a travaillé comme infirmière et enseigné les arts visuels ; elle a aussi fondé et dirigé nombre d'ateliers de création. En 1965, la parution de son second recueil de poèmes, *Halte*, lui méritait le Prix du Maurier.

ŒUVRES

**Les Passerelles du matin,** poésie. Québec, Éditions de l'Arc, 1961. 65 p.

**Halte,** poésie. Québec, Éditions de l'Arc, 1965. 58 p.

**D'un cri à l'autre,** poésie. Illustrations de l'auteure. Québec, Éditions de l'Aile, 1966. 66 p.: ill.

**L'Hiver à brûler,** poésie. Québec, Garneau, 1968. 96 p.

**Soleil d'otage,** poésie. Québec, Garneau, 1970. 79 p.: ill.

**Reprendre souffle,** poésie. Québec, Garneau, 1971. 77 p.: ill.

**Les Chants de l'épervière,** poésie. Montréal, Leméac, 1979. 143 p.: ill. Coll. « Poésie Leméac ». ISBN 2-7609-1008-3.

**Aux mouvances du temps,** poésie. Montréal, Leméac, 1982. 336 p. Coll. « Poésie Leméac ». ISBN 2-7609-1015-6.

Marie
LABERGE

(Québec, 29 novembre 1950–     ). Dramaturge et comédienne, Marie Laberge étudie d'abord chez les Jésuites avant de suivre des leçons de danse avec Madame Chiriaeff. Étudiante en journalisme à l'université Laval, elle participe aux activités de la troupe des Treize (1970). Elle délaisse alors le journalisme pour entrer au Conservatoire d'art dramatique de Québec. Elle fait ensuite de la radio, de la télévision, du théâtre, joue tant Brecht que Tchekhov, fait de la mise en scène. En 1978, on la retrouve professeure de théâtre à l'université du Québec à Chicoutimi. Marie Laberge est l'auteure de nombreuses pièces qui ont été jouées mais dont plusieurs demeurent inédites : *Profession je l'aime* (1978), *Éva et Évelyne* (1980), *Avec l'hiver qui s'en vient* (1980), etc.

### ŒUVRES

**C'était avant la guerre à l'Anse à Gilles,** théâtre. Montréal-Nord, VLB Éditeur, 1980. 124 p. ISBN 2-89005-089-0.

**Ils étaient venus pour...,** théâtre. Montréal-Nord, VLB Éditeur, 1981. 142 p. ISBN 2-89005-090-4.

**Avec l'hiver qui s'en vient,** théâtre. Montréal-Nord, VLB Éditeur, 1982. 104 p. ISBN 2-89005-145-5.

## Pierre LABERGE

Anne-Marie Guérineau

(L'Ange-Gardien, 10 août 1948– ). Auteur de recueils de poésie publiés aux Éditions du Jour et au Noroît, Pierre Laberge a écrit de nombreux textes pour les revues *Liberté, Poésie, le Bulletin, Dérives, Écrits du Canada français, Hobo-Québec* et *Estuaire*. Outre la poésie, il est attiré par l'anthropologie et la philosophie.

### ŒUVRES

**La Fête,** poésie. Montréal, Éditions du Jour, 1973. 57 p. Coll. « Les Poètes du Jour ».

**L'Œil de nuit,** poésie. Saint-Lambert, Éditions du Noroît, 1973. 49 p.

**Le Vif du sujet,** précédé de **la Guerre promise,** poésie. Avec six dessins de Josée Jobin. Saint-Lambert, Éditions du Noroît, 1975. 81 p. : ill. en coul. ISBN 0-88524-009-X.

**Dedans Dehors,** suivi de **Point de repère,** poésie. Saint-Lambert, Éditions du Noroît, 1977. 92 p. ISBN 0-88524-024-3.

**Vue du corps,** précédé de **Au lieu de mourir,** poésie. Avec huit dessins de Célyne Fortier. Saint-Lambert, Éditions du Noroît, 1979. 133 p. : ill. ISBN 2-89018-032-8.

**Vivres,** poésie. Avec une analyse microgestuelle de Le Brun Doré. Saint-Lambert, Éditions du Noroît, 1981. 81 p. : ill. ISBN 2-89018-046-8.

## Marcel LABINE

(Montréal, 25 février 1948– ). Marcel Labine est professeur au cégep de Maisonneuve depuis l'obtention de sa licence en littérature de l'université de Montréal en 1972. Poète et prosateur, il a fait paraître l'essentiel de ses textes aux *Herbes rouges* et collabore régulièrement au journal mensuel *Spirale*.

### ŒUVRES

**Lisse,** poésie. Montréal, Les Herbes rouges, nº 31, octobre 1975. N.p. ISSN 0441-6627.

**L'Appareil,** poésie et prose. En collaboration avec Normand de Bellefeuille. Montréal, Les Herbes rouges, nº 38, août 1976. N.p. ISSN 0441-6627.

**Les Lieux domestiques,** poésie. Montréal, Les Herbes rouges, nº 49, avril 1977. 22 p. ISSN 0441-6627.

**Les Allures de ma mort,** prose. Illustrations de l'auteur. Montréal, Les Herbes rouges, nº 73, mai 1979. 34 p. : ill. ISSN 0441-6627.

**La Marche de la dictée,** prose. Illustrations de Jacques Samson. Montréal, Les Herbes rouges, n 83, juillet 1980. 32 p. : ill. ISSN 0441-6627.

**Des trous dans l'anecdote**, prose. Illustrations de Jacques Samson. Montréal, Les Herbes rouges, nº 87, février 1981. ISSN 0441-6627.

**Les Proses graduelles.** Montréal, Les Herbes rouges, nº 96, octobre 1981. 21 p. ISSN 0441-6627.

## Lise LACASSE

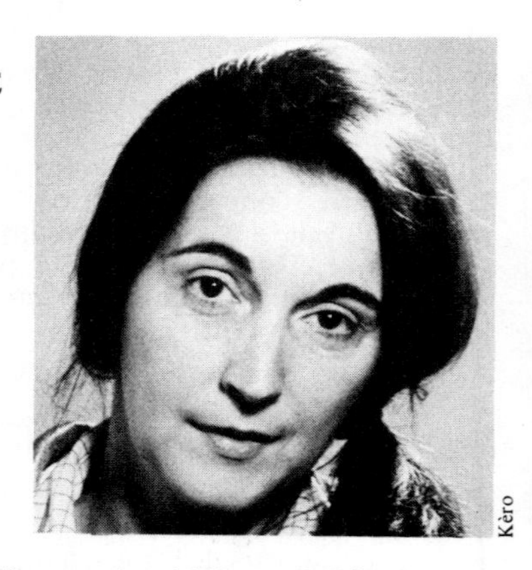

Kèro

(Lachine, 20 novembre 1938– ). Lise Lacasse a enseigné le français pendant douze ans après avoir obtenu son baccalauréat en pédagogie. Après un an d'animation scolaire, elle se met à écrire et trois de ses œuvres sont diffusées dans le cadre des émissions radiophoniques et télévisées de Radio-Canada en même temps que paraît son premier livre. Depuis 1973, elle se définit comme écrivaine à temps plein. En 1978, elle remportait le Prix Benson & Hedges pour *Sunshine State*, une de ses nouvelles.

### ŒUVRES

**Au défaut de la cuirasse,** nouvelles. Montréal, Éditions Quinze, 1977. 179 p. ISBN 0-88565-108-1.

**La Facilité du jour,** roman. Montréal, Bellarmin, 1981. 286 p.

## Michaël LA CHANCE

(Neuilly, France, 23 juin 1952-     ). Poète, Michaël La Chance a publié quatre recueils de poésie et précise au sujet de sa venue à l'écriture : « J'ai commencé à écrire - je crois - pour m'exhorter moi-même. Je m'écrivais des lettres à ouvrir plus tard. C'était la recherche d'une langue secrète où devait transparaître le chiffre des choses — la géométrie complexe de l'empathie. » Il est détenteur d'un baccalauréat (1973) et d'une maîtrise (1975) en philosophie de l'université de Montréal et a complété un D.E.A. (1976) en sociologie à l'École des hautes études en sciences sociales (Paris). Michaël La Chance est professeur à l'éducation permanente au cégep Rosemont depuis 1979.

### ŒUVRES

**Entre chien et loup,** poésie. Avec six eaux-fortes et pointes sèches de Kittie Bruneau. Montréal, Éditions de la Guilde graphique, 1973. N.p. : ill.

**La Clef de l'envers,** poésie. Avec cinq eaux-fortes de Kittie Bruneau. Montréal, Éditions de la Marotte, 1973. N.p. : ill.

**Une inquisitoriale,** poésie. Avec cinq eaux-fortes de Kittie Bruneau ; préface de Françoise Bujold. Montréal, chez l'auteur, 1975. N.p. : ill.

**D'ailes et d'îles,** poésie. En collaboration avec Leonard Cohen, Claude Haeffely et Jacques Renaud ; avec des lithographies de Kittie Bruneau. Montréal, Éditions de la Marotte, 1979. N.p. : ill.

## Benoît LACROIX

Kèro

Pseud. : Michel de Ladurantaye.

(Saint-Michel-de-Bellechasse, 8 septembre 1915-     ). D'origine rurale, Benoît Lacroix est préoccupé avant tout de culture populaire en Amérique française. Il étudie tour à tour la théologie, l'histoire et les lettres qu'il enseigne dans différentes universités (Montréal, Laval, Kyoto, Butare, Caen). Son lieu ferme d'attache reste l'Institut d'études médiévales de l'université de Montréal dont il fut le directeur pendant de nombreuses années. Depuis 1979, membre de l'Institut québécois de recherche sur la culture, le dominicain Benoît Lacroix y anime une vaste enquête sur les rapports du peuple québécois avec ses racines religieuses au niveau du vécu quotidien. La plupart de ses publications depuis 1950 (quinze livres et de nombreux articles dans les *Cahiers de civilisation médiévale, la Revue dominicaine, le Devoir*, etc.) étudient des phénomènes plutôt que des théories et tentent d'identifier, au niveau de la religion traditionnelle, les liens plus ou moins avoués qui existent entre le peuple d'ici et ses ancêtres médiévaux. Entre-temps, le Noroît publie ses contes folkloriques, tandis que Leméac propose une initiation à l'étude du *Folklore de la mer* en milieu canadien-français (1980). On pourrait retracer l'origine savante de ses livres en lisant *Orose et ses Idées* ou *l'Historien au Moyen Âge*, parus chez Vrin à Paris en 1965 et 1971. Benoît Lacroix a été directeur-fondateur de la collection « Vie des lettres québécoises » et est responsable de l'édition critique des œuvres de Saint-Denys Garneau et de Lionel Groulx.

## ŒUVRES

**Sainte Thérèse de Lisieux et l'Histoire de son âme,** essai. Ottawa, Montréal, Éditions du Lévrier, 1947. 155 p.

**Pourquoi aimer le Moyen Âge ?,** essai. Montréal, L'Œuvre des tracts, 1950. 15 p.

**Les Débuts de l'historiographie chrétienne,** essai. Toronto, Institute of Medieval Studies of Toronto, 1951. 250 p.

**L'Histoire dans l'Antiquité,** florilège suivi d'une étude. Préface de H. Marrou. Montréal, Paris, Institut d'études médiévales, J. Vrin, 1951. 252 p.

**Vie des lettres et Histoire canadienne.** Préface d'Antonin Lamarche. Montréal, Éditions du Lévrier, 1954. 77 p.

**The Development of Historiography.** En collaboration. Harrisburg, s.é., 1954. N.p.

**Saint-Denys Garneau,** édition critique. Montréal, Fides, 1956. 96 p. Coll. « Classiques canadiens ».

**Compagnons de Dieu,** essai. Montréal, Éditions du Lévrier, 1961. 368 p.

**Le P'tit Train,** conte. Illustrations de François Gagnon. Montréal, Beauchemin, 1964. 74 p. : ill.

**Orose et ses Idées,** essai. Paris, Montréal, J. Vrin, Institut d'études médiévales, 1965. 235 p.

**Le Japon entrevu,** voyage. Paris, Montréal, Fides, 1966. 116 p.

**Le Rwanda : au pays des mille collines,** voyage. Montréal, Éditions du Lévrier, 1966. 120 p.

**Lionel Groulx,** édition critique. Textes choisis et présentés par Benoît Lacroix. Montréal, Fides, 1967. 96 p. Coll. « Classiques canadiens ».

**Hector de Saint-Denys Garneau. Œuvres,** édition critique. En collaboration avec Jacques Brault. Montréal, Presses de l'université de Montréal, 1971. 1320 p. Coll. « Bibliothèque des lettres québécoises ».

**L'Historien au Moyen Âge,** essai. Paris, Montréal, J. Vrin, Institut d'études médiévales, 1971. 300 p.

**Les Religions populaires : colloque international 1970.** Textes édités en collaboration avec P. Boglioni. Québec, Presses de l'université Laval, 1972. VIII-154 p. Coll. « Histoire et Sociologie de la culture », 3.

**Les Cloches,** conte. Illustrations et conception graphique d'Anne-Marie Samson. Saint-Lambert, Éditions du Noroît, 1974. 70 p. : ill. ISBN 0-88524-005-7.

**Folklore de la mer et Religion,** essai. Iconographie de Pierre Lessard. Montréal, Leméac, 1980. 114 p. : ill.

**Les Pèlerinages au Québec,** essai. En collaboration. Québec, Presses de l'université Laval, 1981. ISBN 2-7637-6920-9.

**Quelque part en Bellechasse.** Illustrations d'Anne-Marie Samson. Saint-Lambert, Éditions du Noroît, 1981. 81 p. : ill. ISBN 2-89018-050-6.

## ÉTUDE

Daudelin, Denise, **Essai de bio-bibliographie du R.P. Benoît Lacroix, o.p.** Montréal, École des bibliothécaires de l'université de Montréal, 1961. 123 p.

## Georgette LACROIX

(Québec, 6 avril 1921– ). Poète, Georgette Lacroix fait d'abord carrière à la radio au poste CHRC de Québec (1947–1971). Journaliste à la section Arts et Lettres de *l'Action-Québec* de 1971 à 1972, elle est attachée de presse de Claire Kirkland-Casgrain, alors ministre des Affaires culturelles, de 1972 à 1973, agent culturel à ce même ministère de 1973 à 1977 et depuis lors rédactrice d'*Archives en tête,* le bulletin des Archives nationales du Québec. Membre du conseil de la Société des poètes canadiens-français (1965–1977) dont elle dirigea la revue *Poésie*, elle siège également aux conseils du Salon international du livre de Québec (1977) et de la section Québec de la Société des écrivains canadiens (1978) tout en collaborant à l'organisation de la Place des arts du Carnaval de Québec depuis 1979. Elle a de plus écrit pour de nombreux journaux et revues dont *Québec en bref, Écho-Vedettes, le Soleil, Radio-Monde* et *Audace* (Belgique). Gagnante du Concours de poésie de la Société du bon parler français en 1963, 1969 et 1976, Georgette Lacroix a remporté le Prix France-Québec en 1971 pour *Entre nous... ce pays* et le Prix des arts et poésie de Touraine en 1972.

## ŒUVRES

**Mortes Saisons,** poésie. Québec, Garneau, 1967. 74 p. Coll. « Garneau poésie ».

**Entre nous... ce pays,** poésie. Québec, Garneau, 1970. 103 p. Coll. « Garneau poésie ».

**Le Creux de la vague,** poésie. Illustrations de Jeannine Bouillon-Beaudoin. Québec, Garneau, 1972. 84 p. : ill. Coll. « Garneau poésie ».

**Aussi loin que demain,** poésie. Québec, Garneau, 1973. 75 p. Coll. « Garneau poésie ».

**Dans l'instant de ton âge,** poésie. Illustrations de Francine Thibeault. Québec, Garneau,

1974. 92 p.: ill. Coll. « Garneau poésie ». ISBN 0-7757-0552-7.

**Au large d'Éros,** poésie. Linogravures d'Irénée Lemieux. Québec, La Minerve, 1975. 76 p.: ill. en coul.

**Vivre l'automne,** poésie. Illustrations de Jean-Guy Desrosiers. Québec, Garneau, 1976. 86 p.: ill. Coll. « Garneau poésie ». ISBN 0-7757-0563-2.

**Québec 1608–1978,** poésie. Linogravures d'Irénée Lemieux. Québec, La Minerve, 1978. 122 p.: ill. en coul.

**Québec, capitale de la neige.** Québec, Carnaval de Québec, 1979. 64 p.: photos.

**Québec,** poésie. Illustrations de Jean-Guy Desrosiers. Notre-Dame-des-Laurentides, Presses laurentiennes, 1979. 140 p.: ill. ISBN 2-89015-000-3.

**Faire un enfant,** poésie. Illustrations de Ruby Lefebvre-Filion. Québec, La Liberté, 1980. 74 p.: ill. Coll. « Le Dévidoir ». ISBN 2-89084-016-6.

**L'Homme, le Peintre : Germain Larochelle,** poésie. En collaboration avec René Audy. Illustrations de Germain Larochelle. Québec, Presses de la basilique de Sainte-Anne-de-Beaupré, 1980. 76 p.: ill.

## François LADOUCEUR

(Ottawa, 22 juillet 1947– ). Se percevant avant tout comme un illustrateur que les circonstances ont amené à commenter ses dessins, François Ladouceur a publié plusieurs contes pour enfants et illustré des cahiers de musique, des albums à colorier, etc. Bachelier en arts (1967) et en design industriel (1973) de l'université de Montréal, il travaille comme graphiste, illustrateur et décorateur au sein de sa propre compagnie.

### ŒUVRES

**Patof chez les dinosaures,** bandes dessinées. Illustrations de l'auteur. Montréal, Éditions Mirabel, Télé-Métropole, 1976. 45 p.: en maj. part. ill. en coul.

**Jules, le petit camion rouge,** conte pour enfants. Illustrations de l'auteur. Saint-Lambert, Héritage, 1979. N.p.: ill. en coul. Coll. « Fais de beaux rêves ». ISBN 0-7773-4319-3.

**Mado, la commode,** conte pour enfants. Illustrations de l'auteur. Saint-Lambert, Héritage, 1979. N.p.: en maj. part. ill. en coul. Coll. « Fais de beaux rêves ». ISBN 0-7773-4324-X.

**Valérie, la coccinelle,** conte pour enfants. Illustrations de l'auteur. Saint-Lambert, Héritage, 1980. N.p.: en maj. part. ill. en coul. Coll. « Fais de beaux rêves ». ISBN 0-7773-4330-4.

**Hortense, la poupée,** conte pour enfants. Illustrations de l'auteur. Saint-Lambert, Héritage, 1980. N.p.: ill. en coul. Coll. « Fais de beaux rêves ». ISBN 0-7773-4332-0.

**Le Petit Chaperon rouge,** conte pour enfants. Illustrations de l'auteur. Saint-Lambert, Héritage, 1980. N.p.: ill. Coll. « Contes d'hier et d'aujourd'hui ». ISBN 0-7773-2532-2.

**Les Trois Petits Cochons,** conte pour enfants. En collaboration avec Francine Thériault-Ladouceur; illustrations de l'auteur. Saint-Lambert, Héritage, 1980. N.p.: ill. Coll. « Contes d'hier et d'aujourd'hui ». ISBN 0-7773-2531-4.

**La Belle au bois dormant,** conte pour enfants. Illustrations de l'auteur. Saint-Lambert, Héritage, 1980. N.p.: ill. Coll. « Contes d'hier et d'aujourd'hui ». ISBN 0-7773-2533-0.

## Herménégilde LAFLAMME

(Gros-Morne, 20 novembre 1936– ). Après avoir fréquenté l'école primaire de son village natal (1943–1951), puis le séminaire de Gaspé (1951-1952), Herménégilde Laflamme étudiera diverses disciplines en autodidacte. Travaillant comme aide général dans une entreprise de Longueuil, il rencontrait, en 1957, Jacques Millet avec qui il devait collaborer pour la publication de ses deux premiers livres. Outre ses romans d'aventures, il s'intéresse également à la bande dessinée américaine.

## ŒUVRES

**La Forêt de la peur,** aventure. En collaboration avec Jacques Millet; illustrations de Louis Dario et Geneviève Desgagnés. Sherbrooke, Éditions Paulines, 1972. 127 p.: ill. Coll. « Jeunesse-pop », 4. ISBN 0-88840-297-X.

**Rescapé du néant,** aventure. En collaboration avec Jacques Millet; illustrations de Gabriel de Beney. Sherbrooke, Éditions Paulines, 1972. 142 p.: ill. Coll. « Jeunesse-pop », 10. ISBN 0-88840-337-2.

**Les Farfelus du cosmos,** aventure. Illustrations de Gabriel de Beney. Montréal, Éditions Paulines, 1974. 134 p.: ill. Coll. « Jeunesse-pop », 16. ISBN 0-88840-419-0 et 0-88840-422-0.

## Jean LAFLAMME

(Saint-Damien-de-Bellechasse, 22 août 1932– ). Auteur de récits, d'essais historiques et littéraires et d'une anthologie sur le théâtre québécois, Jean Laflamme a fait des études classiques au collège d'Amos avant d'obtenir une licence (1970) et une maîtrise (1976) en histoire à l'université de Montréal. Professeur au niveau secondaire de 1959 à 1967, il enseigne ensuite au collège Bourget de 1971 à 1973 et collabore activement au Centre de documentation en lettres québécoises de l'université du Québec à Trois-Rivières depuis 1974. En 1980 il est chargé de cours à cette même institution. Membre de la Société d'histoire du théâtre du Québec (1978) et de l'Institut d'histoire de l'Amérique française (1979), il est recherchiste pour la Société d'histoire et d'archéologie de l'Abitibi depuis 1968.

## ŒUVRES

**En canots sur les traces des pionniers,** récit. Photos de l'auteur. La Sarre, Éditions des Scouts, 1966. 56 p.: ill., carte.

**En remontant la rivière l'Assomption,** récit. Photos de l'auteur. Charlemagne, s.é., 1971. 52 p.: ill., carte.

**Les Camps de détention au Québec durant la Première Guerre mondiale,** essai. Montréal, s.é., 1973. 49 p.: ill., planches, plans.

**De Montréal à Vancouver. Journal de voyage.** Charlemagne, s.é., 1974. 90 p.

**Au pays des Ancêtres. Journal de voyage. Première partie.** Montréal, s.é., 1976. 44 p.

**Au pays des Ancêtres. Journal de voyage. Deuxième partie.** Montréal, s.é., 1976. 48 p.

**La Traite des fourrures dans l'Outaouais supérieur de 1718 à 1760,** essai. Montréal, s.é., 1975. 137 p.: planches, carte.

**Anthologie thématique du théâtre québécois au XIX$^e$ siècle.** En collaboration avec Étienne-F. Duval. Montréal, Leméac, 1978. 462 p.: portr. Coll. « Théâtre Leméac », 72-73-74. ISBN 0-7761-0073-4.

**L'Église et le Théâtre au Québec,** essai. En collaboration avec Rémi Tourangeau. Montréal, Fides, 1979. 355 p. ISBN 2-7621-0960-4.

## Guy LAFLÈCHE (1945– )

## ŒUVRES

**Le Missionnaire, l'Apostolat, le Sorcier: édition critique de la Relation de 1634.** Montréal, Presses de l'université de Montréal, 1973. 261 p. Coll. « Bibliothèque des lettres québécoises ». ISBN 0-8405-0239-7.

**Mallarmé: grammaire générative des Contes indiens,** essai. Montréal, Presses de l'université de Montréal, 1975. 300 p. ISBN 0-8405-0302-4.

**Petit Manuel des études littéraires: pour une science générale de la littérature,** essai. Montréal-Nord, VLB Éditeur, 1977. 117 p. ISBN 2-89005-092-0.

**La Vie du père Paul Ragueneau de Jacques Bigot,** édition critique. Montréal-Nord, VLB Éditeur, 1979. 268 p. ISBN 2-89005-093-9.

## Nicole LAFLEUR

Voir Nicole Rainville.

**Guy**
**LAFOND**

(New Liskeard, Ont., 24 septembre 1925- ). Résidant au Québec depuis 1945, Guy Lafond a reçu le Premier Prix de piano du Conservatoire de musique de la province de Québec en 1948 et mérité le Prix de la jeune poésie pour son premier recueil en 1958. Il a collaboré aux revues *Amérique française* et *Moebius* et a été invité à participer aux émissions *Atelier des inédits* et *Rencontres.* Il est professeur de yoga et enseigne la création littéraire aux universités de Montréal et McGill.

### ŒUVRES

**J'ai choisi la mort,** poésie. Montréal, Éditions du Centre d'essai, 1958.
**Poèmes de l'un,** Montréal, Éditions Voltaire, 1968. 89 p. Coll. « Florilège ».
**L'Eau ronde,** poésie. Montréal, Éditions Gueules d'azur, 1977. 79 p. ISBN 0-919710-01-8.
**Les Cloches d'autres mondes,** poésie. Illustrations de Gilles L'Heureux. Montréal, Hurtubise HMH, 1977. 70 p.: ill. Coll. « Sur parole ». ISBN 0-7758-0126-7.

### ÉTUDE

Liscio, Lorraine, **L'Imagerie et la Structure dans la poésie de Guy Lafond,** thèse de maîtrise. Vermont, université du Vermont, 1974.

**Christiane**
**LAFORGE**

Voir Christiane.

**Henri**
**LA FRANCE**

Pseud. : Pinel.

(Montréal, 10 janvier 1914- ). Ingénieur à Canadair de 1941 à 1975, Henri La France avait auparavant étudié les sciences sociales, économiques et politiques ainsi que le journalisme à l'université de Montréal. Éditorialiste au *Journal de Rosemont*, au *Progrès de Rosemont* et au *Progrès de l'île Jésus* entre 1956 et 1966, il avait, à la même époque, agi comme pigiste pour divers quotidiens de Montréal. De concert avec ses activités journalistiques, il a effectué des recherches scientifiques qui l'ont conduit à élaborer une théorie de l'histoire de l'humanité basée sur l'ésotérisme, la cabale et l'évolution cosmique.

### ŒUVRE

**À l'aube du verseau,** roman d'anticipation. Montréal, Presses Sélect, 1980. 261 p. ISBN 2-89132-446-3.

**Micheline**
**LA FRANCE**

Gilles La France

(Montréal, 18 décembre 1944- ). Scénariste de la série *Voyons donc* à Radio-Québec depuis 1980, Micheline La France a, de 1977 à 1979, été rédactrice en chef de la revue *Point* et elle a collaboré au *Cahier de la Nouvelle Compagnie théâtrale.* Elle avait auparavant travaillé au service socio-culturel du Bureau des langues à Ottawa (1975-1976). Auteure d'un conte poétique et de biographies où elle « a tenté de faire vivre ses personnages de l'intérieur », en situant leurs actions en rapport avec leurs désirs fondamentaux, Micheline La France avait précédemment étudié à l'École nationale de théâtre (1966-1968).

### ŒUVRES

**Sur les routes du monde en cercueil roulant,** biographie. Montréal, Scriptomédia, 1977. 108 p. ISBN 0-88598-002-6.

**Denise Pelletier** ou **la Folie du théâtre,** biographie. Montréal, Scriptomédia, 1979. 229 p.: ill., portr. ISBN 2-8401-4000-8.

**Le Soleil des hommes,** poésie. Illustrations de Marie-Claire Marcil. Hull, Asticou, 1980. 62 p.: ill. Coll. « Poésie ».

**Suzanne**
**LAFRENIÈRE (1919- )**

**ŒUVRES**

**Henri Desjardins: l'homme et l'œuvre,** étude. Préface de Paul Wyczynski. Hull, Asticou, 1975. 144 p.: ill. en coul.

**Moïsette Olier, femme de lettres de la Mauricie,** étude. Hull, Asticou, 1980. 224 p. Coll. « Études ».

**Joseph**
**LAFRENIÈRE**

(Saint-Lin, 25 mars 1947- ). Rédacteur depuis 1976 au magazine *Vidéo-Presse*, Joseph Lafrenière a écrit des romans qui s'adressent tant aux jeunes (aux Éditions Paulines) qu'aux adultes (aux Éditions Quinze). Après avoir terminé sa versification au séminaire Sainte-Croix, il a exercé divers métiers, puis travaillé au Service des parcs de la ville de Montréal de 1966 à 1974 avant d'entrer comme agent de bureau à la Régie des installations olympiques, emploi qu'il occupe depuis 1976.

**ŒUVRES**

**De septembre à Québec,** roman. Paris, La Pensée universelle, 1974. 126 p.

**L'Après-guerre de l'amour,** roman. Montréal, Éditions Quinze, 1976. 133 p. ISBN 0-88565-029-8.

**La Roulotte aux trèfles,** roman. Illustrations de Gabriel de Beney. Montréal, Éditions Paulines, 1977. 87 p.: ill. Coll. « Jeunesse-pop », 27. ISBN 0-88840-587-1 et 0-88840-588-X.

**Le Bibliotrain,** roman. Illustrations de Gabriel de Beney. Montréal, Éditions Paulines, 1978. 85 p.: ill. Coll. « Jeunesse-pop », 32. ISBN 0-88840-650-9 et 0-88840-651-7.

**Carolie Printemps,** roman. Montréal, Éditions Quinze, 1978. 181 p. Coll. « Roman ». ISBN 0-88565-175-8.

**Chantale,** roman. Illustrations de Gabriel de Beney. Montréal, Éditions Paulines, 1979. 82 p.: ill. Coll. « Jeunesse-pop », 35. ISBN 2-89039-670-3 et 2-89039-669-X.

**Jean-Claude**
**LALANNE-CASSOU**

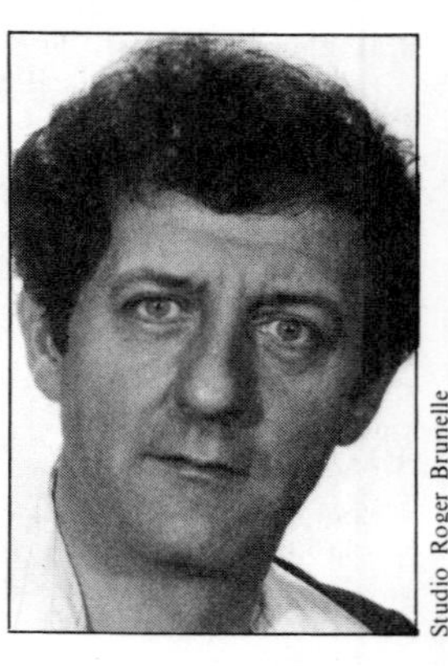

Studio Roger Brunelle

(Pau, France, 14 juin 1938- ). Jean-Claude Lalanne-Cassou, critique musical pour certaines émissions de Radio-Canada, est professeur à Verdun depuis 1968. Licencié en philosophie de l'université de Bayonne (1962) et bachelier en animation de l'université de Montréal (1978), il est « originaire de Pau et, de surcroît, régionaliste convaincu ». Récipiendaire du Grand Prix des lettres pyrénéennes pour son roman *On a tué Charles Perrault* (1979), il a également publié contes, récits, poèmes. Jean-Claude Lalanne-Cassou habite le Québec depuis maintenant plus de dix ans.

**ŒUVRES**

**3 Images d'Hertelle,** récits. France, s.é., 1976. 116 p.

**Il naît d'ormes qu'Anny,** poésie. Longueuil, Le Préambule, 1976. 39 p. ISBN 0-88564-002-0.

**On a tué Charles Perrault,** roman. Longueuil, Le Préambule, 1978. 206 p. ISBN 0-88564-005-0.

**Le Jardin du belvedère,** récits. Longueuil, Le Préambule, 1978. 74 p. ISBN 0-88564-009-8.

**Le Caillou bleu,** poésie. Illustrations de l'auteur. Longueuil, Le Préambule, 1980. 43 p.: ill. ISBN 2-89133-014-5.

**Michèle LALONDE**

Kèro

(Montréal, 28 juillet 1937– ). Michèle Lalonde détient une licence en philosophie de l'université de Montréal. Elle a collaboré activement à la revue *Liberté* et à quelques autres publications littéraires québécoises et a fait partie de l'équipe de rédaction de *Maintenant*. Surtout connue par ses écrits sur la question linguistique et nationale (*Panneaux-réclame, Outrage au tribunal, Destination 80, Deffence et Illustration de la langue quebecquoyse*), elle a également signé des textes radiophoniques, des commentaires de films, ainsi que le scénario d'un long métrage, *la Conquête*, réalisé par Jacques Gagné. Elle a participé assidûment aux spectacles de Chants et Poèmes de la résistance donnés au profit des prisonniers politiques québécois, à la Nuit de la poésie et à diverses manifestations du même genre au Québec et à l'étranger. Elle a présenté pendant plusieurs années un récital de poésie dans les collèges et universités en compagnie du guitariste-compositeur Jean-François Garneau. Michèle Lalonde a été membre du bureau de direction de l'Union des écrivains québécois et elle enseigne l'histoire des civilisations à l'École nationale de théâtre. La Société Saint-Jean-Baptiste lui a remis le Prix Duvernay (1979) pour l'ensemble de son œuvre. En 1982, Michèle Lalonde était élue présidente de la Fédération internationale des écrivains de langue française (FIDELF).

**ŒUVRES**

**Songe de la fiancée détruite,** poésie. Montréal, Éditions d'Orphée, 1958. 46 p.

**Geôles,** poésie. Montréal, Éditions d'Orphée, 1959. 41 p.

**Terre des hommes,** poésie. Montréal, Éditions du Jour, 1967. 60 p.

**Speak White,** poème-affiche. Montréal, L'Hexagone, 1974. 5 p.

**Dernier Recours de Baptiste à Catherine,** théâtre. Montréal, Leméac, L'Hexagone, 1977. 137 p.: ill., portr. Coll. « Théâtre Leméac », 66. ISBN 0-7761-0066-1.

**Portée disparue,** poésie. Avec des linogravures de Christine Dufour. Outremont, Les Compagnons du lion d'or, 1979. N.p.: ill.

**Défense et Illustration de la langue québécoise** suivi de **Prose et Poèmes.** Paris, Robert Laffont, 1979. 240 p.

**Métaphore pour un nouveau monde,** poésie. Images de Francis Bernard. Montréal, L'Hexagone, 1980. 46 p.: ill.

**Cause commune, manifeste pour une internationale des petites cultures.** En collaboration avec D. Monière. Montréal, L'Hexagone, 1981.

**Robert LALONDE**

(Sudbury, Ont., 10 novembre 1936– ). Poète, conteur, peintre et sculpteur, Robert Lalonde a fait des études de lettres au collège du Vieux-Montréal (1969). Il avait été de 1961 à 1963 professeur d'arts plastiques au séminaire de Mont-Laurier avant de travailler à titre de décorateur et de scénographe au Théâtre du Nouveau Monde et pour les Grands Ballets canadiens (1963–1966). Il a aussi fait de nombreuses expositions de ses peintures à Montréal et dans la région et travaillé comme animateur et recherchiste pour divers organismes tels le haut-commissariat aux Loisirs et aux Sports, le Service d'orientation et de consultation psychologique de l'université de Montréal, etc. Robert Lalonde a participé à la Nuit de la poésie en 1970 et à la Super-francofête. Il est membre de la Société des artistes en arts visuels du Québec depuis 1978.

**ŒUVRES**

**Rafales de braise,** poésie. Montréal, Atys, 1965. 40 p.

**Ailleurs est en ce monde** ou **Ailleurs est ici,** conte. Illustrations d'André Dufour. Québec, Éditions de l'Arc, 1966. 144 p.: ill. Coll. « De l'Escarfel ».

**Charivari des rues,** poésie. Illustration de Carlos Labrosse. Montréal, Atys, Fraternalisme, 1970. 67 p.: ill.

**Kir-Kouba, rivière aux mille détours,** poésie. Montréal, Atys, 1972. 79 p. : ill.

**Les Contes du portage.** Montréal, Leméac, 1973. 118 p. Coll. « Ni-T'Chawama ».

**Contes de la lièvre.** Illustrations de Michel Catudal. Montréal, L'Aurore, 1974. 200 p. : ill. Coll. « Le Goglu ». ISBN 0-88532-010-7.

## Robert LALONDE

Michel Brais

(Oka, 22 juillet 1947– ). Détenteur d'un baccalauréat ès arts du séminaire de Ste-Thérèse, il a étudié au Conservatoire d'art dramatique de Montréal où il s'est mérité en 1971 le premier prix d'interprétation ainsi qu'une bourse d'un an qui l'amène en Europe et aux États-Unis. Comédien, entre autres productions, dans *Les oranges sont vertes* de Claude Gauvreau, *Mystero Buffo* de Dario Fo et *Hier les enfants dansaient* de Gratien Gélinas, il apparaît aussi au cinéma et dans les séries télévisées telles *Quelle Famille, Boogie-Woogie* et *Flappers* de Radio-Canada à Montréal et à Toronto. Prix Robert-Cliche 1981 pour *la Belle Épouvante*, réédité à Paris, à Toronto et à New York, il a adapté *les Trois Sœurs* de Tchekhov pour le théâtre Centaur et il a écrit des textes pour Louise Portal et pour deux revues musicales de François Guy.

### ŒUVRES

**La Belle Épouvante,** roman. Montréal, Quinze, 1981. 160 p. ISBN 2-89026-270-7.

**Le Dernier Été des Indiens,** roman. Paris, Éditions du Seuil, 1982. 250 p. ISBN 2-02-006-246-1.

### ŒUVRE TRADUITE

**Sweet Madness.** Traduction anglaise de David Homel; titre original : **La Belle Épouvante.** Toronto, Stoddart, 1982. 140 p. ISBN 0-7737-2000-6.

## Claude LAMARCHE

(Saint-Eustache-sur-le-Lac, 7 avril 1950– ). Auteure de romans, de textes dramatiques pour la radio et la télévision, de livres pour enfants et de livres pratiques, Claude Lamarche est à l'emploi du journal *la Petite Nation* depuis 1978. Détentrice d'un brevet d'enseignement de l'école normale Jacques-Cartier (1970), elle a enseigné quelques années à la commission scolaire régionale Papineau avant de préférer la vie rurale à l'enseignement. Claude Lamarche partage son temps entre l'écriture et diverses activités professionnelles et sportives.

### ŒUVRES

**Le Mystère de la femme en noir,** roman pour jeunes. Illustrations de Gabriel de Beney. Montréal, Éditions Paulines, 1975. 91 p. : ill. Coll. « Jeunesse-pop », 21. ISBN 0-88840-517-0 et 0-88840-518-9.

**Je me veux,** roman. Montréal, Éditions Quinze, 1976. 99 p. ISBN 0-88565-027-1.

**Poursuite sur la Petite-Nation,** roman pour jeunes. Illustrations de Gabriel de Beney. Montréal, Éditions Paulines, 1977. 70 p. : ill. Coll. « Jeunesse-pop », 28. ISBN 0-88840-589-8 et 0-88840-590-1.

**Économie familiale et Logement,** livre pédagogique. En collaboration avec Jacques Lamarche. Montréal, Beauchemin, 1976. N.p. Coll. « Relais ». ISBN 0-7750-0405-7.

**Économie familiale et Habillement,** livre pédagogique. En collaboration avec Jacques Lamarche. Montréal, Beauchemin, 1976. N.p. ISBN 0-7750-0422-7.

**Planification alimentaire et Consommation,** livre pédagogique. En collaboration avec Jacques Lamarche. Montréal, Beauchemin, 1976. N.p. ISBN 0-7750-0423-5.

**Vie familiale et Consommation,** livre pédagogique. En collaboration avec Jacques Lamarche, Montréal, Beauchemin, 1976. N.p. ISBN 0-7750-0434-0.

**De rien autour à rien en dedans,** roman. Montréal, Éditions Quinze, 1978. 175 p. ISBN 0-88565-116-2.

**Appliqués, Patchwork et Couvre-lits,** livre pratique. Illustrations de Louise Falstrault. Montréal, Domino, 1979. 131 p. : ill. ISBN 2-89029-001-8.

**Le Manoir Louis-Joseph-Papineau.** En collaboration avec Jacques Lamarche. Saint-André-Avellin, Éditions de la Petite-Nation, 1979. 93 p. Coll. « Patrimoine », 1. ISBN 2-89009-000-0.

**Pourquoi nous avons cessé d'enseigner,** témoignage. En collaboration avec Louise Falstrault. Saint-André-Avellin, Éditions de la Petite-Nation,

1979. 159 p. Coll. « Éducation ». ISBN 2-89009-001-9.

**Gustave LAMARCHE**

(Montréal, 17 juillet 1895– ). Auteur d'une œuvre poétique et théâtrale d'inspiration biblique et religieuse, Gustave Lamarche a fait ses études secondaires au collège Bourget de Rigaud (1906–1913) tout en participant activement aux activités littéraires de cette institution. Il entre ensuite chez les Clercs de Saint-Viateur (1913-1914), enseigne les humanités classiques au collège Bourget (1914–1916), entreprend des études théologiques au scolasticat de Joliette (1916–1920) et reçoit l'ordination sacerdotale le 7 mars 1920. Après avoir enseigné au scolasticat des Clercs de Saint-Viateur, il complète des licences en lettres classiques à la Sorbonne et à l'Institut catholique de Paris (1926) et en sciences politiques, économiques et sociales à l'université de Louvain (1927). Professeur à Joliette, il décide en 1947 de se consacrer entièrement à son métier d'écrivain. Il fonde et dirige *les Carnets viatoriens* (1936–1956), *les Cahiers de Nouvelle-France* (1957-1958) et *Nation nouvelle* et continue à animer divers mouvements culturels. Préoccupé par les problèmes nationaux, il en fait le sujet de livres et d'articles et s'engage sur le plan politique en militant au Ralliement national. Membre de l'Association des écrivains canadiens, membre-fondateur de l'Académie canadienne-française (1944), Gustave Lamarche a collaboré, à diverses époques, à de nombreux journaux ou revues tels *le Devoir, l'Action nationale, l'Ordre, Notre Temps, Laurentie.* Le Prix Maximilien-Boucher lui a été remis en 1980 pour l'ensemble de son œuvre littéraire.

ŒUVRES

**La Décoration de l'église Saint-Viateur d'Outremont,** essai. Outremont, s.é., 1923. 37 p.

**Histoire du Canada, cours supérieur.** En collaboration avec P.E. Farley. Montréal, Librairie des Clercs de St-Viateur, 1933. 480 p.

**Jonathas,** suivi de **Tobie,** théâtre. Musique de Gabriel Cusson. Montréal, Librairie des Clercs de St-Viateur, 1935. 188 p.

**Le Grand Jeu eucharistique,** théâtre. Joliette, Éditions de la Maison Querbes, 1936. 23 p.

**Le Drapeau de Carillon,** théâtre. Montréal, Librairie des Clercs de St-Viateur, 1937. 50 p.

**La Défaite de l'enfer,** théâtre. Rigaud, Éditions du collège Bourget, 1938. 62 p.

**Celle qui voit** ou **la Chevalière de la Loire,** théâtre. Montréal, Ottawa, Québec, Éditions Paraboliers du roi, 1939. 190 p.

**Notre-Dame-des-Neiges,** théâtre. Montréal, Joliette, Éditions Paraboliers du roi, Bernard Valiquette, 1942. 232 p.

**Palinods,** poésie. Ottawa et Montréal, Éditions du Lévrier, 1944. 236 p.

**Les Gracques,** théâtre. Joliette, Éditions Paraboliers du roi, 1945. 127 p.

**Il croissait en silence,** théâtre. Joliette, Éditions de l'Évêché de Joliette, 1945. 24 p.

**Notre-Dame de la Couronne,** suivi de **Notre-Dame du pain** de Rina Lasnier, théâtre. Joliette, Éditions Paraboliers du roi, 1947. 93 p.

**La Maison d'Ombre,** tracts. Nicolet, Centre marial, 1950. 30 p.

**Le Collège sur la colline,** monographie. Rigaud, Écho de Bourget, 1951. 197 p.

**Le Conte des sept jours.** Montréal, Éditions de la Parabole, 1968. 291 p.

**Textes et Discussions,** essai. Montréal, L'Action nationale, 1969. 320 p.

**Poèmes.** Saint-Constant, Éditions Passe-partout, 1970. 15 p.

**Œuvres théâtrales,** T. I. Québec, Presses de l'université Laval, 1971. 572 p. Coll. « Vie des lettres canadiennes ».

**Œuvres théâtrales,** T. II. Québec, Presses de l'université Laval, 1971. 534 p. Coll. « Vie des lettres canadiennes ».

**Œuvres théâtrales,** T. III. Québec, Presses de l'université Laval, 1972. 426 p. Coll. « Vie des lettres canadiennes ».

**Œuvres poétiques,** T. I : **Poèmes du nombre et de la vie ; Impropères.** Québec, Presses de l'université Laval, 1972. XXIII-315 p. Coll. « Vie des lettres canadiennes ».

**Œuvres poétiques,** T. II : **Odes et Poèmes ; Énumération des étoiles ; Palinods.** Québec, Presses de l'université Laval, 1972. 412 p. Coll. « Vie des lettres canadiennes ».

**Œuvres théâtrales,** T. IV : **Mystères et Miracles.** Québec, Presses de l'université Laval, 1973.

XVII-487 p. Coll. « Vie des lettres canadiennes ». ISBN 0-7746-667-6 et 0-7746-668-8.

**Le Théâtre québécois dans notre littérature,** conférence. Présentation de Rémi Tourangeau. Trois-Rivières, U.Q.T.R., Centre de théâtre québécois, 1973. 35 p.: portr. Coll. « Théâtre d'hier et d'aujourd'hui, série conférences », 1.

**Œuvres théâtrales,** T. V: **Théâtre spirituel et profane.** Québec, Presses de l'université Laval, 1974. XVII-472 p. Coll. « Vie des lettres québécoises ». ISBN 0-7746-6669-2 et 0-7746-6668-4.

**Œuvres théâtrales,** T. VI: **Théâtre varié, II.** Québec, Presses de l'université Laval, 1975. 401 p. Coll. « Vie des lettres québécoises ». ISBN 0-7746-6775-3 et 0-7746-6775-3.

**Œuvres poétiques,** T. III: **Chansons sans cause.** Québec, Presses de l'université Laval, 1975. 161 p. Coll. « Vie des lettres québécoises ». ISBN 0-7746-6765-6.

**Ta parole me réveille,** poésie. Montréal, Éditions de la Parabole, 1979. 106 p.

**Titres de nuit,** poésie. Montréal, Éditions de la Parabole, 1979. 109 p.

## ÉTUDE

Pageau, René, **Gustave Lamarche : poète dramatique.** Québec, Garneau, 1976. 236 p.: ill., portr.

## Jacques-André LAMARCHE

(Montréal, 1922– ). Se consacrant entièrement à l'écriture depuis 1970, Jacques-André Lamarche avait d'abord étudié au collège Saint-Laurent puis à l'université de Montréal (1948). Il a enseigné ensuite quelques années et en 1959 a dirigé un institut de formation professionnelle. Il a fait un doctorat en gestion d'entreprise et de 1963 à 1966 est devenu directeur du Conseil d'expansion économique. Outre ses romans, Jacques-André Lamarche a publié de nombreux essais et collaboré à diverses émissions de Radio-Canada ainsi qu'à divers journaux tels *le Devoir* et *le Jour.*

## ŒUVRES

**Le Mouvement Desjardins,** essai. Lévis, Caisse populaire Desjardins, 1962. 130 p.

**Le Scandale des frais funéraires,** essai. Montréal, Éditions du Jour, 1965. 128 p.

**Les Requins de la finance,** essai. Montréal, Éditions du Jour, 1966. 128 p.

**Les Caisses populaires,** essai. Montréal, Lidec, 1967. 146 p.

**L'ABC de la finance,** essai. Montréal, Lidec, 1967. 146 p.

**Le Budget familial,** essai. Montréal, Lidec, 1967. 146 p.

**La Pelouse des lions,** roman. Montréal, Aries, 1969. 176 p.

**Le Royaume détraqué,** roman. Montréal, Cercle du livre de France, 1970. 182 p.

**Eurydice,** roman. Montréal, Cercle du livre de France, 1971. 192 p.

**Le Classement,** essai. Montréal, Beauchemin, 1972. N.p.

**La Monographie du classement,** essai. Montréal, Beauchemin, 1972. N.p.

**Les Machines à calculer,** essai. Montréal, Beauchemin, 1972. 192 p.

**Les Machines de bureau,** essai. Montréal, Beauchemin, 1973. 140 p.

**Les Ordinateurs,** essai. Montréal, Beauchemin, 1973. 222 p.

**Les Situations de bureau,** essai. Montréal, Beauchemin, 1973. 278 p.

**Les Toqués du firmament,** chronique romancée. Montréal, Beauchemin, 1973. 172 p. ISBN 0-7750-0062-0.

**La Dynastie des Lanthier,** T. I: **La Saison des aurores boréales,** roman. Montréal, Cercle du livre de France, 1973. 174 p. ISBN 0-7753-0036-5.

**Les Objectifs du calcul rapide,** essai. Montréal, Beauchemin, 1974. 140 p.

**La Dynastie des Lanthier,** T. II: **La Saison des arcs-en-ciel,** roman. Montréal, Cercle du livre de France, 1976. 204 p. ISBN 0-7753-0092-6.

**Confessions d'un enfant d'un demi-siècle.** Montréal, Quinze, 1977. 187 p. ISBN 0-88565-100-6.

**La Dynastie des Lanthier,** T. III: **La Saison des feuilles mortes,** roman. Montréal, Cercle du livre de France, 1979. 229 p. ISBN 2-89051-001-8.

**La Dynastie des Lanthier,** T. IV: **La Saison des glaïeuls en fleur,** roman. Montréal, Cercle du livre de France, 1982. 189 p. ISBN 2-89051-033-6.

## Henri LAMOUREUX

(Montréal, 29 mars 1942– ). Romancier et conteur, Henri Lamoureux s'attache à décrire les événements qui meublent la vie quotidienne des habitants des quartiers populaires et les conflits qui s'inscrivent dans les rapports sociaux. Après ses études secondaires (1960), il a été tour à tour commis, cadre, fonctionnaire, animateur social puis éducateur. Il a suivi des cours de sociologie à l'université du Québec à Montréal, a voyagé en Europe et au Moyen-

Orient et, comme écrivain, a participé à des rencontres publiques dans quelques cégeps.

### ŒUVRES

**L'Affrontement,** roman. Montréal, Éditions du Jour, 1979. 231 p. Coll. « Le Petit Jour ». ISBN 2-89044-019-2.

**Les Contes de la forêt.** Montréal, Éditions Paulines, 1980. 45 p. : ill. ISBN 2-89039-840-4.

**Les Meilleurs d'entre nous,** roman. Montréal, Éditions du Jour, 1980. ISBN 2-89044-034-6.

**Le Fils du sorcier.** Montréal, Éditions Paulines, 1982. 138 p. ISBN 2-89039-884-6.

## Mario LAMY (1949- )

### ŒUVRES

**L'Amitié de ma hanche,** ou **Cardes mosliasta,** suivi de **Saphir liquide** de Céline Labelle. Avec 6 encres des auteurs. Joliette, chez les auteurs, 1977. 110 p. : 8 f. de planches, ill.

**La Chauve-souris, l'albinos vilaine race d'ambigus,** suivi de **le Muet du sérail** ; et de **Catobbe-pas virginal** ou **Le monstre qui regarde en dessous : opéra glacé.** Avec 7 encres de Renée Audet. Montréal, chez l'auteur, 1981. 128 p. : ill.

## Suzanne LAMY

(Lombez, France, 30 septembre 1929- ). Née en France, Suzanne Lamy vit au Québec depuis 1954. Elle a étudié à l'université de Montréal où elle a complété une maîtrise ès arts en 1970 et un doctorat en études françaises en 1975. Elle collabore à *Spirale*, au *Cahier du Centre de recherche sur le surréalisme, à Mélusine* (Paris III, Sorbonne) et est membre du comité directeur de l'ÉDAQ : Édition *critique* de l'œuvre d'Hubert Aquin.

### ŒUVRES

**La Renaissance des métiers d'art au Canada français,** essai. En collaboration avec Laurent Lamy. Québec, ministère des Affaires culturelles, 1967. 84 p.

**André Breton, hermétisme et poésie dans Arcane 17,** essai. Montréal, Presses de l'université de Montréal, 1977. 265 p. ISBN 0-8405-0362-8.

**D'elles,** textes mixtes. Montréal, L'Hexagone, 1979. 110 p. ISBN 2-89006-164-7.

## Jacques LANCTÔT

Louise Lecavalier

(Montréal, 5 novembre 1945- ). « Après des études chez les jésuites terminées par une expulsion pour « mauvaises influences », il est arrêté une première fois en 1963 pour des activités reliées au F.L.Q. Il enseigne au secondaire pendant deux ans et participe à toutes les manifestations à caractère social et nationaliste de la décennie. Il fréquente la Casa espanol à l'époque où le politique et le culturel se confondent en une même et joyeuse révolte. Délire, militantisme. Maquis. Il est forcé de s'exiler en 1970, d'abord à La Havane durant près de quatre ans, puis à Paris d'où il revient en janvier 1979. Il apprend alors le métier d'éditeur chez VLB. » Condamné à trois ans de pénitencier fédéral, il est de nouveau libre en novembre 1981 et il publie son deuxième ouvrage (incluant un autoportrait robot). Toujours adjoint de Victor-Lévy Beaulieu, il collabore occasionnellement aux revues *Possibles, le Temps fou, Virus* et *la Nouvelle Barre du jour.*

## ŒUVRES

**Rupture de ban : paroles d'exil et d'amour.** Montréal-Nord, VLB Éditeur, 1979. 133 p.

**Affaires courantes,** poésie. Montréal-Nord, VLB Éditeur, 1982. 126 p. ISBN 2-89005-148-X.

## André LANGEVIN

(Montréal, 1927– ). Réalisateur à Radio-Canada des émissions *Connaissance d'aujourd'hui, Documents* et *De mémoire d'homme*, André Langevin avait auparavant été messager puis chroniqueur littéraire au journal *le Devoir*. Outre ses publications, il est également l'auteur de nombreux articles parus dans *Maclean,* de critiques littéraires publiées dans *le Nouveau Journal* et *Notre Temps*, du scénario du film d'Arthur Lamothe, *Poussière sur la ville*, et de deux téléthéâtres : *la Neige en octobre* et *les Semelles de vent*, joués dans le cadre des *Beaux Dimanches.* Outre le Prix du Cercle du livre de France pour ses deux premiers romans en 1951 et 1953, il a également remporté le Concours d'œuvres théâtrales du TNM pour *l'Œil du peuple* (1957) et le Prix littéraire de la ville de Montréal pour *l'Élan d'Amérique* (1973).

## ŒUVRES

**Évadé de la nuit,** roman. Montréal, Cercle du livre de France, 1951. 247 p.

**Poussière sur la ville,** roman. Montréal, Cercle du livre de France, 1953. 213 p.

**Le Temps des hommes,** roman. Montréal, Cercle du livre de France, 1956. 233 p.

**L'Œil du peuple,** théâtre. Montréal, Cercle du livre de France, 1958. 127 p.

**L'Élan d'Amérique,** roman. Montréal, Cercle du livre de France, 1972. 239 p. ISBN 0-7753-0018-7.

**Une chaîne dans le parc,** roman. Montréal, Cercle du livre de France, 1974. 316 p. ISBN 0-7753-0047-0.

## ŒUVRE TRADUITE

**Dust over the City,** roman. Traduction anglaise de John Latrobe et Robert Gottlieb; titre original : **Poussière sur la ville.** Toronto, McClelland & Stewart, 1955. 218 p.

## ÉTUDES

Isabelle, Lucille, **Essai de bibliographie sur André Langevin,** thèse. Montréal, École des bibliothécaires de l'université de Montréal, 1952. 57 p.

Pascal, Gabrielle, **La Quête de l'identité chez André Langevin.** Montréal, Aquila, 1976. 93 p. Coll. « Figures du Québec ». ISBN 0-88510-046-8.

**Romanciers québécois : dossier de presse.** T. III **André Langevin, 1951–1978 ; Roger Lemelin, 1944–1981.** Sherbrooke, Bibliothèque du séminaire, 1981. 108 p. : ill., portr.

## Gilbert LANGEVIN

Kèro

Pseud. : Carmen Avril, Daniel Darame, Alexandre Jarrault, Zéro Legel, Carl Steinberg.

(La Dorée, 27 avril 1938– ). C'est en 1959 que Gilbert Langevin, alors chargé de cours à l'Université ouvrière de Montréal, a fondé le Mouvement fraternaliste ainsi que les Éditions Atys où seront publiés des auteurs tels Jacques Renaud, André Major, Marcel Bélanger, etc. Il a participé activement à la vie littéraire québécoise en donnant ses poèmes en récital ou en présentant plus de 80 poètes dans des soirées publiques (1964-1965). En 1966, il a remporté le Prix du Maurier pour *Un peu plus d'ombre au dos de la falaise*. Il a également écrit des chansons que Pauline Julien et le Groupe Offenbach, entre autres, ont interprétées. Il a fait partie de Chants et Poèmes de la résistance (1968), a donné une série de conférences avec le sculpteur Armand Vaillancourt et Patrick Straram (1972), a été membre de la tournée « Sept paroles du Québec » en France (1980) et s'est produit lors de la Nuit de la poésie 80. En fait, Gilbert Langevin donne des récitals de poésie et de chansons depuis le début des années 1960. Ses poèmes ont été traduits en hébreu, en italien, en américain et en anglais. Il a collaboré à *Hobo-Québec, Estuaire, Passe-partout* et *Liberté*. De 1976 à 1979, il a occupé le poste de directeur-adjoint des Éditions Parti pris. Enfin, en 1978, Gilbert Langevin recevait le Prix du Gouverneur général pour *Mon refuge est un volcan*.

## ŒUVRES

**À la gueule du jour,** poésie. Montréal, Atys, 1959. N.p.

**Poèmes effigies.** Montréal, Atys, 1960. N.p.

**Le Vertige de sourire,** poésie. Montréal, Atys, 1960. N.p.

**Symptômes,** poésie. Montréal, Atys, 1963. N.p.

**Un peu plus d'ombre au dos de la falaise 1961-1962,** poésie. Montréal, Estérel, 1966. 81 p.

**Noctuaire,** poésie. Montréal, Estérel, 1967. 36 p.

**Pour une aube,** poésie. Montréal, Estérel, 1967. 72 p.

**Ouvrir le feu,** poésie. Montréal, Éditions du Jour, 1971. 60 p. Coll. « Les Poètes du Jour ».

**Stress,** poésie. Montréal, Éditions du Jour, 1971. 47 p. Coll. « Les Poètes du Jour ».

**Origines, 1959–1967,** poésie. Montréal, Éditions du Jour, 1971. 272 p. Coll. « Les Poètes du Jour ».

**Les Écrits de Zéro Légel,** prose. Montréal, Éditions du Jour, 1972. 152 p. Coll. « Proses du Jour ».

**Novembre,** suivi de **la Vue du sang,** poésie. Montréal, Éditions du Jour, 1973. 84 p. Coll. « Les Poètes du Jour ».

**Chansons et Poèmes I.** Montréal, Éditions québécoises, Éditions Vert Blanc Rouge, 1974. 78 p.

**La Douche ou la Seringue : écrits de Zéro Légel, deuxième série,** prose. Postface de Lucien Francœur. Montréal, Éditions du Jour, 1973. 114 p. : ill. Coll. « Proses du Jour ».

**Chansons et Poèmes 2.** Montréal, Éditions québécoises, Éditions Vert Blanc Rouge, 1974. 76 p.

**Griefs : poégrammes.** Montréal, L'Hexagone, 1975. 59 p.

**L'Avion rose : écrits de Zéro Légel, troisième série,** prose. Montréal, La Presse, 1976. 102 p. : ill. ISBN 0-7777-0130-8.

**Les Imagiers.** Gravures de Kittie Bruneau et autres. Préface de Françoise Bujold. Montréal, Éditions Sagitta, 1977. 4 f. 12 f. de planches (part. en coul.).

**Mon refuge est un volcan,** poésie. Avec neuf illustrations de Carl Daoust. Montréal, L'Hexagone, 1977. N.p. : ill.

**Le Fou solidaire,** poésie. Illustrations de Jocelyne Messier. Montréal, L'Hexagone, 1980. 66 p. : ill. ISBN 2-89006-175-2.

## Gilbert LANGLOIS

(Sainte-Anne-des-Monts, 21 avril 1946– ). Romancier, auteur de pièces de théâtre inédites, de textes pour la radio et pour les revues *Liberté* et *Châtelaine*, Gilbert Langlois avait d'abord étudié à l'école normale avant d'enseigner un an. Après des études au cégep de Matane et un baccalauréat en information à l'université du Québec à Montréal (1972), il est scénariste et recherchiste à Radio-Québec (1972–1974) puis réalisateur à la télévision de Radio-Canada à Matane, poste qu'il occupe toujours. Récipiendaire du Prix du roman de l'Actuelle pour *le Domaine Cassaubon* (1971), il est membre de l'Association des écrivains de langue française, mer et outre-mer.

## ŒUVRES

**Le Domaine Cassaubon,** roman. Montréal, L'Actuelle, 1971. 233 p.

**L'Allocutaire,** roman. Montréal, L'Actuelle, 1973. 117 p. ISBN 0-7752-0037-9.

**C't'a cause qu'i vont su'a lune,** roman. Montréal, L'Actuelle, 1974. 163 p. ISBN 0-7752-0046-8.

**Jacques**
**LANGUIRAND**

Kèro

(Montréal, 1er mai 1931– ). Membre des Compagnons de Saint-Laurent de 1948 à 1949, Jacques Languirand, qui avait fait des études classiques au collège Saint-Laurent et à l'externat Sainte-Croix ainsi qu'un certificat d'immatriculation à l'université de Montréal, se rend à Paris étudier le théâtre chez Charles Dullin. Également animateur à la Radio-Télévision française (1949–1953), il entreprend alors une carrière parallèle d'homme de théâtre. Comédien, metteur en scène, scénariste, adaptateur, directeur de troupes, il écrit nombre de radiothéâtres : *l'Entonnoir, Mine de rien, la Grève,* etc., et anime les émissions les plus diverses : *Au dictionnaire insolite, Entre vous et moi, Par quatre chemins, Vivre sa vie,* etc. Il fut secrétaire général de la Comédie canadienne (1958-1959), adjoint du directeur artistique du Théâtre du Nouveau Monde (1964–1966), professeur invité à l'École nationale de théâtre (1971-1972) et depuis 1972 professeur de communication à l'université McGill. Il a remporté plusieurs prix dont, pour *les Insolites*, les trophées Calvert et Arthur B. Wood. Mentionnons également que nombre de ses pièces de théâtre ont été traduites et jouées sur différentes scènes à l'étranger.

## ŒUVRES

**Les Grands Départs,** théâtre. Montréal, Cercle du livre de France, 1958. 119 p.
**Le Gibet,** théâtre. Montréal, Cercle du livre de France, 1960. 145 p.
**J'ai découvert Tahiti et les îles du bonheur,** reportage. Montréal, Éditions de l'Homme, 1961. 126 p. : photos.
**Le Dictionnaire insolite,** propos et pensées. Montréal, Éditions du Jour, 1962. 155 p.
**Les Insolites** et **les Violons de l'automne,** théâtre. Montréal, Cercle du livre de France, 1962. 211 p.
**Tout compte fait,** roman. Paris, Denoël, 1963. 193 p.
**Klondyke,** théâtre. Musique de Gabriel Charpentier. Montréal, Cercle du livre de France, 1971. 273 p. : ill.
**De McLuhan à Pythagore,** essai. Montréal, Ferron Éditeur, 1972. 256 p. : ill.
**La Voie initiatique,** essai. Montréal, Minos, 1978.
**Vivre sa vie,** essai. Montréal, Éditions de Mortagne, 1979. 243 p. ISBN 2-89074-002-1.
**Mater materia,** essai. Montréal, Minos, 1980. 249 p. ISBN 2-920151-00-2.
**Vivre ici maintenant,** essai. Montréal, Minos, 1981. ISBN 2-920151-02-9.

**Roger**
**LAPALME**

(Joliette, 13 octobre 1947– ). Membre du comité de rédaction de la revue *Croc* depuis octobre 1980, Roger Lapalme enseigne les arts plastiques au cégep de Saint-Jérôme depuis 1972. Bachelier en arts de l'université de Montréal (1966) et en arts plastiques de l'université Sir George Williams (1969), il a obtenu une maîtrise en arts plastiques de l'American University de Washington en 1971. Poète, graphiste et caricaturiste, il a participé à diverses expositions et collaboré à des journaux étudiants : *le Saint-Viateur, la Réforme* et à des revues tels *le Temps fou* et *Croc.*

## ŒUVRES

**Nuit et Jour,** suite de cinq eaux-fortes originales imprimées et reliées à la main. Montréal, s.é. N.p.
**Triolet,** poésie. Montréal, chez l'auteur, 1974. 28 p.
**Partie remise,** poésie. Shawbridge, Éditions De temps en temps, 1980. N.p.

**René**
**LAPIERRE**

(1953– ). René Lapierre a étudié en lettres françaises et québécoises à l'université de Montréal. Il s'intéresse particulièrement à l'œuvre d'Hubert Aquin ; plusieurs de ses ouvrages en témoignent. Poète, il est aussi secrétaire de la revue *Liberté.* René Lapierre enseigne à l'université du Québec à Montréal.

## ŒUVRES

**Les Masques du récit : lecture du « Prochain Épisode » de Hubert Aquin.** LaSalle, Hurtubise

HMH, 1980. 139 p. Coll. « Cahiers du Québec », 56. ISBN 2-89045-446-0.

**Hubert Aquin, l'imaginaire captif,** essai. Montréal, Quinze Éditeur, 1981. 183 p. Coll. « Prose exacte ». ISBN 2-89026-263-4.

## Gatien LAPOINTE

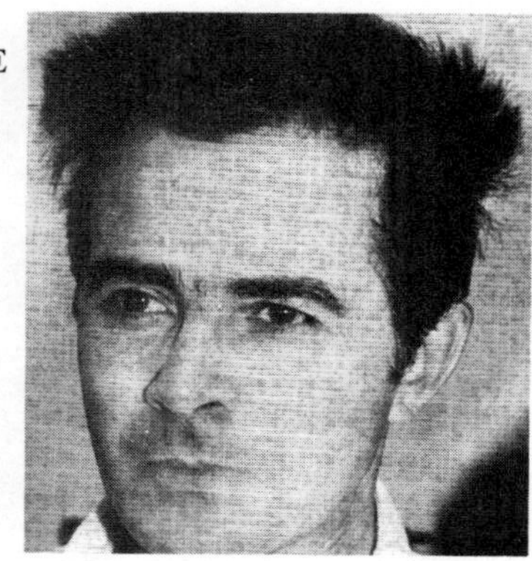

(Sainte-Justine-de-Bellechasse, 18 décembre 1931– ). Poète, Gatien Lapointe anime un atelier de création à l'université du Québec à Trois-Rivières depuis 1969. C'est dans cette même ville qu'il fondait d'ailleurs avec quelques étudiants une maison d'édition, les Écrits des Forges (1971). Auparavant, Gatien Lapointe avait fait des études successivement au Petit Séminaire, à l'école des Arts graphiques, à l'université de Montréal et à la Sorbonne, et enseigné, à partir de 1962, au collège militaire Saint-Jean. Récipiendaire du Prix du Club des poètes pour *le Temps premier* (1962), des prix du Maurier, du Gouverneur général et de la province de Québec pour son *Ode au Saint-Laurent* (1963) et, de nouveau, du Prix de la province de Québec pour *le Premier Mot* (1967) ; il publiait en 1980 *Arbre-Radar*, mettant ainsi fin à un silence de plus de 12 ans.

### ŒUVRES

**Jour malaisé,** poésie. Montréal, s.é., 1953. 93 p.

**Otages de la joie,** poésie. Montréal, Éditions de May, 1955. 44 p.

**Le Temps premier,** suivi de **Lumière du monde**, poésie. Paris, Grassin, 1962. 47 p.

**Ode au Saint-Laurent,** précédé de **J'appartiens à la terre** et **le Chevalier de neige,** poésie. Montréal, Éditions du Jour, 1963. 94 p.

**Le Premier Mot,** précédé de **le Pari de ne pas mourir,** poésie. Montréal, Éditions du Jour, 1967. 111 p.

**Arbre-Radar,** poésie. Montréal, L'Hexagone, 1980. 139 p. ISBN 2-89006-169-8.

**Chorégraphie d'un pays,** in **Québec,** album de photos de Mia et Klaus. Montréal, Libre Expression, 1980.

**Corps et Graphies,** poésie. Avec une eau-forte de Christiane Lemire. Trois-Rivières, Éditions du Sextant, 1981. 18 f. : 1 f. de planche. ISBN 2-920260-03-0.

**Barbare inouï,** poésie. Trois-Rivières, Écrits des Forges, 1981. ISBN 2-89046-040-1.

### ŒUVRE TRADUITE

**Confrontation,** poème. Traduction anglaise de Fred Cogswell ; titre original : **Face à Face.** Fredericton, N.B., Fiddlehead Poetry Books, 1973. 26 p.

## Marcel LAPOINTE

Voir Marcel Portal.

## Paul-Marie LAPOINTE

Kèro

(Saint-Félicien, 22 septembre 1929– ). Journaliste depuis 1950, Paul-Marie Lapointe a étudié au séminaire de Chicoutimi, au collège Saint-Laurent et à l'école des Beaux-Arts de Montréal. Rédacteur en chef du magazine *Maclean* de 1963 à 1968, il est aujourd'hui directeur de la programmation de la radio de Radio-Canada. Poète, il a reçu en 1972 le Prix David du Québec et le Prix du Gouverneur général pour *le Réel absolu*, recueil de poèmes écrits entre 1948 et 1965. En 1976, il a également remporté le prix du International Poetry Forum aux États-Unis. Nombre de ses poèmes ont été traduits tant en anglais qu'en ukrainien, roumain, hébreu et portugais et ont paru dans plusieurs anthologies et revues étrangères.

## ŒUVRES

**Le Vierge incendié,** poésie. Montréal, Mithra-Mythe, 1948. 179 p.

**Choix de poèmes. Arbres.** Montréal, L'Hexagone, 1960. 35 p.

**Pour les âmes,** poésie. Montréal, L'Hexagone, 1964. 71 p.

**Le Réel absolu : poèmes 1948-1965.** Montréal, L'Hexagone, 1971. 270 p.

**Tableaux de l'amoureuse,** suivi de **Une ; Unique ; Art égyptien ; Voyage et huit autres poèmes.** Montréal, L'Hexagone, 1974. 101 p.

**Bouche rouge,** poésie. Lithographies de Gisèle Verreault. Outremont, L'Obsidienne, 1976. N.p. : 14 f. de planches, ill.

**Écritures,** poésie. Avec neuf gravures originales en couleur de Guido Molinari pour l'édition de tête. Outremont, L'Obsidienne, 1979. 1108 p. : ill.

**Arbres,** poésie. Avec cinq sérigraphies de Roland Giguère. Montréal, Erta, 1978. N.p. : 5 f. de planches, ill. en coul.

**Tombeau de René Crevel,** poésie. Eaux-fortes originales de Betty Goodwin. Outremont, L'Obsidienne, 1979. 93 p. : 9 f. de planches, ill.

## ŒUVRE TRADUITE

**The Terrors of the Snows,** poésie. Traduction anglaise de D.G. Jones. S.l., University of Pittsburg, 1976.

## ÉTUDES

Major, Jean-Louis, **Paul-Marie Lapointe : la nuit incendiée.** Montréal, Presses de l'université de Montréal, 1978. 136 p. Coll. « Lignes québécoises ». ISBN 0-8405-0400-4.

Nepveu, Pierre, **Les Mots à l'écoute : poésie et silence chez Fernand Ouellette, Gaston Miron et Paul-Marie Lapointe.** Québec, Presses de l'université Laval, 1979. 292 p. Coll. « Vie des lettres québécoises », 17. ISBN 0-7746-6857-1.

# Claudia LAPP

(Stuttgart, Allemagne, 7 août 1946- ). Claudia Lapp a grandi à Baltimore et étudié au collège Bennington. Professeur au collège John Abbott, elle est arrivée au Québec en 1968. Certains de ses textes sont parus dans l'anthologie *10 Montreal Poets at the Cegeps* et elle a publié deux livres à ce jour.

## ŒUVRES

**Honey,** poésie. Montréal, Véhicule Press, 1973. 57 p. : portr. ISBN 0-919890-07-5.

**Dakini,** poésie. Montréal, Davinci Press, 1974. N.p.

# Renée LARCHE

(Montréal, 29 octobre 1946- ). Après l'obtention d'un B.A. au collège Marguerite-Bourgeoys en 1968, Renée Larche poursuit ses études à l'université de Montréal où elle obtient en 1972 un baccalauréat spécialisé en lettres françaises. Par la suite, elle est recherchiste à Radio-Canada, assistante à la recherche au département d'anthropologie de l'université de Montréal et rédactrice aux Éditions Sélection du Reader Digest avant d'être correctrice d'épreuves au centre de calcul de l'université de Montréal de 1976 à 1978. Boursière du Conseil des arts du Canada en 1973 et du ministère des Affaires culturelles en 1977, Renée Larche a aussi adapté un conte japonais pour la série *Contes orientaux* réalisée par Jean Picard pour la télévision de Radio-Canada.

## ŒUVRES

**Les Naissances de larves,** roman. Montréal, La Presse, 1975. 136 p. Coll. « Écrivains des deux mondes ». ISBN 0-7777-0161-8.

**Éthel, souris-moi,** roman. Montréal, VLB Éditeur, 1982. 135 p. ISBN 2-89005-095-5.

# Joane LAREAU (1955- )

## ŒUVRES

**Trottoirs de rêve.** Sherbrooke, Éditions de la Virgule, 1975. 48 p. : ill.

**Écho.** Illustrations de Luce Champoux. Sherbrooke, Éditions de la Virgule, 1976. 67 p. : ill.

**Claude LARIVIÈRE**

Raymond Charette

(Verdun, 2 janvier 1948–      ). Auteur de nombreux essais en sociologie, Claude Larivière a travaillé plusieurs années en service social et en action communautaire (1967–1976). Détenteur d'une maîtrise en service social de l'université de Montréal (1976), il poursuit des études doctorales en sociologie et enseigne depuis 1976 au Centre d'études universitaires de l'Ouest québécois. Il a écrit des articles pour *le Devoir, Québec-Presse, Économie et Humanisme, Recherches sociographiques, la Revue canadienne d'éducation*, etc. et s'intéresse à tout ce qui concerne l'histoire populaire, la coopération et l'autogestion. Il a été administrateur de l'Association des rencontres culturelles avec les détenus et de la Corporation professionnelle des travailleurs sociaux du Québec et, depuis 1974, il occupe des fonctions identiques aux Éditions Coopératives Albert Saint-Martin.

## ŒUVRES

**St-Henri,** essai. En collaboration. Montréal, Éditions Québécoises, 1972. 94 p. : ill.

**Petite Bourgogne,** essai. En collaboration. Montréal, Éditions Québécoises, 1972. 94 p. : ill.

**St-Henri : l'identification du milieu,** essai. En collaboration avec Marie Larivière. Montréal, Éditions Coopératives Albert Saint-Martin, 1974. 102 p.

**St-Henri : l'univers des travailleurs,** essai. En collaboration avec Marie Larivière. Montréal, Éditions Coopératives Albert Saint-Martin, 1974. 117 p. : graph.

**Histoire des travailleurs de Beauharnois et Valleyfield,** essai. Montréal, Éditions Coopératives Albert Saint-Martin, 1974. 48 p. : ill.

**Le 1<sup>er</sup> mai au Québec,** essai. Montréal, Éditions Coopératives Albert Saint-Martin, 1975. 48 p. : ill.

**Crise économique et Contrôle social : le cas de Montréal (1929–1937),** essai. Montréal, Éditions Coopératives Albert Saint-Martin, 1977. 265 p.

**Le Chili d'Allende,** essai. En collaboration avec Raymond Boyer et Marguerite Taillefer. Montréal, Éditions Coopératives Albert Saint-Martin, 1978. 300 p., carte.

**Albert Saint-Martin, militant d'avant-garde (1864–1947),** essai. Montréal, Éditions Coopératives Albert Saint-Martin, 1979. 290 p. : ill. ISBN 2-89035-006-1.

**Jean LARIVIÈRE**

(Trois-Rivières, 12 avril 1951–      ). Après des études primaires, secondaires et collégiales à Trois-Rivières, Jean Larivière entre à l'université du Québec de cette même ville et obtient un baccalauréat ès lettres (1973), des certificats en éducation (1976) et en enfance inadaptée (1977) et prépare une thèse de maîtrise en éducation. Sa rencontre avec Gatien Lapointe en 1970 lui fournit l'occasion de publier ses premiers poèmes aux Écrits des Forges. Il suit ensuite des cours de roman avec Victor-Lévy Beaulieu et Adrien Thério et publie également une pièce de théâtre en 1973. Depuis 1974, Jean Larivière enseigne le français à la commission scolaire régionale les Vieilles Forges.

## ŒUVRES

**Sauvage,** poésie. Illustrations de l'auteur. Trois-Rivières, Écrits des Forges, 1972. 49 p. : ill. Coll. « Les Rouges-Gorges », 6.

**Innocence,** poésie. Illustrations de l'auteur. Trois-Rivières, Écrits des Forges, 1973. 50 p. : ill. Coll. « Les Rouges-Gorges », 11.

**L'Éclipse,** théâtre. Publié avec trois autres pièces de Claude Bonenfant, René Pépin et Marcel Piette. Trois-Rivières, Centre de théâtre québécois de l'U.Q.T.R., 1973. 68 p. : portr. Coll. « Théâtre d'hier et d'aujourd'hui », 11.

**Maximilien LAROCHE**

(Cap-Haïtien, Haïti, 5 avril 1937-    ). Critique et conférencier, Maximilien Laroche est professeur de littérature à l'université Laval depuis l'obtention de son doctorat à l'université de Toulouse en 1971. Il est membre du comité consultatif pour les littératures francophones de l'Educational Testing Service de Princeton aux États-Unis et de plusieurs comités de revues littéraires : *Livres et Auteurs québécois, Modern Language Studies, Espace créole*. Il est l'auteur d'une œuvre qui porte autant sur le Québec que sur Haïti. En 1979, il était invité à Cuba afin de participer au jury du prix littéraire Las Americas.

**ŒUVRES**

**Haïti et sa Littérature,** essai. Montréal, Presses de l'AGEUM, 1963. 93 p.

**Marcel Dubé,** étude. Montréal, Fides, 1970. 189 p. : ill., fac-sim., portr. Coll. « Écrivains canadiens d'aujourd'hui », 9.

**Le Miracle et la Métamorphose : essai sur la littérature du Québec et d'Haïti.** Montréal, Éditions du Jour, 1970. 239 p. Coll. « Littérature du Jour ».

**Deux Études sur la poésie et l'idéologie québécoises.** Québec, Institut supérieur des sciences humaines, université Laval, 1975. 40 p. Coll. « Cahiers de l'I.S.S.H., sciences de la culture », 3.

**L'Image comme écho : essais sur la littérature et la culture haïtienne.** Montréal, Nouvelle Optique, 1978. 240 p. Coll. « Matériaux ».

**Gilbert LA ROCQUE**

(Montréal, 29 avril 1943-    ). Après avoir été ferblantier puis employé de banque, Gilbert La Rocque est commis à l'hôtel de ville de Montréal-Nord durant huit ans. C'est alors qu'il publie ses premiers romans et entre en contact avec les jeunes écrivains que Jacques Hébert a regroupés autour des Éditions du Jour. Il se familiarise peu à peu avec le métier d'éditeur d'abord aux Éditions de l'Homme et aux Éditions de l'Aurore puis finalement à Québec-Amérique où il devient directeur littéraire, poste qu'il occupe toujours. Gilbert La Rocque a reçu pour son roman *les Masques* le Prix du *Journal de Montréal* et le Prix Canada-Suisse (1982).

**ŒUVRES**

**Le Nombril,** roman. Montréal, Éditions du Jour, 1970. 208 p. Coll. « Les Romanciers du Jour ».

**Corridors,** roman. Montréal, Éditions du Jour, 1971. 214 p. Coll. « Les Romanciers du Jour ».

**Après la boue,** roman. Montréal, Éditions du Jour, 1972. 207 p. Coll. « Les Romanciers du Jour ».

**Serge d'entre les morts,** roman. Montréal-Nord, VLB Éditeur, 1976. 147 p. ISBN 2-89005-097-1.

**Le Refuge,** théâtre. Montréal-Nord, VLB Éditeur, 1979. 140 p. : ill. ISBN 2-89005-096-3.

**Les Masques,** roman. Montréal, Québec-Amérique, 1980. 191 p. : ill. Coll. « Littérature d'Amérique ». ISBN 2-89037-032-1.

**TRADUCTION**

**Cap sur l'enfer,** roman. Traduction de **Firespill** de Ian Slater. Montréal, Éditions de l'Homme, 1978. 383 p. ISBN 0-7759-0592-5.

**Jean-Claude LAROUCHE**

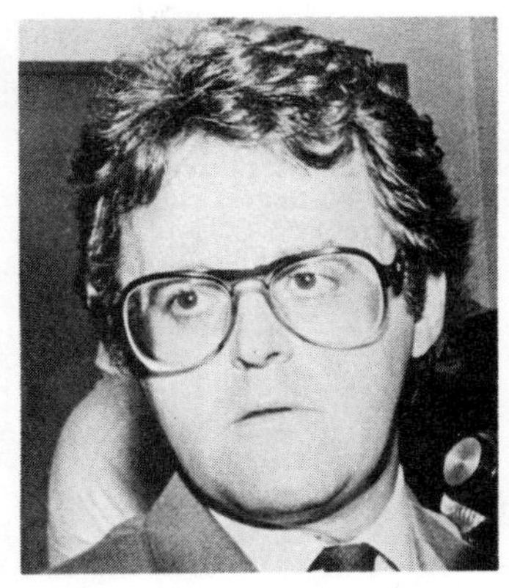

(Roberval, 15 juin 1944– ). Jean-Claude Larouche a travaillé comme récréologue depuis 1967. Ex-administrateur de plusieurs organismes sportifs tant provinciaux que fédéraux, il occupe présentement le poste de directeur du Complexe Jacques-Gagnon à Alma. En plus d'avoir été photographe et journaliste à la pige, il s'est surtout fait connaître par ses recherches sur *Alexis le Trotteur*, célèbre coureur natif de Charlevoix.

**ŒUVRES**

**Alexis le Trotteur,** essai. Préface de Mgr Victor Tremblay. Montréal, Éditions du Jour, 1971. 297 p. : ill.

**Alexis le Trotteur, athlète ou centaure ?,** essai. Préface de Noël Tamini. Alma, Éditions JCL, 1977. 358 p. : ill.

**La Grande Aventure,** rapport du comité organisateur des championnats du monde de canoë-kayak. Alma, Éditions JCL, 1980. 256 p.

**Monique LA RUE**

N. Robitaille

(Montréal, 3 avril 1948– ). Monique La Rue est professeur au département de français du cégep Édouard-Montpetit depuis 1974. Elle possède une maîtrise en philosophie de l'université de Paris IV (1971) et un doctorat ès lettres de l'École pratique des hautes études (1976). Son premier roman, *la Cohorte fictive*, a été mis en nomination pour le Grand Prix littéraire de la ville de Montréal en 1979. Elle collabore au magazine *Spirale* et à *Lurelu.*

**ŒUVRES**

**La Cohorte fictive,** roman. Montréal, L'Étincelle, 1979. 121 p. Coll. « Littérature ». ISBN 2-89019-156-7.

**Les Faux Fuyants,** roman. Montréal, Québec-Amérique, 1982. 202 p. Coll. « Romans d'Amérique ». ISBN 2-89037-114-X.

**Rina LASNIER**

Kèro

(Saint-Grégoire, comté Iberville, 6 août 1915– ). Poète et dramaturge, Rina Lasnier a obtenu des diplômes de littérature française (1931), de littérature anglaise (1932) et de bibliothéconomie (1940) du collège Marguerite Bourgeoys, de Palace Gate (Exeter, Angleterre) et de l'université de Montréal. Un temps journaliste, elle a dirigé les pages féminines de l'hebdomadaire *le Richelieu* (région de Saint-Jean) durant près de sept années. Membre fondatrice de l'Académie canadienne-française, elle est aussi membre de la Société royale du Canada. Depuis la parution de son premier livre, *Féérie indienne*, en 1939, la liste des prix et distinctions qu'elle a reçus pour son œuvre est impressionnante : Prix David 1943, Prix et Médaille Duvernay 1957, Prix Mgr-Camille-Roy 1964, Prix Molson 1971, Prix A.-J.-Smith, université du Michigan, 1972, Prix et Médaille Jonh-Pierce de la Société royale du Canada 1974, Prix David 1974, Prix France-Canada 1973-1974. Elle est membre d'honneur de l'Institut Gracian (académie internationale qui lui a décerné un doctorat honoris causa en 1977), membre de la Société d'études et de conférences de Montréal et de l'Association des femmes diplômées des universités. Elle a reçu, en 1978, la Médaille commémorative de la Reine. Rina Lasnier est membre d'honneur de l'Union des écrivains québécois.

## ŒUVRES

**Féérie indienne,** poésie. Saint-Jean, Éditions du Richelieu, 1939. 71 p.: ill.

**Images et Proses,** poésie. Saint-Jean, Éditions du Richelieu, 1941. 108 p.: ill.

**Le Jeu de la voyagère,** théâtre. Montréal, Société des écrivains canadiens, 1941. 137 p.

**La Modestie chrétienne,** essai. Montréal, Ligue missionnaire étudiante, 1942. Coll. « Vivre », 9.

**Les Fiançailles d'Anne de Noüe,** théâtre. Préface de Gustave Lamarche. Montréal, Secrétariat de la L.M.E., 1943. 62 p.

**La Mère de nos mères,** prose. Montréal, Le Messager canadien, 1943. 31 p.: ill.

**Madones canadiennes,** poésie. En collaboration avec Marius Barbeau. Montréal, Beauchemin, 1944. 289 p.: ill.

**Le Chant de la montée,** poésie. Montréal, Beauchemin, 1947. 120 p.: planche en coul.

**Notre-Dame du pain,** théâtre. In **Notre-Dame de la Couronne** de Gustave Lamarche, Joliette, Éditions des Paraboliers du roi, 1947. 93 p.: ill.

**Escales,** poésie. Trois-Rivières, Imprimerie du Bien public, 1950. 149 p.

**Présence de l'absence,** poésie. Montréal, L'Hexagone, 1956. 67 p.

**La Grande Dame des pauvres,** poésie. Montréal, Éditions des Sœurs Grises, 1959.

**Mémoire sans jours,** poésie. Montréal, Éditions l'Atelier, 1960. 138 p.

**Miroirs,** prose. Montréal, Éditions l'Atelier, 1960. 127 p.

**Les Gisants,** suivi de **Quatrains quotidiens,** poésie. Montréal, Éditions l'Atelier, 1963. 109 p.

**Rina Lasnier,** anthologie. Textes choisis et présentés par Jean Marcel. Montréal, Fides, 1965. 96 p. Coll. « Classiques canadiens ».

**L'Arbre blanc,** poésie. Montréal, L'Hexagone, 1966. 84 p.

**L'Invisible,** poésie. Eaux-fortes de Marie-Anastasie. Montréal, Éditions du Grainier, 1969. N.p.: 53 planches.

**La Part du feu,** poésie. Préface de Guy Robert. Montréal, Éditions du Songe, 1970. 91 p. Coll. « Poésie du Québec ».

**La Salle des rêves,** poésie. Montréal, HMH, 1971. 113 p. Coll. « Sur parole ».

**Poèmes.** Avant-dire de l'auteure. Montréal, Fides, 1972. Vol. 1 : 322 p. Vol. 2 : 322 p.

**Le Rêve du quart jour,** conte. Illustrations de Gilles Tibo. Saint-Jean, Éditions du Richelieu, 1973. 72 p.: ill. en coul.

**L'Échelle des anges.** Montréal, Fides, 1975. 119 p. ISBN 0-7755-0565-X.

**Amour,** poésie. Gravure de Lyne Rivard. Lacolle, Éditions M. Nantel, 1975. 1 portefeuille.

**Les Signes,** poésie. Montréal, Hurtubise HMH, 1976. 130 p. Coll. « Sur parole ». ISBN 0-7758-0068-6.

**Poèmes.** T. I : **Matin d'oiseaux.** Montréal, Hurtubise HMH, 1978. 108 p. Coll. « Sur parole ». ISBN 0-7758-0162-3.

**Poèmes.** T. II : **Paliers de paroles.** Montréal, Hurtubise HMH, 1978. 107 p. Coll. « Sur parole ». ISBN 0-7758-0163-1.

**Entendre l'ombre : poèmes.** Vol. I. Ville LaSalle, Hurtubise HMH, 1981. 84 p. Coll. « Sur parole ». ISBN 2-89045-491-6.

**Voir la nuit : Proses.** Vol. II. Ville LaSalle, Hurtubise HMH, 1981. 165 p. Coll. « Sur parole ». ISBN 2-89045-492-4.

**Le Choix de Rina Lasnier dans l'œuvre de Rina Lasnier.** Notre-Dame-des-Laurentides, Presses laurentiennes, 1981. 78 p.: portr. Coll. « Le Choix de... ». ISBN 2-89015-025-9.

## ÉTUDES

Kushner, Éva, **Rina Lasnier.** Montréal, Fides, 1964. 191 p. Coll. « Écrivains canadiens d'aujourd'hui », 2.

**Liberté,** numéro spécial, nº 108, nov.-déc. 1976.

Sicotte, Sylvie, **L'Arbre dans la poésie de Rina Lasnier,** essai. Sherbrooke, Éditions Cosmos, 1977. 110 p.: portr. Coll. « Profils », 11.

**Christine LATOUR**

(Québec, 24 juillet 1942– ). Après ses études de secrétariat, Christine Latour travaille d'abord dans ce domaine puis comme rédactrice dans une agence de presse. Entre-temps, elle a des enfants, poursuit des études de piano, fait de la peinture, rénove une maison... toutes « choses que font les femmes mal instruites et bien élevées de (sa) génération ». Elle effectue présentement des travaux de traduction (anglaise et italienne) à la pige.

ŒUVRES

**Le Mauvais Frère,** roman. Montréal, Quinze Éditeur, 1980. 245 p. Coll. « Prose entière ». ISBN 2-89026-236-7.

**Tout le portrait de sa mère,** roman. Montréal, Quinze Éditeur, 1982. 224 p. Coll. « Prose entière ». ISBN 2-89026-267-7.

**Margot LAUZIER (1941- )**

ŒUVRES

**Fleurs d'amour,** poésie. Asbestos, chez l'auteure, 1979. 68 p. : ill.

**Soleil volcanique.** Asbestos, chez l'auteure, 1981. 124 p. : ill., portr.

**Dominique LAUZON**

(Montréal, 4 juillet 1951- ). Bachelier en histoire du Québec de l'université McGill (1975), Dominique Lauzon travaille comme correcteur d'épreuves depuis 1979, d'abord chez Pierre Desmarais Inc. puis au *Journal de Montréal.* Auteur de deux recueils de poésie publiés aux Nouvelles Éditions de l'Arc : *la Vie simple* et *Artères,* il est membre du comité de rédaction de *Dérives* et y publie depuis 1978.

ŒUVRES

**La Vie simple,** poésie. Montréal, Nouvelles Éditions de l'Arc, 1975. 92 p. Coll. « De l'Escarpel ».

**Artères,** poésie. Montréal, Nouvelles Éditions de l'Arc. 1976. 58 p. Coll. « De l'Escarpel ». ISBN 0-88786-002-8.

**Camille LAVERDIÈRE**

(Waterville, 29 septembre 1927- ). Après des études primaires et secondaires à Québec (1934–1946), un baccalauréat en sciences agronomiques à l'université Laval (1950) et une maîtrise en géographie à l'université de Montréal (1954), Camille Laverdière devient professeur de géographie physique à l'université de Montréal (1954). Directeur de 1968 à 1979 de *la Revue de géographie de Montréal* (devenue *Géographie physique et quaternaire*), il continue d'y publier le résultat de ses recherches scientifiques tout en collaborant aux *Cahiers de géographie du Québec,* au *Canadian Geographer*, au *Naturaliste canadien*, etc. Il se livre également à divers travaux à travers le Québec et a travaillé pour la Société de développement de la baie James. Auteur de quatre recueils de poèmes, il a été éditeur des Éditions du Nouveau-Québec. Certains de ses textes poétiques sont parus dans *Liberté, Iris, Vie des arts,* etc.

ŒUVRES

**Le Quaternaire du Québec/The Quaternary of Quebec,** essai. Publié sous la direction de Camille Laverdière. Montréal, département de géographie de l'université de Montréal, 1969. 168 p. : graph., photos.

**Québec nord-américain,** poésie. Montréal, Éditions du Nouveau-Québec, 1971. 80 p.

**Glaciel,** poésie. Montréal, Fides, 1974. 99 p. Coll. « Voix québécoises ». ISBN 0-7755-0506-4.

**De pierre des champs,** poésie. Aquarelles de Nicole Carette. Montréal, Fides, 1976. 102 p.: ill. Coll. « Voix québécoises ». ISBN 0-7755-0587-6.

**Autres fleurs de gel,** poésie. Aquarelles de Nicole Carette. Montréal, Fides, 1978. 105 p.: ill. Coll. « Voix québécoises ». ISBN 0-7755-0712-1.

**Kamil**
**LAVOIE**

(Boileau, 12 février 1951- ). Tout en complétant un baccalauréat en littérature française à l'université du Québec à Chicoutimi (1977), Kamil Lavoie participe à la fondation de l'association des étudiants de cette institution ainsi qu'à celle du journal étudiant *le Kakou.* À l'issue de son cours universitaire, il travaille pour l'association des anciens de l'université puis devient secrétaire des productions Koma. Fondateur de la troupe de poésie théâtrale l'Aut'Bord, il collabore aux revues *Focus* et *la Bonante* et est rédacteur en chef de la revue culturelle *Survol.* Auteur de recueils de poésie qu'il a publiés à compte d'auteur, il est membre de la Société des écrivains canadiens.

ŒUVRES

**Kilimandjaro, poésie pour le peuple.** Chicoutimi, chez l'auteur, 1975. 52 p.

**Poèmes en révolution.** Chicoutimi, chez l'auteur, 1975. 54 p.

**L'Homme en dedans... et du dehors,** poésie. Chicoutimi, chez l'auteur, 1977. 104 p.

**Trou noir,** roman. Chicoutimi, Éditions Moi-Même, 1980. 109 p.: ill.

**Irving**
**LAYTON**

(Neamtz, Roumanie, 12 mars 1912- ). Poète d'origine roumaine, Irving Layton, né Lazarovitch, est arrivé très jeune à Montréal avec sa famille (1913). Ayant étudié l'agriculture au collège MacDonald de Sainte-Anne-de-Bellevue (1939) et fait deux ans de service militaire dans l'armée canadienne (1942-1943), il obtient en 1946 sa maîtrise en sciences économiques de l'université McGill. D'abord conférencier au Jewish Public Library (1943–1958) et professeur au niveau collégial (1945–1960), il est également conférencier à l'université Sir George Williams (1949–1965) avant d'y devenir poète résident (1965–1969). Il occupe la même fonction à l'université Guelph en 1969-1970 avant d'enseigner la littérature anglaise à l'université York de 1970 à 1978. De retour au Québec depuis lors, il est redevenu poète résident à l'université Concordia. Outre ses activités professorales, Irving Layton est surtout connu pour son œuvre prolifique pour laquelle il a d'ailleurs remporté de nombreux prix dont celui du Gouverneur général pour *A Red Carpet for the Sun* et celui du Québec pour *Balls for a One-Armed Juggler* (1963). Il détient également des doctorats des universités Bishop (1972) et Concordia (1975). S'ajoutent enfin à ses publications de nombreux textes parus dans les revues *Poetry, Canadian Forum* et *First Statement*, revue dont il fut l'un des cofondateurs.

ŒUVRES

**Here and Now**, poésie. Montréal, First Statement Press, 1945, N.p.

**Now Is the Place: poems and stories.** Montréal, First Statement, 1948.

**The Black Huntsmen**, poésie. S.l., s.é., 1951.

**Love the Conqueror Worm**, poésie. Montréal, Contact Press, 1951. 49 p.

**Cerberus**, poésie. En collaboration avec Louis Dudek et Raymond Souster. Montréal, Contact Press, 1952.

**Canadian Poems 1850–1952**, anthologie. Sous la direction d'Irving Layton et Louis Dudek, Toronto, Contact Press, 1952.

**In the Midst of My Fever**, poésie. Palma, Mallorca, Divers Press, 1954. N.p.

**The Long Peashooter**, poésie. Montréal, Laocoon, 1954. 68 p.

**The Cold Green Element**, poésie. Toronto, Contact Press, 1955.

**The Blue Propeller**, poésie. Toronto, Contact Press, 1955.

**The Blue Calf**, poésie. Toronto, Contact Press, 1956.

**Music on a Kayoo**, poésie. Toronto, Contact Press, 1956. 59 p.

**The Improved Binoculars**, poésie. Highlands, Caroline du Nord, Jargon, 1956. 139 p.

**A Laughter in the Mind**, Highlands, Caroline du Nord, Jargon, 1958. 54 p.
**Pan-ic : A Selection of Contemporary Canadian Poems**, anthologie. Sous la direction d'Irving Layton. New York, Alain Brilliant, 1958.
**A Red Carpet for the Sun**, poésie. Toronto, McClelland & Stewart, 1959. 210 p.
**The Swinging Flesh**, poésie et nouvelles. Toronto, McClelland & Stewart, 1961. XV-189 p. : ill.
**Poems for 27 cents**, anthologie. Sous la direction d'Irving Layton. Montréal, S.é., 1961.
**Love Where the Nights Are Long : Canadian Love Poems**, anthologie. Sous la direction d'Irving Layton. Toronto, McClelland & Stewart, 1962. 78 p. : ill.
**Balls for a One-Armed Juggler**, poésie. Toronto, McClelland & Stewart, 1963.
**The Laughing Rooster**, poésie. Toronto, McClelland & Stewart, 1964.
**Collected Poems**. Toronto, McClelland & Stewart, 1965.
**Anvil : A Selection of Workshop Poems**, anthologie. Sous la direction d'Irving Layton. Montréal, Kuritzky Frohlinger, 1966.
**Periods of the Moon**, poésie. Toronto, McClelland & Stewart, 1967. 127 p.
**The Shattered Plinths**, poésie. Toronto, McClelland & Stewart, 1968. 95 p. : ill.
**Selected Poems**. Toronto, McClelland & Stewart, 1969.
**The Whole Bloody Birds : Obs, Aphs and Pomes**, poésie. Toronto, McClelland & Stewart, 1969.
**Poems to Colour : A Selection of Workshop Poems**, anthologie. Sous la direction d'Irving Layton, Toronto, S.é., 1970.
**Nail Polish**, poésie. Toronto, McClelland & Stewart, 1971.
**The Collected Poems of Irving Layton**. Toronto, McClelland & Stewart, 1971.
**Engagements : the Prose of Irving Layton**. Toronto, McClelland & Stewart, 1972.
**Lovers and Lesser Men**, poésie. Toronto, McClelland & Stewart, 1973. 109 p.
**Anvil Blood : A Selection of Workshop Poems**, anthologie. Sous la direction d'Irving Layton. Toronto, s.é., 1973.
**The Pole-Vaulter**, poésie. Toronto, McClelland & Stewart, 1974. 94 p. ISBN 0-7710-4863-7.
**Seventy-five Greek Poems**. Athens, Hermes, 1974.
**The Unwavering Eye : Selected Poems 1945–1968**. Toronto, McClelland & Stewart, 1975. 161 p. : ill.
**The Darkening Fire : Selected Poems 1945–1968**. Toronto, McClelland & Stewart, 1975. 176 p.
**For My Brother Jesus**, poésie. Toronto, McClelland & Stewart, 1976.
**The Collected Poems of Irving Layton**. Toronto, McClelland & Stewart, 1977. 63 p. Coll. « A New Canadian Library original », 12. ISBN 0-7710-9616-3.
**Taking Sides**, prose. Oakville, Mosaic Press, 1977. 222 p. ISBN 0-88962-058-X.
**The Uncollected Poems of Irving Layton**, 1936–1959. Toronto, Mosaic Press, 1977.
**The Convenant**, poésie. Toronto, McClelland & Stewart, 1977.
**The Tightrope Dancer**, poésie. Toronto, McClelland & Stewart, 1978. 112 p. ISBN 0-7710-4871-8.
**The Love Poems of Irving Layton**. Toronto, McClelland & Stewart, 1979, 1979.
**Droppings from Heaven**, poésie. Toronto, McClelland & Stewart, 1979.

## ÉTUDE

Mayne, Seymour, **Irving Layton : the poet and his critics.** Toronto, McGraw-Hill Ryerson, 1978, 291 p. Coll. « Critical Views on Canadian Writers ». ISBN 0-07-082711-7.

## Maurice LEBEL

(Saint-Lin, 1909– ). Spécialiste de la civilisation grecque, Maurice Lebel a été nommé professeur titulaire de langue et de littérature grecques à l'université Laval dès 1937. Il avait auparavant obtenu une licence (1926) et une maîtrise (1930) en lettres classiques de cette même université, un diplôme d'études supérieures de la Sorbonne (1931), un diplôme d'anglais de l'université de Londres (1932) et, plus tard, un doctorat ès lettres de l'université d'Athènes. Membre de la Société royale du Canada, il a été doyen de la faculté des lettres de 1957 à 1963 et a reçu nombre de doctorats honorifiques d'universités tant canadiennes qu'anglaises ou françaises.

## ŒUVRES

**Suggestions pratiques pour notre enseignement.** Ottawa, Éditions du Lévrier, 1939. 225 p. Coll. « Nos problèmes ».
**L'Étude et l'Enseignement de l'anglais.** Québec, Éditions du Cap Diamant, 1942. 27 p.
**L'Enseignement et l'Étude du grec.** Montréal, Fides, 1944. 261 p.
**Les Humanités classiques dans la société contemporaine.** Trois-Rivières, Le Nouvelliste, 1944. 33 p.
**Pourquoi apprend-on le grec?** Québec, Presses de l'université Laval, 1952. 32 p.
**Explication de textes français et anglais.** Québec, Presses de l'université Laval, 1953. 232 p.
**Entretien national sùr l'humanisme.** Québec, Culture, 1954. 27 p.

**Images de Turquie.** Québec, Action canadienne-française, 1957. 65 p.

**Recherches sur les images dans la poésie de Sophocle.** Athènes, Les Presses de l'université, 1958. 159 p.

**Enracinement des Néo-Canadiens dans notre sol.** Ottawa, Conseil canadien de civisme, 1959. 22 p.

**La Tradition du nouveau.** Québec, Imprimerie franciscaine missionnaire, 1963. 49 p.

**De Saint François de Sales à Alphonse Daudet.** Montréal, Centre de psychologie et de pédagogie, 1964. 351 p.

**La Langue parlée,** conférence. Québec, Imprimerie franciscaine missionnaire, 1964. 31 p.

**Le Rapport Parent: réflexions sur les 2^e^ et 3^e^ volumes.** Québec, Imprimerie franciscaine missionnaire, 1965. 32 p.

**L'Éducation et l'Humanisme,** essai. Sherbrooke et Québec, Éditions Paulines, 1966. 479 p.

**Les Humanités classiques au Québec.** Québec, Éditions Acropole, 1961. 152 p.

**La Grèce et Nous.** Québec, Imprimerie franciscaine missionnaire, 1969. 63 p.

**Le Voyage de Grèce.** Sherbrooke, Éditions Paulines, 1969. 64 p.

**Index du vocabulaire latin du *De transitu hellenismi ad christianismum* (1535) de Guillaume Budé.** Sherbrooke, Éditions Paulines, 1971. 36 p.

**Bibliographie des ouvrages publiés avec le concours du Conseil canadien de recherche sur les humanités et du Conseil des arts du Canada, 1947–1972.** Ottawa, Conseil canadien de recherche sur les humanités, 1972. 45 p.

**Images de Chypre.** Sherbrooke, Éditions Paulines, 1972. 55 p.

**L'Académie des sciences morales et politiques.** Montréal, Éditions Paulines, 1973. 51 p.

**Le Passage de l'hellénisme au christianisme.** Montréal, Éditions Paulines, 1973. 668 p.

**Mythes anciens et Drame moderne.** Montréal, Éditions Paulines, 1977. 188 p. ISBN 0-88840-593-6.

## TRADUCTIONS

**Un plaidoyer pour la poésie.** Traduction et présentation de **An Apologie for Poetry** de Philip Sidney. Québec, Presses de l'université Laval, 1965. 266 p.

**Pages choisies d'Eugenio Maria de Hostos.** Préface et traduction. Montréal, Éditions du Jour, 1969. 270 p.

**Histoire littéraire du Canada: littérature canadienne de langue anglaise.** Traduction du livre de Carl F. Klinck. Québec, Presses de l'université Laval, 1970. 1106 p.

## Bertrand LEBLANC

Jean le Photographe

(Lac-au-Saumon, 8 mai 1929–    ). D'abord auteur de guides spécialisés, Bertrand Leblanc s'est ensuite consacré à la littérature (roman, récit, théâtre). Après des études classiques au séminaire de Rimouski, il étudia aux Hautes Études commerciales à l'université Laval (1952) et les sciences sociales à l'université de Montréal (1955). Homme d'affaires, il est depuis 1976 directeur général du Conseil économique d'Alma et du Lac Saint-Jean. Bertrand Leblanc est venu à l'écriture « un peu par accident, un peu par défi » et y emploie depuis 1975 la plus grande partie de son temps. En 1979, il recevait le Prix Arthur-Buies pour l'ensemble de son œuvre.

## ŒUVRES

**Baseball-Montréal,** guide. Montréal, Éditions du Jour, 191 p.: ill., portr.

**Le Guide du chasseur.** Montréal, Éditions du Jour, 208 p.: ill.

**Horace ou l'Art de porter la redingote,** récit. Montréal, Éditions du Jour, 1974. 213 p. ISBN 0-7760-0623-1.

**Moi, Ovide Leblanc, j'ai pour mon dire,** récit. Montréal, Leméac, 1976. 239 p. Coll. « Roman québécois », 20. ISBN 0-7761-3023-4.

**Joseph-Philémon Sanschagrin, ministre,** théâtre. Montréal, Leméac, 1977. 111 p.: portr. Coll. « Théâtre Leméac », 65. ISBN 0-7761-0064-5.

**Les Trottoirs de bois,** roman. Montréal, Leméac, 1978. 265 p. Coll. « Roman québécois », 27.

**Y sont fous le grand monde!,** récit. Montréal, Leméac, 1979. 230 p. Coll. « Roman québécois », 34. ISBN 2-7609-3040-8.

**Faut divorcer,** théâtre. Montréal, Leméac, 1981. 111 p.: portr. Coll. « Théâtre Leméac », 93. ISBN 2-7609-0091-6.

**Tit-Cul Lavoie,** théâtre. Montréal, Leméac, 1982. 94 p. Coll. « Théâtre Leméac », 98. ISBN 2-7609-0093-2.

**Huguette**
**LE BLANC**

Anne-Marie Guérineau

(Dugal, 18 décembre 1943–     ). Née en Gaspésie mais habitant Québec depuis son enfance, Huguette Le Blanc a obtenu des diplômes en pédagogie (1962) et en théologie pastorale (1969) et enseigné pendant plusieurs années. Un séjour de quatre ans à l'étranger (coopération internationale) lui permet de s'intéresser aux mythes et coutumes des peuples. Elle parcourt 45 pays sur quatre continents. « L'écriture viendra après... par jeu, par défi... » Elle a été, à deux occasions, lauréate du Concours de la relève du roman québécois au Salon international du livre de Québec (1979 et 1980).

**ŒUVRE**

**Bernadette Dupuis** ou **la Mort apprivoisée,** roman. Montréal, Le Biocreux, 1980. 137 p. ISBN 2-89151-009-7.

**Jean-Pierre**
**LEBLANC**

**ŒUVRES**

**Staff à tares.** Montréal, Éditions Cul-Q, 1976. N.p. Coll. « Mium/Mium », 7.

**Encore please.** Illustrations de Daniel Lefebvre. Montréal, Cul-Q, 1978. N.p. : ill. Coll. « Mium/Mium », 23.

**Jean-Paul**
**LE BOURHIS**

(Callac de Bretagne, France, 10 novembre 1946–     ). Au Québec depuis 1952, Jean-Paul Le Bourhis obtient un baccalauréat ès arts de l'Académie de Québec (1968) et suit des cours en histoire et en lettres à l'université Laval tout en enseignant au niveau secondaire. Après un an d'animation culturelle à l'université du Québec à Montréal (1971), il s'occupe de production agricole dans le comté Mégantic. De retour à Montréal en 1978, il écrit son premier roman et travaille quelque temps chez Québec-Amérique. Participant au tournage puis au montage de *Au clair de la lune* d'André Forcier (1980 et 1982), il est tour à tour bénéficiaire d'une bourse du Conseil des arts, chômeur, assisté social ; il rédige deux pièces de théâtre *Transvie ou le Cœur animal* et *Transfert* ainsi qu'un deuxième roman. Recherchiste pour une galerie d'art, il entreprend une maîtrise en études littéraires à l'université du Québec à Montréal.

**ŒUVRES**

**L'Exil intérieur.** Montréal, Éditions Québec-Amérique, 1979.

**Les Heures creuses**. Montréal, Éditions Québec-Amérique, 1982.

**Claude**
**LE BOUTHILLIER**

(Tracadie, N.-B., 30 juin 1946–     ). Romancier originaire de la région de Caraquet où il a vécu vingt-cinq ans, Claude Le Bouthillier partage désormais son temps entre le Québec et l'Acadie. Détenteur d'une maîtrise en psychologie de l'université de Moncton (1969), il a travaillé dans cette discipline tant au niveau scolaire qu'en clinique privée. Il s'intéresse à tout ce qui touche à ses racines et à l'écrit ayant une teinte intimiste.

**ŒUVRES**

**L'Acadien reprend son pays,** roman. Moncton, Éditions d'Acadie, 1977. 126 p.

**Isabelle-sur-mer,** roman. Montréal, Éditions d'Acadie, 1980. 156 p. : photos. ISBN 2-7600-0048-6.

## Claude LECLERC (1949- )

### ŒUVRES

**Le Vieux Chêne,** conte. Illustrations de Claire Duguay. Sherbrooke, Éditions Paulines, 1971. 14 p.: ill. (part. en coul.). Coll. « Contes du chalet bleu », 5. ISBN 0-88840-119-1.

**Les Deux Ruisseaux,** conte. Illustrations de Claire Duguay. Sherbrooke, Éditions Paulines, 1971. 14 p.: ill. en coul. Coll. « Contes du chalet bleu », 7. ISBN 0-88840-121-3.

**Le Nuage et le Vieux Paysan,** conte. Illustrations de Claire Duguay. Sherbrooke, Éditions Paulines, 1971. 14 p.: ill. (part. en coul.). Coll. « Contes du chalet bleu », 8. ISBN 0-88840-122-1.

## Félix LECLERC

Claude Delorme

(La Tuque, 2 août 1914- ). Poète, conteur, fabuliste, auteur dramatique, Félix Leclerc est aussi bien sûr le pionnier québécois de la chanson. Après des études au juniorat du Sacré-Cœur à Ottawa et à l'université d'Ottawa (belles-lettres et rhétorique), il devient annonceur de radio successivement à Québec (1934) et Trois-Rivières (1937). C'est à cette époque qu'il fait ses premières expériences comme auteur radiophonique. En 1939, il interprète sa première chanson, *Notre sentier*, à l'émission de Guy Maufette, *le Restaurant d'en face* et entre à Radio-Canada où il travaille comme comédien dans les émissions *Vie de famille* et *Un homme et son péché.* Devenu membre des Compagnons de Saint-Laurent, il écrit également des textes pour les séries radiophoniques *Je me souviens* (1941), *l'Encan des rêves* (1945), *Théâtre dans ma guitare* et *la Ruelle aux songes* (1946), etc. En décembre 1950, il fait ses débuts comme chansonnier au Théâtre de l'ABC à Paris. Sa carrière musicale prend alors son essor et sera ponctuée de succès tels *le Roi heureux, Moi, mes souliers, Bozo.* Après un séjour en France, il revient au Québec en 1953 et continue à publier et à écrire pour la radio et le théâtre : *Village du refus* (1957), *Le roi viendra demain* (1963), *les Temples* (1966), etc., tout en donnant récitals et spectacles dont ceux de la Super-francofête (1974) et de la Chant-Août (1975). Chansonnier engagé et écrivain populaire, Félix Leclerc a vu son œuvre couronnée par de nombreux prix : Prix de l'Académie Charles-Cros (1951-1958-1973), Prix Calixa-Lavallée et Médaille Bene Merenti de Patria de la Société Saint-Jean-Baptiste, Prix Denise-Pelletier (1977) et Grand Prix spécial de l'ADISQ (1979).

### ŒUVRES

**Adagio,** contes. Montréal, Fides, 1943. 204 p.

**Allegro,** fables. Montréal, Fides, 1944. 195 p.

**Andante,** poésie. Montréal, Fides, 1944. 158 p.

**Pieds nus dans l'aube,** roman. Montréal, Fides, 1942. 242 p.

**Dialogues d'hommes et de bêtes,** théâtre. Montréal, Fides, 1949. 217 p.

**Maluron,** théâtre. Trois-Rivières, Les Compagnons de Montréal, 1949. N.p.

**Les Chansons de Félix Leclerc — Le Canadien.** Paris, Éditions Raoul Breton, 1950. 28 p.

**Théâtre de village.** Montréal, Fides, 1951. 190 p.

**Le Hamac dans les voiles,** contes. Montréal, Fides, 1952. 141 p.

**Moi, mes souliers,** roman. Paris, Amiot-Dumont, 1955. 226 p.

**Le Fou de l'île,** roman. Paris, Denoël, 1958. 222 p.

**Les Seize Ans** ou **Sens unique,** théâtre. Trois-Rivières, Les Compagnons de Notre-Dame. N.p.

**Douze Chansons nouvelles.** Montréal, Éditions Archambault, 1958. 58 p.

**Le P'tit Bonheur** et **Sonnez les matines,** théâtre. Montréal, Beauchemin, 1959. 155 p.

**Le Calepin d'un flâneur,** maximes. Montréal, Fides, 1961. 170 p.

**L'Auberge des morts subites,** théâtre. Montréal, Beauchemin, 1964. 203 p. Coll. « Théâtre Félix Leclerc », 3.

**Chansons pour tes yeux,** poésie. Paris, Robert Laffont, 1968. 120 p.

**Cent Chansons,** textes de chansons précédés d'une interview par Jean Dufour et suivis d'une étude par Marie-Josée Chauvin. Montréal, Fides, 1970. 255 p.: musique. Coll. « Bibliothèque canadienne-française ».

**Carcajou** ou **le Diable des bois,** roman. Montréal, Paris, Éditions du Jour, Robert Laffont, 1973. 263 p. Coll. « Les Romanciers du Jour ».

**L'Ancêtre,** poésie. Avec une sérigraphie de René Derouin. Châteauguay, Éditions M. Nantel, 1974. N.p.: un portefeuille, 2 f. de planches en coul.

**Bonjour de l'île.** Illustrations de Lorne H. Bouchard. Châteauguay, Éditions M. Nantel, 1975. 165 p.: un portefeuille, 10 f. de planches en coul.

**Un matin...,** poème. Lithographie de Roland Pichet. Lacolle, Éditions M. Nantel, 1977. N.p.: un portefeuille, 1 f. de planches en coul.

**Qui est le père?,** théâtre. Montréal, Leméac, 1977. XIII-128 p.: ill., 4 p. de planches. Coll. « Théâtre Leméac », 63. ISBN 0-7761-0062-9.

**Le Petit Livre bleu de Félix** ou **le Nouveau Calepin du même flâneur,** maximes. Montréal, Nouvelles Éditions de l'Arc, 1978. 302 p.

**Le Tour de l'île.** Illustrations par Gilles Tibo. Montréal, La Courte Échelle, 1980. N.p.: en maj. part. ill. en coul. ISBN 2-89021-021-9.

**L'Avare et le Violon magique,** contes. Saint-Lambert, Héritage, 1979. Coll. « Contes et Légendes du Québec ». N.p.

**Chansons dans la mémoire longtemps.** Estampes originales d'Antoine Dumas. Montréal, Art Global, 1981. 3 vol.: ill. en coul. & disques.

## ŒUVRES TRADUITES

**Allegro,** fables. Traduction anglaise de Linda Hutcheon; introduction d'Élizabeth Jones. Toronto, McClelland & Stewart, 1974. 125 p. Coll. « New Canadian Library », 90.

**The Madman, the Kite & the Island,** roman. Traduction anglaise de Philip Stratford; titre original: **Le Fou de l'île.** Ottawa, Oberon Press, 1976. ISBN 0-88750-175-3.

## ÉTUDES

Bérimont, Luc, **Félix Leclerc.** Paris, Montréal, Seghers, Fides, 1964. 191 p. Coll. « Poètes d'aujourd'hui ».

Le Pennec, Jean-Claude, **L'Univers poétique de Félix Leclerc.** Montréal, Fides, 1967. 262 p. Coll. « Études littéraires ».

Samson, Jean-Noël, **Félix Leclerc.** Montréal, Fides, 1967. 88 p. Coll. « Dossiers de documentation sur la littérature canadienne-française ».

**Félix Leclerc: dossier de presse 1943–1980.** Sherbrooke, Bibliothèque du séminaire, 1981. N.p.: ill., portr.

# Michel LECLERC

(Lasalle, 9 janvier 1952– ). Chargé de recherche pour la Commission d'étude sur les universités (1978) puis tour à tour assistant de recherche ou d'enseignement (1978–1980) à l'université du Québec à Montréal, Michel Leclerc a obtenu une maîtrise en sciences politiques à cette même université (1981). Il avait auparavant effectué un stage de recherche à l'Institut d'études politiques de l'université de Bordeaux (1979-1980). Poète, il a collaboré aux revues *Estuaire, Liberté, Possibles,* etc., et a participé à plusieurs événements littéraires tels la Foire des poètes. Hommage à Grandbois et la Nuit de la poésie. Il est membre de la Société québécoise de science politique et se dit intéressé par le roman familial et l'écriture politique.

## ŒUVRES

**Odes pour un matin public,** poésie. Dessins de Roland Giguère. Trois-Rivières, Éditions des Forges, 1972. 65 p.: ill. Coll. « Les Rouges-Gorges », 4.

**La Traversée du réel,** précédé de **Dorénavant la poésie,** poésie. Montréal, L'Hexagone, 1977. 85 p.

# Pierre A. LECLERC

(Pont-Rouge, 22 mars 1927– ). Pierre A. Leclerc a étudié chez les frères maristes, au collège Saint-Charles à Pont-Rouge. Après son service militaire dans l'armée et la marine, il travaillera comme fonctionnaire tant pour le gouvernement fédéral que provincial. Ses poèmes lui ont valu certains honneurs à l'étranger: diplôme de la société Art et Poésie de Touraine, 1er Prix du recueil de la société le Midi chante, etc.

## ŒUVRES

**Divertiments,** poésie. Québec, chez l'auteur, 1973. N.p.

**Rimes et Pantomimes,** poésie. En collaboration avec Marc Richard. Québec, chez l'auteur, 1975. 30 p.

**Moments circonstanciels,** poésie. Québec, chez l'auteur, 1976. 42 p.

**Le Miroitement des heures,** poésie. Québec, chez l'auteur, 1977. 41 p.

**L'Écrin de velours,** poésie. Québec, chez l'auteur, 1979. 51 p.

## Jean LEDUC

Van Dyck & Meyers

(Saint-Eustache, 13 juin 1933– ). Poète, Jean Leduc fait d'abord des études musicales au Conservatoire de musique de la province de Québec. Récipiendaire du Prix d'Europe en 1957, il séjourne à Paris où il étudie l'orgue et le clavecin (1957–1959). De retour au Québec, il entreprend des études de lettres et obtient une licence de l'université de Montréal en 1962. Lors d'un second séjour à Paris de 1962 à 1965, il donne, dans une série de concerts, l'intégrale de l'œuvre pour orgue de Jean-Sébastien Bach et présente à l'université de Paris une thèse de doctorat sur le marquis de Sade. Professeur de littérature à l'université McGill de 1965 à 1969 et, depuis, à l'université du Québec à Montréal, Jean Leduc est également directeur des Éditions Cul-Q depuis 1973. Outre la publication de plusieurs recueils de poésie et d'un récit, Jean Leduc a publié des textes dans *Cinéma-Québec* et *Hobo-Québec.* Il a terminé en 1980 une maîtrise en bibliothéconomie à l'université de Montréal.

## ŒUVRES

**L'infante rit,** poésie. En collaboration. Montréal, Module d'études littéraires de l'UQAM, 1973. 75 p.

**Fleurs érotiques,** poésie. Montréal, Librairie Déom, 1973. 85 p. Coll. « Poésie canadienne », 31.

**Les Banalités obscènes de la famille Ventadour,** poésie. Paris, La Pensée universelle, 1974. 55 p.

**Q,** poésie. Montréal, Éditions Cul-Q, 1974. N.p.

**Sour virgadamov,** poésie. Montréal, Éditions Cul-Q, 1975. N.p. Coll. « Mium/Mium », 2.

**Chiures : poèmes pour plaire.** Montréal, Éditions Cul-Q, 1976. N.p. : ill.

**Clavicule slingshot : mani-fesse mium mium,** poésie. Montréal, Éditions Cul-Q, 1977. N.p. Coll. « Mium/Mium », 12.

**Naïm Kattan : essai de poésie rough and tough aléatoire flanqué de Parti pour le trou.** Montréal, Éditions Cul-Q, 1977. N.p. Coll. « Mium/Mium », 15.

**Cercle clair,** récit. Montréal, Éditions Cul-Q, 1978. N.p. Coll. « Exit ».

**Mam' szpa s'en-va-t-en guerre,** poésie. Montréal, Éditions Cul-Q, 1979.

## Gilles LEFEBVRE (1941– )

## ŒUVRES

**Mine de rien.** Montréal, Presses libres, 1971. 122 p.

**Un bout de temps au néant.** S.l., chez l'auteur, 1973. 38 p.

## Suzanne-Jules LEFORT

(Montréal, 18 juillet 1951– ). Suzanne-Jules Lefort a fait ses études au collège Marie-Anne de Montréal (1970). Voyages à Vancouver et à Londres et, en 1971, voyage d'études en arts plastiques à Aix-en-Provence. Deux de ses textes dramatiques ont été diffusés à Radio-Canada en 1978. Elle a sur le métier des manuscrits de romans mais avoue avoir une nette préférence pour les textes dramatiques qui, dit-elle, « laissent plus de place à la liberté d'expression ».

Kèro

## ŒUVRE

**Sortie-Exit-Salida,** roman. Montréal, Éditions du Jour, 1973. 119 p. Coll. « Proses du Jour ».

### Alexis LEFRANÇOIS

Kèro

(Belgique, 1943- ). Alexis Lefrançois est avant tout poète mais il est aussi l'auteur de ce qu'il nomme de « petites choses » telles que *la Belle Été* et *Quand je serai grand.* Il a l'impression d'avoir toujours été en voyage ou de toujours déménager et pour cause : de 1955 à 1961, il séjourne à Cologne, Arnsberg et Cassel en Allemagne ; de 1961 à 1964, Liège en Belgique devient son port d'attache et en 1968 le voici à Élaphonissos (Laconie) en Grèce où il a un fils, Nicolas ; de 1971 à 1973 : Dakar au Sénégal et l'année 1975 se passe tranquillement peut-être à Élaphonissos. Outre ces séjours étrangers, il effectue de multiples voyages de courte durée, notamment en Europe de l'Ouest, en Afrique du Nord, en Afrique noire francophone et dans les Caraïbes.

## ŒUVRES

**Calcaires.** Avec 14 dessins de Miljenko Horvat. Saint-Lambert, Éditions du Noroît, 1971. 69 p. : ill.

**36 petites choses pour la 51,** poésie. Saint-Lambert, Éditions du Noroît, 1971. 61 p.

**Dossier du trimestre canadien de la troisième année d'études des étudiants du Centre d'études des sciences et techniques de l'information de l'université de Dakar (CESTI) et de l'École supérieure internationale de journalisme de Yaoundé de l'université du Cameroun (ESIJY).** Montréal, Centre audio-visuel de l'université de Montréal, 1973. XIV-225 p. : fac-sim., portr. Coll. « Communications », 9.

**Mais en d'autres frontières déjà.** Avec cinq lithographies de Miljenko Horvat, Saint-Lambert, Éditions du Noroît, 1976. 1 emboîtage, N.p. : ill. en coul.

**Rémanences.** Saint-Lambert, Éditions du Noroît, 1977. 85 p. ISBN 0-88524-018-9.

**La Belle Été,** suivi de **la Tête**. Avec neuf dessins d'Anne-Marie Decelles. Saint-Lambert, Éditions du Noroît, 1977. 129 p. : ill. ISBN 0-88524-021-9.

**Quand je serai grand.** Paris, École des Loisirs, 1978. 22 p. Coll. « Tire-Lyre », II.

**Églantine et Mélancolie.** Illustrations de Christine Bassery. Paris, Grasset Jeunesse, 1980. N.p.

### Serge LEGAGNEUR

Kèro

(Jérémie, Haïti, 10 janvier 1937- ). Après des études universitaires en littérature, Serge Legagneur participe activement à la vie littéraire de son pays (fondation de la revue *Haïti littéraire*, direction de la revue *Semences*, collaboration à divers journaux et revues, conférences, etc.) avant de s'exiler au Québec en 1965. Bientôt muni d'un baccalauréat en psychopédagogie de l'université du Québec à Montréal (1972), il enseigne à Thetford-Mines puis à Pointe-aux-Trembles. Parfaitement intégré au milieu québécois, il y fait entendre la voix de son pays d'origine grâce à des interviews, des conférences, des récitals. Il continue de publier dans diverses revues et est lecteur pour la maison d'édition Nouvelle Optique.

### ŒUVRES

**Textes interdits,** poésie. Montréal, Estérel, 1966. 140 p.

**Textes en croix,** poésie. Montréal, Nouvelle Optique, 1978. 147 p. Coll. « Poésie/Nouvelle Optique ». ISBN 0-88579-012-X.

## Huguette LÉGARÉ

(Québec, 8 août 1948–     ). Poète, romancière et auteure de pièces de théâtre inédites, Huguette Légaré étudie d'abord au collège Jésus-Marie de Sillery (1968) avant de faire une licence en histoire à l'université Laval (1972). Elle va ensuite au Nouveau-Brunswick où elle travaille successivement comme rédactrice en chef de la section française de *The Bathurst Tribune* (1972), animatrice sociale de la Maison du Chômeur de Bathurst (1973) et correctrice aux Éditions du Nord (1976–1978). Membre de la Société des poètes du Québec, de la Société historique acadienne et de l'Association des écrivains acadiens, elle collabore aux revues acadiennes *l'Acayen* et *Éloizes.* Le Prix du Cercle du livre de France lui a été décerné en 1973 pour son roman *la Conversation entre hommes* ainsi que le premier prix du Concours des textes dramatiques des Maritimes pour *les Grillons sous la neige*, pièce inédite (1974).

### ŒUVRES

**La Conversation entre hommes,** roman. Montréal, Cercle du livre de France, 1973. 201 p. ISBN 0-7753-0035-7.

**Le Ciel végétal,** poèmes en prose. Paris, La Pensée universelle, 1976. 158 p. Coll. « Poètes du présent ».

**La Tempête du pollen,** poésie. Paris, Éditions Saint-Germain-des-Prés, 1978. 65 p. Coll. « Chemins profonds ». ISBN 2-243-00757-6.

**L'Amarinée,** poésie. Paris, Éditions Saint-Germain-des-Prés, 1979. 67 p. Coll. « Chemins profonds ». ISBN 2-243-02040-2.

**Brun marine,** poésie. Moncton, Éditions d'Acadie, 1982. 76 p. ISBN 2-7600-0061-3.

## Zéro LÉGEL

Voir Gilbert Langevin.

## Pierre LÉGER

Robert Bertrand

Pseud. : Pierrot-le-fou.

(Montréal, 17 juin 1943–     ). Après ses études classiques et quelques années de journalisme, Pierre Léger devient attaché de presse de Paul-Gérin Lajoie, alors ministre de l'Éducation. Candidat libéral « dissident » dans le comté de Vaudreuil-Soulanges lors des élections fédérales de 1967, il milite alors dans le Mouvement pour le désarmement nucléaire et la paix. Il siège, par la suite, au Conseil national du R.I.N. et est rédacteur en chef du journal *l'Indépendance.* Peu après 1965, c'est « la naissance de son double et pseudonyme » Pierrot-le-fou (tel que le surnommeront Patrick Straram et certains chroniqueurs de spectacle). Il prend alors une certaine distance avec la politique. En 1970-1971, il tient le rôle du « Sain d'Esprit » dans le groupe rock la Sainte-Trinité aux côtés de Plume Latraverse et Pierre Landry. Il fonde ensuite, avec la collaboration de Francine Tellier et Pedro Rubio-Dumont, la Casanous, boîte à vocation culturelle. Avant de revenir à ses livres, au journalisme et au spectacle-happening, il sera aide-fermier à deux occasions. En 1979, il participait à la fondation des Éditions de la Porte suivante.

ŒUVRES

**Divorces et Pleines Lunes,** poésie. Montréal, chez l'auteur, 1952. 50 p.

**Poèmes d'amour et d'espérance.** Montréal, chez l'auteur, 1955. 40 p.

**Le Pays au destin nu,** suivi de **Journal pour Patrice,** poésie et récit. Illustrations de Jean-Paul Mousseau. Montréal, Beauchemin, 1963. 100 p. : ill.

**La Canadienne française et l'amour,** essai. Illustrations de Jacques Grenier. Montréal, Éditions du Jour, 1965. 108 p. : ill. Coll. « Essais ».

**La Supplique de Tit Cul La Motte,** poésie et récit. Montréal, Éditions Miniatures, 1967. 60 p.

**Complaintes d'un écorché heureux,** poésie et récit. Montréal, Estérel, 1969. 152 p.

**Embarke mon amour c'est pas une joke !,** récit. Illustrations de Michel Landry et Gilles Dubé. Montréal, Mainmise, 1972. 206 p. : ill.

**Le Show d'Évariste le nabord-à-bab,** poésie et récit. Portées musicales de Claude Vivier ; dessins de Brenda Kimpan ; photos de Maurice Blain, Pierre Boisclair, Denis Plain. Montréal, Parti pris, 1977. 110 p. : ill. Coll. « Paroles », 49. ISBN 0-88512-106-6.

**Si vous saviez d'où je reviens,** textes vécus. Saint-Lambert, Éditions du Noroît, 1980. 67 p. : portr. ISBN 2-89018-049-2.

**Alain LEGRAS**

Voir Alain Marillac.

**Renée LEGRIS**

Studio Léonard Inc

(Montréal, 9 janvier 1936– ). Critique littéraire et essayiste, Renée Legris a obtenu une maîtrise ès lettres (1964) de l'université de Montréal en soutenant une thèse sur Bernanos et terminé un doctorat sur Robert Choquette en 1972 à l'université de Sherbrooke. Professeur au collège Jésus-Marie (1959–1967), au collège Sainte-Marie (1967–1969) et depuis 1969 à l'université du Québec à Montréal, elle a aussi travaillé à la fondation du musée d'Art primitif de Montréal (1967–1969), fait des recherches sur la radio québécoise tout en constituant les « Archives de la littérature radiophonique et télévisuelle » en collaboration avec Pierre Pagé. Codirectrice de la collection « Radiophonie et Société québécoise » chez Fides, elle a également codirigé, de 1968 à 1972, la collection « Recherches en symbolique » aux Presses de l'université du Québec. Elle a participé à de nombreux colloques, collaboré à *Voix et Images du pays, Livres et Auteurs québécois,* écrit plusieurs articles pour le *Dictionnaire des œuvres littéraires du Québec* et est, depuis 1979, membre du conseil d'administration de la Fédération des études humaines.

ŒUVRES

**Le Symbole, carrefour interdisciplinaire,** essai. En collaboration. Montréal, Presses de l'université du Québec, 1969. Coll. « Recherches en symbolique », 1.

**L'Œuvre littéraire et ses Significations,** essai. En collaboration. Sillery, Presses de l'université du Québec, 1970. 223 p. Coll. « Recherches en symbolique », 2.

**Problèmes d'analyse symbolique,** essai. En collaboration. Montréal, Presses de l'université du Québec, 1972. 245 p. Coll. « Recherches en symbolique », 3.

**Robert Choquette,** essai. Montréal, Fides, 1972. 63 p. : ill. Coll. « Dossiers de documentation sur la littérature canadienne-française », 8.

**Répertoire des œuvres de la littérature radiophonique québécoise, 1930–1970.** En collaboration avec Pierre Pagé et Louise Blouin. Montréal, Fides, 1975. 826 p. ISBN 0-7755-0533-1.

**Le Comique et l'Humour à la radio québécoise, 1930–1970.** T. I, essai. En collaboration avec Pierre Pagé. Montréal, La Presse, 1976. 677 p. ISBN 0-7777-0131-6.

**Robert Choquette, romancier et dramaturge de la radio-télévision.** Montréal, Fides, 1977. 287 p. : 80 p. de planches, portr. Coll. « Archives québécoises de la radio et de la télévision », 2. ISBN 0-7755-0637-0.

**Répertoire des dramatiques québécoises à la télévision, 1952–1977.** En collaboration avec Pierre Pagé. Montréal, Fides, 1977. 252 p. : graph. Coll. « Archives québécoise de la radio et de la télévision », 3. ISBN 0-7755-0664-8.

**Le Comique et l'Humour à la radio québécoise, 1930–1970.** T. II, essai. En collaboration avec

Pierre Pagé. Montréal, Fides, 1979. 735 p. ISBN 2-7621-0779-2.

**Dictionnaire des auteurs du radio-feuilleton québécois.** En collaboration avec Pierre Pagé. Montréal, Fides, 1981. 198 p.

### Michel LEMAIRE

G. Carpentier

(Ciboure, France, 13 février 1946-     ). Au Québec depuis 1954, Michel Lemaire a d'abord été professeur dans différents collèges et universités avant d'enseigner les littératures française et québécoise à l'université d'Ottawa. Détenteur d'une maîtrise (1970) et d'un doctorat (1976) en littérature de l'université de Montréal, il a publié un recueil de poèmes et un essai et fait paraître poèmes, nouvelles et critiques dans des revues telles *Liberté, Études françaises, Voix et Images, Lettres québécoises* et *Livres et Auteurs québécois.* Michel Lemaire a été lecteur pour les Éditions Quinze en 1976 et est secrétaire du comité de lecture de la collection « Astrolabe » aux Éditions de l'université d'Ottawa depuis 1978.

#### ŒUVRES

**L'Envers des choses,** poésie. Avec dix dessins de François de Lucy. Montréal, Quinze Éditeur, 1976. 103 p.: ill. ISBN 0-88565-088-3.

**Le Dandysme de Baudelaire à Mallarmé,** essai. Montréal, Presses de l'université de Montréal, 1978. 330 p. ISBN 0-8405-0371-7.

### Francine LEMAY

(Sainte-Croix de Lotbinière, 3 septembre 1950-     ). Romancière et essayiste, Francine Lemay s'intéresse aussi au théâtre, au cinéma, à la musique, la peinture et la poésie. Elle a terminé un baccalauréat en littérature à l'université du Québec à Montréal en 1977 et poursuivi un certificat en arts et sciences à l'université de

Studio Riopelle

Montréal en 1982. Correctrice d'épreuves au *Journal de Québec* en 1976, elle a travaillé pour la Corporation des fêtes de la Saint-Jean en 1979-1980.

#### ŒUVRES

**La Maternité castrée,** essai. Montréal, Parti pris, 1978. 155 p. Coll. « Délire ». ISBN 0-88512-137-6.

**Évagabonde,** roman. Montréal, VLB Éditeur, 1981, 172 p. ISBN 2-890005-101-3.

### Roger LEMELIN

(Québec, 1919-     ). Directeur de *la Presse* jusqu'en 1981, Roger Lemelin avait, avant de se lancer dans le journalisme, exercé divers métiers. Son premier roman, *Au pied de la pente douce,* lui vaut le Prix David ainsi qu'un Prix de de l'Académie française. Son second livre, *Les Plouffe,* fera l'objet d'une adaptation pour la télévision dès les débuts de la programmation de Radio-Canada et sera plus tard, en 1980, adapté pour le cinéma par Gilles Carle. Parmi les autres activités littéraires de Roger Lemelin, mentionnons qu'il a été membre de la Société royale du Canada et membre correspondant de l'Académie Goncourt.

#### ŒUVRES

**Au pied de la pente douce,** roman. Montréal, Éditions de l'Arbre, 1944. 333 p.

**Les Plouffe,** roman. Québec, Bélisle, 1948. 470 p.

**Fantaisies sur les péchés capitaux,** nouvelles. Montréal, Beauchemin, 1949. 121 p.

**Pierre le magnifique,** roman. Québec, Institut littéraire du Québec, 1952. 277 p.

**Langue, Esthétique et Morale.** Montréal, La Presse, 1977. N.p.

**L'Écrivain et le Journaliste.** Montréal, La Presse, 1977. 20 p.

**La Culotte en or.** Montréal, La Presse, 1980. 355 p.: portr. ISBN 2-89043-0545.

**Le Crime d'Ovide Plouffe,** roman. Québec, ETR Éditeur, 1982. 500 p.

## ŒUVRES TRADUITES

**The Town Below,** roman. Traduction anglaise de Samuel Putnam ; titre original : **Au pied de la pente douce.** New York, Reynald & Hitchock, 1944. 302 p.

**The Plouffe Family,** roman. Traduction anglaise de Mary Finch ; titre original : **Les Plouffe.** Toronto, McClelland & Stewart, 1950. 373 p.

**In Quest of Splendour,** roman. Traduction anglaise de Harry Lorin Binsse ; titre original : **Pierre le magnifique.** Toronto, McClelland & Stewart, 1955. 288 p.

## ÉTUDE

**Romanciers québécois : dossier de presse.** T. III **André Langevin, 1951-1978 ; Roger Lemelin, 1944-1981.** Sherbrooke, Bibliothèque du séminaire, 1981. 108 p. : ill., portr.

# Louise LEMIEUX

Kèro

(Montréal, 19 mai 1932- ). Louise Lemieux a étudié au collège Marie-Anne (1951), a poursuivi des études en sciences humaines au collège Grasset en 1980 et, la même année, a suivi des cours d'agent immobilier au collège Maisonneuve. Secrétaire à temps partiel (1972-1973) puis professeur de français (1973-1974) à la commission scolaire Le Gardeur de Repentigny, elle travaille désormais dans l'immobilier. Membre de plusieurs associations dont le Regroupement des femmes québécoises et la Société des écrivains canadiens, elle a tracé sa propre biographie sur un ton humoristique dans *Pirouettes et Culbutes.*

## ŒUVRE

**Pirouettes et Culbutes,** autobiographie humoristique. Montréal, Cercle du livre de France, 1977. 173 p. ISBN 0-7753-0109-4.

# † Alice LEMIEUX-LÉVESQUE

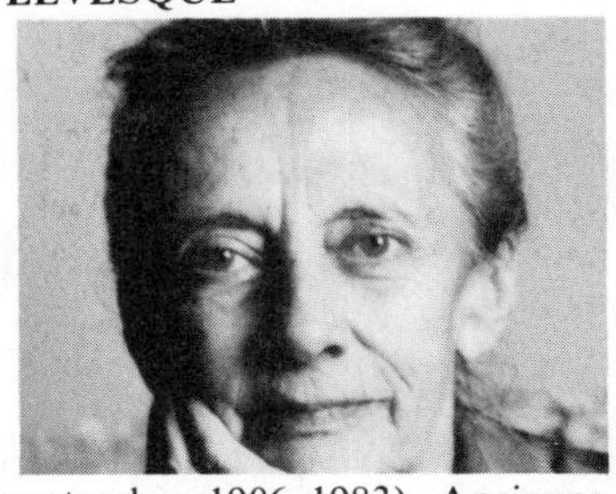

Morel

(Québec, 23 septembre 1906-1983). Ancienne élève des ursulines de Québec, la poète Alice Lemieux-Lévesque publie son premier recueil de poésie, *Heures effeuillées*, dès 1926. Après un séjour d'un an à la Sorbonne (1929), elle fait paraître *Poèmes*, recueil qui lui vaudra le Prix David en 1929 et le Prix Montcalm en 1931. Journaliste en Nouvelle-Angleterre de 1930 à 1940, elle écrira également des textes pour *le Devoir* et *la Revue dominicaine*. Membre de la Société des écrivains canadiens et présidente de la Société des poètes, Alice Lemieux-Lévesque a publié en 1979, *Fleurs de givre*, aux Éditions La Liberté.

## ŒUVRES

**Heures effeuillées,** poésie. Québec, Imprimerie Tremblay, 1926. 138 p.

**Poèmes.** Montréal, Librairie d'action canadienne-française, 1929. 165 p.

**Silences,** poésie. Québec, Garneau, 1962. 77 p.

**L'Arbre du jour,** poésie. Québec, Garneau, 1964. 70 p.

**Jardin d'octobre,** poésie. Québec, Garneau, 1972. 67 p. Coll. « Garneau poésie ».

**Le Repas du soir,** poésie. Québec, Garneau, 1974. 71 p. : 1 f. de planche, ill. Coll. « Garneau poésie ». ISBN 0-7757-0551-9.

**Vers la joie,** poésie. Québec, Garneau, 1976. 74 p. Coll. « Garneau poésie ». ISBN 0-7757-0560-8.

**Fleurs de givre,** poésie. Québec, La Liberté, 1979.

# Maurice LEMIRE

(Saint-Gabriel-de-Brandon, 21 septembre 1927- ). Directeur du *Dictionnaire des œuvres littéraires du Québec* depuis 1971 et chercheur associé à l'Institut québécois de recherche sur la culture depuis 1980, Maurice Lemire est professeur titulaire à l'université Laval (1972- ). Licencié en théologie de l'université de Montréal (1953) et en lettres de l'université de Paris (1957), il est docteur ès lettres de l'univer-

Richard Laverdière

sité Laval (1966). Les recherches de Maurice Lemire portent principalement sur l'histoire de la littérature québécoise, sur le roman ainsi que sur la formation de l'imaginaire québécois. Outre ses activités universitaires, il a agi comme chargé de missions pour le ministère des Affaires intergouvernementales aux États-Unis, en France et en Italie.

## ŒUVRES

**Les Grands Thèmes nationalistes du roman historique canadien-français,** essai. Québec, Presses de l'université Laval, 1970. XII-281 p. Coll. « Vie des lettres canadiennes », 8.

**Répertoire des spécialistes de littérature canadienne-française.** En collaboration avec Kenneth Landry. Québec, université Laval, 1971. 93 p. Coll. « Archives de littérature canadienne ».

**Dictionnaire des œuvres littéraires du Québec.** T. I : **Des origines à 1900.** En collaboration avec Jacques Blais, Nive Voisine et Jean du Berger. Montréal, Fides, 1978. LXVI-918 p. : ill., portr., fac-sim. ISBN 0-7755-0675-3.

**Dictionnaire des œuvres littéraires du Québec.** T. II : **1900–1939.** En collaboration avec Gilles Dorion, André Gaulin et Alonzo Leblanc. Montréal, Fides, 1980. XCVI-1363 p. : 4 f. de planches en coul., ill., fac-sim., portr.

**Introduction à la littérature québécoise : 1900–1939.** Montréal, Fides, 1981. 171 p. ISBN 2-7621-1103-X.

**Dictionnaire des œuvres littéraires du Québec** T. III : **1940–1959.** En collaboration. Montréal, Fides, 1982. XCII-1269 p. : ill.

## Wilfrid LEMOINE

Pseud. : Camille Bilodeau.

(Coaticook, 18 juillet 1927– ). C'est entre deux périodes consacrées à l'étude des lettres à la Sorbonne, de la philosophie et de la linguistique au Collège de France que Wilfrid Lemoine commence une carrière de journaliste dans la presse écrite. Il rédige une chronique littéraire et cinématographique dans *l'Autorité* (1953–1955) mais s'oriente rapidement vers la presse parlée. Annonceur à Radio-Canada depuis

1955, il devient, à partir de 1975, animateur d'émissions culturelles. Grâce à son métier, il fut amené à rencontrer de nombreux écrivains, philosophes ou artistes tels Lawrence Durell, Simone de Beauvoir, Jean-Louis Barrault, Dali, etc. Passionné par les sciences, la philosophie, la musique et la peinture, il affirme que de nombreux séjours en Europe ont soutenu et poussé son intérêt pour les arts et la culture.

## ŒUVRES

**Les Pas sur la terre,** poésie et prose. Montréal, Chanteclerc, 1953. 125 p.

**Réhabiliter l'homme dans l'amour de son mystère,** poésie. Montréal, Éditions de l'Autorité, 1955. 27 p.

**Les Anges dans la ville,** poésie. Montréal, Éditions d'Orphée, 1959. 150 p.

**Sauf-conduits,** poésie. Montréal, Éditions d'Orphée, 1963. N.p.

**Le Funambule,** roman. Montréal, Cercle du livre de France, 1965. 158 p.

**L'Interview à la télévision,** essai. Avec le concours de Jean Ducharme et autres. Montréal, Office des communications sociales, 1968. 93 f.

**Le Déroulement,** roman.Montréal, Leméac, 1976. 317 p. Coll. « Roman québécois », 16. ISBN 0-7761-3017-X.

**Une ombre derrière le cœur,** roman. Publié sous le pseudonyme de Camille Bilodeau en collaboration avec quatre autres écrivains. Montréal, Quinze Éditeur, 1979. 209 p. ISBN 0-88565-186-3.

## ŒUVRE TRADUITE

**The Rope-Dancer,** roman. Traduction anglaise de David Lobdell ; titre original : **Le Funambule.** Ottawa, Oberon Press, 1979. 143 p. ISBN 0-88750-301-2 et 0-88750-302-0.

## Monique LEPAGE

(Paris, France, 17 septembre 1946– ). D'abord professeur (1969–1972), puis, jusqu'en 1979, journaliste au sein de diverses revues à

Paris, Monique Lepage avait auparavant complété une licence (1968) et une maîtrise ès lettres (1969) à la Sorbonne. Adaptatrice de livres pour enfants, auteure de textes radiophoniques et d'un roman, elle est membre de la Société des gens de lettres (France).

### ŒUVRES

**Candy détective,** littérature pour enfants. Adaptation de l'œuvre de G. Kikaku ; illustrations de Jean-Paul Hennion. Westmount, Éditions P.A.F., 1980. 21 p. : en maj. part. ill. en coul. ISBN 2-89173-014-3.

**Fifi Brindacier au zoo,** littérature pour enfants. Adaptation ; illustrations de Jean-Paul Hennion. Westmount, Éditions P.A.F., 1980. 22 p. : en maj. part. ill. en coul. ISBN 2-89173-015-1.

**Goldorak : la trahison d'Actarus,** littérature pour enfants. Adaptation de l'œuvre de G. Kikaku. Westmount, Éditions P.A.F., 1980. 22 p. : en maj. part. ill. en coul. ISBN 2-89173-016-X.

**Albator et l'Orphelin de l'espace,** littérature pour enfants. Adaptation de l'œuvre de G. Kikaku ; illustrations de Jean-Paul Hennion. Westmount, Éditions P.A.F., 1980. 22 p. : en maj. part. ill. en coul. ISBN 2-89173-017-8.

**La Vieille Fille et le Foulard rouge,** roman. Longueuil, Inédi, 1981. 226 p. Coll. « Bien lu partout ». ISBN 2-89066-026-5.

**La Parole aux enfants.** Montréal, Nordais, 1981. ISBN 2-89222-008-4.

## Roland LEPAGE

(Québec, 31 octobre 1928–     ). Comédien et auteur de théâtre, Roland Lepage est licencié en lettres classiques de l'université Laval (1949). Après des débuts au théâtre à Québec avec les Comédiens de la Nef, il fait un stage de deux ans à Bordeaux pour y étudier l'art dramatique. À son retour, après une tournée dans le Sud-Ouest de la France, il anime la troupe des Comédiens de Québec et participe à de nombreuses émissions de théâtre radiophonique. Nouveau séjour de trois ans en Europe : en Italie, en Angleterre et à Paris où il étudie entre autres avec Maurice Escande et Béatrix Dussane de la Comédie française et joue en tournée Feydeau, Musset et Claudel. Puis, à Montréal, il travaille comme comédien et entreprend une carrière à la télévision particulièrement dans des émissions pour enfants soit comme acteur, soit comme auteur des textes de *la Ribouldingue* et de *Marie-Quatre-Poches*, etc. Pour un temps professeur à l'École nationale de théâtre, Roland Lepage a écrit plusieurs pièces dont *le Temps d'une vie* qui lui a valu un « Chalmers Award », trophée décerné pour la meilleure pièce canadienne présentée à Toronto.

### ŒUVRES

**La Complainte des hivers rouges,** théâtre. Montréal, Leméac, 1974. 101 p. : ill., musique. Coll. « Répertoire québécois », 46.

**Le Temps d'une vie,** théâtre. Montréal, Leméac, 1974. 157 p. Coll. « Théâtre canadien », 38. ISBN 0-7761-0037-8.

**La Pétaudière,** théâtre. Montréal, Leméac, 1975. 146 p. Coll. « Répertoire québécois », 51-52. ISBN 0-7761-2047-6.

**Le Théâtre sur commande,** entretien avec Michel Garneau et Roland Lepage. Montréal, Centre d'essai des auteurs dramatiques, 1975. 52 f. Coll. « Entretien », 1.

**Icare : fantaisie mythologique pour enfants en quatre tableaux,** théâtre. Montréal, Leméac, 1979. 125 p. : ill., portr. Coll. « Théâtre pour enfants ». ISBN 2-7609-9908-4.

## Jean LERÈDE

(Versailles, France, 23 avril 1923–     ). Jean Lerède pratique la psychothérapie en clinique privée à Montréal depuis 1975. Maître en sciences politiques (1943), en droit et sciences économiques (1944) et en histoire de l'art et archéologie (1952) de l'université de Paris, il a obtenu un doctorat d'État en psychologie de l'université de Toulouse en 1978. Auteur d'études en psychologie, anthropologie et psychopédagogie, il a travaillé, en France, tour à tour comme chargé de mission au ministère de l'Économie (1944–1947), conférencier au ministère des Beaux-Arts (1951–1958), journaliste (1953-1954), conseiller puis directeur de la Compagnie française des pétroles (1953–1963) et ailleurs comme professeur aux universités Columbia, New York, McGill et de Montréal (1965–1975).

### ŒUVRES

**Qu'est-ce que la suggestologie?,** étude. Toulouse, Privat, 1980. 200 p. Coll. « Regards ».
**Suggérer pour apprendre,** étude. Québec, Presses de l'université du Québec, 1980. 316 p. ISBN 2-7605-0277-5.
**Les Troupeaux de l'aurore,** étude. Montréal, Éditions de Mortagne, 1980. 281 p. ISBN 2-89074-025-0.
**La Suggestopédie,** étude. Paris, Presses universitaires de France, 1982. 128 p. Coll. « Que sais-je? ».

### ŒUVRES TRADUITES

**Sugerir para ensinar,** étude. Traduction portugaise de **Suggérer pour apprendre.** Rio de Janeiro (Brésil), Editora Record, 1982. 283 p.
**Que é a sugestologia,** étude. Traduction portugaise de **Qu'est-ce que la suggestologie?** Rio de Janeiro (Brésil), Ibrasa, 1982. 200 p.

## Alexandre LEVAC (1951– )

### ŒUVRES

**Essais sur un traité d'amour.** Préface de Paul Salvetti. Saint-Jacques, Laprairie, Éditions Soléaire, 1974. N.p.
**Au gré des ondes.** Saint-Jacques, Éditions Soléaire, 1974. N.p.
**Contempora et la Mort,** théâtre. Gravures de Paul Salvetti. Montréal, Éditions Soléaire, 1975. N.p. : ill.
**Bruine.** Montréal, Éditions du Coin, 1977. 53 p. ISBN 0-88572-012-1 et 0-88572-011-3.

## Raymond LÉVESQUE

(Montréal, 7 octobre 1928– ). « Après des études primaires désastreuses mais des études musicales mieux réussies », Raymond Lévesque débute dans la chanson, en 1946, comme auteur-compositeur et interprète. Il évolue dans ce domaine, à la radio et à la télévision, jusqu'à son départ pour la France en 1954. Il y séjourne cinq ans, se produisant à Paris et en province, faisant également de la radio, de la télévision et du disque. Quelques-unes de ses chansons sont alors interprétées par des vedettes de l'époque : Bourvil, Jean Sablon, Cora Vaucaire, Barbara et Eddie Constantine. De retour au Québec, il continue d'œuvrer comme chanteur et comme comédien. C'est Gilles Vigneault qui le premier lui propose de publier poèmes et monologues dans un recueil intitulé *Quand les hommes vivront d'amour*. Suivront d'autres recueils de poèmes ainsi qu'une pièce de théâtre et des monologues. Raymond Lévesque est l'auteur-compositeur de deux chansons passées dans le répertoire populaire *Quand les hommes vivront d'amour* et *Bozo les culottes*. En 1980, la Société Saint-Jean-Baptiste de Montréal lui décernait le titre de Patriote de l'année.

### ŒUVRES

**Quand les hommes vivront d'amour,** poèmes, monologues, chansons. Québec, Éditions de l'Arc, 1967. 136 p.
**Au fond du chaos,** poésie. Montréal, Parti pris, 1971. 50 p. Coll. « Paroles », 19. ISBN 0-88512-042-6.
**Bigaouette,** théâtre. Montréal, Éditions de l'Homme, 1971. 108 p. : ill., musique.
**Le malheur a pas des bons yeux,** monologues. Montréal, Éditions de l'Homme, 1971. 142 p. : ill. ISBN 0-7759-0314-0.
**On veut rien savoir,** poésie. Montréal, Parti pris, 1974. 75 p. Coll. « Paroles ». ISBN 0-88512-064-7.

**Le Temps de parler,** poésie. Montréal, Fides, 1977. 103 p.: 4 f. de planches, ill. Coll. « Voix québécoises ». ISBN 0-7755-0668-0.
**Électro Chocs,** recueil de proses et de chansons. Montréal, Guérin, 1982. 135 p. ISBN 2-7601-0413-3.

**Richard**
**LÉVESQUE**

Pseud. : Joseph Rilev.

(Saint-Hubert-de-Témiscouata, 30 mai 1944– ). Tour à tour pompiste, journaliste, metteur en scène, animateur, employé de la construction, etc. Richard Lévesque a également travaillé comme agent d'information au collège de Rivière-du-Loup (1970–1974) avant d'y enseigner. Bachelier ès arts (1965) et licencié ès lettres (1968) de l'université Laval, il a, à la même époque, dirigé la revue de cette institution, *Ratures* (1967-1968). Conférencier et écrivain, membre du Regroupement des auteurs de l'Est du Québec, il a occupé, de 1976 à 1979, les fonctions de président et directeur général des Éditions Castelriand.

**ŒUVRES**

**Treize,** poésie. Illustrations de Michel Dorion. Hauterive, Éditions Viking, 1965. 77 p.
**La Cantilène à mon Québec,** poésie. Québec, Éditions La Liberté, 1974. 75 p.: ill. Coll. « Du dévidoir ».
**Le Grand Dadais,** roman-feuilleton. Rivière-du-Loup, Le St-Laurent Ltée, 1974. N.p.
**Personnalités de Rivière-du-Loup,** notices biographiques. En collaboration avec Michel Courbon et autres. Rivière-du-Loup, Éditions Castelriand, 1977. 143 p. ISBN 2-89025-006-7.
**Colorier le Québec.** T. I : **Un village du Bas du Fleuve,** cahier à colorier. Illustrations de Michel Caillouette. Rivière-du-Loup, Éditions Castelriand, 1977. N.p.
**Drôle de golf,** roman. Illustrations de Robert Legault. Rivière-du-Loup, Éditions Castelriand, 1978. 32 p. Coll. « Aventure ». ISBN 2-89025-015-6.
**Biographies de l'Isle-Verte.** En collaboration avec Viateur Caron, Marc-André Plante et autres. Rivière-du-Loup, Éditions Castelriand, 1978. 71 p. ISBN 2-89025-020-2.
**Les Yeux d'orage,** contes et nouvelles. Illustrations de Michel Caillouette. Rivière-du-Loup, Éditions Castelriand, 1978. 140 p.: ill. ISBN 2-89025-022-9.
**La Cousine des États,** théâtre. Isle-Verte, Comité des fêtes du 150$^{e}$ anniversaire, 1978. N.p.
**Le Vieux du Bas du Fleuve,** roman. Illustrations de Michel Caillouette. Rivière-du-Loup, Éditions Castelriand, 1979. 160 p. ISBN 2-89025-034-2.

**Solange**
**LÉVESQUE**

(Québec, 28 février 1946– ). Professeur de littérature au cégep du Vieux-Montréal, Solange Lévesque a étudié les arts plastiques aux universités Laval et du Québec à Montréal ainsi que la psychologie dans cette dernière institution. Auteure de nouvelles, elle a également remporté un prix de poésie lors d'un concours des jeunes auteurs à la fin des années 1960 et publié dans la revue *Liberté*.

**ŒUVRES**

**Les Cloisons,** nouvelles. Montréal, Le Biocreux, 1979. 104 p.
**L'Amour langue morte,** roman. Montréal, HMH, 1982. 245 p. Coll. « L'Arbre ». ISBN 2-89045-516-5.

**Dominique**
**LÉVY-CHÉDEVILLE**

Voir Dominique De L'Espine.

**Élizabeth**
**LIMET**

(Namur, Belgique, 15 avril 1915– ). Peintre et poète d'origine belge, Élizabeth Limet a d'abord fait carrière dans le chant après avoir suivi des cours de piano et de musique. Après avoir vécu sept années au Moyen-Orient et y avoir donné des récitals, elle se produit en Europe et devient soliste pour les Concerts Colonne (1947–1951). Au Québec depuis 1951, c'est en 1956 qu'elle oriente sa carrière vers la peinture et l'écriture. Auteure de recueils de poèmes parus pour la plupart à sa propre

Guy Borremans

maison d'édition, les Éditions Lyriques, Élizabeth Limet a exposé ses œuvres picturales dans plusieurs galeries de Montréal et d'ailleurs. Elle est membre de la Société des gens de lettres de France depuis 1971 et fait partie de l'Union des artistes depuis 1962.

### ŒUVRES

**La Voix de mes pensées,** poésie. Illustrations de l'auteure. Montréal, Presses libres, 1970. 103 p.: ill.

**Le Phare des amants,** poésie. Illustrations de l'auteure. Montréal, Éditions Lyriques, 1972. 95 p.: ill.

**Gel de feu,** poésie. Illustrations de l'auteure. Montréal, Éditions Lyriques, 1973. 76 p.: ill.

**Rosétendre,** poésie. Illustrations de l'auteure. Montréal, Éditions Lyriques, 1980. 47 p.: ill. en coul.

**J'aime l'espace,** œuvre cosmique. Illustrations de l'auteure. Montréal, Éditions Lyriques, 1980. 47 p.: ill. en coul.

## André LOISELET (1941- )

### ŒUVRES

**Un bel enfant d'chienne,** roman. Montréal, Éditions Vert Blanc Rouge, Éditions de l'Heure, 1973. 111 p.

**Le Diable aux vaches,** poésie. Montréal, Éditions Québécoises, 1974. 109 p. Coll. « Poésie », 5.

## Renaud LONGCHAMPS

(Saint-Éphrem, 5 novembre 1952- ). Renaud Longchamps a complété des études en sciences humaines au collège François-Xavier-Garneau de Québec (1973). Poète, il affirme que sa « poésie prend sa source dans l'incertitude quantique de la matière ». Il a été éditeur aux

Éditions du Corps de 1975 à 1977 et a collaboré à plusieurs revues dont *Hobo-Québec, la Nouvelle Barre du jour* et *Possibles*. Il s'intéresse à ce qui touche à la biologie et à la physique et quelques-uns de ses auteurs préférés sont Bataille, Artaud, Michaux, Barthes, Victor-Lévy et Michel Beaulieu, Hubert Aquin et Nicole Brossard. C'est toutefois le livre du biologiste Jacques Monod, *le Hasard et la Nécessité*, qu'il qualifie pour lui d'essentiel.

### ŒUVRES

**Paroles d'ici,** poésie. Québec, chez l'auteur, 1972. N.p.

**L'Homme imminent,** poésie. Québec, chez l'auteur, 1973. N.p.

**Anticorps,** suivi de **Charpente charnelle,** poésie. Montréal, L'Aurore, 1974. 82 p. Coll. « Lecture en vélocipède », 3.

**Sur l'aire du lire,** poésie. Montréal, Les Herbes rouges, n° 24, septembre 1974. N.p.

**Ditactique: une sémiotique de l'espèce,** poésie. Sainte-Foy, Éditions du Corps, 1975. 25 p.

**Main armée,** poésie. Saint-Georges, Éditions du Corps, 1976. N.p.

**Terres rares,** poésie. Saint-Georges, Éditions du Corps, 1976. N.p.

**Fers moteurs,** poésie. Montréal, Les Herbes rouges, n° 44, décembre 1976. N.p. ISSN 0441-6627.

**Comme d'hasard ouvrable,** poésie. Montréal, Éditions Cul-Q, 1977. N.p. Coll. « Mium/Mium », 17.

**L'État de matière,** poésie. Montréal, Les Herbes rouges, n° 57, novembre 1977. 21 p. ISSN 0441-6627.

**Carbonifère,** poésie. Toronto, Montréal, Coach House Press, Hobo-Québec, 1979. N.p.

**Babelle.** T. I: **Après le déluge,** roman. Montréal, VLB Editeur, 1981. 162 p.

**Le Désir de la production,** poésie. Montréal, VLB Éditeur, 1981. 128 p. ISBN 2-89005-133-1.

## Francine LORANGER

Voir Francine Mathieu.

Françoise
**LORANGER**

(Saint-Hilaire, 18 juin 1913- ). Françoise Loranger écrit dès son tout jeune âge et sa rencontre avec Robert Choquette, en 1939, confirmera son choix pour l'écriture. D'abord auteure de séries radiophoniques, elle écrit ensuite des téléthéâtres et deux feuilletons télévisés (*À moitié sage* et *Sous le signe du lion*) avant de commencer sa carrière de dramaturge. Le succès est immédiat, aussi bien au Québec qu'en Russie et en France. Pourtant, en 1968, Françoise Loranger rompt avec le théâtre traditionnel et écrit trois pièces contestataires qui donnent lieu à maintes controverses. Son dernier texte, *Un si bel automne*, n'a pas franchi la censure de la télévision d'État. Françoise Loranger a reçu le Prix du Gouverneur général en 1968.

### ŒUVRES

**Mathieu,** roman. Montréal, Cercle du livre de France, 1949. 347 p.

**Une maison... un jour...,** théâtre. Montréal, Cercle du livre de France, 1965. 151 p.

**Encore cinq minutes,** suivi de **Un cri qui vient de loin,** théâtre. Montréal, Cercle du livre de France, 1967. 131 p.

**Double Jeu,** théâtre. Notes de mise en scène d'André Brassard. Montréal, Leméac, 1969. 212 p. : ill. Coll. « Théâtre canadien », 11.

**Le Chemin du Roy,** comédie patriotique. En collaboration avec Claude Levac. Montréal, Leméac, 1969. 135 p. : ill., portr. Coll. « Théâtre canadien », 13.

**Medium saignant,** théâtre. Introduction d'Alain Pontaut. Montréal, Leméac, 1970. 139 p. : ill. Coll. « Théâtre canadien », 18.

**Jour après jour,** suivi de **Un si bel automne,** théâtre. Montréal, Leméac, 1971. 94 p. : ill. Coll. « Répertoire québécois », 14-15.

### ÉTUDES

Crête, Jean-Pierre, **Françoise Loranger : la recherche d'une identité.** Montréal, Leméac, 1974. 147 p. : portr. Coll. « Documents ». ISBN 0-7761-9407-0.

**Dramaturges — Romanciers québécois : dossier de presse, Robert Choquette, 1937-1980 ; André Laurendeau, 1959-1979 ; Françoise Loranger, 1949-1976.** Sherbrooke, Bibliothèque du séminaire, 1981. N.p. : ill., portr.

Charles
**LORENZO**
Pseud. de
Wilfrid Paquin.

Pseud. de Wilfrid Paquin.

(Montréal, 28 août 1919- ). Charles Lorenzo qui a obtenu un doctorat en littérature (1959) de l'université d'Ottawa, a enseigné le français pendant trente ans. Rédacteur et correcteur d'épreuves depuis une dizaine d'années aux Éditions F.I.C. de Laprairie, il a publié nombre de poèmes parus dans des journaux et revues des États-Unis, du Canada et du Québec avant d'être réunis et publiés sous forme de recueils. Il participe aux activités de plusieurs sociétés littéraires, notamment la Société des poètes canadiens-français et la Société des écrivains canadiens. En 1963, il remportait un deuxième prix au 38e Concours de la Société des poètes canadiens-français.

### ŒUVRES

**Reflets,** poésie. La Mennais, Entreprises culturelles, 1970. 71 p.

**Chatoiements,** poésie. La Mennais, Entreprises culturelles, 1971. 80 p.

**Rutilances,** poésie. Laprairie, Entreprises culturelles, 1972. 88 p.

**Diaprures,** poésie. Laprairie, Entreprises culturelles, 1973. 116 p.

**Moires,** poésie. Laprairie, Entreprises culturelles, 1974. 116 p.

**Parphélies,** poésie. Laprairie, Entreprises culturelles, 1975. 120 p.

**Coruscations,** poésie. Laprairie, Entreprises culturelles, 1976. 120 p.
**Spasmes,** poésie. Laprairie, Entreprises culturelles, 1977. 124 p.
**Contes et Récits I.** Laprairie, Entreprises culturelles, 1978. 135 p.
**Palpitations,** poésie. Laprairie, Entreprises culturelles, 1978. 124 p. ISBN 2-7614-0001-1.
**Agonies,** poésie. Laprairie, Entreprises culturelles, 1979. 127 p. ISBN 2-7614-0026-7.
**Contes et Récits II.** Laprairie, Entreprises culturelles, 1979. 144 p. ISBN 2-7614-0021-6.
**Contes et Récits III.** Laprairie, Entreprises culturelles, 1980. 152 p. ISBN 2-7614-0028-3.
**Contes et Récits IV.** Laprairie, Entreprises culturelles, 1980. 132 p. ISBN 2-7614-0041-0.

## Michelyne LORTIE-PAQUETTE

(Ste-Thérèse-de-Blainville, 10 juillet 1947) Après des études en sciences de l'éducation, Michelyne Lortie-Paquette travaille d'abord comme enseignante, puis comme consultante en éducation. Elle s'intéresse particulièrement aux diverses dimensions de la créativité chez les enfants et participe à de nombreuses recherches pratiques dans les écoles élémentaires du Québec. Dans le cadre de ce travail, elle développe un intérêt pour la littérature enfantile qui, selon elle, permet à l'enfant de prendre contact et d'accéder au monde merveilleux et réel qui se cache sous les mots.

### ŒUVRES

**Moi je suis moi,** littérature de jeunesse. Illustrations de Sylvie Matte. Montréal, Québec-Amérique, 1980. N.p.: ill. Coll. « Jeunesse ».
**Des jouets cherchent des enfants,** littérature de jeunesse. Illustrations de Dominique Laquerre. Montréal, Québec-Amérique, 1980. N.p.: ill. Coll. « Jeunesse ».

## Alec LUCAS

(Toronto, Ont., 20 juin 1913–     ). Professeur à l'université McGill depuis 1957, Alec Lucas détient une maîtrise de l'université Queen's et un doctorat de l'université Harvard. Il a enseigné dans divers collèges et universités, a écrit maints articles pour les revues *Dalhousie Review, Atlantic Advocate,* etc., est membre du comité de rédaction du *Journal of Canadian Fiction* et a contribué à diverses anthologies ou études.

### ŒUVRES

**The Last Barrier and Other Stories.** Sous la direction d'Alec Lucas. Toronto, McClelland & Stewart, 1958.
**Hugh MacLennan,** étude. Toronto, Montréal, McClelland & Stewart, 1970. 61 p. Coll. « Canadian Writers », 8.
**Farley Mowat,** étude. Toronto, McClelland & Stewart, 1976. 64 p. Coll. « Canadian Writers », 14. ISBN 0-7710-9616-X.
**The Otonabee School.** Montréal, Mansfield Book, 1977.

## Tante LUCILLE

Pseud. de Lucille Desparois-Danis.

(Châteauguay, 16 mars 1909–     ). C'est sous le pseudonyme de Tante Lucille que Lucille Desparois-Danis a fait carrière d'écrivaine et de conteuse. Diplômée en diction et interprétation des classiques du conservatoire LaSalle (1936), c'est en fréquentant la première bibliothèque pour enfants de Montréal, dans le quartier Hochelaga, qu'elle songe à écrire. Elle publie, dès 1944, *Contes d'enfants*, son premier livre et entre à Radio-Canada en 1948. Elle y animera l'émission *Tante Lucille* jusqu'en 1974. Certains des contes de Lucille Desparois-Danis ont été traduits en anglais, en allemand, en suédois, etc. Elle a, de plus, enregistré ses contes et comptines sur de nombreux microsillons. Récipiendaire de l'Ordre du Canada en 1969, médaillée de l'Association internationale de Lutèce pour son disque *Contes et Légendes du Canada français*, en 1976, Lucille Desparois-Danis est membre de la Société des écrivains canadiens, de Communication-jeunesse et de l'Union des artistes.

## ŒUVRES

**Contes d'enfants.** Illustrations de Thérèse Lecomte. Montréal, Granger, 1944. 24 p. : ill.

**Légende du sucre d'érable.** Montréal, Granger, 1945. 24 p.

**Tante Lucille raconte.** Montréal, Granger, 1945. 24 p.

**Légendes merveilleuses.** Montréal, Granger, 1945. 24 p.

**Le Perroquet de Thérésa.** Montréal, Granger, 1945. 24 p.

**Le Fils du pilote.** Montréal, Granger, 1946. 24 p.

**Aventures de Tracassin.** Montréal, Granger, 1947. 117 p.

**Conte oriental.** Montréal, Granger, 1947. 24 p.

**Pompon et Griffon.** Montréal, Granger, 1947, 32 p.

**Sept Contes du Saguenay.** Montréal, Granger, 1948. 112 p.

**Sept Nouveaux Contes.** Montréal, Granger, 1949. 112 p.

**Contes de Tante Lucille.** Illustrations de J.C. Van de Hunnik. Amsterdam, Mulder et fils, 1956. N.p. : ill.

**Huit Contes de Tante Lucille.** Illustrations de J.C. Van de Hunnik. Amsterdam, Mulder et fils, 1956. N.p. : ill.

**Contes religieux.** Illustrations de J.C. Van de Hunnik. Amsterdam, Mulder et fils, 1957. N.p. : ill.

**Les Comptines de langue française,** recueil de textes. En collaboration avec Jean Baucamont, Frank Guibot et Philippe Saupault. Paris, Seghers, 1961. 366 p.

**3 Contes de Tante Lucille.** Illustrations de Paul Robert. Montréal, Leméac, Éditions Ici Radio-Canada, 1968. N.p. : ill. en coul.

**Pirouette cacahuète,** conte. Illustrations de Cécile Gagnon. Saint-Lambert, Éditions Héritage, Éditions Ici Radio-Canada, 1971. N.p. : ill. en coul. Coll. « Albums Héritage », 123.

**Contes et Légendes du Canada français.** Illustrations de Gabriel de Beney. Montréal, Éditions Paulines, 1976. 29 p. : en maj. part. ill. en coul. Coll. « Documentation vidéo-presse », 9. ISBN 0-88840-572-3.

**Tante Lucille raconte.** Illustrations de Gabriel de Beney. Montréal, Éditions Paulines, 1978. 29 p. : ill. en coul. Coll. « Documentation vidéo-presse ». ISBN 0-88840-604-5.

**Album de jeux éducatifs. Zoo de Granby.** Illustrations de Marcel Martin. Montréal, Zoo de Granby, 1977. 32 p. : ill.

**Almanach pour les jeunes.** Illustrations de Marcel Martin. Montréal, Beauchemin, 1979. 190 p. : ill.

**Mon album dentaire.** Illustrations de Marcel Martin. Montréal, Ordre des dentistes du Québec, 1980. 32 p. : ill.

**La Légende des bleuets,** conte. Illustrations de Gabriel de Beney. Montréal, Éditions Paulines, 1980. 8 p. : ill. Coll. « Magicontes de mon pays », 1. ISBN 2-89039-687-8.

**Le Jardin des merveilles,** conte. Illustrations de Gabriel de Beney. Montréal, Éditions Paulines, 1980. 8 p. : ill. Coll. « Magicontes de mon pays », 2. ISBN 2-89039-688-6.

**L'Hallowe'en de Noirot,** conte. Illustrations de Gabriel de Beney. Montréal, Éditions Paulines, 1980. 8 p. : ill. Coll. « Magicontes de mon pays », 3. ISBN 2-89039-690-8.

**Saucisson, l'autobus scolaire,** conte. Illustrations de Gabriel de Beney. Montréal, Éditions Paulines, 1980. 8 p. : ill. Coll. « Magicontes de mon pays », 4. ISBN 2-89039-690-8.

**Ambika, le premier éléphant du zoo de Granby,** conte. Illustrations de Gabriel de Beney. Montréal, Éditions Paulines, 1980. 8 p. : ill. Coll. « Magicontes de mon pays », 5. ISBN 2-89039-691-6.

**La Bergère de Noël,** conte. Illustrations de Gabriel de Beney. Montréal, Éditions Paulines, 1980. 8 p. : ill. Coll. « Magicontes de mon pays », 6. ISBN 2-89039-692-4.

**Les Aventures de Pipo,** conte. Illustrations de Gabriel de Beney. Montréal, Éditions Paulines, 1980. 8 p. : ill. Coll. « Magicontes de mon pays », 7. ISBN 2-89039-693-2.

**La Fête des mères,** conte. Illustrations de Gabriel de Beney. Montréal, Éditions Paulines, 1980. 8 p. : ill. Coll. « Magicontes de mon pays », 8. ISBN 2-89039-694-0.

**Les Patins magiques,** conte. Illustrations de Gabriel de Beney. Montréal, Éditions Paulines, 1980. 8 p. : ill. Coll. « Magicontes de mon pays », 9. ISBN 2-89039-695-9.

**Les Trois Petits Lapins,** conte. Illustrations de Gabriel de Beney. Montréal, Éditions Paulines, 1980. 8 p. : ill. Coll. « Magicontes de mon pays », 10. ISBN 2-89039-696-7.

**L'Érable et les Indiens,** conte. Illustrations de Gabriel de Beney. Montréal, Éditions Paulines, 1980. 8 p. : ill. Coll. « Magicontes de mon pays », 11. ISBN 2-89039-799-8.

**Les Trois Alouettes,** conte. Illustrations de Gabriel de Beney. Montréal, Éditions Paulines, 1980. 8 p. : ill. Coll. « Magicontes de mon pays », 12. ISBN 2-89039-800-5.

**Fable champêtre.** Montréal, Granger, s.d. 4 vol.

# M

**Claude**
**MAC DUFF**

(Montréal, 22 juin 1946–    ). Membre-fondateur du groupe de recherche UFO-Québec (1976–    ), Claude Mac Duff a aussi publié un ouvrage sur le phénomène des objets volants non identifiés (OVNI) et des romans de science-fiction. Rédacteur de la revue *UFO-Québec* en 1976, il a écrit des articles sur les OVNI qui sont parus dans la revue *Solaris* et dans divers autres journaux. Il a participé à plusieurs rencontres et donné quelques conférences sur le sujet de ses recherches. Il a également fait la critique de certains films de science-fiction pour l'Office des communications sociales. Il est à l'emploi d'Agriculture Canada depuis 1967.

**ŒUVRES**

**Le Procès des soucoupes volantes,** étude. En collaboration ; illustrations de Gérard Fricheteau. Montréal, Québec-Amérique, 1974. 254 p. : ill., photos, diagr. ISBN 0-88552-002-5.

**La Mort... de toutes façons,** roman. Montréal, La Presse, 1979. 199 p. ISBN 0-7777-0211-8.

**1986 : mission fantastique,** roman. Montréal, Québécor, 1980. 247 p. : ill., plan. Coll. « Roman ». ISBN 2-89089-058-9.

**Hugh**
**MacLENNAN**

(Glace Bay, Nova Scotia, 1907–    ). Montréalais depuis 1935, Hugh MacLennan avait auparavant étudié aux universités Dalhousie, Oxford et Princeton. Il obtint d'ailleurs un doctorat à cette dernière institution. À Montréal, il enseigna d'abord au Lower Canada College, travailla quelque temps comme journaliste puis, en 1951, devint professeur au département d'anglais de l'université McGill, poste qu'il occupe toujours. Romancier et essayiste, Hugh MacLennan a vu nombre de ses romans traduits en français et en d'autres langues. Son œuvre intitulée *Two Solitudes* a de plus été portée à l'écran. Il fut récipiendaire du Prix du Gouverneur général à cinq occasions, soit pour *Two Solitudes, The Precipice, Cross-Country, Thirty and Three, The Watch That Ends the Night*. Membre de la Société royale du Canada et Compagnon de l'Ordre du Canada, Hugh MacLennan a vu son apport à la littérature souligné par nombre d'universités qui lui ont remis des doctorats honorifiques.

**ŒUVRES**

**Barometer Rising,** roman. New York, Duell, Sloan & Pearce, 1941.

**Two Solitudes,** roman. Toronto, Collins, 1945.

**The Precipice,** roman. Toronto, Collins, 1948.

**Cross-Country,** essai. Toronto, Collins, 1949.
**Each Man's Son,** roman. Toronto, Macmillan, 1951.
**Thirty and Three,** essai. Toronto, Macmillan, 1954.
**The Watch That Ends the Night,** roman. Toronto, Macmillan, 1959.
**Scotchman's Return and Other Essays.** Toronto, Macmillan, 1960.
**Seven Rivers of Canada,** essai. Toronto, Macmillan, 1962.
**Return of the Sphinx,** roman. Toronto, Macmillan, 1967.
**The Colour of Canada.** Toronto, McClelland & Stewart, 1967.
**The Other Side of Hugh MacLennan,** essai. Toronto, Macmillan, 1978.
**Voices in Time,** roman. Toronto, Macmillan, 1980.

### ŒUVRES TRADUITES

**Deux Solitudes,** roman. Traduction française de Louise Gareau Des-Bois ; titre original : **Two Solitudes.** Paris, Éditions Spes, 1963.
**Le temps tournera au beau,** roman. Traduction française de Jean Simard ; titre original : **Barometer Rising.** Montréal, Hurtubise HMH, 1966.
**Le Matin d'une longue nuit,** roman. Traduction française de Jean Simard ; titre original : **The Watch That Ends the Night.** Montréal, HMH, 1967.

### ÉTUDES

Woodcock, George, **Hugh MacLennan.** Toronto, Copp Clark, 1969.
Buitenhuis, Peter, **Hugh MacLennan.** Toronto, Forum Press, 1969.
Cockburn, Robert, **The Novels of Hugh MacLennan.** Montréal, Harvest House, 1970.
Lucas, Alex, **Hugh MacLennan.** Toronto, McClelland & Stewart, 1970. 61 p. Coll. « Canadian Writers », 8.
Goetsch, Paul et al., **Hugh MacLennan.** Toronto, McGraw-Hill Ryerson, 1973.

## Claude-Jean MAGNIER

Voir Jean-Claude Germain.

## Guy MAHEUX

(Québec, 3 août 1927– ). Après un baccalauréat ès arts à l'université de Montréal (1947) et une maîtrise en philosophie à l'université du Manitoba (1954), Guy Maheux poursuit un doctorat en psychologie à l'université de Californie (U.C.L.A., 1958) tout en travaillant comme dialoguiste pour les Studios Republic et Television City d'Hollywood (1957–1964). Traducteur et interprète de 1965 à 1971, il est tour à tour directeur de la revue *Prévention* (1971–1974), directeur-fondateur de la revue *Famille avertie* (1974–1976) et président-directeur général puis directeur de la Société des Belles-Lettres Guy Maheux (1976–1980). Romancier, poète et auteur de théâtre, il est membre de l'Association des traducteurs littéraires, du Cercle des journalistes, de l'Association des écrivains croyants et de bien d'autres sociétés. Collaborateur de diverses revues dont *Solitude/Inflexion,* l'*Esplumoir* et *Quid Novi*, il a reçu le Prix Jean-Béraud-Molson en 1970 pour *Guillaume D.*, son premier roman.

### ŒUVRES

**Old Pete,** nouvelle. Winnipeg, The Spanner, 1955. 120 p.
**Guillaume D.,** roman. Montréal, Cercle du livre de France, 1970. 158 p.
**Avez-vous vu ma Julie ?,** théâtre. Montréal, Bicentenaire Saint-Jacques de Montcalm, 1974. 160 p.
**Une sorcière dans mon grain de sable,** roman. Montréal, Société de Belles-Lettres Guy Maheux, 1976. 236 p. Coll. « L'Ermite ».
**Épisodes,** poèmes bilingues. Montréal, Société de Belles-Lettres Guy Maheux, 1975. 101 p. Coll. « La Papesse ».

### TRADUCTIONS

**Vevl,** poésie. Traduction de **The White House** de Sholem Stern. Montréal, Société de Belles-Lettres Guy Maheux, 1977. 190 p. Coll. « Ishtar ». ISBN 0-88582-023-1.
**Poèmes pour ma mère.** Traduction de **Poems for Mothers** de Joseph Rogel. Montréal, Société de Belles-Lettres Guy Maheux, 1977. 64 p. Coll. « Le Soleil ».
**L'Énigme du triangle des Bermudes,** science. Traduction de **The Riddle of the Bermuda Triangle** de Martin Ebon. Montréal, Éditions Sélect, 1977. 275 p.
**La magie de voir grand,** psychologie. Traduction de **The Magic of Thinking Big** du Dr R. Schwartz. Montréal, Éditions Sélect, 1977. 386 p.
**Septembre noir,** roman. Traduction de **Black September** de J. Harris. Montréal, Éditions Sélect, 1978. 260 p.
**Xaviera rencontre Marilyn Chambers,** autobiographie. Traduction de **Xaviera meets Marilyn Chambers** de Xaviera Hollander. Montréal, Éditions Sélect, 1978. 350 p.

**Louise MAHEUX-FORCIER**

(Montréal, 9 juin 1929– ). Comment passe-t-on de la musique à l'écriture? Sans doute en optant pour la musique des mots... C'est ce qu'a fait Louise Maheux-Forcier, pianiste, participante remarquée au Concours du Prix d'Europe 1952 et qui, en 1959, abandonnait une carrière musicale bien amorcée pour se consacrer définitivement à l'écriture. Elle reçut confirmation du bien-fondé de son choix en remportant en 1963 le Prix du Cercle du livre de France pour son premier roman, *Amadou*. Elle a obtenu aussi, en 1970, le Prix du Gouverneur général pour *Une forêt pour Zoé*. Depuis lors, elle a écrit plusieurs dramatiques pour la télévision dont *Un arbre chargé d'oiseaux* (1975), finaliste au Concours Louis-Philippe Kammans, et *Arioso*. Elle a aussi écrit pour la radio, participé à des émissions culturelles et publié dans les *Écrits du Canada français, Liberté, la Nouvelle Barre du jour* et dans le *Bulletin du Centre de recherches en civilisation canadienne-française*. Membre du jury du Prix Jean-Béraud de 1968 à 1970, elle est membre du jury du Prix Belgique-Canada depuis 1974 et de celui du Concours des œuvres dramatiques radiophoniques. Elle a été reçue à l'Académie canadienne-française en 1982.

## ŒUVRES

**Amadou,** roman. Montréal, Cercle du livre de France, 1963. 157 p.

**L'Île joyeuse,** roman. Montréal, Cercle du livre de France, 1964. 171 p.

**Une forêt pour Zoé,** roman. Montréal, Cercle du livre de France, 1969. 203 p.

**Paroles et Musique,** roman. Montréal, Cercle du livre de France, 1973. 167 p. ISBN 0-7753-0029-2.

**Neige et Palmiers,** suivi de **le Violoncelle,** théâtre. Montréal, Cercle du livre de France, 1974. 56 p. ISBN 0-7753-8505-0.

**Un arbre chargé d'oiseaux,** téléthéâtre précédé de **Journal de la maison d'Irène.** Ottawa, Éditions de l'université d'Ottawa, 1976. 177 p.: portr. Coll. « Textes », 3. ISBN 0-7766-4183-2.

**Le Cœur étoilé,** suivi de **Chrysanthème** et de **Miroir de nuit,** textes dramatiques. Montréal, Cercle du livre de France, 1977. 233 p.: 5 f. de planches, ill. ISBN 0-7753-0106-X.

**Appassionata,** roman. Montréal, Cercle du livre de France, 1978. 159 p. ISBN 0-7753-0119-1.

**En toutes lettres,** nouvelles. Montréal, Cercle du livre de France, 1980. 302 p. ISBN 2-89051-027-1.

**Arioso,** théâtre, suivi de **le Papier d'Arménie,** texte dramatique pour la radio. Montréal, Pierre Tisseyre, 1981. 240 p. ISBN 2-89051-060-3.

**Un parc en automne,** théâtre. Montréal, Pierre Tisseyre, 1982. 139 p. ISBN 2-89051-076-X.

## ŒUVRE TRADUITE

**Letter by Letter,** nouvelles. Traduction anglaise de David Lobdell; titre original: **En toutes lettres.** Ottawa, Oberon Press, 1982. 109 p. ISBN 88-750-4507 et 88-750-4515.

**Laurent MAILHOT**

(Saint-Alexis-de-Montcalm, 22 septembre 1931– ). Laurent Mailhot enseigne à l'université de Montréal depuis 1963. Il est directeur de la revue *Études françaises* depuis 1978 et de la collection « Lignes québécoises » aux Presses de l'université de Montréal depuis 1970. Docteur en littérature de l'université de Grenoble (thèse sur Camus, 1972), il a publié deux volumes sur le théâtre québécois contemporain en collaboration avec Jean-Cléo Godin, un livre sur la littérature québécoise dans la collection « Que sais-je? » ainsi que plusieurs anthologies ou recueils de textes. Comme critique et essayiste, il a collaboré à six autres ouvrages collectifs, rédigé des préfaces ou introductions à plusieurs œuvres (pièces de théâtre surtout) et publié des articles dans nombre de revues dont *Études littéraires, la Nouvelle Barre du jour, Canadian Literature, Revue des lettres modernes* (Paris), *University of Toronto Quarterly.*

## ŒUVRES

**Le Théâtre québécois,** critique. En collaboration avec Jean-Cléo Godin. Montréal, Hurtubise HMH, 1970. 254 p.

**Albert Camus** ou **l'Imagination du désert,** critique. Montréal, Presses de l'université de Montréal, 1973. XII-465 p. ISBN 0-8405-0214-1.

**La Littérature québécoise,** critique. Paris, Presses universitaires de France, 1974. 127 p. Coll. « Que sais-je ? », 1579.

**Le Réel, le Réalisme et la Littérature québécoise,** essai. En collaboration avec André Brochu et Albert LeGrand. Montréal, Librairie de l'université de Montréal, 1974. 185 p.

**Anthologie d'Arthur Buies,** critique. Montréal, Hurtubise HMH, 1978. 250 p. Coll. « Cahiers du Québec », 37. ISBN 0-7758-0150-X.

**Le Théâtre québécois II,** critique. En collaboration avec Jean-Cléo Godin. Montréal, Hurtubise HMH, 1980. 248 p. ISBN 2-89045-208-5.

**Le Québec en textes, 1940–1980,** critique. En collaboration avec Gérard Boismenu et Jacques Rouillard. Montréal, Boréal Express, 1980. 574 p. ISBN 2-89052-017-X.

**Monologues québécois, 1890–1980,** critique. En collaboration avec Doris-Michel Montpetit. Outremont, Leméac, 1980. 420 p. : ill., facsim., portr. ISBN 2-7609-9023-0.

**La Poésie québécoise des origines à nos jours,** anthologie. En collaboration avec Pierre Nepveu. Québec, Presses de l'université du Québec, Montréal, L'Hexagone, 1981. 714 p. : ill., facsim., portr. ISBN 2-7605-0284-8.

**Nouveaux Auteurs, Autres Spectacles,** étude. En collaboration avec Jean-Cléo Godin. LaSalle, Hurtubise HMH, 1980. 247 p. ISBN 2-89045-208-5.

**Guide culturel du Québec.** En collaboration avec Lise Gauvin. Montréal, Boréal Express, 1982. 533 p. ISBN 2-89052-044-7.

## Michèle MAILHOT

(Montréal, 8 janvier 1932– ). Après des baccalauréats en arts (1951) et en pédagogie (1953) à l'université de Montréal, Michèle Mailhot a enseigné quelques années puis est devenue journaliste (*Points de vue, le Nouveau Journal,* Radio-Canada, etc.). Elle a été critique littéraire à *Châtelaine* (1961–1965), adjointe au directeur des Presses de l'université de Mont-

réal (1969–1971), conseillère littéraire aux Éditions du Jour (1972–1974), rédactrice aux Éditions l'Étincelle (1976-1977) et lectrice pour diverses maisons d'édition. Elle a participé à des rencontres internationales d'écrivains, des colloques et des rencontres avec des étudiants. On lui doit la rédaction de nombreux textes dramatiques pour Radio-Canada et de nouvelles pour la revue *Liberté. Veuillez agréer...* lui méritait le Prix de la Presse en 1975.

## ŒUVRES

**Dis-moi que je vis,** roman. Montréal, Cercle du livre de France, 1965. 159 p.

**Le Portique,** roman. Montréal, Cercle du livre de France, 1967. 133 p.

**Le Fou de la reine,** roman. Montréal, Éditions du Jour, 1969. 126 p.

**La Mort de l'araignée,** roman. Montréal, Éditions du Jour, 1972. 102 p. Coll. « Les Romanciers du Jour ».

**Veuillez agréer...,** roman. Montréal, La Presse, 1975. 145 p. Coll. « Écrivains des deux mondes ». ISBN 0-7777-0153-7.

## Andrée MAILLET

(Montréal, 1921– ). Fondatrice de la section canadienne-française du PEN Club, Andrée Maillet est auteure de contes, de romans, de nouvelles, de poèmes et de théâtre. Directrice de la revue *Amérique française* de 1952 à 1960, elle a également collaboré au *Photo-Journal* et au *Petit Journal.* Membre de l'Académie canadienne-française (1974) et de l'Ordre du Canada (1978), elle a reçu en 1965 le Prix de la province de Québec et celui de la Canadian Association of Children's Librarian pour son recueil de contes intitulé *le Chêne des tempêtes.*

## ŒUVRES

**Le Marquiset têtu et le Mulot réprobateur,** suivi de **les Aventures de la princesse Claradore,** contes. Montréal, Éditions Variétés, 1944. 173 p.

**Ristontac,** conte. Illustrations de Robert LaPalme. Montréal, Parizeau, 1945. 36 p. : ill.

**Profil de l'orignal,** roman. Montréal, Amérique française, 1952. 218 p.
**Les Montréalais,** nouvelles. Montréal, Éditions du Jour, 1962. 145 p.
**Le lendemain n'est pas sans amour,** contes et récits. Montréal, Beauchemin, 1963. 209 p.
**Élémentaires (1954-1964),** poésie. Montréal, Déom, 1964. 59 p. Coll. « Poésie canadienne ».
**Le Paradigme de l'idole,** essai. Montréal, Amérique française, 1964. 59 p.
**Les Remparts de Québec,** roman. Montréal, Éditions du Jour, 1964. 185 p. Coll. « Les Romanciers du Jour ».
**Le Chêne des tempêtes,** contes. Montréal, Fides, 1965. 115 p. Coll. « Les Quatre Vents ».
**Nouvelles montréalaises.** Montréal, Beauchemin, 1966. 144 p.
**Le Chant de l'Iroquoise,** poésie. Montréal, Éditions du Jour, 1967. 80 p. Coll. « Les Poètes du Jour ».
**Le Bois pourri,** roman. Montréal, L'Actuelle, 1971. 133 p. ISBN 0-7752-0002-6.
**Le Doux Mal,** roman. Montréal, L'Actuelle, 1972. 206 p. ISBN 0-7752-0027-1.
**À la mémoire d'un héros,** roman. Montréal, La Presse, 1975. 165 p. Coll. « Écrivains des deux mondes ». ISBN 0-7777-0121-9.
**Lettres au surhomme,** T. I, roman. Montréal, La Presse, 1976. 221 p. ISBN 0-7777-0147-2.
**Lettres au surhomme,** T. II : **Le Miroir de Salomé,** roman. Montréal, La Presse, 1977. 234 p. ISBN 0-7777-0182-0.

## ŒUVRE TRADUITE

**Storm Oak,** contes. Traduction anglaise de F.C.L. Muller, illustrations de Kathryn Cole ; titre original : **Le Chêne des tempêtes.** Richmond Hill, Scholastic-Tab Publications, 1972. 64 p. : ill. en coul.

## André MAJOR

Kèro

(Montréal, 22 avril 1942- ). Lecteur et correcteur de manuscrits aux Éditions du Jour, après avoir dû abandonner ses études à moins de vingt ans, André Major collabore à diverses publications (du *Petit Journal* à *Maintenant* en passant par *Liberté*). En 1963, il participe à la fondation de la revue *Parti pris* : dès lors son engagement dans la réalité québécoise devient une ligne de force qu'il élargit par un constant intérêt pour les littératures étrangères, comme en témoigne sa collaboration aux pages littéraires du *Devoir* (1967-1970) et de *la Presse* (1972-1979). Au terme d'un séjour d'un an à Toulouse, il entreprend une chronique romanesque intitulée *Histoires de déserteurs* dont le troisième volet, *les Rescapés*, a été couronné par le Prix du Gouverneur général en 1977. *L'Épouvantail* et *l'Épidémie* ont été traduits en anglais. Après avoir été le secrétaire de la coopérative d'édition Les Quinze, il participe à la création de l'Union des écrivains québécois. Réalisateur au service des émissions culturelles de la radio de Radio-Canada depuis 1973, il continue de rendre compte de l'actualité littéraire étrangère au *Devoir* tout en poursuivant son œuvre romanesque.

## ŒUVRES

**Le froid se meurt,** poésie. Montréal, Atys, 1961. 23 p.
**Holocauste à 2 voix,** poésie. Montréal, Atys, 1961. 51 p.
**Nouvelles.** En collaboration avec Jacques Brault et André Brochu. Montréal, Cahiers de l'AGEUM, 1963. 139 p.
**Le Pays,** poésie. En collaboration. Montréal, Déom, 1963. 71 p.
**Le Cabochon,** roman. Montréal, Parti pris, 1964. 195 p.
**La Chair de poule,** nouvelles. Montréal, Parti pris, 1965. 185 p. Coll. « Paroles ».
**Le Vent du diable,** roman. Montréal, Éditions du Jour, 1968. 143 p.
**Félix-Antoine Savard,** essai. Montréal, Fides, 1968. 190 p. : ill., fac-sim., portr. Coll. « Écrivains canadiens d'aujourd'hui ».
**Poèmes pour durer.** Montréal, Éditions du Songe, 1969. 94 p. Coll. « Poésie du Québec ».
**Le Désir,** suivi de **le Perdant,** pièces radiophoniques. Préface de François Ricard. Montréal, Leméac, 1973. 70 p. Coll. « Répertoire québécois », 29.
**L'Épouvantail,** roman. Montréal, Éditions du Jour, 1974. 228 p. Coll. « Les Romanciers du Jour ». ISBN 0-7760-0571-5.
**L'Épidémie,** roman. Montréal, Éditions du Jour, 1975. 218 p. ISBN 0-7760-0651-7.
**Une soirée en octobre,** théâtre. Présentation de Martial Dassylva. Montréal, Leméac, 1975.

97 p. Coll. « Théâtre Leméac », 44. ISBN 0-7761-0043-2.

**Les Rescapés,** roman. Montréal, Éditions Quinze, 1976. 146 p. ISBN 0-88565-011-5.

**La Folle d'Elvis,** nouvelles. Montréal, Québec-Amérique, 1981. 137 p. Coll. « Littérature d'Amérique ». ISBN 2-89037-080-X.

**Fuites et Poursuites,** nouvelles. En collaboration. Montréal, Quinze Éditeur, 1982. 199 p. ISBN 2-99026-307-X.

## ŒUVRE TRADUITE

**The Scarecrows of St-Emmanuel,** roman. Traduction anglaise de Sheila Fischman; titre original : **L'Épouvantail.** Toronto, McClelland & Stewart, 1977. 176 p. ISBN 0-7710-5471-8.

## Henriette MAJOR

Kèro

(Montréal, 6 janvier 1933– ). Henriette Major est diplômée de l'Institut pédagogique de Montréal. Journaliste et scénariste, elle « a décidé de ne vivre que de sa plume » de sorte que sa production est très diversifiée : séries télévisées (*l'Évangile en papier*, etc.), reportages, billets, matériel éducatif, livres pour jeunes. Henriette Major a été agent d'information à l'université de Montréal de 1967 à 1971 et depuis 1976 elle est directrice de la collection « Pour lire avec toi » aux Éditions Héritage. Elle a collaboré aux revues *Maclean* et *Châtelaine* et à *Perspectives* où elle tenait une chronique hebdomadaire depuis 1966. Elle est membre de Communication-Jeunesse et de la Société des auteurs, recherchistes, documentalistes et compositeurs. Elle a reçu le Prix de l'Association des libraires en 1970 pour *la Surprise de dame Chenille* et le Prix Alvine-Bélisle en 1978 pour *l'Évangile en papier.*

## ŒUVRES

**Un drôle de petit cheval bleu,** conte. Illustrations de Guy Gaucher. Montréal, Centre de psychologie et de pédagogie, 1967. 58 p. : ill. Coll. « Coccinelle ».

**Le Club des curieux,** aventure. Illustrations de Louise Roy. Montréal, Fides, 1967. 122 p. : ill. Coll. « Les Quatre-Vents ».

**Jeux dramatiques,** théâtre. Montréal, Héritage, 1969. 125 p.

**À la conquête du temps,** aventure. Illustrations de Louise Roy-Kerrigan. Montréal, Éducation nouvelle, 1970. 122 p. : ill. en coul. Coll. « Karim », 3. ISBN 0-7772-4077-7.

**La Surprise de dame Chenille,** conte. Dans des décors de Claude Lafortune; photographiés par Jean-Louis Frund. Montréal, Centre de psychologie et de pédagogie, 1970. 48 p. : ill. en coul. Coll. « Premiers Pas ».

**Romulo, enfant de l'Amazonie, sur les ailes de l'espérance.** Montréal, Éditions du Jour, Productions Explo-Mundo, 1973. 36 p. : ill. part. en coul.

**Contes de nulle part et d'ailleurs.** Illustrations de Claude Richard. S.l., École des Loisirs, 1975. 60 p. Coll. « Joie de lire ».

**Bonjour Montréal ! : mini-guide pour les jeunes avec Bob et Lili/ Hello Montreal ! : The Young People, a guide with Bob and Lili.** Illustrations de Robert Hénen ; en collaboration avec Paule Sainte-Marie. Montréal, Héritage, 1975. 48 p. : ill.

**Les Contes de l'arc-en-ciel.** Illustrations de Danielle Shelton. Montréal, Héritage, 1976. 124 p. : ill. Coll. « Pour lire avec toi ». ISBN 0-7773-4401-7.

**Un homme et sa mission : le cardinal Léger en Afrique.** Montréal, Éditions de l'Homme, 1976. 190 p. : ill. part. en coul. ISBN 0-7759-0502-X.

**L'Évangile en papier,** enseignement, livre, disque. En collaboration avec Claude Lafortune. Montréal, Fides, 1977. 93 p. : carte.

**L'Évangile en papier,** texte intégral de l'émission de télévision. Montréal, Fides, 1977. 180 p. ISBN 0-7755-0654-0.

**L'Évangile en papier**, album de créativité. En collaboration avec Claude Lafortune. Montréal, Fides, 1978. 48 p. ISBN 0-7755-0678-8.

**Un jour, une rivière,** conte. Illustrations de Pierre Cornuel. Paris, La Farandole, 1978. 30 p. : ill.

**Une fleur m'a dit.** Illustrations d'Hélène Falcon. Montréal, Héritage, 1978. 122 p. : ill. Coll. « Pour lire avec toi ». ISBN 0-7773-4413-0.

**Élise et l'Oncle riche,** roman. Préface de Guy Boulizon ; illustrations de Michèle Devlin. Montréal, Fides, 1979. 109 p. : ill. en coul. Coll. « Du goéland ». ISBN 2-7621-0731-8.

**Kapuk,** conte. Illustrations de Cécile Gagnon. Saint-Lambert, Héritage, 1979. N.p.: ill. en coul. Coll. « Brindille ». ISBN 0-7773-4318-5.
**Les 5 Frères,** conte. Illustrations de Cécile Gagnon. Saint-Lambert, Héritage, 1979. N.p.: ill. en coul. Coll. « Brindille ». ISBN 0-7773-4314-2.
**Doudou les assiettes,** conte. Illustrations de Cécile Gagnon. Saint-Lambert, Héritage, 1979. N.p.: ill. en coul. Coll. « Brindille ».
**La Bible en papier.** En collaboration avec Claude Lafortune. Montréal, Fides, 1979. 96 p. ISBN 2-7621-0796-2.
**Le Crayon magique,** conte. Illustrations de Robert Bigras. Montréal, Héritage, 1980. N.p.: en maj. part. ill. Coll. « Brindille ». ISBN 0-7773-4327-4.
**Madeleine la vilaine,** conte. Illustrations de Josée Laperrière. Montréal, Héritage, 1980. N.p.: en maj. part. ill. Coll. « Brindille ». ISBN 0-7773-4328-2.
**Visages du Québec.** En collaboration avec Roger Tremblay. Montréal, Centre éducatif et culturel, 1980. 64 p.: ill., carte. ISBN 2-7617-0038-4.
**Histoires autour du poêle,** contes. Illustrations de Sylvie Guimont. Paris, Farandole, 1980. 48 p.: ill. en coul. ISBN 2-7047-0193-8.
**Agenda. Avec un grain de sel.** Illustrations de Jean Turgeon. Montréal, Héritage, 1980. 132 p.: ill. ISBN 0-7773-5383-0.
**La Motoneige rouge,** conte. Illustrations de Suzanne Duranceau. Paris, Bayard Presse, 1981. 64 p.: ill. en coul. Coll. « J'aime lire ».
**J'étais enfant en Nouvelle-France,** conte. Paris, Sorbier, 1981. 48 p.: ill. en coul. Coll. « J'étais enfant ». ISBN 2-7320-3003-7.
**François d'Assise.** En collaboration avec Claude Lafortune. Montréal, Fides, 1981. N.p.: ill. ISBN 2-7621-1126-9.
**L'Ogre de Niagara.** Adaptation d'Henriette Major de l'œuvre de Maxine; illustrations de Michèle Devlin. Montréal, Héritage, 1981. 123 p.: ill. Coll. « Pour lire avec toi ». ISBN 0-7773-4422-X.
**Les Boucaniers d'eau douce.** En collaboration avec Pierre Brassard. Montréal, Fides, 1982. 162 p. Coll. « Les Boucaniers d'eau douce ». ISBN 2-7621-0739-3.
**Les Découvertes des boucaniers.** En collaboration avec Pierre Brassard. Montréal, Fides, 1982. 134 p. Coll. « Les Boucaniers d'eau douce ». ISBN 2-7621-0741-5.
**Les Boucaniers et le Vagabond.** En collaboration avec Pierre Brassard. Montréal, Fides, 1982. 180 p. Coll. « Les Boucaniers d'eau douce ».

## ŒUVRE TRADUITE

**A Man and his Mission: Cardinal Léger in Africa.** Traduction anglaise de Jane Springer; titre original: **Un homme et sa mission: le cardinal Léger en Afrique.** Scarborough, Prentice-Hall of Canada, 1976. 190 p.: ill. part. en coul.

# Jean-Louis MAJOR

(Cornwall, Ont., 16 juillet 1937– ). Jean-Louis Major est professeur au département des lettres françaises de l'université d'Ottawa depuis 1971. Il a obtenu une licence (1960), une maîtrise (1961) et un doctorat en philosophie (1965) à cette même institution. Essayiste littéraire, il a publié sept livres et collaboré à plusieurs ouvrages collectifs. Critique littéraire pour *le Droit* de 1963 à 1965, directeur de la revue *Incidences* de 1964 à 1965, chroniqueur de poésie québécoise pour le *University of Toronto Quarterly* de 1969 à 1972 et codirecteur de la collection « Cahiers d'inédits » aux Éditions de l'université d'Ottawa depuis 1970, Jean-Louis Major rédige également une chronique sur les écrits autobiographiques dans la revue *Lettres québécoises* depuis 1978. Il a publié plus d'une centaine d'articles et de comptes rendus dans divers journaux et revues, notamment: *Canadian Author and Bookman, le Devoir, Liberté, Livres et Auteurs québécois, Relations* et *Tel Quel*. Il est membre de l'Association des littératures canadienne et québécoise et de l'Académie des lettres et sciences humaines de la Société royale du Canada.

## ŒUVRES

**Le Roman canadien-français,** essai. En collaboration. Montréal, Fides, 1964. Coll. « Archives des lettres canadiennes ».
**Saint-Exupéry, l'écriture et la pensée,** essai. Ottawa, Éditions de l'université d'Ottawa, 1968. 278 p.
**Histoire de la littérature française du Québec, T. IV.** En collaboration. Montréal, Beauchemin, 1969.

**La Poésie canadienne-française,** essai. En collaboration. Montréal, Fides, 1969. Coll. « Archives des lettres canadiennes ».

**Les Critiques de notre temps et Saint-Exupéry,** essai. En collaboration. Paris, Garnier, 1971. Coll. « Les Critiques de notre temps ».

**« Léone » de Jean Cocteau,** édition critique. Ottawa, Éditions de l'université d'Ottawa, 1974. 145 p. Coll. « Cahiers d'inédits ». ISBN 0-7766-4238-3.

**Teaching in the Universities : No One Way,** essai. En collaboration. Montréal, Londres, McGill-Queen's University Press, 1974.

**Anne Hébert et le Miracle de la parole,** essai. Montréal, Presses de l'université de Montréal, 1976. 114 p. Coll. « Lignes québécoises ». ISBN 0-8405-0321-0.

**Radiguet, Cocteau, « Les Joues en feu »,** essai. Ottawa, Éditions de l'université d'Ottawa, 1977. 100 p. Coll. « Cahiers d'inédits ». ISBN 0-7766-4241-3.

**La Poésie,** essai. En collaboration. Paris, Gallimard, 1977. Coll. « Cahiers Jean Cocteau ».

**Mélanges de civilisation canadienne-française offerts au professeur Paul Wyczynski.** En collaboration. Ottawa, Editions de l'université d'Ottawa, 1977.

**Langue, Littérature, Culture au Canada français,** essai. En collaboration. Ottawa, Éditions de l'université d'Ottawa, 1977.

**La Littérature française par les textes théoriques : XIX^e siècle,** essai et anthologie. Ottawa, Éditions de l'université d'Ottawa, 1977. 125 p.

**Paul-Marie Lapointe : la nuit incendiée,** essai. Montréal, Presses de l'université de Montréal, 1978. 136 p. Coll. « Lignes québécoises ». ISBN 0-8405-0400-4.

**Le Jeu en étoile,** essai. Ottawa, Éditions de l'université d'Ottawa, 1978. 190 p. Coll. « Cahiers du CRCCF ». ISBN 0-7766-4097-6.

**Présentation... à la Société royale du Canada.** En collaboration. Société royale du Canada, 1979.

## Paul-Chanel MALENFANT

(Saint-Clément, 25 janvier 1950–      ). Poète, Paul-Chanel Malenfant a publié des poèmes et des textes dans *la Barre du jour, la Nouvelle Barre du jour, Liberté* et *Voix et Images.* Responsable de la section poésie de *Livres et Auteurs québécois* depuis 1979, il est membre du comité de lecture et de rédaction d'*Estuaire* depuis 1980. Détenteur d'un baccalauréat en études françaises (1972) et d'une maîtrise en études québécoises (1974) de l'université de Montréal, il a terminé un doctorat en littérature québécoise à l'université Laval en 1979. Il enseigne au cégep de Rimouski depuis 1973 et a également été chargé de cours aux universités Laval et du Québec à Rimouski. Paul-Chanel Malenfant a également participé aux émissions *Poésie* et *l'Atelier des inédits* au réseau MF de Radio-Canada.

### ŒUVRES

**De rêve et d'encre douce,** poésie. Avec quinze gravures de Suzanne Reid-Girard et autres. Montréal, s.é., 1972. N.p. : 15 planches en coul.

**Poèmes de la mer pays.** Montréal, Hurtubise HMH, 1976. 76 p. Coll. « Sur parole ». ISBN 0-7758-0055-4.

**Forges froides,** poésie. Dessins de Réal Dumais. Montréal, Quinze, 1977. 144 p. : ill. ISBN 0-88565-145-6.

**Suite d'hiver,** poésie. Gravures de Réal Dumais. Montréal, Réal Dumais Éditeur, 1978. N.p. : ill.

**Corps second,** poésie. Avec six eaux-fortes de Réal Dumais. Montréal, Réal Dumais Éditeur, 1981. N.p. : ill. en coul.

## Marilú MALLET

Guy Borremans

(Santiago, Chili, 2 décembre 1945–      ). C'est à la suite du renversement du gouvernement Allende que Marilú Mallet a émigré au Québec où elle vit depuis 1973. Elle avait auparavant étudié l'anthropologie à l'université de Californie (1962-1963), l'architecture à l'université du Chili (1964–1969) et le cinéma à l'École d'études cinématographiques de Santiago (1967-1968). Elle a réalisé de nombreux documentaires tant au Chili qu'au Québec ainsi que plusieurs émissions de télévision diffusées sur les ondes de Radio-Québec. Elle a également publié dans *Châtelaine* et *Liberté*.

### ŒUVRE

**Les Compagnons de l'horloge-pointeuse,** nouvelles. Montréal, Québec-Amérique, 1981. 110 p. ISBN 2-89037-081-X.

## † Reine MALOUIN

(Québec, 2 février 1898–11 mars 1976). Reine Malouin a pratiqué divers genres littéraires : poèmes, nouvelles, romans, etc. Elle a étudié au couvent Saint-Jean-Baptiste de Québec et à l'université Laval et publié son premier livre en 1939. Elle a collaboré au *Journal*, à *l'Événement*, au *Bulletin des agriculteurs* ainsi qu'à de nombreuses autres publications. Directrice de la revue *Poésie* de 1966 à 1973, elle a occupé les postes de secrétaire générale (1968–1971) et de présidente (1971–1974) de la Société des poètes canadiens-français et a été membre du Conseil de la vie française en Amérique et de la Société historique de Québec. Elle fut récipiendaire du Grand Prix de l'Académie de la ballade française (1939), du Prix Raymond-Casgrain, et, en 1967, du Prix de poésie du Maurier, du Prix de la Société des poètes canadiens-français et d'un des prix du Centenaire pour son recueil de poèmes, *Mes racines sont là.*

### ŒUVRES

**Les Murmures,** poésie. Québec, Institut Saint-Jean Bosco, 1939. 158 p.
**Haïti l'île enchantée** et **À Travers la vie.** Québec, Institut Saint-Jean Bosco, 1940. 152 p.
**Au temps jadis,** théâtre historique. Québec, BAC, 1942. 117 p.
**Voix des poètes,** poésie. En collaboration. Montréal, Éditions Variétés, 1945. 178 p.
**Tâches obscures,** nouvelles. Québec, L'Action sociale, 1946. 161 p.
**Inviolata,** poésie. Québec, s.é., 1950. 153 p.
**Cet ailleurs qui respire,** roman. Québec, s.é., 1954. 250 p.
**La Seigneurie Notre-Dame des Anges,** monographie. Québec, Société historique de Québec, 1955. 40 p.
**Profonds Destins,** roman. Québec, L'Action sociale, 1957. 131 p. Réédité en 1962 sous le titre **Ce matin, le soleil.**
**J'ai choisi le malheur,** roman. Québec, s.é., 1958. 137 p.
**Vertige,** roman. Québec, L'Action sociale, 1959. 161 p.
**La Prairie au soleil,** roman. Québec, L'Action sociale, 1960. 181 p.
**Où chante la vie,** roman. Québec, BAC, 1962. 170 p.
**Signes perdus,** poésie. Québec, s.é., 1964. 95 p.
**Princesse de nuit,** roman. Québec, s.é., 1966. 172 p.
**Mes racines sont là...,** poésie. Québec, Garneau, 1967. 92 p.
**La poésie il y a cent ans,** essai et anthologie. Québec, Garneau, 1968. 111 p.
**Sphère armillaire,** poésie. Montréal, Cosmos, 1971. 80 p. Coll. « Relances », 6.
**Charlesbourg, 1660–1949,** monographie. Québec, La Liberté, 1974. 223 p.
**Amour-Feu,** poésie. Québec, Garneau, 1976. 99 p. Coll. « Garneau poésie ». ISBN 0-7757-0561-6.

## Jean MARCEL

Voir Jean-Marcel Paquette.

## Jovette MARCHESSAULT

Josephte Coulombe

(Montréal, 9 février 1938– ). Peintre, sculpteuse, romancière, dramaturge et metteuse en scène, Jovette Marchessault est venue à tous ces métiers en autodidacte. Artiste et créatrice à temps plein, elle a fait une vingtaine d'expositions de ses peintures et sculptures tant au Québec qu'en Ontario, à Paris et à Bruxelles.

En janvier 1980, elle fut l'initiatrice de l'exposition « 8 Montréalaises à New York ». Collaboratrice au *Devoir*, à *Châtelaine*, à *la Nouvelle Barre du jour*, à *Fireweed* et à *13 Moon*, elle est aussi cofondatrice de Squawtach Press (Montréal et New York). Jovette Marchessault recevait le Prix France-Québec pour son premier roman, *Comme une enfant de la terre*, en 1976.

### ŒUVRES

**Comme une enfant de la terre,** roman. Montréal, Leméac, 1975. 348 p. Coll. « Roman québécois », 12. ISBN 0-7761-3012-9.

**La Mère des herbes,** roman. Montréal, Quinze, 1980. 241 p. Coll. « Réelles ». ISBN 2-89026-203-0.

**Triptyque lesbien : Chronique lesbienne du Moyen Âge québécois ; les Vaches de nuit ; les Faiseuses d'ange,** récit. Illustrations de l'auteure ; postface de Gloria Feman Orenstein. Montréal, La Pleine Lune, 1980. 125 p. : ill. ISBN 2-89024-003-7.

**La Saga des poules mouillées,** théâtre. Montréal, La Pleine Lune, 1980. 178 p. : ill. Coll. « Théâtre ». ISBN 2-89024-012-6.

**Lettre de Californie.** Montréal, Nouvelle Optique, 1982. 67 p.

## Michaelena MARCON

### ŒUVRES

**Ma vie et Toi : poèmes à la désolation.** Cap-Rouge, chez l'auteure, 1974. 37 f.

**Vers libres,** poésie. Cap-Rouge, chez l'auteure, 1976.

**Chants de désespoir,** poésie. Cap-Rouge, chez l'auteure, 1978. 49 f. : ill.

**La Main du destin,** poésie. Cap-Rouge, chez l'auteure, 1978.

## Gilles MARCOTTE

(Sherbrooke, 8 décembre 1925– ). Critique littéraire, Gilles Marcotte a fait ses études au séminaire de Sherbrooke, à l'université de Montréal (maîtrise ès arts en 1951) et à l'université Laval où il a obtenu son doctorat en 1969. Après sept années comme critique littéraire au *Devoir*, il se dirige vers les communications audio-visuelles : il travaille alors comme réalisateur pour la télévision de Radio-Canada de 1955 à 1957 et comme recherchiste et scénariste à l'Office national du film de 1957 à 1961.

Kèro

En 1966, il entre au département d'études françaises de l'université de Montréal et entreprend une carrière professorale. Membre du comité de rédaction des *Écrits du Canada français* depuis sa fondation en 1954, Gilles Marcotte s'est vu attribuer de nombreux honneurs, notamment le Prix du Gouverneur général et le Prix France-Canada en 1963 pour *Une littérature qui se fait*, le Grand Prix littéraire de la ville de Montréal à deux reprises, soit pour *le Temps des poètes* (1970) et *le Roman à l'imparfait* (1976), la Médaille de l'Académie canadienne-française en 1974 et, en 1979, le Prix de la Presse pour l'*Anthologie de la littérature québécoise* qui est parue sous sa direction.

### ŒUVRES

**Le Poids de Dieu,** roman. Paris, Flammarion, 1962. 218 p.

**Une littérature qui se fait,** essai. Montréal, HMH, 1962. 293 p.

**Retour à Coolbrook,** roman. Paris, Flammarion, 1965. 220 p.

**L'Aventure romanesque de Claude Jasmin,** essai. Montréal, Département d'études françaises de l'université de Montréal, 1965. 28 p.

**Présence de la critique : critique et littérature contemporaines au Canada français,** essai. Textes choisis par Gilles Marcotte. Montréal, HMH, 1966. 254 p.

**Une littérature qui se fait,** essai. Nouvelle édition revue et augmentée. Montréal, HMH, 1968. 307 p.

**Le Temps des poètes : description critique de la poésie actuelle au Canada français.** Montréal, HMH, 1969. 247 p.

**Les Bonnes Rencontres ; chroniques littéraires.** Montréal, Hurtubise HMH, 1971. 224 p. Coll. « Reconnaissances ».

**Un voyage,** récit. Montréal, HMH, 1973. 185 p. Coll. « L'Arbre ».

**Le Roman à l'imparfait : essais sur le roman québécois d'aujourd'hui.** Montréal, La Presse, 1976. 194 p. Coll. « Échanges ». ISBN 0-7777-0143-X.

**Anthologie de la littérature québécoise.** Vol. I : **Écrits de la Nouvelle-France : 1534–1760.** Sous la direction de Gilles Marcotte. Montréal, La Presse, 1978. XIII-311 p. ISBN 0-7777-0196-1.

**Anthologie de la littérature québécoise.** Vol. II : **La Patrie littéraire : 1760–1895.** Sous la direction de Gilles Marcotte. Montréal, La Presse, 1978. 516 p. ISBN 0-7777-0202-9.

**Anthologie de la littérature québécoise.** Vol. III : **Vaisseau d'or et croix du chemin : 1895–1935.** Sous la direction de Gilles Marcotte. Montréal, La Presse, 1979. 498 p. ISBN 2-89043-008-1.

**Anthologie de la littérature québécoise.** Vol. IV : **L'Âge de l'interrogation : 1937–1952.** Sous la direction de Gilles Marcotte. Montréal, La Presse, 1980. 463 p. ISBN 2-89043-042-1.

**La Littérature et le Reste,** livre de lettres. En collaboration avec André Brochu. Montréal, Quinze, 1980. 185 p. Coll. « Prose exacte ». ISBN 2-89028-232-4.

## ŒUVRES TRADUITES

**El Peso de Dios,** roman. Traduction espagnole de Jesus Lopez Pacheco ; titre original : **Le Poids de Dieu.** Barcelone, Luis de Caralt, 1963. 209 p.

**The Burden of God,** roman. Traduction anglaise d'Élizabeth Abbott ; titre original : **Le Poids de Dieu.** New York, Vanguard Press, 1964. 185 p.

## ÉTUDE

**Essayistes québécois : dossier de presse Gilles Marcotte, 1962–1980 ; Pierre Vadeboncœur, 1962–1980.** Sherbrooke, Bibliothèque du séminaire, 1981. N.p. : ill., portr.

# MARGERIE

Pseud. de Marie-Reine Gareau.

(Saint-Jacques, comté Montcalm, 29 juin 1932– ). Ayant fait des études au collège Marie-Anne de Lachine (1949) et à l'Institut familial Esther-Blondin de Saint-Jacques (1951), Margerie a reçu son diplôme en nursing de l'école d'infirmières de l'hôpital général de Verdun en 1955. Professeur de nursing dans des hôpitaux de Montréal et Chicoutimi (1955–1958), secrétaire à temps partiel (1966–1972), elle a enseigné à la polyvalente de Laval (1972), fut coordonnatrice des services paramédicaux pour certaines compagnies de Montréal (1972–1975) et est, depuis lors, infirmière industrielle. Elle a publié des contes pour enfants aux Éditions Paulines et « compte sur l'âge de sa retraite pour écrire ». Elle est membre de l'Ordre des infirmières et de l'Association des infirmiers et infirmières en santé du travail du Québec.

## ŒUVRES

**Mon premier voyage,** conte. Illustrations de Claire Duguay. Montréal, Éditions Paulines, 1980. 15 p. : en maj. part. ill. en coul. Coll. « Les Mémoires de Coquette », 1. ISBN 2-89039-815-3.

**Bouboule et Moustache,** conte. Illustrations de Claire Duguay. Montréal, Éditions Paulines, 1980. 15 p. : en maj. part. ill. en coul. Coll. « Les Mémoires de Coquette », 2. ISBN 2-89039-808-0.

**Les Sept Vies d'un chat,** conte. Illustrations de Claire Duguay. Montréal, Éditions Paulines, 1980. 15 p. : en maj. part. ill. en coul. Coll. « Les Mémoires de Coquette », 3. ISBN 2-89039-809-9.

**Bouboule est perdue,** conte. Illustrations de Claire Duguay. Montréal, Éditions Paulines, 1980. 14 p. : en maj. part. ill. en coul. Coll. « Les Mémoires de Coquette », 4. ISBN 2-89039-810-2.

**Des vacances à la campagne,** conte. Illustrations de Claire Duguay. Montréal, Éditions Paulines, 1980. 15 p. : en maj. part. ill. en coul. Coll. « Les Mémoires de Coquette », 5. ISBN 2-89039-811-0.

**Des amis pas comme les autres,** conte. Illustrations de Claire Duguay. Montréal, Éditions Paulines, 1980. 15 p. : en maj. part. ill. en coul. Coll. « Les Mémoires de Coquette », 6. ISBN 2-89039-812-9.

**La Leçon de chasse,** conte. Illustrations de Claire Duguay. Montréal, Éditions Paulines, 1980. 15 p. : en maj. part. ill. en coul. Coll. « Les Mémoires de Coquette », 7. ISBN 2-89039-813-7.

**Une promenade aux champs,** conte. Illustrations de Claire Duguay. Montréal, Éditions Paulines, 1980. 15 p. : en maj. part. ill. en coul. Coll. « Les Mémoires de Coquette », 8. ISBN 2-89039-814-5.

# Alain MARILLAC

Pseud. de Alain Legras.

(Riom, France, 15 septembre 1951– ). Après des études en histoire à l'École pratique des hautes études, en Sorbonne (1975), Alain Marillac unit deux de ses centres d'intérêt : l'histoire et l'hypnose, et crée l'archéohypnologie. Il s'intéresse également à la relaxation immédiate et à des sujets aussi divers que les surdoués, la prestidigitation et le cinéma. Alain Marillac est surtout connu comme chercheur et conférencier sur les modifications d'état de conscience.

## ŒUVRES

**Les Cascadeurs : professionnels du risque.** Boucherville, Éditions de Mortagne, 1979. 184 p. : ill., portr., fac-sim. ISBN 2-89074-010-2.
**La Relaxation immédiate.** Montréal, Presses Sélect, 1980. 83 p. : ill. ISBN 2-89132-209-6.
**Hypnose : bluff ou réalité.** Montréal, Éditions de l'Homme, 1980. 128 p. ISBN 2-7619-0089-8.
**La Lévitation.** Montréal, Presses Sélect, 1980. 124 p. : ill. ISBN 2-89132-310-6.

## Marcel MARIN

Voir Marcel Cabay.

## Robert MARTEAU

Kèro

(Villiers-en-Bois, Deux-Sèvres, France, 8 février 1925– ). Après des études au lycée de Niort, Robert Marteau s'établit à Paris (1944) où il fréquente l'Institut hispanique. Il publie alors ses premiers textes dans *les Cahiers du Sud* puis dans *les Lettres nouvelles, le Mercure de France* et *Esprit*, dont il devient collaborateur permanent et membre du comité directeur. Il participe également de façon permanente à *la Revue de poésie* tout en travaillant pour le secrétariat d'État à la Jeunesse, aux Sports et aux Loisirs. Membre de l'Association internationale des critiques d'art, il a immigré au Québec en 1972. Citoyen canadien (1978), il a assumé la responsabilité de la production aux Presses de l'université de Montréal (1973–1978), a tenu la chronique d'art au journal *le Jour* et collabore comme critique d'art à *Liberté*, au *Devoir* et à *Vie des arts.* Les publications *Sumac, Pequod, Poetry, Osiris, Exile, Estuaire, Ellipse* et *Études françaises* ont également accueilli de ses écrits. Auteur de nombreux documents radiophoniques produits par Radio-Canada sur Pierre Jean Jouve, René Char, la tauromachie, Chagall, Monet, etc., il a également écrit et réalisé de nombreux courts métrages sur l'art ou la peinture dont : *Le Moal, Bertholle, Lurçat* et *Minaux.*

## ŒUVRES

**Royaumes,** poésie. Paris, Seuil, 1962. 72 p.
**Ode numéro 8,** poésie. Avec eaux-fortes de Bertholle. Paris, Syrinx, 1965. N.p. : ill.
**Travaux sur la terre,** poésie. Paris, Seuil, 1966. 96 p.
**El Cordobès,** essai. En collaboration ; photographies de Lucien Clergue. Paris, La Jeune Parque, 1966.
**Des chevaux parmi les arbres,** roman. Paris, Seuil, 1968. 264 p.
**Chagall sur la terre des dieux.** Avec dix lithographies de Chagall. Paris, A.C. Mazo et Fernand Mourlot, 1969. N.p. : ill.
**Sibylles,** poésie. Avec vingt et un dessins de Singier. Paris, Galanis, 1971. 85 p. : ill.
**Les Vitraux de Chagall,** essai. Avec reproductions en coul. des vitraux. Paris, Mazo, 1972. 156 p. : ill.
**Pentecôte,** roman. Paris, Gallimard, 1973. 240 p.
**Hélène,** poésie. Avec dix lithographies de Minaux. Paris, Sauret, 1974. 48 p. : ill.
**Les Ateliers de Marc Chagall.** Avec lithographies et frontispice de Chagall. Paris, Fernand Mourlot, 1976. 128 p. : ill.
**L'Érotisme au Moyen Âge.** En collaboration. Montréal, L'Aurore, 1976.
**Âge.** Montréal, L'Aurore, 1976.
**Atlante,** poésie. Montréal, L'Hexagone, 1976. 41 p.
**Traité du blanc et des teintures,** poésie. Avec sept gravures de Gérard Tremblay. Montréal, Erta, 1978. 65 p. : ill.
**L'Œil ouvert,** essai. Montréal, Quinze, 1978. 168 p.
**Ce qui vient,** essai. Montréal, L'Hexagone, 1979. 84 p. ISBN 2-89000-616-4.
**Mont-Royal.** Paris, Gallimard, 1981. 179 p. : ill.

## ŒUVRES TRADUITES

**Stained Glass Windows of Chagall,** essai. Traduction anglaise ; titre original : **Les Vitraux de Chagall.** New York, Tudor, 1973.

**Atlante,** poésie. Bilingue avec traduction anglaise de Barry Callaghan. Toronto, Exile, 1979.

**Salamander,** anthologie poétique bilingue. Traduction anglaise et présentation d'Anne Winters. Princeton, Princeton University Press, 1979. 192 p.

## TRADUCTIONS

**La Voix sous la pierre,** poésie. Traduction du serbo-croate des poèmes de Miodrag Pavlovitch. Paris, Gallimard, 1970. 92 p.

**Les Livres de Hogg,** poésie. Traduction française des poèmes de Barry Callaghan. Montréal, Quinze, 1978. 141 (i.e. 71) f. : ill. en coul. Coll. « Poésie ». ISBN 0-88565-180-4.

### Émile MARTEL

Kèro

(Amos, 10 août 1941–    ). À l'emploi du ministère des Affaires extérieures depuis 1967, Émile Martel a occupé depuis des postes successifs à Ottawa, San José (Costa Rica), Paris et Madrid. Détenteur d'une licence ès lettres (espagnol) de l'université Laval (1962) et d'un doctorat en littérature espagnole de l'université de Salamanque (Espagne, 1964), il a enseigné les littératures française et espagnole aux universités de Victoria et d'Alaska (1964–1967). Son livre, *les Gants jetés,* lui a permis d'être finaliste au Grand Prix littéraire de la ville de Montréal (1978).

## ŒUVRES

**Les Enfances brisées,** récits poétiques. Montréal, Éditions du Jour, 1969. 127 p. Coll. « Les Romanciers du Jour ».

**L'Ombre et le Silence : prose à lire à voix haute.** Montréal, Éditions du Jour, 1974. 91 p. ISBN 0-7760-0627-4.

**Les Gants jetés,** prose poétique/roman. Illustrations de Colette Perron. Montréal, Quinze, 1977. 168 p. : ill. ISBN 0-88565-110-3.

### Ronald MARTEL

(Lac Mégantic, 23 septembre 1954–    ). Après l'obtention de son diplôme d'études collégiales au séminaire de Sherbrooke (1974), Ronald Martel travaille comme reporter à la radio puis comme traducteur publicitaire tout en complétant un baccalauréat en journalisme et information à l'université Laval (1977). Secrétaire puis président de l'Association des auteurs des Cantons de l'Est, il agit comme coordonnateur du Salon du livre de Sherbrooke depuis 1979. Auteur d'un recueil de poèmes et d'un roman, il collabore aux revues *Grimoire* et *les Cahiers du hibou.* Depuis 1977, Ronald Martel est directeur de la publicité pour la compagnie Simpsons-Sears, région de Sherbrooke.

## ŒUVRES

**Le droit de s'aimer,** roman. Sherbrooke, Séminaire de Sherbrooke, 1972. 140 p.

**Vestiges de vertiges,** poésie. Cap-Rouge, Éditions de la Basoche, 1977. 106 p.

### Suzanne MARTEL

(Québec, 8 octobre 1924–    ). Auteure de nombreux ouvrages tels des contes, des récits de science-fiction, des livres de cuisine et de bricolage pour la jeunesse, Suzanne Martel a aussi écrit des romans historiques et d'aventures pour les adultes. Imprégnée des récits de Rudyard Kipling, c'est avec sa sœur Monique Corriveau qu'elle en vient à imaginer un pays mi-réel, mi-fictif, le Gotal, et des personnages

qui habiteront ses récits d'aventures. Poursuivant sa carrière d'écrivaine, elle fut, après des études chez les ursulines de Québec et à l'université de Toronto (1942-1943), journaliste au quotidien *le Soleil* (1945-1946), coordonnatrice des activités féminines en langue française à l'Exposition internationale de Montréal (1967-1968) et fondatrice et éditrice de l'hebdomadaire des jeunes *Safari* au *Montréal-Matin* (1971–1973). En plus de remporter de nombreux prix littéraires dont le Prix de l'A.C.E.L.F. (1962, 1963 et 1979), le Prix Alvine-Bélisle (1974) et le Prix Air Canada (1979), Suzanne Martel a prononcé plusieurs conférences et fait paraître des articles dans différents journaux et des nouvelles dans *Châtelaine. Nos amis robots* a remporté le Prix de littérature de jeunesse du Conseil des arts.

## ŒUVRES

**Surréal 3000,** littérature de jeunesse. Montréal, Éditions du Jour, 1963. 157 p. Coll. « Aventure et Science-fiction ».

**Lis-moi la baleine,** conte. Illustrations d'Éric Martel. Québec, Éditions Jeunesse, 1966. 74 p. : ill. Coll. « Grain de sel ».

**Marmitons,** livre de cuisine. En collaboration avec Alain Martel ; illustrations de Cécile Gagnon. Montréal, Éditions Jeunesse, 1972. 160 p. : ill. ISBN 0-7772-3001-1.

**Jeanne, fille du roy,** roman. Préface de Jacques Lacoursière ; illustrations de Michelle Poirier. Montréal, Fides, 1974. 254 p. : ill. Coll. « Du goéland ». ISBN 0-7755-0525-0.

**Titralak, cadet de l'espace,** science-fiction pour jeunes. Montréal, Héritage, 1974. 282 p. Coll. « Katimavik ». ISBN 0-7773-3001-6.

**Pi-Oui,** roman pour jeunes. Montréal, Héritage, 1974. 186 p. Coll. « Katimavik », 4. ISBN 0-7773-3004-0.

**Tout sur Noël,** bricolages. Illustrations de Josée Guberek. Montréal, Fides, 1977. 179 p. : ill. Coll. « Comment faire... ». ISBN 0-7755-0649-4.

**Goûte-à-tout,** livre de cuisine pour jeunes. Illustrations de Cécile Gagnon. Montréal, Fides, 1977. 80 p. : ill. ISBN 0-7755-0666-4.

**À la découverte du Gotal,** récit de voyage. Montréal, Fides, 1979. 405 p. Coll. « Montcorbier ». ISBN 2-7621-0780-6.

**L'Apprentissage d'Arahé,** roman. Montréal, Fides, 1979. 361 p. Coll. « Montcorbier ». ISBN 2-7621-0781-4.

**Premières Armes,** roman. Montréal, Fides, 1979. 390 p. Coll. « Montcorbier ». ISBN 2-7621-0782-2.

**Menfou Carcajou.** T. I : **Ville-Marie,** roman. Outremont, Leméac, 1980. 254 p. Coll. « Roman québécois ». ISBN 2-7609-3043-2.

**Menfou Carcajou.** T. II : **La Baie du Nord,** roman. Outremont, Leméac, 1980. 203 p. Coll. « Roman québécois ». ISBN 2-7609-3051-3.

**Nos amis robots,** science-fiction pour jeunes. Montréal, Héritage, 1981. 241 p. Coll. « Galaxie ». ISBN 0-7773-3402-X.

## ŒUVRES TRADUITES

**City Underground,** science-fiction pour jeunes. Traduction anglaise de Norah Smaridge ; titre original : **Surréal 3000.** New York, Viking Press, 1964. 157 p.

**SOS (...),** science-fiction pour jeunes. Traduction japonaise de Shigeru Shiraki ; titre original : **Surréal 3000.** Tokyo, Akane-Shobo, 1968. 251 p. Coll. « Series of International Prize Literature for Juvenile ».

**King's Daughter,** roman. Traduction anglaise de David Toby Homel et Margaret Rose ; titre original : **Jeanne, fille du roy.** Vancouver, Groundwood Books, 1980. 21 p. ISBN 0-88899-007-3 et 0-88899-006-7.

## Aimée-Simone MARTIN

Voir Aimée-Simone Martine.

## Claire MARTIN

Pseud. de Claire Montreuil.

(Québec, 1914– ). Élève des dames de la Congrégation Notre-Dame et des Ursulines,

Claire Martin devient ensuite annonceuse à CKCV (Québec) et à Radio-Canada (Montréal). Elle publie son premier livre en 1958, *Avec ou sans amour*, pour lequel elle reçoit le Prix du Cercle du livre de France. Présidente de la Société des écrivains canadiens-français en 1962, elle écrit *Dans un gant de fer* qui lui mérite en 1966 les prix du Gouverneur général et du Concours littéraire du Québec. En 1967, elle est élue à la Société royale du Canada et est de nouveau lauréate du Prix du Gouverneur général, cette fois pour *la Joue droite*. En 1972, Claire Martin part en France où elle réside depuis. Elle a été écrivaine résidente à l'université d'Ottawa en 1973 et a également fait de la traduction.

### ŒUVRES

**Avec ou sans amour,** nouvelles. Montréal, Cercle du livre de France, 1958. 185 p.

**Doux-amer,** roman. Montréal, Cercle du livre de France, 1960. 192 p.

**Quand j'aurai payé ton visage,** roman. Montréal, Cercle du livre de France, 1962. 187 p.

**Dans un gant de fer,** autobiographie. Montréal, Cercle du livre de France, 1965. 235 p.

**La Joue droite,** autobiographie. Montréal, Cercle du livre de France, 1966. 210 p.

**Les Morts,** roman. Montréal, Cercle du livre de France, 1970. 152 p.

**Moi, je n'étais qu'espoir,** théâtre. Montréal, Cercle du livre de France, 1972. 54 p.: portr. ISBN 0-7753-8500-X.

**La petite fille lit,** récit. Ottawa, Éditions de l'université d'Ottawa, 1973. 18 p. Coll. « Textes », 2.

### ŒUVRE TRADUITE

**In an Iron Glove,** autobiographie. Traduction anglaise de Philip Stratford; titre original: **Dans un gant de fer** et **la Joue droite.** Toronto, Ryerson Press, 1969. IX-327 p.: ill., portr. ISBN 0-7700-0250-1.

### TRADUCTIONS

**Le Violon.** Traduction de **The Violin** de Robert T. Allen. Montréal, Cercle du livre de France, 1976. 78 p.: ill., notations musicales. Coll. « Des deux solitudes: juvénile ». ISBN 0-7753-0092-6.

**L'Ange de pierre.** Traduction de **The Stone Angel** de Margaret Laurence. Montréal, Cercle du livre de France, 1976. 342 p. Coll. « Des deux solitudes ». ISBN 0-7753-0075-6.

**Le lion avait un visage d'homme,** roman. Traduction de **The Manticore** de Robertson Davies. Montréal, Cercle du livre de France, 1978. 323 p. Coll. « Des deux solitudes ». ISBN 0-7753-0122-4.

**Le Monde des merveilles,** roman. Traduction de **World of Wonders** de Robertson Davies. Montréal, Cercle du livre de France, 1980. Coll. « Des deux solitudes ».

### ÉTUDES

Vigneault, Robert, **Claire Martin: son œuvre, les réactions de la critique.** Préface de Roger Lemoine. Montréal, Cercle du livre de France, 1975. 216 p.: ill., portr. ISBN 0-7753-0067-5.

**Romanciers québécois: dossier de presse.** T. IV, **Claire Martin, 1959–1978; Philippe Panneton, 1938–1970; Suzanne Paradis, 1961–1980.** Sherbrooke, Bibliothèque du séminaire, 1981. 142 p.: portr.

## Jacqueline MARTIN

John Evans

(Timmins, Ontario, 9 mai 1930– ). Détentrice d'une maîtrise en lettres françaises de l'université d'Ottawa (1975), Jacqueline Martin a aussi fait des études en musique au Conservatoire de l'université de Toronto (1953). D'abord professeur à l'élémentaire, elle a ensuite travaillé au Conseil national des recherches puis comme technicienne avant de revenir à l'enseignement. Elle est maintenant professeure invitée à l'université du Québec à Hull. En 1966, sa pièce *le Fou d'Agolan* a remporté le Prix Théôret et *la Quintaine* obtenait le Prix Gladys-Watt au Festival de la pièce en un acte. *La Quintaine* a été publiée dans la revue *l'Avant-scène* et traduite dans un recueil de pièces en un acte édité en Espagne. Jacqueline Martin a fondé ses propres éditions, les Éditions de l'Onde. Elle collabore à la rédaction des programmes scolaires du ministère de l'Éducation de l'Ontario. Des extraits de ses pièces ont été publiés dans une anthologie de textes littéraires franco-ontariens préparée par Yolande Grisé.

ŒUVRES

**Le Fou d'Agolan,** théâtre. Illustrations de Jacmar. Ottawa, Éditions de l'Onde, 1976. 102 p.: ill.

**Trois Pièces en un acte.** Illustrations de Bernard Poulin. Ottawa, Éditions de l'Onde, 1977. 101 p.: ill.

**Bon Bombidou,** théâtre pour enfants. Illustrations de l'auteure. Ottawa, Éditions de l'Onde, 1978. 80 p.: ill.

**Jeux d'improvisation**, théâtre pour enfants. Illustrations de l'auteure. Ottawa, Éditions de l'Onde, 1978. 146 p.: ill.

**Le Destin tragique du Cavalier de la Salle**, théâtre. Illustrations de l'auteure. Ottawa, Éditions de l'Onde, 1979. 88 p.: ill.

**L'Expression dramatique: cycles intermédiaire et supérieur,** programme-cadre. Toronto, ministère de l'Éducation de l'Ontario, 1981. 57 p.

## Aimée-Simone MARTINE

Pseud. de Aimée-Simone Martin.

(Montréal, 10 juillet 1929– ). Née à Montréal de parents suisses, Aimée-Simone Martine grandit à Lausanne et ne revient au Québec qu'en 1954. Elle continue cependant à voyager et à faire de fréquents séjours en Europe. De 1950 à 1977 elle enseigne le français successivement en Angleterre, en Ontario et à l'université de l'Alberta. Auteure de livres pour enfants, Aimée-Simone Martine a donné des conférences sur la littérature québécoise en Suisse, en Alberta et en Colombie Britannique (1975–1980). Elle a collaboré aux pages françaises du *Canadian Teacher* entre 1967 et 1970, publié des récits de voyage dans *l'Abeille* (Suisse) et écrit des articles sur la littérature québécoise pour plusieurs magazines.

ŒUVRES

**La Promenade des mouffettes,** littérature pour la jeunesse. Illustrations de Claire Duguay. Montréal, Éditions Paulines, 1974. 15 p.: ill. part. en coul. Coll. « Rêves d'or », 2. ISBN 0-88840-408-5.

**Ratonnet et Ratonnette,** littérature pour la jeunesse. Illustrations de Gabriel de Beney. Montréal, Éditions Paulines, 1974. 15 p.: ill. part. en coul. Coll. « Rêves d'or », 4. ISBN 0-88840-410-7.

**À la rivière des ours,** littérature pour la jeunesse. Illustrations de Claire Duguay. Montréal, Éditions Paulines, 1975. 15 p.: ill. part. en coul. Coll. « Rêves d'or », 10. ISBN 0-88840-500-6.

**L'Escapade de Joujou,** littérature pour la jeunesse. Illustrations de Claire Duguay. Montréal, Éditions Paulines, 1975. 15 p.: ill. part. en coul. Coll. « Rêves d'or », 11. ISBN 0-88840-501-4.

## Carole MASSÉ

Pseud. de Carole Hébert.

(Montréal, 9 mars 1949– ). Poète et romancière, Carole Massé a, outre ses deux publications, écrit des textes dans *la Nouvelle Barre du jour* et dans les revues françaises *Actuel* et *Change.* Bachelière en études littéraires de l'université du Québec à Montréal (1971), elle est ensuite correctrice d'épreuves à l'université de Montréal (1974–1977) et pour un studio de graphisme. Carole Massé suit de près les luttes menées par les femmes et s'intéresse également à la psychanalyse et aux mythes sociaux et religieux de notre époque.

ŒUVRES

**Rejet,** poésie. Illustrations de l'auteure. Montréal, Éditions du Jour, 1975. 120 p.: ill. ISBN 0-7760-0640-1.

**Dieu,** roman. Montréal, Les Herbes rouges, 1979. 124 p.: ill. Coll. « Lecture en vélocipède », 20. ISBN 2-920051-00-8.

## Jeannette MASSIE

(Montréal, 21 mars 1927– ). Romancière, Jeannette Massie passe les premières années de sa vie au pensionnat d'où elle ne sort que pour terminer ses études secondaires à l'école Saint-Arsène de Montréal, puis chez les sœurs de Sainte-Croix à l'école Sainte-Cécile. Effectuant de nombreux déplacements partout au Canada, elle se met à écrire durant ses loisirs des contes pour enfants qu'elle destine d'abord à sa famille. C'est en 1975 qu'elle publiait son pre-

mier roman, *Jeunesse libre*, suivi d'un second en 1982.

## ŒUVRES

**Jeunesse libre,** roman. Montréal, Sondec, 1975. 197 p. ISBN 0-88541-001-7.
**Les Amants d'hier,** roman. Joliette, Pleins Bords, 1982. 162 p.: ill.

# André MATHIEU

(Beauce, 1942– ). Après avoir exercé divers métiers dont celui d'enseignant, André Mathieu est « devenu auteur par désœuvrement » et « y a pris goût ». À ses activités littéraires s'ajoutent ses occupations d'homme d'affaires.

## ŒUVRES

**Demain tu verras,** roman. Montréal, Québec-Amérique, 1978. 413 p. ISBN 0-88552-044-0.
**Complot,** roman. Laval, Futural, 1979. 309 p.
**Vente-trottoir,** théâtre, suivi de **Chérie,** scénario. Laval, Futural, 1979. 159 p.
**Un amour éternel,** roman. Saint-Eustache, Éditions André Mathieu, 1980. 371 p. ISBN 2-89196-001-7.

# Francine MATHIEU

Studio Karel

(Montréal, 16 octobre 1946– ). Après son cours classique au collège Regina Assumpta de Montréal (1967), Francine Mathieu a étudié l'art publicitaire puis, au collège Notre-Dame, le dessin. Vice-présidente de Communication-Jeunesse et collaboratrice au *Livre d'ici*, elle est également directrice de collection aux Éditions Héritage depuis 1980. D'abord illustratrice, Francine Mathieu s'est ensuite mise à écrire des livres pour enfants en 1976.

## ŒUVRES

**Le Renard rose,** roman pour la jeunesse. Illustrations de France Bédard. Montréal, Héritage, 1976. 121 p.: ill. Coll. « Pour lire avec toi ». ISBN 0-7773-4404-1.
**Tourbillon, le lutin de la Côte Nord,** roman pour la jeunesse. Illustrations de Danielle Shelton. Montréal, Héritage, 1977. 121 p.: ill. Coll. « Pour lire avec toi ». ISBN 0-7773-4407-6.
**La Vieille Armoire,** conte. Illustrations de l'auteure. Montréal, Éditions Paulines, 1978. 15 p.: ill. part. en coul. Coll. « Monsieur Hibou », 8. ISBN 0-88840-629-0.
**L'École enchantée,** roman pour la jeunesse. Illustrations de Marie-Andrée Lestage. Montréal, Héritage, 1979. 124 p.: ill. Coll. « Pour lire avec toi ». ISBN 0-7773-4417-3.
**Chansons pour un ordinateur,** roman pour la jeunesse. Illustrations de Laurent Bouchard. Montréal, Fides, 1980. 101 p.: ill. en coul. Coll. « Du goéland ». ISBN 2-7621-1001-7.

# Pierre MATHIEU

(Montréal, 28 juillet 1933– ). Poète, dramaturge et nouvelliste, Pierre Mathieu est professeur de littérature et de langue depuis 1955. Après ses études classiques au collège Sainte-Marie, il obtient un diplôme d'enseignement de l'école normale Jacques-Cartier puis une maîtrise en littérature de l'université d'Ottawa (1971). Collaborateur aux revues *Incidences* (1970) et *Co-incidences* (1971), il est également

directeur-fondateur des Éditions le Préau. Il a écrit pour les Ballets modernes du Québec, et le Centre national des arts lui a commandé une pièce de théâtre, *Évangéline... qui donc?* Pierre Mathieu est également peintre et a exposé nombre de ses œuvres sous le nom de Duguay-Mathieu.

### ŒUVRES

**Partance,** poésie. Montréal, Éditions la Québécoise, 1964. 64 p.
**Midi de nuit,** poésie. Montréal, Le Préau, 1966. 64 p.
**Ressac,** poésie. Ottawa, Éditions Incidences, 1969. 58 p.
**Stabat Mater,** poésie. Saint-Constant, Éditions Passe-partout, 1970. 15 p.
**Interlune,** poésie. Montréal, Le Préau, 1970. 58 p.
**Mots dits québécois,** poésie. Montréal, Le Préau, 1971. 114 p.
**Toutes plaies balbutient... d'étranges courages,** poésie. Montréal, Le Préau, 1977. 61 p.
**Isis,** poésie. Dessins de Mickie Hamilton. Pincourt, Éditions Mont d'Or, 1980. N.p.: ill. ISBN 2-89214-001-3.
**Mgr... la T.V.,** théâtre. Montréal, Le Préau, 1981. 66 p.
**Triptyque pour une Église,** théâtre. Montréal, Le Préau, 1981. 87 p.
**Job,** poésie. Dessins d'André de Pelteau. Pincourt, Éditions Mont d'Or, 1981. N.p.: ill. ISBN 2-89214-006-4.

## Robert MATTEAU

(Bromptonville, 19 février 1925-    ). Poète, romancier et conteur, Robert Matteau, qui a fait un baccalauréat en français à l'université de Sherbrooke et obtenu une maîtrise en littérature française à l'université de Montréal, a également étudié l'architecture à Scranton en Pennsylvanie. De 1946 à 1977, il a enseigné le français à Montréal et en Estrie, avant de devenir travailleur autonome. Animateur de divers groupes littéraires et culturels, directeur

d'une société d'archéologie, il est membre du conseil d'administration de l'Association des auteurs des Cantons de l'Est.

### ŒUVRES

**Six de La-Roche-Jaseuse,** roman. Montréal, L'Atelier, 1960. 159 p.
**Micoumicou,** roman. Montréal, L'Atelier, 1962. 139 p.
**Alerte chez les cerfs-volants,** roman. Montréal, L'Atelier, 1965. 206 p.
**Notawisi,** poème en prose. Montréal, Centre de psychologie et de pédagogie, 1965. 78 p.
**À-même,** poésie. Montréal, Éditions-Maison, 1966. 35 p.
**Dires et Figures: contes et portraits de l'Estrie.** Sherbrooke, Naaman, 1978. 128 p.: ill. Coll. « Création », 41.
**Un cri de loin,** poésie. Sherbrooke, Éditions Sherbrooke, 1979. 79 p. Coll. « Chez la muse », 8.

## Axel MAUGEY

(Paris, France, 14 décembre 1945-    ). Poète, critique et essayiste, Axel Maugey enseigne depuis 1971 à l'université McGill. Détenteur d'une maîtrise (1970) et d'un doctorat en littérature québécoise (1974) de la Sorbonne, il a publié critiques littéraires et textes dans *le Devoir, Vie des arts, Poésie, le Droit, Relations,* etc. Boursier de divers organismes, il a prononcé un certain nombre de conférences à l'étranger sur la littérature québécoise et est membre, entre autres sociétés, du Pen Club international et de l'Association des littératures canadienne et québécoise.

### ŒUVRES

**Poésie et Société au Québec, 1937-1970,** essai. Préface de Jean de Cassou. Québec, Presses de l'université Laval, 1972. XVI-290 p. Coll. « Vie des lettres canadiennes », 9.
**Illustrations babéliennes,** poésie. En collaboration. Montréal, Sherbrooke, Éditions E.L., Cosmos, 1973. 61 p.

**Errance,** poésie. Paris, Jean-Pierre Oswald Éditeur, 1975. 52 p.
**Les Âmes rouges : poèmes suivis de En autant de rêves et En rondes folles.** Sherbrooke, Naaman, 1976. 57 p. Coll. « Création », 16.

**Alain**
**MAURAIS (1953– )**

**ŒUVRES**

**Éclipse.** Laprairie, chez l'auteur, 1977. N.p. : ill.
**Les Mémoires d'un bonhomme-bébelle.** Laprairie, chez l'auteur, 1981. 62 p.

**Mireille**
**MAURICE**
Pseud. de Mireille Boutin.

(Oka, 3 septembre 1932– ). Après l'obtention d'un diplôme supérieur en pédagogie de l'école normale Marie-Rivier de Saint-Hyacinthe (1949), Mireille Maurice poursuit des études en infirmerie à l'hôpital Notre-Dame de Montréal (1953). De 1953 à 1956 elle est infirmière. Elle est aussi membre de la Société des poètes canadiens-français, de la Société des écrivains canadiens-français et de la Société généalogique canadienne-française.

**ŒUVRES**

**Longue-Haleine,** récit fantastique. Montréal, Éditions Cosmos, 1970. 106 p. Coll. « Amorces », 7.
**Menuhin,** conte poétique. Sherbrooke, Éditions Cosmos, 1973. 75 p. Coll. « Relances », 10.
**La Pointe aux corbigeaux,** roman. Montréal, Presses Sélect, 1980. 126 p. ISBN 2-89132-263-0.
**L'Auberge du loup,** roman. Montréal, Presses Sélect, 1980. 168 p. ISBN 2-89132-305-X.

**John**
**McAULEY**

(Montréal, 25 janvier 1947– ). Collaborateur de la revue *Maker*, John McAuley est poète. Il a publié trois recueils et ses textes apparaissent dans l'anthologie *10 Montreal Poets at the Cegeps.*

**ŒUVRES**

**Nothing Ever Happens in Pointe-Claire,** poésie. Montréal, Hy Jack Press, 1973.
**The Chocolate Monograph,** poésie. Montréal, Hy Jack Press, 1973.
**Nothing Ever Happens in Pointe-Claire,** poésie. Édition revue et augmentée. Montréal, Véhicule Press, 1977. N.p. : ill. ISBN 0-919890-10-5.
**What Henry Hudson Found,** poésie. Montréal, Véhicule Press, 1980. 24 p. ISBN 0-919890-20-2.

**Bob**
**McGEE**

(Otter-Lake, 1952– ). Poète, Bob McGee a travaillé comme ouvrier de la construction sur différents chantiers du Québec. Certains de ses poèmes sont parus dans l'anthologie *10 Montreal Poets at the Cegeps* et il a publié deux recueils de poésie à ce jour.

**ŒUVRES**

**Three Dozen Sonnets,** poésie. Montréal, Véhicule Press, 1973. N.p. : ill.
**The Shanty-Horses,** poésie. Montréal, New Delta, 1977.

**Marcel**
**MÉLANÇON (1938– )**

**ŒUVRES**

**L'Homme de la Manic** ou **la Terre de Caïn,** roman. Saint-Lambert, Éditions Romelan, 1974. 117 p.
**Albert Camus : analyse de sa pensée,** essai. Montréal, Société de Belles-Lettres Guy Maheux, 1978. 279 p. Coll. « Le Chariot ». ISBN 0-88582-028-2.

**Robert**
**MÉLANÇON (1947– )**

**ŒUVRES**

**Inscriptions,** poésie. Gravures de Gisèle Verreault. Outremont, L'Obsidienne, 1978. N.p. : 9 f. de planches, ill. en coul.
**Peinture aveugle,** poésie. Montréal-Nord, VLB Éditeur, 1979. 88 p. ISBN 2-89005-115-3.
**Territoire,** poésie. Montréal, VLB Éditeur, 1981. 118 p. ISBN 2-89005-116-1.

**Guy MÉNARD**

(Granby, 9 octobre 1948– ). Après des études de philosophie et de théologie, Guy Ménard passe quelques années à enseigner l'histoire en Éthiopie (1971–1973). C'est alors qu'il écrit son premier ouvrage : une histoire de l'Afrique ancienne... en anglais. De retour au Québec, il enseigne à la faculté de théologie de l'université de Montréal (1976-1977), y termine une maîtrise en théologie (1978), travaille comme animateur en éducation des adultes (1977–1979) puis comme concepteur d'instruments pédagogiques (1979-1980). Il a également collaboré à divers périodiques (*Relations, Vie ouvrière, Science et Esprit,* etc.) et à certaines publications gouvernementales. Il a publié un recueil de poésie et des essais en sciences religieuses et humaines. Il prépare une thèse de doctorat en anthropologie à l'université de Paris VII.

## ŒUVRES

**L'Église et le Mouvement ouvrier au Québec. Panorama historique 1837–1977,** essai. Montréal, C.P.M.O., 1978. 32 p. Coll. « Cahiers du C.P.M.O. ».

**Sortir,** essai. En collaboration. Montréal, L'Aurore, 1978.

**Fragments,** poésie. LaSalle, Hurtubise HMH, 1979. 149 p. Coll. « Sur parole ». ISBN 2-89045-177-1.

**L'Homosexualité démystifiée,** essai. Montréal, Leméac, 1980. 185 p. Coll. « Dossiers ». ISBN 2-7609-9461-9. Paru chez Marabout en 1981 sous le titre **Homosexualité. Questions et Réponses.**

**De Sodome à l'exode : jalons pour une théologie de la libération gaie.** Préface de Gregory Baum. Montréal, Éditions Univers, 1980. 260 p. ISBN 2-89053-014-0.

**Laurier MERCIER (1950– )**

## ŒUVRES

**Cardinal,** poésie. S.l., chez l'auteur, 1974. 71 p.

**Lumière des jours,** poésie. S.l., chez l'auteur, 1981. 94 p. : ill.

**Serge MERCIER**

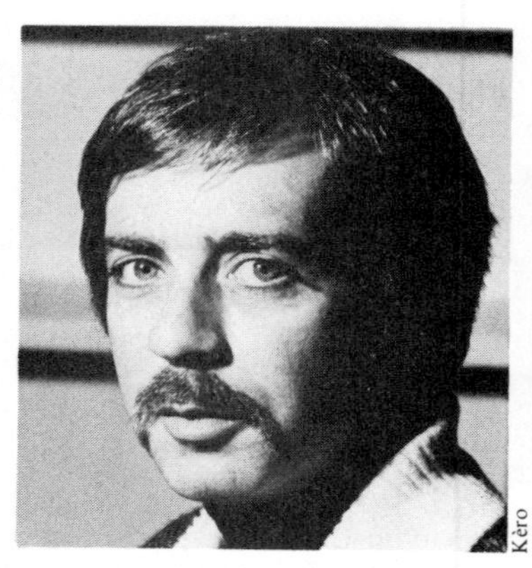
Kèro

(Sherbrooke, 5 octobre 1944– ). Dramaturge, Serge Mercier est l'auteur d'*Encore un peu,* pièce présentée au XXX^e^ festival d'Avignon en 1976, de *Dancing Eros,* sélectionnée pour le Concours Louis-Philippe-Kammans (1979) et de bien d'autres pièces publiées ou inédites. D'abord comédien, de 1965 à 1971, il obtient une licence ès lettres et un certificat d'études supérieures en linguistique à l'université de Montréal (1969). Professeur au cégep de Saint-Jérôme depuis lors, il fait partie de plusieurs associations dont le Centre d'essai des auteurs dramatiques où il a d'ailleurs siégé au conseil d'administration. En 1979, il recevait le Prix Germaine-Guèvremont de la Société nationale des Québécois des Laurentides.

## ŒUVRES

**Elle,** théâtre. Préface de Pierre Bonenfant. Montréal, Leméac, 1974. 58 p. Coll. « Répertoire québécois », 38.

**Encore un peu,** théâtre. Préface de Noël Audet. Montréal, L'Aurore, 1974. 87 p. : ill. Coll. « Entre le parvis et le boxon », 8. ISBN 0-88532-005-0.

**Après,** théâtre. Suivi de deux pièces de deux autres auteurs. Montréal, Intrinsèque, 1977. 204 p. Coll. « Théâtre public ». ISBN 0-919711-00-6.

## ŒUVRE TRADUITE

**A Little Bit Left,** théâtre. Traduction anglaise de Allan Van Meer ; titre original : **Encore un peu.** Toronto, Simon & Pierre, 1978. 48 p. ISBN 0-88924-026-4.

**Pierre**
**MERCURE**

Voir Pierre Châtillon.

**Rita**
**MESSIER**

Studio André Baldini

(Windsor, 3 mars 1946–    ). Poète, Rita Messier a participé aux Nuits de la poésie qui ont eu lieu à l'université de Sherbrooke en 1976 et 1978. Bachelière en français de cette même université (1973), elle enseigne à la commission scolaire de l'Estrie (1973-1974), puis travaille à l'université de Sherbrooke, d'abord comme agent de bureau puis comme recherchiste pour un projet concernant les auteurs des Cantons de l'Est. Rédactrice pour un centre communautaire d'économie d'énergie en 1978, elle est depuis secrétaire à l'université de Sherbrooke.

**ŒUVRES**

**Écumes,** poésie. Sherbrooke, Éditions Cosmos, 1975. 76 p. Coll. « Amorces », 17.

**Soifamine,** poésie. Dessins de l'auteure. Sherbrooke, Éditions Cosmos, 1978. 70 p.: ill. Coll. « Relances », 16.

**Michel**
**METTHÉ**

**ŒUVRES**

**Ma cage de verre,** poésie. Montréal, Presses libres, 1971. 64 p. ISBN 0-88859-043-1.

**Le Bateau ivre,** poésie. Montréal, Presses libres, 1971. 63 p.

**Claude**
**MEUNIER**

(Montréal, 4 septembre 1951–    ). Claude Meunier s'exerce déjà à l'écriture théâtrale au cours de ses études collégiales au cégep d'Ahuntsic mais c'est à l'université de Montréal où il poursuit des études de droit (1973) qu'il rencontre Louis Saia avec qui il écrit trois pièces de théâtre : *Appelez-moi Stéphane, les Voisins, Monogamy*, et un scénario, *Voyage de nuit*, pour Roger Frappier. En 1974, Claude Meunier fait partie des Frères Brothers, ancêtres de Paul et Paul (1976). Il écrit pour les émissions spéciales de fin d'année à la télévision de Radio-Canada.

**ŒUVRES**

**Appelez-moi Stéphane,** théâtre. En collaboration avec Louis Saia. Montréal, Leméac, 1982. 129 p. Coll. « Théâtre Leméac », 107. ISBN 2-7609-0104-1.

**Les Voisins,** théâtre. En collaboration avec Louis Saia. Montréal, Leméac, 1982. 191 p. Coll. « Théâtre Leméac », 108. ISBN 2-7609-0105-X.

**Pierre**
**MEUNIER**

(Québec, 21 mars 1955–    ). Pierre Meunier a fait partie de la troupe de danse Vibrance avant de compléter un baccalauréat en psychologie (1978) et une maîtrise en relations humaines (1980) à l'université de Sherbrooke. Auparavant directeur des journaux étudiants *Ciel-en-vert* (1973-1974), *Psychogénial* (1974-1975) et *Onz'Parle* (1976-1977), il a publié un récit chez Naaman et deux recueils de poèmes à compte d'auteur. Il est membre de l'Association des auteurs des Cantons de l'Est depuis 1978.

ŒUVRES

**Pierrot, la Lune et le Fou,** récit. Dessins de France Lebon. Sherbrooke, Naaman, 1978. 108 p.: ill. Coll. « Création », 37.
**Terre,** poésie. Sherbrooke, chez l'auteur, 1978. 66 p.: ill.
**Moi le nu sur terre,** poésie. Illustrations de Charles Brousseau, Danièle Beaucage et Pierre Samson. Saint-François-Xavier de Brompton, chez l'auteur, 1979. 57 p.: ill.

**Roger**
**MEUNIER**

(Granby, 11 janvier 1959- ). Auteur de recueils de poésie, Roger Meunier collabore également aux *Cahiers du hibou*, revue de l'Association des auteurs des Cantons de l'Est. Libraire à Sherbrooke de 1979 à 1980, il a obtenu un diplôme d'études collégiales en sciences au séminaire de Sherbrooke (1980). Roger Meunier recherche dans la poésie l'universalité du mot et de l'idée à travers ses propres sentiments.

ŒUVRES

**Aeternitas,** poésie. Fleurimont, chez l'auteur, 1978. N.p.
**La Présence du songe,** poésie. Sainte-Foy, chez l'auteur, 1981. 32 p.

**Jacques**
**MICHAUD**

Photo GMBC

(Rouyn, 13 août 1941- ). Professeur au cégep de l'Outaouais depuis 1973, Jacques Michaud y enseigne entre autres le théâtre. Licencié ès lettres de l'université Laval en 1965, il a donné des cours au sein de plusieurs institutions tant au Québec qu'à Kankan, en république de Guinée (1966-1967), et à Saint-Louis au Sénégal (1971-1973). Vice-président, en 1980-1981, de l'Association des auteurs de l'Outaouais québécois, il a publié dans *Estuaire, Lettres québécoises, Relations, le Droit* ainsi que dans la revue de son association.

ŒUVRES

**Vingt Fois Cinq,** récits poétiques. Hull, Asticou, 1979. 77 p. Coll. « Poètes de l'Outaouais ».
**La terre qui ne commence pas,** poésie. Hull, Asticou, 1981. 79 p. Coll. « Poètes de l'Outaouais ». ISBN 2-89198-030-1.

**Pauline**
**MICHEL**

(Asbestos, ). Après avoir obtenu un baccalauréat en pédagogie de l'université de Sherbrooke (1965) et une licence en lettres de l'université Laval (1968), Pauline Michel s'est consacrée pendant 4 ans à l'enseignement du théâtre et de la poésie au cégep de Sherbrooke. Elle est ensuite devenue scénariste-pigiste à Radio-Canada et à Radio-Québec (1976-1977). Romancière, elle a également écrit une pièce de théâtre pour enfants. Depuis 1980, elle mène de front une carrière d'écrivaine et d'auteure-compositeure-interprète, donnant de nombreux spectacles au Québec.

ŒUVRES

**Les Yeux d'eau,** roman. Granby, Éditions Gaudet, 1975. 187 p.
**Mirage,** roman. Montréal, HMH, 1978. 167 p. Coll. « L'Arbre ». ISBN 0-7758-0153-4.

**Jacques**
**MILLET**

## ŒUVRES

**La Forêt de la peur,** aventure. En collaboration avec Herménégilde Laflamme; illustrations de Louis Dario et Geneviève Desgagnés. Sherbrooke, Éditions Paulines, 1972. 127 p.: ill., Coll. « Jeunesse-pop », 4. ISBN 0-88840-297-X.
**Rescapé du néant,** aventure. En collaboration avec Herménégilde Laflamme; illustrations de Gabriel de Beney. Sherbrooke, Éditions Paulines, 1972. 142 p.: ill. Coll. « Jeunesse-pop », 10. ISBN 0-88840-337-2.

**Guy**
**MILOT**

(Montréal, 25 février 1929– ). Guy Milot a terminé des études classiques au collège Sainte-Marie en 1952. Détenteur d'un brevet A d'enseignement (1954), de licences en pédagogie (1955) et en hygiène (1959) de l'université de Montréal, il est aussi diplômé en orientation professionnelle (1958), en graphologie et en information et journalisme (1980). Après plusieurs années d'enseignement, il a fait carrière en orientation professionnelle et est, depuis 1967, à l'emploi du ministère du Travail et de la Main-d'œuvre du Québec à Montréal. Rédacteur à *la Presse* puis au *Journal de Montréal* d'une chronique sur les carrières et professions, il a également écrit pas moins de 250 « lettres aux lecteurs », publiées dans les principaux journaux de Montréal et ce, sur divers sujets d'actualité.

## ŒUVRES

**100 Métiers et Professions.** Montréal, Éditions de l'Homme, 1979. 385 p. ISBN 2-7619-0021-9.
**Les Secrets de la santé mentale.** Montréal, Québécor, 1980. 100 p. ISBN 2-89089-059-7.
**Choix de carrières,** T. 1, guide. Montréal, Éditions de l'Homme, 1972. 203 p. ISBN 2-7619-0189-4.
**Choix de carrières,** T. 2, guide. Montréal, Éditions de l'Homme, 1982. 151 p. ISBN 2-7619-0190-8.
**Choix de carrières,** T. 3, guide. Montréal, Éditions de l'Homme, 1982. 177 p. ISBN 2-7619-0191-6.

**Pierre**
**MILOT (1951– )**

## ŒUVRES

**Catharsis,** poésie. Trois-Rivières, Mouvement parallèle, 1971. 15 p.: ill. Coll. « Opus ».
**Mathématique brisée,** poésie. Trois-Rivières, Mouvement parallèle, 1973. N.p.

**Gaston**
**MIRON**

(Sainte-Agathe-des-Monts, 8 janvier 1928– ). Poète, Gaston Miron a fait ses études primaires, secondaires et supérieures (école normale) chez les frères du Sacré-Cœur. De 1947 à 1950, il suit des cours de sciences sociales à l'université de Montréal et, en 1959-1960, des cours d'édition à l'école Estienne à Paris. En 1953, il est l'un des fondateurs des Éditions de l'Hexagone dont il est directeur jusqu'à ce jour. Il a publié ses premiers poèmes dans *Amérique française* et *le Devoir* et, par la suite, dans plusieurs revues et journaux dont: *Parti pris, Maintenant, Estuaire* et *Liberté* qu'il contribua à fonder. Ses poèmes ont été rassemblés dans trois recueils et certains ont été traduits en plusieurs langues. *L'Homme rapaillé* lui valait, en 1970, le Prix France-Canada et le Prix de la revue *Études françaises*, et, l'année suivante, le Prix Canada-Belgique aussi bien que celui de la ville de Montréal. En 1978, le Prix Duvernay était accordé à Gaston Miron pour l'ensemble de son œuvre. À l'occasion de la parution en France de *l'Homme rapaillé*, en 1981, c'est le Prix Apollinaire qui venait couronner l'un des plus importants poètes du Québec.

## ŒUVRES

**Deux Sangs,** poésie. En collaboration avec Olivier Marchand; illustrations de Gilles Carle, Jean-Claude Rinfret et Mathilde Ganzini. Montréal, L'Hexagone, 1953. 67 p.: ill.

**L'Homme rapaillé,** poésie et textes. Montréal, Presses de l'université de Montréal, 1970. 171 p., portr.

**Courtepointes,** poésie. Ottawa, Éditions de l'université d'Ottawa, 1975. 51 p. Coll. « Textes », 1. ISBN 0-7766-4181-6.

**La Marche à l'amour,** poésie. Avec cinq eaux-fortes de Léon Bellefleur. Montréal, Erta, 1977. N.p.: 5 f. de planches.

## ŒUVRES TRADUITES

**La Marcia all' amore/l'Amore e il Militante.** Traduction d'Angelo Bellettato. Padova (Italie), 1972.

**The Agonized Life: poems and prose.** Traduction anglaise de Marc Plourde; titre original: **La Vie agonique.** Verdun, Torchy Wharf, 1980. 79 p. ISBN 0-919021-00-X.

**L'Uomo Rappezzato.** Traduction italienne de Sergio Zoppi; titre original: **L'Homme rapaillé.** Rome (Italie), Bulzoni Editore, 1981.

## ÉTUDES

Brault, Jacques, **Miron le magnifique.** Montréal, université de Montréal, faculté des lettres, 1966. 44 p.

Nepveu, Pierre, **Les Mots à l'écoute: poésie et silence chez Fernand Ouellette, Gaston Miron et Paul-Marie Lapointe.** Québec, Presses de l'université Laval, 1979. 292 p. Coll. « Vie des lettres québécoises », 17. ISBN 0-7746-6857-1.

Roberto, Eugène, **Structures de l'imaginaire dans « Courtepointes » de Miron.** Ottawa, Éditions de l'université d'Ottawa, 1979. 169 p. ISBN 2-7603-4099-6.

**Poètes québécois: dossiers de presse.** T. II **Gaston Miron, 1953–1981; Fernand Ouellette, 1959–1980; Claude Péloquin, 1965–1980.** Sherbrooke, Bibliothèque du séminaire, 1981. 126 p.: ill., portr.

**John Stirling**
**MITCHELL (1944– )**

## ŒUVRES

**The Approximative Rings,** poésie. Montréal, Copytex, 1970. 44 p.

**Eyes That Shamed the Light,** poésie. Montréal, Dawson College Press, 1972. 40 p.

**Guy**
**MOINEAU**

(Montréal, 17 mai 1950– ). Après avoir complété un baccalauréat en littérature à l'université du Québec à Montréal (1976), Guy Moineau devient professeur à la commission scolaire des Mille-Îles. Il a été membre du conseil d'administration des Jeunesses littéraires du Québec et a fait paraître quelques-uns de ses textes dans les revues *Cul-Q, Read Building, la Barre du jour* et *Hobo-Québec.* Guy Moineau a publié trois recueils de poésie dont deux sont parus aux Herbes rouges.

## ŒUVRES

**Falaises sur fables: 1974-1975,** poésie. Montréal, Éditions Cul-Q, 1976. N.p. Coll. « Mium/ Mium », 3.

**Traverse de figures,** poésie. Montréal, Les Herbes rouges, n° 41, octobre 1976. N.p. ISSN 0441-6627.

**La Fuite et la Conversation,** poésie. Montréal, Les Herbes rouges, n° 59, janvier 1978. 28 p. ISSN 0441-6627.

**Serge**
**MONAST**

(Saint-Jean-sur-Richelieu, 12 août 1945– ). Poète et romancier, Serge Monast a aussi publié un essai. Après avoir obtenu son diplôme d'études collégiales au cégep du Vieux-Montréal (1970-1971), il poursuit des études de philosophie à l'université du Québec à Montréal (1971-1972) et en études québécoises à l'université de Montréal (1974). Il a travaillé comme journaliste-pigiste et a aussi fait des recherches en sociologie de la famille (1973). Ses œuvres ont été l'objet de nombreuses mentions et prix d'associations littéraires françaises, dont le Prix Jean-Georges de la Société des poètes et artistes de France en 1977.

### ŒUVRES

**Testament contre hier et demain,** poésie et prose. Montréal, chez l'auteur, 1973. 92 f.

**Jean Hébert,** roman.Montréal, chez l'auteur, 1974. 190 p.

**Jos Violon, essai d'investigation littéraire sur le comportement du Québécois.** Montréal, chez l'auteur, 1975. 42 f.

**L'Habitant,** poésie. Stanstead, Éditions de l'Aube, 1979.

**L'Aube des brasiers nocturnes,** essai sur l'amour. Stanstead, Éditions de l'Aube, 1980. 32 p.

**Cris intimes,** poésie. Stanstead, Éditions de l'Aube, 1980. 24 f.

## Roger MONDOLINI

(Suddacaro, Corse, France, 30 septembre 1929– ). Tour à tour journaliste et réalisateur à Radio-Canada (1954–1964), directeur artistique à Radio-Luxembourg (1965-1966), rédacteur au Conseil privé à Ottawa (1967-1968), fonctionnaire au ministère des Pêcheries puis à l'Agence canadienne de développement international (1974–1979), Roger Mondolini travaille depuis 1980 au ministère québécois de la Justice. Il a étudié la philosophie à la Sorbonne (1950) et la littérature à l'université d'Ottawa (1952-1953), a été secrétaire particulier d'Henry de Montherlant (1949-1950), critique littéraire au journal *le Droit* (1952–1954) et, dans les années 1960, a collaboré au *Nouveau Journal.* Romancier et auteur de théâtre, Roger Mondolini affirme que c'est la maladie et la souffrance physique ainsi qu'une enfance anormale ponctuée de multiples interventions chirurgicales qui l'ont orienté vers l'acte d'écrire.

### ŒUVRES

**Onaga,** roman. Montréal, Cercle du livre de France, 1974. 218 p. ISBN 0-7753-0049-7.

**Dérive dans un miroir,** roman. Montréal, Cercle du livre de France, 1976. 212 p. ISBN 0-7753-0093-4.

**Le Grand Midi : chronique des temps agités,** roman. Montréal, Cercle du livre de France, 1978. 169 p. ISBN 0-7753-0118-3.

## Simonne MONET-CHARTRAND

Charles Stoody Canadian Press

(Montréal, 4 novembre 1919– ). Scripteure, recherchiste et pigiste à la télévision de Radio-Canada de 1968 à 1972, Simonne Monet Chartrand travaille ensuite comme directrice de l'information pour le Syndicat des enseignants de Champlain (1972–1975) avant de devenir directrice générale adjointe de la Ligue des droits et libertés en 1977. Elle a étudié les lettres à l'université de Montréal (1942) et à l'Institut Simone de Beauvoir de l'université Concordia dont elle est membre (1978-1979), ainsi que la réalisation à l'université Laval (1959-1960) et la sociologie à l'université de Montréal. Elle a collaboré à nombre de journaux régionaux et syndicaux ainsi qu'à plusieurs revues dont : *Châtelaine, la Vie en rose* et les *Têtes de pioche.*

## ŒUVRES

**Ma vie comme rivière, récit autobiographique 1919–1942.** Montréal, Éditions du Remue-ménage, 1981. 285 p. ISBN 2-89091-028-8.

**Ma vie comme rivière, récit autobiographique 1939–1949.** Montréal, Éditions du Remue-ménage, 1982.

## Madeleine MONETTE

John Cox

(Montréal, 3 octobre 1951– ). Récipiendaire du Prix Robert-Cliche pour son premier roman, *le Double Suspect,* Madeleine Monette habite New York depuis plusieurs années. Auparavant, elle avait enseigné la littérature aux cégeps de Sherbrooke (1972–1974) et Édouard-Montpetit (1974–1979) tout en terminant une maîtrise en littérature à l'université du Québec à Montréal (1975). Madeleine Monette est également l'auteure de textes de chansons qu'elle édite à sa propre maison, les Éditions du Rose en ville.

## ŒUVRES

**Le Double Suspect,** roman. Montréal, Quinze Éditeur, 1980. 241 p. Coll. « Prose entière ». ISBN 2-89026-222-7.

**Fuites et Poursuites,** nouvelles. En collaboration. Montréal, Quinze Éditeur, 1982. 199 p. ISBN 2-99026-307-X.

**Petites Violences,** roman. Montréal, Quinze Éditeur, 1982. 232 p. ISBN 2-89026-308-8.

## Pierre MONETTE

(Montréal, 9 octobre 1956– ). Libraire de 1974 à 1978, moniteur-correcteur à l'université du Québec à Montréal depuis 1979, Pierre Monette poursuit à cette même université des études en littérature, tout en étant chargé de cours au cégep du Vieux-Montréal. Il a publié trois recueils de poésie aux *Herbes rouges* et a fait paraître quelques-uns de ses textes dans *le Devoir, Lettres québécoises, Critère, Dérives* et

*Spirale.* Il est membre du Centre d'essai des auteurs dramatiques et du conseil d'administration de Communication-Jeunesse.

## ŒUVRES

**Traduit du jour le jour,** poésie. Montréal, Les Herber rouges, n° 61, mars 1978. 19 p. ISSN 0441-6627.

**Temps supplémentaire,** poésie. Montréal, Les Herbes rouges, n° 72, mars 1979. ISSN 0441-6627.

**Ajustements qu'il faut,** poésie. Illustrations de Thérèse Godbout. Montréal, Les Herbes rouges, nos 84-85, août-septembre 1980. 64 p. : ill. ISSN 0441-6627.

## Denis MONIÈRE

(Saint-Jean, 21 juin 1947– ). « Mon histoire littéraire commence en 1947 par mon extrait de baptême que mon grand-père a signé d'une croix. Mon écriture ne procède donc pas d'un atavisme mais est le produit de changements sociaux réalisés par la Révolution tranquille qui m'ont permis d'étudier au collège Sainte-Marie, à l'université d'Ottawa et de faire mon doctorat à la Fondation nationale des sciences politiques (Paris, 1974). De 1973 à 1978, j'ai enseigné au département de Science politique de l'université d'Ottawa. Depuis cette date je suis professeur à l'université de Montréal. » Président de l'Union des écrivains québécois de

1980 à 1982, vice-président de la Société québécoise de science politique et codirecteur de *la Revue canadienne de science politique*, Denis Monière a fait paraître des articles dans *la Revue d'histoire de l'Amérique française, le Temps fou, le Devoir* et *This Magazine* (Toronto). Son ouvrage sur *le Développement des idéologies au Québec* a reçu en 1977 le Prix littéraire de la ville de Montréal ainsi que le Prix du Gouverneur général. Il poursuit actuellement des recherches sur les rapports entre les intellectuels et le pouvoir. En 1982, Denis Monière devenait le premier secrétaire général de la Fédération internationale des écrivains de langue française (FIDELF).

### ŒUVRES

**Critique épistémologique de l'analyse systémique,** essai. Ottawa, Éditions de l'université d'Ottawa, 1976. 253 p. ISBN 0-7766-3104-7.
**Les Idéologies au Québec,** bibliographie. En collaboration avec André Vachet. Montréal, Bibliothèque nationale du Québec, 1976.
**Le Développement des idéologies au Québec,** essai. Montréal, Québec-Amérique, 1977. 381 p. ISBN 0-88552-036-X.
**Le Trust de la foi,** essai. En collaboration avec Jean-Pierre Gosselin. Montréal, Québec-Amérique, 1978. 166 p. ISBN 0-88552-048-3.
**Les Enjeux du référendum,** essai. Montréal, Québec-Amérique, 1979. 207 p. ISBN 2-89037-009-7.
**Cause commune, manifeste pour une internationale des petites cultures.** En collaboration avec Michèle Lalonde. Montréal, L'Hexagone, 1981.
**Pour la suite de l'histoire,** essai. Montréal, Québec-Amérique, 1982. 183 p. ISBN 2-89037-113-1.

### ŒUVRES TRADUITES

**Ideologies in Quebec : the Historical Development.** Traduction anglaise de Richard Howard ; titre original : **Le Développement des idéologies au Québec.** Toronto, University of Toronto Press, 1981. 328 p. ISBN 0-8020-5452-8 et 0-8020-6358-6.

## Claire MONTREUIL

Voir Claire Martin.

## François MOREAU

(Montréal, 1930– ). Auteur de pièces de théâtre, de poésie et de romans, François Moreau va s'établir en 1948 à Paris où il devient journaliste pour une agence de presse. Plus tard, impresario, il participera également à des émissions radiophoniques de la RTF. En 1955, il s'installe à Londres et continue à écrire des pièces dont *le Paradis perdu* (1956) et *Un fantôme tous les jours* (1957) qui seront présentées dans le cadre de l'émission de Radio-Canada, *les Nouveautés dramatiques.* En 1959 sa pièce *les Taupes* lui valait le Premier Prix du concours d'œuvres dramatiques du Théâtre du Nouveau Monde.

### ŒUVRES

**La Lèpre comme un signe,** poésie. Monaco, s.é., 1950.
**Requiem pour un père,** roman. Montréal, L'Actuelle, 1971. 119 p. ISBN 0-7752-0021-2.
**Les Carnivores,** roman. Montréal, L'Actuelle, 1972. 107 p. ISBN 0-7752-0032-8.

## Pierre MORENCY

Kèro

(Lauzon, 8 mai 1942– ). Pierre Morency a fait des études classiques au collège de Lévis (1963) et universitaires à l'université Laval (1966). En 1967, après quelques années d'enseignement et d'activités théâtrales, il devient auteur et chroniqueur radiophonique à Radio-Canada. Il y écrira plus de deux cents textes radiophoniques de même qu'une série de soixante émissions portant sur les oiseaux. Il a remporté le Prix du Maurier pour ses *Poèmes de la froide merveille de vivre* en 1968, le Prix Claude-Sernet (Rodez, France) pour l'ensemble de son œuvre en 1975, le Prix Court Métrage de la communauté radiophonique des programmes de langue française pour *Naaaaiiiiaaa* en 1976 et le Prix de l'Institut canadien de Québec pour l'ensemble de son œuvre en 1979. Poète et auteur dramatique, il a donné de nombreux récitals de poésie au Québec et à l'étranger et publié dans les revues *Liberté, Hobo-Québec* et *Odradek* (Liège). En 1976, il participait à la création de la revue *Estuaire*. Pierre Morency a été membre du premier bureau de l'Union des écrivains québécois qu'il a aidé à fonder en 1977.

### ŒUVRES

**Poèmes de la froide merveille de vivre.** Québec, Éditions de l'Arc, 1967. 106 p. Coll. « L'Escarpel ».

**Poèmes de la vie déliée.** Québec, Éditions de l'Arc. 1968. 85 p. Coll. « L'Escarpel ».

**Au nord constamment de l'amour,** poésie. Québec, Éditions de l'Arc, 1970. 129 p. Coll. « L'Escarpel ».

**Poèmes.** En collaboration avec Pierre Bertrand. Saint-Constant, Éditions Passe-partout, 1970. 3 p.

**Les Appels anonymes,** poésie. Québec, Inédits, 1971. 1 f.

**Lieu de naissance,** poésie. Montréal, L'Hexagone, 1973. 47 p.

**Marlot dans les merveilles,** théâtre. Montréal, Leméac, 1974. 114 p. : 8 p. de planches, ill. Coll. « Théâtre pour enfants ». ISBN 0-7761-9905-6.

**Le Temps des oiseaux,** poésie. Sérigraphies de Paul Lacroix. Québec, André Dupuis, 1975. 1 portefeuille. N.p.

**Les Passeuses,** théâtre. Montréal, Leméac, 1976. 133 p. Coll. « Théâtre Leméac », 60. ISBN 0-7761-0058-0.

**Tournebire et le Malin Frigo** suivi de **les Écoles de Bon Bazou,** théâtre. Montréal, Leméac, 1978. 153 p. : 6 p. de planches, ill., fac-sim. Coll. « Théâtre pour enfants ». ISBN 0-7761-9907-2.

**Torrentiel,** poésie. Montréal, L'Hexagone, 1978. 68 p.

### TRADUCTION

**Charbonneau** et **le Chef,** théâtre. Adaptation en collaboration avec Paul Hébert du texte de J.T. McDonough. Montréal, Leméac, 1974.

## Lorenzo MORIN

(Courcelles, 14 novembre 1918– ). Docteur en médecine de l'université de Montréal (1950) et ayant poursuivi des études en psychiatrie aux universités Tafft (1955–1958), de Paris (1958–1960) et de Montréal (1961), Lorenzo Morin exerce sa profession à l'hôpital Louis-Hyppolite-Lafontaine et, depuis 1971, est professeur agrégé de l'université de Montréal. Membre de diverses associations médicales, il a publié, outre ses recueils de poésie, de nombreux articles dans des revues spécialisées dont *l'Information psychiatrique* (France), *l'Union médicale du Canada* et *Érasme.*

### ŒUVRES

**L'Arbre et l'Homme,** poésie. Montréal, Beauchemin, 1962. 109 p.

**L'Il d'elle,** poésie. Montréal, L'Hexagone, 1968. 89 p.

**Poèmes.** Montréal, Les Herbes rouges, 1968. N.p.

**Le Gage,** poésie. Montréal, L'Hexagone, 1975. 109 p.

## Germaine MORNARD

### ŒUVRES

**Sein d'attrait.** Montréal, Cul-Q, 1977. N.p. Coll. « Mium/Mium », 10.

**Sensitive cirée.** Montréal, Cul-Q, 1978. N.p. Coll. « Mium/Mium », 24.

## Roland MORISSEAU

(Port-au-Prince, Haïti, 22 septembre 1933– ). Auteur de récits et de poèmes, Roland Morisseau a d'abord publié au début des années 1960. Après un silence de quelques années, il faisait paraître un nouveau recueil aux Éditions Nouvelle Optique en 1979.

### ŒUVRES

**5 Poèmes de reconnaissance.** Port-au-Prince, s.é., 1960. 30 p. Coll. « Haïti littéraire ».

**Germination d'espoir,** poésie. Port-au-Prince, s.é., 1961. 48 p. Coll. « Haïti littéraire ».
**Clef du soleil,** poésie. Port-au-Prince, s.é., 1963. N.p. Coll. « Haïti littéraire ».
**La Chanson de Roland,** poésie. Montréal, Nouvelle Optique, 1979. 100 p.

**Stephen**
**MORRISSEY**

(Montréal, 27 avril 1950– ). Professeur, Stephen Morrissey est également un adepte des enseignements de Khrishnamurti.

ŒUVRES

**Poems of a Period.** Montréal, chez l'auteur, 1971.
**The Insecurity of Art.** Montréal, What Is, 1976.
**Divisions.** Dewittville, Sunken Forum Press, 1977.
**The Trees of Unknowing,** poésie. Montréal, Véhicule Press, 1978. 67 p. : ill. ISBN 0-919890-09-1.

**Michel**
**MUIR**

(Windsor, 7 septembre 1952– ). Directeur littéraire des Éditions Sherbrooke et correcteur-rédacteur au *Journal de Montréal* depuis 1980, Michel Muir a fait des études de lettres à l'université du Québec à Montréal (1978). Il a fait paraître des contes et un livre de prose aux Éditions Naaman et Sherbrooke et est membre de l'Association des auteurs des Cantons de l'Est et des Amis de la langue française. Il collabore régulièrement à la revue *Grimoire* et aux *Cahiers du hibou.*

ŒUVRES

**Rieuse : rêveries d'un vagabond,** contes. Illustrations d'Hervé Philippe. Sherbrooke, Naaman, 1979. 114 p. : ill. Coll. « Création », 63. ISBN 2-89040-029-8.
**J'adresse aux oiseaux : fantaisies en prose.** Illustrations d'Hervé Philippe. Sherbrooke, Éditions Sherbrooke, 1980. 110 p. Coll. « Chez la muse », 10.

# N

**Antoine NAAMAN**

(Port Saïd, Égypte, 30 juin 1920– ). Professeur, conférencier, recherchiste, écrivain, journaliste et éditeur, Antoine Naaman est détenteur d'une licence ès lettres (1942) et d'un diplôme de journalisme de l'université du Caire, d'un diplôme en lettres modernes de l'université de Paris (1951), d'un diplôme de l'école normale supérieure de Saint-Cloud (1951) et de doctorats d'université (1951) et d'État (1962) de la Sorbonne. Maître de conférences à l'université d'Héliopolis (1952–1958), professeur au Ghana (1955–1966), il enseigne depuis 1967 à l'université de Sherbrooke. Son implication dans le milieu littéraire de cette ville se manifeste de différentes façons : en 1969, il fonde et dirige le Centre d'études des littératures d'expression française, les Éditions Cosmos et la revue *Écriture française*, en 1970, la revue *Présence francophone* et, en 1973, les Éditions Naaman. À cela s'ajoutent sa participation à de nombreuses associations tant nationales qu'internationales, sa collaboration à des revues telles *Forces, Journal of Canadian Fiction,* etc., ainsi que les nombreuses directions de thèse qu'il a assumées.

## ŒUVRES

**Le Français.** Le Caire, Al-Hilal et Misr, 1948.

**Le Français-Grammaire.** Le Caire, Al-Hilal, 1951.

**Elmazni, romancier,** essai. Le Caire, Al-Hilal, 1952. 48 p. (En arabe).

**L'Analyse à la portée de tous.** Le Caire, Al-Hilal, 1954.

**Légende des peuples,** contes pour enfants. Le Caire, Misr, 1958-1959. 20 vol. (En arabe).

**Le Français pratique.** Le Caire, ministère de l'Éducation, 1958.

**Le Français par l'image.** Le Caire, ministère de l'Éducation, 1958.

**Les Débuts de Gustave Flaubert et sa technique de la description,** essai. Paris, Nizet, 1962. 528 p.

**Les Lettres d'Égypte de Gustave Flaubert d'après les manuscrits autographes,** édition critique. Paris, Nizet, 1965. VIII, 480 p.

**Le Français. Grammaire et Langue.** T. I : **Du mot à la phrase.** Le Caire, Misr, 1966.

**Ébauche d'une bibliographie de la littérature nègre d'expression française.** En collaboration avec J.J. Achiriga. Accra, département des langues modernes, université du Ghana, 1966.

**Mateo Falcone de Mérimée.** Paris, Sherbrooke, Nizet, Librairie de la cité universitaire, 1967. 102 p.

**Méthodes d'explication des textes.** En collaboration. Sherbrooke, faculté des arts, 1968.

**Guide bibliographique des thèses littéraires canadiennes de 1921–1969.** Préface de Jean Houpert. Sherbrooke, Éditions Cosmos, 1970. 338 p.

**Le Roman contemporain d'expression française,** introduit par des **Propos sur la francophonie,** actes du colloque. Présentés par Antoine Naaman en collaboration avec Louis Painchaud. Sherbrooke, CÉLEF, faculté des arts, université de Sherbrooke, 1971. 347 p. : planches, fac-sim., portr.

**Répertoire des thèses littéraires canadiennes de janvier 1969 à septembre 1971.** En collaboration avec Léo A. Brodeur. Sherbrooke, CÉLEF, 1972. 141 p.

**Répertoire des thèses littéraires canadiennes de 1921 à 1976.** En collaboration avec Léo A. Brodeur. Sherbrooke, Naaman, 1978. 453 p. Coll. « Bibliographie ».

## Marcel NADEAU

(Saint-Pierre-de-Broughton, 19 août 1938– ). Marcel Nadeau est docteur en médecine de l'université Laval (1967) et détient une équivalence de l'université d'État de Port-au-Prince (1977). Médecin généraliste au Cap-de-la-Madeleine depuis 1978, il veille également depuis 1977 au maintien d'un dispensaire à Pont-Sondé, Haïti. Premier Prix de poésie au Concours de la Société du bon parler français en 1959, il a participé à la fondation d'un cercle philosophique et littéraire à Trois-Rivières, le Cercle Gabriel-Marcel. Il collabore à divers journaux et revues dont *le Nouvelliste, le Bien public* et *Contact.*

### ŒUVRES

**Astrolabe,** poésie. Illustrations de Lauréat Marois. Trois-Rivières, Éditions du Bien public, 1977. 147 p. : ill.

**Géodésiques,** suivi de **Niska, l'art et l'homme,** poésie et essai. Mont-Tremblant, Promotion artistique internationale, 1979. 159 p. : ill. tableaux. ISBN 2-9800012-0-1.

## Opal Louis NATIONS (1941– )

### ŒUVRES

**The Strange Case of Inspector Loophole.** Montréal, Véhicule Press, 1977. 18 p. : ill.

**Inter Sleep : the Box in Which he Keeps his Voice.** Montréal, Véhicule Press, 1978. N.p. : 1 f. de planche, ill. ISBN 0-919890-16-4.

## † Yvette NAUBERT

Kèro

(Hull, 19 septembre 1918–1982). Yvette Naubert détient un baccalauréat de l'école de musique Vincent d'Indy (1941). Mais, dès 1947, elle opte pour la littérature et rédige plusieurs textes dramatiques qui seront diffusés à Radio-Canada. En 1950, le Festival d'art dramatique crée sa pièce de théâtre, *les Âmes captives.* Son roman, *l'Été de la cigale*, a obtenu le Prix du Cercle du livre de France en 1968 et le Prix de la province de Québec en 1969.

### ŒUVRES

**La Dormeuse éveillée,** roman. Montréal, Cercle du livre de France, 1965. 184 p.

**Contes de la solitude I.** Montréal, Cercle du livre de France, 1967. 146 p.

**L'Été de la cigale,** roman. Montréal, Cercle du livre de France, 1968. 209 p.

**Les Pierrefendre,** T. 1 : **Prélude et Fugue à tant d'échos.** roman. Montréal, Cercle du livre de France, 1972. 316 p. ISBN 0-7753-0014-4.

**Contes de la Solitude II.** Montréal, Cercle du livre de France, 1972. 181 p.

**Les Pierrefendre.** T. 2 : **Concerto pour un décor et quelques personnages.** Montréal, Cercle du livre de France, 1975. 317 p. ISBN 0-7753-0064-0.

**Les Pierrefendre.** T. 3 : **Arioso sans accompagnement.** Montréal, Cercle du livre de France, 1977. 298 p. ISBN 0-7753-0094-2.

**Traits et Portraits,** nouvelles. Montréal, Cercle du livre de France, 1978. 163 p. ISBN 0-7753-0122-1.

## Sharon H. NELSON

(Montréal, 2 janvier 1948– ). Sharon Nelson a travaillé comme écrivaine et rédactrice tant à

Montréal qu'en Angleterre. Elle a publié poèmes, essais et critiques et plusieurs de ses pièces de théâtre ont été jouées. Rédactrice pour Metonymy Productions Inc., elle collabore ou a collaboré à des revues variées: *Creative Computing, Critical Quarterly, European Judaism, Fireweed. CV 11, Quarry, Room of One's Own* ainsi qu'au défunt *Montreal Star*. Elle est membre de la Poetry Society (Londres) et de Logokinesis, groupe pour lequel elle travaille aussi comme auteure et assistante-chorégraphe. Détentrice d'une maîtrise en anglais de l'université Concordia (1980), elle donne des ateliers de poésie à cette même institution depuis 1977. Enfin, elle participe activement aux lectures de poésie de la galerie Powerhouse.

### ŒUVRES

**Quarterback 6,** poésie. Illustrations de Glen Siebrasse. Montréal, Delta Canada, 1970: ill. ISBN 0-919162-25-8.

**A Broken Vessel,** poésie. Illustrations de Seymour Segal. Montréal, Delta Canada, 1972. 58 p.: ill. ISBN 0-919162-28-2.

**Sayings of my Fathers,** poésie. Illustrations de Brenda Rudolf. Londres, The Menard Press, 1972. 71 p.: ill. ISBN 0-903400-00-6 et 0-903400-01-4.

**Seawreck,** poésie. Illustrations de Louise Ellen Bloom. Fredericton, Fiddlehead Press, 1973. 31 p.: ill. ISBN 0-919197-25-6.

**Blood Poems.** Illustrations de Leopold Plotek. Fredericton, Fiddlehead Press, 1978. 79 p.: ill. ISBN 0-920110-15-0.

## Pierre NEPVEU

Kèro

(Montréal, 16 septembre 1946– ). Codirecteur de la revue *Ellipse* de 1972 à 1975 et critique de poésie dans *Lettres québécoises* depuis 1976, Pierre Nepveu a fait paraître des textes dans *Liberté, la Nouvelle Barre du jour, Estuaire* et *le Devoir*. Il est maître ès lettres de l'université Paul-Valéry (Montpellier, 1971) et détient un doctorat dans cette même discipline de l'université de Montréal (1977). Il a enseigné successivement aux universités McMaster, Sherbrooke, de Colombie Britannique, d'Ottawa et, depuis 1978, de Montréal; a participé à plusieurs Rencontres québécoises internationales des écrivains ainsi qu'à nombre d'émissions radiophoniques sur la poésie. À ces diverses activités s'ajoute enfin la traduction de poèmes d'auteurs canadiens pour la revue *Ellipse*.

### ŒUVRES

**Voies rapides,** poésie. Montréal, HMH, 1971. 112 p. Coll. «Sur parole».

**Épisodes,** poésie. Montréal, L'Hexagone, 1976. 70 p.

**Les Mots à l'écoute: poésie et silence chez Fernand Ouellette, Gaston Miron et Paul-Marie Lapointe,** essais critiques. Québec, Presses de l'université Laval, 1979. 292 p. Coll. «Vie des lettres québécoises», 17. ISBN 0-7746-6857-1.

**Couleur chair,** poésie. Avec quatre dessins de Francine Prévost. Montréal, L'Hexagone, 1980. 92 p.: ill. ISBN 2-89006-171-X.

**La Poésie québécoise des origines à nos jours,** anthologie. En collaboration avec Laurent Mailhot. Québec, Montréal, Presses de l'université du Québec, L'Hexagone, 1981. 714 p.: ill., fac-sim., portr. ISBN 2-7605-0284-8.

## Ken NORRIS

(New York, États-Unis, 3 avril 1951– ). Directeur de *Cross Country* et de *Vehicule Press*, Ken Norris a, avec André Farkas, réalisé l'anthologie *Montreal English Poetry of the Seventies*; ses textes apparaissent également dans l'anthologie *5 Young Poets*.

### ŒUVRES

**Vegetables,** poésie. En collaboration avec Jill Smith. Montréal, Vehicule Press, 1975.

**Under the Skin,** poésie. Montréal, Cross Country Press, 1976.

**Proverbsi,** poésie. En collaboration avec Tom Konyves. Montréal, Asylum Publishing, 1977.

**Report on the Second Half of the Twentieth Century.** Montréal, Cross Country Press, 1977.

**Montreal English Poetry of the Seventies,** anthologie. Sous la direction de Ken Norris et André Farkas. Montréal, Vehicule Press, 1977. 149 p. ISBN 0-919890-13-X et 0-919890-12-1.

**Paul**
**OHL**

Kèro

(Strasbourg, Alsace, France, 1er octobre 1940– ). Associé étroitement depuis plus de 15 ans à la vie sportive québécoise, Paul Ohl s'est surtout engagé à défendre les droits de l'athlète tant par ses publications que ses articles parus dans *la Presse, le Soleil, le Devoir* et *l'Actualité.* Il est diplômé de l'École des officiers de l'Armée canadienne (1959), de l'université de Montréal (sciences sociales, 1964) et de l'École nationale d'administration publique (gestion publique, 1972). Il a œuvré comme secrétaire exécutif à l'Assemblée nationale (1966–1968), comme conseiller spécial au ministère de l'Éducation et au haut-commissariat à la Jeunesse, aux Loisirs et aux Sports (1968–1972) et comme administrateur aux ministères de l'Éducation et du Loisir, de la Chasse et de la Pêche. Il a donné nombre de conférences tant au Québec qu'à l'étranger et est président du Comité international pour la réhabilitation de Jim Thorpe, héros de son dernier récit, *le Dieu sauvage.*

### ŒUVRES

**Les Arts martiaux. L'Héritage des Samouraï,** essai. Préface de Yoshinao Nanbu. Montréal, La Presse, 1975. 299 p.: ill., photo. ISBN 0-7777-0171-5.

**La Guerre olympique,** essai. Paris, Robert Laffont, 1977. 349 p.: photo, graph.

**Les Gladiateurs de l'Amérique,** essai. Montréal, Paris, Éditions Internationales Alain Stanké, 1977. 254 p.: photo, graph. ISBN 0-88566-068-4.

**Knockout Inc.,** roman. Montréal, Éditions Internationales Alain Stanké, 1979. 174 p. Coll. « 50/50 ». ISBN 0-88566-143-5.

**Le Dieu sauvage,** récit. Montréal, Libre Expression, 1980. 236 p.: ill. ISBN 2-89111-040-4.

**Estelle**
**OLIVIER**

(Sherbrooke, 6 juillet 1925– ). Poète, Estelle Olivier s'adonne aussi à la peinture et a fait de nombreuses expositions de ses encres, huiles et aquarelles. Après des études d'infirmière, elle fut bibliothécaire à l'université de Sherbrooke pour ensuite se consacrer au soin des malades chroniques. Elle a publié près d'une dizaine de recueils de poésie et fut récipiendaire du Prix du Juge Lemay de la Société Saint-Jean-Baptiste de Sherbrooke en 1972. Elle est membre de l'Association des auteurs des Cantons de l'Est.

### ŒUVRES

**Brume et Miroir,** poésie. En collaboration. Sherbrooke, chez l'auteure, 1968.

**Si simple... ma chanson,** poésie. Sherbrooke, chez l'auteure, 1969, 211 p.: ill.

**Épouse d'arbre,** poésie. Sherbrooke, chez l'auteure, 1971. N.p. : ill.
**Vanité d'automne,** poésie. Sherbrooke, chez l'auteure, 1971. N.p. : ill.
**Cœur d'éponge,** poésie. Sherbrooke, chez l'auteure, 1972. 37 p. : ill.
**Silence en musique,** poésie. Sherbrooke, chez l'auteure, 1973. 135 p. : ill.
**Comment vous le dire,** poésie. Sherbrooke, chez l'auteure, 1975. 39 f. : ill.
**Vous pas encore nés,** poésie. Sherbrooke, chez l'auteure, 1977.
**Encrivore,** poésie. Sherbrooke, chez l'auteure, 1979. 350 p.

**Jean**
**O'NEIL**

(Sherbrooke, 16 décembre 1936– ). Journaliste à *la Voix de l'Est* en 1958, au *Progrès du Saguenay* en 1959 puis au *Soleil* en 1960, où il est aussi adjoint au chef de pupitre, il exerce la fonction de critique littéraire et dramatique au journal *la Presse* de 1961 à 1966. Agent d'information dans divers services gouvernementaux, Jean O'Neil a assumé la fonction d'éditeur en dirigeant les collections « Civilisation du Québec » et « Retrouvailles » au ministère des Affaires culturelles. Il a écrit plusieurs scénarios et textes de films pour l'Office du film du Québec ainsi que deux pièces de théâtre inédites, *les Bonheurs-z-essentiels* (1966) et *les Balançoires* (1971).

## ŒUVRES

**Je voulais te parler de Jérémiah, d'Ozélina et de tous les autres...,** roman. Montréal, HMH, 1967.
**Les Hirondelles,** roman. Montréal, HMH, 1973. 155 p. Coll. « L'Arbre ».
**Cap-aux-Oies,** récit. Montréal, Libre Expression, 1980. 243 p. ISBN 2-89111-046-3.
**Giriki et le Prince de Québec,** roman. Montréal, Libre Expression, 1982. 261 p. ISBN 2-89111-098-6.

**Gaston**
**OTIS (1943– )**

## ŒUVRES

**Le Tabacinium.** Montréal, Éditions Paulines, 1978. 100 p. Coll. « Jeunesse-pop », 31. ISBN 0-88840-648-7 et 0-88840-649-5.
**Via Mirabel.** Dessins de Gabriel de Beney. Montréal, Éditions Paulines, 1979. 108 p. : ill. Coll. « Jeunesse-pop », 37. ISBN 2-89039-013-6.

**Alphonse**
**OUELLET**

Pseud. : Alphonse Ouellet du Haut-Pas, Alou et Aède Ténia.

(Chicoutimi, 25 avril 1925– ). Critique à *l'Étoile du Lac* (1973-1974), fondateur des Éditions Vertet (1974) et directeur de la revue littéraire du même nom, Alphonse Ouellet a tour à tour été militaire (1944-1945 et 1955–1971) et électricien (1945–1955), métier qu'il exerce toujours aujourd'hui. Poète, il fonde en 1979 la société Arts et Lettres du Québec et en occupe le poste de président. Il est membre de plusieurs associations littéraires dont la Société des écrivains canadiens et l'Académie des poètes classiques de France. Il a remporté le Prix Olivier-Guichard (France) en 1979.

## ŒUVRES

**Bleuets sur macadam,** poésie. Montréal, Éditions Vertet, 1975. 99 p. : portr.
**Les Toges souillées,** roman. Montréal, Éditions Vertet, 1975. 165 p. : ill.

**Henriette**
**OUELLET**

(Amos, 3 septembre 1948-    ). Détentrice d'un brevet d'enseignement en chimie et en biologie de l'école normale d'Amos (1969), Henriette Ouellet est professeur depuis ce temps. Elle a successivement enseigné à La Sarre, Macamic, Taschereau, Oka, ainsi qu'à Saint-Félix-de-Dalquier, et a participé à un stage organisé par l'Office franco-québécois à Paris. Elle est membre du Syndicat des travailleurs de l'enseignement du Nord-Ouest québécois et a publié, en collaboration avec Luc Amyot, deux contes pour enfants.

ŒUVRES

**Le Coq merveilleux,** conte pour enfants. En collaboration avec Luc Amyot ; illustrations de Monique Lauzon. Montréal, Éditions Paulines, 1977. 14 p. : ill. part. en coul. Coll. « Contes de ma maison », 7. ISBN 0-88840-608-8 et 0-88840-607-X.

**Émeraude, la petite feuille d'érable,** conte pour enfants. En collaboration avec Luc Amyot ; illustrations de Monique Lauzon. Montréal, Éditions Paulines, 1977. 14 p. : ill. part. en coul. Coll. « Contes de ma maison », 8. ISBN 0-88840-606-1 et 0-88840-605-3.

**Réal**
**OUELLET**

Kèro

(Saint-Alexandre-de-Kamouraska, 29 septembre 1935-    ). Détenteur d'un doctorat ès lettres de la Sorbonne (1963) et professeur à l'université Laval, Réal Ouellet avait auparavant occupé divers emplois, « pelleté du ballast sur la "track" du CNR, travaillé dans une manufacture de meubles et une fabrique de "veneer", sur une ferme et enseigné dans une école de réforme ». Premier président de la Société canadienne d'études du XVIIIe siècle (1967-1970), il a fondé et dirigé la revue *Études littéraires* (1967-1970) et collabore à *Lettres québécoises* et aux *Cahiers du Québec.*

ŒUVRES

**Les Relations humaines dans l'œuvre de Saint-Exupéry,** essai. Paris, Minard, 1971. 235 p.

**L'Univers du roman,** essai. En collaboration avec Roland Bourneuf. Paris, Presses universitaires de France, 1972. 232 p. Coll. « Littératures modernes ».

**Le Nouveau Roman et les Critiques de notre temps,** essai. Paris, Garnier, 1972. 192 p.

**L'Univers du roman,** essai. Édition revue et augmentée. Paris, Presses universitaires de France, 1975. 248 p.

**Lettres persanes de Montesquieu,** édition critique. En collaboration avec Hélène Vachon. Paris, Hachette, 1976. 95 p. Coll. « Poche critique ».

**La Nouvelle-France**. Sous la direction de Réal Ouellet. Québec, Études littéraires, 1977. 297 p.

**L'Univers du théâtre,** essai. En collaboration avec Gilles Rivard et Claude Régault. Paris, Presses universitaires de France, 1978.

**Fernand**
**OUELLETTE**

Kèro

**(Montréal, 24 septembre 1930-    ). Fernand Ouellette travaille comme réalisateur d'émissions culturelles à la radio de Radio-Canada. Cofondateur, en 1958, de la revue *Liberté* dont il fait toujours partie, il est également cofondateur de la Rencontre québécoise internationale des écrivains. Il a été professeur invité à l'université du Québec à Montréal, il a dirigé un atelier de création littéraire à l'université d'Ottawa, en 1977-1978 et, depuis 1977, est responsable d'un atelier semblable à l'université Laval. Sa rencontre avec Edgard Varèse,**

l'amitié qui le lie à Pierre Jean Jouve, ses voyages en Europe marquent son cheminement d'écrivain et de poète. Il a également œuvré comme commissaire au sein de la Commission d'enquête sur l'enseignement des arts au Québec (1966–1968). Des prix importants ont couronné les œuvres de Fernand Ouellette : le Prix France-Québec (1967) pour sa biographie d'*Edgard Varèse*, le Prix du Gouverneur général, qu'il refuse en 1971, pour *les Actes retrouvés*, le Prix France-Canada (1972) pour *Poésie* et le Prix de la revue *Études françaises* (1974) pour son *Journal dénoué.*

## ŒUVRES

**Ces anges de sang,** poésie. Montréal, L'Hexagone, 1955. 30 p.
**Séquences de l'aile,** poésie. Avec une sérigraphie originale d'André Jasmin. Montréal, L'Hexagone, 1958. 53 p.
**Visages d'Edgard Varèse,** essais. Sous la direction de F. Ouellette. Montréal, L'Hexagone, 1960.
**Le Soleil sous la mort,** poésie. Montréal, L'Hexagone, 1965. 64 p.
**Edgard Varèse,** biographie. Paris, Montréal, Seghers, HMH, 1966. 285 p.: ill., fac-sim.
**Dans le sombre,** suivi de **le Poème et le Poétique.** Montréal, L'Hexagone, 1967. 91 p.
**Les Actes retrouvés,** essais. Montréal, HMH, 1970. 226 p. Coll. « Constantes », 24.
**Poésie : poèmes 1953–1971,** suivi de **le Poème et le Poétique.** Montréal, L'Hexagone, 1972. 283 p.
**Depuis Novalis : errance et gloses,** essai. Montréal, Hurtubise HMH, 1973. 151 p. Coll. « Reconnaissances ».
**Journal dénoué,** récit autobiographique. Montréal, Presses de l'université de Montréal, 1974. 246 p. ISBN 0-8405-0274-5.
**Errances,** poésie. Sérigraphies originales de Fernand Toupin. Montréal, Éditions Bourguignon, 1975. N.p. : 1 portefeuille, 7 f. de planches en coul.
**Ici, ailleurs, la lumière,** poésie. Avec trois dessins originaux de Jean-Paul Jérôme. Montréal, L'Hexagone, 1977. 93 p. : ill.
**Tu regardais intensément Geneviève,** roman. Montréal, Éditions Quinze, 1978. 184 p. Coll. « Prose entière ». ISBN 0-88565-140-5.
**Écrire en notre temps,** essais. LaSalle, HMH, 1979. 158 p. Coll. « Constantes », 39. ISBN 2-89045-182-8.
**À découvert,** poésie. Avec deux dessins et une eau-forte originale de Gérard Tremblay. Québec, Éditions Parallèles, s.d. 43 p. : ill.
**La Mort vive,** roman. Montréal, Quinze Éditeur, 1980. 208 p. Coll. « Prose entière ». ISBN 2-89026-197-2.

## ŒUVRE TRADUITE

**Edgard Varèse,** biographie. Traduction anglaise de Derek Coltman. New York, Orion Press, 1968. IX-271 p.

## ÉTUDES

Nepveu, Pierre, **Les Mots à l'écoute : poésie et silence chez Fernand Ouellette, Gaston Miron et Paul-Marie Lapointe.** Québec, Presses de l'université Laval, 1979. 292 p. Coll. « Vie des lettres québécoises », 17. ISBN 0-7746-6857-1.
**Poètes québécois : dossiers de presse.** T. II **Gaston Miron, 1953–1981 ; Fernand Ouellette, 1959–1980 ; Claude Péloquin, 1965–1980.** Sherbrooke. Bibliothèque du séminaire, 1981. 126 p. : ill., portr.

## Madeleine OUELLETTE-MICHALSKA

Kèro

(Rivière-du-Loup, 27 mai 1935– ). Licenciée ès lettres de l'université de Montréal (1968), maître ès arts de l'université du Québec à Montréal, Madeleine Ouellette-Michalska prépare un doctorat en lettres aux universités de Montréal et Sherbrooke. Elle a publié textes et poèmes dans *Estuaire, Dérives, Interprétation, Poésie I,* tout en étant critique littéraire au *Devoir,* à *Châtelaine* et à *Radio-Canada.* Elle a enseigné au cégep Marguerite-Bourgeoys (1975), œuvré comme journaliste à *Actualité, Châtelaine* et *Perspectives* (1976–1980) et elle donne depuis 1980 un cours de création littéraire à l'université de Montréal. « Dans tous ces lieux de séjour, affirme-t-elle, je divulgue une langue maternelle qui va à la rencontre — parfois à l'encontre — de la langue paternelle. L'entreprise ne va pas encore de soi. Ni même toujours de moi ». Madeleine Ouellette-Michalska créait un précédent en refusant, en 1968, la Médaille du Lieutenant-gouverneur qui lui était octroyée.

Son essai, *l'Échappée des discours de l'œil*, a été couronné en 1982.

## ŒUVRES

**Le Dôme,** nouvelles. Montréal, Éditions Utopiques, 1968. 96 p.

**Le Jeu des saisons,** roman. Montréal, L'Actuelle, 1970. 138 p.

**Chez les termites,** roman. Montréal, L'Actuelle, 1975. 124 p. ISBN 0-7752-0054-9.

**La Femme de sable.** Sherbrooke, Naaman, 1979. 112 p. Coll. « Création », 64. ISBN 2-89040-030-1.

**Le Plat de lentilles,** roman. Illustrations d'Isabelle Martin. Montréal, Le Biocreux, 1979. 153 p. : ill. ISBN 2-89151-000-3.

**L'Échappée des discours de l'œil,** essai. Montréal, Nouvelle Optique, 1981.

**Entre le souffle et l'aine,** poésie. Saint-Lambert, Éditions du Noroît, 1981. ISBN 2-89018-054-9.

## Hélène OUVRARD

Kèro

(Montréal, 3 novembre 1938– ). « Famille où l'on avait l'amour des livres. Expérience précoce de la création littéraire. Musique, peinture. Entends, adolescente, les derniers battements de cœur du mouvement automatiste. Études classiques interrompues. Jette deux premiers romans-regards sur la société québécoise : *la Fleur de peau, le Cœur sauvage.* Puis deux regards intérieurs sur la femme : *le Corps étranger, l'Herbe et le Varech.* Gagne ma vie et celle de ma fille par l'écriture. Office national du film (1968-1969) : Éditions Formart (1970–1975). Bourses. Accomplis séjour en Europe longuement souhaité (1976–1978). Subis au retour les bas de l'édition québécoise. M'inquiète de la situation de l'écrivain. Siège à l'Association des écrivains de langue française (Paris), au Comité consultatif du livre et de la lecture (Québec). Participe à des jurys québécois et internationaux. Garde un pied dans les arts. Textes dramatiques, émissions sur les arts et la littérature pour la radio, *Mémoire sur la situation de la gravure au Québec.* Reprends aux Éditions Québec-Amérique la publication intégrale de mon œuvre romanesque, y publie mon cinquième roman, *la Noyante* (1980). *Et la marquise n'eut pas le temps de prendre le thé de cinq heures...* » Hélène Ouvrard a remporté le Premier Prix du X^e^ Concours d'œuvres dramatiques radiophoniques pour *la Femme singulière.*

## ŒUVRES

**La Fleur de peau,** roman. Montréal, Éditions du Jour, 1965. 194 p. Coll. « Les Romanciers du Jour ».

**Le Cœur sauvage,** roman. Montréal, Éditions du Jour, 1967. Coll. « Les Romanciers du Jour ».

**La Peinture à l'huile/Léon Bellefleur.** Photos de Jean-Pierre Beaudin. Montréal, Éditions Formart, 1972. 30 p. : ill. avec dépliant et 40 diap. coul. Coll. « Initiation aux métiers d'art du Québec ».

**L'Émaillerie/de Passillé-Sylvestre.** Photos de Jean-Pierre Beaudin. Montréal, Éditions Formart, 1972. 30 p. : ill. avec dépliant et 40 diap. coul. Coll. « Initiation aux métiers d'art du Québec ».

**La Poterie/Gaétan Beaudin.** Photos de Jean-Pierre Beaudin. Montréal, Éditions Formart, 1972. 29 p. : ill. avec dépliant et 40 diap. coul. Coll. « Initiation aux métiers d'art du Québec ».

**La Peinture acrylique/Guy Montpetit.** Photos de Marc-André Gagné. Montréal, Éditions Formart, 1972. 30 p. : ill., avec dépliant et 40 diap. coul. Coll. « Initiation aux métiers d'art du Québec ».

**La Gravure sur bois debout/Janine Leroux-Guillaume.** Photos de Jean-Pierre Beaudin. Montréal, Éditions Formart, 1972. 31 p. : ill. avec dépliant et 40 diap. coul. Coll. « Initiation aux métiers d'art du Québec ».

**La Tapisserie murale/Mariette Rousseau-Vermette.** Photos de Jean-Pierre Beaudin. Montréal, Éditions Formart, 1972. 29 p. : ill. avec dépliant et 40 diap. coul. Coll. « Initiation aux métiers d'art du Québec ».

**L'Orfèvrerie/Jean-Guy Monette.** Photos de Jean-Pierre Beaudin. Montréal, Éditions Formart, 1972. 29 p. : ill. avec dépliant et 40 diap. coul. Coll. « Initiation aux métiers d'art du Québec ».

**L'Eau-forte en couleurs/Robert Savoie.** Photos de Jean-Pierre Beaudin. Montréal, Éditions Formart, 1972. 31 p.: ill. avec dépliant et 40 diap. coul. Coll. « Initiation aux métiers d'art du Québec ».

**La Fonderie expérimentale/André Fournelle.** Montréal, Éditions Formart, 1972. 31 p.: ill. avec dépliant et 40 diap. coul. Coll. « Initiation aux métiers d'art du Québec ».

**Le Tissage de basse-lisse/Lucien Desmarais.** Photos de Jean-Pierre Beaudin. Montréal, Éditions Formart, 1972. 29 p.: ill. avec dépliant et 40 diap. coul. Coll. « Initiation aux métiers d'art du Québec ».

**La Bijouterie/Michel Lacombe.** Photos de Jean-Pierre Beaudin. Montréal, Éditions Formart, 1972. 29 p.: ill. avec dépliant et 40 diap. coul. Coll. « Initiation aux métiers d'art du Québec ».

**La Sculpture — du multiple à l'environnement/ Charles Daudelin.** Photos de Jean-Pierre Beaudin. Montréal, Éditions Formart, 1972. 30 p.: ill. avec dépliant et 40 diap. coul. Coll. « Initiation aux métiers d'art du Québec ».

**La Gravure sur bois de fil/Monique Charbonneau.** Photos de Jean-Pierre Beaudin. Montréal, Éditions Formart, 1972. 30 p.: ill. avec dépliant et 40 diap. coul. Coll. « Initiation aux métiers d'art du Québec ».

**La Tapisserie sculpturale/Denise Beaudin.** Photos de Jean-Pierre Beaudin. Montréal, Éditions Formart, 1972. 30 p.: ill. avec dépliant et 40 diap. coul. Coll. « Initiation aux métiers d'art du Québec ».

**La Lithographie/Albert Dumouchel.** Photos de Jean-Pierre Beaudin. Montréal, Éditions Formart, 1972. 31 p.: ill. avec dépliant et 40 diap. coul. Coll. « Initiation aux métiers d'art du Québec ».

**La Coulée à cire perdue/Bernard Chaudron.** Photos de Jean-Pierre Beaudin et Yvan Vallée. Montréal, Éditions Formart, 1972. 30 p.: ill. avec dépliant et 40 diap. coul. Coll. « Initiation aux métiers d'art du Québec ».

**Le Corps étranger,** roman. Montréal, Éditions du Jour, 1973. 141 p. Coll. « Les Romanciers du Jour ».

**Le Batik/Thérèse Guité.** Photos de Jean-Pierre Beaudin. Montréal, Éditions Formart, 1974. Ill. avec 40 diap. coul. Coll. « Initiation aux métiers d'art du Québec ».

**La Sérigraphie (film découpé)/René Derouin.** Photos de Jean-Pierre Beaudin. Montréal, Éditions Formart, 1974. Ill. avec 40 diap. coul. Coll. « Initiation aux métiers d'art du Québec ».

**La Sculpture sur bois/Léo Gervais.** Photos de Jean-Pierre Beaudin. Montréal, Éditions Formart, 1974. Ill. avec 40 diap. coul. Coll. « Initiation aux métiers d'art du Québec ».

**La Ferronnerie d'art/Jarnuszkiewicz et Michel.** Photos de Jean-Pierre Beaudin et Yvan Vallée. Montréal, Éditions Formart, 1974. Ill. avec 40 diap. coul. Coll. « Initiation aux métiers d'art du Québec ».

**L'Aluchromie/Réal Arsenault.** Photos de Jean-Pierre Beaudin. Montréal, Éditions Formart, 1974. Ill. avec 40 diap. coul. Coll. « Initiation aux métiers d'art du Québec ».

**La Linogravure/Robert Wolfe.** Photos de Jean-Pierre Beaudin. Montréal, Éditions Formart, 1974. Ill. avec 40 diap. coul. Coll. « Initiation aux métiers d'art du Québec ».

**La Reliure/Pierre Ouvrard.** Photos de Yvan Vallée, Robert Binette et Jean-Pierre Beaudin. Montréal, Éditions Formart, 1974. Ill. avec 40 diap. coul. Coll. « Initiation aux métiers d'art du Québec ».

**La Céramique (techniques ancienne et contemporaine)/Maurice Savoie.** Photos de Jean-Pierre Beaudin. Montréal, Éditions Formart, 1974. Ill. avec 40 diap. coul. Coll. « Initiation aux métiers d'art du Québec ».

**La Sérigraphie photomécanique/Pierre Ayot.** Photos de Yvan Vallée et Ronald Rompré. Montréal, Éditions Formart, 1974. Ill. avec 40 diap. coul. Coll. « Initiation aux métiers d'art du Québec ».

**L'Herbe et le Varech,** roman. Montréal, Éditions Quinze, 1977. 169 p.

**J.A. Martin, photographe.** Adaptation littéraire du film de Jean Beaudin; en collaboration avec le cinéaste. Estampes originales de Claude Le Sauteur. Montréal, Art global, 1980. 93 p.: ill. en coul.

**La Noyante,** roman. Montréal, Québec-Amérique, 1980. 181 p.: ill. Coll. « Littérature d'Amérique ». ISBN 2-89037-025-9.

**Toute cette lumière,** poésie. Sérigraphie de Robert Wolfe. Saint-Jacques-le-Mineur, Éditions de la Maison, 1980. N.p.: 1 f. de planches: ill. en coul.

## ŒUVRES TRADUITES

**Oil Painting/Léon Bellefleur.** Traduction anglaise de Sheila Fischman. Montréal, Éditions Formart, 1974. Coll. « Initiation aux métiers d'art du Québec ».

**Enamel-Work/de Passillé-Sylvestre.** Traduction anglaise de Sheila Fischman. Montréal, Éditions Formart, 1974. Coll. « Initiation aux métiers d'art du Québec ».

**Pottery/Gaétan Beaudin.** Traduction anglaise de Sheila Fischman. Montréal, Éditions Formart, 1974. Coll. « Initiation aux métiers d'art du Québec ».

**Acrylic Painting/Montpetit.** Traduction anglaise de Sheila Fischman. Montréal, Éditions Formart, 1974. Coll. « Initiation aux métiers d'art du Québec ».

**End-Grain Engraving/Janine Leroux-Guillaume.** Traduction anglaise de Sheila Fischman. Montréal, Éditions Formart, 1974. Coll. « Initiation aux métiers d'art du Québec ».

**Wall Tapestries/Mariette Rousseau-Vermette.** Traduction anglaise de Sheila Fischman. Montréal, Éditions Formart, 1974. Coll. « Initiation aux métiers d'art du Québec ».

**The Art of the Goldsmith/Jean-Guy Monette.** Traduction anglaise de Sheila Fischman. Montréal, Éditions Formart, 1974. Coll. « Initiation aux métiers d'art du Québec ».

**Colour Etching/Robert Savoie.** Traduction anglaise de Sheila Fischman. Montréal, Éditions Formart, 1974. Coll. « Initiation aux métiers d'art du Québec ».

**Experimental Metal — Casting/André Fournelle.** Traduction anglaise de Sheila Fischman. Montréal, Éditions Formart, 1974. Coll. « Initiation aux métiers d'art du Québec ».

**Low-Wart Weaving/Lucien Desmarais.** Traduction anglaise de Sheila Fischman. Montréal, Éditions Formart, 1974. Coll. « Initiation aux métiers d'art du Québec ».

**Jewellery/Michel Lacombe.** Traduction anglaise de Sheila Fischman. Montréal, Éditions Formart, 1974. Coll. « Initiation aux métiers d'art du Québec ».

**Environmental Sculpture/Charles Daudelin.** Traduction anglaise de Sheila Fischman. Montréal, Éditions Formart, 1974. Coll. « Initiation aux métiers d'art du Québec ».

**Woodcut Engraving/Monique Charbonneau.** Traduction anglaise de Sheila Fischman. Montréal, Éditions Formart, 1974. Coll. « Initiation aux métiers d'art du Québec ».

**Sculptural Tapestry/Denise Beaudin.** Traduction anglaise de Sheila Fischman. Montréal, Éditions Formart, 1974. Coll. « Initiation aux métiers d'art du Québec ».

**Lithography/Albert Dumouchel.** Traduction anglaise de Sheila Fischman. Montréal, Éditions Formart, 1974. Coll. « Initiation aux métiers d'art du Québec ».

**Lost-Wax Casting/Bernard Chaudron.** Traduction anglaise de Sheila Fischman. Montréal, Éditions Formart, 1974. Coll. « Initiation aux métiers d'art du Québec ».

# P

**Pierre PAGÉ**

(Montréal, 6 août 1935–      ). Critique littéraire et essayiste, Pierre Pagé est licencié en théologie, maître ès lettres et a complété un diplôme d'études supérieures à l'université de Rennes. Spécialiste d'Antoine de Saint-Exupéry et d'Anne Hébert, il a été professeur au collège Sainte-Marie (1966) et à l'université du Québec à Montréal (1969). Il a également participé à la fondation du musée d'Art primitif de Montréal et créé le Centre de recherche en symbolique. Depuis 1971, il poursuit des recherches dans le domaine de la radio-télévision québécoise et a, à cet effet, constitué, avec la collaboration de Renée Legris, les « Archives de la littérature radiophonique et télévisuelle du Québec ». Après avoir enseigné à l'université du Québec à Trois-Rivières, il a été nommé directeur général de la commission PRETAGEC et aussi directeur de recherches à l'Institut québécois de recherche sur la culture (1981).

ŒUVRES

**Saint-Exupéry et le monde de l'enfance,** essai. Montréal, Fides, 1962. 125 p.

**Anne Hébert,** essai. Montréal, Fides, 1965. 189 p.

**Le Symbole, carrefour interdisciplinaire,** essai. En collaboration avec Renée Legris. Montréal, Presses de l'université du Québec, 1969. Coll. « Recherches en symbolique », 1.

**L'Œuvre littéraire et ses Significations,** essai. En collaboration avec Renée Legris. Montréal, Presses de l'université du Québec, 1970. 223 p. Coll. « Recherches en symbolique », 2.

**Problèmes d'analyse symbolique,** essai. En collaboration avec Renée Legris. Montréal, Presses de l'université du Québec, 1972. 245 p. Coll. « Recherches en symbolique », 3.

**L'Office de conservation et de recherche sur la radio et la télévision,** rapport d'expertise présenté au ministère des Affaires sociales. Avril 1974. 112 p.

**Répertoire des œuvres de la littérature radiophonique québécoise 1930–1970.** En collaboration avec Renée Legris et Louise Blouin. Montréal, Fides, 1975. 826 p. ISBN 0-7755-0533-1.

**Le Comique et l'Humour à la radio québécoise,** T. I : **1930–1970,** essai. En collaboration avec Renée Legris. Montréal, La Presse, 1976. 677 p. ISBN 0-7777-0131-6.

**Répertoire des dramatiques québécoises à la télévision, 1952–1977.** En collaboration avec Renée Legris. Montréal, Fides, 1977. 252 p. : graph. Coll. « Archives québécoises de la radio et de la télévision », 3. ISBN 0-7755-0664-8.

**Le Comique et l'Humour à la radio québécoise,** T. II : **1930–1970,** essai. En collaboration avec Renée Legris. Montréal, Fides, 1979. 735 p. ISBN 2-7621-0779-2.

**Dictionnaire des auteurs du radio-feuilleton québécois.** En collaboration avec Renée Legris. Montréal, Fides, 1981. 198 p.

### René PAGEAU

(Notre-Dame-des-Laurentides, 7 mai 1937– ). Membre de la Congrégation des Clercs de Saint-Viateur, licencié en théologie de l'université de Montréal (1968), en lettres de l'université Laval (1972) et également docteur ès lettres de l'université de Rennes (1975), René Pageau a tour à tour été enseignant (1957–1959), directeur du service de pastorale à l'école polyvalente de Berthierville (1968–1970), responsable d'un centre d'animation à Joliette (1970–1976), pour ensuite exercer son sacerdoce dans la paroisse Christ-Roi de Joliette. Il a écrit de nombreux recueils de poésie ainsi que des essais sur des peintres et sculpteurs tels Max Boucher et Wilfrid Corbeil. Il a publié des textes dans diverses revues dont *Livres et Auteurs québécois, Cahiers de l'Académie canadienne-française* et *l'Action nationale* et dans des journaux comme *le Droit* et *le Joliette-Journal* et il a collaboré à *l'Information médicale* comme chroniqueur littéraire.

#### ŒUVRES

**Solitude des îles,** poésie. Illustrations de Bruno Hébert. Montréal, Éditions de l'Atelier, 1964. 77 p.: ill.

**Pays intérieur,** poésie. Illustrations de Max Boucher. Joliette, chez l'auteur, 1967. 139 p.: ill.

**L'Ombre de l'hiver,** poésie. Avec quatre encres de Marcel Ducharme. Berthierville, chez l'auteur, 1969. 103 p. : ill.

**Rumeurs de la nuit,** poésie. Avec quatre gravures de Marcel Ducharme. Berthierville, chez l'auteur, 1970. 93 p.: ill.

**Antoine Bernard, sa vie, son œuvre,** essai. Préface de Maurice Lebel. Sherbrooke, Éditions Paulines, 1970. 93 p.: ill.

**Poèmes.** Saint-Constant, Éditions Passe-partout, 1971. 15 p. « Fascicule », 5.

**Que tourne le soleil,** poésie. Avec quatre encres de Mariel Pilon. Québec, Éditions Garneau, 1972. 89 p.: ill.

**Max Boucher, peintre sculpteur,** essai. Préface de Marius Plamondon. Joliette, chez l'auteur, 1972. 141 p.

**Vienne l'été,** poésie. Illustrations de Pierre Tétrault. Québec, Éditions Garneau, 1974. 132 p.: ill. Coll. « Garneau poésie ». ISBN 0-7757-0550-0.

**Au-delà de l'échec,** essai. Préface de Benoît Lacroix. Joliette, Éditions de la Parabole, 1975. 175 p.

**Wilfrid Corbeil, artiste peintre,** essai. Préface de Jean-Pierre Duquette. Joliette, Éditions du musée de Joliette, 1976. 137 p.

**Max Boucher, dans le versant de la lumière,** essai. Préface de Wilfrid Corbeil. Joliette, chez l'auteur, 1976. 59 p.

**Gustave Lamarche, poète dramatique,** essai. Québec, Éditions Garneau, 1976. 236 p.: ill., portr.

**La Bêtise du chrétien,** essai. Joliette, Éditions de la Parabole, 1977. 128 p.

**Préface du printemps,** poésie. Illustrations de Luce Brini. Joliette, Éditions de la Parabole, 1978. 110 p.: ill.

**Rencontres avec Simone Routier,** suivi de **Lettres d'Alain Grandbois,** essai. Préface de Simone Routier. Joliette, Éditions de la Parabole, 1979. 219 p.

**Le Chemin de la force,** essai. Illustrations de Max Boucher. Joliette, Éditions de la Parabole, 1979. 52 p.: ill.

**Les Armes de la tendresse,** essai. Joliette, Éditions de la Parabole, 1980. 197 p.

**Marie de Nazareth,** essai. Illustrations de Gertrude Crète. Joliette, Éditions de la Parabole, 1980. 95 p.: ill.

### Ernest PALLASCIO-MORIN

Pseud. : Jean-Louis de Varro, Héliotrope, Théramène.

(Montréal, 3 février 1909– ). Journaliste depuis plus de cinquante ans, Ernest Pallascio-Morin a contribué d'une manière éminente à la vie culturelle du Québec. Une partie de son œuvre journalistique (17 cahiers) est d'ailleurs conservée à la Bibliothèque nationale. Il a ainsi collaboré au *Devoir*, à la *Revue populaire*, à *l'Action*, à *la Revue dominicaine* et à *l'Information médicale et paramédicale*. Son apport dans les domaines de la poésie et du théâtre n'en est pas

Kèro

moins important et lui a valu de nombreux prix. Citons pour le théâtre : le Trophée Gratien-Gélinas (1949) et le trophée Wood au festival d'art dramatique de 1939 ; pour la poésie : la Médaille du Lieutenant-gouverneur (1959), le Prix de l'Académie du Puy des Palinods ; pour la radio : le Canadian Radio Award, le trophée LaFlèche (scripteur de l'année 1953-1954) et le trophée du cinquantenaire du poste CKAC qui lui a été décerné en 1973 pour l'ensemble de son œuvre. Mentionnons de plus qu'Ernest Pallascio-Morin a reçu un doctorat *honoris causa* de l'université Laval en 1953 et l'Ordre du Canada, le 21 décembre 1979.

## ŒUVRES

**Clair-obscur,** poésie. Illustrations de L. Jacques Beaulieu. Montréal, ABC-Valiquette, 1939. 148 p. : ill.

**Brentwick,** roman. Préface de Jean Dufresne. Montréal, Imprimerie Populaire, 1940. 193 p. : ill.

**Jésus passait,** poésie. Préface de Léonard-M. Puech, o.f.m. Montréal, Éditions du Lévrier, 1944. 240 p. : ill., photos.

**Je vous ai tant aimée,** roman. Montréal, Éditions du Lévrier, 1945. 208 p.

**La Louve,** roman. Québec, Institut littéraire du Québec, 1952. 206 p.

**Marie mon amour,** méditations. Préface de Roger Brien. Québec, Institut littéraire du Québec, 1954. 161 p.

**Sentiers fleuris, Livres ouverts,** nouvelles. Montréal, Éditions Beauchemin, 1959. 75 p. Coll. « Grands Exemples ».

**Rumeurs,** souvenirs. Montréal, Beauchemin, 1960. 218 p.

**Le Vertige du dégoût,** essai. Montréal, Éditions de l'Homme, 1961. N.p.

**Pleins Feux sur l'homme,** poésie. Montréal, Déom, 1963. 65 p. Coll. « Poésie canadienne ».

**Autopsie du secret,** poésie. Préface de Charles-Marie Boissonnault. Québec, Garneau, 1964. 78 p.

**L'Heure intemporelle,** poésie. Québec, Garneau, 1965. 103 p.

**Les Vallandes,** récits et nouvelles. Québec, Garneau, 1966. 144 p.

**Demain, tu n'auras plus un instant,** poésie. Montréal, HRW, 1967. 60 p.

**Pour les enfants du monde,** poésie. Illustrations d'Anne Letellier. Québec, Garneau, 1968. 130 p. : ill.

**Par la route ascendante : monographie de Catherine de Saint-Augustin,** essai. Québec, Hôtel-Dieu, 1968. 26 p., portr.

**Les amants ne meurent pas,** poésie. Montréal, Déom, 1970. 80 p. Coll. « Poésie canadienne », 26.

**Un visage à reconnaître,** poésie. Québec, Garneau, 1973. 77 p. Coll. « Garneau poésie ».

**Hôtel San Pedro,** théâtre. Montréal, Leméac, 1973. 71 p. Coll. « Répertoire québécois », 34.

**La Machine dans le destin de l'homme,** essai. Montréal, Beauchemin, 1973. 111 p. : ill. Coll. « Pensée actuelle ».

**Maxine,** théâtre. Montréal, Leméac, 1974. 93 p. Coll. « Répertoire québécois », 42.

**Le Club Saint-Denis, 1874–1974.** Montréal, Le Club Saint-Denis, Éditions du Jour, 1974. 152 p. : ill., hors commerce.

**L'Amnésie des dieux,** poésie. Québec, Garneau, 1975. 108 p. Coll. « Garneau poésie ». ISBN 0-7757-0556-X.

**La Magie de l'eau,** poésie. Illustrations de Gilles E. Gingras ; préface de G.-Édouard Rinfret. Sutton, Éditions du Monticule, 1978. 158 p.

**Québec et ses Ponts couverts.** Avec une eau-forte et vingt-neuf reproductions de Gilles-Emmanuel Gingras. Sutton, Éditions du Monticule, 1980. 47 p. : ill.

## ŒUVRES TRADUITES

**The Immortal Profile,** poésie. Traduction anglaise de Ella-Marie Cooper ; titre original : **Jésus passait.** Chicago, Franciscan Herald Press, 1958. 204 p.

**To Speak of Love,** essai. Traduction anglaise de Marguerite Duchesnay Macdonald ; titre original : **Par la route ascendante.** Québec, Hôtel-Dieu, 1976.

## Hélène PAPAGEORGES

(Montréal, 1er mai 1931– ). Auteure de textes dramatiques pour la radio et la télévision, de contes et de théâtre pour enfants, Hélène Papageorges avoue que sa vie est tout entière orientée vers les enfants. Bachelière en psychologie et en pédagogie, elle a ouvert un atelier où elle travaille comme éducatrice. Quelques-uns de ses contes ont été lus à la radio et elle est également auteure-compositeure-interprète.

### ŒUVRES

**Dis-nous quelque chose,** poésie. Illustrations de Normand Hudon. Montréal, Beauchemin, 1961. 94 p. : ill.

**Mimi la petite étoile,** conte. Illustrations de Pierre Faucher. Montréal, Éditions Paulines, 1974. N.p. : ill. part. en coul. Coll. « Monsieur Hibou », 3. ISBN 0-88840-430-1.

**La Petite Fille et la Fleur,** conte. Illustrations de Pierre Faucher. Montréal, Éditions Paulines, 1974. N.p. : ill. part. en coul. Coll. « Monsieur Hibou », 4. ISBN 0-88840-431-X.

## Alfraède PAPARTCHU

Voir François-Marie Gérin-Lajoie.

## Yvon-Louis PAQUET

(Montréal, 13 août 1941– ). Particulièrement intéressé par tout ce qui a trait au plein air et au monde animal, Yvon-Louis Paquet a publié des articles dans les revues *Angler and Hunter, Sentier, Panache, Québec Chasse et Pêche, Québec Nature, Québec Faune* et bien d'autres. Il est membre actif de l'Association des journalistes de plein air et travaille comme pigiste depuis 1975. Il a étudié la biologie au cégep de Cap Rouge (1973) et a découvert avec intérêt la bioénergie en 1975.

### ŒUVRE

**Pleins Feux sur la corneille,** guide. Illustrations de Marie Archambault. Montréal, Leméac, 1978. 185 p. : ill., photos. ISBN 0-7761-9363-5.

## Claire PAQUETTE (1952– )

### ŒUVRES

**Blake se fait la main.** Sherbrooke, Éditions Paulines, 1973. 125 p. : ill. Coll. « Jeunesse-pop », 12. ISBN 0-88840-383-6.

**Alerte à l'université.** Illustrations de Gabriel de Beney. Montréal, Éditions Paulines, 1974. 97 p. : ill. Coll. « Jeunesse-pop », 15. ISBN 0-88840-418-2.

## Jean-Marcel PAQUETTE

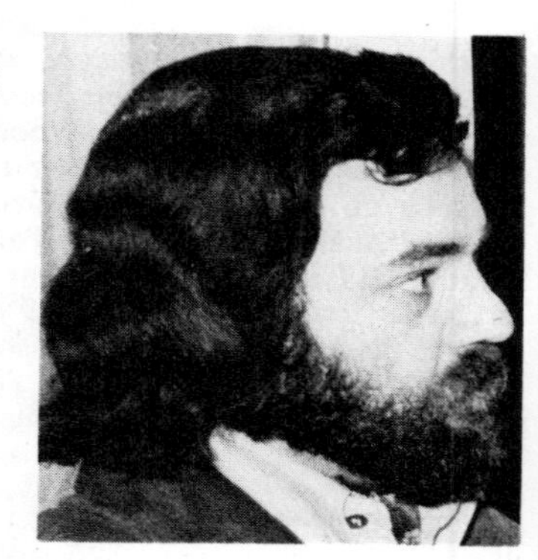

Pseud. : Jean Marcel.

(Montréal, 15 juin 1941– ). Jean-Marcel Paquette a reçu son doctorat du Centre d'études supérieures de civilisation médiévale de l'université de Poitiers (1968). Actuellement professeur à l'université Laval, il a été professeur invité à l'université de Caen (1971–1973), à l'université Wroclaw, en Pologne (1979) et à l'université d'Augsburg, en Allemagne (1981). Il a été directeur de la section culturelle de *l'Action nationale* de 1962 à 1966, membre du comité de rédaction de la revue *Études françaises* de 1973 à 1980 et directeur littéraire, pour le Québec, des Éditions Nathan (1978–1980). Récipiendaire du Prix France-Québec, en 1974, pour *le Joual de Troie*, il est membre du Conseil de la langue française depuis 1978.

### ŒUVRES

**Rina Lasnier,** essai. Montréal, Fides, 1965. 96 p. Coll. « Classiques canadiens ».

**Jacques Ferron malgré lui,** essai. Montréal, Éditions du Jour, 1970. 221 p. Coll. « Littérateurs du Jour ».

**Le Joual de Troie,** essai. Montréal, Éditions du Jour, 1973. 236 p.

**Jacques Ferron malgré lui,** essai. Édition revue et augmentée. Montréal, Parti pris, 1978.

285 p. : ill., diagr., portr. Coll. « Frères chasseurs ». ISBN 0-88512-124-4.

**Français pour tous — Français pour tout,** didactique. Québec, Télé-université, 1976. 450 p.

**Le Québec par ses textes littéraires (1534-1976),** manuel. En collaboration avec Michel Le Bel. Paris, Montréal, Nathan, France-Québec, 1979. 387 p.

**Le Joual de Troie.** Nouvelle édition augmentée. Montréal, Éditions du Jour, 1979. 322 p.

**Poèmes de la mort : de Turold à Villon,** anthologie commentée. Paris, 10/18, 1979. 285 p. Coll. « Bibliothèque médiévale ».

## TRADUCTIONS

**Le Chant de Gilgamesh,** récit. Traduit et adapté du sumérien par Jean Marcel ; illustrations de Maureen Maxwell. Montréal-Nord, VLB, 1979. 98 p. : ill. ISBN 2-89005-108-0.

**La Chanson de Roland,** épopée. Traduite et adaptée de l'ancien français par Jean Marcel ; illustrations de Viateur Beaupré. Montréal-Nord, VLB, 1981. 120 p. ISBN 2-89005-107-2.

## Jean-Pierre PAQUIN

Richard Robitaille

(Montréal, 30 mai 1952- ). Chroniqueur, journaliste et correcteur d'épreuves pour le magazine *Madame* pendant près de trois ans, Jean-Pierre Paquin travaille ensuite au magazine *VSD* où il est tour à tour correcteur d'épreuves, adjoint à la rédaction puis rédacteur en chef. Il a collaboré à la recherche et à la rédaction de l'album officiel des Floralies internationales de 1980. Jean-Pierre Paquin travaille présentement pour des entreprises privées en tant que directeur de production et rédacteur en chef. Deux de ses pièces ont été primées par le Centre d'essai des auteurs dramatiques.

## ŒUVRES

**Le Jeu,** suivi de **Las,** théâtre et nouvelle, Préface de Michel Tremblay. Sainte-Thérèse, chez l'auteur, 1974. 109 p. : ill.

**Les Nouveau-Nés,** théâtre, nouvelles, poésie. Montréal, chez l'auteur, 1974. 119 p. : ill.

**Le Sein glorifié,** essai. Sainte-Thérèse de Blainville, chez l'auteur, 1975. N.p. : ill., portr.

**Sur les chemins de l'excommunication,** nouvelles. Montréal, chez l'auteur, 1978. 148 p.

## Wilfrid PAQUIN

Voir Charles Lorenzo.

## Suzanne PARADIS

Kèro

(Québec, 27 octobre 1936- ). Suzanne Paradis enseigna quelques années avant de se consacrer, dès 1959, à la carrière littéraire et à des activités connexes. Auteure de plus d'une vingtaine d'ouvrages : contes, essais, poèmes, romans, elle a été chroniqueuse de poésie au *Soleil* (1970-1971), auteure d'une série radiophonique sur la femme dans le roman québécois (1972-1973), animatrice d'ateliers littéraires dans les collèges et universités (1973-1974), membre de la Commission consultative des arts (1973-1975), membre du collectif de la revue *Estuaire* depuis 1977, recherchiste et rédactrice au *Dictionnaire des œuvres littéraires du Québec* (1978), critique littéraire au *Devoir* (1978-1979) et lectrice aux Nouvelles Éditions de l'Arc depuis 1979. Elle est, enfin, membre de l'Académie canadienne-française. De nombreux prix lui ont été décernés : Prix Mgr Camille-Roy pour *Il ne faut pas sauver les hommes* (1961), Prix de la province de Québec pour *la Malebête* (1963), Prix France-Québec pour *Pour les enfants des morts* (1965) et le Prix du Maurier pour *l'Œuvre de pierre* (1970).

## ŒUVRES

**Les Enfants continuels,** poésie. Charlesbourg, chez l'auteure, 1959. 68 p.

**À temps le bonheur,** poésie. Charlesbourg, chez l'auteure, 1960. 116 p.

**Les Hauts Cris,** roman. Paris, Éditions de la Diaspora française, 1960. 175 p. Coll. « Fiction ».

**Il ne faut pas sauver les hommes,** conte. Illustrations de Pierre Morisset. Québec, Garneau, 1961. 187 p. : ill.

**La Chasse aux autres,** poésie. Trois-Rivières, Éditions du Bien public, 1961. 106 p.

**La Malebête,** poésie. Québec, Garneau, 1962. 94 p.

**Pour les enfants des morts,** poésie. Québec, Garneau, 1964. 147 p.

**Femme fictive, Femme réelle : le personnage féminin dans le roman féminin canadien-français,** essai. Québec, Garneau, 1966. 330 p.

**Le Visage offensé,** poésie. Québec, Garneau, 1966. 176 p.

**François-les-oiseaux,** nouvelles. Québec, Garneau, 1967. 161 p.

**Les Cormorans,** roman. Québec, Garneau, 1968. 243 p.

**L'Œuvre de pierre,** poésie. Québec, Garneau, 1968. 72 p.

**Pour voir les plectrophanes naître,** poésie. Québec, Garneau, 1970. 89 p.

**Emmanuelle en noir,** roman. Québec, Garneau, 1971. 177 p.

**Il y eut un matin,** poésie. Québec, Garneau, 1972. 76 p. Coll. « Garneau poésie ».

**La Voie sauvage,** poésie. Québec, Garneau, 1973. 68 p. Coll. « Garneau poésie ».

**Quand la terre était toujours jeune,** roman. Québec, Garneau, 1974. 143 p. Coll. « Garneau roman ».

**L'été sera chaud,** roman. Québec, Garneau, 1975. 210 p. Coll. « Garneau roman ». ISBN 0-7757-1151-9.

**Noir sur sang,** poésie. Québec, Garneau, 1976. 119 p. Coll. « Garneau poésie ». ISBN 0-7757-0562-4.

**Un portrait de Jeanne Joron,** roman. Québec, Garneau, 1977. 261 p. Coll. « Garneau roman ». ISBN 0-7757-1153-5.

**Poèmes 1959-1960-1961.** Réédition partielle et corrigée de **les Enfants continuels, À temps le bonheur** et **la Chasse aux autres.** Québec, Garneau, 1978. 243 p. Coll. « Garneau poésie ». ISBN 0-7757-0567-5.

**Adrienne Choquette lue par Suzanne Paradis : une analyse de l'œuvre littéraire d'Adrienne Choquette,** essai. Notre-Dame-des-Laurentides, Presses laurentiennes, 1978. 220 p. : ill., facsim., portr.

**Miss Charlie,** roman. Montréal, Leméac, 1979. 322 p. Coll. « Roman québécois », 32. ISBN 2-7609-3038-6.

**Les Chevaux de verre,** poésie. Montréal, Nouvelles Éditions de l'Arc, 1980. 57 p. Coll. « De l'Escarfel ». ISBN 2-89016-002-5.

## ŒUVRE TRADUITE

**When the Earth was still Young,** roman. Traduction anglaise de Basil Kingstone ; titre original : **Quand la terre était toujours jeune.** Vancouver, Canadian Fiction Magazine, n° 26, 1977. pp. 61–145.

## ÉTUDE

**Romanciers québécois : dossiers de presse.** T. IV **Claire Martin, 1959–1978 ; Philippe Panneton, 1938–1970 ; Suzanne Paradis, 1961–1980.** Sherbrooke, Bibliothèque du séminaire, 1981. 142 p. : portr.

## Paul PARÉ

(1940– ). Paul Paré a participé à la fondation de la maison d'édition Le Biocreux. Il est, affirme-t-il, typographe.

## ŒUVRES

**L'Improbable Autopsie,** roman. Avec 10 dessins de Jachar. Montréal, Éditions Quinze, 1977. 216 p. : ill. ISBN 0-88565-125-1.

**L'Antichambre et Autres Métastases,** quasi-roman. Montréal, Parti pris, 1978. 176 p. : ill. Coll. « Paroles », 56. ISBN 0-88512-122-8.

**Comme un cheval sur la soupe.** Illustrations de Louis Paré. Montréal, Le Biocreux, 1979. 110 p. : ill.

**Les Fables de l'entonnoir.** Avec 25 dessins de Jachar. Montréal, Le Biocreux, 1979. 147 p. : ill. ISBN 2-89151-003-8.

**La Vengeance du couteau à mastic,** roman. Recherche iconographique de Jachar et l'auteur. Montréal, Le Biocreux, 1980. 207 p. : ill. ISBN 2-89151-011-9.

**Ils : essai-fiction,** suivi de **les Entretiens de patience différée.** Montréal, Le Biocreux, 1980. 146 p. Coll. « Premières ». ISBN 2-89151-501-3.

**Yvon PARÉ**

(La Dorée, 27 février 1946–     ). Chroniqueur artistique au journal *le Quotidien* de Chicoutimi depuis 1975, Yvon Paré avait obtenu un B.A. de l'université de Montréal en 1971. Poète et romancier, il a aussi fait beaucoup de théâtre et exercé divers métiers : bûcheron, animateur communautaire, etc. Son roman, *le Violoneux*, paru en 1979 au Cercle du livre de France, lui a valu le Prix de la bibliothèque centrale de prêt du Saguenay-Lac Saint-Jean. Il a collaboré à la revue *Québec français*.

### ŒUVRES

**L'Octobre des Indiens,** poésie. Montréal, Éditions du Jour, 1971. 53 p. Coll. « Les Poètes du Jour ».

**Anna-Belle,** roman. Montréal, Éditions du Jour, 1972. 125 p. Coll. « Les Romanciers du Jour ».

**Le Violoneux,** roman. Montréal, Cercle du livre de France, 1979. 203 p. ISBN 2-89051-004-2.

**La Mort d'Alexandre,** roman. Montréal-Nord, VLB Éditeur, 1982. 212 p. ISBN 2-89005-139-0.

**Alice PARIZEAU**

(Cracovie, Pologne, 1930-     ). Dès l'âge de sept ans, Alice (Poznanska) Parizeau est agent de liaison durant la Deuxième Guerre mondiale et, après l'insurrection de Varsovie, elle est emprisonnée à Bergen-Belsen (Allemagne). À la libération, elle mérite la Croix de fer pour courage face à l'ennemi et est envoyée à Paris où elle complète ses études en obtenant un bac, une licence en droit puis un diplôme de sciences politiques. En 1955, elle vient passer des vacances au Québec et renonce momentanément à rentrer à Paris car on lui offre ici d'organiser une bibliothèque. Mariée par la suite à un Québécois, Alice Parizeau est officier de réhabilitation pour la ville de Montréal, puis journaliste, entre autres, à *Cité Libre* et à *la Presse*, recherchiste, etc. Elle est actuellement titulaire de recherche en criminologie à l'université de Montréal. Son roman, *Les lilas fleurissent à Varsovie*, a remporté en 1982 le premier Prix européen de l'Association des écrivains de langue française (ADELF).

### ŒUVRES

**Les Solitudes humaines**. Montréal, Écrits du Canada français, 1962.

**Voyage en Pologne**. Montréal, Éditions du Jour, 1962. ISBN 0-7760-2202-2.

**Fuir**, roman. Montréal, Déom, 1963. ISBN 2-89020-009-4.

**Survivre**, roman. Montréal, Cercle du livre de France, 1964.

**Une Québécoise en Europe « rouge »**, essai. Montréal, Fides, 1965.

**Rue Sherbrooke ouest**, roman. Montréal, Cercle du livre de France, 1967.

**Face à face : l'adolescent et la société**, essai. En collaboration. Bruxelles, Charles Dessart, 1972.

**Les Militants**, roman. Montréal, Cercle du livre de France, 1974. ISBN 7753-0053-5.

**Ces jeunes qui nous font peur**, essai. En collaboration. Montréal, René Ferron, 1974.

**L'Envers de l'enfance**, récits. Montréal. Éditions La Presse, 1976. ISBN 0-7777-0138-3.

**Le Traitement de la criminalité au Canada**, essai. En collaboration. Montréal, Presses de l'université de Montréal, 1978.

**Protection de l'enfant : échec ?** essai. Montréal, Presses de l'université de Montréal, 1979. ISBN 2-7606-0437-3.

**Les lilas fleurissent à Varsovie**, roman. Cercle du livre de France, 1981. ISBN 2-89051-051-4.

**La Charge des sangliers**, roman. Montréal, Pierre Tisseyre, 1982. 384 p. ISBN 2-89051-082-4.

### ŒUVRES TRADUITES

**The Canadian Justice System**, essai. Traduction anglaise; titre original: **Face à face: l'adolescent et la société**. New York, Lexington Books, 1978.

**Parenting and Delinquent Youth**, essai. Traduction anglaise; titre original: **Protection de l'enfance: échec?** New York, Lexington Books, 1980.

**El Adolescente y la Sociedad**, essai. Traduction espagnole; titre original: **Face à face: l'adolescent et la société**. Barcelone, Éditorial Herder, 1980.

## Gabrielle PASCAL

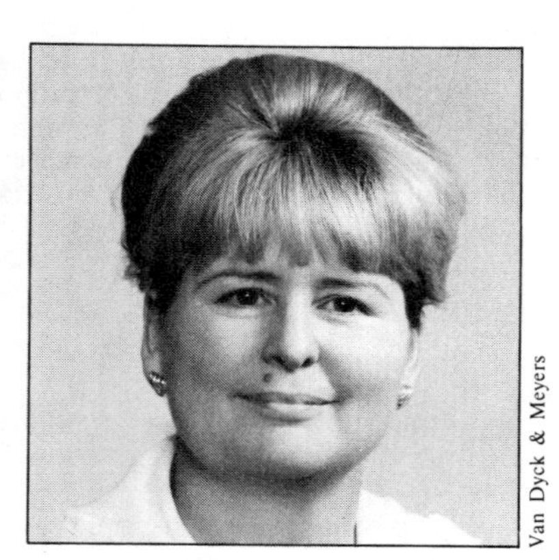

Van Dyck & Meyers

(Paris, France, 1932– ). Détentrice d'une maîtrise en littérature québécoise de l'université Laval et d'un doctorat de l'université McGill, Gabrielle Pascal enseigne au département de langue et littérature françaises de cette dernière université. Critique et essayiste, elle s'intéresse plus particulièrement aux littératures française et québécoise des XIX^e^ et XX^e^ siècles et a collaboré à diverses revues dont *Québec français, Livres et Auteurs québécois, Voix et Images, Incidences* et *The French Review*. Elle est membre de plusieurs associations dont la Société des écrivains canadiens, la Société des professeurs de français des universités canadiennes et l'Association des humanités du Canada.

### ŒUVRES

**La Quête de l'identité chez André Langevin,** essai. Montréal, Aquila, 1976. 93 p. Coll. « Figures du Québec ». ISBN 0-88510-046-8.

**Le Défi d'Albert Laberge,** essai. Montréal, Aquila, 1976. 93 p.: ill., fac-sim., portr. Coll. « Figures du Québec ». ISBN 0-88510-036-0.

## Benoît PATAR

(Saint-Hubert, Belgique, 1939– ). Président des Éditions du Préambule et directeur de la revue de cinéma *24 images*, Benoît Patar est professeur de philosophie au niveau collégial. Au Québec depuis 1966, il a étudié à l'université de Louvain où il a complété des licences en philosophie et lettres et en sciences économiques.

### ŒUVRES

**À l'occasion des choses,** poésie. Longueuil, Le Préambule, 1980. 446 p. ISBN 2-89133-012-9.

**Papiers spirituels.** Longueuil, Le Préambule, 1981. 88 p. ISBN 2-89133-025-6.

## Thomas PAVEL

(Bucarest, Roumanie, 4 avril 1941– ). Détenteur d'une maîtrise en linguistique de l'université de Bucarest (1962), associé de recherches à l'Institut de linguistique (Bucarest) de 1962 à 1969, Thomas Pavel a aussi été directeur de la section de littérature étrangère de l'hebdomadaire roumain *Luceafarul* (1964-1965). Professeur à l'université d'Ottawa depuis 1970, il est docteur en linguistique de l'université de Paris III (1971). Il est membre du Pen Club canadien.

### ŒUVRES

**Inflexions de voix,** essai. Montréal, Presses de l'université de Montréal, 1976. 178 p. Coll. « Lectures ». ISBN 0-8405-0234-5.

**La Syntaxe narrative des tragédies de Corneille: recherches et propositions.** Paris, Ottawa, C. Klincksieck, Éditions de l'université d'Ottawa, 1976. XII-159 p. ISBN 0-7766-4532-3.

**Le Miroir persan,** nouvelles. Montréal, Éditions Quinze, 1977. 145 p. Coll. « Prose entière ». ISBN 0-88565-138-3.

**Hélène**
**PELLETIER-BAILLARGEON**

Kèro

(Montréal, 22 décembre 1932– ). Journaliste, adjointe à la direction (1964–1972) et directrice (1972–1974) de la revue *Maintenant*, Hélène Pelletier-Baillargeon a, depuis ce temps, fait paraître des chroniques sur la santé et sur la politique et des reportages dans *Châtelaine*. Vice-présidente du conseil d'administration de la revue *Critère*, elle a également collaboré, à l'occasion, au *Jour*, au *Devoir*, à *Relations*, à *Possibles*, etc. Elle est membre depuis 1974 de la Fédération professionnelle des journalistes du Québec.

ŒUVRES

**Contemplation,** essai. Préface de Fernand Dumont. Montréal, Fides, 1977. 69 p. ISBN 0-7755-0632-X.

**Le Pays légitime,** essai. Préface de Jacques Grand' Maison. Montréal, Leméac, 1979. 253 p. Coll. « À hauteur d'homme ». ISBN 2-7609-5503-6.

**Robert Cliche,** biographie et témoignages. En collaboration. Montréal, Quinze Éditeur, 1980. 188 p.

**Claude**
**PÉLOQUIN**

(Montréal, 1942– ). Instigateur et membre du groupe l'Horloge du Nouvel Âge (1964-1965), ayant participé à plusieurs spectacles d'avant-garde et donné de nombreux récitals de poésie tant au Québec qu'ailleurs, Claude Péloquin fut aussi le cofondateur du groupe le Zirmate (1965) dont la préoccupation essentielle était la recherche d'un art total. En plus de ses nombreuses publications, il a fait plusieurs émissions de radio, donné des conférences sur le langage poétique et ses formes d'expression, participé à des expositions de peinture et écrit les paroles des chansons *Lindberg* et *C.P.R. Blues* mises en musique par

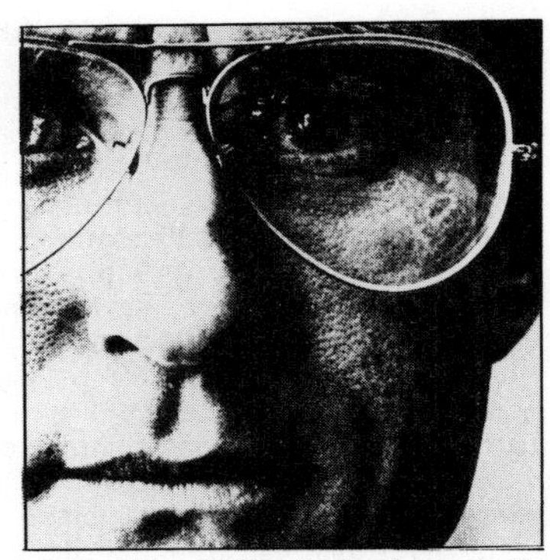

Robert Charlebois. En 1970, il devient réalisateur à l'Office national du film et réalise en collaboration avec Yves Landré un documentaire intitulé *l'Homme nouveau* pour lequel il reçoit le Canadian Film Award pour le meilleur scénario. Il a enregistré plusieurs microsillons dont *Monsieur l'Indien* (1973) et *les Chants de l'éternité* (1977). Il a reçu le Prix Félix-Leclerc (1969) pour la meilleure chanson canadienne originale : *Lindberg.* Il est aussi l'auteur de la désormais célèbre phrase gravée dans la murale de Jordi Bonet au Grand Théâtre de Québec : « Vous êtes pas écœurés de mourir bande de caves. C'est assez ! » Il habite maintenant l'île Eleuthera aux Bahamas.

ŒUVRES

**Jéricho,** poésie. Longueuil, Publications Alouette, 1963. 34 p.

**Les Essais rouges,** poésie. Longueuil, Publications Alouette, 1964. 70 p.

**Les Mondes assujettis,** poésie. Montréal, Collection métropolitaine, 1965. 76 p.

**Manifeste subsiste,** poésie. Montréal, chez l'auteur, 1965. N.p.

**Calorifère,** poésie. Longueuil, Presses sociales, 1965. 44 p.

**Manifeste infra,** suivi de **Émissions parallèles,** poésie. Montréal, L'Hexagone, 1967. N.p.

**Pour la grandeur de l'homme,** poésie. Montréal, L'Hexagone, 1969. N.p.

**Le repas est servi,** poésie. Montréal, s.é., 1970. 123 p.

**Un grand amour,** poésie. Montréal, Éditions Immédiates, 1972. N.p.

**Mets tes raquettes,** roman. Montréal, La Presse, 1972. 166 p.

**Éternellement vôtre...,** poésie. Montréal, chez l'auteur, 1972. N.p.

**Ballade d'Abitibi** ou **Une histoire d'amour,** conte. Avec une sérigraphie de Jacques Hurtubise. Châteauguay, Éditions M. Nantel, 1974. 1 portefeuille, 2 f. de planches.

**Amuses crânes : aphorismes 1963–1973.** Dessins de Raymond Dupuis. Montréal, chez l'auteur, 1974. 1 portefeuille, 1 f. de planche.
**Les Chômeurs de la mort,** poésie. Montréal, Mainmise, 1974. 141 p. : ill.
**C'est assez,** poésie. En collaboration avec Yrénée Bélanger et Guy M. Pressault. Montréal, Éditions de l'Œuf, 1974. N.p.
**Péloquin, le premier tiers : œuvres complètes 1942–1975.** Montréal, Beauchemin, 1976. 3 vol. : vol. 1 : 314 p., vol. 2 : 148 p., vol. 3 : 290 p. : ill., dans un emboîtage.
**Entrée en matière,** poésie. Montréal, Éditions Éternité, 1976. N.p. : ill.
**Inoxydables,** aphorismes et pensées. Avec deux illustrations en couleurs de Jordi Bonet. Montréal, Éditions la Frégate, 1977. N.p. : 2 f. de planches en coul.
**L'Autopsie merveilleuse.** Montréal, Beauchemin, 1979. 205 p. ISBN 2-7616-0040-1.
**La Philarmonie du plaisir,** poésie. Eaux-fortes de Stanley Cosgrove. Montréal, chez l'auteur, 1980. N.p. : 8 f. de planches.
**Le Cirque sacré,** poésie. Eaux-fortes d'Alfred Pellan. Montréal, chez l'auteur, 1981. N.p. : ill. en coul.
**Une plongée dans mon essentiel.** Montréal, Hurtubise HMH, 1982.

## ÉTUDE

**Poètes québécois : dossiers de presse.** T. II **Gaston Miron, 1953–1981 ; Fernand Ouellette, 1959–1980 ; Claude Péloquin, 1965–1980.** Sherbrooke, Bibliothèque du séminaire, 1981. 126 p. : ill., portr.

## Francine PÉOTTI

Pseud. : Marie-Francine Tremblay.

(Verdun, 25 novembre 1939– ). Ayant une formation en philosophie (baccalauréat et licence de l'université de Montréal) et en histoire (maîtrise en cours à l'université du Québec à Montréal), Francine Péotti a enseigné ces deux disciplines ainsi que la littérature et la méthodologie au sein de diverses institutions : Commission des écoles catholiques de Montréal (1961–1965), école des Beaux-Arts (1965-1966), université du Québec à Montréal (1970–1972) et plus particulièrement à la commission régionale de Chambly depuis 1965. Outre quelque critiques de livres étrangers publiées dans *le Devoir* (1961-1962), elle a également fait paraître des textes dans *la Barre du jour* et *la Nouvelle Barre du jour* sous le nom de Marie-Francine Tremblay.

## ŒUVRES

**La Phallaise,** prose. Montréal, Le Biocreux, 1979. 259 p. ISBN 2-89151-007-0.
**Passeport blasphématoire pour l'hiver québécois,** poésie. Montréal, Le Biocreux, 1980. 69 p. ISBN 2-89151-801-2.

## Pierre-Yves PÉPIN

(Montréal, 1930– ). Les livres de Pierre-Yves Pépin témoignent des recherches qu'il a entreprises il y a déjà bon nombre d'années. Géographe, il a travaillé aussi bien en Amérique qu'en Europe. Il a été attaché à l'Institut d'urbanisme de l'université de Montréal. Il a mis sur pied le projet « les Hommes dans la métropole à la recherche d'une ville à vivre ».

## ŒUVRES

**L'Homme essentiel,** suivi de **la Ville introuvable de l'homme perdu,** essai. Montréal, L'Hexagone, 1975. 110 p.
**L'Homme gratuit,** essais. Montréal, L'Hexagone, 1977. 216 p.

## Pierre PERRAULT

(Montréal, 29 juin 1927– ). Cinéaste ayant réalisé de nombreux films (plus de 25), Pierre Perrault avait, avant d'entrer à l'Office national du film, étudié le droit aux universités de Montréal et Toronto, pratiqué environ 2 ans, puis travaillé comme pigiste à Radio-Canada qui présenta d'ailleurs quelques-unes de ses pièces. Auteur des films *le Règne du jour* (1966) et *les Voitures d'eau* (1969), en collaboration avec Bernard Gosselin, il signe avec Michel Brault le film *l'Acadie, l'Acadie* en 1971. Pierre Perrault a vu son œuvre cinématographique

couronnée par de nombreux prix. Son œuvre littéraire lui valait le Prix du Grand Jury des lettres canadiennes pour *Portulan* ainsi que le Prix Duvernay en 1968. Il a de plus publié de nombreux articles dans des revues de tous genres telles : *Possibles, l'Autorité* et *Recherches amérindiennes.*

ŒUVRES

**Portulan,** poésie. Montréal, Beauchemin, 1961. 107 p.

**Ballades du temps précieux,** poésie. Montréal, Éditions d'Essai, 1963. N.p.

**Toutes Isles, chroniques de terre et de mer.** Montréal, Fides, 1963. 182 p.

**Au cœur de la rose,** théâtre. Montréal, Beauchemin, 1964. 128 p.

**Le Règne du jour,** scénario. Montréal, Lidec, 1968. 162 p.

**Les Voitures d'eau,** scénario. Montréal, Leméac, 1969. 176 p.

**En désespoir de cause,** poésie. Montréal, Parti pris, 1971. 79 p. Coll. « Paroles », 18. ISBN 0-88512-039-6.

**Un pays sans bon sens,** scénario. Montréal, Lidec, 1972. 243 p. : ill.

**Chouennes, poèmes 1961–1971.** Montréal, L'Hexagone, 1975. 317 p. Coll. « Rétrospectives », 10.

**Gélivures,** poésie. Montréal, L'Hexagone, 1977. 209 p. Coll. « Rétrospectives ».

**La Bête lumineuse,** journal de tournage. Montréal, Nouvelle Optique, 1982. 251 p.

ÉTUDES

En collaboration, **Pierre Perrault, cinéaste du Québec.** Montréal, Conseil québécois pour la diffusion du cinéma, 1970. 58 p.

Lacroix, Yves, **Poète de la parole, Pierre Perrault,** thèse de maîtrise. Montréal, université de Montréal, 1972.

Brûlé, Michel, **Pierre Perrault ou un cinéma national.** Montréal, Presses de l'université de Montréal, 1974. 153 p.

Tessier, Jocelyne, **La Poésie de Pierre Perrault,** thèse de maîtrise. Ottawa, université d'Ottawa, 1975. 252 p.

**Pierre Perrault, cinéaste poète : dossier de presse 1961–1980.** Sherbrooke, Bibliothèque du séminaire, 1981. N.p. : ill., portr.

**Jean-Pierre**
**PETITS**

(Saint-Marc-sur-Richelieu, 25 août 1950– ). Jean-Pierre Petits a terminé une maîtrise en histoire à l'université de Montréal (1974) et est depuis ce temps fonctionnaire au Service extérieur canadien. Il fut successivement deuxième secrétaire et vice-consul en Thaïlande, au Laos, au Sud-Vietnam (1974–1976), agent de pupitre au ministère de l'Industrie et du Commerce pour le Maroc, l'Algérie, la Tunisie, l'Égypte, etc. (1974–1979), et est maintenant vice-consul au Costa Rica, Nicaragua et Panama (1980–1983). Il est membre de quelques associations dont l'Union des écrivains français d'outre-mer.

ŒUVRES

**Le Bel Ici,** poésie. Montréal, Fides, 1972. 120 p. Coll. « Voix québécoises ».

**L'Île fortunée,** poésie. Montréal, Hurtubise HMH, 1977. 127 p. Coll. « Sur parole ». ISBN 0-7758-0069-4.

**La Terrasse du roi lépreux,** poésie. Montréal, Hurtubise HMH, 1982. Coll. « Sur parole ». ISBN 2-89045-517-3.

**PEUIL**

Voir Paul Chapdelaine.

**Richard**
**PHANEUF**

(Montréal, 26 septembre 1947– ). Richard Phaneuf a complété des baccalauréats en pédagogie (1967) et en audio-visuel (1972), et une maîtrise en technologie éducative (1974) à l'université de Montréal. Depuis 1967, il a été professeur à la Commission des écoles catholiques de Montréal puis à la Commission scolaire Sainte-Croix dont il est devenu en 1974 le directeur du service des moyens et techniques d'enseignement. Il a publié un recueil de poésie et un roman et fait paraître un texte dans *Estuaire.*

## ŒUVRES

**Feuilles de saisons,** poésie. Montréal, Déom, 1975. 71 p. Coll. « Poésie canadienne », 35.

**Le Mille-Pattes,** roman. Montréal, Cercle du livre de France, 1979. 133 p. ISBN 2-89051-006-9.

**Anthony PHELPS**

(Port-au-Prince, Haïti, 25 août 1928– ). Poète et romancier, Anthony Phelps a travaillé en Haïti comme directeur des émissions culturelles à Radio-Cacique, animateur de la troupe de théâtre Prisme et de la revue *Semences* en même temps qu'il s'est occupé activement du groupe de poètes Haïti littéraire (1960–1964). Émigré au Québec en 1964, il est journaliste à la salle des nouvelles de Radio-Canada depuis 1966. Il a participé à plusieurs congrès internationaux dont la Rencontre des écrivains latino-américains (1976 et 1979) et est membre de la Comunidad Latino-Américana de Escritores. Quelques-uns de ses textes ont paru dans diverses publications telles *Conjonction* (Haïti), *Marginales* (Belgique), *Lettres et Écritures, Plural* (Mexique), etc., et son roman *Moins l'infini* a été traduit en espagnol, en russe et en allemand. Il a été récipiendaire du Prix de poésie Casa de las Américas en 1980 pour son recueil *la Bélière Caraïbe.*

## ŒUVRES

**Été,** poésie. Illustrations de Grace Phelps. Haïti, s.é., 1960. 32 p.: ill. Coll. « Samba ».

**Présence,** poésie. Illustrations de Luckner Lazare. Haïti, s.é., 1961. 10 p.: ill. Coll. « Haïti littéraire ».

**Éclats de silence,** poésie. Haïti, s.é., 1962. 44 p. Coll. « Haïti littéraire ».

**Image et Verbe,** poésie. En collaboration avec Irène Chiasson, F. Piazza, Y. Leclerc et R. Charland; illustrations d'Irène Chiasson. Montréal, Ive, 1966. 64 p.: ill.

**Points cardinaux,** poésie. Montréal, HRW, 1967. 60 p.

**Le Conditionnel,** théâtre. Accompagné de **Mort et Transfiguration du verbe** de Yerri Kempf et de **Trou de Dieu** de Frank Fouché. Montréal, Éditions HRW, 1968. 80 p. Coll. « Théâtre vivant », 4.

**Mon pays que voici,** suivi de **Les Dits du fou aux cailloux,** poésie. Paris, Pierre-Jean Oswald, 1968. 142 p.

**Et moi je suis une île,** contes pour enfants. Montréal, Leméac, 1973. 94 p. Coll. « Francophonie vivante ».

**Moins l'infini,** roman. Paris, Éditeurs français réunis, 1973. 217 p.

**Motifs pour le temps saisonnier,** poésie. Paris, Pierre-Jean Oswald, 1976. 90 p.

**Mémoire en colin-maillard,** roman. Montréal, Nouvelle Optique, 1976. 153 p. Coll. « Caliban ». ISBN 0-88579-002-2.

**Trente ans de pouvoir noir en Haïti.** En collaboration. Montréal, Collectif Paroles, 1976. 270 p.

**La Bélière Caraïbe,** poésie. Montréal, Nouvelle Optique, 1980. 132 p. Coll. « Poésie ». ISBN 2-89017-005-5.

## ŒUVRES TRADUITES

**Flores para los héroes,** roman. Traduction espagnole d'Alcira Gonzalez-Malleville; titre original: **Moins l'infini.** Buenos Aires, Grupo Editor de Buenos Aires, 1975. 157 p. Coll. « Novelistas Selectos ».

**Mhyc Geckoheyhotb,** roman. Traduction russe de Maurice Vashmaker; titre original: **Moins l'infini.** Moscou, Littérature étrangère, 1975. 112 p.

**Denn miederkehren wird Unendlichkeit,** roman. Traduction allemande de Thomas Dobberkau; titre original: **Moins l'infini.** Berlin, Aufbau-Verlag, 1976. 230 p.

**François**
**PIAZZA**

(Marseille, France, 13 mai 1932– ). Diplômé de l'École de journalisme de Paris (1956), François Piazza devient assistant-décorateur pour la compagnie Niagara Films de 1961 à 1963, puis journaliste pour *le Petit Journal, Photo-Journal, Échos-Vedettes, la Semaine, Montréal-Matin*, etc. Éditeur de la maison Ive (1964–1966), directeur littéraire des Éditions HRW (1967-1968) et critique littéraire à *Montréal-Matin* et à *Présent* jusqu'en 1979, François Piazza a également collaboré à *Liberté, Actualité, la Barre du jour*. Au cours de son passage au *Montréal-Matin*, François Piazza a occupé diverses fonctions au sein du syndicat des travailleurs de l'information de ce journal, dont la présidence. Mentionnons enfin que son premier livre, *les Chants de l'Amérique*, lui a valu le Prix du Maurier (1965).

**ŒUVRES**

**Les Chants de l'Amérique,** poésie. Longueuil, IVE, 1964. 28 p.
**Identification,** poésie. Longueuil, IVE, 1965. 34 p.
**Image et Verbe,** poésie. En collaboration avec A. Phelps, Y. Leclerc et R. Charland; illustrations d'Irène Chiasson. Longueuil, IVE, 1966. 64 p. : ill.
**Mémorial du Québec.** T. 8 : **1966–1976,** histoire. En collaboration. Montréal, Éditions du Mémorial, 1979. 373 p. : ill. ISBN 2-89143-000-X.
**Mémorial du Québec.** T. 7 : **1953–1965,** histoire. En collaboration. Montréal, Éditions du Mémorial, 1979. 369 p. : ill. ISBN 2-89143-001-8.
**Mémorial du Québec.** T. 5 : **1918–1938,** histoire. En collaboration. Montréal, Éditions du Mémorial, 1980. 373 p. : ill. ISBN 2-89143-003-4.
**Mémorial du Québec.** T. 3 : **1832–1889,** histoire. En collaboration. Montréal, Éditions du Mémorial, 1980. 373 p. : ill. ISBN 2-89143-005-0.

**Claudette**
**PICARD**

(Saint-Adrien-de-Ham, 18 mai 1940– ). Après l'obtention de son brevet d'enseignement à l'école normale de Sherbrooke (1966), Claudette Picard a enseigné plusieurs années à l'élémentaire. Recherchiste et animatrice pour certaines émissions pour enfants des télévisions de Québec et de Sherbrooke, elle a également été marionnettiste dans l'émission *Au bois de Florence* et pour le Théâtre de marionnettes de Sherbrooke. Elle a écrit des contes, des chansons ainsi que des textes pour la télévision et a remporté le Prix des écrits inédits de l'Association des auteurs des Cantons de l'Est en 1976 pour *les Confidences d'une femme froide*. Depuis 1981, elle enseigne dans une réserve amérindienne.

**ŒUVRES**

**Les Confidences d'une femme froide,** essai. Sherbrooke, Éditions Sherbrooke, 1980. 159 p.
**Mon ami Jacques, le policier,** conte pour enfants. Illustrations de Lorraine Roy. Sherbrooke, Naaman, 1980. 30 p. : ill. part. en coul., musique. Coll. « Jeunesse », 1. ISBN 2-89040-162-6.
**Florence raconte douze belles histoires,** contes pour enfants. Illustrations de Lorraine Roy. Sherbrooke, Naaman, 1980. 31 p. : ill. Coll. « Jeunesse », 3. ISBN 2-89040-164-2.

**Alphonse**
**PICHÉ**

(Chicoutimi, 14 février 1917– ). Après des études primaires chez les « Filles de Jésus » et secondaires au séminaire Saint-Joseph de Trois-Rivières, Alphonse Piché occupe divers emplois : commis forestier, vendeur, comptable et agent d'assurances. Il collabore à plusieurs revues et publie en 1946 *Ballades de la petite extrace,* son premier recueil de poésie pour lequel il reçoit le Prix de la province de Québec (1947). Récipiendaire du Prix Duvernay, section Mau- •

ricie, pour *Poèmes 1946–1950* (en 1966) et du Prix du Gouverneur général en 1976 pour *Poèmes 1946–1968*, Alphonse Piché a également été boursier du Conseil des arts et du gouvernement du Québec. Ancien membre du conseil de direction de la Société des écrivains canadiens, il est trésorier du Cercle de philosophie Gabriel-Marcel depuis 1976 et vice-président de la Société des écrivains de la Mauricie (1980).

## ŒUVRES

**Ballades de la petite extrace,** poésie. Illustrations d'Aline Piché. Montréal, Fernand Pilon, 1946. 99 p. : ill.

**Remous,** poésie. Montréal, Fernand Pilon, 1947. 78 p.

**Voie d'eau,** poésie. Montréal, Fernand Pilon, 1950. 56 p.

**Poèmes, 1946–1950.** Trois-Rivières, Éditions du Bien public, 1966. 106 p.

**Poèmes, 1946–1968.** Montréal, L'Hexagone, 1976. 205 p. Coll. « Rétrospectives ».

**Dernier Profil,** poésie. Trois-Rivières, Écrits des Forges, 1982. 48 p. Coll. « Radar ». ISBN 2-89046-044-4.

## Jean-Guy PILON

(Saint-Polycarpe, 12 novembre 1930– ). Jean-Guy Pilon a obtenu une licence en droit de l'université de Montréal en 1954. Il a participé à la fondation de la revue *Liberté*. Il est secrétaire général de la Rencontre québécoise internationale des écrivains, membre de la Société royale du Canada et chef du service des émissions culturelles à Radio-Canada. Ses œuvres ont été couronnées à plusieurs reprises : Prix de poésie du Québec (1956), Prix Louise Labé (1969), Prix France-Canada (1969) et Prix du Gouverneur général (1970). En juin 1982, il

Kèro

succédait à Roger Duhamel à la présidence de l'Académie canadienne-française.

## ŒUVRES

**La Fiancée du matin,** poésie. Montréal, Amicitia, 1953. 60 p.

**Les Cloîtres de l'été,** poésie. Avant-propos de René Char. Montréal, L'Hexagone, 1954. 30 p.

**L'Homme et le Jour,** poésie. Montréal, L'Hexagone, 1957. 53 p.

**La Mouette et le Large,** poésie. Montréal, L'Hexagone, 1960. 70 p.

**Recours au pays,** poésie. Montréal, L'Hexagone, 1961. 17 p.

**Pour saluer une ville,** poésie. Montréal, Paris, HMH, Seghers, 1963. 74 p.

**Solange,** récit. Montréal, Éditions du Jour, 1966. 123 p.

**Comme eau retenue : poèmes 1954–1963.** Montréal, L'Hexagone, 1969. 195 p.

**Saisons pour la continuelle,** poésie. Illustrations de Bella Ildelson. Paris, Seghers, 1969. 42 p. : ill.

**Poèmes 70,** anthologie. Montréal, L'Hexagone, 1970. 109 p.

**Poèmes 71,** anthologie. Montréal, L'Hexagone, 1972. 91 p.

**Silences pour une souveraine,** poésie. Ottawa, Éditions de l'université d'Ottawa, 1972. 51 p. Coll. « Voix vivantes », 3.

## PINEL

Voir Henri La France.

## PIERROT-LE-FOU

Voir Pierre Léger.

**Jean-Marc**
**PIOTTE**

Kèro

(Montréal, 4 octobre 1940– ). Jean-Marc Piotte a participé en 1963 à la fondation de la revue *Parti pris.* Il a fait de l'animation sociale au Bureau d'aménagement de l'Est du Québec (1963-1964) et fut l'un des dirigeants du Mouvement de libération populaire, le pendant politique de la revue *Parti pris.* Bachelier (1962) et maître en philosophie (1963) de l'université de Montréal, il poursuit, de 1966 à 1969, ses études à Rome, Londres et Paris et obtient un doctorat en sociologie de la Sorbonne. De retour au Québec, il est professeur de philosophie au cégep Saint-Laurent puis de sciences politiques à l'université du Québec à Montréal. Il s'occupe alors activement de syndicalisme et on le retrouve à la présidence du Syndicat des professeurs d'université et à la vice-présidence de la Fédération nationale des enseignants du Québec. En 1975, Jean-Marc Piotte a participé à la fondation et à la direction d'une autre revue : *Chroniques.*

## ŒUVRES

**La Pensée politique de Gramsci,** essai. Paris, Montréal, Anthropos, Parti pris, 1970. 299 p.
**Québec occupé,** essai. En collaboration. Montréal, Parti pris, 1972. 300 p.
**Sur Lénine,** essai. Montréal, Parti pris, 1972. 300 p. ISBN 0-88512-052-3.
**La Lutte syndicale chez les enseignants,** essai. Montréal, Parti pris, 1973. 163 p.
**Portraits du voyage,** récit. En collaboration avec Madeleine Gagnon et Patrick Straram. Montréal, L'Aurore, 1975. 96 p. Coll. « Écrire », 4. ISBN 0-88532-032-8.
**Les Travailleurs contre l'État bourgeois,** essai. Montréal, L'Aurore, 1975. 274 p.
**Le Syndicalisme de combat,** essai. Montréal, Éditions Albert Saint-Martin, 1977. 267 p.
**Marxisme et Pays socialistes,** essai. Montréal, VLB, 1979. 177 p.
**Un Parti pris politique,** essai. Montréal, VLB, 1980. 251 p.

## ŒUVRES TRADUITES

**El pensamiento politico de Antonio Gramsci,** essai. Traduction espagnole ; titre original : **La Pensée politique de Gramsci.** Barcelona, Éditions Redondo, 1972.
**O Pensamento politico de Gramsci,** essai. Traduction portugaise de A.J. Fleming ; titre original : **La Pensée politique de Gramsci.** Porto, Loureiro, Pereira & Oliveira, 1975. 230 p. Également traduit en arabe et en japonais.

**Monique**
**PLAMONDON**

Kedl-Québec

(Québec, 2 août 1932– ). Cofondatrice de la revue *Actualités marines* et fondatrice de la revue *Forces*, Monique Plamondon a œuvré au sein de divers organismes gouvernementaux : ministères québécois des Pêcheries et de l'Industrie et du Commerce, Hydro-Québec, Musées nationaux du Canada, ministères des Communications et des Affaires sociales du Québec. En 1976, elle remportait la plaque d'argent aux Journées internationales de cinéma médical à San Sebastian, Espagne, grâce à une série de documents audio-visuels et écrits sur la maternité et la paternité.

## ŒUVRE

**La Bataille de la taille,** essai-biographie. Montréal, Éditions du Jour, 1973. 141 p. : photos, graph. ISBN 0-7760-0542-1.

**Marie**
**PLANTE**

(Verdun, 31 mars 1954– ). Marie Plante détient un baccalauréat en traduction de l'université de Montréal (1974). Elle a enseigné le français dans la fonction publique fédérale de 1974 à 1976 avant d'être rédactrice pour les services d'information de divers ministères fédéraux. C'est à l'Agence d'examen de l'investissement étranger qu'elle exerce cette fonction depuis 1979. Auteure de romans pour adoles-

cents, elle est membre de la Société des écrivains canadiens, de Communication-Jeunesse, du Cercle des femmes journalistes, etc. Elle a fait paraître divers articles dans le *Montréal-Matin* et dans *Agriculture-Canada, le Briquet, l'Investisseur étranger* et *Safari.*

## ŒUVRES

**Au clair de lune,** roman pour adolescents. Illustrations de Madeleine Pratte. Sherbrooke, Éditions Paulines, 1971. 93 p.: ill. Coll. « Jeunesse-pop », 2. ISBN 0-88840-290-2.

**Piège sur mesure,** roman pour adolescents. Illustrations de Gabriel de Beney. Montréal, Éditions Paulines, 1976. 110 p.: ill. Coll. « Jeunesse-pop », 23. ISBN 0-88840-564-2 et 0-88840-563-2.

**Innocarbure à l'enjeu,** roman pour adolescents. Illustrations de Gabriel de Beney. Montréal, Éditions Paulines, 1978. 99 p.: ill. Coll. « Jeunesse-pop », 33. ISBN 0-88840-662-2 et 0-88840-663-0.

**La Barrière du temps,** roman pour adolescents. Illustrations de Gabriel de Beney. Montréal, Éditions Paulines, 1979. 98 p.: ill. Coll. « Jeunesse-pop », 36. ISBN 2-89039-007-1 et 2-89039-008-X.

## Raymond PLANTE

Kèro

(Montréal, 26 juin 1947– ). Depuis 1973, Raymond Plante écrit beaucoup pour la radio et la télévision. À la radio, il a fourni des textes aux émissions *Premières, Micro-Théâtre* et la *Feuillaison.* Il a aussi écrit plus de 600 textes télévisuels, soit pour des émissions pour enfants : *Minute Moumoute, Du soleil à 5 cents, la Fricassée, l'Ingénieux Don Quichotte*, etc., soit pour les adultes : une dramatique à Radio-Canada, *le Train sauvage*, et une collaboration aux scénarios de la série *Du tac au tac.* Disons enfin qu'il a aussi publié dans *la Presse* et écrit dans *Liberté, la Nouvelle Barre du jour* et *Écrits du Canada français.* Son premier roman, *la Débarque*, recevait le Prix de l'Actuelle en 1974. En 1982, il remportait le Prix Belgo-québécois pour *Monsieur Genou* et le Prix de l'Acelf pour *la Machine à beauté.*

## ŒUVRES

**La Débarque,** roman. Montréal, L'Actuelle, 1974. 126 p. ISBN 0-7752-0048-4.

**Une fenêtre dans ma tête,** livre pour enfants. Illustrations de Roger Paré. Montréal, La Courte Échelle, 1979. 2 vol. ISBN 2-89021-000-6 et 2-89021-011-6.

**Monsieur Genou,** littérature pour enfants. Montréal, Leméac, 1981. 156 p. ISBN 2-7690-9838.

**La couleur chante un pays,** théâtre. En collaboration avec Diane Bouchard, Suzanne Lebeau et Michèle Poirier. Montréal, Québec-Amérique, 1981. Coll. « Jeunes Publics ».

**La Machine à beauté,** roman. Illustrations de Renée Veillet. Montréal, Québec-Amérique, 1982. 128 p. Coll. « Jeunesse/Romans ».

**Clin d'œil et Pieds de nez.** Illustrations de Johanne Pépin. Montréal, La Courte Échelle, 1982.

## Marc PLOURDE

(Montréal, 26 février 1951– ). Professeur de traduction à l'université Concordia, Marc Plourde a travaillé comme traducteur pour diverses maisons d'édition : Héritage, Harvest House, Coach House Press, etc. Il est membre de l'Association des traducteurs littéraires et a complété une maîtrise en études anglaises à l'université de Montréal (1980).

## ŒUVRES

**Touchings,** poésie. Illustrations de Noreen Hood. Fredericton, Fiddlehead Poetry Books, 1970. 32 p.: ill. en coul. ISBN 0-919196-43-8.

**The White Magnet,** poésie. Illustrations de Noreen Hood. Montréal, DC Books, 1973. 79 p.: ill. ISBN 0-919162-37-2.

**The Spark Plug Thief,** nouvelles. Montréal, New Delta, 1977. 97 p. ISBN 0-919162-47-9.

## TRADUCTIONS

**The Alchemy of the Body,** poésie. Traduction anglaise de **L'Alchimie du corps** de Juan Garcia. Illustrations de Maureen Maxwell. Fredericton, Fiddlehead Books, 1974. 33 p.: ill. ISBN 0-919197-76-0.

**The Grandfathers,** roman. Traduction anglaise de **Les Grands-Pères** de Victor-Lévy Beaulieu. Montréal, Harvest House, 1975. 158 p. Coll. « French Writers of Canada Series ». ISBN 0-88772-160-5.

**Between Crows and Indians,** roman. Traduction anglaise de **Entre corneilles et indiens** de Roger Magini. Toronto, Coach House Press, 1976. 77 p.

**Differences.** Traduction anglaise de **Les 36 Cordes sensibles des Québécois** de Jacques Bouchard. Photographies d'Antoine Désilets. Montréal, Héritage, 1980. 256 p.: photos.

**The Agonized Life,** poésie. Traduction anglaise de **La Vie agonique** de Gaston Miron. Montréal, Torchy Wharf, 1980. 79 p. ISBN 0-919021-00-X.

### Marc-André POISSANT

(Montréal, 13 mars 1953– ). Romancier, Marc-André Poissant a fait des études philosophiques et littéraires. Depuis la parution de *Paul Desormeaux, étudiant* en 1978, il a publié quatre autres romans, tous parus aux Éditions Québécor. Il est également l'auteur d'un recueil de poésie resté inédit, *la Faute d'amour* ou *la Mort du libre pays.*

## ŒUVRES

**Paul Desormeaux, étudiant,** roman. Montréal, Québécor, 1978. 266 p. Coll. « Roman ».

**Le Miroir de la folie,** roman. Montréal, Québécor, 1978. 149 p. ISBN 0-88617-013-3.

**Journal de nuit,** roman. Montréal, Québécor, 1979. 182 p. Coll. « Roman ». ISBN 2-89089-043-0.

**Le Divorcé** ou **la Naissance d'un comédien,** roman. Montréal, Québécor, 1980. 216 p. Coll. « Roman ». ISBN 2-89089-070-8.

**L'Anniversaire de mariage,** roman. Montréal, Québécor, 1981. 199 p. Coll. « Roman ». ISBN 2-89089-087-2.

### Louise POMMINVILLE

(Outremont, 19 mars 1940– ). Louise Pomminville a étudié à l'Institut des arts appliqués puis aux Beaux-Arts. En 1962, elle entre à l'Office national du film comme maquettiste et graphiste ainsi que comme réalisatrice en animation. Elle séjourne ensuite en France où elle étudie le dessin, la sculpture, la céramique et l'émail. De retour à Québec, elle dirige sa propre galerie, y tient des expositions en permanence et enseigne l'émail et la céramique (1966–1971). Puis, nouveau séjour en France afin de perfectionner sa technique d'émaillage. De 1975 à 1978, elle travaille à Radio-Canada comme assistante-conceptrice des émissions *la Bible en papier* et *l'Église en papier*. Conteuse et illustratrice, elle a remporté le prix « The Look of Books » de Toronto pour *Pitatou et le Printemps* et *Pitatou et les Pommiers* (1973) et ses illustrations de *Ma vache Bossie* de Gabrielle Roy lui ont valu le Prix Alvine-Bélisle (1976). Elle est membre du Salon des métiers d'art et de Communication-Jeunesse.

## ŒUVRES

**Pitatou et le Printemps,** conte. Illustrations de l'auteure. Montréal, Leméac, 1972. N.p.: ill. part. en coul.

**Pitatou et les Pommiers,** conte. Illustrations de l'auteure. Montréal, Leméac, 1972. N.p.: ill. part. en coul.

**Pitatou et la Gaspésie,** conte. Illustrations de l'auteure. Montréal, Leméac, 1973. N.p.: ill. part. en coul.

**Pitatou et le Sport amateur,** conte. En collaboration avec Marie-Rose Deprez; illustrations de l'auteure. Montréal, Leméac, 1976. N.p.: en maj. part. ill. en coul. Coll. « Les Merveilleux Oiseaux de la forêt de nulle part ». ISBN 0-7761-9824-6.

**Pitatou et la Neige,** conte. En collaboration avec Marie-Rose Deprez; illustrations de l'auteure. Montréal, Leméac, 1978. N.p.: ill. part. en coul. Coll. « Les Merveilleux Oiseaux de la forêt de nulle part ». ISBN 0-7761-9827-0.

**L'Abécédaire de Pitatou.** Illustrations de l'auteure. Montréal, Leméac, 1979. N.p.: ill. en coul. ISBN 2-7609-9831-2.

**Alain PONTAUT**

Kèro

(Bordeaux, France, 14 décembre 1925– ). Alain Pontaut fit des études de lettres dans sa ville natale et s'installa au Québec au début des années soixante. En tant que journaliste, critique littéraire ou éditorialiste, il a collaboré aux principaux journaux et périodiques du Québec: *la Presse, le Devoir, le Jour, Maclean,* etc. Il a aussi travaillé à Radio-Canada, a été directeur littéraire des Éditions Leméac (section théâtre) et secrétaire général du Théâtre du Nouveau Monde. Une de ses pièces, *Un bateau que Dieu sait qui...*, a d'ailleurs été créée à ce dernier théâtre. Alain Pontaut est actuellement conseiller culturel attaché au cabinet du Premier ministre du Québec.

### ŒUVRES

**Yougoslavie,** géographie. Paris, Le Seuil, 1960. 189 p.

**La Tutelle,** roman. Montréal, Leméac, 1968. 141 p. Coll. « Roman québécois », 1.

**Un bateau que Dieu sait qui avait monté et qui flottait comme il pouvait, c'est-à-dire mal,** théâtre. Introduction de Jacques Brault. Montréal, Leméac, 1970. 105 p. Coll. « Théâtre canadien », 19.

**La Grande Aventure du fer,** récit. En collaboration avec Gilles Vigneault et Georges Dor. Montréal, Leméac, 1970. 127 p.: ill. part. en coul. Coll. « Le Monde de l'avenir ».

**Le Tour du lac,** poésie. Montréal, Leméac, 1971. 109 p. Coll. « Leméac poésie ».

**Dictionnaire critique du théâtre québécois.** Montréal, Leméac, 1972. 161 p. Coll. « Documents ».

**La Bataille du livre au Québec; oui à la culture française, non au colonialisme culturel,** pamphlet. En collaboration avec Pierre de Bellefeuille et autres; préface de J.-Z.-Léon Patenaude. Montréal, Leméac, 1972. 137 p.

**L'Illusion de midi,** suivi de **l'Aventure,** théâtre. Préface de Marcel Dubé. Montréal, Leméac, 1973. 68 p. Coll. « Répertoire québécois », 30.

**Le Grand Jeu rouge,** théâtre. Montréal, Leméac, 1975. 138 p. Coll. « Théâtre Leméac », 45. ISBN 0-7761-0044-0.

**La Sainte Alliance,** roman. Montréal, Leméac, 1977. 261 p. Coll. « Roman québécois ». ISBN 0-7761-3024-2.

**Jean-Noël PONTBRIAND**

(Saint-Guillaume-d'Upton, 25 décembre 1933– ). Professeur de littérature à l'université Laval, Jean-Noël Pontbriand a fait paraître son premier recueil de poésie à compte d'auteur en 1965. Depuis lors, il a publié de la poésie aux Éditions Garneau et du Noroît notamment *l'Envers du cri* en 1972 et *Transgressions* en 1979.

### ŒUVRES

**Cri des vents,** poésie. S.l., s.é., 1965.

**L'Envers du cri,** poésie. Québec, Garneau, 1972. 62 p. Coll. « Garneau poésie ».

**Les Eaux conjuguées,** suivi de **la Saison éclatée,** poésie. Québec, Garneau, 1974. 114 p. Coll. « Garneau poésie ».

**Étreintes,** poésie. Avec cinq gravures de Célyne Fortin. Saint-Lambert, Éditions du Noroît, 1976. 93 p.: ill. ISBN 0-88524-013-8.

**Transgressions,** poésie. Illustrations de Céline Racine. Saint-Lambert, Éditions du Noroît, 1979. 89 p.: ill. ISBN 2-89018-036-0.

† **Marcel**
**PORTAL**
Pseud. de Marcel Lapointe.

(Chicoutimi, 14 mars 1920–27 avril 1980). Poète, romancier et nouvelliste, Marcel Portal avait fait son cours classique chez les pères capucins d'Ottawa, étudié la philosophie et la théologie à Montréal, obtenu un diplôme en médecine de l'université Laval (1949) et une maîtrise ès sciences de l'université Columbia de New York. Médecin, il était devenu directeur médical de l'hôpital de Chicoutimi après avoir également été inspecteur pour l'accréditation des hôpitaux pendant 7 ans. Collaborateur aux revues *Saguenay médical* et *Hôpital d'aujourd'hui*, il était membre de plusieurs associations médicales ainsi que la Société des poètes canadiens-français et de la Société des écrivains canadiens. En 1980, cette dernière société lui remettait un diplôme honorifique.

**ŒUVRES**

**L'Épave,** poésie. S.l., s.é., 1959. N.p.
**Au cœur de la chênaie,** roman. Montréal et Paris, Fides, 1960. 155 p.
**Guipure et Courtepointes,** poésie. Montréal, Éditions Cosmos, 1970. 176 p.: ill. Coll. « Relances », 2.
**Les Spectres aux antiquailles,** poésie. Chicoutimi, Éditions Science Moderne, 1973. 207 p.
**Saisons des vignes rouges,** récit. Sherbrooke, Naaman, 1976. 181 p. Coll. « Création », 17.
**Hilaire Rompré de la Pérade.** Trois-Rivières, Éditions du Bien public, Éditions de l'Écho, 1980. 145 p.: ill.

**Gabrielle**
**POULIN**

(Saint-Prosper, Dorchester, 21 juin 1929– ). Gabrielle Poulin a fait ses études collégiales et universitaires à Montréal et à Sherbrooke, et a enseigné dans divers collèges et universités de Montréal, Sherbrooke et Ottawa. Elle a été boursière du gouvernement français et, à plusieurs reprises, du Conseil des arts du Canada. Critique littéraire, elle s'est particulièrement intéressée à la poésie et au roman québécois contemporains. Elle a fait paraître quelque 150 articles et comptes rendus dans différents journaux et revues : *University of Toronto Quarterly,*

Jac Guy

*Lettres québécoises, Relations, Critère*, etc., et a participé à diverses émissions littéraires de Radio-Canada dont *Littérature au pluriel* (1977–1980). Son premier roman, *Cogne la caboche*, lui a mérité le Prix Champlain 1979 et elle a reçu en 1979 le Prix de la Presse, attribué aux auteurs de *l'Anthologie de la littérature québécoise.*

**ŒUVRES**

**Les Miroirs d'un poète. Image et Reflets de Paul Éluard,** essai. Paris, Montréal, Desclée de Brouwer, Éditions Bellarmin, 1969. 170 p.: ill., portr. Coll. « Essais pour notre temps ».
**Cogne la caboche,** récit. Montréal, Stanké, 1979. 245 p. ISBN 2-7604-0000-X.
**Anthologie de la littérature québécoise.** T. IV : **L'Âge de l'interrogation.** En collaboration avec René Dionne ; sous la direction de Gilles Marcotte. Montréal, La Presse, 1980. VII-463 p.
**Romans du pays, 1968–1979,** essai. Avec des textes de René Dionne. Montréal, Bellarmin, 1980. 454 p. ISBN 2-89007-294-0.
**Un cri trop grand,** roman. Montréal, Bellarmin, 1980. 333 p. ISBN 2-89007-311-4.

**Jacques**
**POULIN**

(Saint-Gédéon, Beauce, 23 septembre 1937– ). Jacques Poulin, qui vit maintenant à Cap Rouge, près de Québec, a fait ses études classiques aux séminaires de Saint-Georges et de Nicolet et a obtenu des licences en orientation professionnelle (1960) et en lettres (1964) de l'université Laval. D'abord assistant de recherche en psychologie au sein de cette dernière institution (1960–1962), il devient conseiller d'orientation au collège de Bellevue (1967–1970) puis il apprend le métier de traducteur. Partageant son temps entre l'écriture et la traduction, il construit son œuvre ; il remporte

Denys Arcand

le Prix de la Presse en 1974 pour *Faites de beaux rêves* et le Prix du Gouverneur général en 1978 pour *les Grandes Marées.*

## ŒUVRES

**Mon cheval pour un royaume,** roman. Montréal, Éditions du Jour, 1967. 130 p. Coll. « Les Romanciers du Jour ».

**Jimmy,** roman. Montréal, Éditions du Jour, 1969. 158 p. Coll. « Les Romanciers du Jour ».

**Le Cœur de la baleine bleue,** roman. Montréal, Éditions du Jour, 1970. 200 p. Coll. « Les Romanciers du Jour ».

**Faites de beaux rêves,** roman. Montréal, L'Actuelle, 1974. 163 p. ISBN 0-7752-0050-6.

**Les Grandes Marées,** roman. Montréal, Leméac, 1978. 200 p. : ill. Coll. « Roman québécois », 24. ISBN 0-7761-3027-7.

## Jean-Marie POUPART

Kèro

(Saint-Constant, 13 décembre 1946–       ). Professeur de français au collège Saint-Jean-sur-Richelieu depuis l'obtention de sa licence ès lettres à l'université de Montréal (1969), Jean-Marie Poupart est l'auteur de nombreux récits, contes, nouvelles et romans. Il a écrit pour *la Barre du jour* et *le Devoir* et tient la chronique de cinéma dans *l'Actualité.* Également lecteur de manuscrits pour les Éditions du Jour et Leméac, il est membre de la Sardec, de l'Association québécoise des critiques de cinéma et de l'Union des écrivains québécois ; il a d'ailleurs fait partie du premier bureau de direction de l'Union. « Adolescent, je me suis aperçu qu'on me coupait fréquemment la parole, qu'on ne m'écoutait pas. J'ai peut-être décidé d'écrire d'abord pour me faire comprendre de mes proches — ensuite, bien sûr pour me faire comprendre d'un peu tout le monde. Or le paradoxe est le suivant : depuis que j'écris, on n'arrête plus de me demander de parler, d'expliquer pourquoi et comment j'écris... C'est amusant, d'autant plus que je suis resté assez timide ; c'est amusant, d'autant plus que de parler tant sur ce que j'écris m'empêche de plus en plus d'écrire... »

## ŒUVRES

**Angoisse play,** roman. Montréal, Éditions du Jour, 1968. 110 p. Coll. « Les Romanciers du Jour ».

**Que le diable emporte le titre,** roman. Montréal, Éditions du Jour, 1969. 147 p. Coll. « Les Romanciers du Jour ».

**Ma tite vache a mal aux pattes,** roman. Montréal, Éditions du Jour, 1970. 244 p. Coll. « Les Romanciers du Jour ».

**Les Recréants,** essai portant entre autres choses sur le roman policier. Montréal, Éditions du Jour, 1972. 123 p. Coll. « Littérature du Jour ».

**Chère Touffe, c'est plein plein de fautes dans ta lettre d'amour,** roman. Montréal, Éditions du Jour, 1973. 261 p. Coll. « Les Romanciers du Jour ».

**C'est pas donné à tout le monde d'avoir une belle mort ; roman : récit de soulagement, drôle d'histoire un peu démodée.** Montréal, Éditions du Jour, 1974. 146 p. Coll. « Les Romanciers du Jour ». ISBN 0-7760-0604-5.

**Bourru mouillé : pour ceux qui savent parler aux enfants,** contes. Illustrations de Mireille Levert. Montréal, Éditions Internationales A. Stanké, Quinze, 1975. 99 p. : ill. ISBN 0-88565-002-6.

**Ruches,** récit. Montréal, Leméac, 1978. 339 p. Coll. « Roman québécois », 29. ISBN 0-7761-304-X.

**Terminus,** récit. Montréal, Leméac, 1979. 296 p. Coll. « Roman québécois », 31. ISBN 2-7609-3037-8.

**Angoisse play,** récit. Nouvelle édition entièrement revue. Montréal, Leméac, 1980. 86 p. Coll. « Roman québécois », 37. ISBN 2-7609-3044-0.

**Le Champion de cinq heures moins dix,** nouvelles. Montréal, Leméac, 1980. 302 p. Coll. « Roman québécois », 41. ISBN 2-7609-3048-3.

**Une journée dans la vie de Craquelin 1er, roi de Soupe-au-lait,** littérature de jeunesse. Illustrations de Mireille Levert. Montréal, Leméac, 1981. 166 p. : ill. Coll. « Jours de fête ». ISBN 2-7609-9837-1.

**Fuites et Poursuites,** nouvelles. En collaboration. Montréal, Quinze Éditeur, 1982. 199 p. ISBN 2-89026-307-X.

**Nuits magiques,** littérature de jeunesse. Illustrations de Suzanne Duranceau. Montréal, La Courte Échelle, 1982. N.p. : ill. ISBN 2-89021-032-4.

**Bernard POZIER**

(Trois-Rivières, 5 février 1955– ). Bernard Pozier est directeur de *l'Atelier de production littéraire de la Mauricie* depuis 1976 et chroniqueur littéraire au *Nouvelliste* (1980). Il a travaillé à CFCQ-MF comme animateur et technicien du son de 1974 à 1979 ; il y réalise encore des entrevues littéraires et est membre du conseil d'administration. Détenteur d'un baccalauréat (1976) et d'une maîtrise en lettres (1980) de l'université du Québec à Trois-Rivières, il a rédigé, sous la direction de Gatien Lapointe, un mémoire de thèse sur *l'Intentionnalité comme processus de création.* Professeur de lettres au collège Laflèche (1980), il a fait paraître de nombreux recueils de poésie et a collaboré aux revues *Hobo-Québec* et *Estuaire* et aux journaux *l'Érecteur* et *la Presse*. Bernard Pozier est également secrétaire des Écrivains de la Mauricie (1980).

ŒUVRES

**Des soirs d'ennui** de B. Pozier et **Du temps platte** de Y. Boisvert, poésie. Trois-Rivières, Atelier de production littéraire de la Mauricie, 1976. N.p.

**À l'aube dans le dos,** poésie. Trois-Rivières, Écrits des Forges, 1977. 71 p. Coll. « Les Rouges-Gorges », 19.

**Manifeste : Jet/Usage/Résidu,** poésie. En collaboration avec Yves Boisvert et Louis Jacob. Trois-Rivières, Écrits des Forges, 1977. 73 p. : ill. Coll. « Les Rouges-Gorges », 22.

**Code d'oubli,** poésie. En collaboration avec Yves Boisvert et Gilles Lemire. Trois-Rivières, Écrits des Forges, 1978. 83 p. Coll. « Les Rouges-Gorges », 22.

**Aut'bord, à travers !,** poésie. Trois-Rivières, Atelier de production littéraire de la Mauricie, 1979. 56 p.

**Double Tram,** poésie. En collaboration avec Louis Jacob ; illustrations d'André Jacob. Trois-Rivières, Écrits des Forges, 1979. 68 p. : ill. Coll. « Les Rivières », 4.

**Tête de lecture,** essai. Trois-Rivières, Écrits des Forges, 1980. 76 p. : ill. Coll. « Les Rouges-Gorges », 28.

**Platines déphasées,** poésie. Trois-Rivières, Sextant, 1981. 36 f. : ill.

**45 Tours,** poésie. Trois-Rivières, Écrits des Forges, 1981. 86 p. : ill. Coll. « Les Rouges-Gorges ». ISBN 2-89046-034-7.

**Robert-Rodolphe PRÉFONTAINE**

(Montréal, 2 janvier 1929– ). Éditeur de la maison le Sablier depuis 1966, Robert-Rodolphe Préfontaine est intéressé par tout ce qui touche à la pédagogie de la lecture, de l'écriture et du langage. Auparavant, il fut instituteur pour les commissions scolaires de Montréal, Boucherville et Saint-Hilaire (1949–1966). Il a obtenu une maîtrise en lettres de l'université de Montréal (1959) et est à rédiger sa thèse de doctorat en linguistique. Il fut professeur invité dans plusieurs villes étrangères dont Genève, Paris et Strasbourg.

ŒUVRES

**Dictionnaire « Je doute, je cherche, je trouve ».** Montréal, Le Sablier, 1968.

**Dictionnaire « Demande à Isabelle ».** Montréal, Le Sablier, 1971.

**La Maison Citrouille,** littérature de jeunesse. Illustrations de Line Tremblay. Varennes, Le Sablier, 1979. N.p. : en maj. part. ill. en coul. Coll. « Tic Tac Toc », 3. ISBN 2-89093-005-X.

**Une lettre pour grand-maman,** littérature de jeunesse. Illustrations de Robert Dolbec. Varennes, Le Sablier, 1979. 15 p. : en maj. part. ill. en coul. Coll. « Tic Tac Toc », 11. ISBN 2-89093-013-0.

**C'est la faute à la lumière,** littérature de jeunesse. Illustrations de Robert Dolbec. Varennes, Le Sablier, 1979. 8 p.: en maj. part. ill. en coul. Coll. « Tic Tac Toc », 12. ISBN 2-89093-014-9.

**Mes premières lectures.** En collaboration avec Marie A. Delohme; illustrations de Denise Audet et al. Boucherville, Le Sablier, 1980. 2 vol.: ill. part. en coul.

## Yves PRÉFONTAINE

Michel Dubreuil

(Montréal, 1er février 1937– ). Membre du comité de direction (1959–1971) et rédacteur en chef de *Liberté* de 1961 à 1962, Yves Préfontaine a étudié la radiophonie et la télévision à l'université Laval (1956) et l'anthropologie (baccalauréat, 1964, et maîtrise, 1966) à l'université de Montréal. Il a été producteur de nombreuses émissions de radio de 1956 à 1966 et, de 1966 à 1970, a été boursier du ministère de l'Éducation et a séjourné en France pour y faire un doctorat en sociologie. Depuis lors, il a travaillé au ministère des Communications, aux Affaires publiques de Radio-Canada, comme scénariste à Radio-Québec et au département des communications de l'université du Québec à Montréal.

### ŒUVRES

**Boréal,** poésie. Montréal, Éditions d'Orphée, 1957. 102 p.

**Les Temples effondrés,** poésie. Montréal, Éditions d'Orphée, 1957. 77 p.

**La Poésie et Nous.** En collaboration. Montréal, L'Hexagone, 1958. 93 p. Coll. « Les Voix », 2.

**L'Antre du poème,** poésie. Trois-Rivières, Éditions du Bien public, 1960. 87 p.

**Pays sans parole,** poésie. Montréal, L'Hexagone, 1967. 77 p.

**Débâcle,** suivi de **À l'orée des travaux,** poésie. Montréal, L'Hexagone, 1970. 79 p.

**Nuaison,** poésie. Montréal, L'Hexagone, 1981. 68 p. ISBN 2-89006-190-6.

## Guy M. PRESSAULT

### ŒUVRES

**Transparence bafouée,** poésie. Montréal, Éditions de l'Étauo, 1972. 69 p.

**Soubremots,** poésie. En collaboration avec Yrénée Bélanger. Montréal, Éditions de l'Œuf, 1973. N.p.

**•,** poésie. En collaboration avec Yrénée Bélanger. Montréal, Éditions de l'Œuf, 1973. N.p.

**Des mêmes auteurs,** poésie. En collaboration avec Yrénée Bélanger. Montréal, Éditions de l'Œuf, 1974. N.p.

**Écrire partout défense d'écrire,** poésie. En collaboration avec Yrénée Bélanger. Montréal, Éditions de l'Œuf, 1974. N.p.

**De la,** poésie. En collaboration avec Yrénée Bélanger. Montréal. Éditions de l'Œuf, 1974. N.p.

**Correction d'épreuves,** poésie. En collaboration avec Yrénée Bélanger. Montréal, Éditions de l'Œuf, 1974. N.p.

**Ne pas plier,** poésie. En collaboration avec Yrénée Bélanger. Montréal, Éditions de l'Œuf, 1974. N.p.

**C'est assez,** poésie. En collaboration avec Claude Péloquin et Yrénée Bélanger. Montréal, Éditions de l'Œuf, 1974. N.p.

**À jeter après usage,** poésie. En collaboration avec Yrénée Bélanger et André Lannay. Montréal, Éditions de l'Œuf, 1976. N.p.

**No-Wave,** poésie. En collaboration avec Robert Dionne et Yrénée Bélanger. Montréal, Éditions de l'Œuf, 1980. N.p.

**Mots de passe,** poésie. En collaboration avec Yrénée Bélanger. Montréal, Éditions de l'Œuf, 1980. N.p.

## Catherine PRINCE-LACHANCE

Gilbert Forest

(Sainte-Thérèse-de-Blainville, 29 avril 1938– ). Diplômée de l'université de Montréal en philosophie (1966) et ayant complété une maîtrise en anthropologie au Centre d'études universitaires de Trois-Rivières (1968), Catherine Prince-Lachance a enseigné dans plusieurs écoles normales et cégeps en plus d'effectuer des stages à titre de coopérante au Sénégal (1973–1975) et au Zaïre (1978–1980). Elle fut collaboratrice au magazine *Regards sur Israël* (1975–1977) et a publié deux livres dont un essai sur le statut de l'intellectuel. Elle est membre de la Société de philosophie de Montréal et de la Société Québec-Sénégal.

### ŒUVRES

**Sans issue.** T. I : **L'Individu et la Société,** essai. Laval, Éditions Géoproduction, 1975. 157 p. : ill. Coll. « Le Vécu ».

**Sans issue.** T. II : **L'Individu et le Masque,** essai. Montréal, Société de Belles-Lettres Guy Maheux, 1975. 88 p. : ill. Coll. « Le Chariot ».

**Israël, mon amour,** poésie. Montréal, Société de Belles-Lettres Guy Maheux, 1977. 77 p. : ill. Coll. « La Papesse ». ISBN 0-88582-016-9.

## Lorenzo PROTEAU

(Saint-Sébastien, 16 mars 1928– ). Établi à Montréal depuis 1947, Lorenzo Proteau a d'abord travaillé comme représentant pour *le Foyer rural* et *le Devoir* puis il devint le premier assureur de l'Assurance-vie Desjardins à Montréal. Membre de plusieurs associations professionnelles, Lorenzo Proteau est amateur de chasse et pêche, collectionneur de timbres et de monnaies ainsi que voyageur émérite. Depuis 1951, il a suivi de nombreux cours dans différents domaines tels la gastronomie, la photographie et les langues (espagnol et anglais).

### ŒUVRES

**Grand-Mère Toinette m'a raconté,** roman. Montréal, Éditions Priorités, 1981. Illustrations de l'auteur. 192 p. : ill. ISBN 2-920354-00-0.

**La Parlure québécoise,** répertoire d'expressions québécoises. Illustrations de Métivier. Montréal, Éditions Proteau, 1982. 230 p. : ill. ISBN 2-920369-69-7.

**Les Placotteuses,** roman. Illustrations de Métivier. Montréal, Éditions Proteau, 1982. 327 p. : ill. ISBN 2-920369-69-5.

## Claude PROVENCHER (1947–

### ŒUVRES

**Vers les sens du dedans : méditations.** Montréal, Éditions Fomalhault, 1975. 90 p.

**Cette demeure.** Montréal, Éditions du Coin, 1975. 68 p.

## Jean PROVENCHER (1951–

### ŒUVRES

**Les Sangles.** Avec trois dessins originaux de Jeanne Cossette. Trois-Rivières, Écrits des Forges, 1974. 85 p. : ill. Coll. « Les Rouges-Gorges », 12.

**Douleur du fragment : lecture.** Dessins de Danielle Paradis. Trois-Rivières, Écrits des Forges, 1974, 69 p. : ill. Coll. « Les Rouges-Gorges », 14.

# R

**Ji**
**R**

Voir Jacques Renaud.

**Georges**
**RABY**

Kèro

(Montréal, 24 juin 1934– ). Après quelques années d'études au collège Jean-de-Brébeuf, Georges Raby travaille tour à tour en usine, dans des bureaux, hôtels et restaurants. Il part ensuite pour le Mexique et, à son retour, dirige un temps une compagnie théâtrale, le Théâtre Populaire du Québec, et se lance dans le journalisme d'abord à *Perspectives*, puis à la pige pour différents journaux et revues.

## ŒUVRES

**L'Idéaliste récalcitrant,** récit. Montréal, Éditions du Bouc, 1977. 53 p.
**Jardinage sans terre,** guide pratique. Montréal, L'Étincelle, 1978. 140 p.

**Luc**
**RACINE**

(Montréal, 29 novembre 1943– ). Luc Racine a fait des études de maîtrise en anthropologie à l'université de Montréal (1965) et obtenu un doctorat en sociologie de l'université de la Sorbonne (1973) avant de devenir professeur à l'université de Montréal. Il a publié plusieurs articles dans des revues telles *Parti pris* (dont il fut l'un des animateurs), *Socialisme québécois, la Barre du jour, Possibles, Lettres et Écritures,* etc. Poète, il est aussi l'auteur d'essais en sociologie et s'intéresse également à la musique et à l'ésotérisme.

## ŒUVRES

**Les Dormeurs,** poésie. Montréal, Estérel, 1966. 144 p.
**Opus I,** poésie. Montréal, Éditions du Jour, 1969. 74 p. Coll. « Les Poètes du Jour ».
**Villes,** poésie. Montréal, Éditions du Jour, 1970. 56 p. Coll. « Les Poètes du Jour ».
**Les Jours de mai,** poésie. Montréal, Éditions du Jour, 1971. 129 p. Coll. « Les Poètes du Jour ».
**Pour changer la vie,** essai. En collaboration avec Guy Sarrazin. Montréal, Éditions du Jour, 1972. 141 p.
**Le Pays saint,** poésie. Montréal, Éditions du Jour, 1972. 101 p. Coll. « Les Poètes du Jour ».
**Théories de l'échange et Circulation des produits sociaux,** essai. Montréal, Presses de l'université de Montréal, 1979. 397 p. ISBN 0-8405-0428.
**L'Enfant des mages,** poésie. Montréal, Nouvelle Optique, 1982. 105 p. ISBN 2-89017-028-4.
**Enfance et Société nouvelle,** essai. Montréal, Hurtubise HMH, 1982. Coll. « L'Homme dans la société ».

**Clothilde**
**RAINVILLE**

Voir Madeleine Guimont.

**Nicole**
**RAINVILLE**
Pseud. : Nicole Lafleur.

(Shawinigan, 26 novembre 1939– ). Nicole Rainville est l'auteure de plusieurs livres pour enfants parus aux Éditions Paulines. Détentrice d'un baccalauréat en pédagogie préscolaire de l'université Laval (1960) et d'une maîtrise en éducation de l'université du Québec à Trois-Rivières (1974), elle a été tour à tour jardinière d'enfants, chargée de cours au sein de diverses universités et animatrice de groupes de créativité. De 1974 à 1979, elle a occupé les fonctions de recherchiste, intervieweuse et scripteure pour différentes émissions de Radio-Canada telles *Femme d'aujourd'hui, Appelez-moi Lise*, ainsi que pour plusieurs émissions pour la jeunesse. Elle a également été rédactrice d'une chronique de livres pour enfants à la revue *Mic-Mac*.

**ŒUVRES**

**Fleur de papillon,** littérature de jeunesse. Illustrations de Claire Duguay. Sherbrooke, Éditions Paulines, 1972. 14 p.: ill. part. en coul. Coll. « Mes amis », 3. ISBN 0-88840-311-9.
**Sablou,** littérature de jeunesse. Illustrations de Claire Duguay. Sherbrooke, Éditions Paulines, 1972. 14 p.: ill. part. en coul. Coll. « Contes du chalet bleu », 10. ISBN 0-88840-318-6.
**Cabochette,** littérature de jeunesse. Illustrations de Rachel Roy. Sherbrooke, Éditions Paulines, 1972. 14 p.: ill. part. en coul. Coll. « Contes du chalet bleu », 18. ISBN 0-88840-340-2.
**Le Bon Geste,** littérature de jeunesse. Illustrations de Rachel Roy. Sherbrooke, Éditions Paulines, 1972. 14 p. : ill. part. en coul. Coll. « Contes du chalet bleu », 19. ISBN 0-88840-341-0.
**Merli-Merlon,** littérature de jeunesse. Illustrations de Claire Duguay. Sherbrooke, Éditions Paulines, 1972. 14 p.: ill. part. en coul. Coll. « Contes du chalet bleu », 24. ISBN 0-88840-346-1.

**Aurel**
**RAMAT**

(Modane, France, 24 septembre 1926– ). Bachelier en lettres de l'académie de Grenoble (1945) et détenteur d'un certificat de traduction de l'université McGill (1970) et d'un diplôme d'enseignement du français de l'université Laval (1970), Aurel Ramat a été linotypiste, typographe et correcteur d'épreuves au sein de différentes sociétés depuis 1950. Actuellement opérateur de photocomposeuse au journal *The Gazette*, il possède également un diplôme de responsable de la qualité du français dans les maisons d'édition émis par l'Office de la langue française (1981).

**ŒUVRE**

**Grammaire typographique.** Montréal, chez l'auteur, 1982. 96 p. ISBN 2-9800113-0-4.

**Jacques**
**RANCOURT**

Philippe Tortosa

(Lac Mégantic, 6 avril 1946– ). Depuis l'obtention de sa licence en lettres à l'université Laval (1971), Jacques Rancourt vit à Paris où il se consacre à l'étude de la poésie de langue française au XX^e siècle. Il a fait une maîtrise à Nanterre (1972) sur *le Thème du quotidien dans la jeune poésie française* et un doctorat en Sorbonne (1976) sur *la Poésie d'Afrique noire et des Antilles depuis 1950.* Correcteur pour différentes maisons d'édition depuis 1977, il est membre du comité de rédaction de la revue *Poésie I* depuis 1972.

### ŒUVRES

**La Poésie contemporaine de langue française,** panorama critique. En collaboration; sous la direction de Serge Brindeau. Paris, Éditions Saint-Germain-des-Prés, 1973. 926 p.: ill., photos. ISBN 2-243-00008-3.

**La journée est bien partie pour durer,** poésie. Paris, Éditions Saint-Germain-des-Prés, 1974. 48 p. Coll. « Poésie sans frontière ».

**L'eau bascule,** poésie. Méry-sur-Oise, Éditions Rmqs, 1974. N.p. Coll. « Voûte romane ».

**Poésie du Québec: les premiers modernes,** anthologie. Paris, Éditions Saint-Germain-des-Prés, 1974. 128 p. Coll. « Poésie I ».

**La Nouvelle Poésie québécoise,** anthologie. Paris, Éditions Saint-Germain-des-Prés, 1974. 128 p. Coll. « Poésie I ».

**Le Soir avec les autres,** poésie. Gravures d'Alix Haxthausen. Paris, Éditions G.D., 1977. N.p.: ill.

**Neiges,** poèmes en prose. En collaboration avec Serge Brindeau, Jean Breton, Jean Orizet et Henri Rode; gravures d'Alix Haxthausen. Paris, Éditions G.D., 1980. N.p.: ill.

**La Poésie érotique au XX siècle,** anthologie. Paris, La Pibole, 1980. 171 p. Coll. « Anthologies poétiques ». ISBN 2-86417-013-2.

**Le Pont verbal,** poésie. Paris, Éditions Saint-Germain-des-Prés, 1980. 80 p. Coll. « Poètes contemporains ». ISBN 2-243-01106-9.

**Poètes et Poèmes contemporains: Afrique-Antilles,** thèse. Paris, Éditions Saint-Germain-des-Prés, 1981. 193 p. Coll. « Les Cahiers de poésie 1 ».

## Bernard L. RANGER (1957- )

### ŒUVRES

**Au pays de la poudre rose.** Saint-Vincent-de-Paul, chez l'auteur, 1978. 169 p.: ill.

**Cendres,** textes et poésie. Montréal, Éditions du Prisme, 1981. 61 p.: ill.

**Le Secret d'Alpage.** Laval, Éditions du Prisme, 1981. 41 p.: portr.

## Suzanne RATELLE-DESNOYERS

(Roberval, 7 mai 1939- ). Licenciée en pharmacie de l'université de Montréal (1962), Suzanne Ratelle-Desnoyers est attachée aux hôpitaux Jean-Talon (1961-1962) et Fleury de Montréal (1962-1963), avant de travailler à temps partiel dans diverses pharmacies. Romancière, elle a publié deux romans d'abord aux Éditions Sélect puis aux Éditions Québécor. Elle est membre de l'Ordre des pharmaciens du Québec, de la Société d'études et de conférences et de l'Association canadienne des golfeuses. En 1980, elle réalisait un vieux rêve en allant vivre au soleil, en Floride.

### ŒUVRES

**Maintenant, je sais...,** roman. Montréal, Presses Sélect, 1979. 302 p. ISBN 2-89132-036-0.

**Le Printemps, cette année-là,** roman. Montréal, Québécor, 1980. 254 p. ISBN 2-89089-057-0.

## Gilles RAYMOND

(Donnacona, 29 mai 1951- ). Diplômé de philosophie de l'université de Moncton (1971), c'est en pliant du carton dans une usine de Montréal que Gilles Raymond laisse venir son envie d'écrire. Ayant passé son enfance et son adolescence à l'ombre du moulin à papier de Donnacona, c'est à Esprit-Saint, un village de travailleurs forestiers de l'Est du Québec, qu'il décide de vivre. Il anime des ateliers d'écriture pour les groupes de citoyens de la région et s'implique également dans les luttes syndicales en aidant, par exemple, à la création d'un fonds de grève par la vente d'un recueil de poèmes.

### ŒUVRES

**Pour sortir de nos cages,** roman. S.l., Les Gens d'en bas, 1979. 142 p.

**Un moulin, un village, un pays,** roman. Montréal-Nord, VLB Éditeur, 1982. 208 p.

**Marcel F.**
**RAYMOND**

Van Dyck & Meyers

(Montréal, 1er décembre 1943– ). Marcel Raymond s'intéresse très tôt au journalisme et dirige en 1964, 1966 et 1969 un hebdomadaire estival diffusé dans la région de Saint-Calixte, *Bonjour Beaulac.* En 1973, il obtient un baccalauréat ès arts de l'université Concordia puis se spécialise en recherche « sur la refonte générale des matières constitutionnelles canadiennes ». Il anime d'ailleurs régulièrement des ateliers de travail sur ce sujet.

**ŒUVRES**

**Les Jardins,** essai. Montréal, Éditions MFR, 1978. 80 p. ISBN 2-920220-00-4.
**Anniversaire insolite,** poésie. Montréal, Éditions MFR, 1980. 38 p. ISBN 2-920220-01-2.
**Secondes,** récit. Montréal, Éditions MFR, 1980. 46 p. ISBN 2-920220-02-0.
**Lettrogrammes.** Montréal, Éditions MFR, 1980. 5 p.
**Voyages,** poésie et récit. Île Bizard, Éditions MFR, 1981. 72 p.: fac-sim., portr. ISBN 2-920220-06-3.

**Alix**
**RENAUD**

(Port-au-Prince, Haïti, 30 août 1945– ). D'origine haïtienne, Alix Renaud vit au Québec depuis 1968. Il a étudié l'art dramatique (Haïti), la linguistique (université Laval), l'électronique (par correspondance). Traducteur et rédacteur commercial pendant six ans, technicien en terminologie à l'Office de la langue française (deux ans), il est, depuis 1976, linguiste pour le secrétariat d'État à Québec. Il a collaboré au *Soleil*, à *l'Action*, à nombre d'anthologies et de revues et a été lecteur pour le ministère des Affaires culturelles de 1972 à 1979. Éditeur des Éditions de l'Erbium depuis 1979, plusieurs de

Ernest Rainville

ses textes ont été diffusés sur les ondes de Radio-Canada depuis 1972 : six pièces de théâtre, trois documentaires, une trentaine de nouvelles et des poèmes. Il poursuit actuellement une maîtrise en terminologie (linguistique) à l'université Laval et assure une chronique de linguistique dans le périodique montréalais *Son Hi-fi Magazine.*

**ŒUVRES**

**Carême,** poésie. Paris, Éditions Saint-Germain-des-Prés, 1972. 58 p. Coll. « Miroir oblique ».
**Extase exacte,** poésie. Paris, La Pensée universelle, 1976. 60 p.
**Grâces,** poésie. Illustration de Marie Laberge. Lévis, Éditions de l'Erbium, 1979. ISBN 2-920093-00-2.
**Le Mari,** nouvelles. Sherbrooke, Naaman, 1980. 91 p. Coll. « Création », 67. ISBN 2-89040-144-8.
**Dictionnaire de l'audiophonie.** Paris, Montréal, Fernand Nathan, Éditions Ville-Marie, 1981. 313 p.
**À corps joie,** roman. Montréal, Nouvelle Optique, 1982.

**Bernadette**
**RENAUD**

(Ascot-Corner, 18 avril 1945– ). Auteure de plusieurs ouvrages de littérature pour enfants, Bernadette Renaud a remporté en 1977 le Prix de littérature de jeunesse du Conseil des arts et le Prix Alvine-Bélisle pour *Émilie, la baignoire à pattes.* Depuis, elle se consacre à temps plein à la création littéraire de même qu'à l'animation auprès des enfants. Elle a ainsi rencontré en une seule année plus de 5 000 élèves et des groupes de professeurs. Elle avait auparavant obtenu son brevet d'enseignement à l'élémentaire (1964), travaillé comme assistante-bibliothécaire (1964–1967), enseigné au primaire (1967–1970) et agi à titre de secrétaire adminis-

trative de l'Association Médi-Tech-Science (1972–1976). Bernadette Renaud, qui a également complété un D.E.C. en psychologie au collège Maisonneuve en 1972, siège au conseil d'administration de Communication-Jeunesse depuis 1977 et est membre de l'Institut de radio-télévision pour enfants.

## ŒUVRES

**Émilie, la baignoire à pattes,** littérature de jeunesse. D'après une idée originale de Gertrude Scalabrini; illustrations de France Bédard. Montréal, Héritage, 1976. 126 p.: ill. Coll. « Pour lire avec toi ». ISBN 0-7773-4400-9.

**Le Petit Pompier,** littérature de jeunesse. Illustrations de Lucie Ledoux. Boucherville, Le Sablier, 1978. 15 p.: ill. en coul. Coll. « Tic Tac Toc », série Tic. ISBN 0-919428-04-5.

**L'Autobus en colère,** littérature de jeunesse. Illustrations de Lucie Ledoux. Boucherville, Le Sablier, 1978. 15 p.: ill. en coul. Coll. « Tic Tac Toc », série Tic. ISBN 0-919428-05-3.

**La Fête de la citrouille,** littérature de jeunesse. Illustrations de Lucie Ledoux. Boucherville, Le Sablier, 1978. 15 p.: ill. en coul. Coll. « Tic Tac Toc », série Tic. ISBN 0-919428-06-1.

**La Carte de Noël,** littérature de jeunesse. Illustrations de Lucie Ledoux. Boucherville, Le Sablier, 1978. 15 p.: ill. en coul. Coll. « Tic Tac Toc », série Tic. ISBN 0-919428-07-X.

**Le Ménage du samedi,** littérature de jeunesse. Illustrations de Lucie Ledoux. Boucherville, Le Sablier, 1978. 15 p.: ill. en coul. Coll. « Tic Tac Toc », série Tic. ISBN 0-919428-08-8.

**Oscar a disparu,** littérature de jeunesse. Illustrations de Robert Dolbec. Boucherville, Le Sablier, 1978. 15 p.: ill. en coul. Coll. « Tic Tac Toc », série Tic. ISBN 0-919428-09-6.

**Le Dentiste,** littérature de jeunesse. Illustrations de Lucie Ledoux. Boucherville, Le Sablier, 1978. 15 p.: ill. en coul. Coll. « Tic Tac Toc », série Tic. ISBN 0-919428-10-X.

**Les Matins de Martin,** littérature de jeunesse. Illustrations de Lucie Ledoux. Boucherville, Le Sablier, 1978. 15 p.: ill. en coul. Coll. « Tic Tac Toc », série Tic. ISBN 0-919428-11-8.

**Sophie à l'épicerie,** littérature de jeunesse. Illustrations de Lucie Ledoux. Boucherville, Le Sablier, 1978. 15 p.: ill. en coul. Coll. « Tic Tac Toc », série Tic. ISBN 0-919428-12-6.

**Le Chat de l'oratoire,** littérature de jeunesse. Illustrations de Josette Michaud. Montréal, Fides, 1978. 90 p.: ill. en coul. Coll. « Du goéland ». ISBN 0-7755-0684-2.

**Émilie, la baignoire à pattes,** littérature de jeunesse. Illustrations de Félix Vincent. Montréal, Héritage, 1978. N.p.: ill. en coul. Coll. « Albums Héritage ». ISBN 0-7773-2516-0.

**La Tempête de neige,** littérature de jeunesse. Illustrations d'Yseult Ferron. Boucherville, Le Sablier, 1979. 15 p.: ill. en coul. Coll. « Tic Tac Toc », série Tac. ISBN 0-919428-19-3.

**Les 4 Saisons de Branchu,** littérature de jeunesse. Illustrations de Lucie Ledoux. Boucherville, Le Sablier, 1979. 15 p.: ill. en coul. Coll. « Tic Tac Toc », série Tac. ISBN 0-919428-14-2.

**Le Gâteau d'anniversaire,** littérature de jeunesse. Illustrations d'Yseult Ferron. Boucherville, Le Sablier, 1979. 15 p.: ill. en coul. Coll. « Tic Tac Toc », série Tac. ISBN 0-919428-15-0.

**Les Jouets,** littérature de jeunesse. Illustrations de Lucie Ledoux. Boucherville, Le Sablier, 1979. 15 p.: ill. en coul. Coll. « Tic Tac Toc », série Tac. ISBN 0-919428-16-9.

**Ça ira mieux demain,** littérature de jeunesse. Illustrations d'Yseult Ferron. Boucherville, Le Sablier, 1979. 15 p.: ill. en coul. Coll. « Tic Tac Toc », série Tac. ISBN 0-919428-20-7.

**La Maison tête de pioche,** littérature de jeunesse. Montréal, Héritage, 1979. 124 p.: ill. Coll. « Pour lire avec toi ». ISBN 0-7773-4415-7.

**La Révolte de Courtepointe,** littérature de jeunesse. Illustrations de Lucie Ledoux. Montréal, Fides, 1979. 95 p.: ill. part. en coul. ISBN 2-7621-0961-2.

**C'est maman qui travaille,** littérature de jeunesse. Illustrations de Robert Dolbec. Varennes, Le Sablier, 1979. N.p.: ill. en maj. part. en coul. Coll. « Tic Tac Toc », série Toc. ISBN 2-89093-004-1.

**Sur le chemin de l'école,** littérature de jeunesse. Illustrations de Robert Dolbec. Varennes, Le Sablier, 1980. N.p.: ill. en maj. part. en coul. Coll. « Tic Tac Toc », série Toc. ISBN 2-89093-006-8.

**Un chat... jamais,** littérature de jeunesse. Illustrations de Lucie Ledoux. Varennes, Le Sablier, 1980. N.p.: ill. en maj. part. en coul. Coll. « Tic Tac Toc », série Toc. ISBN 2-89093-009-2.

**Marie-Jo a la grippe,** littérature de jeunesse. Illustrations de Lucie Ledoux. Varennes, Le Sablier,

1980. N.p.: ill. en maj. part. en coul. Coll. « Tic Tac Toc », série Toc. ISBN 2-89093-010-6.
**Papa vient dimanche,** littérature de jeunesse. Illustrations de Line Tremblay. Varennes, Le Sablier, 1980. N.p.: ill. en maj. part. en coul. Coll. « Tic Tac Toc », série Toc. ISBN 2-89093-011-4.
**Les Manèges,** littérature de jeunesse. Illustrations de Lucie Ledoux. Varennes, Le Sablier, 1980. N.p.: ill. en maj. part. en coul. Coll. « Tic Tac Toc », série Toc. ISBN 2-89093-012-2.
**Une boîte magique très embêtante,** théâtre pour enfants. Montréal, Leméac, 1981. 125 p.: photos. Coll. « Théâtre pour enfants ». ISBN 2-7609-9909-2.
**La Dépression de l'ordinateur,** littérature de jeunesse. Montréal, Fides, 1981. 101 p. Coll. « Des mille îles ». ISBN 2-7621-1137-4.

## Jacques RENAUD

Pseud. : Ji R, Élie-Pierre Ysraël.

(Montréal, 10 novembre 1943– ). Jacques Renaud quitte sa famille à 17 ans, travaille tour à tour en usine et à la Cinémathèque municipale et devient chômeur. Au début des années 60, il se lie d'amitié avec André Major et Gilbert Langevin et publie *le Cassé* en 1964. Il collabore alors épisodiquement à *Parti pris*. Recherchiste à l'émission *le Sel de la semaine* (1967-1968), il séjourne à Paris en 1969 et en Inde en 1970. Il découvre alors l'œuvre de Shrî Aurobindo. Tout en continuant de travailler comme journaliste à la pige tant à Radio-Canada que pour les revues *Perspectives* et *Forces* ou *le Devoir*, il est moniteur de hatha yoga de 1975 à 1976. Depuis une dizaine d'années, Jacques Renaud se nourrit à la fois d'auteurs comme James Joyce et Carl G. Jung, de cabalistes ou de penseurs comme Carlo Suarès et Raymond Abellio, et de poètes comme Claude Gauvreau. Il dirige actuellement une petite maison d'édition, les Éditions de la Lune occidentale.

### ŒUVRES

**Électrodes,** poésie. Montréal, Atys, 1962. N.p.
**Le Cassé,** nouvelles. Montréal, Parti pris, 1964. 127 p.
**En d'autres paysages,** roman. Montréal, Parti pris, 1970. 123 p. Coll. « Paroles », 16.
**Le fond pur de l'errance irradie,** récit. Montréal, Parti pris, 1975. 61 p. Coll. « Paroles », 37. ISBN 0-88512-081-7.
**Le Cassé et Autres Nouvelles.** Montréal, Parti pris, 1977. 198 p. ISBN 0-88512-0114-7.
**Le Cycle du Scorpion,** poésie. Avec des encres de Gilles Langlois. Montréal, Éditions de la Lune occidentale, 1979. 39 p. : ill. ISBN 2-920041-002.
**L'Inde, le Karma, la Croix et la Compassion,** essai. Montréal, Éditions du Transplutonien, 1979. 8 p. ISBN 2-920012-00-2.
**Notes pour une postface au Cassé.** Montréal, Éditions du Transplutonien, 1979. 24 p. ISBN 2-920012-01-0.
**La Colombe et la Brisure éternité,** roman. Montréal, Le Biocreux, 1979. 115 p. ISBN 2-89151-003-8.
**Clandestine(s)** ou **la Tradition du couchant,** roman. Montréal, Le Biocreux, 1980. 504 p.: ill. ISBN 2-89151-008-9.
**D'ailes et d'îles,** poésie. En collaboration avec Leonard Cohen, Claude Haeffely, Michael Lachance; lithographies de Kittie Bruneau. Montréal, Éditions de la Marotte, 1980. 7 f.: ill. en coul.
**Arcane seize,** poésie. Montréal, Éditions de la Lune occidentale, 1980. N.p.: ill.
**La Ville : Vénus et la Mélancolie.** Montréal, Éditions de la Lune occidentale, n.d. N.p. ISBN 2-920041-05-3.
**Tarot-Qabbale.** Montréal, Éditions du Transplutonien, 1981. 38 p. ISBN 2-920012-02-91.
**La Nuit des temps.** Montréal, Éditions de la Lune occidentale et du Transplutonien, 1981. 109 p. ISBN 2-920012-03-7.
**Par la main du soleil,** précédé de **les Saisons du saphir.** Montréal, Éditions de la Lune occidentale, 1981. 59 p. ISBN 2-920041-04-5.

### ŒUVRE TRADUITE

**Flat, Broke and Beat,** nouvelle. Traduction anglaise de Gérald Robitaille ; titre original : **Le Cassé.** Montréal, Le Bélier, 1968. 123 p.

## Thérèse RENAUD

Montréal. Signataire du manifeste *Refus global* avec les autres membres du groupe automatiste, Thérèse Renaud publie en 1972 *Récits d'une errance* aux Écrits du Canada français. Son premier recueil de poèmes, *les Sables du rêve*, a été réédité par les Herbes rouges en 1976.

### ŒUVRES

**Les Sables du rêve.** Dessins de Jean-Paul Mousseau. Montréal, Cahiers de la file indienne, 1946. 37 p.: ill.
**Une mémoire déchirée,** récit. Montréal, Hurtubise HMH, 1978. 163 p. Coll. « L'Arbre ». ISBN 0-7758-0129-1.

**Plaisirs immobiles,** récits et poèmes. Dessins de Raymonde Godin. Saint-Lambert, Éditions du Noroît, 1981. 115 p.: ill. ISBN 2-89018-051-4.

**Ghislaine REY**

Kèro

(Jérémie, Haïti, 21 janvier 1918– ). Ghislaine Rey a étudié l'espagnol, la correspondance commerciale et la traduction en Haïti et y a enseigné la géographie, l'histoire et le français (1950–1963). Elle fut aussi journaliste au quotidien *Haïti Miroir* avant de quitter son pays pour le Congo (aujourd'hui le Zaïre) où elle fut traductrice à l'ambassade du Nigéria et au Centre de sociologie de Léopoldville. Naturalisée canadienne, elle a été traductrice à la Société canadienne de grapho-analyse ; elle fait actuellement de la traduction à la pige et de la critique littéraire dans *Collectif Paroles.*

## ŒUVRE

**Anthologie du roman haïtien de 1859–1946.** Préface de Thomas H. Lechaud. Sherbrooke, Naaman, 1978. 197 p.: ill. Coll. « Anthologies », 2.

**André RICARD**

Luc Chartier

(Sainte-Anne-de-Beaupré, 18 octobre 1938– ). André Ricard a poursuivi des études en pédagogie (1959) et en lettres (1962) à l'université Laval puis en art dramatique au conservatoire (1965). Cofondateur du Théâtre de l'Estoc, il y fut metteur en scène et directeur artistique (1957–1968) et réalisa ensuite des émissions radiophoniques pour Radio-Canada de même qu'une série de films pour la télévision. Il contribua entre autres à divers films à titre de recherchiste, scénariste et commentateur. Également auteur de plusieurs œuvres dramatiques pour la radio et la télévision, il reçut en 1976 le Prix Court Métrage de la Communauté des radios de langue française. André Ricard a également donné pendant plusieurs années des cours au Conservatoire d'art dramatique (1968–1974) et à l'université Laval (1965–1978).

## ŒUVRES

**La Vie exemplaire d'Alcide 1er le pharamineux et de sa proche descendance,** théâtre. Introduction de Pierre Filion. Montréal, Leméac, 1973. XVI-174 p.: planches. Coll. « Théâtre canadien », 28.

**La Gloire des filles à Magloire,** théâtre. Montréal, Leméac, 1975. 156 p. Coll. « Théâtre Leméac », 46. ISBN 0-7761-0045-9.

**Le Casino voleur,** théâtre. Montréal, Leméac, 1978. 168 p. Coll. « Théâtre Leméac ». ISBN 0-7761-0071-8.

## TRADUCTION

**Les Morts,** théâtre. Traduction de **Los Muertos** de Max Aub. Paris, L'Avant-Scène, 1964.

**François RICARD**

Kèro

(Shawinigan, 4 juin 1947– ). Professeur de littératures française et québécoise à l'université McGill depuis l'obtention de son doctorat à l'université d'Aix-Marseille en 1971, François Ricard est directeur de la revue *Liberté*. Il collabore régulièrement aux émissions culturelles de Radio-Canada et de Radio-Québec. Il a dirigé pendant plusieurs années la collection « Québec 10/10 » aux Éditions Stanké avant de devenir directeur littéraire au Boréal Express. Il a publié dans *le Devoir, le Jour, Québec français, Voix et Images, Maintenant, Études françaises*, etc. En 1978, François Ricard participait à la fondation des Éditions du Sentier.

### ŒUVRES

**L'Art de Félix-Antoine Savard dans « Menaud, maître-draveur »**, étude. Montréal, Fides, 1972. 142 p. Coll. « Études littéraires ».

**Gabrielle Roy,** essai. Montréal, Fides, 1975. 191 p.: ill., fac-sim., portr. Coll. « Écrivains canadiens d'aujourd'hui », 11. ISBN 0-7755-0529-3.

**Le Prince et la Ténèbre,** conte. Avec sept tailles-douces de Lucie Lambert. Saint-Sévère, Lucie Lambert, 1980. N.p.: ill.

**L'Incroyable Odyssée,** récit. Illustrations de Lucie Lambert. Montréal, Éditions du Sentier, 1982. 80 p.

## † Jean-Jules RICHARD

(Saint-Raphaël-de-Bellechasse, 19 août 1911–2 mai 1975). Jean-Jules Richard quitte sa famille à 14 ans et rejoint les « hobos », voyageant tant au Canada qu'aux États-Unis et en Europe. Engagé volontaire durant la Deuxième Guerre mondiale, il revient au pays puis, tout en entrant à l'emploi de Radio-Canada, travaille comme journaliste à la pige. Romancier, il publiera plusieurs livres reflétant ses préoccupations sociales et personnelles. En 1970, le Prix Jean-Béraud-Molson lui était décerné pour son cinquième ouvrage, *Faites-leur boire le fleuve*.

### ŒUVRES

**Neuf Jours de haine**, roman. Montréal, Éditions de l'Arbre, 1948. 352 p.

**Ville rouge,** nouvelles Montréal, Éditions Tranquille, 1949. 283 p.

**Le Feu dans l'amiante,** roman. Montréal, s.é., 1956. 287 p.

**Journal d'un hobo,** roman. Montréal, Parti pris, 1965. 292 p. Coll. « Paroles ».

**Faites-leur boire le fleuve,** roman. Montréal, Cercle du livre de France, 1970. 302 p.

**Carré Saint-Louis,** roman. Montréal, L'Actuelle, 1971. 252 p.

**Exovide, Louis Riel,** roman historique. Montréal, La Presse, 1972. 260 p.: cartes.

**Pièges,** roman. Montréal, L'Actuelle, 1973. 173 p. ISBN 0-7752-0036-2.

**Le Voyage en rond,** roman. Montréal, Cercle du livre de France, 1972. 295 p. ISBN 0-7753-0023-3.

**Centre-ville,** roman. Montréal, L'Actuelle, 1973. 232 p. ISBN 0-7752-0043-3.

**Comment réussir à 50 ans,** roman d'humour. Montréal, Éditions Vert Blanc Rouge, Éditions de l'Heure, 1973. 168 p.

## Robert RICHARDS

(Montréal, 1er juillet 1946–    ). Bachelier en biologie et chimie (1977), Robert Richards est l'auteur d'un guide de vulgarisation scientifique. Il collabore à *Hebdo-Science, Québec Chasse et Pêche* et *Bio* et a travaillé successivement comme technologiste médical, professeur, agent de recherche et biologiste. Il prépare actuellement une thèse en environnement à l'école polytechnique de Montréal.

### ŒUVRE

**Le Petit Débrouillard,** ouvrage de vulgarisation scientifique. En collaboration. Québec-Science, 1981. 123 p. ISBN 2-920073-18-4.

**Jardinez avec le professeur Scientifix : des expériences pour toutes les saisons**, ouvrage de vulgarisation scientifique. En collaboration. Québec, Québec-Science, 1982. 149 p.: ill. ISBN 2-920073-24-9.

## Mordecai RICHLER

(Montréal, 27 janvier 1931–    ). Auteur de romans, de nouvelles, de pièces de théâtre et d'essais, Mordecai Richler vit de sa plume. Il a collaboré à de nombreuses revues : *Life, Playboy, Paris Review, Esquire, Maclean's, New York Magazine, Saturday-Night*, etc., dans lesquelles il a publié articles et nouvelles. Il a étudié à Sir George Williams, où il fut d'ailleurs écrivain résidant (1968-1969) et séjourné de nombreuses années en Europe, plus particulièrement en Angleterre. Il est l'auteur de plusieurs scénarios dont *The Apprenticeship of Duddy Kravitz*, film qui fut réalisé à partir de son roman. Le Prix du Gouverneur général lui a été décerné à deux reprises, en 1969 et 1971.

La plupart des romans de Mordecai Richler ont été traduits en français et certains en danois, allemand, japonais, italien, espagnol, portugais et hébreu.

## ŒUVRES

**The Acrobats,** roman. Toronto, Ambassador, 1954.

**Son of a Smaller Hero,** roman. Toronto, Collins, 1955.

**A Choice of Ennemies,** roman. Toronto, Collins, 1959.

**The Apprenticeship of Duddy Kravitz,** roman. Toronto, Collins, 1959.

**The Incomparable Atuk,** roman. Toronto, McClelland & Stewart, 1963.

**Cocksure,** roman. Toronto, McClelland & Stewart, 1968.

**Hunting Tigers Under Glass,** essai. Toronto, McClelland & Stewart, 1969.

**The Street,** nouvelles. Toronto, McClelland & Stewart, 1969. 128 p.

**Canadian Writing today.** Sous la direction de Mordecai Richler. Harmond-Sworth, Angleterre, Penguin Books, 1970. 331 p. Coll. « Writing Today ».

**St. Urbains' Horseman,** roman. Toronto, McClelland & Stewart, 1971. 467 p. ISBN 0-7710-7484-7.

**Shovelling trouble,** essai. Toronto, McClelland & Stewart, 1972.

**Notes on an Endangered Species and Others,** nouvelles. New York, Knopf, 1974.

**Jacob Two-Two Meets the Hooded Fang,** littérature pour enfants. New York, Knopf, 1975.

**The Great Comic Book Heroes and Other Essays.** Choisis et introduits par Robert Fulford. Toronto, McClelland & Stewart, 1978. 194 p. Coll. « New Canadian Library », 152. ISBN 0-7710-9268-7.

**Joshua Then and Now,** roman. Toronto, McClelland & Stewart, 1980. 435 p. ISBN 0-7710-7492-1.

## ŒUVRES TRADUITES

**Le Choix des ennemis,** roman. Traduction française de Daniel Apert ; titre original : **A Choice of Ennemies.** Paris, Seuil, 1959. 317 p.

**Rue Saint-Urbain,** roman. Traduction française de René Chicoine ; titre original : **The Street.** Montréal, HMH, 1969. 203 p. Coll. « L'Arbre », 16.

**Les Cloches d'enfer,** théâtre. Traduction française de Gilles Rochette ; titre original : **Bells of Hell.** Montréal, Leméac, 1974. 89 p. : ill. Coll. « Théâtre : traduction et adaptation », 4.

**Mon père, ce héros,** roman. Traduction française de Jean Simard ; titre original : **Son of a Smaller Hero.** Montréal, Cercle du livre de France, 1975. 350 p. Coll. « Des deux solitudes ». ISBN 0-7753-0061-6.

**L'Apprentissage de Duddy Kravitz,** roman. Traduction française de Jean Simard ; titre original : **The Apprenticeship of Duddy Kravitz.** Montréal, Cercle du livre de France, 1976. 488 p. Coll. « Des deux solitudes ». ISBN 0-7753-0072-1.

**Le Cavalier de St-Urbain,** roman. Traduction française de Martine Wiznitzer ; titre original : **St. Urbans' Horseman.** Paris, Buchet-Chastel, 1976. 420 p.

**Jacob Deux-Deux et le Vampire,** littérature pour enfants. Illustrations de Fritz Wagner ; traduction française de Jean Simard ; titre original : **Jacob Two-Two Meets the Hooded Fang.** Montréal, Cercle du livre de France, 1977. 92 p. : ill. Coll. « Des deux solitudes, juvénile ». ISBN 0-7753-0098-5.

## ÉTUDES

Woodcock, George, **Mordecai Richler.** Toronto, McClelland & Stewart, 1970. 62 p. Coll. « Canadian Writers », 6.

Fulford, Robert, **Mordecai Richler.** Toronto, Coles, 1971.

Sheps, Gerson David, **Mordecai Richler.** Toronto, Montréal, Ryerson Press, McGraw-Hill of Canada, 1971. XXVI-124 p. Coll. « Critical Views on Canadian Writers », 6. ISBN 0-7700-0321-4.

## Joseph
## RILEV

Voir Richard Lévesque.

## Hélène
## RIOUX

(Montréal, 12 janvier 1949– ). Poète et auteure de quelques récits, Hélène Rioux est diplômée en lettres du cégep du Vieux-Montréal (1971) et a fait des études russes à l'université de Montréal. Elle a collaboré à un document destiné aux enfants produit par l'Unicef et la Croix-Rouge (1979) et fait de la traduction pour l'Association olympique. Elle se dit passionnée par l'étude des langues étrangères (russe, espagnol, grec, anglais) et par les voyages en pays méditerranéens.

## ŒUVRES

**Suite pour un visage,** poésie. Illustrations de Michel Forgue. Montréal, Éditions du Rapailleur, 1970. N.p. : ill.

**Finitudes,** poésie. Montréal, Éditions d'Orphée, 1972. N.p.

**Yes, monsieur,** récit. Montréal, La Presse, 1973. 134 p. ISBN 0-7777-0047-6.

**Un sens à ma vie,** récit. Montréal, La Presse, 1975. 116 p. Coll. « Chroniqueurs des deux mondes ». ISBN 0-7777-0116-2.

**J'elle,** récit. Montréal, Stanké, 1979. 147 p. ISBN 0-88566-121-4.

**Une histoire gitane,** roman. Montréal, Québec-Amérique, 1982.

## Yvon RIVARD

Kèro

(Saint-Thècle, 20 août 1945– ). Bachelier ès arts du collège Sainte-Marie de Shawinigan, maître ès arts de l'université McGill, Yvon Rivard obtient son doctorat en civilisation française de l'université d'Aix-Marseille en 1971. Il donne comme étapes importantes de son itinéraire intellectuel la lecture de Rike, en 1966, la découverte de la littérature allemande et sa rencontre avec le poète Guy Lafond vers 1968. Membre du comité de rédaction de la revue *Liberté*, il enseigne au département d'études françaises à l'université McGill.

## ŒUVRES

**Mort et Naissance de Christophe Ulric,** roman. Montréal, La Presse, 1976. 203 p. ISBN 0-7777-0141-3.

**Frayère,** album poésie/gravure. Gravures de Lucie Lambert. Saint-Boniface, Atelier Lucie Lambert, 1976. 1 portefeuille.

**L'Imaginaire et le Quotidien, essai sur les romans de G. Bernanos.** Paris, Minard, 1978. 255 p. Coll. « Lettres modernes ».

**L'Ombre et le Double,** roman. Montréal, Stanké, 1979. 247 p. ISBN 2-7604-0021-2.

## Guy ROBERT

Kèro

**(Sainte-Agathe-des-Monts, 7 novembre 1933– ). Depuis 1955, Guy Robert a été actif** surtout comme écrivain et professeur, critique et historien d'art, éditeur et animateur culturel. Il a étudié les lettres à l'université de Montréal (scolarité de doctorat terminée en 1964) et obtenu un doctorat en esthétique de l'université de Paris X (1977). Fondateur, en 1964, du musée d'Art contemporain de Montréal puis directeur de l'Exposition internationale de sculpture moderne à Expo 67, il a été professeur et conférencier dans plusieurs collèges et universités du Québec et d'ailleurs, et parmi les premiers à enseigner la littérature et l'art du Québec. Éditeur de poésie, de livres d'art, d'albums contenant des estampes originales, il a collaboré à quelques centaines d'émissions de radio ou de télévision, écrit plus de cinq cents articles et publié une quarantaine de livres sur Pellan, Borduas, Riopelle, Dallaire, etc. Membre de l'Association internationale des critiques d'art et de bien d'autres sociétés professionnelles, il fut récipiendaire du Grand Prix littéraire de la ville de Montréal pour son *Lemieux* en 1976. Guy Robert fait également partie de comités de lecture, de jurys, de commissions, est « polémiste à l'occasion, amateur d'ésotérisme et d'érotisme, collectionneur, bibliophile, conseiller en art et volontiers voyageur ».

## ŒUVRES

**Vers un humanisme contemporain,** essai. Montréal, s.é., 1958. 45 p.

**Broussailles givrées,** poésie. Montréal, Éditions Goglin, 1959. 72 p.

**La Poétique du songe ; introduction à l'œuvre d'Anne Hébert,** essai. Montréal, Presses de l'AGEUM, 1962. 125 p.

**Et le soleil a chaviré,** poésie. Montréal, Déom, 1963. 60 p.

**Pellan, sa vie, son œuvre, His Life and his Art,** essai. Textes en français et en anglais. Montréal, C.P.P., 1963. 136 p.
**Connaissance nouvelle de l'art ; approche esthétique de l'expérience artistique contemporaine.** Montréal, Déom, 1963. 272 p.
**École de Montréal, situations et tendances ; Situations and Trends,** essai. Textes en anglais et en français. Montréal, C.P.P., 1964. 150 p.: ill. part. en coul., portr.
**L'Eau et la Pierre : poème en sept chants de Guy Robert, en sept images de Roland Pichet,** album. Montréal, s.é., 1964. 16 f.
**Littérature du Québec,** témoignage de 17 poètes. Montréal, Déom, 1964. 333 p.
**Robert Roussil,** livre d'art. Montréal, musée d'Art contemporain, 1965. 62 p.: ill.
**Symposium du Québec 1965,** monographie. Montréal, musée d'Art contemporain, 1966. 56 p.
**Sculpture,** livre d'art. Textes en français et en anglais. Montréal, Expo 67, 1967. 128 p.: ill.
**Une mémoire déjà ; poèmes 1959–1967.** Québec, Garneau, 1968. 99 p.
**Jean-Paul Lemieux ; la poétique de la souvenance,** essai. Québec, Garneau, 1968. 135 p.: ill. part. en coul.
**Ailleurs se tisse ; poèmes à variantes mobiles.** Dessins de Roger Régnier. Québec, Garneau, 1969. 96 p.: ill.
**Le Su et le Lu,** poésie. Montréal, Éditions du Songe, 1969. 89 p.
**Intrême-Orient ; poème en sept images de Monique Charbonneau, en sept chants de Guy Robert.** Montréal, Éditions du Songe, 1969. 7 f.: 7 planches.
**Jérôme, un frère jazzé,** essai. Montréal, Éditions du Songe, 1969. 85 p.: ill. part. en coul., portr.
**Québec se meurt,** poésie. Montréal, Éditions du Songe, 1969. 89 p.
**Syntaxe pour Lardera,** poésie. Montréal, Éditions du Songe, 1969. 11 f. dans un étui : ill., portr.
**Trans-apparence ; poème en cinq images de Berto Lardera, en cinq chants de Guy Robert.** Montréal, Éditions du Songe, 1969. 30 p.
**Aspects de la littérature québécoise,** essai. Montréal, Beauchemin, 1970. 191 p.
**Riopelle** ou **la Poétique du geste,** essai. Montréal, Éditions de l'Homme, 1970. 217 p.: ill. part. en coul., portr.
**Albert Dumouchel** ou **la Poétique de la main,** essai. Montréal, Presses de l'université du Québec, 1970. 95 p.: ill. part. en coul.
**Yves Trudeau, sculpteur,** essai. Textes en français et en anglais. Montréal, Association des sculpteurs du Québec, 1971. 56 p. en maj. part. ill.
**Littérature du Québec : poésie actuelle.** Nouvelle édition remaniée et augmentée. Montréal, Déom, 1970. 403 p.
**Le Grand Théâtre de Québec,** essai. Coordination de Bernard Béliard ; photos de Johann Krieber. Sainte-Adèle, Éditions du Songe, 1971. N.p.: en maj. part. ill.
**Borduas,** essai. Montréal, Presses de l'université du Québec, 1972. 340 p.: ill. part. en coul.
**Germain Bergeron,** essai. Montréal, Association des sculpteurs du Québec, 1972. 84 p.
**L'Art au Québec depuis 1940,** essai. Montréal, La Presse, 1973. 501 p.: ill. part. en coul.
**Michel Aubin,** essai. Montréal, Association des sculpteurs du Québec, 1973. 78 p.
**Niska,** essai. Textes en français et en anglais. Montréal, Presses libres, 1974. 91 p.: ill. en maj. part. en coul., portr.
**La Galaxie pourpre du désir : textes en trois mouvements pour le plaisir de l'œil,** essai. Photos de Marcel Bombardier. Montréal, s.é., 1974. 57 p.
**Lemieux,** essai. Montréal, Stanké, 1975. 303 p.: ill. part. en coul., portr.
**Jordi Bonet,** essai. Textes en anglais et en français. Sainte-Adèle, Éditions du Songe, 1975. 132 p.: ill., portr.
**Rétrospective Jean Dallaire : la grande fête de Hull du 23 juin au 6 juillet 1975, Place du Portage,** catalogue. Hull, Campeau, 1975. 38 p.: ill., 14 p. de planches.
**Marc-Aurèle Fortin : l'homme et l'œuvre,** essai. Montréal, Stanké, 1976. 299 p.: ill. part. en coul., fac-sim., portr.
**Textures (1969-1970),** poésie. Montréal, Déom, 1976. 107 p. Coll. « Poésie », 36.
**Kieff,** essai. Textes en français et en anglais. Montréal, s.é., 1976. 120 p.: ill.
**Stelio Sole,** essai. Photos de Monique Lambert. Sainte-Adèle, Éditions du Songe, 1977. 36 p.: ill. part. en coul., portr.
**Borduas,** ou **le Dilemme culturel québécois,** essai. Montréal, Stanké, 1977. 253 p.: ill. part. en coul., fac-sim., portr.
**Migrations,** essai. Estampes de Gaston Petit. Sainte-Adèle, Iconia, 1978. 22 f.: ill.
**La Peinture au Québec depuis ses origines,** essai. Sainte-Adèle, Montréal, Iconia, France-Amérique, 1978. 221 p.: ill. part. en coul.
**Rousseau et le Moulin des arts,** essai. Verdun, M. Broquet, 1979. 149 p.: ill. part. en coul. ISBN 2-89000-017-6.
**Charlevoix,** essai. Gravures d'Albert Rousseau. Sainte-Adèle, Iconia, 1980. N.p.: ill.
**Dallaire** ou **l'Œil panique,** essai. Montréal, France-Amérique, 1980. 260 p.: ill. ISBN 2-89001-078-3.
**Icare,** ou **le Cycle des éléments.** Avec sept gravures d'Adriano Lambe. Montréal, Iconia, Éditions du Songe, 1981. N.p.: 7 f. de planches. Coll. « Verbimaginer ».
**Mouvante Spirale du regard.** Avec sept gravures de Jean-Claude Bergeron. Montréal, Iconia, Édi-

tions du Songe, 1981. N.p. : 7 f. de planches : ill. en coul. Coll. « Verbimaginer ».

**Riopelle, chasseur d'images,** essai. Montréal, France-Amérique, 1981. 279 p. : ill. ISBN 2-89001-107-0.

**Fortin, l'œuvre et l'homme,** essai. Montréal, France-Amérique, 1982. 224 p. : ill. ISBN 2-89001-130-5.

## ŒUVRE TRADUITE

**Lemieux,** essai. Traduction anglaise de John Allan. Toronto, Gage Publishing, 1978. 303 p. : ill. ISBN 0-7715-9352-X.

## Suzanne ROBERT

(Montréal, 14 mars 1948– ). Suzanne Robert a obtenu un baccalauréat ès arts du collège Jésus-Marie d'Outremont (1968) avant de terminer une maîtrise en anthropologie physique à l'université de Montréal en 1975. À l'emploi de diverses sociétés d'abord comme correctrice de 1976 à 1977 puis comme traductrice depuis 1978, Suzanne Robert a une passion qu'elle qualifie d'extrême pour la langue française. Intéressée tout autant à la géologie et à la zoologie qu'au ballet, à la musique et à la peinture, elle accorde également beaucoup d'importance à la lecture de ses auteurs préférés : Gustave Flaubert, Maurice Blanchot, Marguerite Duras, Saint-John Perse et Henry James.

## ŒUVRES

**La Dame morte,** roman. Montréal, Éditions du Jour, 1973. 114 p. Coll. « Proses du Jour ».

**Les Trois Sœurs de personne,** roman. Montréal, Quinze Éditeur, 1980. 218 p. Coll. « Prose entière ». ISBN 2-89026-201-4.

## Eugène ROBERTO

(Marseille, France, 11 février 1927– ). Critique et fondateur de trois collections à l'université d'Ottawa : les « Cahiers canadiens Claudel », les « Cahiers d'inédits » et « Textes », Eugène Roberto est licencié en lettres de l'université d'Aix-en-Provence (1949) et a terminé un doctorat d'État en France en 1955. Professeur en France de 1950 à 1962, il poursuit depuis ce temps sa carrière à l'université d'Ottawa. Intéressé plus particulièrement par la symbolique littéraire, il collabore à quelques revues dont *Lettres québécoises* et le *Bulletin de la société Paul Claudel* (Paris).

## ŒUVRES

**Visions de Claudel,** critique. Marseille, Éditions Le Conte, 1958. 282 p.

**« L'Endormie » de Claudel** ou **La Naissance du génie,** critique. Ottawa, Éditions de l'université d'Ottawa, 1963. 203 p. Coll. « Cahier canadien Claudel ».

**Claudel et l'Amérique I,** critique. En collaboration. Ottawa, Éditions de l'université d'Ottawa, 1964. 265 p. Coll. « Cahier canadien Claudel ».

**Géographie poétique de Claudel,** critique. En collaboration. Ottawa, Éditions de l'université d'Ottawa. 1966. 232 p. Coll. « Cahier canadien Claudel ».

**Formes et Figures,** critique. En collaboration. Ottawa, Éditions de l'université d'Ottawa, 1967. 204 p. Coll. « Cahier canadien Claudel ».

**Claudel et l'Amérique II,** critique. Ottawa, Éditions de l'université d'Ottawa, 1969. 322 p. Coll. « Cahier canadien Claudel ».

**Le Repos du septième jour : sources et orientations,** critique. En collaboration avec Zoël Saulnier. Ottawa, Éditions de l'université d'Ottawa, 1973. 176 p. Coll. « Cahier canadien Claudel », 7. ISBN 0-7766-4207-3.

**« Le Combat pour le sol » de Victor Segalen,** édition et critique. Ottawa, Éditions de l'université d'Ottawa, 1974. 164 p. Coll. « Cahiers d'inédits ». ISBN 0-7766-4235-9.

**Claudel insolite,** critique. Ottawa, Éditions de l'université d'Ottawa, 1977. 121 p. : fac-sim. Coll. « Cahier canadien Claudel », 9. ISBN 0-7766-4209-X.

**Structures de l'imaginaire dans « Courtepointes » de Miron,** critique. Ottawa, Éditions de l'université d'Ottawa, 1979. 169 p. ISBN 2-7603-4099-6.

**Claude**
**ROBITAILLE (1944–      )**

Claude Robitaille a fait des études en lettres québécoises. Il rédige d'ailleurs une thèse sur l'écrivain Jean-Jules Richard. Directeur-fondateur du journal littéraire *Hobo-Québec,* il enseigne à l'université Laval.

**ŒUVRES**

**Rachel-du-hasard,** nouvelles. Montréal, HMH, 1971. 178 p. Coll. « L'Arbre ».
**Le temps parle et rien ne se passe,** nouvelles. Montréal, D. Laliberté, 1974. 149 p.
**Le Corps bisextil,** roman. Montréal, L'Hexagone, 1977. 139 p.

**Gérald**
**ROBITAILLE**

(Outremont, 27 mai 1923–      ). Quittant ses études après la mort de son père, Gérald Robitaille entre à l'emploi du gouvernement fédéral en 1941. Quelque temps après, il revient à Montréal et travaille pour une compagnie multinationale. Il quitte de nouveau Montréal pour New York et ensuite Paris où il rencontre l'écrivain Henry Miller. S'ensuivra une longue correspondance jusqu'au moment où il deviendra officiellement son secrétaire en 1966. Entre temps, il a milité au sein du RIN et a participé à différentes manifestations séparatistes. Depuis 1972, Gérald Robitaille est professeur d'anglais au Commissariat à l'énergie atomique à Saclay (France). Il est membre de l'Association des écrivains de langue française et du jury du Prix France-Québec (1972). Il a publié des romans, de la poésie et des essais dont un intitulé *le Père Miller*, écrit des articles pour des revues telles *Liberté* et *Synthèses* (Bruxelles), etc., et fait quelques traductions.

**ŒUVRES**

**The Book of Knowledge,** roman. Paris, Éditions Le Chichotte, 1964. 90 p.
**Un Huron à la recherche de l'art,** histoire de l'art. Paris, Éric Losfeld, 1967. 216 p.
**Images,** poèmes et essai. Montréal, Delta, 1968. 44 p.
**Le Père Miller : essai indiscret sur Henry Miller.** Paris, Éric Losfeld, 1971. 190 p.
**Pays perdu et retrouvé,** roman. Montréal, Héritage plus, 1980. 373 p. ISBN 0-7773-5355-5.

**TRADUCTIONS**

**Flat, Broke and Beat,** roman. Traduction de **Le Cassé** de Jacques Renaud. Montréal, Le Bélier, 1968. 126 p.
**Jours tranquilles à Clichy,** roman. Traduction de **Quiet Days in Clichy** de Henry Miller. Paris, Éric Losfeld, 1968. 140 p.

**Suzanne**
**ROCHER**

(Montréal, 22 décembre 1922–      ). Diplômée en service social de l'université de Montréal en 1951, Suzanne Rocher se consacre à des organisations sociales telle l'Association de parents d'Outremont. Membre de l'Association des travailleurs sociaux du Québec, elle fait partie de l'équipe fondatrice de Communication-Jeunesse (1971), organisme de promotion de la littérature de jeunesse, et elle participe également à la création du centre d'écoute Le Havre inc., dont elle est directrice.

**ŒUVRES**

**Le Dernier-Né des Cailloux,** littérature de jeunesse. Illustrations de Guy Gaucher. Montréal, Fides, 1975. 97 p. : 4 p. de planches en coul., ill. Coll. « Du goéland ». ISBN 0-7755-0546-3.
**Les Cailloux voient du pays,** littérature de jeunesse. Illustrations de Paule Girard. Montréal, Fides, 1980. 157 p. : 4 p. de planches en coul., ill. en coul. Coll. « Du goéland ». ISBN 2-7621-0974-4.

**E.**
**ROGER**

Voir Stanley-Bréhaut Ryerson.

**Claude ROUSSEAU**

(Vallée-Jonction, 8 mars 1926– ). Poète, Claude Rousseau s'inscrit au cours classique qu'il poursuit jusqu'en rhétorique. Dès lors, il occupe divers emplois dans les postes de radio privés en province et est responsable de CHAD à Amos au cours des années 1950. Outre ses publications, il a fait paraître en 1945 et 1946 des poèmes dans *la Nouvelle Relève* et *Amérique française* ainsi que dans *le Jour* de Jean-Charles Harvey et dans *le Clairon* de T.D. Bouchard. En 1947-1948, il a également collaboré à la revue *Liaison.*

**ŒUVRES**

**Jeux d'eau,** poésie. Sainte-Marie de Beauce, Éditions du Guide, 1946. N.p. Hors commerce.

**Feux nocturnes,** poésie. Saint-Georges de Beauce, Imprimerie Novalux, 1964. N.p.

**Les rats ont aussi de beaux yeux : choix de poèmes 1947–1968.** Montréal, L'Hexagone, 1971. 62 p.

**Poèmes pour l'œil gauche.** Montréal, Parti pris, 1974. 64 p. Coll. « Paroles », 41. ISBN 0-88512-073-6.

**Denise ROUSSEAU**

(Rouyn, 27 juin 1947– ). S'intéressant à toutes les sciences qui lui permettent de mieux comprendre l'homme, sa santé physique, mentale et spirituelle, Denise Rousseau a une formation d'infirmière et a complété un baccalauréat en sciences de la santé (spécialisée en ergothérapie) à l'université de Montréal (1971). Alors qu'elle habitait le comté de Charlevoix (1973–1980), elle a écrit deux contes pour enfants tous deux parus aux Éditions Paulines.

**ŒUVRES**

**Prunelle dans le noir,** conte. Illustrations de José Fillion. Montréal, Éditions Paulines, 1979. 15 p. : ill. part. en coul. Coll. « Contes du pays », 3. ISBN 2-89030-020-9.

**Prunelle et Ondine,** conte. Illustrations de José Fillion. Montréal, Éditions Paulines, 1979. 15 p. : ill. part. en coul. Coll. « Contes du pays », 6. ISBN 2-89039-019-5.

**Guildo ROUSSEAU**

(Saint-Éleuthère, 1938– ). Docteur ès lettres de l'université de Sherbrooke, Guildo Rousseau enseigne depuis 1976 à l'université du Québec à Trois-Rivières dont il dirige le Centre de documentation en lettres québécoises. Essayiste, il a publié des articles dans *la Vie française* et dans *Journal of Canadian Fiction* et a collaboré par ses écrits au *Dictionnaire des œuvres littéraires du Québec.*

**ŒUVRES**

**La femme ouvrière refuse le travail de nuit,** essai. En collaboration ; sous le patronage de la Fédération des Syndicats du textile de Sherbrooke. Sherbrooke, Éditions Paulines, 1964. 80 p.

**Jean-Charles Harvey et son œuvre romanesque,** étude. Préface d'Antoine Naaman. Montréal, Centre éducatif et culturel, 1969. 198 p. : 4 f. de planches, fac-sim., portr. Coll. « Reflets », 1.

**Préfaces des romans québécois du XIX^e siècle,** recueillies et présentées par Guildo Rousseau. Préface de David M. Hayne. Sherbrooke, Cosmos, 1970. 111 p. : fac-sim. Coll. « Textes et Commentaires », 1.

**Index littéraire de « L'Opinion publique » (1870–1883).** Trois-Rivières, Centre de documentation en lettres québécoises, 1978. 107 p.

**Répertoire des collections et des fonds d'archives en théâtre québécois,** établi et présenté par Mario Audet sous la direction de Guildo Rousseau. Trois-Rivières, Centre de documentation en lettres québécoises, 1979. 172 p.

**Tables provisoires des pièces de théâtre représentées en Mauricie de 1920 à 1950 ; index établi d'après les articles et les comptes rendus de presse parus dans le journal « Le Nouvelliste », de Trois-Rivières,** inventaire établi et présenté par Mario Audet sous la direction de Guildo Rousseau. Trois-Rivières, Centre de documentation en lettres québécoises, 1979. 329 p.

**L'Image des États-Unis dans la littérature québécoise 1775–1930,** étude. Sherbrooke, Naaman, 1981. 356 p. : ill. Coll. « Études », 28. ISBN 2-89040-184-7.

**Normand ROUSSEAU**

(Plessisville, 7 juillet 1939-    ). Normand Rousseau a complété des baccalauréats en pédagogie (1961) et en littérature et linguistique (1975) à l'université de Montréal, ès arts à l'université de Sherbrooke (1965), et des maîtrises ès arts (1965) et ès lettres (1978) à l'université d'Ottawa. Après avoir enseigné sept ans au cours classique, il est devenu expert en coopération à l'Agence canadienne de développement international (1968–1973), puis est retourné à l'enseignement d'abord à Laval-des-Rapides (1973–1975), puis au Bureau fédéral des langues (1975–1979), avant de travailler comme réviseur technique au ministère fédéral de l'Agriculture. Il est récipiendaire des Prix Jean-Béraud-Molson (1977) et Esso-Cercle du livre de France (1979), respectivement pour *À l'ombre des tableaux noirs* et *les Jardins secrets.* Certaines de ses nouvelles ont paru dans *les Écrits du Canada français.*

## ŒUVRES

**Les Pantins,** roman. Paris, La Pensée universelle, 1973. 243 p.

**La Tourbière,** roman. Montréal, La Presse, 1975. 174 p. Coll. « Écrivains des deux mondes ». ISBN 0-7777-0124-3.

**Réal Caouette : Canada !,** biographie. En collaboration avec Jean-Guy Chaussée et Judith Richard. Montréal, Héritage, 1976. 196 p. : 16 p. de planches, ill., portr. ISBN 0-7773-3806-8.

**À l'ombre des tableaux noirs,** roman. Montréal, Cercle du livre de France, 1977. 254 p. ISBN 0-7753-0097-7.

**Les Jardins secrets,** roman. Montréal, Cercle du livre de France, 1979. 254 p. ISBN 2-89051-014-X.

**Le Déluge blanc,** roman. Outremont, Leméac, 1981. 219 p. Coll. « Roman québécois », 50. ISBN 2-7609-3052-1.

## ŒUVRE TRADUITE

**Réal Caouette : Canada !,** biographie. Traduction anglaise. Montréal, Héritage, 1976. 196 p. ISBN 0-7773-3806-8.

**Claude ROUSSIN**

(Montréal, 3 août 1941-    ). Diplômé en pédagogie de l'université de Montréal (1963) et détenteur d'un baccalauréat en géographie de l'université d'Ottawa (1970), Claude Roussin a été, jusqu'en 1977, professeur dans de nombreuses villes du Québec. Auteur dramatique, il écrit aussi pour la télévision et le cinéma et est scénariste à la pige depuis 1978. Secrétaire-trésorier puis président du Centre d'essai des auteurs dramatiques (1975-1976), il a écrit *Moto plus,* une pièce pour adolescents, pour la Nouvelle Compagnie théâtrale en 1976 et a collaboré avec le Théâtre Passe-Muraille de Toronto (1978). Claude Roussin collabore de plus aux cahiers de théâtre *Jeu* et à la revue *Possibles.*

## ŒUVRES

**Le Sauteur de Beaucanton,** théâtre. En collaboration avec James Rousselle pour le scénario. Montréal, Leméac, 1974. 99 p. : ill. Coll. « Répertoire québécois », 49. ISBN 0-7761-2045-X.

**Une job,** théâtre. En collaboration avec James Rousselle et Jacques Fortier pour le scénario ; préface de Claude Des Landes. Montréal, L'Aurore, 1975. 81 p. Coll. « Entre le parvis et le boxon », 12. ISBN 0-88532-048-4.

**Marche Laura Secord !,** théâtre. En collaboration avec James Rousselle pour le scénario ; préface de Claude Des Landes. Montréal, L'Aurore, 1976. 136 p. : ill. Coll. « Entre le parvis et le boxon », 14. ISBN 0-88532-105-7.

## ŒUVRE TRADUITE

**Looking for a Job,** théâtre. Traduction anglaise d'Allan Van Meer ; titre original : **Une job.** Toronto, Simon & Pierre Publishing Co., 1978. Coll. « A Collection of Canadian Plays », 5. ISBN 0-88924-020-5.

## André ROY

Kèro

(Montréal, 27 février 1944–     ). Après des études en pédagogie et en lettres à l'université de Montréal, André Roy poursuit une carrière de professeur en littérature au cégep Rosemont depuis 1975 et comme chargé de cours à l'université Concordia depuis 1979. Passionné de cinéma (il est critique à la revue *Cinéma-Québec*), il est poète avant tout et s'intéresse particulièrement à la poésie nouvelle. Avec Louis-Philippe Hébert, il a dirigé la collection « Proses du Jour » aux Éditions du Jour. Il fut aussi directeur de la collection « Écrire », à l'Aurore, codirecteur de *Hobo-Québec*, secrétaire de rédaction de la revue *Chroniques* et membre du bureau de direction de l'Union des écrivains. Rédacteur en chef de *Spirale*, il complétait une maîtrise en littérature à l'université de Sherbrooke en 1981.

## ŒUVRES

**N'importe quelle page,** poésie. Illustrations de Roger Des Roches. Montréal, Les Herbes rouges, no 11, août 1973. 34 p.: ill. ISSN 0441-6627.

**L'Espace de voir,** poésie. Illustrations de Roger Des Roches. Montréal, L'Aurore, 1974. 51 p.: ill. Coll. « Lecture en vélocipède », 1.

**En image de ça,** poésie. Avec huit encres de Roger Des Roches ; préface de Patrick Straram. Montréal, L'Aurore, 1974. 68 p.: ill. Coll. « Lecture en vélocipède », 7. ISBN 0-88532-007-7.

**Vers mauve,** poésie. Montréal, Les Herbes rouges, n° 28, juillet 1975. 28 p.

**D'un corps à l'autre,** poésie. Montréal, Les Herbes rouges, nos 36-37, juillet 1976. 55 p. ISSN 0441-6627.

**Corps qui suivent,** poésie. Montréal, Les Herbes rouges, n° 46, février 1977. 42 p. ISSN 0441-6627.

**Formes : choix de poèmes.** Illustrations de Roger Des Roches, Liège, L'Atelier de l'Agneau, 1977. 55 p. : ill.

**Le Sentiment du lieu,** poésie. Montréal, Les Herbes rouges, n° 62, avril 1978. 23 p. ISSN 0441-6627.

**Les Passions du samedi,** poésie. Montréal, Les Herbes rouges, 1979. 94 p. Coll. « Lecture en vélocipède », 21. ISBN 2-920051-01-6.

**Petit Supplément aux passions,** poésie. Montréal, Les Herbes rouges, nos 79-80, 1980. 52 p. ISSN 0441-6627.

**Monsieur Désir,** poésie. Montréal, Les Herbes rouges, nos 88-89, mars 1981. 54 p. ISSN 0441-6627.

## Bruno ROY

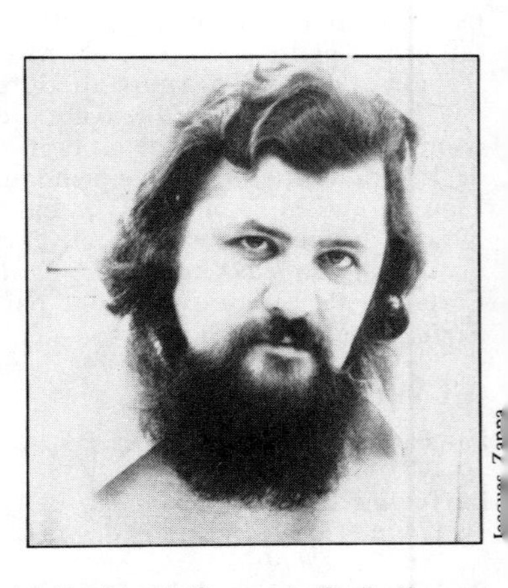

(Montréal, 16 février 1943–     ). Bachelier en pédagogie de l'université de Montréal (1969) et détenteur d'un baccalauréat (1976) et d'une maîtrise (1980) en études littéraires de l'université du Québec à Montréal, Bruno Roy, qui a enseigné depuis quelques années au sein de diverses institutions, est professeur de français au collège Mont Saint-Louis depuis 1976 et chargé de cours à l'université de Montréal depuis 1978. Outre des articles de libre opinion parus dans *la Presse* et *le Devoir*, il a également publié dans *Québec français* et *l'Action nationale.*

## ŒUVRES

**Panorama de la chanson au Québec,** essai. Montréal, Leméac, 1977. 169 p. Coll. « Les Beaux-Arts », 4. ISBN 0-7761-5453-2.

**Et cette Amérique chante en québécois,** essai. Montréal, Leméac, 1979. 294 p. Coll. « Les Beaux-Arts ». ISBN 2-7609-5404-8.

**Banane brousse,** poésie. East-Angus, chez l'auteur, 1981. 43 p. : ill., fac-sim.

**La Spring Road Spring,** poésie. East-Angus, chez l'auteur, 1982. N.p.

## Daniel ROY

(East-Angus, 4 août 1954– ). Issu d'une famille ouvrière de 6 enfants, Daniel Roy a fait ses études primaires et secondaires à East-Angus. Il s'inscrit par la suite au cégep de Sherbrooke et à la faculté des arts de l'université de Sherbrooke. Animateur, à l'été 1973, d'un projet socio-culturel pour les jeunes de 15 à 20 ans, travailleur d'usine puis animateur recherchiste à la télévision communautaire de Sherbrooke (1976), il a fait la promotion du cyclotourisme en devenant agent d'information pour le projet « l'Estrie à bicyclette » tout en s'occupant de la publication d'un guide sur le sujet. Membre de l'Association des auteurs des Cantons de l'Est, Daniel Roy a remporté en 1978 la Médaille d'argent de l'Académie internationale de Lutèce à Paris pour son recueil de poésie *la Douce paysanne.*

## ŒUVRES

**Bodedandœil,** poésie. Sherbrooke, chez l'auteur, 1976. 57 p. : ill.

**Cassiopée,** poésie. East-Angus, chez l'auteur, 1977. 51 p.

**La Douce Paysanne,** poésie. East-Angus, chez l'auteur, 1978. 67 p.

**Les enfants décollent,** poésie. Sherbrooke, Éditions Sherbrooke, 1979. 57 p. : ill. Coll. « Chez la muse », 6.

**Saudite Pluie,** poésie. East-Angus, chez l'auteur, 1980. 42 p.

## Gabrielle ROY

(Saint-Boniface, Manitoba, 22 mars 1909– ). Après l'obtention d'un brevet d'enseignement à l'école normale de Winnipeg, Gabrielle Roy devient institutrice au Manitoba (1929–1937), puis séjourne en France et en Angleterre où elle étudie l'art dramatique. À son retour en 1939, elle vient habiter le Québec et, comme journaliste à la pige, collabore, jusqu'en 1945, à des publications telles *le Bulletin des agriculteurs, le Jour* et *le Canada.* Son premier roman, *Bonheur d'occasion*, est bien accueilli par la critique et lui vaut, outre le Prix Fémina (1947), une mention de la Literary Guild of America, une Médaille de l'Académie canadienne-française et le Prix du Gouverneur général. De nombreuses autres récompenses littéraires ont depuis jalonné son œuvre : le Prix du Gouverneur général de 1955 et de 1977, respectivement pour *Rue Deschambault* et *Ces enfants de ma vie* ; le Prix Duvernay pour l'ensemble de son œuvre dès 1956 et les Prix David (1971), Molson (1978) et Gibson (1978), ainsi que le Prix de littérature de jeunesse du Conseil des arts pour *Courte-Queue* (1980). Avec discrétion et ténacité, elle élabore depuis plus de trente ans une œuvre extrêmement personnelle, en dehors des modes et des courants et cependant toujours très bien accueillie par le public et la critique aussi bien au Québec qu'à l'étranger. Gabrielle Roy est membre de la Société royale du Canada depuis 1947 et membre d'honneur de l'Union des écrivains québécois depuis 1977.

## ŒUVRES*

**Bonheur d'occasion,** roman. Montréal, Société des éditions Pascal, 1945. 532 p.
**La Petite Poule d'eau,** roman. Montréal, Beauchemin, 1950. 272 p.
**Alexandre Chenevert,** roman. Montréal, Beauchemin, 1954. 373 p.
**Rue Deschambault,** roman. Montréal, Beauchemin, 1955. 260 p.
**La Montagne secrète,** roman.Montréal, Beauchemin, 1961. 222 p.
**La Route d'Altamont,** roman. Montréal, HMH, 1966. 216 p.
**La Rivière sans repos,** roman. Montréal, Beauchemin, 1970. 315 p.
**Cet été qui chantait,** récits. Illustrations de Guy Lemieux, planches en couleur. Québec, Éditions françaises, 1972. 207 p. : ill.
**Un jardin au bout du monde,** nouvelles. Montréal, Beauchemin, 1975. 217 p. ISBN 0-7750-0340-9.
**Ma vache Bossie,** conte pour enfants. Illustrations en couleur de Louise Pomminville. Montréal, Leméac, 1976. 45 p. : ill. ISBN 0-7761-9823-8.
**Ces enfants de ma vie,** récits. Montréal, Stanké, 1977. 212 p. ISBN 0-88566-065-X.
**Fragiles Lumières de la terre, écrits divers 1942–1970.** Montréal, Quinze Éditeur, 1978. 240 p. Coll. « Prose entière ».
**Courte-Queue,** conte pour enfants. Illustrations de François Olivier. Montréal, Stanké, 1979. N.p. : ill.

## ŒUVRES TRADUITES

**The Tin Flute,** roman. Traduction anglaise de Hannah Josephson ; titre original : **Bonheur d'occasion.** New York, Reynald and Hitchcock, 1947. 315 p.
**Felicidad ocasional,** roman. Traduction espagnole de Carlos Juan Vega ; titre original : **Bonheur d'occasion.** Buenos Aires, Bell, 1948. 350 p.
**Blikllojten,** roman. Traduction danoise de Merete Engberg ; titre original : **Bonheur d'occasion.** Copenhague, Gyldendal Norsk, 1949. 330 p.
**Prilezitostné stastie,** roman. Traduction slovaque de Feder Jessensky ; titre original : **Bonheur d'occasion.** Ziverra, Tierciansky Svaty, 1949. 408 p.
**Trumpet av bleck oeh dvömmar,** roman. Traduction suédoise de Eionar Malm ; titre original : **Bonheur d'occasion.** Stockholm, Wahlström & Widstrand, 1949. 319 p.
**Blikkljten,** roman. Traduction norvégienne de Caro Olden ; titre original : **Bonheur d'occasion.** Oslo, Gyldendal Norsk, 1950. 356 p.
**Where Nests the Water Hen,** roman. Traduction anglaise de Harru Binsse ; titre original : **La Petite Poule d'eau.** Toronto, McClelland & Stewart, 1951.
**Des kleine Wasserhuhn,** roman. Traduction allemande de Theodor Rocholl ; titre original : **La Petite Poule d'eau.** Munich, Paul List Verlag, 1953.
**The Cashier,** roman. Traduction anglaise de Harry Binsse ; titre original : **Alexandre Chenevert.** Toronto, McClelland & Stewart, 1955. 251 p.
**Gott Geht Weiter Als Wir Menschen,** roman. Traduction allemande de Theodor Rocholl ; titre original : **Alexandre Chenevert.** Munich, Paul List Verlag, 1956.
**Street of Riches,** roman. Traduction anglaise de Harry Binsse ; titre original : **Rue Deschambault.** Toronto, McClelland & Stewart, 1957. 264 p.
**La Strada di Casa Mia,** roman. Traduction italienne de Peppina Doré ; titre original : **Rue Deschambault.** Milan, Istituto di Propaganda, 1957.
**The Hidden Mountain,** roman. Traduction anglaise de Harry Binsse ; titre original : **La Montagne secrète.** Toronto, McClelland & Stewart, 1962. 186 p.
**The Road past Altamont,** roman. Traduction anglaise de Joyce Marshall ; titre original : **La Route d'Altamont.** Toronto, McClelland & Stewart, 1966. 146 p.
**Ferieire Intimplatoare,** roman. Traduction roumaine d'Elvira Borgdan ; titre original : **Bonheur d'occasion.** Bucarest, Editura Universala, 1968. 343 p.
**Die strasse nach Altamont,** roman. Traduction allemande de Von Renate Benson ; titre original : **La Route d'Altamont.** Zurich, Manesse Verlag, 1970.
**Windflower,** roman. Traduction anglaise de Joyce Marshall ; titre original : **La Rivière sans repos.** Toronto, McClelland & Stewart, 1970. 152 p.
**Schast'e to Sluchaju,** roman. Traduction russe d'I. Grushetskaya ; titre original : **Bonheur d'occasion.** Moscou, Izdatel stvo Khudozhestvenuja, 1972. 358 p.
**Enchanted Summer,** récits. Traduction anglaise de Joyce Marshall ; titre original : **Cet été qui chantait.** Toronto, McClelland & Stewart, 1976. 125 p. ISBN 0-7710-7831-5.
**Garden in the Wind,** nouvelles. Traduction anglaise de Alan Brown ; titre original : **Un jardin au bout du monde.** Toronto, McClelland & Stewart, 1977.
**Children of My Life,** récits. Traduction anglaise d'Alan Brown ; titre original : **Ces enfants de ma vie.** Toronto, McClelland & Stewart, 1978.
**Cliptail,** conte pour enfants. Traduction anglaise d'Alan Brown ; titre original : **Courte-Queue.** Toronto, McClelland & Stewart, 1980. N.p.

* La plupart des titres de G. Roy ont été réédités dans la collection « Québec 10/10 » ; ces rééditions tiennent compte des remaniements auxquels a procédé G. Roy.

**The Tin Flute,** roman. Traduction anglaise d'Alan Brown ; titre original : **Bonheur d'occasion.** Toronto, McClelland & Stewart, 1980. 384 p.

**The Fragile Lights of Earth.** Traduction anglaise d'Alan Brown ; titre original : **Fragiles Lumières de la terre.** Toronto, McClelland & Stewart, 1982. 224 p.

## ÉTUDES

Charland, R.-M. et Samson, J.-N., **Gabrielle Roy.** Montréal, Fides, 1967. Coll. « Dossiers de documentation sur la littérature canadienne-française ».

Gagné, Marc, **Visages de Gabrielle Roy, l'œuvre et l'écrivain** suivi de **Jeux du romancier et des lecteurs.** Montréal, Beauchemin, 1973. 327 p. ISBN 0-7750-0153-8.

Ricard, François, **Gabrielle Roy.** Montréal, Fides, 1975. 191 p.: ill., fac-sim., portr., Coll. « Écrivains canadiens d'aujourd'hui », 11. ISBN 0-7755-0529-3.

Socken, Paul, **Gabrielle Roy — An Annotated Bibliography.** In : Robert Lecker et Jack David (éd.), **The Annotated Bibliography of Canada's Major Authors.** Volume One. Downsview (Ontario), ECW Press, 1979. pp. 213–263.

**Québec français,** Québec, n.º 36, décembre 1979 : dossier Gabrielle Roy.

## Jean-Louis ROY

André Larose

(Normandin, 1er février 1941– ). Directeur du *Devoir* depuis 1980, Jean-Louis Roy a publié des romans, des essais historiques et de la poésie. Détenteur d'une licence en philosophie (1964) et d'une maîtrise en études médiévales (1965) de l'université de Montréal, il obtient un doctorat en histoire de l'université McGill en 1972. Professeur de philosophie à McGill de 1966 à 1967, il enseigne ensuite au Centre d'études canadiennes-françaises de cette même université où il occupe également les fonctions de directeur de 1972 à 1975. Président de la Ligue des droits de l'homme (1972–1974) et de la Fédération des associations des professeurs des universités du Québec (1978–1981), il a également été nommé commissaire à la Commission des droits de la personne du gouvernement du Québec en 1980. Membre du bureau de direction de la revue *Histoire sociale* et du comité de lecture des Éditions Leméac depuis 1979, il a été, de 1976 à 1979, éditeur-adjoint de la *Revue canadienne des études sur le nationalisme.* Certains de ses textes sont parus dans la *Revue d'histoire d'Amérique française, The American Archivist, Time Magazine, l'Actualité, le Devoir, The Gazette,* etc.

## ŒUVRES

**Maîtres chez nous. Dix Années d'Action française, 1917–1927,** histoire. Montréal, Leméac, 1968. 75 p.

**Les Programmes électoraux du Québec : un siècle de programmes politiques québécois,** histoire. Montréal, Leméac, 1970. 2 vol., Coll. « Quebecana ». T. I : 237 p. T. II : 212 p.

**Les Frontières défuntes,** poésie. Montréal, Déom, 1972. 137 p. Coll. « Poésie canadienne », 28.

**Rameaux du vieil arbre,** poésie. Sherbrooke, Cosmos, 1973. 59 p. Coll. « Relances », 9.

**Édouard-Raymond Fabre, libraire et patriote canadien 1799–1854, contre l'isolement et la sujétion,** biographie. Montréal, Hurtubise HMH, 1974. 220 p. Coll. « Cahiers du Québec ».

**L'Arche dans le regard,** poésie. Québec, Garneau, 1975. 159 p. Coll. « Garneau poésie ». ISBN 0-7757-0559-4.

**La Marche des Québécois : le temps des ruptures (1945–1960),** histoire. Montréal, Leméac, 1976. 383 p. ISBN 0-7761-5051-0.

**La Beauceronne, Marie à Georges à Joseph,** roman. Québec, Garneau, 1977. 159 p. Coll. « Garneau roman ». ISBN 0-7757-1152-7.

**Le Choix d'un pays : le débat constitutionnel Québec-Canada, 1960–1976,** histoire. Montréal, Leméac, 1978. 366 p. ISBN 0-7761-5026-X.

**Terre féconde,** poésie. Illustrations de Louis Hébert. Montréal, Leméac, 1979. 183 p. : ill. Coll. « Poésie Leméac ». ISBN 2-7609-1010-5.

**Jean-Yves ROY**

Studio G. Fontaine

(Notre-Dame de Lévis, 19 janvier 1940– ). Détenteur d'un brevet A de l'université Laval (1970), Jean-Yves Roy enseigne à l'élémentaire depuis 1960. En France, il a été animateur du Centre culturel le Viguier à Carcassone en 1972 et y a enseigné en 1977. Il a travaillé un temps à CHRC (Québec) et a collaboré aux revues *Estuaire, Poésie* et *Parnasse contemporain*. Chansonnier pendant cinq ans, il participe fréquemment à des rencontres avec les jeunes. Il est membre de l'Association québécoise des professeurs de français.

## ŒUVRES

**À plein corps,** poésie. Québec, Garneau, 1970. 100 p. Coll. « Garneau poésie ».

**J'ai ma terre en tête,** poésie. Paris, Éditions Saint-Germain-des-Prés, 1973. 54 p.

**Au clair de la lune,** poésie. Illustrations de Renée Le Blanc. Notre-Dame-des-Laurentides, Presses laurentiennes, 1981. 63 p. : ill. Coll. « Le Poète et l'Enfant ». ISBN 2-89015-018-6.

**Louise ROY**

(Sullivan, 21 novembre 1945– ). C'est après des études à l'école des Beaux-Arts et après avoir fait de la peinture que Louise Roy commence à écrire professionnellement pour le théâtre. En 1976, elle écrivait, en collaboration avec Louis Saia, *Une amie d'enfance,* pièce qui connut de nombreuses reprises et qui fut portée à l'écran par Francis Mankiewicz. Ce fut par la suite *Impressions de voyage,* premier prix du Concours radiophonique de la Société Radio-Canada ; *Ida Lachance*, créée par le Théâtre du Rideau de tweed et *le Kud de Kildare* (avec la collaboration de Francine Saia) et *Bachelor* avec Louis Saia et Michel Rivard. Elle vient de terminer *La trampoline est à deux pieds du plafond.*

## ŒUVRES

**Une amie d'enfance,** théâtre. En collaboration avec Louis Saia. Montréal, Leméac, 1980. 132 p. : portr. Coll. « Théâtre Leméac », 89. ISBN 2-7609-0087-8.

**Bachelor,** théâtre. En collaboration avec Louis Saia et Michel Rivard. Montréal, Leméac, 1981. 87 p. : portr. Coll. « Théâtre Leméac », 96. ISBN 2-7609-0095-9.

**Lucille ROY-HEVITSON**

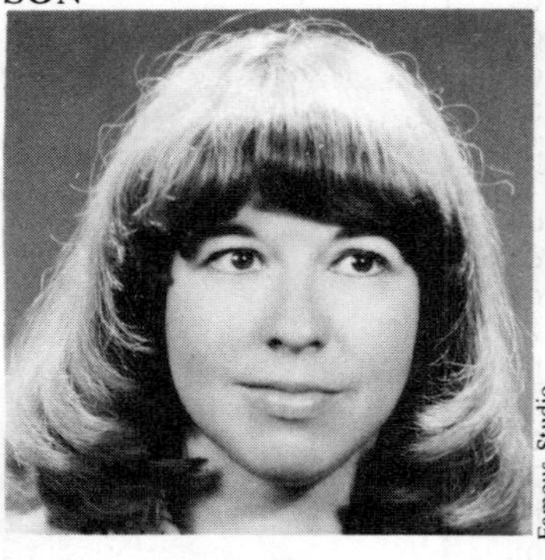

Famous Studio

(Thunder Bay, Ont., 20 avril 1943– ). Professeure au cégep Dawson depuis 1969, Lucille Roy-Hevitson avait peu auparavant obtenu un doctorat en lettres de l'université de Strasbourg après y avoir séjourné pendant 3 ans de 1965 à 1968. Également détentrice d'un doctorat de 3e cycle de l'université de Bordeaux III (1979), elle a fait paraître des textes dans *Liberté, Écriture française, Études françaises* et *le Bulletin des jeunes romanistes.* Elle est membre de l'Association des écrivains de langue française.

## ŒUVRES

**Harmonies d'un songe,** poésie. Paris, Nouvelles Éditions Debresse, 1979. 90 p.

**L'Impasse,** roman. Sherbrooke, Naaman, 1980. 125 p. Coll. « Création », 68. ISBN 2-89040-148-0.

# Jean ROYER

Kèro

(Saint-Charles, comté Bellechasse, 26 juin 1938– ). En même temps qu'il termine ses études en lettres et en philosophie à l'université Laval (1959-1963), Jean Royer pratique l'enseignement de la littérature ainsi que les métiers de réalisateur et d'écrivain de radio qu'il ne délaissera jamais complètement. Mais il choisit d'être journaliste littéraire et critique d'art et travaille à l'*Action-Québec* (1963-1971) et au *Soleil* (1964-1977). De janvier 1978 à novembre 1982, il a été responsable des pages littéraires et de l'information culturelle au *Devoir*. Poète, il a édité son premier recueil en 1966. En 1969-1970, on le retrouve parmi les animateurs du groupe Poètes sur parole où il s'occupe de la publication de la revue *Inédits* et de l'organisation des soirées de poésie et de théâtre au café le Chantauteuil. En 1971, il organise avec Winston McQuade la Nuit de la poésie du 24 juin qui inaugure le Galendor, théâtre de l'île d'Orléans qu'il a fondé puis animé jusqu'en 1973. Il a en outre participé aux Nuits de la poésie de Montréal en 1970, 1976 et 1980. En janvier 1976, Jean Royer fondait, avec les poètes Pierre Morency et Jean-Pierre Guay, le peintre Claude Fleury et l'administratrice Pauline Geoffrion, la revue de poésie *Estuaire*.

## ŒUVRES

**À patience d'aimer,** poésie. Québec, Éditions de l'Aile, 1966. 82 p.

**Nos corps habitables,** poésie. Sillery, Éditions de l'Arc, 1969. 102 p.

**La parole me vient de ton corps,** suivi de **Nos corps habitables : poèmes 1969-1973.** Dessins de Muriel Hamel. Montréal, Nouvelles Éditions de l'Arc, 1974. 126 p. : ill. Coll. « De l'Escarfel ».

**Pays intimes : entretiens 1966-1976,** essai. Montréal, Leméac, 1976. 242 p.

**Les Heures nues,** poésie. Montréal, Nouvelles Éditions de l'Arc, 1980. 64 p. ISBN 2-89016-001-7.

**Faim souveraine,** poésie. Avec un dessin de Roland Giguère. Montréal, L'Hexagone, 1980. 57 p. ISBN 2-89006-173-6.

**Écrivains contemporains : Entretiens I, 1976-1979.** Montréal, L'Hexagone, 1982. 247 p. ISBN 2-89006-198-1.

# Sigmund RUKALSKI

(Varsovie, Pologne, 1er mars 1925– ). Après avoir quitté la Pologne peu après la guerre et s'être réfugié en France, Sigmund Rukalski est venu vivre au Canada en 1951. Déjà licencié ès lettres de la Sorbonne et diplômé de l'Institut national des langues orientales de Paris (1951), il complétera un doctorat en littérature comparée au St-John's College de l'université de Cambridge en 1958. Professeur aux universités de Colombie britannique (1958-1962) et d'Atlanta (1962-1966), il est ensuite professeur délégué pour l'ACDI (1962-1972) et enseigne depuis à la Direction générale de la formation linguistique, à Ottawa. *Au-delà de la vie,* une nouvelle, lui valait le Prix des Jeux floraux du Québec en 1981.

## ŒUVRES

**Voyages d'un emmuré,** récit. Neufchâtel, Suisse, La Baconnière, 1970. 197 p.

**Solitudes,** nouvelles. Sherbrooke, Naaman, 1979. 112 p. Coll. « Création ». ISBN 2-89040-028-X.

**Au-delà de la vie,** nouvelles. Sherbrooke, Naaman, 1982. 144 p.

## ŒUVRES TRADUITES

**En la Tormenta.** Traduction espagnole de Pierre de Place et Angela Rosenblat ; titre original : **Dans la tourmente** (inédit en français). Caracas, Monte-Avila, 1973. 247 p. Coll. « Donaire ».

**Stanley-Bréhaut RYERSON**

Pseud. : E. Roger.

(Toronto, Ont., 12 mars 1911– ). « Un trisaïeul du côté maternel fut Pierre Bréhaut, député à l'Assemblée législative du Bas-Canada ; du côté paternel son bisaïeul fut Egerton Ryerson, fondateur du système scolaire du Haut-Canada. D'où sans doute une préoccupation pour l'histoire et la question nationale : manifestée tant au niveau de l'enseignement et de la théorie qu'à celui de la pratique socio-politique ». Stanley-Bréhaut Ryerson fit ses études au Upper Canada College, Toronto, à l'université de Toronto (en langues modernes) et à la Sorbonne (langue et littérature italiennes, 1932). C'est à Paris, dès 1931, qu'il fit connaissance du marxisme ; il milite dans les mouvements de gauche depuis lors tant au Québec qu'au Canada anglais. Il collabore alors aux journaux *la Vie ouvrière* et *Clarté* et enseigne à l'université Ouvrière après le départ d'Albert Saint-Martin et jusqu'à la fermeture (1937) sous la « loi du Cadenas », mesure qui lui vaut à deux reprises le saccage de sa bibliothèque personnelle. Son intérêt pour la recherche historique se traduit dans ces mêmes années par *le Réveil du Canada français*, un premier essai d'analyse marxiste de la société québécoise, rédigé dans la clandestinité qu'impose la loi du Cadenas. Membre de la direction du Parti communiste canadien de 1935 à 1969, il s'est dissocié du parti depuis cette date. De retour à l'enseignement universitaire en histoire, science politique et étude interdisciplinaire, il participe à de nombreux colloques et à plusieurs congrès scientifiques internationaux. Professeur à l'université du Québec à Montréal depuis 1970, il se prépare à la retraite, « c'est-à-dire à faire de la recherche en histoire à temps plein dans la région du Richelieu. »

## ŒUVRES

**Le Réveil du Canada français,** tract/étude. Sous le pseudonyme d'E. Roger. Montréal, Éditions du Peuple, 1937. 48 p.

**1837 : Birth of Canadian Democracy,** étude historique. Illustrations de Philip Surrey. Toronto, Francis White Publishers, 1937. 136 p. : ill., carte.

**French Canada : a Study in Canadian Democracy,** étude historique et socio-politique. Toronto, Progress Books, 1943. 256 p. : carte.

**Le Canada français, sa tradition, son avenir,** étude historique. Montréal, Éditions la Victoire, 1945. 149 p.

**A World to Win : an Introduction to the Science of Socialism,** tract socio-politique. Toronto, Progress Books, 1946. 137 p. : ill., graph.

**Founding of Canada : beginnings to 1815,** étude historique. Toronto, Progress Books, 1960. 358 p. : ill., cartes. ISBN 0-919396-04-06.

**The « Open Society » : Paradox and Challenge,** polémique. New York, International Publishers, 1965. 125 p.

**Unequal Union : Confederation. Roots of Conflict in the Canadas, 1815–1873,** étude historique. Toronto, Progress Books, 1968. 437 p. : ill., cartes.

**Bethune : the Montreal Years,** biographie. En collaboration avec Libbie C. Park et Dr Wendell Macleod. Toronto, James Lorimer, 1978.

## ŒUVRES TRADUITES

**Capitalisme et Confédération : aux sources du conflit Canada/Québec,** étude historique. Traduction et préface d'André d'Allemagne ; titre original : **Unequal Union** (version refondue et augmentée). Montréal, Parti pris, 1972. 547 p. : ill., cartes. Coll. « Aspects », 16. ISBN 0-88512-053-1.

**Osnovanie Kanady,** étude historique. Traduction russe de **Founding of Canada.** Moscou, s.é., s.d., N.p.

**Nieravnii soiouz,** étude historique. Traduction russe de A.I. Konontseva ; titre original : **Unequal Union.** Moscou, Izdatelstvo « Progress », 1970. 398 p. : ill., cartes.

# S

**Marcel**
**SABELLA**

(Alexandrie, Égypte, 1928– ). Après ses études à Alexandrie, Marcel Sabella séjourne à Paris où il publie son premier recueil puis s'installe au Québec.

ŒUVRES

**Les Silex et les Ronces**, poésie. Paris, Éditions Les Paragraphes littéraires de Paris, 1968. 32 p.

**Pour qui chantent les fontaines,** poésie. Montréal, Fides, 1972. 54 p. Coll. « Voix québécoises ».

**Le Jour incendié,** poésie. Montréal, Fides, 1974. 62 p. Coll. « Voix québécoises ». ISBN 0-7755-0500-5.

**Louis**
**SAIA**

(Montréal, 25 mai 1950– ). Auteur de théâtre et metteur en scène, Louis Saia coécrit avec Louise Roy *Ida Lachance, Bachelor* (avec la participation de Michel Rivard), *le Kud de Kildare* (avec la collaboration de Francine Saia), ainsi que *Une amie d'enfance,* scénario pour Francis Mankiewicz, et *Propriété privée* qu'il réalise à Radio-Québec. Avec Claude Meunier, il écrit *Appelez-moi Stéphane, les Voisins, Monogamy* et le scénario de *Voyage de nuit* pour Roger Frappier. Il a aussi contribué aux textes de *Broue* et de *Bonne année Roger* (Radio-Canada 1981).

ŒUVRES

**Une amie d'enfance,** théâtre. En collaboration avec Louise Roy. Montréal, Leméac, 1980. 132 p.: portr. Coll. « Théâtre Leméac », 89. ISBN 2-7609-0087-8.

**Bachelor,** théâtre. En collaboration avec Louise Roy et Michel Rivard. Montréal, Leméac, 1981. 87 p.: portr. Coll. « Théâtre Leméac », 96. ISBN 2-7609-0095-9.

**Appelez-moi Stéphane,** théâtre. En collaboration avec Claude Meunier. Montréal, Leméac, 1982. 129 p. Coll. « Théâtre Leméac », 107. ISBN 2-7609-0104-1.

**Les Voisins,** théâtre. En collaboration avec Claude Meunier. Montréal, Leméac, 1982. 191 p. Coll. « Théâtre Leméac », 108. ISBN 2-7609-0105-X.

**SAINT ANDOCHE**

Voir Guy Boulizon.

**Jean**
**SAINT-ARNAUD (1952-  )**

## ŒUVRES

**Je cherche l'idée qui reconduit,** poésie. Gravures de Mary Stewart. Trois-Rivières, Mouvement parallèle, 1971. 15 p.: ill. Coll. « Opus ».
**Générescence,** poésie. En collaboration avec Chrysostôme Ouédraogo. Trois-Rivières, Mouvement parallèle, 1972. 19 p. Coll. « Opus ».
**Grammaglobuline,** poésie. Trois-Rivières, Mouvement parallèle, 1972. 23 p. Coll. « Opus ».

**janou**
**SAINT-DENIS**

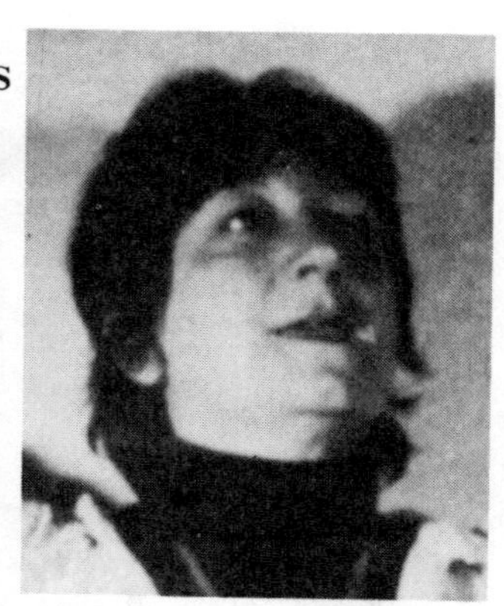

(Montréal, 6 mai 1930-  ). Fondatrice et animatrice, depuis 1975, de la Place aux poètes (d'abord à la Casanous, puis à la Galerie Motivation V, au Café Noosphère, à la Galerie Gueul'Art, au Dazibao, au Studio Altaïr), janou saint-denis avait écrit son premier texte en 1960 dans le cadre des *Nouveautés dramatiques* à Radio-Canada. C'est d'ailleurs la même année qu'elle avait organisé au Café El Cortijo des lectures publiques de poésie. Après avoir dirigé et joué dans la compagnie théâtrale, les Satellites de Montréal, de 1956 à 1961, elle séjourne quelque dix ans en France. À son retour, elle fonde les Éditions du Soudain (1972), crée la Place aux poètes et collabore à de nombreuses revues dont: *Moebius, les Cahiers de la femme, Sorcières* (France) et *Voix et Images.* Membre de l'Union des artistes depuis 1954, elle fait également partie du Regroupement des femmes québécoises.

## ŒUVRES

**Mots à dire, maux à dire, mots dits, maudit,** poésie. Outremont, Éditions du Soudain, 1972. 20 p.: ill.
**Place aux poètes,** poésie. Montréal, Éditions du Soudain, 1977. 111 p.: ill., portr.
**Claude Gauvreau, le cygne,** essai-témoignage. Montréal, Presses de l'université du Québec, Éditions du Noroît, 1978. 295 p.: ill., facsim., portr.
**Dollars désormais,** poésie. Montréal, Pleine Lune, 1981. 27 p. Coll. « Les Carnets de l'audace ». ISBN 2-89024-013-4.
**Poème à l'anti-gang et l'Escouade vlimeuse,** poésie. Montréal, Pleine Lune, 1981. 27 p. Coll. « Les Carnets de l'audace ». ISBN 2-89024-014-2.
**Mise à part,** poésie. Montréal, Pleine Lune, 1981. 30 p. Coll. « Les Carnets de l'audace ». ISBN 2-89024-015-0.

**André**
**SAINT-GERMAIN**

(Aston-Jonction, 5 août 1944-  ). Critique littéraire au journal étudiant *le Carabin* (1965-1967), directeur des revues *la Tourmente* (1966-1967) et *Lettres et Écritures* (1967-1968), André Saint-Germain a obtenu une licence ès lettres de l'université Laval en 1968. Il a publié trois recueils de poésie, a collaboré à *Liberté, la Barre du jour* et *Études françaises* et quelques-uns de ses poèmes sont parus dans les anthologies *Poésie Québec* et *Poèmes.* Depuis 1969, il a enseigné aux cégeps de Saint-Jérôme et Lionel-Groulx.

## ŒUVRES

**Sens unique,** poésie. Montréal, chez l'auteur, 1969. 37 p.
**Chemin de desserte,** poésie. Montréal, chez l'auteur, 1973. 46 p.
**Triptyque,** poésie. Montréal, Nouvelles Éditions de l'Arc, 1973. 87 p. Coll. « De l'Escarfel ».

**Claude**
**SAINT-GERMAIN**

(Sorel, 9 janvier 1945– ). Membre-fondateur du groupe l'Infonie (1969), Claude Saint-Germain fait de la scène sous le nom du « Conteur infoniaque » jusqu'en 1975. Dramaturge-pigiste pour les émissions *Premières, Feuillaison* et *l'Atelier des inédits* du réseau MF de Radio-Canada (1970–1980), il a fait paraître certains de ses textes dans *la Barre du jour, Hobo-Québec, Perspectives, Moebius*, etc. Fondateur et directeur de la revue de création littéraire et artistique *Mille Plumes* (1978), il a également écrit des chansons et des monologues. Claude Saint-Germain a obtenu un brevet A en français de l'école normale Jacques-Cartier (1970) et exercé divers métiers de 1970 à 1978 avant de devenir animateur de théâtre à l'Île-du-Prince-Édouard.

ŒUVRES

**Contes.** Saint-Constant, Éditions Passe-partout, 1971. 15 p.

**Le Voyageur de l'en-dedans : visions (septembre-novembre 1972),** récit. Montréal, Éditions Hobo-Québec, 1973. 39 p.

**Lumifeu,** conte. Sorel, cégep Bourgchemin, 1975. 74 p.

**Fernande**
**SAINT-MARTIN**

Kèro

(Montréal, 1927– ). Fernande Saint-Martin a poursuivi ses études à l'université de Montréal (baccalauréats en sciences médiévales, 1947, et en philosophie, 1948) et à l'université McGill (B.A. en études françaises, 1951, et M.A., 1952). Plus tard, en 1973, elle obtiendra un doctorat ès lettres de l'université de Montréal. Journaliste et critique d'art, elle a dirigé les pages féminines de *la Presse* avant de devenir la première rédactrice en chef du magazine *Châtelaine*. Membre de l'Académie canadienne-française, elle a collaboré à de nombreuses revues dont *Liberté* et *Vie des arts*. Fernande Saint-Martin a également été directrice du musée d'Art contemporain de 1972 à 1977.

ŒUVRES

**La Littérature et le Non-Verbal,** essai. Montréal, Éditions d'Orphée, 1958. 195 p.

**La Femme et la Société cléricale.** Montréal, s.é., 1967. 16 p. Coll. « MLF », 4.

**Structures de l'espace pictural,** essai. Montréal, HMH, 1968. 172 p.

**Samuel Beckett et l'Univers de la fiction,** essai. Montréal, Presses de l'université de Montréal, 1976. 271 p. ISBN 0-8405-0309-1.

**Les Fondements topologiques de l'espace,** essai. Montréal, HMH, 1980. 184 p.

**Madeleine**
**SAINT-PIERRE**

Harvey Rivard

(Trois-Rivières, 11 janvier 1932– ). Poète, Madeleine Saint-Pierre s'intéresse également à la peinture, à la musique ainsi qu'à tous les genres littéraires. Bibliotechnicienne au cégep de Trois-Rivières de 1968 à 1970, elle est depuis préposée au laboratoire de psychométrie de l'université du Québec à Trois-Rivières. Elle a publié à ce jour trois recueils de poésie et est membre des Écrivains de la Mauricie depuis 1977.

### ŒUVRES

**Intermittence,** poésie. Trois-Rivières, Éditions du Bien public, 1967. 53 p.

**Émergence,** poésie. Montréal, Déom, 1970. 61 p. Coll. « Poésie canadienne », 27.

**Empreintes : poèmes 1970–1974.** Montréal, Parti pris, 1978. 54 p. Coll. « Ouvrir le feu », 2. ISBN 0-88512-133-3.

## Denuis SAINT-YVES

(Louiseville, 13 juillet 1952– ). Collaborateur aux revues *Dérives, Échancrures* et *les Cahiers de Cap-Rouge,* Denuis Saint-Yves enseigne actuellement la littérature au cégep de Gaspé.

### ŒUVRES

**En débordement de quoi.** Trois-Rivières, Écrits des Forges, 1978. 97 p. Coll. « Les Rouges-Gorges », 23.

**Mourir, s'attendre quelque part.** Trois-Rivières, Écrits des Forges, 1979. 88 p.

**Temps traversier tout.** Trois-Rivières, Éditions du Bien public, 1979. 85 p. : 1 f. de planche, fac-sim.

## Bruno SAMSON

(Saint-Barnabé-Nord, 29 juillet 1912– ). Diplômé en pédagogie en 1931, Bruno Samson enseigne à Lachine et à Montréal de 1932 à 1935 puis à Sanmaur et à Charette de 1960 à 1969. Entre temps, il est secrétaire de coopérative à Upton de 1950 à 1956 ainsi que commis forestier et cultivateur en divers endroits. Il est l'auteur de deux romans parus aux éditions du Jour et de l'Aurore.

### ŒUVRES

**L'Amer noir,** roman. Montréal, Éditions du Jour, 1973. 191 p. Coll. « Les Romanciers du Jour ».

**Une histoire sans nom en pièces détachées toutes ineffables et autobiographiques,** roman. Montréal, L'Aurore, 1975. 125 p. Coll. « L'Amélanchier », 5. ISBN 0-88532-044-1.

## Louis-A. SANTERRE

(Baie-des-Sables, 9 novembre 1924– ). Louis-A. Santerre est directeur du Service des loisirs et de la culture de la ville de Sept-Îles. Il s'intéresse depuis longtemps au domaine des communications. C'est ainsi qu'il fondait, en 1958, le journal *le Nouveau Québec.* Il aura été également directeur du journal *le Bastion*, en plus d'avoir été libraire et imprimeur. En 1965, il abandonnera la carrière de journaliste pour devenir directeur de la bibliothèque municipale. Louis-A. Santerre a toujours été très actif dans les différentes associations à caractère social.

### ŒUVRES

**Sept-Îles, terre promise.** Sept-Îles, Éditions du Vieux-Fort, s.d. N.p.

**La Grande Aventure du fer.** En collaboration. Montréal, Leméac, 1970. 127 p.

**De Tadoussac à Sept-Îles.** Montréal, Leméac, 1971. 162 p.

**De Sept-Îles à Blanc-Sablon.** Montréal, Leméac, 1981. 167 p. ISBN 2-7609-4355-0.

## Claude-Gérard SARRAZIN

Daniel Côté

(Alger, Algérie, 21 mars 1936– ). Diplômé en pédagogie de l'école normale d'Alger (1955) et en piano du conservatoire d'Alger (1956), Claude-Gérard Sarrazin a longtemps hésité entre une carrière musicale et l'enseignement. Professeur, il a enseigné diverses matières tant au primaire qu'au collégial et au secondaire, aussi bien en Algérie qu'au Québec où il habite depuis 1962. Musicien, il a donné des récitals de piano et dirigé des chœurs. Il a écrit plus de 200 articles sur des sujets comme l'ésotérisme, la pédagogie, la pollution, la sexologie, qui ont été publiés dans *Maintenant, Cosmos-Express, Famille d'aujourd'hui, Naturothérapie*, etc. Rédacteur en chef du journal *le Lien*, organe du Syndicat des professeurs d'Outremont/Mont-Royal et de *Trapeza*, journal de la section Québec de Mensa, il est membre de la Société

Mensa, du Conseil régional de la culture des Laurentides, de l'Institut canadien de recherches en parapsychologie et accorde beaucoup d'importance à l'enseignement de Sri Aurobindo et à la pratique du Pûrna-Yoga.

## ŒUVRES

**Comment avoir de la valeur,** traité pratique. Paris, Scorpion, 1959. 156 p. Coll. « Alternance ».

**Comment éduquer petits et grands,** traité pratique. Paris, Scorpion, 1959. 158 p. Coll. « Alternance ».

**Le Pipeau, méthode de flûte,** manuel. Paris, Henry Lemoine & Cie, 1961. 50 p.

**Éveil et Musique,** essai. Montréal, Beauchemin, 1973. 189 p.

**Un chemin de Damas,** nouvelle. Jonquière, Fondation Cosmos, 1973. 32 p.

**Caractères et Tempéraments,** psychologie populaire. Illustrations de l'auteur. Montréal, Éditions de l'Homme, 1974. 147 p.: ill. ISBN 0-7759-0404-X.

**Karma,** roman. Jonquière, Éditions Hélios, 1974. 224 p. ISBN 0-88544-002-1.

**Les Pouvoirs de l'esprit,** traité pratique. Montréal, Publications Éclair, 1975. 98 p. Coll. « Mini-poche ».

**L'Homme, l'École, l'Éducation,** essai. Jonquière, Fondation Cosmos, 1975. 50 p. Coll. « Les Cahiers de l'Holanthrope ».

**Sciences occultes et Sciences sacrées,** essai. Jonquière, Fondation Cosmos, 1976. 34 p. Coll. « Les Cahiers de l'Holanthrope ».

**Les Bases de la médecine naturelle,** essai. Jonquière, Fondation Cosmos, 1976. 48 p. Coll. « Les Cahiers de l'Holanthrope ».

**Astrologie, bilan critique,** essai. En collaboration avec Mario Turcotte; illustrations de l'auteur. Jonquière, Fondation Cosmos, 1976. 76 p.: ill.

**Introduction à l'étymologie de la langue française,** manuel. Montréal, Guérin, 1977. 58 p.

**Concevoir et Présenter un travail intellectuel,** manuel. Montréal, Guérin, 1977. 73 p.

**Jalons sexologiques,** essai. Montréal, Guérin, 1978. 390 p.

**Ton Corps et ton Sexe,** manuel. Illustrations de l'auteur. Montréal, Guérin, 1978. 86 p.: ill.

**Phorphoros,** roman. Montréal, Guérin, 1978. 191 p. Coll. « Les Romans de l'ère incertaine ».

**Votre Personnalité,** psychologie populaire. Illustrations de l'auteur. Montréal, Presses Sélect, 1980. 145 p.: ill. ISBN 2-89132-173-1.

**La Porte des dieux,** roman. Montréal, Presses Sélect, 1980. 224 p. Coll. « Poches Sélect ». ISBN 2-89132-178-2.

**Le Moi total,** essai. Illustrations de l'auteur. Montréal, Presses Sélect, 1980. 192 p.: ill. ISBN 2-89132-313-0.

**Symbolisme du corps humain,** essai. Illustrations de l'auteur. Montréal, Presses Sélect, 1981. 200 p.: ill.

**Types humains et Sexualité.** Illustrations de l'auteur. Montréal, Presses Sélect, 1981. 141 p.: ill. Coll. « Guides du peuple », 2.

**Le Développement des facultés psi,** essai. Illustrations de l'auteur. Montréal, Presses Sélect, 1981. 204 p. Coll. « Les Cahiers de la connaissance », 2. ISBN 2-89132-560-5.

**L'Éducation sexuelle à la maison,** essai. Illustrations de l'auteur. Montréal, Presses Sélect, 1982. 159 p.: ill. Coll. « Guides Sélect », 2. ISBN 2-89132-626-1.

## Pierre SAUREL

Pseud. de Pierre Daignault.

(Montréal, 25 mars 1925– ). Bien connu pour avoir tenu durant plusieurs années le rôle du Père Ovide dans la télésérie *les Belles Histoires des pays d'En Haut,* Pierre Saurel est également folkloriste et surtout auteur de romans policiers et d'espionnage. Durant vingt ans, soit de 1947 à 1967, il a écrit et publié près de mille romans de la série *l'Agent IXE-13* et plus de huit cents de la série *Albert Brien.* À cette production imposante s'ajoutent également des volumes sur les chansons et les danses québécoises, des continuités folkloriques à la télévision ainsi que nombre de sketches et de pièces de théâtre écrits pour la radio. Pierre Saurel a été journaliste pour les Éditions Péladeau de 1960 à 1967 et travaille comme rédacteur et correcteur au *Journal Photo-Police* depuis 1968. En octobre 1980, il entreprenait une nouvelle série policière, *le Manchot*, qui paraîtra mensuellement aux Éditions Québec-Amérique. L'apport de Pierre Saurel à la littérature populaire est maintenant indéniable et son œuvre est l'objet de l'attention d'un groupe de chercheurs de l'université Laval.

## ŒUVRES

**L'Agent IXE-13,** romans d'espionnage. Montréal, Éditions Police-Journal, 1947–1967. 962 romans de 32 p.

**Albert Brien,** romans policiers. Montréal, Éditions Police-Journal. Plus de 800 romans de 32 p.

**Vive la compagnie,** chansons folkloriques. Montréal, Éditions de l'Homme, s.d. 124 p.

**50 chansons à répondre.** Montréal, Éditions de l'Homme, 1959. 124 p.

**En place pour un set.** Montréal, Éditions de l'Homme, 1960. 124 p.

**À la québécoise,** chansons folkloriques. Montréal, La Presse, 1970. 212 p.

**400 histoires salées.** Montréal, chez l'auteur, 3 vol. T. I: 1970, 96 p. T. II: 1971, 96 p. T. III: 1972, 96 p.

**Jouez au détective,** quizz-policier. Illustrations d'Yves Thibault. Montréal, chez l'auteur, 1980. 208 p.

**La mort frappe deux fois,** roman policier. Montréal, Québec-Amérique, 1980. 165 p. Coll. « Le Manchot », 1. ISBN 2-89037-024-0.

**La Chasse à l'héritière,** roman policier. Montréal, Québec-Amérique, 1980. 169 p. Coll. « Le Manchot », 2. ISBN 2-89037-030-5.

**Mademoiselle Pur-Sang,** roman policier. Montréal, Québec-Amérique, 1980. 164 p. Coll. « Le Manchot », 3.

**Allô... ici, la mort!,** roman policier. Montréal, Québec-Amérique, 1980. 169 p. Coll. « Le Manchot », 4. ISBN 2-89037-046-1.

**IXE-13 : les plus belles aventures de l'as des espions canadiens écrites par Pierre Saurel et présentées par Paraligue.** Montréal, Quinze Éditeur, 1981. 350 p. : ill. ISBN 2-89026-262-6.

## † Yves SAUVAGEAU

(Montréal, 1946–1970). Auteur de théâtre, Yves Sauvageau fonde la troupe la Lanterne après la fin de ses études secondaires. Il s'inscrit ensuite à l'école normale de l'université de Sherbrooke, travaille comme comédien et metteur en scène et suit les cours de théâtre de l'École nationale, à Montréal. Il jouera peu après au Théâtre du Nouveau Monde puis au Théâtre d'Aujourd'hui jusqu'à sa mort en 1970. Plusieurs de ses pièces sont restées inédites alors que certaines ont été publiées dans les *Écrits du Canada français* ; une autre est parue à titre posthume.

## ŒUVRES

**Wouf Wouf : machinerie-revue de Sauvageau,** théâtre. Présentation de Jean-Claude Germain. Montréal, Leméac, 1970. 109 p. Coll. « Répertoire québécois », 6.

**Les Mûres de Pierre,** théâtre. Montréal, Déom, 1977. 202 p. : ill., portr.

## † Félix-Antoine SAVARD

Kèro

(Québec, 31 août 1896–24 août 1982). Félix-Antoine Savard passe sa jeunesse dans la région du lac Saint-Jean où sa famille s'établira peu après sa naissance. Il fait ses études classiques au séminaire, ses études théologiques au grand séminaire de Chicoutimi et est ordonné prêtre en 1922. D'abord enseignant, il connaît ensuite, brièvement, la vie monastique chez les bénédictins, puis le ministère paroissial. Il sera, entre autres, très actif dans la colonisation de l'Abitibi. Son premier livre, *Menaud, maître-draveur* (1937), marque avec fracas son entrée dans la littérature ; ce roman sera couronné en 1945 par l'Académie française et, en 1961, par le Prix du Grand Jury des lettres. D'autres prix soulignent la qualité de ses œuvres : la Médaille Lorne-Pierce en 1945 pour *l'Abatis*, le Prix Duvernay 1948 pour *la Minuit*, le Prix du Gouverneur général en 1960 pour *le Barachois* et enfin le Prix David 1968. Félix-Antoine Savard a été longtemps rattaché à l'université Laval : comme professeur de littérature française, comme doyen de la faculté des lettres, comme cofondateur des Archives de folklore. Il a été membre de la Société royale du Canada, président de la Société du bon parler français (1950–1955) et président de la Société de géographie du Québec. Il a aussi été membre de l'Académie canadienne-française (1955–1982) et membre d'honneur de l'Union des écrivains québécois (1977–1982). Félix-Antoine Savard a également été boursier du ministère des Affaires culturelles et de la John Simon Guggenheim Memorial et a reçu un doctorat honorifique de l'université de Montréal. Mentionnons enfin, qu'il a été le fondateur de la papeterie Saint-Gilles qui se spécialise dans le papier fait main et qui est située au cœur du comté de Charlevoix auquel l'auteur de *Menaud* était si profondément attaché.

## ŒUVRES

**Menaud, maître-draveur,** roman. Québec, Garneau, 1937. 271 p.
**L'Abatis,** poésie. Dessins d'André Morency. Montréal, Fides, 1943. 209 p.: ill.
**La Minuit,** roman. Montréal, Fides, 1948. 177 p.
**Le Barachois,** roman. Montréal et Paris, Fides, 1959. 207 p.
**Martin et le Pauvre,** nouvelle. Montréal et Paris, Fides, 1959. 61 p.: ill.
**La Folle,** drame lyrique. Montréal et Paris, Fides, 1960. 91 p.
**La Dalle des morts,** drame. Montréal et Paris, Fides, 1965. 153 p.: ill.
**Symphonie du miséréor,** poésie. Ottawa, Éditions de l'université d'Ottawa, 1968. 43 p.: ill., fac-sim.
**L'Abatis,** poésie. Version définitive; dessins d'André Morency. Montréal, Fides, 1969. 168 p.: ill.
**Le Bousceuil,** poésie et prose. Montréal, Fides, 1972. 249 p.
**La Roche Ursule,** poésie. Lithographies de Sabine Allard. Québec, S. Allard, 1972. 12 f.: ill. en coul.
**Journal et Souvenirs.** T. I: **1961-1962.** Montréal, Fides, 1973. 222 p.
**Aux marges du silence,** poésie. Gravures de Monique Charbonneau, emboîtage de Pierre Ouvrard. Châteauguay, Éditions M. Nantel, 1974. 1 portefeuille (127 p., 10 f. de planches en coul.).
**Journal et Souvenirs.** T. II: **1963-1964.** Montréal, Fides, 1975. 261 p. ISBN 0-7755-0547-1.
**Discours.** Présentation de Luc Lacoursière. Montréal, Fides, 1975. 154 p.
**Discours d'un vieux sachem huron à l'occasion des fêtes du tricentenaire du diocèse de Québec.** Lacolle, Éditions M. Nantel, 1975. 1 portefeuille (13 p.).
**Carnet du soir intérieur.** T. I. Montréal, Fides, 1978. 206 p. ISBN 0-7755-0688-5.
**Carnet du soir intérieur.** T. II. Montréal, Fides, 1979. ISBN 2-7621-0720-2.
**Le Choix de Félix-Antoine Savard dans l'œuvre de Félix-Antoine Savard.** Notre-Dame-des-Laurentides, Presses laurentiennes, 1981. 75 p.: ill., portr. Coll. « Le Choix de... ». ISBN 2-89015-621-6.

## ŒUVRE TRADUITE

**Boss of the River,** roman. Traduction anglaise d'Allan Sullivan; titre original: **Menaud, maître-draveur.** Toronto, Ryerson Press, 1947. VII-131 p.

## ÉTUDES

Samson, Jean-Noël et Roland-M. Charland, « Félix-Antoine Savard », **Lectures,** vol. 12, nos 6-7, février-mars 1966. pp. 138–194. Numéro spécial.
Thérèse-du-Carmel, **Bibliographie analytique de l'œuvre de Félix-Antoine Savard.** Montréal et Paris, Fides, 1967. 229 p.
Major, André, **Félix-Antoine Savard.** Montréal, Fides, 1968. 190 p.: ill., fac-sim., portr.
« Monseigneur F.-A. Savard », **Incidences,** no 13, hiver 1968. 25 p. Numéro spécial.
Samson, Jean-Noël et Roland-M. Charland, **Félix-Antoine Savard.** Montréal, Fides, 1969. 65 p. Coll. « Dossiers de documentation sur la littérature canadienne-française ».
Ricard, François, **L'Art de Félix-Antoine Savard dans « Menaud, maître-draveur ».** Montréal, Fides, 1972. 142 p. Coll. « Études littéraires ».
**Félix-Antoine Savard: dossier de presse, 1937–1980.** Sherbrooke, Bibliothèque du séminaire, 1981. N.p.: ill.

# Marie SAVARD

(Québec, 15 août 1936– ). Chanteuse, comédienne, poète et auteure de théâtre, Marie Savard a fait du théâtre amateur avec la troupe des Treize, dirigée à l'époque par Gilles Vigneault, alors qu'elle étudiait à la faculté des sciences sociales de l'université Laval. Dès 1960, elle débute dans la chanson, en interprétant ses propres œuvres à la Boîte à chansons de Québec. Elle part pour Montréal, en 1961, et écrit des textes pour certaines émissions de Radio-Canada. En 1965, elle publie un premier recueil de poèmes et enregistre son premier microsillon. Après une tournée des boîtes à chansons du Québec, elle présente plusieurs de ses pièces à la radio de Radio-Canada dont *Bien à moi marquise,* en 1970. Elle continue ensuite à écrire pour le théâtre et fonde en 1975 les Éditions de la Pleine Lune.

## ŒUVRES

**Le Coin de l'ove,** poésie. Québec, Éditions de l'Arc, 1965. 72 p. Coll. « De l'Escarfel ».
**Le Journal d'une folle,** essai-roman. Montréal, Éditions de la Pleine Lune, 1975. 89 p.: ill., fac-sim.

**Bien à moi,** théâtre. Montréal, Éditions de la Pleine Lune, 1979. 63 p. ISBN 2-89024-000-2.

**Roger SAVOIE**

(Moncton, N.B., 11 août 1933– ). Professeur de littérature (1957–1962), puis de philosophie (1965–1980), Roger Savoie a fait des études classiques, théologiques, philosophiques et littéraires. Docteur en philosophie de l'université de Strasbourg (1969), il a collaboré à la revue *Liberté* et anime actuellement des ateliers de philosophie au cégep Saint-Laurent.

**ŒUVRES**

**Le Philosophe-chat** ou **les Ruses du désir,** essai philosophique. Montréal, Quinze Éditeur, 1980. 165 p. Coll. « Prose exacte ». ISBN 2-89026-233-2.

**Faut-il vraiment récupérer les métèques.** In **Sortir,** essai. En collaboration. Montréal, L'Aurore, 1978. 303 p. ISBN 0-88532-148-0.

**Rita SCALABRINI**

(Saint-Edwidge-de-Clifton, 1919– ). Peintre et auteure de livres pour enfants, Rita Scalabrini a étudié aux écoles de Beaux-Arts de Québec (1959-1960) et de Montréal (1960–1964), puis s'est perfectionnée en histoire de l'art à l'université de Montréal (1963–1965) et à l'École du Louvre (1966-1967, 1969-1970). Professeur d'art à la Commission des écoles catholiques de Montréal depuis 1968, elle a effectué plusieurs voyages d'études tant en Europe qu'au Proche-Orient et au Mexique et a fait, depuis 1970, plusieurs expositions de ses œuvres dans nombre de galeries.

**ŒUVRES**

**Le Petit Chocola Cho,** littérature pour enfants. Illustrations de l'auteure. Montréal, Leméac, 1972. N.p.: ill. en coul.

**L'Acadie et la Mer,** littérature pour enfants. Illustrations de l'auteure. Montréal, Leméac, 1973. 46 p.: ill. en coul. Coll. « Chicouté ».

**La Famille Citrouillard,** littérature pour enfants. Illustrations de l'auteure. Montréal, Leméac, 1974. N.p.: ill. en coul.

**La Famille Citrouillard au temps des sucres,** littérature pour enfants. Illustrations de l'auteure. Montréal, Leméac, 1976. N.p.: ill. part. en coul. ISBN 0-7761-9825-4.

**La Famille Citrouillard aux poissons des chenaux,** littérature pour enfants. Illustrations de l'auteure. Montréal, Leméac, 1979. N.p.: ill. en coul. ISBN 2-7609-9828-2.

**Francis R. SCOTT**

(Québec, 1er août 1899– ). Francis R. Scott fréquente le Quebec High School puis le collège Bishop avant de poursuivre ses études au collège Magdalen d'Oxford grâce à l'obtention d'une bourse Rhodes. À son retour au Québec, il complète un cours en droit à l'université McGill. Professeur de droit dès 1928, il se porte fréquemment à la défense des droits des minorités, joint les rangs du CCF (Canadian Commonwealth Federation, ancien NPD), fait partie de la League for Social Reconstruction, collabore à la rédaction du manifeste de Régina et devient président national du CCF de 1942 à 1950. Francis R. Scott a enseigné à l'université McGill où il fut doyen de la faculté de droit de 1961 à 1964, ainsi qu'au sein de nombreuses autres institutions. Au plan littéraire, il fut cofondateur du *McGill Fortnightly Review*, éditeur du *Canadian Mercury* et du *Canadian Forum*, etc. Il a publié dans nombre de revues et ses textes sont parus dans plusieurs anthologies dont *Poets between the War*. Son œuvre qui comprend poèmes, articles de droit, ouvrages de sociologie, etc., lui a valu de nombreux prix : Médaille Lorne-Pierce (poésie 1962), Prix de littérature du gouvernement du Québec (1964), Prix du Gouverneur général 1978 pour *Essays on the Constitution* et Prix de traduction du Conseil des arts 1978 pour *Poems of French Canada*. Francis R. Scott est, de plus, membre de la Société royale du Canada et Compagnon de l'Ordre du Canada.

### ŒUVRES

**Social Planning for Canada.** En collaboration. Toronto, Thomas Nelson, 1935.

**New Provinces: Poems of Several Authors.** Sous la direction de F.R. Scott et A.J.M. Smith. Toronto, Macmillan, 1936.

**Canada Today : A Study of Her National Interests and National Policy.** London & Toronto, Oxford University Press, 1938.

**Democracy Needs Socialism.** Toronto, Nelson, 1938.

**Canada and the United States.** Boston, World Peace Foundation, 1941.

**Make this Your Canada : A Review of C.C.F. History and Policy.** En collaboration avec David Lewis. Toronto, Central Canada Publishing, 1943.

**Canada after the War : Attitudes of Political, Social and Economics Policies in Post-War Canada.** En collaboration avec Alexander Brady. Toronto, Canadian Institute of International Affairs, 1944.

**Co-operation for What? Canada and the British Commonwealth.** New York, Institute of Pacific Relations, 1944.

**Ouverture Poems.** Toronto, Ryerson Press, 1945.

**Events & Signals,** poésie. Toronto, Ryerson Press, 1954.

**The World's Civil Service.** New York, Carnegie Endowment for International Peace, 1954.

**The Eye of the Needle: Satires, Sorties, Sundries.** Montréal, Contact Press, 1957.

**The Blasted Pine : An Anthology of Satire, Insective and Disrespectful Verse, Chiefly by Canadian Writers.** Sous la direction de F.R. Scott et A.J.M. Smith. Toronto, Macmillan, 1957.

**The Canadian Constitution and Human Rights.** Toronto, Canadian Broadcasting Corporation, 1959.

**Civil Liberties and Canadian Federalism.** Toronto, University of Toronto Press, 1959.

**Signature,** poésie. Vancouver, Klanak Press, 1964.

**Quebec States Her Case: Speeches and Articles from Quebec in the Years of Unrest.** Sous la direction de F.R. Scott et Michael Oliver. Toronto, Macmillan, 1964.

**Selected Poems.** Toronto, Oxford University Press, 1966.

**Trouvailles: Poems from Prose.** Montréal, Delta Canada, 1967.

**Dialogue sur la traduction à propos du « Tombeau des rois ».** En collaboration avec Anne Hébert ; présentation de Jeanne Lapointe ; préface de Northrop Frye. Montréal, HMH, 1970. 109 p. Coll. « Sur parole ».

**The Dance is One,** poésie. Toronto, McClelland & Stewart, 1973.

**Essays on the Constitution : Aspects of Canadian Law and Politics.** Toronto, University of Toronto Press, 1977.

### ŒUVRES TRADUITES

**Le Canada d'aujourd'hui.** Traduction de **Canada Today : A Study of Her National Interests and National Policy.** Montréal, Le Devoir, 1939.

**Un Canada nouveau.** Traduction de **Make this Your Canada : A Review of C.C.F. History and Policy.** Montréal, Valiquette, 1944.

### TRADUCTIONS

**St-Denys Garneau and Anne Hébert : translations/ traductions.** Préface de Gilles Marcotte ; textes français et traduction anglaise en regard. Vancouver, Klanak Press, 1962. 49 p.

**Poems of French Canada.** Vancouver, Blackfish Press, 1977.

## Gail SCOTT

(Ottawa, – ). Journaliste au *Globe & Mail*, à la *Gazette* et à la revue *Maclean's* de 1967 à 1977, Gail Scott a été cofondatrice de *Spirale* et membre du comité de rédaction jusqu'au printemps 1982. Elle a publié dans *la Nouvelle Barre du jour, Sorcières, Room of One's Own, Canadian Fiction Journal* et *les Cahiers de la femme.*

### ŒUVRE

**Spare Parts,** nouvelles. Toronto, Coach House Press, 1981. 62 p. ISBN 0-88910-236-8.

## Omer SÉGUIN (1896– )

### ŒUVRES

**Poèmes du Québec.** Saint-Urbain, chez l'auteur, 1967. N.p.

**Poèmes laurentiens.** Saint-Urbain, chez l'auteur, 1973. 28 p.

**Fantaisie et Poèmes.** Saint-Urbain, chez l'auteur, 1974. 101 p.: ill.
**Âge d'or et poésie.** Saint-Urbain, chez l'auteur, 1975. 27 p.

### Pierre SÉGUIN

#### ŒUVRES

**Les Métamorphoses du choupardier,** roman. Montréal, HMH, 1976. 217 p. Coll. « L'Arbre ».
**Caliban,** roman. Montréal, HMH, 1977. 174 p. Coll. « L'Arbre ». ISBN 0-7758-0124-0.

### Daniel SERNINE

(Montréal, 1955– ). Premier lauréat du Prix Dagon pour *Exode 5*, la meilleure nouvelle québécoise de science-fiction en 1977, Daniel Sernine avait publié de la science-fiction dès 1975 dans la revue *Requiem* (maintenant *Solaris*). Outre ses contes, nouvelles et romans, il a écrit pour les revues *Espace-Temps, Antarès* (France), et *Solaris,* et a collaboré au numéro de *la Nouvelle Barre du jour* consacré au fantastique québécois. Il est détenteur d'un baccalauréat en histoire (1975) et d'une maîtrise en bibliothéconomie (1977) de l'université de Montréal et a été à l'emploi de la Bibliothèque nationale du Québec.

#### ŒUVRES

**Les Contes de l'ombre,** contes fantastiques. Montréal, Éditions Sélect, 1978. 190 p. ISBN 2-89132-009-3.
**Légendes du vieux manoir,** contes fantastiques. Montréal, Éditions Sélect, 1979. 149 p. ISBN 2-89132-128-6.
**Organisation Argus,** roman de science-fiction pour jeunes. Illustrations de Gabriel de Beney. Montréal, Éditions Paulines, 1979. 113 p.: ill. Coll. « Jeunesse-pop », 38. ISBN 2-89039-014-4 et 2-89039-015-2.
**Le Trésor du scorpion,** roman pour jeunes. Illustrations de Louise Jacques. Montréal, Éditions Paulines, 1980. 144 p.: ill. Coll. « Jeunesse-pop », 40. ISBN 2-89039-828-5 et 2-89039-828-7.
**Le Vieil Homme et l'Espace,** recueil de nouvelles de science-fiction. Montréal, Le Préambule, 1981. 239 p. Coll. « Chroniques du futur ».
**L'Épée d'Arhapal,** roman pour jeunes. Montréal, Éditions Paulines, 1981. Coll. « Jeunesse-pop ».
**La Cité inconnue,** roman pour jeunes. Montréal, Éditions Paulines, 1982. 160 p. Coll. « Jeunesse-pop ». ISBN 2-89039-885-4.

### Marc SÉVIGNY

(Sherbrooke, 2 août 1953– ). Détenteur d'un certificat en animation de l'université Laval (1976), animateur d'un projet portant sur la littérature pour enfants (1976-1977), journaliste et rédacteur à la pige depuis 1978, Marc Sévigny est aussi scénariste et réalisateur pour les productions Immédium. Poète et conteur, il collabore également à *Éducation-Québec* et à *Cinéma-Québec* où il s'occupe du dossier du cinéma pour enfants. Il a d'ailleurs réalisé en collaboration avec Michel Chauvin et Richard Roy un court métrage intitulé *Qu'est-ce que ça t'tente de faire?* Il est membre de Communication-Jeunesse depuis 1978.

#### ŒUVRES

**Le Roi bon et le Roi mauvais,** conte. Illustrations de Normand Labelle. Sherbrooke, Smack-Smack, 1974. 40 p.: ill. part. en coul.
**Barbapusse,** conte. Illustrations d'Odette Sévigny. Outremont, Productions Barbapusse, 1978. N.p.: ill. part. en coul., notations musicales.
**Quintefeuille,** poésie. En collaboration. Québec, Éditions Le Palier, 1978. 87 p.

**Sylvie**
**SICOTTE**

Kèro

(Montréal, 13 octobre 1936– ). « ... j'ai toujours éprouvé, en authentique "Balance", la passion de l'équilibre... entre ville et campagne, étude et rêverie, parole et silence... Ma "carrière" commencée, au sortir du collège classique, par deux ans de parole comme comédienne et journaliste (*la Presse*) voici que je me retire dans le silence, de 1960 à 1967, pour accoucher de trois enfants, compléter ma petite révolution tranquille et amorcer l'écriture poétique. Suivent ensuite sept années partagées entre étude et rêverie, où j'obtiens une licence (1971) et une maîtrise en littérature (1975) à l'université de Montréal et où je structure quatre recueils de poèmes, qui témoignent de mon enracinement à Oka et de ses découvertes. Durant un dernier cycle de sept ans, j'aurai enfin réuni en moi ville et campagne avec un essai sur la poésie, quelques dramatiques radiophoniques et un téléthéâtre pour *les Beaux Dimanches* de Radio-Canada, *Entre le soleil et l'eau* (mention spéciale dans la catégorie dramatique, Prix Anik, 1980). »

ŒUVRES

**Pour appartenir,** poésie. Illustrations de Sonia Waldstein. Montréal, Déom, 1968. 109 p. Coll. « Poésie canadienne ».

**Infrajour,** poésie. Montréal, Déom, 1973. 121 p. Coll. « Poésie canadienne », 30.

**Femmes de la forêt,** poésie. Montréal, Leméac, 1975. 121 p. Coll. « Poésie Leméac ». ISBN 0-7761-1007-1.

**L'Arbre dans la poésie de Rina Lasnier,** essai. Sherbrooke, Cosmos, 1977. 110 p.: portr. Coll. « Profils », 11.

**Sur la pointe des dents,** poésie. Paris, Saint-Germain-des-Prés, 1978. 85 p. Coll. « Poésie sans frontière ».

**André**
**SIMARD**

(Chicoutimi, 22 novembre 1949– ). Professeur de littérature et auteur dramatique, André Simard écrit sa première pièce en 1971 pour la troupe des Treize de l'université Laval. C'est en 1973 qu'il termine une licence en lettres à cette dernière institution et commence à enseigner au cégep Limoilou. Il a rédigé depuis, plus d'une vingtaine de textes dramatiques qui ont été joués, entre autres, au café le Hobbit, au Théâtre du Vieux-Québec, au Patriote et au Trident et a également écrit pour la radio, le cinéma et la télévision. Vice-président du Centre d'essai des auteurs dramatiques (1975–1977), il a terminé en 1980 une maîtrise ès lettres à l'université Laval.

ŒUVRES

**La Soirée du fockey; le Temps d'une pêche; le Vieil Homme et la Mort,** théâtre. Préface de Normand Chouinard. Montréal, Leméac, 1974. 92 p. Coll. « Répertoire québécois », 40.

**Cinq pièces en un acte,** théâtre. Montréal, Leméac, 1976. XV-151 p. Coll. « Théâtre Leméac », 56. ISBN 0-7761-0056-4.

ŒUVRE TRADUITE

**Waiting for Gaudreault,** théâtre. Traduction anglaise de Henry Beissel et Arlette Francière; titre original: **En attendant Gaudreault.** Toronto, Simon & Pierre, 1978. 16 p.: ill. Coll. « A Collection of Canadian Plays », 5. ISBN 0-88924-026-4.

**Antonio**
**SIMARD**

(Saint-Ignace de Stanbridge, 17 août 1897– ). Auteur de poésie religieuse, Antonio Simard a fait ses études aux collèges Saint-Césaire et Notre-Dame de Montréal. Détenteur d'un brevet d'enseignement à l'élémentaire, il est professeur au Nouveau-Brunswick durant vingt ans avant de se lancer dans la vente de livres religieux. C'est après sa retraite en 1970 qu'il a commencé à publier ses premiers poèmes.

ŒUVRES

**Le Ciel commencé,** poésie. Laval, chez l'auteur, 1974. 2 vol.: t. I: 47 p.; t. II: 48 p.

**Mystique populaire,** poésie. Laval, chez l'auteur, 1974. 64 p.

**Jésus notre bonheur,** poésie. Laval, chez l'auteur, 1976. 127 p.

## Juliette SIMARD-SAINT-GELAIS

(Baie-Saint-Paul, 8 avril 1921– ). Après l'école normale (1938), Juliette Simard-Saint-Gelais devient institutrice à Baie-Saint-Paul de 1939 à 1943. Poète, mais aussi essayiste, elle a été membre de la Société des poètes canadiens-français et de l'Association des artistes de Charlevoix, responsable et membre du comité national de rédaction du conseil diocésain du Mouvement des femmes catholiques. Elle a publié quatre recueils de poésie et écrit pour *le Confident, le Plein Jour, le Reflet* (journaux des régions de Charlevoix et Montmorency).

### ŒUVRES

**Sur les ailes du temps,** poésie. Illustrations de l'auteure. Baie-Saint-Paul, chez l'auteure, 1972.
**Palette sur jadis,** poésie. Illustrations de l'auteure. Baie-Saint-Paul, chez l'auteure, 1973. 74 p. : ill.
**Allégories,** pensées. Illustrations de l'auteure. Baie-Saint-Paul, chez l'auteure, 1975. 90 p. : ill.
**Paysage intime,** poésie et pensées. Illustrations de l'auteure. Baie-Saint-Paul, chez l'auteure, 1978. 100 p. : ill.

## Jean SIMONEAU

(Magog, 2 février 1943– ). Poète, romancier, nouvelliste et essayiste, Jean Simoneau a été journaliste à *la Tribune* de 1960 à 1963 et de 1968 à 1972 et rédacteur en chef de *l'Aiglon* et de *Limoilou-nouvelles* (1964-1965). Directeur de la Société nationale des Québécois des Cantons (1979-1980), il a collaboré à *Prends ton pays en main, l'R du Q* et à la revue *Indépendantiste*. Jean Simoneau résume ainsi son œuvre : « Toute

Studio Belisle inc.

ma littérature est caractérisée par mon engagement politique pour un Québec indépendant ainsi que ma lutte pour déjudiciariser la pédérastie. »

### ŒUVRES

**Hymnes à l'amour, le Vice, la Révolte,** poésie. Québec, chez l'auteur, 1968. 142 p.
**Ré-Jean,** nouvelle. Windsor, Les Auteurs réunis, 1970. 27 p. Coll. « Les Carnets des auteurs réunis », 4.
**L'Homo-vicièr,** roman. Illustrations de Réginald Dupuis. Sherbrooke, chez l'auteur, 1972. 103 p. : ill.
**Chair de poule,** poésie. En collaboration avec Pierre Brisson. Sherbrooke, chez l'auteur, 1973. 47 p.
**Il était une fois dans les Cantons de l'Est** ou **Lettres ouvertes aux gens de par chez-nous,** récit. En collaboration avec Pierre Brisson ; illustrations de Francine Quinty. Sherbrooke, Éditions kébécoises, 1973. 104 p. : ill.
**Le Parti Rhinocéros programmé,** essai. En collaboration. Montréal, L'Aurore, 1974. 95 p.
**Avant de se retrouver tout nu dans la rue** ou **le Problème du logement,** essai. En collaboration avec Pierre Brisson. Montréal, Parti pris, 1977. 444 p. Coll. « Aspect ». ISBN 0-88512-118-X.
**Sortir,** essai. En collaboration. Montréal, L'Aurore, 1978. 303 p. ISBN 0-888532-148-0.
**Laissez venir à moi les petits gars,** récit. Montréal, Parti pris, 1981. 160 p. Coll. « Paroles », 58. ISBN 0-88512-131-7.

## Georges SKVOR

Voir Paul Javor.

## SNOUTE

Voir Michel Craig.

**SOL**

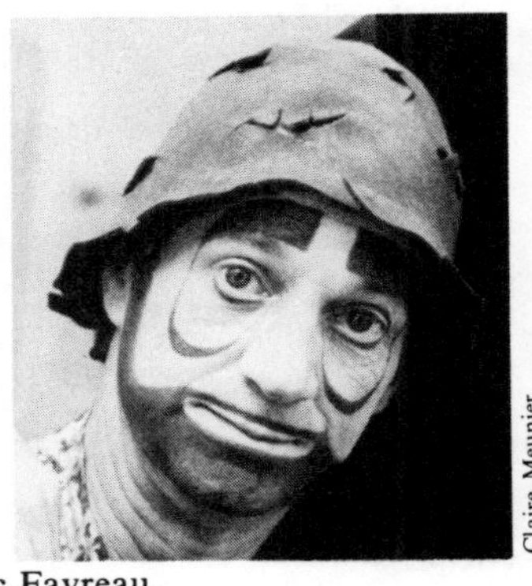

Claire Meunier

Pseud. de Marc Favreau.

(Montréal, 7 novembre 1929– ). Comédien, auteur et monologuiste, Sol se destine d'abord à la décoration. Dessinateur commercial, il va au théâtre pour y faire du décor. En 1950, il s'inscrit à l'école du Théâtre du Nouveau Monde, puis suit les cours de Jean Valcourt à Paris (1955–1957). Il tient alors des rôles dans diverses productions de Radio-Canada et joue tant à la télévision qu'au théâtre, tant dans des téléthéâtres que dans des feuilletons: *Jeunesse dorée, le Survenant, les Enquêtes Jobidon, Symphorien, les Forges du Saint-Maurice*, etc. C'est en 1958 qu'il devait toutefois tenir le rôle de Sol dans le cadre de l'émission *Bim et Sol* devenue plus tard *Sol et Bouton* puis *Sol et Gobelet*. À la fin de cette dernière série en 1972, il reprenait ce rôle sur différentes scènes au Québec et à l'étranger.

## ŒUVRES

**Esstradinairement vautre — Sol: délire et graffiti.** Préface de Michel Garneau. Montréal, L'Aurore, 1974. 147 p.: ill. Coll. « L'Amélanchier », 1. ISBN 0-88532-018-2.

**Rien détonnant avec Sol.** Illustrations de Marie-Claude Favreau. Montréal, Stanké, 1978. 173 p.: ill., portr. ISBN 0-88566-089-9.

**Les Œufs limpides.** Montréal, Stanké, 1979. 149 p.: ill., portr. ISBN 2-7604-0040-9.

**Je m'égalomane à moi-même.** Montréal, Stanké, 1982. 160 p.: ill., portr. ISBN 2-7604-0176-6.

## ÉTUDE

**Monologuistes québécois: dossier de presse, Yvon Deschamps, 1969–1981; Marc Favreau, 1973–1981.** Sherbrooke, Bibliothèque du séminaire, 1981. N.p.: ill., portr.

**Michel-M.**
**SOLOMON**

(Galatzi, Roumanie, 9 décembre 1909– ). Après des études de droit à Montpellier (France), Michel-M. Solomon devient membre du Barreau roumain (1934). Correspondant du *Timpul* et de l'*Argus* à l'étranger, il vit à Londres lorsque la Deuxième Guerre mondiale éclate et il s'engage aussitôt dans l'armée britannique. Rapatrié en 1947, il reprend sa carrière journalistique à titre de correspondant de la presse britannique en Roumanie. Peu après, il est arrêté et condamné à vingt-cinq ans de travaux forcés dont il purgera dix-sept ans (huit ans dans le camp de Kolyma en Sibérie et sept ans en Roumanie). Amnistié en août 1964, il quitte son pays en janvier 1965 et s'installe à Montréal en juin de la même année. Directeur du bureau canadien de l'Agence télégraphique juive de New York et rédacteur de *Regards sur Israël*, Michel Solomon a fait dans ses livres le récit de son incarcération en Sibérie et en Roumanie. Il est également l'auteur d' *Eden retrouvé*, roman portant sur les problèmes de l'immigrant d'Europe de l'Est au Canada.

## ŒUVRES

**Magadan,** histoire. Traduit de l'anglais par Jacques La Salle. Montréal, Éditions de l'Homme, 1973. 390 p.: carte. ISBN 0-7759-0392-2.

**La Struma,** histoire. Traduit et adapté de l'anglais par Gilbert La Rocque. Montréal, Éditions de l'Homme, 1974. 326 p.: ill., fac-sim. ISBN 0-7759-0431-7.

**Mon calvaire roumain,** histoire. Préface de Fernand Ouellet. Montréal, Éditions de l'Homme, 1976. 390 p. ISBN 0-7759-0488-0.

**Éden retrouvé,** roman. Montréal, Québec-Amérique, 1980. 479 p. ISBN 2-89037-018-6.

**David**
**SOLWAY**

(Montréal, – ). David Solway a étudié l'anglais et la philosophie à l'université McGill. Il passa ensuite quelque temps à l'emploi de CBC et enseigne désormais la poésie au collège John Abbott.

## ŒUVRES

**In My Own Image,** poésie. Montréal, McGill Poetry Series, 1962.

**The Crystal Theatre.** Fredericton, Fiddlehead, 1971.

**Paximalia.** Fredericton, Fiddlehead, 1972.

**The Egyptian Airforce.** Fredericton, Fiddlehead, 1973.
**Four Montreal Poets,** anthologie. Sous la direction de David Solway. Fredericton, Fiddlehead Poetry Books, 1973. 72 p. ISBN 0-919197-63-9.
**Anacrusia.** Fredericton, Fiddlehead, 1976.
**The Road to Arginos.** Montréal, New Delta, 1976.

## Jean-François SOMCYNSKY

(Paris, France, 20 avril 1943- ). Jean-François Somcynsky a vécu quelques années en France et en Argentine puis s'est établi à Montréal en 1957. Il a poursuivi ses études universitaires à l'université d'Ottawa ; il fut président de l'Association générale des étudiants en 1968-1969 et obtint une maîtrise en économie en 1970. Après nombre d'emplois temporaires : employé d'hôtel, manœuvre, cadet dans l'aviation canadienne, arpenteur dans les forêts manitobaines, fonctionnaire dans plusieurs ministères, il entre aux Affaires extérieures en 1971 où il travaille toujours. Il a écrit nombre de textes dramatiques pour la radio et la télévision de Radio-Canada et publié dans *Liberté, le Droit,* les *Écrits du Canada français, Dimensions* et *la Forge*. Il est membre du Centre d'essai des auteurs dramatiques depuis 1975 et a d'ailleurs à son actif quelques pièces de théâtre inédites. Il a reçu en 1981 le Prix de la revue *Solaris* pour sa nouvelle de science-fiction intitulée *2500.*

### ŒUVRES

**Les Rapides,** roman. Montréal, Cercle du livre de France, 1966. 222 p.
**Encore faim,** roman. Montréal, Cercle du livre de France, 1971. 260 p. Coll. « Nouvelle-France ». ISBN 0-7753-0008-X.
**Les Grimaces,** nouvelles. Montréal, Cercle du livre de France, 1975. 244 p. ISBN 0-7753-0066-7.
**Le Diable du Mahani,** roman. Montréal, Cercle du livre de France, 1978. 174 p. ISBN 0-7753-0125-6.
**Les Incendiaires,** roman. Montréal, Cercle du livre de France, 1980. 138 p. ISBN 2-89051-035-2.
**Peut-être à Tokyo,** nouvelles. Sherbrooke, Naaman, 1981. 137 p. Coll. « Création », 86. ISBN 2-89040-176-6.
**Trois Voyages,** poésie. Hull, Asticou, 1982. 80 p. ISBN 2-89198-034-4.

## Richard SOMMER

(Saint-Paul, Minn., États-Unis, 27 août 1934- ). Au Québec depuis 1962, Richard Sommer a étudié aux universités du Minnesota et Harvard. Professeur à l'université Concordia, il y enseigne la littérature.

### ŒUVRES

**The Odyssey and Primitive Religion,** essai. En collaboration avec Georg Roppen. Norwegian University Press, 1962.
**Strangers and Pilgrims,** essai. Norwegian University Press, 1964.
**Homage to Mr. Macllullin,** poésie. Montréal, Delta, 1969.
**Blue Sky Notebook,** poésie. Montréal, Delta, 1974.
**Left Hand Mind,** poésie. Montréal, New Delta, 1976.
**Milarepa,** poésie. Montréal, New Delta, 1976.
**The Other Side of Games,** poésie. Montréal, New Delta, 1977.

## Charles SOUCY

(Pabos, 1933- ). Récipiendaire du Prix Jean-Béraud-Molson en 1973 pour *Heureux ceux qui possèdent*, Charles Soucy a publié des nouvelles dans *Châtelaine* et les *Écrits du Canada français.* Il est à ce jour auteur de quatre ouvrages.

### ŒUVRES

**Le Voyage à l'imparfait,** roman. Montréal, Cercle du livre de France, 1968.
**Heureux ceux qui possèdent,** conte philosophique. Montréal, Cercle du livre de France, 1973. 136 p. ISBN 0-7753-0034-9.
**À travers la mer,** roman. Montréal, Cercle du livre de France, 1974. 143 p. ISBN 0-7753-0048-9.
**Chroniques des saisons gaspésiennes.** Montréal, Cercle du livre de France, 1978. 220 p. ISBN 0-7753-0131-0.

**Jean-Yves SOUCY**

(Causapscal, 2 mars 1945– ). Après avoir vécu un peu partout au Québec et occupé divers emplois, Jean-Yves Soucy travaille quelque six ans comme comptable dans un établissement bancaire, puis vient s'installer à Montréal où il œuvre comme travailleur social chez les Petits Frères des pauvres (1972–1976). Journaliste à Radio-Canada international (1978-(1979), rédacteur pour un temps à Radio-Québec, il collabore également à la publication *le Livre d'Ici*. Jean-Yves Soucy qui « ne se considère pas comme un écrivain mais comme un romancier, c'est-à-dire un conteur », publie son premier roman en 1976, *Un dieu chasseur*, qui lui vaut le Prix de la revue *Études françaises* (1976) et le Prix de la Presse (1978).

## ŒUVRES

**Un dieu chasseur,** roman. Montréal, Presses de l'université de Montréal, 1976. 203 p. ISBN 0-8405-0341-5.

**Les Chevaliers de la nuit,** roman. Montréal, La Presse, 1980. 329 p. Coll. « Romans d'aujourd'hui ». ISBN 2-89043-044-8.

**L'Étranger au ballon rouge,** contes. Montréal, La Presse, 1981. 157 p. ISBN 2-89043-064-2.

## ŒUVRE TRADUITE

**Creatures of the Chase,** roman. Traduction anglaise de John Glassco ; titre original : **Un dieu chasseur.** Toronto, McClelland & Stewart, 1979.

**Maurice SOUDEYNS**

(Montréal, 9 août 1944– ). Poète, Maurice Soudeyns a publié à l'Hexagone et à Cul-Q. Il a travaillé au théâtre et en publicité, est passé de l'enseignement à l'administration, du cinéma au graphisme, du taxi à l'hôtellerie. Il a écrit deux scénarios de fiction pour Radio-Québec en 1979 et 1980 et effectué des recherches sur le monde du travail au Québec. Maurice Soudeyns

Kèro

s'intéresse également à la psychologie analytique, à la micro-sociologie et à la théorie des symboles.

## ŒUVRES

**L'Orée de l'éternité,** poésie. Illustrations de l'auteur. Montréal, L'Hexagone, 1972. 47 p. : ill. Coll. « Les Matinaux », 16.

**La Trajectoire,** poésie-essai rythmique. Illustrations de l'auteur. Montréal, L'Hexagone, 1974. 66 p. : ill.

**Chas,** dessins et légendes poétiques. Illustrations de l'auteur. Montréal, Cul-Q, 1974. N.p. : ill.

**Robert SOULIÈRES**

Diane Hardy

(Montréal, 4 janvier 1950– ). Chroniqueur au *Guide des Laurentides*, collaborateur à *Lurelu* et *Vidéo-Presse*, Robert Soulières écrit de la littérature pour enfants. Bachelier ès arts du collège Saint-Ignace (1969) et détenteur d'un baccalauréat en information scolaire et professionnelle de l'université de Montréal (1972), il a enseigné cette discipline à la polyvalente Lavigne de Lachute de 1972 à 1974 avant de devenir agent d'information pour la commission scolaire Saint-Jérôme, poste qu'il occupe toujours. Membre du Cercle de presse des Laurentides et de l'Association des relationistes du Québec, il siège au conseil d'administration de Communication-Jeunesse depuis 1980. Son roman, *le Visiteur du soir*, lui a valu le Prix Alvine-Bélisle et son conte, *Seul au monde,* le Prix Communication-Jeunesse.

## ŒUVRES

**Max le magicien,** conte. Illustrations de Christiane Valcourt. Montréal, La Courte Échelle, 1979. N.p.: ill. part. en coul. ISBN 2-89021-008-1.

**Le Bal des chenilles,** conte. Illustrations de Michèle Lemieux. Montréal, Cercle du livre de France, 1979. 24 p.: ill.

**Une bien mauvaise grippe,** conte. Illustrations de Michèle Lemieux. Montréal, Cercle du livre de France, 1980. 21 p.: ill. ISBN 2-89051-016-6.

**Le Visiteur du soir,** roman. Montréal, Cercle du livre de France, 1980. 147 p.: ill., portr. Coll. « Conquêtes ». ISBN 2-89051-039-5.

**Ma tante Marie-Blanche,** conte. Illustrations de M. Gravel-Pelletier. Montréal, Québec-Amérique, 1980. N.p.: ill. en maj. part. en coul. Coll. « Jeunesse ». ISBN 2-89037-028-3.

**L'Homme aux oiseaux,** conte. Illustrations de M. Gravel-Pelletier. Montréal, Québec-Amérique, 1980. N.p.: ill. en maj. part. en coul. Coll. « Jeunesse ».

**La Baleine fantastique,** conte. Illustrations de Michèle Lemieux. Montréal, Cercle du livre de France, 1980. N.p.: ill. Coll. « Le Marchand de sable ». ISBN 2-89051-018-2.

**Le Voyage de Monsieur Fernand,** conte. Illustrations de Lorraine Laflamme. Saint-Lambert, Héritage, 1981. N.p.: ill. en maj. part. en coul. Coll. « Brindille ». ISBN 0-7773-4337-1.

**Seul au monde,** conte. Illustrations de Philippe Béha. Montréal, Éditions Québec-Amérique, 1982. N.p.: ill. Coll. « Jeunesse ». ISBN 2-89037-122-0.

**Un été sur le Richelieu.** Montréal, Cercle du livre de France, 1982. 136 p. Coll. « Conquêtes ».

## Julie STANTON

Claude Huot

(Québec, 26 janvier 1938– ). Après l'obtention de son baccalauréat ès arts au collège de Bellevue (1958), Julie Stanton devient « mère à temps plein », jusqu'à son divorce en 1973. Elle suit alors un cours en communication à l'université Laval, y acquiert un baccalauréat (1978), devient journaliste à la pige et correspondante à Québec pour les pages culturelles du *Devoir*. Membre du Conseil de presse du Québec, elle a également fait paraître des articles dans *Châtelaine, Perspectives, la Gazette des femmes* et plusieurs autres publications.

## ŒUVRES

**Je n'ai plus de cendre dans la bouche,** poésie. Illustrations de Jovette Marchessault ; photos de Josie Coulombe. Montréal, La Pleine Lune, 1980. 45 p.: ill. Coll. « Poésie ». ISBN 2-89024-002-9.

**Ma fille comme une amante,** récit. Montréal, Leméac, 1981. 95 p. Coll. « Roman québécois », 46. ISBN 2-7609-3054-8.

**La Nomade,** poésie. Avec des dessins d'Andrée Veilleux. Montréal, L'Hexagone, 1982. 55 p.: ill. ISBN 2-89006-197-3.

## Carl STEINBERG

Voir Gilbert Langevin.

## Effaime STÉRÉO

Voir Claude-Alexandre Desmarais.

## Pierre STEWART

(Saint-Alexandre, comté Iberville, 17 avril 1940– ). Après des études au séminaire Saint-Jean (1959), Pierre Stewart complète un baccalauréat (1962) et une maîtrise en physique (1965) à l'université de Montréal. Analyste en informatique au Centre de calcul de l'université de Montréal dès la fin de son cours, il en devient le directeur-adjoint en 1973. *L'Amour d'une autre*, son premier ouvrage, lui a valu le Prix du Cercle du livre de France en 1975.

### ŒUVRES

**L'Amour d'une autre,** sotie. Montréal, Cercle du livre de France, 1975. 159 p. ISBN 0-7753-0081-0.

**La Gisante,** roman. Montréal, Cercle du livre de France, 1978. 157 p. ISBN 0-7753-0132-9.

## Patrick STRARAM LE BISON RAVI

Marc Kramer

(Paris, France, 12 janvier 1934– ). « Blues clair. 1934. Le 12 janvier un peu avant 16 heures je nais dans le 15e arrondissement à Paris. L'année de fondation de la Cinémathèque française, du Quintette du Hot-Club de France avec Django Reinhardt et de l'Orchestre symphonique de Montréal (premier concert le 14 janvier 1935), 1934 l'année de la première télévision... 1948. À 14 ans j'abandonne famille et études. Commence avoir lieu dans la rue. 1954. À 20 ans je quitte à jamais la France (Saint-Germain-des-Prés et Internationale Situationniste). Ouvrier agricole, ouvrier de la construction, peintre en bâtiment, garçon de table dans une taverne, travailleur du bois (surtout), fin 1958 commis à la salle des nouvelles télévision de Radio-Canada. (Montaigne, Nietzsche, Sartre, Barthes, Prévert, Cocteau, Joyce, Pasolini.) Je découvre au Québec des racines qui parlent mon cœur et un procès historique qui m'engage. À Montréal je fonde avec Jean-Paul Ostiguy et anime le Centre d'art de l'Élysée, à partir duquel sont entièrement transformés ici cinéma, chanson, information culturelle, rencontres. Censure et critique. Je participe du début à la fin à l'opération décisive "Parti pris". Radio, télévision, débats, écritures. Brechtismes. Associacion Espanola du cher Pedro Rubio Dumont. 4 janvier 1968: train pour la Californie. 16 octobre 1970: arrestation à 5 heures du matin à Cap-Chat (18 jours de prison, Loi des mesures de guerre). Très souvent "assisté social". *Misère.* Quatre désirs / projets d'enfant: conduire des trains, faire une carrière de coureur cycliste, être un batteur de jazz, écrire — le 4e se concrétise. »

### ŒUVRES

**En train d'être en train vers où être, Québec...,** sous forme de journal tabloïd. Montréal, L'Obscène Nyctalope Éditeur, 1971. 28 p.: 112 ill.

**One + one: cinémarx & Rolling Stones.** Montréal, Les Herbes rouges, 1971. 109 p.: plus index.

**Gilles-cinéma-Groulx le Lynx inquiet 1971.** En collaboration avec Jean-Marc Piotte Pio le fou. Montréal, Cinémathèque québécoise, Éditions Québécoises, 1971. 142 p.: 108 ill., fac-sim., portr.

**Irish coffees au No Name bar & Vin rouge Valley of the Moon.** Montréal, L'Obscène Nyctalope Éditeur, L'Hexagone, 1972. 249 p.: 84 ill.

**4 × 4/4 × 4.** Montréal, Les Herbes rouges, n° 16, janvier 1974. 64 p.: ill.

**Questionnement socra/cri/tique.** Montréal, L'Aurore, 1974. 263 p.: 56 ill. Coll. « Écrire », 2. ISBN 0-88532-017-4.

**Portraits du voyage.** En collaboration avec Madeleine Gagnon et Jean-Marc Piotte. Montréal, L'Aurore, 1975. 96 p.: ill. Coll. « Ecrire ». ISBN 0-88532-032-8.

**La Faim de l'énigme.** Montréal, L'Aurore, 1975. 170 p. Coll. « L'Amélanchier », 4. ISBN 0-88532-031-X.

**Bribes 1/pré-textes & lectures.** Montréal, L'Aurore, 1975. 150 p.: 71 ill. Coll. « Écrire », 11. ISBN 0-88532-108-1.

**Bribes 2/le bison ravi fend la bise.** Montréal, L'Aurore, 1976. 96 p.: 24 ill. Coll. « Écrire ». ISBN 0-88532-112-X.

**Marguerite Duras: films.** Montréal, Cinémathèque québécoise, musée du Cinéma. 1981. N.p.

## Philip STRATFORD

(Chatham, Ontario, 13 octobre 1923– ). Philip Stratford obtient en 1954 un B.A. de l'université Western Ontario puis, en 1954, un doctorat en littérature comparée de la Sorbonne. Professeur d'études anglaises à l'université Western Ontario jusqu'en 1964, il enseigne dès lors à l'université de Montréal. L'Association des traducteurs littéraires le compte parmi ses membres fondateurs (1975).

## ŒUVRES

**Faith and Fiction, Creative Process in Greene and Mauriac.** Indiana (U.S.A.), Notre-Dame University Press, 1964. XIII-346 p.

**Marie-Claire Blais,** essai et critique. Toronto, Forum House, 1970. 70 p. Coll. « Canadian Writers ».

**Stories from Québec.** Toronto, Van Nostrand Reinhold, 1974. 175 p.: ill. ISBN 2-442-29910-9 et 0-442-27910-8.

**Olive : a dog — Olive : un chien.** Montréal, Tundra Books, 1976. N.p.: en maj. part. ill. en coul. ISBN 0-88776-062-7.

**Bibliography of Canadian Books in Translation — Bibliographie de livres canadiens en traduction.** Ottawa, Humanities Research Council, 1977. XVII-318 p.

**Voices from Quebec : an Anthology of Translations.** Sous la direction de Philip Stratford et Michael Thomas. Toronto, Van Nostrand Reinhold, 1977. VIII-215 p.: ill., notations musicales. ISBN 0-442-29873-0 et 0-442-28854-4.

## TRADUCTIONS

**Convergence, Essays from Québec.** Traduction anglaise de **Convergences** de Jean Le Moyne. Toronto, Ryerson Press, 1966. 256 p.

**In an Iron Glove,** roman. Traduction anglaise de **Dans un gant de fer** de Claire Martin. Toronto, Ryerson Press, 1968. IX-327 p.

**André Laurendeau, Witness for Quebec.** Traduction d'écrits d'André Laurendeau. Toronto, Macmillan, 1973. 296 p.

**The Madman, the Kite and the Island,** roman. Traduction anglaise de **Le Fou de l'île** de Félix Leclerc. Ottawa, Oberon Press, 1976. ISBN 0-88750-175-3.

**Pélagie,** roman. Traduction anglaise de **Pélagie-la-Charette** d'Antonine Maillet. New York (U.S.A.) Doubleday, 1982. 282 p.

## Louis SUTAL

Pseud. de Normand Côté.

(Montréal, 20 février 1939– ). Auteur de romans de science-fiction pour adolescents, Louis Sutal est détenteur d'une licence (1969) et d'une maîtrise (1970) en littérature canadienne de l'université de Montréal. Professeur de français langue seconde au Service d'éducation des adultes de la Commission des écoles catholiques de Montréal depuis 1971, il s'intéresse particulièrement à l'Amérique latine, aux cultures amérindiennes et à la vie des immigrants à Montréal. Un de ses contes est paru dans *le Journal Tintin* (vol. 26, n° 4) et il a publié une série d'articles sur les immigrants dans le magazine *Vidéo-Presse.*

## ŒUVRES

**La Mystérieuse Boule de feu,** roman pour adolescents. Illustrations de Louis Dario. Sherbrooke, Éditions Paulines, 1971. 111 p.: ill. Coll. « Jeunesse-pop », 3. ISBN 0-88840-288-0.

**Menace sur Montréal,** roman pour adolescents. Illustrations de Gabriel de Beney. Sherbrooke, Éditions Paulines, 1972. 122 p.: ill. Coll. « Jeunesse-pop », 9. ISBN 0-88840-336-4.

**Le Piège à bateaux,** roman pour adolescents. Illustrations de Gabriel de Beney. Sherbrooke, Éditions Paulines, 1973. 123 p.: ill. Coll. « Jeunesse-pop », 4. ISBN 0-88840-400-X.

**Révolte secrète,** roman pour adolescents. Illustrations de Gabriel de Beney. Montréal, Éditions Paulines, 1974. 125 p.: ill. Coll. « Jeunesse-pop », 18. ISBN 0-88840-435-2.

**La Planète sous le joug,** roman pour adolescents. Illustrations de Gabriel de Beney. Montréal, Éditions Paulines, 1976. 110 p.: ill. Coll. « Jeunesse-pop », 24. ISBN 0-88840-565-0.

**Panne dans l'espace,** roman pour adolescents. Illustrations de Gabriel de Beney. Montréal, Éditions Paulines, 1977. 122 p.: ill. Coll. « Jeunesse-pop », 30. ISBN 0-88840-602-9.

## Ronald SUTHERLAND

(Montréal, 10 novembre 1933– ). Ronald Sutherland est professeur de littérature comparée à l'université de Sherbrooke. Il est l'auteur d'essais et de romans, est détenteur d'une maîtrise de l'université McGill, d'un doctorat de l'université Wayne State et a également fréquenté l'université de Glasgow. Il a été membre des comités de rédaction des revues *Canadian Literature* et *Canadian Journal of Comparative Literature.*

## ŒUVRES

**The Structure of Verse : Modern Essays in Prosody.** S.l., Fawcett, 1966.

**The Romaunt of the Rose.** S.l., Basil Blackwell, 1967.

**Frederick Philip Grove.** Toronto, McClelland & Stewart, 1969.

**Second Image : Comparative Studies in Quebec/Canadian Literature.** Toronto, New Press, 1971. XIV-189 p. : ill. ISBN 0-88770-047-0.

**Lark des Neiges,** roman. Toronto, New Press, 1971. 151 p. ISBN 0-88770-088-8.

**Where Do the MacDonalds Bury their Dead,** roman. Don Mills, General Publishing, 1976.

**The New Hero : Essays in Comparative Quebec/Canadian Literatures.** Toronto, Macmillan, 1977. 118 p. ISBN 0-7705-1613-0.

## ŒUVRE TRADUITE

**Un héros nouveau : études comparatives des littératures québécoise et canadienne-anglaise.** Traduction française de Jacques de Roussan ; titre original : **The New Hero : Essays in Comparative Quebec/Canadian Literatures.** Montréal, Cercle du livre de France, 1979. 172 p. Coll. « Des deux solitudes ». ISBN 2-89051-007-7.

# SUZIE

Pseud. de Suzanne Blais.

(Sherbrooke, 1er juin 1949–      ). Professeure, tour à tour au Québec et en Ontario, Suzanne Blais a complété un B.A. en éducation à l'université Laval en 1970. Elle est l'auteure de trois contes pour enfants parus dans la collection « Monsieur Hibou » des Éditions Paulines et elle s'adonne également à la peinture.

## ŒUVRES

**Les Trois Petits Sapins,** conte pour enfants. Illustrations de l'auteure. Montréal, Éditions Paulines, 1974. N.p. : ill. part. en coul. Coll. « Monsieur Hibou », 1. ISBN 0-88840-423-9.

**Les Amis de Pierrot,** conte pour enfants. Illustrations de l'auteure. Montréal, Éditions Paulines, 1974. N.p. : ill. part. en coul. Coll. « Monsieur Hibou », 2. ISBN 0-88840-424-7.

**La Bottine vagabonde,** conte pour enfants. Illustrations de l'auteure. Montréal, Éditions Paulines, 1975. N.p. : ill. part. en coul. Coll. « Monsieur Hibou », 5. ISBN 0-88840-503-6.

# Désirée SZUCSANY

(Montréal, 14 février 1955–      ). Née d'un père d'origine hongroise et d'une mère québécoise, Désirée Szucsany a vécu son enfance dans un milieu où la pratique artistique s'imposait. C'est ainsi qu'elle aura été amenée à choisir l'écriture. Elle travaillera dans les milieux les plus divers avant de fonder sa propre maison d'édition, Déesse, en 1980.

## ŒUVRES

**La Chasse-gardée,** roman. S.l., Déesse, 1980. 167 p. ISBN 2-89182-000-2.

**Le Violon,** roman. Montréal, Québec-Amérique, 1981.

**La Passe,** récits. Montréal, Quinze Éditeur, 1981. 123 p. Coll. « Prose entière ». ISBN 2-89026-273-1.

# T

**Paul**
**TAILLEFER**

(Charlemagne, comté l'Assomption, 13 juillet 1952-      ).

**ŒUVRE**

**Dilemmes,** poésie. Illustrations de Louise Martineau. Sorel, Éditions Gar-Nouille, 1982. N.p. : ill.

**Michèle**
**TALBOT**

(Montmorency, 18 décembre 1930-      ). Poète, conteuse et peintre, Michèle Talbot a complété un cours classique à l'institut Maria de Québec en 1948. Responsable puis promotrice de projets d'initiative locale en 1972-1973 et en 1975-1976, elle est depuis 1978 animatrice et guide au haut-commissariat aux Loisirs et aux Sports. Membre de la Société des poètes canadiens-français, elle a collaboré à la revue *Poésie*. Peintre, elle a ouvert un atelier de peinture de 1964 à 1967 et a fait depuis cette date plusieurs expositions.

**ŒUVRES**

**Un conte.** Québec, chez l'auteure, 1970. N.p.
**Nuits d'avril,** poésie. Québec, Garneau, 1971. 103 p. Coll. « Garneau poésie ».
**Cantilène,** trilogie. Québec, Garneau, 1974. 67 p. Coll. « Garneau poésie ».

**Raynald**
**TALBOT**

(Saint-Honoré de Beauce, 7 mars 1934-      ). Après avoir obtenu ses brevets d'enseignement en 1952 et en 1954, Raynald Talbot a successivement enseigné à Saint-Roch de Québec (1954-1955), à Rivière-du-Loup (1955-1958), à Sainte-Foy (1958-1959), à Saint-Pascal de Kamouraska (1959-1961) et à Saint-Joseph de Québec (1961-1962). Il se consacra alors à ses études, ce qui lui permit d'acquérir un baccalauréat en catéchèse (1963) et une licence ès lettres (1965). Il retourna ensuite à l'enseignement (1965-1969), puis, pour une seconde fois, revint aux études et obtint une maîtrise de l'université Laval (1970) et un doctorat de l'université de Sherbrooke (1972). Il enseigne depuis lors tout en écrivant de la poésie, des contes, des pièces de théâtre et des paroles de chansons pour les enfants et les adultes.

**ŒUVRES**

**Le vent m'a conté,** conte pour enfants. Illustrations de Michel Lepage. Sainte-Foy, Éditions du Merle bavard, 1975. 24 p. : ill.

**Les Ramages du bosquet,** conte pour enfants. Illustrations de Michel Lepage. Sainte-Foy, Éditions du Merle bavard, 1976. 32 p.: ill.
**Les Échos de la ferme,** conte pour enfants. Illustrations de Michel Lepage. Sainte-Foy, Éditions du Merle bavard, 1976. 32 p.: ill.
**Mes premiers pas sur le plateau,** théâtre pour enfants. Sainte-Foy, Éditions du Merle bavard, 1976. 77 p.
**Un œil dans les coulisses,** théâtre pour enfants. Sainte-Foy, Éditions du Merle bavard, 1976. 85 p.
**Chut! On joue la comédie,** théâtre pour enfants. Sainte-Foy, Éditions du Merle bavard, 1977. 98 p.
**En scène... rideau,** théâtre pour enfants. Sainte-Foy, Éditions du Merle bavard, 1977. 111 p.
**Les Débuts sous le soleil.** Illustrations de Michel Lepage. Sainte-Foy, Éditions du Merle bavard, 1977. 32 p.: ill.
**Place au théâtre,** théâtre pour enfants. Sainte-Foy, Éditions du Merle bavard, 1978. 112 p.
**Le Récit I.** Sainte-Foy, Éditions du Merle bavard, 1978. 124 p.
**Le Récit II.** Sainte-Foy, Éditions du Merle bavard, 1979. 124 p.
**Fables du ruisseau perdu.** Sainte-Foy, Éditions du Merle bavard, 1979. 40 p.
**Franfreluches,** saynètes pour enfants. Sainte-Foy, Éditions du Merle bavard, 1979. 40 p.
**Bulles de savon,** saynètes pour enfants. Sainte-Foy, Éditions du Merle bavard, 1979. 40 p.
**Fariboles,** poésie pour enfants. Sainte-Foy, Éditions du Merle bavard, 1979. 40 p.
**Mon voilier rouge,** poésie pour enfants. Sainte-Foy, Editions du Merle bavard, 1979. 40 p.
**Sketches de Noël,** théâtre pour enfants. Sainte-Foy, Éditions du Merle bavard, 1979. 75 p.
**Qui me rendra la pareille?,** théâtre pour adultes. Sainte-Foy, Éditions du Merle bavard, 1979. 58 p.
**Barbes de sucre,** saynètes pour enfants. Sainte-Foy, Éditions du Merle bavard, 1980. 40 p.
**Pieds de vent,** poésie pour enfants. Sainte-Foy, Éditions du Merle bavard, 1980. 40 p.
**Boule de laine,** opéra pour enfants. Sainte-Foy, Éditions du Merle bavard, 1980. 57 p.
**Six Chansons.** Sainte-Foy, Éditions du Merle bavard, 1980. 40 p.
**Feux de cheminée.** Sainte-Foy, Éditions du Merle bavard, 1980. 57 p.

## TANTE LUCILLE

Voir Lucille.

## Élie TARAKDJIAN

(Le Caire, Égypte, 7 avril 1949–    ). Arrivé au Québec en 1969, Élie Tarakdjian enseigne depuis à la commission scolaire régionale des Bois-Francs. En 1976, il terminait un baccalauréat en chimie de l'université du Québec à Trois-Rivières. Éditeur, copropriétaire et codirecteur des Éditions Pourquoi-Pas, il a publié de la poésie ainsi qu'un essai critique. Si ses premiers écrits inédits furent en langue arabe, il a cependant publié en français.

### ŒUVRES

**Croisière,** poésie. Illustrations de Josée Bédard et Lucie Laforêt. Trois-Rivières, Éditions B.R.S., 1976. N.p.: ill.
**Rencontre,** poésie. Illustrations d'Yves Samson. Trois-Rivières, Éditions B.R.S., 1979. 150 p.: ill.
**Wô,** critique. En collaboration avec André Turgeon et Sylvain Carignan; illustrations de Sylvain Carignan. Arthabaska, Éditions Pourquoi-Pas, 1979. 110 p.: ill., fac-sim.

## Gilbert TARRAB

(Beyrouth, Liban, 28 août 1940–    ). Auteur d'un roman et d'essais en psychologie sociale et industrielle, en sociologie, en sciences administratives et en littérature, Gilbert Tarrab a également publié des articles sur des sujets variés dans *la Presse, le Devoir, Livres et Auteurs québécois, Sociologie et Société,* etc. Membre de la Corporation des psychologues du Québec et de l'Association des psychologues humanistes (États-Unis), il a complété à la Sorbonne des licences en psychologie (1962) et en sociologie (1967), des diplômes d'études supérieures en psychologie sociale (1963) et industrielle (1964) et un doctorat en psychologie (1967).

Professeur à l'université du Québec à Montréal depuis 1977, il avait auparavant enseigné à l'université de Montréal en 1964-1965 et de 1969 à 1976. Gilbert Tarrab a remporté le Prix littéraire Hachette pour un essai inédit sur *la Peste* d'Albert Camus et c'est sur son livre intitulé *Jacques Grand'Maison: le roc et la source* que s'est porté le Choix du libraire en 1980. Il est également directeur de la collection « Traces et Paroles » aux Éditions Nouvelle Optique depuis 1979.

## ŒUVRES

**Les Désabusés,** roman. Paris, Éditions du Scorpion, 1962. 200 p. Coll. « Alternances ».

**La Route des grandes vacances,** essai. En collaboration avec M.J. de Fozières. Paris, Éditions Éducation et Vie sociale, 1968. 250 p.: graph.

**Ionesco à cœur ouvert. Séries d'entretiens accordés à Gilbert Tarrab par Eugène Ionesco,** précédés d'**Un essai de sociologie du théâtre d'Ionesco.** Montréal, Cercle du livre de France, 1970. 120 p.

**Initiation à la pratique du test de Rorschach.** Montréal, Presses de l'université de Montréal, 1970. 275 p. ISBN 0-8405-0157-9.

**Mythes et Symboles en dynamique de groupe,** essai. Montréal, Aquila, 1971. 218 p. Coll. « Sciences sociales ». ISBN 0-88150-028-X.

**Introduction à la psychologie industrielle,** essai. Montréal, La Presse, 1973. 160 p. ISBN 0-7777-0046-8.

**Le Théâtre du nouveau langage.** T. I: **Essai sur le drame et la parole.** Préface de Fernand Dumont. Montréal, Cercle du livre de France, 1973. 309 p. ISBN 0-7753-8500-X.

**Le Théâtre du nouveau langage.** T. II: **Théâtre et Contestation,** essai. Préface de Marcel Rioux. Montréal, Cercle du livre de France, 1973. 311 p. ISBN 0-7753-8503-4.

**La Polémique québécoise autour de la question de l'avortement et l'Affaire Morgentaler.** En collaboration. Montréal, Aquila, 1975. ISBN 0-88510-034-4.

**Culture, Aménagement et Territoire: le cas du Québec,** essai. En collaboration avec Guy Dubreuil; préface de Marcel Junius. Montréal, Éditions Georges Le Pape, 1976. 195 p.: ill. Coll. « Culture, Territoire et Aménagement ». ISBN 0-88536-029-X.

**Le Sens de l'événement,** essai. Préface de Guy Rocher. Montréal, Nouvelle Optique, 1980. 173 p. Coll. « Matériaux ». ISBN 2-89017-004-7.

**Jacques Grand'Maison: le roc et la source,** essai. Illustrations de Robert Etcheverry. Montréal, Nouvelle Optique, 1980. 184 p.: ill. Coll. « Traces et Paroles ». ISBN 2-89017-001-2.

**L'Entreprise participatoire au Québec et en Ontario.** En collaboration avec Pierre d'Aragon. Montréal, Presses de l'université du Québec, 1980. 250 p.: graph. et tableaux.

**Les Nouvelles Formes d'organisation du travail,** essai. Ottawa, Travail-Canada, 1980. 145 p. Coll. « La Qualité de la vie au travail ». ISBN 0-662-90815-5.

**Les Sciences administratives à travers les textes,** essai. Préface de Paul dell'Aniello. Montréal, Science et Culture, 1980. 225 p.

## ŒUVRE TRADUITE

**Psicologia Industrial,** essai. Traduction portugaise de Manuel Antunes Neto; titre original: **Introduction à la psychologie industrielle.** Lisbonne, Publicaçoes Europa-America, 1977. 156 p.: graph. et tableaux. Coll. « Saber ».

## Alou et Aède
## TÉNIA

Voir Alphonse Ouellet.

## Jean
## TÉTREAU

(Montréal, 26 octobre 1923– ). Bachelier ès lettres du collège Bourget de Rigaud (1945), Jean Tétreau est l'auteur de nombreux essais, de romans, de nouvelles et d'une pièce de théâtre. Il a travaillé à Rimouski comme rédacteur pour un poste de radio (1948–1954), à Montréal comme rédacteur de nouvelles pour Radio-Canada (1954–1960), à Paris à titre de directeur des informations de cette même société (1960–1965) et est pigiste depuis lors. Membre de la Société culturelle Québec/URSS de 1971 à 1974, il a traduit des contes de Gogol, Tchekhov, Tourgueniev, etc. Il a collaboré à *l'Action nationale, l'Information médicale et paramédicale, Amérique française, Forces, le Devoir* et *le Progrès du golfe.*

## ŒUVRES

**Essais et Mélanges.** Paris, Renée Lacoste, 1950. 96 p.

**Journal d'un célibataire,** essai. Paris, Renée Lacoste, 1952. 153 p.

**Essais sur l'homme.** Montréal, chez l'auteur, 1960. 247 p.

**Le Moraliste impénitent,** essai. Paris, Éditions de la Diaspora française, 1965. 229 p. Coll. « Les Essais ».

**Les Nomades,** roman. Montréal, Éditions du Jour, 1967. 260 p. Coll. « Les Romanciers du Jour ».
**Lettre sur la philosophie naturelle,** essai. Montréal, L'Action nationale, 1968. 45 p.
**Stratégie de la paix,** essai. Ottawa, L'Association canadienne des Nations-Unies, 1968. 5 p.
**Volupté de l'amour et de la mort,** nouvelles. Montréal, Éditions du Jour, 1968. 247 p. Coll. « Les Romanciers du Jour ».
**Un seul problème : connaître,** essai. Montréal, Éditions d'Orphée, 1969. 41 p.
**Treize Histoires en noir et blanc,** nouvelles. Montréal, Éditions du Jour, 1970. 212 p. Coll. « Les Romanciers du Jour ».
**L'Univers invisible,** essai. Illustrations de l'auteur. Montréal, Éditions d'Orphée, 1971. 77 p. : ill.
**Le Réformateur,** théâtre. Montréal, chez l'auteur, 1973. 203 p.
**Remarques sur l'étude du chinois moderne,** essai. Montréal, L'Action nationale, 1976. 31 p.
**Prémonitions,** roman. Montréal, Cercle du livre de France, 1978. 132 p. ISBN 0-7753-0117-5.

## TRADUCTION

**Vieille Russie,** contes et récits de Gogol, Tourgueniev, Tchekhov et Korolenko. Traduits du russe. Montréal, Éditions Québec-URSS, Nouvelle Frontière, 1972. 112 p.

## Anne TEXIER (1944– )

## ŒUVRES

**La Quête en tête,** autobiographie. Montréal, Éditions du Serpent à plumes, 1979. 170 p. ISBN 2-920126-00-8.
**Mon panier percé.** Montréal, Éditions du Serpent à plumes, 1980. 92 p. ISBN 2-920126-01-6.

## Jean-Yves THÉBERGE

Jean-Paul Coulombe

(Saint-Mathieu, comté Rimouski, 17 septembre 1937– ). Bachelier ès arts et ès sciences sociales de l'université d'Ottawa, Jean-Yves Théberge détient également un brevet A de l'université du Québec à Montréal (1973). Conseiller pédagogique à la commission scolaire régionale Honoré-Mercier et chargé de cours à l'université de Sherbrooke, il est aussi membre du conseil d'administration du Conseil régional de la rive sud et président de la bibliothèque centrale de prêt pour la région sud de Montréal. Ses activités littéraires dans cette région sont nombreuses : cofondateur des Éditions Mille Roches, il a été directeur littéraire du *Canada français* de 1963 à 1977 et il poursuit des recherches historiques sur son coin de pays.

## ŒUVRES

**Entre la rivière et la montagne,** poésie. Montréal, Éditions du Jour, 1969. 76 p.
**Escale à Percé.** Dessins de Robert Lavaill. Saint-Jean, Éditions du Richelieu, 1970. N.p. : ill. en coul. Coll. « Clopin Clopan, soldat de fortune ».
**La glace est rompue.** Dessins de Robert Lavaill. Saint-Jean, Éditions du Richelieu, 1970. N.p. : ill. en coul. Coll. « Clopin Clopan, soldat de fortune ».
**N'est pas bûcheron qui veut.** Dessins de Robert Lavaill. Saint-Jean, Éditions du Richelieu, 1970. N.p. : ill. en coul. Coll. « Clopin Clopan, soldat de fortune ».
**Sentinelle de choc.** Dessins de Robert Lavaill. Saint-Jean, Éditions du Richelieu, 1970. N.p. : ill. en coul. Coll. « Clopin Clopan, soldat de fortune ».
**Touriste déçu.** Dessins de Robert Lavaill. Saint-Jean, Éditions du Richelieu, 1970. N.p. : ill. en coul. Coll. « Clopin Clopan, soldat de fortune ».
**Trappeur sans peur.** Dessins de Robert Lavaill. Saint-Jean, Éditions du Richelieu, 1970. N.p. : ill. en coul. Coll. « Clopin Clopan, soldat de fortune ».
**Histoire de l'homme : guide à l'intention des maîtres.** En collaboration avec Yves Choquette et Ronald Tougas. S.l., Éditions du Renouveau pédagogique, 1971. 76 p. : ill.
**Saison de feu,** poésie. Montréal, Éditions du Jour, 1972. 68 p. Coll. « Les Poètes du Jour ».
**Terre de Québec.** En collaboration avec Marcel Colin. Montréal, Éditions du Renouveau pédagogique, 1972. 69 p. : ill.
**Tout au long du fleuve.** En collaboration avec Marcel Colin ; photo de René Derome. Montréal, Éditions du Renouveau pédagogique, 1972. 67 p.

**Marche à l'amour.** En collaboration avec Marcel Colin. S.l., Éditions du Renouveau pédagogique, 1976. 83 p.
**Bibliographie du Haut-Richelieu.** Saint-Jean, service des moyens d'enseignement, commission scolaire régionale Honoré-Mercier, 1978. 86 p.
**À pied dans le vieux Saint-Jean.** En collaboration avec Roch Tanguay. Saint-Jean, Éditions Mille Roches, 1978. 119 p.
**De temps en temps,** poésie. Dessins de Susan Savard. Saint-Lambert, Éditions du Noroît, 1978. 77 p.: ill. ISBN 0-88524-030-8.

**France THÉORET**

Kèro

(Montréal, 17 octobre 1942– ). Tout en travaillant à l'obtention d'une licence ès lettres (1968) puis d'une maîtrise ès arts (1977) à l'université de Montréal – travaux auxquels s'ajoutent des études en sémiologie et en psychanalyse, à Paris, entre 1972 et 1974 – France Théoret participe de 1967 à 1969, à la direction de la revue *la Barre du jour*, puis à la fondation du journal féministe *les Têtes de pioche*, en 1976. Elle donne, en 1975, une communication à la Rencontre québécoise internationale des écrivains dont le thème était « la Femme et l'Écriture », signe l'un des textes de la pièce collective *la Nef des sorcières,* créée au Théâtre du Nouveau Monde en 1976, participe à la Conférence des femmes écrivains du continent américain à Ottawa, en 1978. Professeur au département de français du cégep Ahuntsic depuis septembre 1968, France Théoret collabore régulièrement à plusieurs revues : *la Nouvelle Barre du jour, Stratégie, Chroniques, Liberté, Interprétation, les Cahiers de la femme, Change* (Paris), *Sorcières* (Paris), *Exile* (Toronto), *Room of One's Own* (Vancouver), et est cofondatrice et membre du comité de rédaction du magazine culturel *Spirale.*

## ŒUVRES

**La Nef des sorcières,** théâtre. En collaboration. Montréal, Éditions Quinze, 1976. 80 p. ISBN 0-88565-010-7.
**Bloody Mary,** poésie. Illustrations de Marcel Saint-Pierre. Montréal, Les Herbes rouges, n° 45, janvier 1977. 24 p.: ill. ISSN 0441-6627.
**Une voix pour Odile,** textes. Montréal, Les Herbes rouges, 1978. 76 p. Coll. « Lecture en vélocipède », 19. ISBN 0-919727-00-X.
**Vertiges,** textes. Illustrations de François Charron. Montréal, Les Herbes rouges, n° 71, janvier 1979. 37 p.: ill. ISSN 0441-6627.
**Nécessairement putain,** textes. Illustrations de Azélie Zee Artand. Montréal, Les Herbes rouges, août 1980. 56 p. ISSN 0441-6627.
**Nous parlerons comme on écrit,** roman. Montréal, Les Herbes rouges, 1982. 176 p. Coll. « Lecture en vélocipède ». ISBN 2-920051-08-3.

**THÉRAMÈNE**

Voir Ernest Pallascio-Morin.

**Marie José THÉRIAULT**

François Rivard

(Montréal, 21 mars 1945– ). Après des études au collège Marie de France (1961), Marie José Thériault travaille successivement comme vendeuse, traductrice, interprète, correctrice d'épreuves, etc., pour divers employeurs tout en étant danseuse professionnelle de 1964 à 1973 et parolière-interprète de 1967 à 1979. Rédactrice et traductrice pour la revue *Entr'acte* (1973-1974), elle entre aux Éditions Hurtubise HMH en 1975, d'abord comme responsable des éditions et de la production, puis en octobre 1978 comme directrice littéraire. Poète et conteuse, elle a publié chez Fides, Hurtubise HMH et aux Éditions la Presse et collaboré aux revues *Châtelaine, Proscope* et *la Nouvelle Barre du jour*. Elle est membre de diverses associations, notamment de l'Union des artistes et de l'Association des écrivains de langue française.

### ŒUVRES

**Poèmes.** Montréal, Fides, 1972. 93 p. Coll. « Voix québécoises ».

**Notre royaume est de promesses,** poésie. Montréal, Fides, 1974. 59 p. Coll. « Voix québécoises ». ISBN 0-7755-0503-X.

**Pourtant le sud...,** poésie. Montréal, Hurtubise HMH, 1976. 75 p. Coll. « Sur parole ». ISBN 0-7758-0054-6.

**Lettera Amorosa,** poésie. Illustrations de Michelle Thériault. Montréal, Hurtubise HMH, 1978. 89 p. : ill. Coll. « Sur parole ». ISBN 0-7758-0159-3.

**La Cérémonie,** contes. Montréal, La Presse, 1979. 139 p. : ill. ISBN 0-7777-0210-X.

**Invariance,** poésie. Lithographies originales de Charles Lemay. Montréal, Art Global, 1980. 43 p. : ill. en coul.

**Agnès et le Singulier Bestiaire,** contes. Illustrations de Darcia Labrosse. Montréal, Pierre Tisseyre, 1982. 61 p. : ill.

### ŒUVRE TRADUITE

**The Ceremony,** contes. Traduction anglaise de David Lobdell ; titre original : **La Cérémonie.** Ottawa, Oberon Press, 1980.

### TRADUCTIONS

**Poésie et Révolution,** essai. Traduction du livre de Walter Lowenfels. Montréal, Réédition-Québec, 1971. 96 p. Coll. « Visage de l'homme ». ISBN 0-88515-001-5.

**Rocky,** roman. Traduction de **Rocky** de Julia Sorel. Montréal, Éditions Quinze, 1977. 190 p. ISBN 0-88565-102-2.

## Serge A. THÉRIAULT

(Saint-Côme, comté Berthier, 23 juillet 1947– ). Professeur à l'université du Québec à Hull depuis 1976, Serge A. Thériault a obtenu une maîtrise et un doctorat en lettres respectivement de l'université du Québec à Montréal (1974) et de l'université d'Ottawa (1978). Également diplômé en pédagogie (1969), en naturopathie (1973), en counseling (1978) et en théologie (1979), il a écrit des essais et traités portant aussi bien sur l'alimentation que sur la littérature. Collaborateur au *Journal canadien de recherche sémiotique* et à *Lettres québécoises*, il est membre fondateur de l'Association des auteurs de l'Outaouais québécois et président du Cercle sémiotique de l'Outaouais.

### ŒUVRES

**Alimentation et Santé,** traité. Montréal, Ariès, 1970. 140 p.

**What is Naturopathic Medicine?,** essai. Ottawa, Bhakti Press, 1975. 36 p.

**Jean-Jacques Rousseau et la Médecine naturelle,** essai. Montréal, L'Aurore, 1979. 150 p. Coll. « Exploration ». ISBN 2-89053-003-5.

**La Quête d'équilibre dans l'œuvre romanesque d'Anne Hébert,** essai. Hull, Asticou, 1980. 223 p. : diagr. Coll. « Centre d'études universitaires dans l'Ouest québécois », 1. ISBN 2-89198-014-X.

**Approches structurales des textes.** En collaboration avec René Juéry. Hull, Asticou, 1980. 240 p. Coll. « Centre d'études universitaires dans l'Ouest québécois », 3. ISBN 2-89198-018-2.

**L'Enfant : le comprendre pour l'aider,** essai. En collaboration. Hull, Asticou, 1980. 78 p. Coll. « Centre d'études universitaires dans l'Ouest québécois ».

## Yves THÉRIAULT

(Québec, 28 novembre 1915– ). Yves Thériault commence à travailler très jeune. Ses premiers métiers : trappeur, conducteur de camions, vendeur de fromage puis de tracteurs et speaker à la radio, le conduisent dans les différentes régions du Québec. Dans les années 1940, il entre à l'Office national du film et ensuite à Radio-Canada comme scripteur. Yves Thériault fera plus tard le tour du monde ; il séjournera notamment à Paris (le ministère des Affaires culturelles de France lui ayant accordé une bourse) et en Italie ; il sera, en 1961, l'invité du gouvernement soviétique au Festival international du film de Moscou. De descendance montagnaise, il a assumé pendant quelques années la direction des affaires culturelles au

Kèro

ministère des Affaires indiennes à Ottawa. Yves Thériault a connu aussi et surtout à peu près toutes les facettes du métier d'écrivain. Son œuvre a été couronnée de plusieurs prix dont le Prix de la province de Québec pour son roman *Aaron*, le Prix France-Canada et le Grand Prix de la province de Québec pour *Agaguk,* le Prix du Gouverneur général pour *Ashini* et le Prix Molson 1971. Son roman *Agaguk* a été traduit en plus de vingt langues et a permis de faire connaître la littérature du Québec à travers le monde. Yves Thériault est membre d'honneur de l'Union des écrivains québécois.

## ŒUVRES

**Contes pour un homme seul.** Montréal, Éditions de l'Arbre, 1944. 195 p.

**La Fille laide,** roman. Montréal, Beauchemin, 1950. 223 p.

**Le Dompteur d'ours,** roman. Montréal, Cercle du livre de France, 1951. 188 p.

**Les Vendeurs du temple,** roman. Québec, Institut littéraire du Québec, 1951. 263 p.

**Aaron,** roman. Québec, Institut littéraire du Québec, 1954. 163 p.

**Agaguk,** roman. Québec, Institut littéraire du Québec, 1958. 298 p.

**Ashini,** roman. Montréal, Fides, 1960. 173 p.

**L'Homme de la Papinachois.** Illustrations de Georges Lauda. Montréal, Beauchemin, 1960. 62 p. : ill.

**Amour au goût de mer,** roman. Montréal, Beauchemin, 1961. 132 p.

**Cul-de-sac,** roman. Québec, Institut littéraire du Québec, 1961. 223 p.

**Les Commettants du Caridad,** roman. Québec, Institut littéraire du Québec, 1961. 300 p.

**Séjour à Moscou,** essai. Montréal, Fides, 1961. 192 p.

**Le Vendeur d'étoiles,** nouvelles. Montréal, Fides, 1961. 125 p.

**Nakika,** roman pour les jeunes. Montréal, Leméac, 1962. 23 p.

**Si la bombe m'était contée,** nouvelle. Montréal, Éditions du Jour, 1962. 124 p.

**Le Grand Roman d'un petit homme.** Montréal, Éditions du Jour, 1963. 143 p.

**Le Rû d'Ikoué,** roman. Montréal, Fides, 1963. 96 p.

**La Rose de pierre; histoires d'amour,** roman. Montréal, Éditions du Jour, 1964. 135 p.

**Zibon et Coucou,** roman pour les jeunes. Montréal, Lidec, 1965. 23 p.

**La Montagne creuse,** roman pour les jeunes. Montréal, Lidec, 1965. 140 p.

**Le Secret de Mufjarti,** roman pour les jeunes. Montréal, Lidec, 1965. 135 p.

**Le Temps du carcajou,** roman. Québec, Institut littéraire du Québec, 1965. 244 p.

**Les Dauphines de monsieur Yu,** roman pour les jeunes. Montréal, Lidec, 1966. 142 p.

**Le Château des petits hommes verts,** roman pour les jeunes. Montréal, Lidec, 1966. 134 p.

**Le Dernier Rayon,** roman pour les jeunes. Montréal, Lidec, 1966. 139 p.

**L'Appelante,** roman. Montréal, Éditions du Jour, 1967. 125 p.

**La Bête à 300 têtes,** roman pour les jeunes. Montréal, Lidec, 1967. 118 p.

**Les Pieuvres,** roman pour les jeunes. Montréal, Lidec, 1968. 127 p.

**Kesten,** roman. Montréal, Éditions du Jour, 1968. 123 p.

**La Mort d'eau,** roman. Montréal, Éditions de l'Homme, 1968. 116 p.

**Le Marcheur,** théâtre. Présentation de Rénald Bérubé. Montréal, Leméac, 1968. 110 p.

**L'Île introuvable,** nouvelles. Montréal, Éditions du Jour, 1968. 173 p.

**Mahigan,** récit. Montréal, Leméac, 1968. 107 p. Coll. « Roman québécois », 2.

**N'Tsuk,** roman. Montréal, Éditions de l'Homme, 1968. 106 p. ISBN 0-7752-0019-0.

**Les Vampires de la rue Monsieur-le-Prince,** roman pour les jeunes. Montréal, Lidec, 1968. 143 p.

**Antoine et sa Montagne,** roman. Montréal, Éditions du Jour, 1969. 170 p. Coll. « Les Romanciers du Jour ».

**Tayaout, fils d'Agaguk,** roman. Montréal, Editions de l'Homme, 1969. 158 p.

**Textes et Documents,** choix de textes. Présentation de Rénald Bérubé. Montréal, Leméac, 1969. 133 p. Coll. « Documents ».

**Valérie,** scénario. Montréal, Éditions de l'Homme, 1969. 123 p.

**Fredange,** pièce en deux actes suivi de **les Terres neuves,** pièce en deux actes. Introduction de Guy Beaulne. Montréal, Leméac, 1970. 146 p. Coll. « Théâtre canadien », 15.

**Le Dernier Havre,** roman. Montréal, L'Actuelle, 1970. 142 p.

**La Passe-au-crachin,** roman. Montréal, Ferron Éditeur, 1972. 156 p.

**Les Amours de Guillemette** in **Histoire de Lavaltrie en bref** de Jean C. Hétu. Lavaltrie, R. Pelletier, 1972. 98 p.: ill., portr.

**Le Haut Pays,** roman. Montréal, Ferron Éditeur, 1973. 111 p.

**Agoak: l'héritage d'Agaguk,** roman. Montréal, Stanké, Quinze, 1975. 236 p. ISBN 0-88566-001-3.

**Œuvre de chair,** contes. Illustrations de Louisa Nicol. Montréal, Stanké, 1975. 170 p.: ill. ISBN 0-88566-005-6.

**Moi, Pierre Huneau,** narration. Illustrations de Louisa Nicol. Montréal, HMH, 1976. 135 p.: ill. Coll. « L'Arbre ». ISBN 0-7758-0072-4.

**Les Aventures d'Ori d'Or,** contes. Illustrations de Michel Poirier. Montréal, Éditions Paulines, 1979. 45 p.: ill. part. en coul. Coll. « Boisjoli », 3. ISBN 2-89039-675-4.

**Cajetan et la Taupe,** contes. Illustrations de Michel Poirier. Montréal, Éditions Paulines, 1979. 15 p.: ill. part. en coul. Coll. « Contes du pays », 1. ISBN 2-89038-016-0.

**La Quête de l'ourse,** roman. Montréal, Stanké, 1980. 384 p. ISBN 2-7604-0063-8.

**Popok, le petit Esquimau.** Montréal, Québécor, 1980. 103 p.: ill. Coll. « Jeunesse ». ISBN 2-89089-102-X.

**Le Partage de minuit,** roman. Montréal, Québécor, 1980. 203 p. Coll. « Roman ». ISBN 2-89089-103-8.

**L'Étreinte de Vénus,** contes policiers. Montréal, Québécor, 1981. 180 p. ISBN 2-89089-106-2.

**Le Château des petits hommes verts: une aventure de Volpek.** Annotée par Anthony Mollica. Montréal, Centre éducatif et culturel, 1981. 92 p. Coll. « Les Aventures de Volpek », 4. ISBN 2-7618-0072-4.

**L'Or de la felouque,** roman. LaSalle, Hurtubise, 1981. 110 p. Coll. « Jeunesse ». ISBN 2-89045-495-9.

**La Femme Anna et Autres Contes.** Montréal, VLB Éditeur, 1981. ISBN 2-89005-125-0.

**Valère et le Grand Canot,** récits. Montréal, VLB Éditeur, 1982. 286 p. ISBN 2-89005-126-9.

## ŒUVRES TRADUITES

**Agaguk,** roman. Traduction anglaise de M. Chapin. Toronto, Ryerson Press, 1963.

**Ashini,** roman. Traduction anglaise de Gwendalyn Moore. Montréal, Harvest House, 1972. 134 p. ISBN 0-88772-119-2.

**N'Tsuk,** roman. Traduction anglaise de Gwendalyn Moore. Montréal, Harvest House, 1972. 110 p. ISBN 0-88772-124-9.

**Agaguk: syn eskymachéko nacélnika,** roman. Traduction tchèque; préface d'Éva Janovcova. Prague, Edice Spirala, 1972. 254 p.

**Kesten and Cul-de-sac,** romans. Traduction anglaise de Gwendalyn Moore. Toronto, Clarke Irwin Co., 1973.

**Ways of the Flesh,** contes. Traduction anglaise de Jean David; titre original: **Œuvre de chair.** Agincourt, Gage Publishing, 1977. 177 p.: ill. ISBN 0-7715-9363-5.

## ÉTUDES

Edmond, Maurice, **Yves Thériault et le Combat de l'homme.** Montréal, Hurtubise HMH, 1973. 170 p. Coll. « Littérature », 16.

Simard, Jean-Paul, **Rituel et Langage chez Yves Thériault.** Montréal, Fides, 1979. 148 p. ISBN 2-7621-0778-4.

**Yves Thériault: dossier de presse 1944–1981.** Sherbrooke, Bibliothèque du séminaire, 1981. N.p.: ill., portr.

## Adrien THÉRIO

Kèro

(Saint-Modeste, 1925– ). Après des études secondaires au collège Saint-Alexandre de Limbour et au séminaire de Rimouski, Adrien Thério complète, en 1950, un baccalauréat ès arts à l'université d'Ottawa puis une maîtrise (1951) et un doctorat (1952) en littérature française à l'université Laval. De 1953 à 1954, il étudie la littérature américaine à Harvard grâce à une bourse de la Rockefeller Foundation et enseigne ensuite au collège Bellarmin à Louiseville, Kentucky (1954–1956) et à l'université Notre-Dame, Indiana (1956–1959). C'est à cet endroit qu'il obtient en 1959 une maîtrise en science politique. Professeur au University College de l'université de Toronto (1959-1960) et au Royal Military College de Kingston (1960–1969) où il dirigera le département de français (1962–1969), il enseigne depuis 1969 au département de lettres françaises de l'université d'Ottawa. Fondateur de *Livres et Auteurs québécois*, revue qu'il dirigea de 1961 à 1973 et dont la publication est désormais assurée par l'université Laval, Adrien Thério fondait, en 1976, *Lettres québécoises,* un magazine d'actualités littéraires.

## ŒUVRES

**Les Brèves Années,** roman. Montréal, Fides, 1953. 171 p.

**Jules Fournier, journaliste de combat,** étude. Montréal, Fides, 1954. 244 p. : ill.

**Jules Fournier.** Textes choisis et présentés par Adrien Thério. Montréal, Fides, 1957. 92 p. : ill.

**Contes des belles saisons,** récits pour adolescents. Montréal, Beauchemin, 1958. 109 p. : ill.

**La Soif et le Mirage,** roman. Montréal, Cercle du livre de France, 1960. 222 p.

**Flamberge au vent,** roman pour adolescents. Illustrations de Pierre Peyskens. Montréal, Beauchemin, 1961. 136 p. : ill.

**Mes beaux meurtres,** nouvelles. Montréal, Cercle du livre de France, 1961. 185 p.

**Le printemps qui pleure**, roman. Montréal, Éditions de l'Homme, 1962. 127 p.

**Ceux du Chemin-Taché,** contes. Montréal, Éditions de l'Homme, 1963. 164 p.

**Les Renégats,** théâtre. Montréal, Éditions Jumonville, 1964. 127 p.

**Mon encrier, de Jules Fournier,** édition de textes. Introduction d'Adrien Thério ; préface d'Oliva Asselin. Montréal, Fides, 1965. 350 p. : portr.

**Le Mors aux flancs,** roman. Montréal, Éditions Jumonville, 1965. 199 p.

**Conteurs canadiens-français : époque contemporaine,** anthologie. Montréal, Déom, 1965. 322 p.

**Soliloque à une femme,** roman. Montréal, Cercle du livre de France, 1968. 161 p.

**L'Humour au Canada français,** anthologie. Montréal, Cercle du livre de France, 1968. 290 p. : portr.

**Conteurs canadiens-français : époque contemporaine,** anthologie. Deuxième édition augmentée. Montréal, Déom, 1970. 377 p.

**Un païen chez les pingouins,** récit. Montréal, Cercle du livre de France, 1970. 153 p.

**Les Fous d'amour,** roman. Montréal, Éditions Jumonville, 1973. 212 p.

**La Colère du père,** récit. Montréal, Éditions Jumonville, 1974. 179 p.

**Des choses à dire : journal littéraire 1973-1974.** Montréal, Éditions Jumonville, 1975. 175 p.

**Ignace Bourget, écrivain.** En collaboration avec Donald Smith et Patrick Imbert. Montréal, Éditions Jumonville, 1975. 142 p.

**La Tête en fête et autres histoires étranges.** Montréal, Éditions Jumonville, 1975. 142 p.

**C'est ici que le monde a commencé,** récit-reportage. Montréal, Éditions Jumonville, 1978. 324 p.

**Le Roi d'Aragon,** théâtre. Montréal, Éditions Jumonville, 1979. 103 p.

## TRADUCTION

**Un Yankee au Canada.** Traduction de **A Yankee in Canada** de Henry David Thoreau. Montréal, Éditions de l'Homme, 1962. 143 p.

## Jacques THISDEL

(Québec, 30 septembre 1948–    ). Poète et dessinateur, Jacques Thisdel est bachelier en arts plastiques de l'université Laval (1973) et professeur au cégep de Rivière-du-Loup. Membre de l'Atelier de réalisations graphiques de Québec et du Centre ciné-vidéo du Faubourg, il a participé à quelques expositions. Jacques Thisdel s'intéresse plus particulièrement à la signification plastique et esthétique de la lettre et à la calligraphie en général.

## ŒUVRES

**Après-midi, j'ai dessiné un oiseau,** poésie. Saint-Lambert, Éditions du Noroît, 1976. N.p. : ill. ISBN 0-88524-014-6.

**Roses,** poésie. Saint-Lambert, Éditions du Noroît, 1978. N.p. : ill. ISBN 0-88524-025-1.

**Savoir dessiner.** En collaboration avec Christiane Martel. Saint-Lambert, Héritage, 1979. 138 p. : ill. ISBN 0-7773-3985-4.

**Lignes, Formes et Couleurs.** En collaboration avec Christiane Martel et Aline Martineau. Saint-Lambert, Héritage, 1981. 142 p. ISBN 0-7773-5416-0.

**Soit dit en marchant...** Saint-Lambert, Éditions du Noroît, 1981. N.p. : en maj. part. ill. en coul. ISBN 2-89018-048-4.

**François**
**THIVIERGE**

(Montréal, 23 mai 1947-     ). Politiquement engagé depuis 1968, François Thivierge devient président du Parti québécois pour le comté de Prévost (1976-1978) et se porte candidat à l'investiture lors de la convention de ce comté en septembre 1979. Chroniqueur politique à *l'Écho du Nord* (1980), il est vice-président et membre-fondateur de la Galerie d'art du Vieux Palais à Saint-Jérôme, secrétaire et membre-fondateur du Conseil régional de la culture des Laurentides et directeur de l'organisme de promotion culturelle *Circul'Art.* Il a terminé des études de lettres à l'université du Québec à Montréal (1980) et est l'auteur de deux recueils de poésie.

**ŒUVRES**

**Chansons ou Paroles à fredonner,** poésie. Saint-Jérôme, Éditions Étendard, 1973. N.p.
**Sot, mon cœur,** poésie. Saint-Jérôme, Éditions Étendard, 1976. 44 p.
**Artistes des Laurentides,** annuaire. Saint-Jérôme, Circul'Art, 1980. 52 p.

**Renée**
**THIVIERGE (1942-     )**

**ŒUVRES**

**J'ai cherché,** poésie. Laval, chez l'auteure, 1980. 30 f.
**Être dans ta maison,** poésie. Laval, chez l'auteur, 1981. 30 f.

**Roch**
**TIBERGHIEN (1944-     )**

**ŒUVRES**

**Tendre,** poésie. Montréal, R. Tiberghien Éditeur, 1973. Coll. « Les Cahiers du hibou », 1.
**Des hosties de plates** + 2 extraits de **Du sang pleuvait dans ses yeux,** poésie. Montréal, R. Tiberghien Éditeur, 1973. 32 p. Coll. « Les Cahiers du hibou », 3.
**Le Phénomen'elle carmel biographique en cric.** Montréal, R. Tiberghien Éditeur, 1973. N.p. Coll. « Les Cahiers du hibou », 5.
**J'osée de rosée.** Nicolet, chez l'auteur, 1975. N.p. Coll. « Les Nouveaux Cahiers du hibou », 1.

**Gilles**
**TIBO**

Autoportrait : Tibo 1982

(1951-     ). Sans doute l'un des dessinateurs les plus connus de sa génération, Tibo a été pendant quatre ans directeur artistique des productions Le Tamanoir (1976-1979). Il a collaboré à de nombreux périodiques tels *BD, Croc* et *Prisme, Actualité, le Jour* et *Dimanche-matin.* De l'affiche à la pochette de disque, à la couverture de livre et à l'illustration de texte, la signature de Tibo a appris à se multiplier. Il a participé à plusieurs expositions aussi bien au Pavillon de l'Humour de Terre des hommes qu'aux galeries la Sauvegarde et la Murée.

**ŒUVRES**

**L'Œil voyeur,** bande dessinée. Montréal, Éditions du Cri, 1970. 40 p.
**Monsieur Quidam l'après-midi dernier : un conte à lire tranquillement.** Montréal, Le Tamanoir, 1976. N.p. : ill. en coul. Coll. « De l'étoile filante ». ISBN 0-88570-009-0.
**Lunambule,** bande dessinée. Montréal, Éditions Bernèche, 1979. 40 p. : en maj. part. ill.

**Alain**
**TITTLEY (1953-     )**

**ŒUVRES**

**Dans les miroirs de mon sang.** Introduction d'Anatole Larouche. Montréal, Éditions Interstice, 1973. N.p. : ill.
**Partage.** Montréal, chez l'auteur, 1975. N.p. : 1 portefeuille, ill. part. en coul.

**Gérard TOUGAS**

(Edmonton (Alberta), 1921– ). Détenteur d'un baccalauréat de l'université d'Alberta, Gérard Tougas poursuit ses études de maîtrise à l'université McGill puis à l'université de Paris (1946–1948). Une thèse sur la critique de Marcel Proust lui vaut un doctorat de l'université de Stanford (É.-U.) où il est chargé de cours après avoir été interprète auprès des Nations-Unies de 1948 à 1950. Professeur à l'université de Colombie Britannique depuis 1953, il est souvent invité par d'autres institutions dont l'université de Montréal et l'université Laval. En 1962, ses recherches l'amènent en Afrique, au Liban, en Égypte, à Madagascar, à l'île Maurice, aux Antilles, en Louisiane et dans quelques pays de l'Afrique anglophone. Membre de la Société Royale du Canada, il reçoit en 1974 le Prix Halphen de l'Académie française. Il publie dans de nombreuses revues tant européennes que canadiennes ou américaines telles *Canadian Literature*, *French Review, Revue de littérature comparée*, etc. En collaboration avec le professeur G. Tucker, il organise une importante section de canadiana à l'université de Colombie Britannique. Son intérêt pour la francophonie a grandement contribué à faire connaître le patrimoine des pays de langue française et son *Histoire de la littérature canadienne-française* est un livre de base de la recherche d'histoire littéraire au Canada.

## ŒUVRES

**Histoire de la littérature canadienne-française.** Paris, Presses universitaires de France, 1960.

**Littérature romande et Culture française.** Paris, Éditions Seghers, 1963.

**La Francophonie en péril.** Montréal, Cercle du livre de France, 1967.

**Littérature canadienne-française contemporaine.** Toronto, Oxford University Press, 1969.

**Les Écrivains d'expression française et la France.** Paris, Éditions Denoël, 1973.

**Puissance littéraire des États-Unis.** Lausanne, L'Âge d'Homme, 1979.

**Destin littéraire du Québec,** essai. Montréal, Québec-Amérique, 1982. 208 p. ISBN 2-89037-137-9.

**Paul TOUPIN**

(Montréal, 7 décembre 1918– ). Après des études au collège Jean-de-Brébeuf, à la Sorbonne et à l'université Columbia (New York), Paul Toupin se lance dans le journalisme. Il est ensuite nommé directeur général du programme des bourses d'art du Conseil des arts du Canada, puis enseigne la littérature à l'université de Sherbrooke et à l'université Columbia. En 1965, il obtenait un doctorat ès lettres de l'université d'Aix pour une thèse sur Berthelot Brunet qu'il publiera sous le titre de *les Paradoxes d'une vie et d'une œuvre.* Outre ses publications, on lui doit également quantité de pièces inédites. Paul Toupin a de plus remporté de nombreux prix : le Prix David (1950), le Prix littéraire de la province de Québec (1952) et le Prix du Gouverneur général. Enfin, son essai intitulé *Souvenirs pour demain* lui méritait le Prix de l'Académie française pour le meilleur ouvrage écrit en français par un étranger.

## ŒUVRES

**Au-delà des Pyrénées,** voyage. Montréal, s.é., 1949. 167 p.

**Rencontre avec Berthelot Brunet,** portrait littéraire. Montréal, Fides, 1950. 43 p.

**Brutus,** théâtre. Montréal, Imprimerie Saint-Joseph, 1952. 147 p.

**Le Mensonge,** théâtre. Montréal, L'Hexagone, 1960. 52 p. Coll. « Les Voix ».

**Souvenirs pour demain,** essai. Montréal, Cercle du livre de France, 1960. 100 p.

**Théâtre : Brutus ; le Mensonge ; Chacun son amour.** Montréal, Cercle du livre de France, 1961. 204 p.

**L'Écrivain et son Théâtre,** essai. Montréal, Cercle du livre de France, 1964. 97 p.

**Les Paradoxes d'une vie et d'une œuvre,** biographie. Montréal, Cercle du livre de France, 1965. 140 p.

**Mon mal vient de plus loin,** souvenirs. Montréal, Cercle du livre de France, 1969. 108 p.

**Le cœur a ses raisons,** roman. Montréal, Cercle du livre de France, 1971. 118 p. ISBN 0-7753-0011-X.

**Au commencement était le souvenir,** souvenirs. Préface de Jean Éthier-Blais. Montréal, Fides, 1973. 204 p. Coll. « Du nénuphar », 43. ISBN 0-7755-0485-8.

**La Nouvelle Inquisition,** récit. Montréal, Cercle du livre de France, 1977. 215 p. ISBN 0-7753-0077-2.

**De face et de profil.** Montréal, Cercle du livre de France, 1977. 105 p. ISBN 0-7753-0107-8.

**Son dernier rôle.** Montréal, Cercle du livre de France, 1979. 106 p. : ill. ISBN 2-89051-024-7.

## Jean TOURANGEAU (1954– )

### ŒUVRES

**Suite martiniquaise,** poésie. Gravures de Michel Champagne. Québec, Éditions C, 1975. N.p. : 1 portefeuille, 12 f. de planches en coul.

**Antharium,** poésie. Dessins et gravures de Michel Champagne. Québec, Éditions C, 1976. 12 p. en maj. part. ill.

## Rémi TOURANGEAU

(Sainte-Anne-du-Lac, 8 mai 1938– ). Docteur en lettres françaises de l'université de Rennes (1970), Rémi Tourangeau prépare un doctorat d'État en lettres canadiennes-françaises à la Sorbonne. Professeur de littérature québécoise à l'université du Québec à Trois-Rivières depuis 1972, il a coordonné les recherches du Centre de documentation en lettres québécoises et codirigé la collection « Théâtre d'hier et d'aujourd'hui » aux presses de cette institution (1973-1974). Membre-fondateur de la Société d'histoire du théâtre du Québec, il a écrit des articles pour *le Nouvelliste, Appoint*, etc. Peintre, il a remporté le premier Prix du Concours des peintres internationaux de ville Laval en 1967.

### ŒUVRES

**Théâtre et Culture,** activité pédagogique. En collaboration. Trois-Rivières, Presses de l'U.Q.T.R., 1978. 620 p. : ill.

**L'Église et le Théâtre au Québec,** critique. En collaboration avec Jean Laflamme. Montréal, Fides, 1979. 355 p. ISBN 2-7621-0960-4.

**Tables provisoires du théâtre de Drummondville,** critique. En collaboration avec Francine Magnan et Gilles Doyon. Trois-Rivières, Presses de l'U.Q.T.R., 1980. 186 p. ISBN 2-89125-001-X.

## Paule TOURIGNY

Robert Corbeil

(Montréal, 26 juin 1940– ). Paule Tourigny a d'abord travaillé quelques années comme infirmière avant d'étudier la poterie et la céramique puis d'enseigner ces dernières disciplines. Elle est également détentrice d'une licence en nursing (1963) et a suivi des cours en lettres à l'université de Montréal (1968) et en animation à l'université Laval (1974). Cofondatrice des maisons d'édition R.A.E.A. et De la belle vie (1980), elle a effectué de nombreux voyages à l'étranger et a travaillé un an en Amérique latine à un projet socio-médical (1965).

## ŒUVRES

**La Venise américaine,** poésie. Montréal, Éditions de la Belle Vie, 1978.

**L'Anti-Durham,** conte. Illustrations de Marie Laberge. Saint-Casimir, Éditions de l'Areine, 1980 : ill.

### Henri TRANQUILLE

Kèro

(Montréal, 2 novembre 1916– ). Henri Tranquille a fait ses études primaires à l'académie Piché à Lachine, puis son cours classique au collège Sainte-Marie de Montréal, de 1930 à 1937. Il a été libraire du 30 octobre 1937 au 26 août 1975. Il a collaboré à la revue *les Idées* d'Albert Pelletier et au journal *le Jour* de Jean-Charles Harvey. Henri Tranquille fut également critique littéraire de *la Revue populaire* et du magazine *Sept Jours.* Il est présentement documentaliste à la Société de développement du livre et du périodique (SDLP).

## ŒUVRES

**Voir clair aux échecs.** Montréal, Éditions de l'Homme, 1972. 175 p. : ill. en coul.

**Voir clair aux dames.** En collaboration avec Gérard Lefebvre. Montréal, Éditions de l'Homme, 1973. 173 p. : ill. en coul.

**Fins de partie aux dames.** En collaboration avec Gérard Lefebvre. Montréal, Éditions de l'Homme, 1974. 162 p. : ill.

**Parties courtes aux échecs : au plus 15 coups ! 200 mats par les blancs après 1.c4.** Montréal, Éditions de l'Homme, 1976. 149 p. : ill. en coul.

**Lettres d'un libraire.** 2 vol. Montréal, Leméac, 1976. T. I : 146 p. ISBN 0-7761-9417-8. T. II : 151 p. ISBN 0-7761-9418-6.

**Petits Problèmes de dames.** En collaboration avec Gérard Lefebvre. Montréal, La Presse, 1977. 165 p. : ill. en coul.

**Ouvertures et Parties courtes aux échecs.** Montréal, L'Étincelle, 1980. 171 p.

**Le Jeu de dames, 300 fins de partie par 300 compositeurs.** Montréal, Guérin, 1981. 188 p.

**Échec et Mat par les Noirs, 100 parties éclair.** Montréal, Québécor, 1982. 126 p. ISBN 2-89089-138-0.

## ŒUVRE TRADUITE

**Visual Chess.** Traduction anglaise ; titre original : **Voir clair aux échecs.** Montréal, Habitex, 1973. 175 p. : ill. en coul.

### Marie-Claude B. TREMBLAY

(Chicoutimi, 30 juillet 1945– ). Romancière, Marie-Claude B. Tremblay est l'auteure de la série « Rachel » publiée aux Éditions Sélect. Elle a terminé sa versification au collège Bon-Pasteur en 1962, obtenu un diplôme commercial en 1969 et complété un baccalauréat en enseignement des arts plastiques à l'université du Québec à Chicoutimi en 1980. C'est au sein de cette dernière institution qu'elle travaille depuis 1969, d'abord à titre de secrétaire puis de responsable du bureau du registraire et de la gestion des dossiers. Elle est membre de la Société des écrivains du Saguenay-Lac Saint-Jean.

## ŒUVRES

**Tendre Rachel,** roman. Montréal, Presses Sélect, 1978. 239 p.

**Le temps des vents qui courent,** roman. Montréal, Presses Sélect, 1978. 261 p.

**Un lourd héritage,** roman. Montréal, Presses Sélect, 1979. 222 p. ISBN 2-89132-030-1.

**Mon ami Hugues,** roman. Montréal, Presses Sélect, 1979. 180 p. ISBN 2-89132-047-6.

**Parmi les feuilles mortes,** roman. Montréal, Presses Sélect, 1979. 265 p.

**Retour au futur,** roman. Montréal, Presses Sélect, 1980. 224 p. ISBN 2-89132-194-4.

**Suis ton destin,** roman. Montréal, Presses Sélect, 1980. 220 p. ISBN 2-89132-306-8.

### Marie-Francine TREMBLAY

Voir Francine Péotti.

**Michel TREMBLAY**

(Montréal, 25 juin 1942– ). Michel Tremblay a exercé divers métiers jusqu'à ce que sa première pièce, *le Train*, écrite en 1959, remporte le Premier Prix du Concours des jeunes auteurs de Radio-Canada en 1964. Depuis cette époque, sa carrière littéraire s'est affirmée avec régularité. Conteur, romancier, adaptateur, scénariste, auteur de comédies musicales, dramaturge pour la radio, la télévision et la scène, il a reçu nombre de prix : Prix du Gala Méritas en 1970 et 1972 pour *les Belles-Sœurs* et *À toi pour toujours, ta Marie-Lou*; Chalmers Award en 1973, 1974, 1975 et 1976; Prix Victor-Morin de la Société Saint-Jean-Baptiste pour l'ensemble de son œuvre en 1974 ; « Meilleur scénario » au Festival du film canadien en 1975 ; Médaille du Lieutenant-gouverneur de l'Ontario en 1976 et 1977. Il a également été nommé, en août 1978, le Montréalais le plus remarquable des deux dernières décennies dans le domaine du théâtre. Aux nombreuses publications de Michel Tremblay s'ajoutent ses œuvres théâtrales inédites dont la plupart ont été jouées tant à la scène qu'à la télévision ainsi que les scénarios des films suivants : *Françoise Durocher, waitress, Il était une fois dans l'Est, Parlez-nous d'amour* et *le Soleil se lève en retard.* Soulignons enfin que plusieurs de ses pièces ont été traduites et jouées tant au Canada qu'aux États-Unis et en Europe.

## ŒUVRES

**Contes pour buveurs attardés.** Montréal, Éditions du Jour, 1966. 158 p. Coll. « Les Romanciers du Jour ».

**Les Belles-Sœurs,** théâtre. Présentation de Jean-Claude Germain. Montréal, HRW, 1968. 71 p. Coll. « Théâtre vivant », 6.

**La Cité dans l'œuf,** roman. Montréal, Éditions du Jour, 1969. 181 p. Coll. « Les Romanciers du Jour ».

**En pièces détachées** suivi de **la Duchesse de Langeais,** théâtre. Montréal, Leméac, 1970. 94 p. Coll. « Répertoire québécois », 3.

**À toi pour toujours, ta Marie-Lou,** théâtre. Introduction de Michel Bélair. Montréal, Leméac, 1971. 94 p. : ill. Coll. « Théâtre canadien », 21.

**Trois Petits Tours,** théâtre. Montréal, Leméac, 1971. 64 p. Coll. « Répertoire québécois », 8.

**Demain matin, Montréal m'attend,** théâtre. Montréal, Leméac, 1972. 90 p.

**C't'à ton tour, Laura Cadieux,** roman. Montréal, Éditions du Jour, 1973. 131 p. Coll. « Les Romanciers du Jour ».

**Hosanna,** suivi de **la Duchesse de Langeais,** théâtre. Montréal, Leméac, 1973. 106 p. : ill. Coll. « Répertoire québécois », 32-33.

**Il était une fois dans l'Est : un film d'André Brassard,** scénario d'André Brassard et Michel Tremblay. Montréal, L'Aurore, 1974. 106 p. : ill. Coll. « Les Grandes Vues », 1.

**Bonjour là, bonjour,** théâtre. Montréal, Leméac, 1974. 111 p. : portr. Coll. « Théâtre canadien », 41. ISBN 0-7761-0040-8.

**Les Héros de mon enfance,** comédie musicale. Montréal, Leméac, 1976. 108 p. Coll. « Théâtre Leméac », 54. ISBN 0-7761-0053-X.

**Sainte Carmen de la Main,** théâtre. Montréal, Leméac, 1976. XVII-88 p. Coll. « Théâtre Leméac », 57. ISBN 0-7761-0055-6.

**Damnée Manon, Sacrée Sandra,** suivi de **Surprise ! Surprise !,** théâtre. Montréal, Leméac, 1977. 125 p. Coll. « Théâtre Leméac », 62. ISBN 0-7761-0061-0.

**La grosse femme d'à côté est enceinte,** roman. Montréal, Leméac, 1978. 329 p. Coll. « Roman québécois », 28.

**L'Impromptu d'Outremont,** théâtre. Montréal, Leméac, 1980. 122 p. : portr. Coll. « Théâtre Leméac », 86. ISBN 2-7609-0084-3.

**Thérèse et Pierrette à l'école des Saints-Anges,** roman. Montréal, Leméac, 1980. 368 p. Coll. « Les Chroniques du Plateau Mont-Royal », 2. ISBN 2-7609-3049-1.

**Les Anciennes Odeurs,** théâtre. Montréal, Leméac, 1981. 93 p. Coll. « Théâtre Leméac », 106. ISBN 2-7609-0102-5.

**La Duchesse et le Roturier,** roman. Montréal, Leméac, 1982. 390 p. Coll. « Roman québécois ». « Les Chroniques du Plateau Mont-Royal », 3. ISBN 2-7609-3067-X.

## ŒUVRES TRADUITES

**Like Death Warmed Over,** théâtre. Traduction anglaise d'Allan Van Meer ; titre original : **En pièces détachées.** Toronto, Playwrights Coop, 1973. 49 f.

**Les Belles-Sœurs,** théâtre. Traduction anglaise de John Van Burek ; titre original : **Les Belles-Sœurs.** Vancouver, Talonbooks, 1974.

**Hosanna,** théâtre. Traduction anglaise de John Van Burek et Bill Glassco ; titre original :

**Hosanna.** Vancouver, Talonbooks, 1974. 102 p.: ill. ISBN 0-88922-082-4.

**Bonjour là, bonjour.** Traduction anglaise de John Van Burek et Bill Glassco; titre original: **Bonjour là, bonjour.** Vancouver, Talonbooks, 1975. 93 p. ISBN 0-88922-091-3.

**Forever Yours, Marie-Lou,** théâtre. Traduction anglaise de John Van Burek et Bill Glassco; titre original: **A toi pour toujours, ta Marie-Lou.** Vancouver, Talonbooks, 1975. 86 p. ISBN 0-88922-083-2.

**La Duchesse de Langeais & Other Plays,** théâtre. Traduction anglaise de John Van Burek; titre original: **Hosanna,** suivi de **la Duchesse de Langeais.** Vancouver, Talonbooks, 1976. 125 p. ISBN 0-88922-104-9.

**Stories for Late Night Drinkers.** Traduction anglaise de Michael Bullock; titre original: **Contes pour buveurs attardés.** Vancouver, Intermedia, 1977. 123 p. ISBN 0-88956-055-2.

## TRADUCTIONS ET ADAPTATIONS

**Lysistrata,** théâtre. Adaptation d'Aristophane par Michel Tremblay et André Brassard. Montréal, Leméac, 1969. 93 p. Coll. « Répertoire québécois », 2.

**L'Effet des rayons gamma sur les vieux garçons,** théâtre. Traduction et adaptation de **The Effect of Gamma Rays on Man-in-the-Moon Marigolds** de Paul Zindel. Montréal, Leméac, 1970. 70 p.: portr. Coll. « Théâtre: traduction et adaptation ».

**... et mademoiselle Roberge boit un peu...,** théâtre. Traduction et adaptation de **And Miss Reardon drinks a little** de Paul Zindel. Montréal, Leméac, 1971. 95 p.: ill. Coll. « Théâtre: traduction et adaptation », 3.

**Mademoiselle Marguerite,** théâtre. Traduction et adaptation de **Miss Margarita** de Roberto Athayde. Montréal, Leméac, 1975. 96 p. Coll. « Théâtre: traduction et adaptation », 6. ISBN 0-7761-0905-7.

## ÉTUDES

Bélair, Michel, **Michel Tremblay.** Montréal, Presses de l'université du Québec, 1972. 95 p.: ill. Coll. « Studio ». ISBN 0-770-0047-4.

**Michel Tremblay: dossier de presse 1966-1981.** Sherbrooke, Bibliothèque du séminaire, 1981. N.p.: ill., portr.

## Pierre-Eugène TREMBLAY

(Montréal, 6 juin 1952- ). Détenteur de certificats en philosophie (1978), journalisme (1978) et relations publiques (1980) de l'université de Montréal et en connaissance de l'homme et de son milieu de l'université du Québec à Montréal (1980), Pierre-Eugène Tremblay a dirigé le mensuel *Y Bout sur sa branche* au département de philosophie de l'université de Montréal (1975-1976), a été directeur de l'information de l'Association des médecins du Québec en 1979 et a fondé les Éditions Michaël Jaulin cette même année. Depuis 1980, il étudie les sciences administratives aux Hautes Études commerciales. En plus de ses trois livres publiés, il a écrit à ce jour nombre de poèmes inédits.

## ŒUVRES

**Rédemption supersonique,** poésie. Rivière-des-Prairies, chez l'auteur, 1977. N.p.

**Au nom de la guerre et du lys et du saint-sacrifice... ainsi le faut-il?,** poésie. Montréal, chez l'auteur, 1977. 35 f.

**Sans penser, voici cent pensées,** aphorismes et apophtegmes. Rivière-des-Prairies, chez l'auteur, 1977. N.p.

## Renald TREMBLAY

François Renaud

(Chicoutimi, 23 avril 1943- ). Conteur et auteur de théâtre, Renald Tremblay a été professeur à l'élémentaire et au secondaire de 1963 à 1968 puis a enseigné le théâtre au cégep du Vieux Montréal jusqu'en 1978. Diplômé en pédagogie de l'université Laval (1963), il y a complété un certificat en littérature française en 1969. Il a collaboré à *Mainmise* et à *Cosmose* (Paris) et est membre du Centre d'essai des auteurs dramatiques. Renald Tremblay s'intéresse également à la littérature alchimique et plus particulièrement à l'œuvre de Basile Valentin.

## ŒUVRES

**Il suffit d'un peu d'air,** théâtre. Présentation d'Alain Pontaut. Montréal, Leméac, 1971. 92 p. Coll. « Répertoire québécois », 10.

**Sortir.** En collaboration. Montréal, Éditions de l'Aurore, 1978. 303 p. Coll. « Exploration/ Sciences humaines ». ISBN 0-88532-148-0.

## ŒUVRE TRADUITE

**Greta, the Divine,** théâtre. Traduction anglaise d'Allan Van Meer; titre original: **la Céleste Gréta** (inédit en français). Toronto, Simon & Pierre Publishing, 1978. 31 p. Coll. « A Collection of Canadian Plays », 5. ISBN 0-88924-025-6.

### Christiane TREMBLAY-DAVIAULT

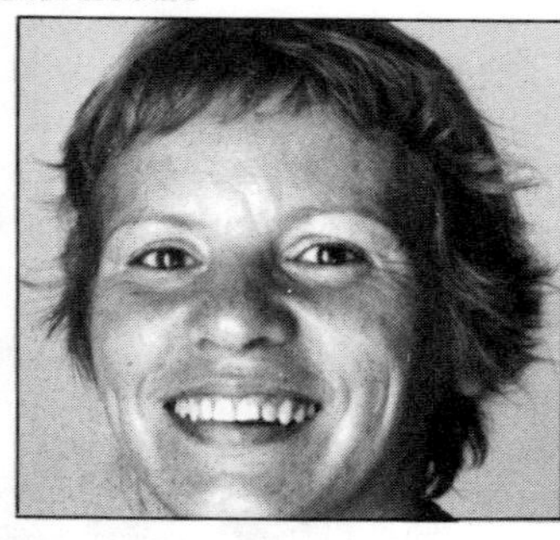

(Montréal, 20 juillet 1944– ). Chargée de cours à l'université McGill, Christiane Tremblay-Daviault avait auparavant travaillé à titre de scénariste-recherchiste et assistante-réalisatrice dans l'industrie du cinéma. Elle détient une maîtrise en langue et littérature françaises de l'université McGill (1971) et un doctorat en études françaises de l'université de Montréal (1979). Elle s'intéresse tout particulièrement à la sociologie de la culture, aux communications de masse et à la paralittérature.

## ŒUVRE

**Un cinéma orphelin. Structures mentales et sociales du cinéma québécois (1942–1953),** essai. Montréal, Québec-Amérique, 1981. 355 p. ISBN 2-89037-083-6.

### Pierre TROTTIER

(Montréal, 21 mars 1925– ). Bachelier en droit de l'université de Montréal en 1945, Pierre Trottier travaille de 1946 à 1949 comme chef de service à la Chambre de commerce du district de Montréal avant d'entrer au ministère des Affaires extérieures du Canada en août 1949. Il occupe dès 1951 divers postes diplomatiques à l'étranger: Moscou, Djakarta, Londres, Paris, avant d'être nommé ambassadeur du Canada au Pérou (1973–1976) puis auprès de l'Unesco en 1979. Poète et essayiste, il a publié à l'Hexagone, aux Éditions HMH et La Presse et collaboré aux revues *Cité libre* et *Liberté*. En 1960, il a reçu le Prix David pour *les Belles au bois dormant* et a remporté le Prix de la Société des gens de lettres pour *le Retour d'Œdipe*, en 1964. Parmi ses poèmes, quelques-uns tels *le Temps corrigé* et *À la claire fontaine* ont été traduits en anglais. Pierre Trottier est membre de la Société royale du Canada depuis 1978.

## ŒUVRES

**Le Combat contre Tristan,** poésie. Montréal, Éditions de Malte, 1951. 82 p.

**Poèmes de Russie.** Montréal, L'Hexagone, 1957. 44 p. Coll. « Les Matinaux ».

**Les Belles au bois dormant,** poésie. Montréal, L'Hexagone, 1960. 56 p.

**Mon Babel,** essai. Montréal, HMH, 1963. 217 p. Coll. « Constantes », 5.

**Sainte-Mémoire,** poésie. Montréal, HMH, 1972. 183 p. Coll. « Sur parole ».

**Un pays baroque,** essai. Montréal, La Presse, 1979. 138 p. ISBN 2-89043-004-9.

### Élise TURCOTTE

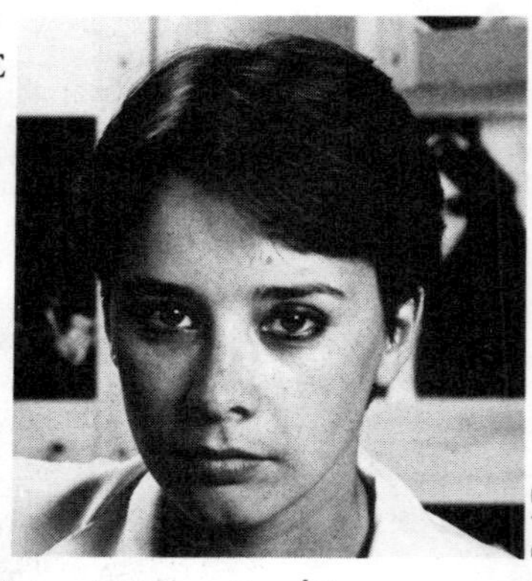
Paul Turcotte

(Sorel, 26 juin 1957– ). Élise Turcotte termine en 1980 un baccalauréat en études littéraires à l'université du Québec à Montréal où elle poursuit actuellement sa maîtrise. Elle a été boursière du Conseil des arts du Canada et elle a publié des textes dans *la Nouvelle Barre du jour* et *Moebius*.

## ŒUVRES

**La mer à boire,** nouvelles. Illustrations de Maryse Dubois. Montréal, Éditions de la Lune occidentale, 1980. 24 p. : ill. ISBN 2-920041-02-6.

**Dans le delta de la nuit.** Trois-Rivières, Écrits des Forges, 1982. 61 p. ISBN 2-89046-037-1.

## Jean-Alexandre TURCOTTE

(Montréal, 14 novembre 1947– ). Poète, Jean-Alexandre Turcotte a œuvré de 1965 à 1975 au sein du milieu artistique des Cantons de l'Est. Actif au sein de ciné-clubs et intéressé par le cinéma amateur, il est également conseiller pour les Éditions Cosmos (1968–1971) et participe à des Nuits de poésie ainsi qu'à des expositions de peinture. En 1971, il termine une licence ès lettres à l'université de Sherbrooke et entre ensuite au ministère de la Santé (1971–1974), puis à celui de l'Éducation. Membre de la Société des poètes canadiens-français de 1969 à 1973, il a collaboré à la revue *Poésie.*

## ŒUVRES

**Volutes,** poésie. Illustrations de l'auteur. Sherbrooke, Libraire de la cité universitaire, 1969. 118 p. Coll. « Amorces », 3.

**Cloclophile,** fantaisie en sept chants. Montréal, Cosmos, 1971. 142 p. Coll. « Relances », 1.

**En appel,** poésie. Sherbrooke, Cosmos, 1977. 92 p. Coll. « Relances », 13.

## Pierre TURGEON

(Québec, 9 octobre 1947– ). Pierre Turgeon a fait des études de lettres au collège Sainte-Marie (1967). Il a travaillé comme journaliste pour *Perspectives, l'Actualité, En route, TV hebdo* ainsi que pour différents périodiques. Animateur radiophonique à *Book club* et *Littératures au pluriel,* il a écrit plus de 200 textes sur des écrivains québécois et étrangers pour la Société Radio-Canada. Il a également signé plusieurs textes dramatiques dont *l'Interview,* qui a gagné le Premier Prix des œuvres dramatiques de Radio-Canada en 1975, en collaboration avec Jacques Godbout. Il a écrit trois scénarios de long métrage : *la Gammick, la Fleur aux dents* et *la Crise d'octobre* et publié quatre romans et une pièce de théâtre. Président-fondateur des Éditions Quinze en 1975, il occupe le poste de directeur des Presses de l'université de Montréal en 1977, puis il passe au groupe Sogides où il est directeur général des éditions.

## ŒUVRES

**Faire sa mort comme faire l'amour,** roman. Montréal, Éditions du Jour, 1969. 182 p. Coll. « Les Romanciers du Jour ».

**Un, deux, trois,** roman. Montréal, Éditions du Jour, 1970. 171 p. Coll. « Les Romanciers du Jour ».

**Prochainement sur cet écran,** roman. Montréal, Éditions du Jour, 1973. 201 p. Coll. « Les Romanciers du Jour ». ISBN 0-7760-0558-8.

**L'Interview,** texte radiophonique. En collaboration avec Jacques Godbout. Montréal, Leméac, 1973. 59 p. Coll. « Répertoire québécois ».

**La Première Personne,** roman. Montréal, Quinze Éditeur, 1980. 155 p. Coll. « Prose entière ». ISBN 2-89026-260-X.

# U-V

## † Marie UGUAY

Stéphan Kovacs

(Montréal, 22 avril 1955–26 octobre 1981). Poète, Marie Uguay a collaboré à *Estuaire,* ainsi qu'aux revues *Possibles* et *Vie des arts.* Ses trois recueils de poésie ont été publiés aux Éditions du Noroît.

### ŒUVRES

**Signe et Rumeur,** poésie. Illustrations de l'auteure. Saint-Lambert, Éditions du Noroît, 1976. 75 p.: ill. ISBN 0-88524-016-2.

**L'Outre-vie,** poésie. Photographies de Stéphan Kovacs. Saint-Lambert, Éditions du Noroît, 1979. 86 p.: ill. ISBN 2-89018-034-4.

**Autoportraits,** poésie. Avec des photographies de Stéphan Kovacs. Saint-Lambert, Éditions du Noroît, 1982. N.p.: photos. ISBN 2-89018-062-X.

## Miles UNDERWOOD

Voir John Glassco.

## Georges-André VACHON

Kèro

(Strasbourg, France, 8 janvier 1925– ). Licencié en philosophie de l'université de Montréal et en théologie de l'université de Louvain, Georges-André Vachon a obtenu un doctorat de l'université de Paris en 1964. Sa thèse, *le Temps et l'Espace dans l'œuvre de Paul Claudel: expérience chrétienne et imagination poétique*, lui a mérité le Prix France-Canada en 1965 et le Prix du Gouverneur général 1966. Essayiste et critique, il collabore à plusieurs revues et émissions radiophoniques. Il est professeur à l'université de Montréal depuis 1965 et directeur de la revue *Études françaises.*

### ŒUVRES

**Le Temps et l'Espace dans l'œuvre de Paul Claudel: expérience chrétienne et imagination poétique,** essai. Paris, Le Seuil, 1965. 455 p.

**Une tradition à inventer,** conférence. Montréal, Presses de l'université de Montréal, 1968. 27 p.

**Ozias Leduc et Paul-Émile Borduas.** En collaboration avec Jean Éthier-Blais et François

Gagnon. Montréal, Presses de l'université de Montréal, 1973. 153 p.

**Rabelais tel quel,** essai. Montréal, Presses de l'université de Montréal, 1977. 144 p. : ill., plans. Coll. « Lectures ». ISBN 0-8405-0345-8.

**Esthétique pour Patricia, suivi d'un écrit de Patricia B.,** essai. Montréal, Presses de l'université de Montréal, 1980. 144 p. Coll. « Lectures ». ISBN 2-7606-0491-8.

**Pierre VADEBONCŒUR**

Kèro

(Strathmore, 28 juillet 1920– ). Conseiller syndical à la Confédération des syndicats nationaux (CSN) de 1950 à 1975, Pierre Vadeboncœur avait complété des baccalauréats ès arts et en droit (1943) à l'université de Montréal. Son travail de permanent syndical l'a amené à être mêlé de très près aux luttes ouvrières et politiques de son époque. Ses nombreux essais politiques et polémiques témoignent d'ailleurs de cet engagement de même que les fort nombreux articles qu'il a publiés depuis 1940 dans des revues et journaux tels *Cité libre, Parti pris, Liberté, Socialisme, Maintenant, le Jour, le Devoir,* etc. Récipiendaire du Prix *Liberté* en 1970, il voyait son œuvre couronnée par le Prix Duvernay de la Société Saint-Jean-Baptiste (1971) et le Prix David (1976). En 1979, il remportait également le Grand Prix littéraire de la ville de Montréal pour son essai, *les Deux Royaumes.*

**ŒUVRES**

**La Ligne du risque,** essai. Montréal, Orphée, s.d. 58 p.

**La Ligne du risque,** essai. Montréal, HMH, 1963. 286 p. Coll. « Constantes ».

**L'Autorité du peuple,** essai. Québec, L'Arc, 1965. 135 p.

**Lettres et Colères,** essais. Montréal, Parti pris, 1969. 195 p.

**La Dernière Heure et la Première,** essai. Montréal, L'Hexagone, Parti pris, 1970. 78 p.

**Un amour libre,** récit. Montréal, HMH, 1970. 104 p. Coll. « Sur parole ».

**Indépendances,** essai. Montréal, L'Hexagone, Parti pris, 1972. 179 p.

**Un génocide en douce,** écrits polémiques. Montréal, L'Hexagone, Parti pris, 1976. 187 p. Coll. « Aspects », 36.

**Chaque jour l'indépendance,** recueil d'articles politiques (1972–1978). Montréal, Leméac, 1978. 113 p.

**Les Deux Royaumes,** essai. Montréal, L'Hexagone, 1978. 239 p.

**To Be or not to Be : That is the Question,** recueil d'articles politiques. Montréal, L'Hexagone, 1980. 169 p. ISBN 2-89006-170-1.

**ÉTUDES**

Beaudoin, R. et al., **Un homme libre, Pierre Vadeboncœur.** Préface de René Lévesque. Montréal, Leméac, 1974. 136 p. Coll. « Indépendances ».

« Les Deux Royaumes de Pierre Vadeboncœur ». **Liberté,** nº 126, nov.-déc. 1979. 66 p.

**Essayistes québécois : dossier de presse Gilles Marcotte, 1962–1980 ; Pierre Vadeboncœur, 1962–1980.** Sherbrooke, Bibliothèque du séminaire, 1981. N.p. : ill., portr.

**Yolande VALIQUETTE**

(Montréal, 12 janvier 1950– ). Auteure de littérature pour enfants, Yolande Valiquette travaille depuis 1980 comme recherchiste en design d'exposition au Centre des expositions du gouvernement canadien à Ottawa. Elle a étudié les communications et les arts visuels au Goddard College (Vermont, 1974) et le design graphique à l'université du Québec à Montréal (1977). La troupe Nouvelle Aire s'est inspirée de son *Temps du plastique* pour créer une chorégraphie et un scénario de film.

**ŒUVRE**

**Le Temps du plastique,** conte écologique. Illustrations de l'auteure. Montréal, Lidec, 1979. 24 p. Coll. « Les Albums Lidec ». ISBN 2-7608-1504-8.

**Mireille VALLÉE**

(Cap-de-la-Madeleine, 18 octobre 1943– ). Rédactrice du bulletin *Art Contact* (1981) dont l'objectif est la promotion du peintre Jean-Paul

Jérôme, Mireille Vallée a été secrétaire de la maison d'édition Novalis (1963–1969). En 1974-1975, elle a réalisé pour l'AFEAS, une recherche sur la femme collaboratrice de son mari, et s'intéresse d'ailleurs aux différents aspects des rapports hommes-femmes. Recherchiste à la pige et détentrice d'un DEC du cégep de l'Outaouais, elle est secrétaire de l'Association des auteurs de l'Outaouais québécois.

## ŒUVRE

**Le Trille rouge,** poésie. Hull, Asticou, 1981. 64 p. Coll. « Poètes de l'Outaouais ». ISBN 2-89198-025-5.

## Denis VANIER

Kèro

(Longueuil, 27 septembre 1949–     ). Tour à tour journaliste, recherchiste, scénariste et parolier, Denis Vanier a publié son premier livre dès 1965. Critique littéraire à *Mainmise* de 1976 à 1978, scénariste à Radio-Québec (1975), recherchiste aux Éditions de l'Aurore (1978), il est chroniqueur et codirecteur d'*Hobo-Québec* (1977–1982). Plusieurs fois boursier du ministère des Affaires culturelles et du Conseil des arts, il s'est associé depuis 1963 à différents travailleurs culturels du Québec et d'ailleurs (Gauvreau, Péloquin, Josée Yvon, Ferlinghetti, Sanders, etc.) pour mieux expérimenter les nombreuses facettes de l'écriture. Les revues *Parti pris, Village Voice* (New York), *The Torch* (Chicago), *les Herbes rouges, Maclean, Mainmise, le Berdache* et *Hobo-Québec* ont accueilli ses textes.

## ŒUVRES

**Je,** poésie. Préface de Claude Gauvreau ; dessins de Reynald Connolly. Longueuil, Image et Verbe, 1965. 38 p. : ill. Coll. « Poésie », 2.

**Pornographic Delicatessen,** poésie. Préface de Claude Gauvreau et Patrick Straram. Montréal, Estérel, 1969. N.p.

**Catalogue d'objets de base.** Montréal, Éditions du Vampire, 1969.

**Lesbiennes d'acid,** poésie. Préfaces de Lucien Francœur, Patrick Straram, Ed Sanders et Claude Gauvreau ; illustrations d'Yvon Mallette. Montréal, Parti pris, 1972. 72 p. : ill. Coll. « Paroles », 21. ISBN 0-88512-047-7.

**Le Clitoris de la fée des étoiles,** poésie. Préface de Patrick Straram ; postface de Josée Yvon. Montréal, Les Herbes rouges, n° 17, février 1974. N.p. : ill.

**Comme la peau d'un rosaire,** poésie. Préface de Paul Chamberland. Montréal, Parti pris, 1977. 61 p. : ill. Coll. « Paroles », 50. ISBN 0-88512-107-4.

**L'Odeur d'un athlète,** poésie. Préface de Claude Beausoleil. Montréal, Cul-Q, 1978. N.p. Coll. « Mium/Mium », 27.

**Œuvres poétiques complètes 1965–1979.** Préfaces de Jacques Lanctôt, André-G. Bourassa et al. Montréal, VLB, Parti pris, 1980. 337 p. ISBN 2-7602-148-1.

## ŒUVRE TRADUITE

**The Clitoris of the Fairy of the Stars,** poésie. Traduction anglaise de Jack Hirschman ; titre original : **Le Clitoris de la fée des étoiles.** San Francisco, Golden Mount Press, 1976. N.p. : ill.

## Michel VAN SCHENDEL

(Asnières, France, 1929–     ). Professeur de littérature à l'université du Québec à Montréal, Michel van Schendel avait auparavant étudié le droit avant de faire carrière dans le journalisme. Collaborateur de *la Presse*, de *Maintenant,* de *la Barre du jour,* de *Liberté* et de *Socialisme québécois*, il s'est surtout fait connaître par ses critiques littéraires. En 1981, son recueil, *De l'œil et de l'écoute*, se voyait attribuer le Prix du Gouverneur général.

## ŒUVRES

**Poèmes de l'Amérique étrangère.** Montréal, L'Hexagone, 1958. 48 p.

**Variations sur la pierre,** poésie. Montréal, L'Hexagone, 1964. 49 p.

**Veiller ne plus veiller : suite pour une grève ; poème daté, 17 septembre 1976–30 avril 1977.** Saint-Lambert, Éditions du Noroît, 1978. 91 p. ISBN 0-88524-029-4.

**De l'œil et de l'écoute : poèmes 1956–1976.** Montréal, L'Hexagone, 1980. 247 p. Coll. « Rétrospectives », 16.

### TRADUCTION

**Une révolution tranquille.** Traduction de **Quebec, the not so Quiet Revolution** de Thomas Sloan. Montréal, HMH, 1965. 159 p.

## Peter VAN TOORN

(La Haye, Hollande, 1944– ). Peter Van Toorn habite Montréal depuis 1954. Il a fréquenté l'université McGill de 1962 à 1967 et enseigne au collège John Abbott. Ses poèmes sont parus dans les anthologies *17 Poets, Four Montreal Poets, Storm Warning II,* etc., ainsi que dans les revues *Copperfield, Antigonish Review, Prism International.*

### ŒUVRES

**Leeway Grass,** poésie. Montréal, Delta Canada, 1970. N.p. ISBN 0-919162-26-6.
**In Guildenstern County,** poésie. Montréal, Delta Canada, 1973.

## Vasco VAROUJEAN

(Késsab, Syrie, 15 septembre 1936– ). Journaliste de profession, Vasco Varoujean a fait un baccalauréat à l'École supérieure de lettres de Beyrouth (1956) et est diplômé en journalisme de l'université de Milan (1962). Critique littéraire et artistique pour de nombreux journaux libanais d'expression française (1958–1962), il a été correspondant au Moyen-Orient pour des journaux suisses (1960–1967), rédacteur en chef de la *Voix gaspésienne* (1971-1972) et, depuis 1974, occupe un poste identique au mensuel de l'Ordre des ingénieurs, *Plan.* Romancier et nouvelliste, il a collaboré au journal *le Devoir* et à *Perspectives* et a également signé des suites poétiques pour le réseau français de Radio-Canada.

### ŒUVRES

**Le Moulin du diable,** nouvelles. Montréal, Cercle du livre de France, 1972. 159 p. ISBN 0-7753-0019-5.
**Les Raisins verts,** récit. Montréal, Cercle du livre de France, 1975. 130 p. ISBN 0-7753-0059-4.
**Les Pâturages de la rancœur,** roman. Montréal, Cercle du livre de France, 1977. 256 p. ISBN 0-7753-0102-7.

## Normande VASIL

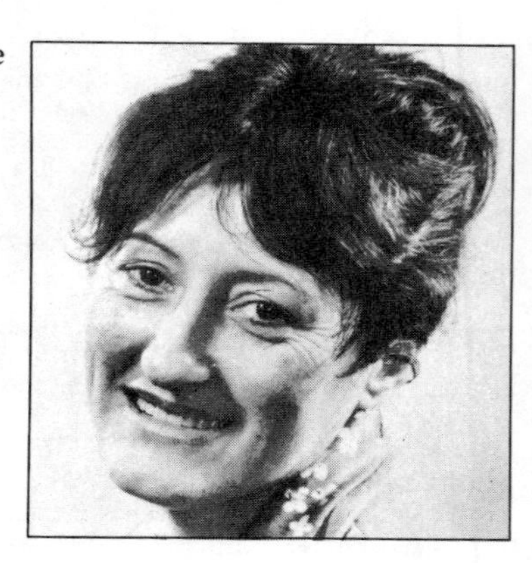

(Baie-Saint-Paul, 28 juin 1936– ). Diplômée de l'école normale de Chicoutimi (1966), Normande Vasil a, par la suite, suivi pendant huit ans des cours de philosophie, psychologie, sociologie, etc. Elle prépare de plus une thèse de maîtrise en études des sociétés régionales à l'université de Chicoutimi sous le thème de la non-violence et de la condition féminine. Normande Vasil a été enseignante, éducatrice, conférencière, animatrice d'émissions éducatives à la télévision communautaire, auteure de chroniques dans maints journaux. Elle participe activement à la vie culturelle de son milieu, à Arvida, au Saguenay.

### ŒUVRE

**Un pas vers la non-violence,** essai. Montréal, Société de Belles-Lettres Guy Maheux, 1977. 246 p. Coll. « Le Chariot ». ISBN 0-88582-014-2.

**Mimi**
**VERDI**

Voir Monique Grignon-Lapierre.

**France**
**VÉZINA**

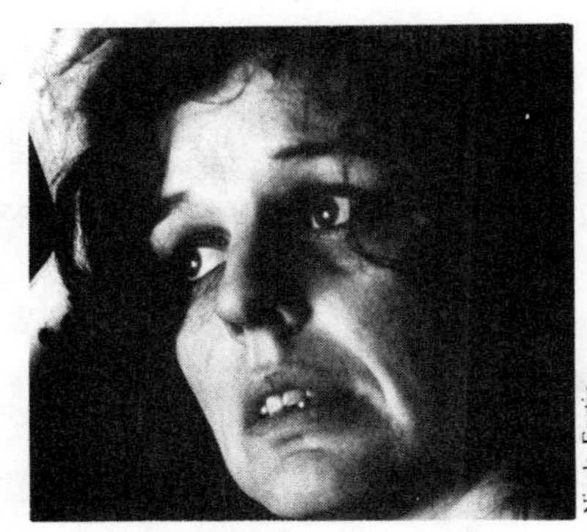

Nicole Fortin

(Saint-Hilaire, 8 avril 1946– ). Poète et auteure de théâtre, France Vézina fait des études secondaires avant d'occuper divers métiers et de travailler en usine, dans différents bureaux, etc. Depuis 1974, elle a fait paraître ses œuvres dans différentes maisons d'édition : aux Grandes Éditions du Québec, aux Éditions du Noroît et à L'Hexagone.

ŒUVRES

**Les Journées d'une anthropophage,** poésie. Illustrations de Serge Otis. Montréal, Grandes Éditions du Québec, 1974. 94 p.: ill.

**Slingshot** ou **la Petite Gargantua,** récit poétique. Illustrations de Serge Otis. Saint-Lambert, Éditions du Noroît, 1979. 191 p.: ill. ISBN 2-89018-033-6.

**L'Hippocanthrope,** théâtre. Montréal, L'Hexagone, 1979. 130 p.: ill. Coll. « L'Hexagone théâtre ». ISBN 2-89006-161-2.

**Gilles**
**VIGNEAULT**

(Natashquan, 27 octobre 1928– ). Poète, conteur, chansonnier et compositeur, Gilles Vigneault a fait des études classiques au séminaire de Rimouski et complété une licence ès lettres à l'université Laval (1953). En 1951, il se joint à la troupe des Treize et en devient, de 1956 à 1960, le directeur et metteur en scène. Professeur au camp militaire Valcartier (1954–1956) puis à l'Institut de technologie (1957–1961), il participe à la fondation de la revue *Emourie* (1953), anime une émission folklorique à CFCM-Québec (1955-1956), fait du théâtre avec la Compagnie de la Basoche (1956) et du cinéma avec Fernand Dansereau (*la Canne à pêche*, 1959). C'est à la même époque qu'il fait ses débuts dans les boîtes à chansons de Québec, publie *Étraves*, son premier recueil de poèmes, et fonde les Éditions de l'Arc (maintenant les Nouvelles Éditions de l'Arc) qu'il dirige toujours. Il rédige des textes pour la télévision (*le Grand Duc, Dans tous les cantons*, etc.) et participe à divers titres à certains films (*les Bacheliers de la cinquième, Poussière sur la ville,* etc.). Il enregistre son premier microsillon en 1962 et donne dès lors nombre de spectacles, entreprend plusieurs tournées qui le conduiront partout à travers le Québec ainsi qu'en Europe (Olympia, Bobino, Fête de l'Humanité, etc.). Auteur de plus d'une vingtaine de livres et de plus d'une trentaine de disques, Gilles Vigneault a remporté de nombreux prix ou honneurs soulignant soit son œuvre littéraire, soit sa carrière de chansonnier : Prix du Lieutenant-gouverneur pour son recueil *Quand les bateaux s'en vont* (1966), Prix Calixa-Lavallée pour services rendus à la cause des Canadiens français (1966), Prix de l'Académie Charles-Cros pour son microsillon *Du milieu du pont* (1970). Il a aussi reçu deux doctorats honorifiques de l'université Trent de Peterborough (1975) et de l'université du Québec à Rimouski (1979).

ŒUVRES

**Étraves,** poésie. Québec, Éditions de l'Arc, 1959. 167 p. Coll. « L'Escarfel ».

**Contes sur la pointe des pieds.** Illustrations de Claude Fleury. Québec, Éditions de l'Arc, 1960. 122 p.: ill. Coll. « L'Escarfel ».

**Balises,** poésie. Québec, Éditions de l'Arc, 1964. 123 p. Coll. « L'Escarfel ».

**Avec les vieux mots,** poésie. Québec, Éditions de l'Arc, 1964. 88 p. Coll. « L'Escarfel ».

**Pour une soirée de chansons,** poésie. Québec, Éditions de l'Arc, 1965. 42 p. Coll. « L'Escarfel ».

**Quand les bateaux s'en vont,** poésie. Québec, Éditions de l'Arc, 1965. 99 p. Coll. « L'Escarfel ».
**Contes du coin de l'œil.** Québec, Éditions de l'Arc, 1966. 78 p. Coll. « L'Escarfel ».
**Où la lumière chante,** poésie. Photos de François Lafortune. Québec, Presses de l'université Laval, 1966. N.p.: photos.
**Les Gens de mon pays,** paroles de chansons. Québec, Éditions de l'Arc, 1967. 115 p. Coll. « L'Escarfel ».
**Tam di delam,** poésie. Québec, Éditions de l'Arc, 1967. 90 p. Coll. « L'Escarfel ».
**Ce que je dis c'est en passant,** poésie. Québec, Éditions de l'Arc, 1970. 89 p.: ill.
**La Grande Aventure du fer,** récit. En collaboration avec Alain Pontaut et Georges Dor. Montréal, Leméac, 1970. 127 p.: ill. part. en coul. Coll. « Le Monde de l'avenir ».
**Les Dicts du voyageur sédentaire,** contes poétiques. Illustrations de R. Aeschliman. Yverdon, Suisse, Éditions des Egraz, 1970. 162 p.: ill.
**Exergues,** poésie. Montréal, Nouvelles Éditions de l'Arc, 1971. 128 p. Coll. « De l'Escarfel ».
**Les Neuf Couplets,** poésie. Montréal, Nouvelles Éditions de l'Arc, 1973. 73 p.: ill. part. en coul.
**Je vous entends rêver,** poésie. Montréal, Nouvelles Éditions de l'Arc, 1974. 74 p.: portr.
**Natashquan : le voyage immobile,** paroles de chansons. Photographies d'Anna Birgit. Montréal, Nouvelles Éditions de l'Arc, Stanké, 1976. N.p. ISBN 0-88566-024-2.
**À l'encre blanche,** poésie. Illustrations de Hugh John Barrett. Montréal, Nouvelles Éditions de l'Arc, Stanké, 1977. N.p.: ill. et phonodisque. ISBN 0-88566-066-8.
**Silences,** poésie. Montréal, Nouvelles Éditions de l'Arc, 1978. 366 p.: fac-sim. ISBN 0-88786-003-6.
**Passer l'hiver,** interview. Vendôme, Éditions du Centurion, 1978. 151 p.
**Les Quatre Saisons de Piquot,** contes pour enfants. Illustrations de Hugh John Barrett. Montréal, Nouvelles Éditions de l'Arc, 1979. 35 p.: ill. part. en coul., disque. ISBN 2-89016-000-9.
**La Petite Heure,** contes. Montréal, Nouvelles Éditions de l'Arc, 1979. 208 p. ISBN 2-89016-004-1.
**Les Gens de mon pays.** Illustrations par Miyuki Tanobe. Montréal, La Courte Échelle, 1980. N.p.: en maj. part. ill. en coul. ISBN 2-89021-020-0.
**Quelques pas dans l'univers d'Éva,** contes. Illustrations de Claude Fleury. Montréal, Nouvelles Éditions de l'Arc, 1981. 32 p.: ill. en coul., disque. ISBN 2-89016-019-X.

## ŒUVRE TRADUITE

**Tales sur la pointe des pieds,** contes. Traduction anglaise de Paul Allard; titre original: **Contes sur la pointe des pieds.** Erin, Ont., Porcepic Press, 1972. 79 p. ISBN 0-88878-004-4.

## ÉTUDES

Robitaille, Aline, **Gilles Vigneault.** Préface de Gérard Bergeron. Montréal, L'Hexagone, 1968. 148 p.: fac-sim.
Séguin, Fernand, **Fernand Séguin rencontre Gilles Vigneault.** Montréal, Éditions de l'Homme, 1969. 87 p. Coll. « Le Sel de la Semaine », 6.
Rioux, Lucien, **Gilles Vigneault.** Paris, Seghers, 1969. 191 p.: portr. Coll. « Chansons d'aujourd'hui », 191.
Fournier, Roger, **Gilles Vigneault, mon ami.** Montréal, La Presse, 1972. 205 p.
Gagné, Marc, **Propos de Gilles Vigneault.** Montréal, Nouvelles Éditions de l'Arc, 1974. 127 p. Coll. « Le Pays par lui-même ».
Gagné, Marc, **Gilles Vigneault: bibliographie descriptive et critique, discographie, filmographie, iconographie, chronologie.** Québec, Presses de l'université Laval, 1977. XXXII-976 p.: ill., fac-sim. ISBN 0-7746-6799-0.
**Gilles Vigneault: dossier de presse 1961–1981.** Sherbrooke, Bibliothèque du séminaire, 1981. N.p.: ill., portr.

## Robert VIGNEAULT

(Toronto, Ont., 10 juin 1927– ). Essayiste et critique, Robert Vigneault a obtenu une licence en lettres classiques de l'université Laval (1955) et un doctorat en littérature de l'université d'Aix-Marseille (1966). D'abord professeur au collège Jean-de-Brébeuf (1960–1962) puis au sein des universités Laurentienne, Carleton, Laval et McGill, il enseigne à l'université d'Ottawa depuis 1976. Collaborateur à *Études françaises* et à *Livres et Auteurs québécois*, il est membre de l'Association des littératures canadienne et québécoise, de l'Association des professeurs de français des universités canadiennes et a été président du comité d'organisation du colloque « Péguy en son temps et dans le nôtre » tenu à l'université McGill en mars 1973. Le Premier Prix des Concours littéraires de la province de Québec (section essais sur la littérature, l'art et la philosophie) lui a été décerné en 1968 pour *l'Univers féminin dans l'œuvre de Charles Péguy.*

## ŒUVRES

**L'Univers féminin dans l'œuvre de Charles Péguy: essai sur l'imagination créatrice d'un poète.** Bruges, Paris, Montréal, Desclée de Brouwer, 1968. 334 p.

**Saint-Denys Garneau à travers « Regards et Jeux dans l'espace »,** essai. Montréal, Presses de l'université de Montréal, 1973. 70 p. Coll. « Lignes québécoises ». ISBN 0-8405-0209-5.

**Claire Martin: son œuvre, les réactions de la critique,** essai. Préface de Roger Le Moine. Montréal, Cercle du livre de France, 1975. 216 p.: ill., portr. ISBN 0-7753-0067-5.

**Langue, Littérature, Culture au Canada français,** étude socio-culturelle. En collaboration. Ottawa, Éditions de l'université d'Ottawa, 1977. 117 p. Coll. « Cahiers du C.R.C.C.F. », 12.

### Yolande VILLEMAIRE

Michel Lemieux

(Saint-Augustin-des-deux-Montagnes, 28 août 1949– ). Yolande Villemaire a signé des chroniques de théâtre dans *Hobo-Québec, Jeu* et *Spirale*, des chroniques de livres dans *le Jour* et *Mainmise*, des collaborations à *la Barre du jour* et à *la Nouvelle Barre du jour*, à *la Vie en rose*, à *Cul-Q, Sorcières, Cheval d'attaque, Cross Country, Room of One's Own.* Elle a présenté des « performances » à Véhicule Art, au Studio Z, au Conventum, au musée d'Art contemporain et au Théâtre Expérimental des femmes et participé au spectacle *Célébrations* au TNM. Elle détient un baccalauréat spécialisé en art dramatique (1970) et une maîtrise en études littéraires (1974) de l'université du Québec à Montréal et prépare une thèse de doctorat sur le théâtre de Michel Tremblay à l'université de Montréal. Professeure de littérature au cégep de Rosemont depuis 1974, elle recevait, en 1981, le Prix des jeunes auteurs du *Journal de Montréal* pour *la Vie en prose*. Elle avait auparavant remporté le Prix du Concours des œuvres radiophoniques de Radio-Canada, catégorie 60 minutes, pour *les Belles de nuit* (1980).

## ŒUVRES

**Meurtres à blanc,** roman. Montréal, Guérin, 1974. 164 p. Coll. « Le Cadavre exquis », 4.

**Machine-t-elle,** poésie. Montréal, Les Herbes rouges, n° 22, juillet 1974. N.p.

**Que du stage blood,** récit. Montréal, Cul-Q, 1977. 44 p. Coll. « Exit », 2.

**Terre de mue,** poésie. Montréal, Cul-Q, 1978. N.p. Coll. « Mium/Mium », 20.

**La Vie en prose,** roman. Montréal, Les Herbes rouges, 1980. 264 p. Coll. « Lecture en vélocipède », 25. ISBN 2-920051-06-7.

**Du côté hiéroglyphe de ce qu'on appelle le réel** suivi de **Devant le temple de Louxor le 31 juillet 1980,** proses. Montréal, Les Herbes rouges, nos 102-103, avril-mai 1982. 73 p.: ill. ISSN 0441-6627.

**Ange amazone,** roman. Montréal, Les Herbes rouges, 1982. 99 p. ISBN 2-920051-10-5.

**Adrénaline.** Graphisme et photo de Michel Lemieux. Saint-Lambert, Éditions du Noroît, 1982. 172 p.

### Jocelyne VILLENEUVE

D. et L. Laframboise

(Val-d'Or, 9 février 1941– ). Poète, romancière, conteuse et nouvelliste, Jocelyne Villeneuve est également, à l'occasion, critique littéraire au journal de Sudbury, *le Voyageur.* Bachelière ès arts (1962) et en littérature (1973) de l'Université Laurentienne, elle détient également un baccalauréat en bibliothéconomie de l'université d'Ottawa (1964) et a d'ailleurs été bibliothécaire de 1964 à 1967. Elle est membre de l'Association des écrivains de langue française, mer et outre-mer.

## ŒUVRES

**Des gestes seront posés,** roman-poème. Sudbury, Éditions Prise de parole, 1977. 101 p.

**Contes des quatre saisons.** Illustrations de France Bédard. Montréal, Héritage, 1978. 125 p. : ill. Coll. « Pour lire avec toi ». ISBN 0-7773-4412-2.

**Le Coffre,** nouvelles. Illustrations de Luc Robert. Sudbury, Éditions Prise de parole, 1979. 65 p. : ill. ISBN 0-920814-20-4.

**La Saison des papillons,** recueil de poèmes rédigés à la façon des haïkaïs, suivi de **Propos sur le kaïkaï.** Sherbrooke, Naaman, 1980. 75 p. : ill. Coll. « Création », 78. ISBN 2-89040-160-X.

## Paul VILLENEUVE

Kèro

(Jonquière, 30 juin 1944–     ). Paul Villeneuve a étudié en sociologie avant de travailler un temps dans l'enseignement et à la télévision éducative.

## ŒUVRES

**J'ai mon voyage !,** roman. Montréal, Éditions du Jour, 1969. 156 p. Coll. « Les Romanciers du Jour ».

**Satisfaction garantie,** récit. Montréal, Claude Langevin Éditeur, 1970. 157 p.

**Johnny Bungalow, chronique québécoise 1937–1963.** Montréal, Éditions du Jour, 1974. 400 p. ISBN 0-7760-0593-6.

## Pauline VINCENT

(Montréal, 21 décembre 1943–     ). Pauline Vincent est directrice des relations publiques de l'Agence Cabana Séguin. Bien que détentrice d'un brevet d'enseignement de l'école normale Ignace-Bourget, elle n'a enseigné qu'un an avant de devenir réalisatrice à CKLM (1964), correspondante à Paris et Rome pour *le Petit Journal* (1965), journaliste à *la Patrie* (1966–1969) puis présidente des sociétés Diffusion Pauline Vincent et Cornélux (1974–1979). Dans

le milieu littéraire, elle fut attachée de presse au Cercle du livre de France (1969) et aux Éditions de l'Homme (1972–1974) ; elle a aussi des chroniques à différentes émissions de télé ou de radio. En 1982, elle présentait une dramatique sur les ondes de Radio-Canada, *Urgence neige.*

## ŒUVRES

**Être belle dans sa peau,** livre pratique. Montréal, Héritage, 1978. 222 p. ISBN 0-7773-3911-0.

**Le Corps,** livre pratique. Montréal, Héritage, 1979. 92 p. Coll. « Les P'tits Pratiques ». ISBN 0-7773-4546-3.

**Le Visage,** livre pratique. Montréal, Héritage, 1979. 79 p. Coll. « Les P'tits Pratiques ». ISBN 0-7773-4577-3.

**Parfums pour elle et lui,** livre pratique. Montréal, Héritage, 1979. 79 p. Coll. « Les P'tits Pratiques ». ISBN 0-7773-4548-X.

**Des idées de cadeaux,** livre pratique. Montréal, Héritage, 1979. 79 p. Coll. « Les P'tits Pratiques ». ISBN 0-7773-4548-X.

**Marcel Favreau, peintre de la lumière,** biographie. Montréal, Galerie M.F., 1981. 143 p. ISBN 2-9800081-0-9.

## ŒUVRE TRADUITE

**Marcel Favreau, Artist of Light,** biographie. Traduction anglaise de Ann Rojan ; titre original : **Marcel Favreau, peintre de la lumière.** Montréal, Galerie M.F., 1981. 143 p.

## Jeanne VOIDY

Pseud. de Louise Demers-Laroche.
Autre pseud. : Dersem.

(Saint-Romuald, 21 mai 1922–     ). Conteuse et essayiste, Jeanne Voidy fait d'abord ses humanités classiques au collège de Bellevue avant d'obtenir un baccalauréat ès arts de l'université Laval en 1943. Journaliste au *Soleil* de 1945 à 1947, elle est finaliste au Prix du Cercle du livre de France en 1973 et au Con-

cours des contes et nouvelles de Sherbrooke en 1976.

## ŒUVRES

**Mes amours,** essai. Montréal, Éditions Paulines, 1969. 109 p.

**Les Contes de la source perdue.** Montréal, HMH, 1978. 117 p. Coll. « L'Arbre ». ISBN 0-7758-0130-5.

**Lectures brèves pour le métro,** contes. Sherbrooke, Cosmos, 1978. 121 p. Coll. « Relances », 14.

## Élizabeth VONARBURG

(5 août 1947– ). Au Québec depuis 1973, Élizabeth Vonarburg enseigne à l'université du Québec à Chicoutimi. Directrice de la revue de science-fiction *Solaris* depuis 1979, elle collabore également à *Requiem* et sa nouvelle intitulée *l'Œil de la nuit* lui a valu le Prix Dagon 1978. Elle est agrégée de lettres modernes ; son mémoire de thèse portait sur le double thème de *Fantastique et Science-fiction*. Son dernier roman a remporté le Grand Prix littéraire de la science-fiction française (1982).

## ŒUVRES

**L'Œil de la nuit,** nouvelles. Longueuil, Le Préambule, 1980. 208 p. Coll. « Chroniques du futur », 1. ISBN 2-89133-017-8.

**Le Silence de la cité,** roman de science-fiction. Paris, Denoël, 1981.

# W-Y

**Hubert**
**WALLOT**

Kèro

(Valleyfield, 21 mars 1945– ). Médecin, Hubert Wallot est également diplômé en management et en psychiatrie de l'université McGill (1977) et détient un M.P.H. en santé publique de Harvard (1979). Psychiatre aux hôpitaux Robert-Giffard (Québec), Douglas (Montréal) et de Sept-Îles, il fait des recherches sur le stress psychologique en milieu de travail. Ancien président de la Fédération des étudiants de l'université de Sherbrooke, de la Fédération des médecins résidants de Québec et du Comité d'éducation de l'Association médicale du Québec, il fut également membre du Comité de planification à long terme de l'École de santé publique de Harvard et est actuellement membre du Conseil de l'éducation médicale continue du Québec. Politiquement engagé, il a été président du RIN du comté de Beauharnois en 1964-1965 et a fait paraître nombre d'opinions libres dans *le Jour, le Devoir, la Tribune* et *le Campus estrien.*

ŒUVRES

**Épitaphe,** poésie. Montréal, Cosmos, 1972. 72 p.: ill. Coll. « Amorces », 13.

**L'Accès au monde littéraire. Éléments pour une critique littéraire chez Maurice Merleau-Ponty,** précédé de **Une philosophie de la perception,** essai. Sherbrooke, Naaman, 1977. XIV-135 p. Coll. « Thèses ».

**D'un sexe à l'autre,** essai. Illustrations de Luc Denis. Sherbrooke, Naaman, 1978. 80 p.: ill. Coll. « Pour tous ».

**Aubes et Nuages,** suivi de **Adolescence interdite,** poésie. Paris, Éditions de la Pensée universelle, 1978. 126 p. Coll. « Poètes du temps présent ».

**Intermèdes,** poésie et prose. Sherbrooke, Éditions Naaman, 1981. 84 p. Coll. « Création », 103. ISBN 2-89040-200-2.

**Linda**
**WILSCAM**

(Montréal, 5 avril 1949– ). Comédienne, professeure et metteuse en scène, Linda Wilscam est également l'auteure de la série télévisée

*Picotine* et des contes du même nom. Auteure à l'emploi de Radio-Canada de 1971 à 1979, elle a enseigné le théâtre à l'université McGill de 1977 à 1980 et donne, depuis 1980, des cours de dramaturgie et de mise en scène au cégep Lionel-Groulx. Elle a complété une licence en littérature à l'université McGill en 1978 et y a rédigé une thèse de maîtrise sur l'évolution du jeu de l'acteur (1979). Rédactrice à la revue de théâtre *Jeu* en 1979, elle est membre de l'Union des artistes et de la Société des auteurs, recherchistes, documentalistes et compositeurs.

### ŒUVRES

**Les Mots de Picotine : l'homme aux ballons,** conte pour enfants. En collaboration avec Michel Dumont ; illustrations de Cécile Gagnon. Montréal, Héritage, 1977. 108 p. : ill. Coll. « Pour lire avec toi ».

**Les Mots de Picotine : rêveries,** conte pour enfants. Illustrations de Jocelyne Doray. Montréal, Héritage, 1980. 94 p. : ill. Coll. « Pour lire avec toi ». ISBN 0-7773-4420-3.

## Serge WILSON

Diane Hardy

(Saint-Jérôme, 1er juin 1950– ). Auteur de contes pour enfants et de romans d'aventure, Serge Wilson a aussi fait l'adaptation de plusieurs bandes dessinées. Après son cours collégial à Saint-Jérôme, il s'inscrit à l'université du Québec à Montréal où il suit des cours d'histoire de l'art de 1971 à 1973. Pigiste pour différentes maisons d'édition depuis 1977, il s'est intéressé tant au domaine technique qu'aux abonnements, à la publicité et au montage. Membre de Communication-Jeunesse, il est également le directeur-fondateur de *Lurelu*, revue trimestrielle consacrée à la promotion de la littérature de jeunesse.

### ŒUVRES

**La Belle Perdrix verte,** adaptation d'un conte en bandes dessinées. Illustration de Claude Poirier. Montréal, Héritage, 1975. N.p. : en maj. part. ill. en coul. Coll. « Contes de mon pays ». ISBN 0-7773-2081-9.

**Jean le paresseux,** adaptation d'un conte en bandes dessinées. Illustrations de Claude Poirier. Montréal, Héritage, 1976. N.p. : ill. en coul. Coll. « Contes de mon pays ». ISBN 0-7773-2082-7.

**Barbaro-les-grandes-oreilles,** adaptation d'un conte en bandes dessinées. Illustrations de Claude Poirier. Saint-Lambert, Héritage, 1976. N.p. : en maj. part. ill. en coul. Coll. « Contes de mon pays ». ISBN 0-7773-4301-0.

**Barbaro et la Bête-à-sept-têtes,** adaptation d'un conte en bandes dessinées. Illustrations de Claude Poirier. Saint-Lambert, Héritage, 1976. N.p. : en maj. part. ill. en coul. Coll. « Contes de mon pays ». ISBN 0-7773-4302-9.

**Ti-Jean et le Gros Roi,** adaptation d'un conte. Illustrations de Claude Poirier. Montréal, Héritage, 1977. 126 p. : ill. Coll. « Pour lire avec toi ». ISBN 0-7773-4409-2.

**Étoile et Soleil d'or,** adaptation d'un conte en bandes dessinées. Illustrations de Claude Poirier. Saint-Lambert, Héritage, 1978. N.p. : en maj. part. ill. en coul. Coll. « Contes de mon pays ». ISBN 0-7773-2083-5.

**Marie-Mardi : le secret d'Anthime,** roman d'aventure. Illustrations de Michèle Devlin. Montréal, Héritage, 1978. 123 p. : ill. Coll. « Pour lire avec toi ».

**Fend-le-vent et le Visiteur mystérieux,** roman d'aventure. Illustrations de Claude Poirier. Montréal, Héritage, 1980. 123 p. : ill. ISBN 0-7773-3016-4.

**Mimi Finfouin et la Mère Crochu.** Montréal, Héritage, 1982. 128 p. ISBN 0-7773-3019-9.

## Paul WYCZYNSKI

(Zelgoszcz, Pologne, 29 juin 1921– ). Spécialiste de la littérature canadienne-française, Paul Wyczynski est avant tout essayiste, comparatiste et critique. Diplômé de l'université de Lille où il obtient une licence ès lettres (1949) et un diplôme d'études supérieures (1950), il devient professeur à l'université d'Ottawa dès 1951. C'est à partir de ce moment qu'il entreprend de vastes recherches sur la littérature canadienne-française et plus particulièrement sur l'École littéraire de Montréal. En 1957, il termine un doctorat sur Émile Nelligan et, à la même époque, fonde le Centre de recherche en littérature canadienne-française — devenu Centre de recherche en civilisation canadienne-française en 1967 — qu'il dirige pendant quinze ans (1958-1973). Il a également participé à la Commission royale d'enquête sur le bilinguisme et le biculturalisme (1963). En plus de ses nombreux ouvrages, il a publié plusieurs articles dans des revues telles la *Revue de l'université d'Ottawa, Thought, Recherches sociographiques* et est membre de plusieurs associations dont la Société des écrivains canadiens, la Société royale du Canada et la Société française d'histoire d'outre-mer. Outre le doctorat honorifique qui lui fut décerné par l'université Laurentienne en 1978, Paul Wyczynski a reçu la Médaille Émile-Nelligan (1979) et la Médaille Jean-Paul II de l'université de Lublin (1980).

## ŒUVRES

**Noc betlejemska,** théâtre. Lille, Drukarnia polska, 1949. 60 p.

**Émile Nelligan. Sources et Originalité de son œuvre,** essai de critique littéraire. Ottawa, Éditions de l'université d'Ottawa, 1960. 349 p. Coll. « Visages des lettres canadiennes ».

**Mouvement littéraire de Québec de 1860.** En collaboration. Ottawa, Éditions de l'université d'Ottawa, 1961. 212 p. Coll. « Archives des lettres canadiennes », 1.

**L'École littéraire de Montréal.** En collaboration. Montréal, Fides, 1963. 383 p.: ill. Coll. « Archives des lettres canadiennes », 2.

**Le Roman canadien-français. Évolution. Témoignage. Bibliographie.** En collaboration. Montréal, Fides, 1965. 458 p.: ill. Coll. « Archives des lettres canadiennes », 3.

**Poésie et Symbole,** essai de critique littéraire. Montréal, Librairie Déom, 1965. 253 p. Coll. « Horizons ».

**François-Xavier Garneau. Aspects littéraires de son œuvre,** essais de critique littéraire. En collaboration. Ottawa, Éditions de l'université d'Ottawa, 1966. 208 p. Coll. « Visages des lettres canadiennes ».

**Émile Nelligan,** essai de critique littéraire. Montréal, Fides, 1967. 192 p.: ill. Coll. « Écrivains canadiens d'aujourd'hui ».

**François-Xavier Garneau. Voyage en Angleterre et en France, dans les années 1831, 1832 et 1833,** édition critique. Ottawa, Éditions de l'université d'Ottawa, 1968. 379 p. Coll. « Présence ».

**La Poésie canadienne-française.** En collaboration. Montréal, Fides, 1969. 701 p.: ill. Coll. « Archives des lettres canadiennes », 4.

**Recherche et Littérature canadienne-française,** essais. Sous la direction de Paul Wyczynski, Jean Ménard et John Hare. Ottawa, Éditions de l'université d'Ottawa, 1969. 297 p. Coll. « Cahiers du Centre de recherche en littérature canadienne-française », 2.

**Nelligan et la Musique,** essai de critique littéraire. Ottawa, Éditions de l'université d'Ottawa, 1971. 151 p.: ill. Coll. « Cahiers du Centre de recherche en civilisation canadienne-française ».

**Albert Laberge-Charles Gill,** catalogue descriptif en français et en anglais. Préface de Guy Sylvestre. Ottawa, Bibliothèque nationale du Canada, 1971. 84 p.

**Bibliographie descriptive et critique d'Émile Nelligan,** bibliographie. Ottawa, Éditions de l'université d'Otttawa, 1973. 319 p.: ill. Coll. « Bibliographies du Canada français ».

**On a Disquieting Earth — Sur une terre incertaine, 500 years after — 500 ans après Copernicus,** essais. Sous la direction de Guy Sylvestre, Théodore J. Blachut, Paul Wyczynski, Léopold Lamontagne et Wilfred Cantwell Smith. Ottawa, Société royale du Canada, 1974. 160 p.

**Le Théâtre canadien-français.** Montréal, Fides, 1976. 1026 p.: ill. Coll. « Archives des lettres canadiennes », 5.

**Dictionnaire pratique des auteurs québécois.** En collaboration avec Réginald Hamel et John Hare. Montréal, Fides, 1976. XXV-725 p.

**François-Xavier Garneau, 1809-1866,** catalogue descriptif en français et en anglais. En collaboration avec Pierre Savard. Ottawa, Bibliothèque nationale du Canada, 1977. 80 p.: ill.

**Octave Crémazie-Émile Nelligan,** catalogue descriptif en français et en anglais. En collaboration avec Odette Condemine. Ottawa, Bibliothèque nationale du Canada, 1979. 98, 107 p.

**Album Nelligan,** monographie illustrée. Montréal, Fides, 1980. Coll. « Albums ».

**W stonecznej ciemni,** poésie. Toronto, Glos polski, 1980.

**Crémazie et Nelligan,** essais de critique littéraire. Sous la direction de Réjean Robidoux et Paul Wyczynski. Montréal, Fides, 1981. 190 p. ISBN 2-7621-1095-5.

## ÉTUDE

**Mélanges de civilisation canadienne-française offerts au professeur Paul Wyczynski.** Ottawa, Éditions de l'université d'Ottawa, 1977. 302 p.: ill., fac-sim., notations musicales, portr. Coll. « Cahiers du Centre de recherche en civilisation canadienne-française ».

## † Jean-Michel WYL

(1942-Montréal, 22 décembre 1980). Romancier et journaliste, Jean-Michel Wyl occupait le poste de collaborateur aux nouvelles de Radio-

Canada pour le nord du Québec. Il travaillait dans cette région depuis déjà quelques années, ayant été journaliste à *l'Écho abitibien*. Son dernier roman, *À l'été des Indiens*, est paru en 1980. Il préparait peu avant sa mort un livre relatant la grève des travailleurs de l'information de Radio-Canada, *Marche ou Grève*.

**ŒUVRES**

**Les Chiens de Satan,** roman. Montréal, Éditions du Bélier, 1968.
**L'Exil,** roman. Montréal, La Presse, 1976. 137 p. ISBN 0-7777-0133-4.
**Québec Banana State,** roman. Montréal, Beauchemin, 1978. 339 p. ISBN 0-7750-0483-9.
**Quand meurent les dauphins,** roman. Montréal, Beauchemin, 1979. 98 p. ISBN 2-7616-0014-2.
**À l'été des Indiens,** roman. Montréal, Libre Expression, 1980. 147 p.

**Luôar**
**YAUGUD**

Voir Raôul Duguay.

**Robert**
**YERGEAU**

(Cowansville, 25 décembre 1946– ). Robert Yergeau a étudié à Sherbrooke où il a complété des études universitaires en lettres. En 1980, le Prix Gaston-Gouin lui était accordé pour son recueil *l'Oralité de l'émeute*.

**ŒUVRES**

**Les miroirs chavirent**, poésie. Sherbrooke, s.é., 1976. 30 p.
**Présence unanime**, poésie. Ottawa, Éditions de l'université d'Ottawa, 1981. 65 p. Coll. « L'Astrolabe », 4.
**L'Oralité de l'émeute**, poésie. Sherbrooke, Éditions Naaman, 1981. 60 p. Coll. « Création », 97. ISBN 2-89040-192-8.
**Déchirure de l'ombre** suivi de **le Poème dans la poésie**. Avec trois dessins de Christian Tisari. Saint-Lambert, Éditions du Noroît, 1982. 61 p. Coll. « L'Instant d'après », 2. ISBN 2-89018-060-3.

**Élie-Pierre**
**YSRAËL**

Voir Jacques Renaud.

**Josée**
**YVON**

(Montréal, 31 mars 1950– ). Critique à *Mainmise* (1976–1978) et à *Hobo-Québec* depuis 1974, Josée Yvon a également collaboré à *Cul-Q, Sorcières* (Paris), *Beatitude* (Californie), *Sisters* (Los Angeles), *le Point d'Ironie* (Allemagne), *Stars Screwers* (France) et à bien d'autres revues. Gagnante du Prix des jeunes auteurs de la Nouvelle Compathie théâtrale et du Centre d'essai des auteurs dramatiques pour une pièce inédite, *l'Invention* (1969), elle a publié, depuis, un recueil de poèmes, un récit ainsi qu'un roman poétique. Tour à tour barmaid, régisseure-éclairagiste et scénariste, professeure de littérature et traductrice à la pige, elle détient une licence en lettres de l'université du Québec à Montréal (1971) et une maîtrise en études théâtrales de Dusseldorf Schauspielhaus (1975). Intéressée par la littérature révolutionnaire américaine et par la littérature lesbienne, Josée Yvon a participé à nombre de rencontres et fait lecture de ses textes au Solstice de la poésie (1976), à la Nuit de la Saint-Jean (1978), etc.

**ŒUVRES**

**Filles-Commandos bandées,** poésie. Postface de Paul Chamberland et Denis Vanier. Montréal, Les Herbes rouges, nº 35, 1976. N.p.: ill. ISSN 0441-6627.
**La Chienne de l'hôtel Tropicana,** récit. Illustrations de Susan Meseilas. Montréal, Cul-Q, 1977. 40 p.: ill. Coll. « Exit ».
**Travesties-Kamikaze,** roman poétique. Illustrations de Susan Meseilas. Montréal, Les Herbes rouges, 1980. 150 p.: ill. Coll. « Lecture en vélocipède », 24. ISBN 2-920051-05-9.
**Pulsations.** En collaboration. Trois-Rivières, Atelier de production littéraire de la Mauricie, 1980. 78 p.: fac-sim. ISBN 2-920228-12-9.

**Odette YVON**

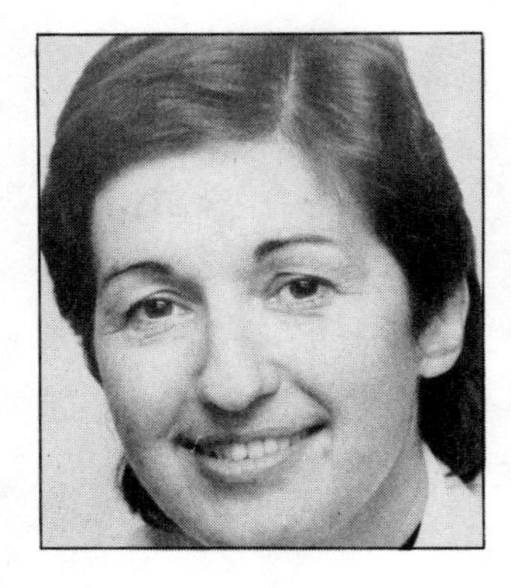

Pseud. d'Odette Kwiatkowsky.

(Chatillon-sur-Chalaronne, France, 23 janvier 1939– ). Journaliste depuis 1969, Odette Yvon a travaillé pour divers journaux de Laval : *le Courrier, l'Observateur, le Journal régional, Contact-Laval*, avant d'entrer à *la Semaine* de Repentigny en 1979. Elle est l'auteure de trois livres pour enfants parus aux Éditions Paulines et certains de ses textes ont servi à l'enseignement du français en Ontario.

**ŒUVRES**

**Petit-Jo, prince de la Garenne,** littérature pour enfants. Illustrations de Claire Duguay. Sherbrooke, Éditions Paulines, 1972. 14 p.: ill. part. en coul. Coll. « Mes amis », 7. ISBN 0-88840-316-X.

**Les Aventures de Petit-Jo,** littérature pour enfants. Illustrations de Claire Duguay. Montréal, Éditions Paulines, 1974. 60 p.: ill. part. en coul. Coll. « Boisjoli », 1. ISBN 0-88840-393-3.

**Michel, l'ami des animaux,** littérature pour enfants. Illustrations de Gabriel de Beney. Montréal, Éditions Paulines, 1974. 15 p.: ill. part. en coul. Coll. « Rêves d'or », 1. ISBN 0-88840-407-7.

COMPOSÉ AUX ATELIERS
GRAPHITI BARBEAU, TREMBLAY INC.
À SAINT-GEORGES-DE-BEAUCE

Achevé d'imprimer
en février mil neuf cent quatre-vingt-trois
sur les presses de l'Imprimerie Gagné Ltée
Louiseville - Montréal.
Imprimé au Canada